# Barok

# Barok

Architectuur · Beeldhouwkunst · Schilderkunst

Samenstelling: Rolf Toman
Fotografie: Achim Bednorz

ULLMANN & KÖNEMANN

AFBEELDING VOORZIJDE OMSLAG:
Bom Jesus do Monte, Braga, 1784-1811
Kruisweg en kerkgevel
Foto: Achim Bednorz

AFBEELDING ACHTERZIJDE OMSLAG:
Johann Joseph Christian:
Kerk van de benedictijnenabdij, Ottobeuren
Engel van het altaar aan de zuidkant van de kruising
Ca. 1760
Foto: Achim Bednorz

FRONTISPICE:
Egid Quirin Asam
Tenhemelopneming van Maria, 1723
Rohr, kloosterkerk van de augustijner koorheren


Oorspronkelijke titel: Die Kunst des Barock
ISBN-10: 3-8331-1041-4
ISBN-13: 978-3-8331-1041-2

Redactie en productie Duitstalige uitgave: Rolf Toman, Espéraza, Birgit Beyer, Keulen, Barbara Borngässer, Potzwenden
Fotografie: Achim Bednorz, Keulen
Fotoverwerving: Barbara Linz, Keulen

Omslagontwerp: Werkstatt München

Productie Nederlandstalige uitgave: TextCase, Groningen
Vertaling Nederlandstalige uitgave: Jan Bert Kanon, Dirk de Rijk (voor TextCase)
Redactie Nederlandstalige uitgave: Elke Doelman
Zetwerk: Signia, Winschoten


Special edition
ISBN 978-3-8331-3342-8

Printed in China

10 9 8 7 6 5 4 3 2 1
X IX VIII VII VI V IV III II I

# Inhoud

AFBEELDING BLZ. 6:
**Johann Michael Rottmayr**
Koepelfresco, 1716-1717
Melk, Stiftskirche

**Francesco Borromini**
Rome, San Carlo alle Quattro Fontane
Voorgevel (detail), 1664-1667

Barbara Borngässer/Rolf Toman

# Inleiding

**'Theatrum mundi', het leven als totaalkunstwerk**
Niemand heeft het levensgevoel van de Barok op treffender wijze gekarakteriseerd dan de Spaanse dichter Calderón de la Barca. In zijn allegorische toneelstuk *El Gran Theatro del Mundo* ('Het grote wereldtoneel'), voor het eerst in 1645 opgevoerd, vertaalde hij de antieke topos van het 'leven als spel' naar zijn eigen tijd: voor God de Vader en zijn hemelse hofhouding treden de mensen als toneelspeler op; het stuk dat ze spelen, is hun eigen leven, hun toneel is de wereld.

Het gehele tijdperk van de Barok, het tijdvak tussen het einde van de 16e en de late 18e eeuw, is doortrokken van de metafoor van het 'wereldtoneel'. Schrille contrasten die voor en achter het doek zichtbaar worden, drukken er hun stempel op. Zijn en schijn, overdadige pracht en ascese, macht en onmacht zijn de antagonistische constanten van de tijd. In een door sociale conflicten, oorlogen en religieuze strijd geteisterde wereld bood het gigantische toneelstuk een zeker houvast; de zelfenscenering van de barokke heerser, of hij nu paus of koning was, vormde tegelijk een politiek programma. Het ceremonieel, de regie-aanwijzing in dit 'wereldtoneel', werd een spiegel van een hogere, ogenschijnlijk door God gegeven orde.

De beeldende kunsten speelden een dubbelrol: ze dienden ertoe om de onderdanen te imponeren, ja, zelfs te 'verblinden', en moesten gelijktijdig de ideologische inhoud 'transporteren'. Ze vormden de coulissen van het theater en schiepen de illusie van een perfect geordende wereld. Niets kan dit beter veraanschouwelijken dan de perspectivische plafondschilderingen in kerken en paleizen: daarin opent zich de schijnruimte boven de reële ruimte die uitzicht biedt op de hemelse sferen.

Het lukt echter niet altijd om de dagelijkse beslommeringen te doen vergeten; zo bezit de kunst van de Barok vaak verwarrende verschijningsvormen. Tegenover de tentoonspreiding van een uitbundige materiële pracht en praal staat een diepe geloofsernst en tegenover een ongeremde zinnelijke levensvreugde het besef dat men moet sterven. In het tijdperk van de Barok wordt het motto 'memento mori', 'gedenk te sterven', het leidmotief van een heftig bewogen, door levensangsten gekwelde samenleving. Het is geen toeval dat in de overvloedige stillevens van die tijd vaak een verwijzing schuilgaat naar vergankelijkheid, bijvoorbeeld door een worm, een rotte bes of een stuk brood waarvan gegeten is.

Barokke kunst richt zich altijd eerst op de zinnen van de beschouwer: haar theatrale pathos, haar illusionisme, de dynamiek van haar vormen willen imponeren, overreden, tot een innerlijke bewogenheid aanzetten. Dit verklaart waarom men vaak vindt dat ze geëxalteerd is, effect najaagt, ja, zelfs 'bombastisch' is. Reeds de Italiaanse schrijver Francesco Milizia zag tegen het einde van de 18e eeuw in de barokke architectuur, bijvoorbeeld in het werk van Borromini, de "overtreffende trap van het bizarre, de uitspatting van het lachwekkende". Ook in onze eeuw stond men kritisch tegenover de uitingen van het baroktijdperk. Zo klaagt de Italiaanse filosoof Benedetto Croce in de jaren '20 over het gebrek aan "substantie", Barok zou "een spel" zijn, "een najagen van middelen om verbazing op te roepen. Door zijn karakter maakt de Barok [...] uiteindelijk, ondanks zijn oppervlakkige bewogenheid en warmte, toch een kille indruk; ondanks zijn rijkdom aan beelden en de combinatie daarvan laat hij een gevoel van leegte achter." Veel van deze voorbehouden tegenover de barokke kunst zijn nog altijd merkbaar. Maar wellicht kan men in de huidige tijd, die weer gevoelig is voor 'oppervlakkige' prikkels, een nieuwe weg vinden naar dit tijdvak met z'n vele facetten.

Naast de eerste optische, 'zinnelijke' toegang tot de Barok bieden de bijdragen van de afzonderlijke auteurs het gereedschap voor een beter begrip van de barokke cultuur. Haar (geestes)historische en maatschappelijke achtergrond is steeds opnieuw voorwerp van beschouwing; nieuwere wetenschappelijke inzichten die bijvoorbeeld de invloed van de retorica op de beeldstructuur betreffen, het concept van het 'totaalkunstwerk' of de betekenis van de –kortstondige– feesten aan het hof voor het ontstaan van tijdloze kunstwerken zijn steeds opnieuw onderdeel van de toelichtingen. Enkele basisbegrippen van de barokke cultuurgeschiedenis dienen hier echter al te worden genoemd.

**Paul Decker**
Perspectivisch gezicht op het ideale koningspaleis
Uit: *Fürstlicher Baumeister...*
Augsburg, 1711-1716

**Filippo Juvarra**
Theaterperspectief
Turijn, Biblioteca Nazionale

AFBEELDING BLZ. 9:
**Balthasar Neumann**
Brühl, Schloß Augustusburg
Trappenhuis, 1741-1744

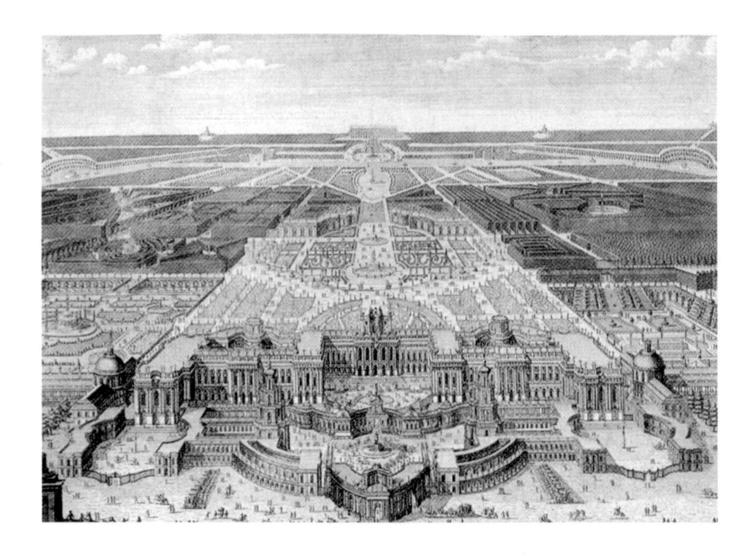

**'Barok' als stijl- en tijdperkbegrip**

De genoemde voorbehouden tegenover de Barok kunnen ook aan de ontwikkeling van het begrip Barok worden afgelezen. Voordat de benaming in de late 19e eeuw als stijlbegrip ingang vond, werd ze als adjectief in de negatieve zin van 'potsierlijk, bizar, overladen, vaag en warrig, kunstmatig en gekunsteld' al rijkelijk vaak gebruikt. Nog in de tweede, in 1904 verschenen uitgave van Meyers *Konversationslexikon* staat te lezen: "Barok ... eigenlijk 'scheefrond' (van parels), later zo veel als 'onregelmatig, merkwaardig, wonderlijk'...". Nog tot in de jaren '20 van de 20e eeuw, zoals uit de uiteenzettingen van Benedetto Croce blijkt, bleef het negatieve imago van de 'Barok' dominant en werd er nauwelijks over nagedacht. Pas in 1956 publiceerde Hans Tintelnot een eerste historische betoog over hoe wij aan onze barokbegrippen komen.

Het negatieve beeld van een bombastische, zelfs lachwekkende kunst, ontstaan tegen de achtergrond van een classicistisch-antieke esthetica, werd op welhaast dogmatische wijze op de academies benadrukt. Juist een geleerde als Johann Joachim Winckelmann zag in het tijdperk van de Barok niet veel meer dan een "koortsachtig woeden". Pas Jakob Burckhardt zag, hoewel hij net als Winckelmann gebonden was aan de receptie van de klassieke Oudheid, de architectuur van de 17e en 18e eeuw niet meer als een geïsoleerd, abnormaal fenomeen, maar benadrukte haar afhankelijkheid van de vormenrijkdom van de Renaissance. Hoewel hij de overgang van de Renaissance naar de Barok beschreef als "verwildering van een dialect", was voortaan toch de weg naar een genuanceerder beschouwingswijze en naar de eerste exactere vormanalyses geopend. In 1875 bekende Burckhardt: "Mijn respect voor de Barok neemt per uur toe, en ik ben geneigd deze voor het feitelijke einde en voor het belangrijkste resultaat van de levende architectuur te houden" – een opvallende wijziging van zijn houding.

De doorbraak van de 'Barok' als onderzoeksobject kwam met de geschriften van de architect en kunsthistoricus Cornelius Gurlitt in de jaren '80 van de 19e eeuw, weliswaar in een tijd waarin men met de constructie van neobarokke bouwwerken een vrijere houding begon aan te nemen tegenover deze stijl. Mét de bevrijding uit een academisch-normatieve dwang werd ook het substantivisch gebruikte vakbegrip 'Barok' geformuleerd. Het bleef echter aan Heinrich Wölfflin voorbehouden om via zijn boeken *Renaissance und Barock* (1888) en de *Kunstgeschichtliche Grundbegriffe* (1915) zijn stempel te drukken op het barokonderzoek van de decennia erna. In antoniemenparen als 'lineair – picturaal', 'dynamisch – statisch', 'open – gesloten', 'tastbaar – niet-tastbaar' probeerde hij met name barokke fenomenen te karakteriseren. Voor het eerst werd ook rekening gehouden met psychologische momenten, de ervaring van de beschouwer en het middel van illusionistische vormgeving, waarmee de lezer vertrouwd werd gemaakt.

Deze laatste problemen hielden ook Erwin Panofsky bezig in zijn beroemde opstel over de Scala Regia van Bernini (1919) of Hans Sedlmayr in diens *Österreichische Barockarchitektur* uit 1930. Ongeveer tezelfdertijd werden de geesteshistorische fundamenten van de Barok onderzocht, bijvoorbeeld de rol van de Contrareformatie of de iconografische bronnen, waarvoor vooral de nieuwe bewerking van Cesare Ripa's *Iconologia* uit 1593 het pad effende.

Onder invloed van een sterker interdisciplinair onderzoek wijzigde zich het begrip van de Barok opnieuw in de laatste decennia: op de voorgrond staat nu het 'totaalkunstwerk', het op elkaar inwerken en wederzijds beïnvloeden van alle kunstgenres in woord en beeld, de retorica net zo goed als het feestwezen en de beeldende kunsten. Het begrip 'wereldtoneel' omvat tegenwoordig een wezenlijk complexer beeld van een tijdperk, dat nu niet meer als een bizarre ongerijmdheid, maar eerder als een intelligent theater wordt opgevat.

**Pathos en theatraliteit**

In zijn boek *Nederlands beschaving in de zeventiende eeuw* schetst de Nederlandse historicus Johan Huizinga een pregnant cultureel schema van de Barok: "Pracht en waardigheid, het theatrale gebaar, de strenge regel en het gesloten leerstelsel heersen, gehoorzame eerbied voor Kerk en staat is het ideaal. De monarchie wordt als staatsvorm vergoddelijkt, tegelijk huldigen de staten elk voor zich de grondregel van een onbeperkt nationaal egoïsme en zelfbeschikking. Het gehele openbare leven beweegt zich in de vormen van een hoogdravende welsprekendheid, die voor volmaakte ernst gehouden wil worden. Pronk en parade, met pompeuze vormelijkheid, vieren hoogtij. Het hernieuwde geloof drukt zich plastisch uit in luidschallende, triomfantelijke verbeeldingen: Rubens, de Spaanse schilders, Bernini." Huizinga benut dit schema als contrasterende achtergrond om de "slechts zeer ten dele" overeenkomende kenmerken van de Hollandse cultuur te schetsen. "Noch de strenge stijl, noch het grote gebaar en de majestueuze waardigheid zijn voor dit land karakteristiek." Het ontbreekt Holland dus geheel en al aan theatraliteit, een belangrijke eigenschap van de Barok en een centrale categorie die veel verschijningsvormen van barokke kunst überhaupt begrijpelijk maakt.

Als voorbeeld van de nauwe samenhang tussen theatraliteit, behoefte aan representatie en de voor dit doel ontwikkelde feestcultuur met overeenkomstige vormen van de architectuur zij hier slechts gewezen op de voor de Barok zo belangrijke kastelen en stadspaleizen en met name op hun trapconstructies, die terecht zo vaak in dit boek worden afgebeeld. Trapconstructies vormen een uitermate geschikt toneel voor sociale optredens en 'afgangen'. De Duitse literatuurhistoricus Richard Alewyn toont ons op fraaie wijze hun functie: "De vraag waarom de fantasie van het tijdperk zo hogelijk door deze ruimte werd geïnspireerd, is duidelijk: de ruimte is bedoeld om er in een bepaalde richting, en wel in de voor de Barok dierbare diagonaal, doorheen te schrijden, waarbij de ruimte pas in de beweging ontsloten wordt. Het trappenhuis brengt het klassieke geval van de bewogen beschouwer tot stand, een principe van alle ruimtelijke barokkunst. Maar waar aankomst en ontvangst van gasten zo belangrijk waren, had het trappenhuis net als de vestibule ook zijn sociale betekenis als coulisse, die men zich door de haag van lakeien en het vertoon van ceremoniële begroetingen als een levendig geheel moet voorstellen."

Naast het 'vertoon van ceremoniële begroetingen' kende de hofcultuur die de Barok deed bloeien nog een reeks van dergelijke sociale 'vertoningen' van een hoge symbolische betekenis. Het ceremoniële 'se lever' en 'se coucher', het 'opstaan' en 'gaan liggen' van Lodewijk XIV, een spektakel dat uren duurde en de gehele hofhouding in beslag nam, is daarvan wel het bekendste voorbeeld (zie ook blz. 138/139). Bij ons is de zin voor dergelijke 'vertoningen' goeddeels verloren gegaan – wat niet wil zeggen dat wij in sociaal opzicht minder toneelspelen. Maar wij kennen de regels van de oude toneelschool niet meer, begrijpen de betekenis van de scènes, gebaren en gedragingen verkeerd, omdat wij hun symboliek niet kennen. Hetzelfde geldt voor bepaalde poses die ingang in de portretkunst hebben gevonden.

Was het hofleven enerzijds door een streng ceremonieel gereglementeerd, anderzijds bood het feestwezen een uitlaatklep voor uitgelatenheid, die echter ook aan een vaste choreografie onderworpen was. In geen enkel ander tijdperk werden bruisender feesten gevierd dan in de periode van de Barok. Versailles deed voor wat aan alle Europese hoven werd nagevolgd: dagen- en nachtenlange feestelijkheden, waarin alle kunsten tot een gigantisch totaalkunstwerk versmolten – opera, ballet en vuurwerk beleefden een schitterende bloei. De tuinen en waterwerken, die met behulp van illusionistische en mechanische trucages in steeds nieuwe schouwtonelen werden veranderd, vormden de ideale coulissen van de met mythologische schilderijen getooide feestzalen. Een paar dagen lang dook de hele hofhouding onder in de wereld van goden en helden. Dat deze spektakels, net als de hele hofcultuur, de staatskas ruïneerden, is een ander verhaal.

Maar ook op straat werd feest gevierd. Naar aanleiding van officiële plechtigheden, heiligenfeesten, processies en jaarmarkten tooiden de anders zo deprimerende steden zich kortstondig met houten bouwwerken en weelderige decoraties. Komedianten maakten hier ruwe grappen en belichtten de tegenwereld van het hofleven.

**Retorica en 'concettismo'**

De aan het begin genoemde –vermeende– mateloosheid van de barokke kunst mag niet verdoezelen dat juist zij aan strenge schema's was onderworpen. Zoals het ceremonieel het gedrag van de mensen beïnvloedde, zo bepaalde de retorica de opbouw van een rede of een kunstwerk. Het sinds de Oudheid bekende begrip markeert de 'kunst van de aangepaste rede', een strategie die vanaf de Oudheid tot aan de ten einde lopende 18e eeuw tot de algemene vorming behoorde. De retorica geeft een soort leidraad voor de communicatie van spreker en toehoorder weer en regelt receptie en interpretatie van het gezegde. Zo dient men het publiek bijvoorbeeld in een passende vorm aan te spreken en het met een bepaald thema vertrouwd te maken, moet het thema helder worden uiteengezet en de toehoorder na afweging van verschillende thesen van de eigen opvatting worden overtuigd. Daarbij kunnen middelen worden gebruikt die heftige gevoelens oproepen, provocerend zijn of een vervreemdend effect hebben. Voor de 'lezing' van een barok kunstwerk zijn vooral die laatste elementen uiterst belangrijk gebleken. Dit geldt evenzeer voor de beeldstructuur en de scenische opbouw van een historische frescocyclus als voor een beeldhouwwerk, wanneer bijvoorbeeld de extase of de verschrikking van het martelaarschap op pathetische wijze worden weergegeven, zodanig dat men dit direct meebeleeft, zoals in Bernini's *H. Theresia van Ávila*. 'Delectare et movere', 'verheugen en bewegen', was de prestatie die van een geslaagde rede of dito kunstwerk werd verwacht.

Ook de architectuur was gebonden aan de regels van de retorica. Zo was precies vastgelegd welke bouworde voor welk doel geschikt was, met welke bouwkundige 'pathosformules' een kerkruimte, een slotgevel of een plein moest worden vormgegeven. Zo was de zware,

**Pieter Boel**
Groot vanitas-stilleven, 1663
Olieverf op linnen, 207 x 260 cm
Lille, Musée des Beaux Arts

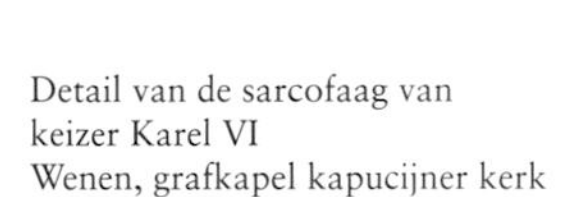

Detail van de sarcofaag van
keizer Karel VI
Wenen, grafkapel kapucijner kerk

gedrongen Dorische bouwstijl bestemd voor kerken die aan mannelijke heiligen waren gewijd, maar ook voor paleizen van oorlogshelden. Huizen van geleerden droegen daarentegen een Ionisch decor. De monumentale orde, de verbinding van meerdere verdiepingen door een colonnade, gold sinds Michelangelo als hoogste ideaal. In de kasteelbouw speelt de scenografische dispositie een belangrijke rol. Net als op de staatsietrap opent het bouwwerk zich in het naderbij komen en het eroverheen schrijden, ook hier voert –bijvoorbeeld in de opeenvolging van ruimten en hoven in Versailles– de architectuur de regie: net als in een goede redevoering wordt de toehoorder van de ene naar de andere ervaring geleid. Zoals de indeling en rangschikking van de binnenruimten dienen voor de hiërarchische structurering van het hofleven, zo richt de buitenzijde van het gebouw zich naar het openbare leven dat moet worden geïmponeerd of geïntimideerd. Een voorbeeldenboek van programmatische hofarchitectuur is Paul Deckers *Fürstlicher Baumeister...* (1711), wiens fantasievolle ontwerpen echter nooit werden uitgevoerd (afb. blz. 8 links). Gelet op de ascetisch-strenge aanleg van het Escorial, het pathetisch-brede zuilenfront van het Louvre en de ligging van Versailles, dat het gehele landschap beheerst, wordt desondanks duidelijk welke middelen de architectuur tot haar beschikking had om de beschouwer of bezoeker te overtuigen van de intenties van hun opdrachtgevers.

De hier beschreven bewuste enscenering van kunst veronderstelt een weldoordacht concept dat alleen door geleerden kon worden gemaakt. Zo trokken de geestelijke en wereldlijke vorsten, en de kunstenaars zelf soms ook, dichters, hovelingen en vaak ook geestelijken aan, die voor een onderwerp de 'inventie', de inhoudelijke specificaties, leverden. Deze intellectuele prestatie werd beschouwd als een wezenlijk onderdeel van het kunstwerk. De kunstenaar zelf was alleen in het ideale geval in staat om zelf de 'concetti' uit te werken, onderscheidde zich daardoor echter des te meer van de klasse der ambachtslieden. Hermann Bauer karakteriseert het 'concettismo' als "transformatie van een gedachte door verschillende gebieden", als "weg van het object naar zijn betekenis (in de metafoor)", een "constitutief" element van het barokke kunstwerk.

**De 'laatste dingen'**

Laten we terugkeren naar Calderóns 'wereldtoneel'. In de loop van het stuk reikt 'de wereld' iedere speler, zowel koning als ook bedelaar, de bij zijn stand behorende rekwisieten aan. De speler betreedt het toneel via een deur, 'de wieg', en verlaat het via een tweede, 'het graf'. Dit is het moment dat de 'toneelspelers' hun 'insignes' weer moeten inleveren en weten of ze hun rol al of niet hebben vervuld. De machtssymbolen op het schilderij van Pieter Boel (afb. boven) illustreren precies dit dramatische ogenblik dat over 'misleiding' en 'ontgoocheling' van de barokke mens beslist. Bij Calderón zijn het alleen de bedelaar en de Wijsheid die niet aan de hovaardij en de ijdelheid zijn bezweken. Zij zijn de enigen die de moraal van het toneelstuk hebben begrepen en zodoende aan de verdoemenis ontkomen.

Als het doek is gevallen, blijven alleen de 'vier laatste dingen' over: Dood, Oordeel, Hemel en Hel. Gedurende de hele periode van de Barok heeft men zich beziggehouden met hun allegorische uitleg, een uitleg die het 'concetto' voor de ontroerendste kunstwerken heeft opgeleverd.

Wolfgang Jung

# Architectuur in Italië tussen vroege Barok en vroeg Classicisme

**De bouw van de 'subtiele stad'**

Onder de titel *De subtiele steden, 2* beschrijft Italo Calvino in zijn boek *De onzichtbare steden* Zenobia als volgt. In zijn vaak tegenstrijdige diversiteit is het een buitengewone en bewonderenswaardige stad. Men kan zich echter niet meer herinneren welke noodzakelijkheden, verlangens of wensen de stichters van de stad tot steun hebben gediend om Zenobia deze bijzondere vorm te geven, temeer daar talloze lagen dit eerste, thans nauwelijks meer te ontcijferen ontwerp bedekken. Maar het is wel zeker dat een bewoner, wanneer men hem zou vragen om te beschrijven hoe deze zich een gelukkig leven voorstelt, dan altijd een stad als Zenobia voor ogen heeft, hetzij in zijn huidige staat of anders, maar in principe samengesteld uit de elementen van het eerste ontwerp. Nu heeft het geen nut, gaat Calvino verder, Zenobia op basis van wat tot op heden gezegd is te rangschikken bij de gelukkige of de ongelukkige steden. Het heeft geen zin om steden volgens deze categorieën in te delen, maar wel volgens andere. Er zijn steden te onderscheiden waarvan de vorm ook na jaren en na talrijke wijzigingen nog een stempel op de wensen van hun inwoners kan drukken, en steden, die aan de verlangens van hun bewoners ten offer vielen of die geen wensen en verlangens meer in zich bergen.

Het Zenobia dat als geen andere stad in het Europa van de 17e eeuw een stempel kan drukken op de wensen van zijn bewoners is Rome.

Een van zijn beroemdste inwoners, Gian Lorenzo Bernini, uitgenodigd om naar Parijs te komen voor een prijsvraag voor de façade van het Louvre, laat hierover geen twijfel bestaan. In een vergelijking met de politiek gezien belangrijkste metropool van Europa, Parijs, onderstreept hij het "toch heel andere aspect" van zijn vaderstad Rome met monumenten uit de Oudheid, de Renaissance, vooral die van Michelangelo, en uit het heden, die in zijn ogen stuk voor stuk "grandioso e di un aspetto magnifico e superbo" zijn. Het is in de eerste plaats deze architectonische gedaante van Rome die een stempel weet te zetten op de verlangens en wensen van de kunstenaars en hun opdrachtgevers, met de pausen en hun hofhouding voorop. Het beste voorbeeld daarvoor is paus Alexander VII, bouwheer en samen met Bernini ontwerper van het St.-Pietersplein, die in zijn privé-appartement een uitgewerkt houten model van het Romeinse stadscentrum had laten opstellen om de uitvoering van zijn planologische ideeën direct te kunnen controleren.

De onbegrensde euforie van deze jaren is na de dood van Alexander VII op slag verdwenen. Want het wordt al snel duidelijk hoe gering de betekenis is die het Vaticaan op het podium van de Europese politiek nog bezat. Maar toch blijft Rome ook in deze fase van de neergang het eerste doel van talrijke kunstenaars uit alle landen van Italië en Europa. Ondanks een steeds verder afnemende bedrijvigheid in de bouw komen kunstenaars als Tessin, Fischer von Erlach, Schlaun, Guarini en Juvarra naar de stad, om in de eerste plaats de moderne architectuur van Bernini, Borromini en Pietro da Cortona in het echt te bestuderen en in de grote architectenbureaus ervaring op te doen, waarvan ze na terugkeer uit Rome konden profiteren.

Giacomo Barozzi da Vignola
en Giacomo della Porta
Rome, Il Gesù, 1568-1584

Maar ook na de eeuwwisseling verenigt Rome als een kaleidoscoop de verschillende tendensen van de laat-barokke Italiaanse architectuur in een nog altijd buitengewone vorm. Dit blijkt ook uit de korte bouw-*boom* in de jaren '40 van de 18e eeuw; andere belangrijke ontwikkelingen in Rome zijn het steeds nadrukkelijker enthousiasme van vele bezoekers voor ruïnes, een voorbode van een vroege Romantiek, en de vorming van een wetenschappelijke, reeds in aanzet archeologische bestudering van de Oudheid, tegelijkertijd een voorbode van het Classicisme.

Hoe het Rome van de 17e en uiteindelijk ook van de 18e eeuw de wensen van de architecten en de pausen bepaalt en hoe, als reactie hierop, deze het barokke Rome vormen, is daarom het belangrijkste thema van dit betoog. De studie van het hoe en wat van deze vorming omvat uiteenlopende aspecten als de ontwikkeling van een legislatief instrumentarium om planningen te kunnen vertalen en de verwijzing naar formele, voornamelijk aan het theater ontleende voorbeelden. Parallel daaraan komt met de beschouwing van afzonderlijke ontwerpen het tijdperk bepalende wisselspel van barokke vondsten en klassieke traditie steeds meer op de voorgrond te staan.

Aansluitend zullen de belangrijkste andere Italiaanse centra van barokke architectuur worden voorgesteld. Dat zijn Turijn en Napels, die met de afname van de Franse resp. Spaanse invloed in het zuiden in de late 17e eeuw grote betekenis krijgen. Venetië zal afzonderlijk worden behandeld. Nadat het tot ver in de 17e eeuw aan de modellen van de late Renaissance heeft vastgehouden en zich ook later niet echt voor een Romeinse Barok openstelde, formuleert het al vroeg in de 18e eeuw, veel eerder dan Rome of Turijn en Napels, de principes van het Classicisme.

Met het zich richten op architectonische ontwerpen in een stedelijke context wordt de methodiek bepaald. De stad weet dan wel een stempel te drukken op de ideeën van zijn heersers en hun architecten, ze laten zich echter niet altijd direct in iets anders omzetten. Plannen kunnen ook in het tijdperk van de hoge Barok vele tientallen jaren lang op hun uitvoering wachten. Vaak veranderen nieuwe heersers projecten die onder hun voorgangers ter hand zijn genomen. Ook wisselen architecten elkaar al tijdens de ontwerpfase en tijdens de realisatie steeds weer af. Het gevolg is dat ontwerpen gewijzigd of opnieuw gemaakt worden, in bestaande structuren wordt ingegrepen, en ook dat bouwelementen en -secties gedeeltelijk of geheel vernietigd worden.

De aandacht richt zich daarom ook niet zozeer op alomvattende ontwerpen of artistieke acties van 'genieën', maar op een geleidelijke, geheel uniforme ontwikkeling van stad en architectuur. Om die reden wordt ook voor een nagenoeg chronologische weergave gekozen.

**Laat-Maniërisme en vroege Barok in Rome**

Pauselijke bouwpolitiek had altijd een uitgesproken doelstelling. Zo moest de architectuur met grootse gebouwen die op de monumenten van de klassieke Oudheid leken of deze nog overtroffen, de *autoritas ecclesiae* tot uitdrukking brengen. Tegelijkertijd moesten grandioze toneelstukken, *spettacoli grandiosi*, de wankelmoedigen kracht geven om weer tot het geloof terug te keren. Dit kan tot ver in het verleden worden nagegaan, want al rond 1450 had Nicolaas V zijn bouwprogramma in de naam van de Kerk geformuleerd. Dit programma bleef zijn geldigheid tot ver in het tijdvak van de Barok behouden. Op precies dezelfde manier wordt twee eeuwen later het ontwerp van het St.-Pietersplein uitgevoerd. Deze eerste, door Alexander VII ter hand genomen architectonische onderneming zou in staat zijn, aldus Bernini, alle katholieken te bereiken en in hun geloof te sterken, de ketters weer met de Kerk te verenigen en de ongelovigen verlichting te brengen door het ware geloof.

Een tweede, vaak even belangrijk doel van de pauselijke bouwpolitiek is het waarborgen van een blijvende persoonlijke roem bij het nageslacht. Dat geldt al voor Sixtus IV tegen het einde van de 15e eeuw. Een bijzonder sprekend voorbeeld is paus Alexander VII. In zijn privé-vertrekken stond naast het reeds genoemde houten model van Rome ook zijn doodskist. In deze tegenoverstelling wordt het model een teken van paus Alexanders hoop, zijn drukke bouwactiviteiten moeten niet alleen ter meerdere eer en glorie van de katholieke Kerk dienen, maar ook zijn roem bij het nageslacht vestigen boven de onontkoombare dood uit.

De bouwpolitiek van de belangrijkste pausen in de 16e eeuw richt zich direct op het programma van paus Nicolaas. De weergave ervan kan hier soelaas bieden. Niet alleen zijn hun ingrepen uitgangspunt voor alle ondernemingen van de 17e en 18e eeuw, maar ook worden de belangrijkste architectonische elementen van de omzetting, die later steeds meer verwantschap gaan vertonen, al vroeg ontwikkeld.

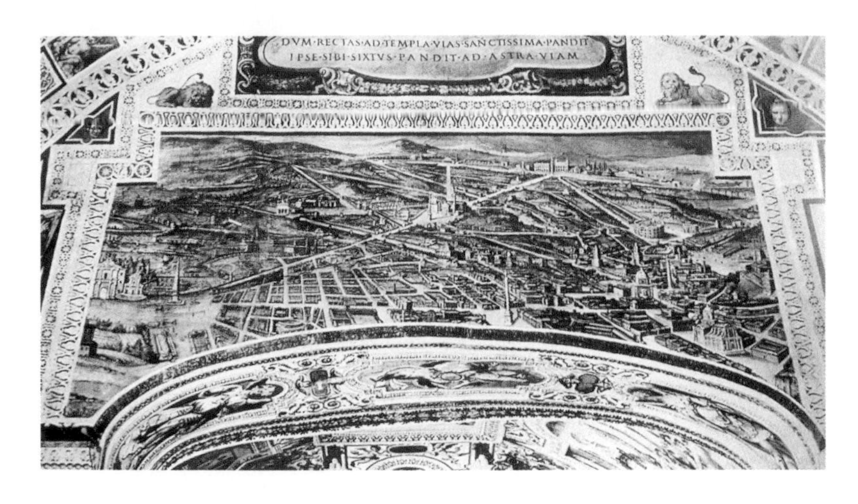


Fresco met de stadsaanleg
van paus Sixtus V
Rome, Vaticaanse Musea

AFBEELDING ONDER:
**Giovanni Battista Nolli**
Plattegrond Rome, 1748

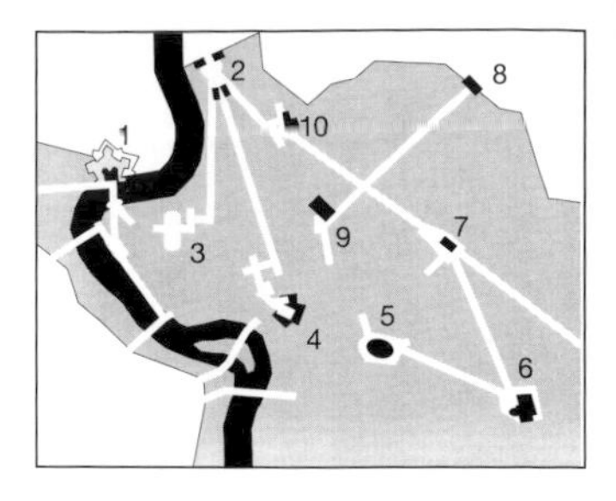


Rome, stadsplanning in de 16e en 17e eeuw
1 Engelenburcht
2 Piazza del Popolo
3 Piazza Navona
4 Capitool
5 Colosseum
6 Lateraan
7 S. Maria Maggiore
8 Porta Pia
9 Quirinaal
10 Trinità dei Monti

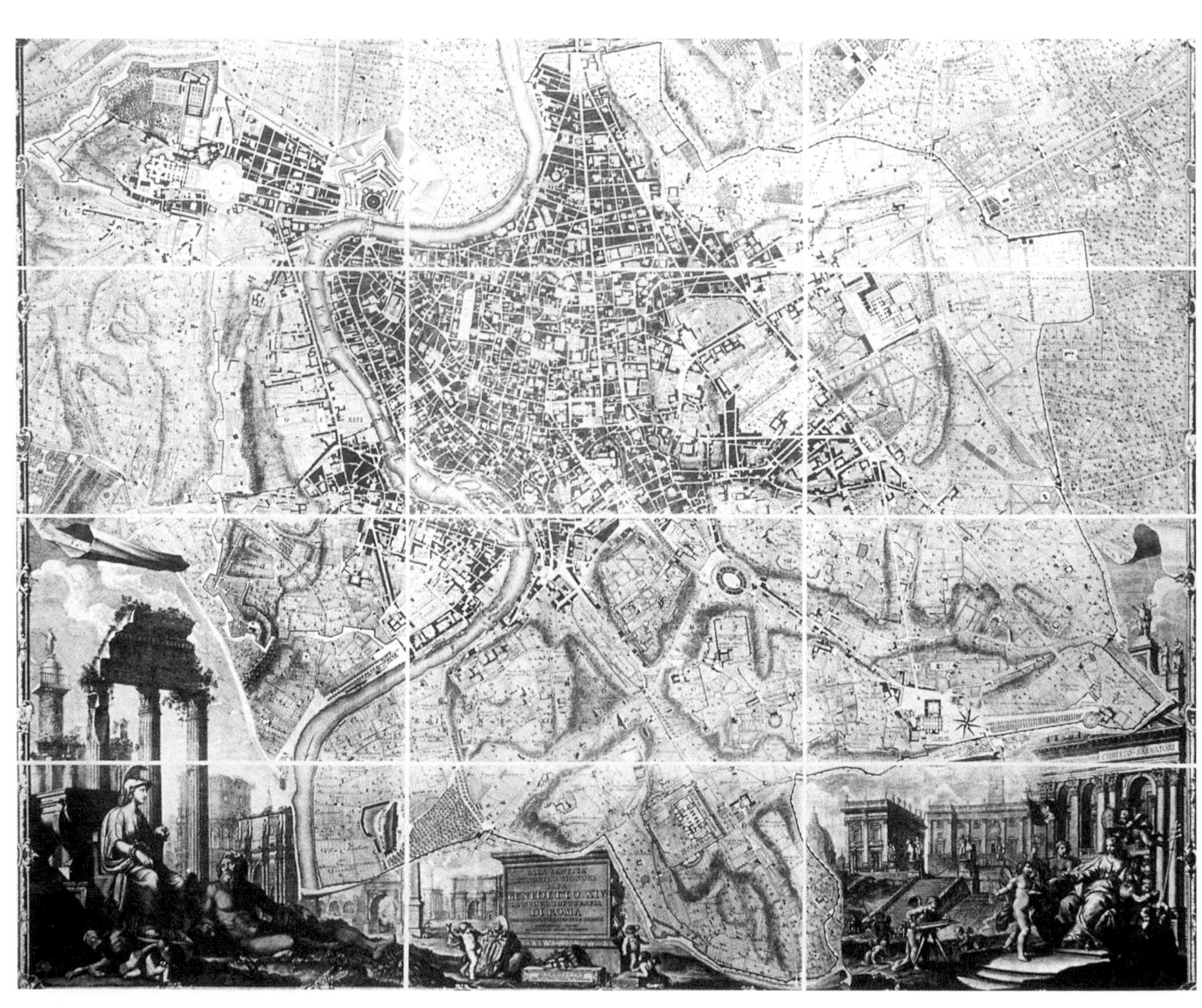

Rome, Piazza del Popolo
Gezicht op de Via Babuino,
Via del Corso en Via Ripetta
met de tweelingkerken Santa Maria in
Monsanto en Santa Maria dei Miracoli

**Van Julius II tot Sixtus V**

De door machtslust en onbegrensde pronkzucht bepaalde *renovatio Romae* van de pausen Julius II en Leo X betreft vooral de St.-Pieter, een bouwwerk dat in belangrijke mate de vorming van de protestantse hervormingsbeweging uitlokt. Beide pausen zetten echter ook de reeds onder Sixtus IV begonnen herinrichting van de middeleeuwse stad voort. Bij voorkeur wordt daarbij gebruik gemaakt van rechte straten. Na de Via Coronari zijn dit de Via Giulia en de Via della Lungara onder Julius en de Via Ripeta onder Leo. Niet langer is de straat een soort restruimte die door de aangrenzende huizen blijft uitgespaard, maar de straat bepaalt op zijn beurt de inrichting van de omgeving. Iets dergelijks zou voor het uiteindelijk niet uitgevoerde plein voor het paleis van justitie hebben gegolden.

Een voor de visuele cultuur van de Barok uitermate invloedrijk element, het *Trivium*, gaat evenzeer op de eerste decennia van de 16e eeuw terug. Drie rechte straten die in dezelfde of bijna dezelfde hoek op een plein uitlopen resp. daar vandaan verlopen, zijn al vroeg te vinden bij de Engelenbrug in het Quartiere dei Bianchi. Onder Paulus III wordt ook het Piazza del Popolo in oostelijke richting, richting Pincio, met de Via Babuino aangevuld.

Paulus III ontwikkelt het theatrale –en machtspolitieke– aspect van de elementen straat en plein voortvarend verder wanneer hij in de periode van de Contrareformatie de Via Papalis van Il Gesù naar het Capitool laat leiden, en Michelangelo de opdracht geeft het ontwerp te maken voor het Capitoolplein. De urbane schaal is indrukwekkend, wanneer het Capitool –net als de St.-Pieter– niet alleen het hoogtepunt van de pauselijke processies, maar ook het oriëntatiepunt in de stad als geheel wordt. De door Buffalini in 1551 onder Paulus III opgemeten en getekende, door Nolli in 1748 nogmaals gepubliceerde stadsplattegrond geeft uitgebreide informatie over alle tot dan toe beschreven ondernemingen (afb. blz. 14).

De volgende ontwerpen kunnen aan een onder Sixtus V ontstaan fresco worden ontleend (afb. blz. 14 linksboven). In de eerste plaats moet hier een ander, zeer invloedrijk ontwerp van Michelangelo worden genoemd, de Via Pia, waarvoor paus Pius opdracht had gegeven. Het staat voor de intentie de stad nog verder dan de Campo Marzio uit te breiden. Nadat de pausen hun plannen tot dat moment tot de dichtbevolkte stad van de late Middeleeuwen en de vroege Renaissance hadden beperkt, begint met de Via Pia de urbane planning van de onbebouwde zone, die het stadscentrum omsluit, zich tot de door Aurelianus gebouwde muur uitstrekt en voornamelijk door antieke monumenten, vroeg-christelijke villa's en tuinen werd bepaald. De Via Pia wordt net als het Capitool naar het voorbeeld van het eigentijdse theater ontwikkeld. De straat ligt opengevouwen tussen monumenten, de antieke dioscuren van het Quirinaal en de door Michelangelo ontworpen Porta Pia.

Gregorius XIII neemt de Via Pia als voorbeeld, wanneer hij de vroeg-christelijke basilica's S. Giovanni in Laterano en S. Maria Maggiore met elkaar verbindt. Maar vooral creëert hij met het decreet *Quae publice utilia* (1574) de juridische basis voor de stapsgewijze vorming van het barokke Rome in de volgende twee eeuwen. In het vervolg wordt het duidelijk gemakkelijker om nieuwe straten aan te leggen en bestaande wegen recht te maken en uit te breiden. Tegelijkertijd wordt de urbanisering van de grotendeels nog onbebouwde zone evenals de uitbouw van het middeleeuwse stadscentrum bespoedigd. Zo dienen perceeleigenaren langs onbebouwde straten hoge tuinmuren op te richten. Daar staat tegenover dat in het stadscentrum het concept van het vrijstaande gebouw wordt opgegeven; de ruimte tussen brandmuren kan voortaan worden afgesloten en aangrenzende gebouwen kunnen onder bepaalde voorwaarden worden opgekocht. In het vervolg maakt het nog aan het begin van de 16e eeuw dominerende, twee tot maximaal drie verdiepingen tellende huis plaats voor het systeem van de *insulae*.

Sixtus V pakt de projecten voor een herschikking van de onbebouwde zone van de pausen Pius IV en Gregorius XIII op, maar geeft deze wel een grotere schaal. In plaats van terloopse wegverbindingen voert hij een stratenplan in dat uitgaat van de zeven vroeg-christelijke basilica's, die ver van elkaar verwijderd stonden. Voor Sixtus is het religieuze aspect essentieel: de basilica's dienden door processiewegen met elkaar te worden verbonden. Zes straten zijn uitgevoerd, talrijke andere waren, zoals het fresco laat zien, gepland. In de loop van de werkzaamheden trad het persoonlijke belang steeds meer op de voorgrond, en de bouwactiviteiten concentreerden zich op de pauselijke villa Montalto.

Desondanks kunnen de stedenbouwkundige plannen van Sixtus en diens architect Domenico Fontana Rome een werkelijk op de toekomst gerichte structuur verschaffen. Het naast elkaar bestaan van grootschalige, nog op de aanleg van de keizerlijke stad teruggaande monumenten enerzijds en de dicht opeen gebouwde middeleeuwse stad anderzijds wordt met het plan van Sixtus verregaand opgelost. Nieuwe straten

AFBEELDING BLZ. 17:
**Carlo Maderno**
Rome, Santa Susanna
Voorgevel, 1597-1603

AFBEELDING LINKS:
**Gianlorenzo Bernini**
Rome, St.-Pietersplein

AFBEELDING ONDER:
**Carlo Maderno**
Rome, St.-Pieter
Voorgevel, voltooid in 1612

maken de uitbreiding van de stad mogelijk, terwijl het centrum bewaard blijft. Weldra worden paleizen en bedrijfspanden gebouwd langs de wegen die de basilica's met elkaar verbinden.

Tegelijkertijd wordt onder Sixtus een ander belangrijk element van barokke stadsplanning ontwikkeld, het vastleggen van het uitgebreide stratenpatroon met nadruk op het perspectief en met behulp van obelisken. Al tijdens de heerschappij van Julius II wilde Bramante de St.-Pieter op de abusievelijk aan Julius Caesar toegeschreven obelisken richten, en onder Leo X planden Rafaël en Antonio da Sangallo de plaatsing van de vermoedelijk Augusteïsche obelisk op het Piazza del Popolo (afb. blz. 15). Kwam hier het aspect van politieke representatie op de eerste plaats, nu is het de visuele benadrukking van de assen. De obelisk bemiddelt als het ware tussen het richtingverloop van de straten en de oriëntatie van de gebouwen die achter deze obelisken staan; terwijl de Renaissance altijd een statisch contrast van paleis- en kerkgevel en daarbij rechthoekige zicht- en bewegingsassen had gekozen, laat de obelisk nu ook een flexibele geometrie en dynamisch aanzicht toe.

Hoe stellig dit concept van de optische verbinding en oriëntatie werd uitgevoerd, toont de van de absis van de basilica S. Maria Maggiore uitgaande Via Felice. Indien het alleen om een simpele verbinding zou zijn gegaan, had men wel een eenvoudiger, om de heuvel lopend tracé gevonden. Maar het eigenlijke doel is de symbolische inrichting en inpassing van de stad. Er zijn zelfs plannen om de Via Felice via het plein voor de kerk van Trinità dei Monti –hier zullen later de Spaanse Trappen beginnen– schuin naar de Pincioheuvel en ondanks de bebouwing langs de Via Babuino tot aan het Piazza del Popolo te completeren.

Blijft de constatering dat Sixtus de door Gregorius uitgevaardigde, voor de stadsontwikkeling zo belangrijke juridische uitgangspunten nog verder uitbreidt. Zo worden conflicten tussen eigenaren over perceelgrenzen nog directer vervolgd en tegelijkertijd worden de bouwactiviteiten via belastingvrijstelling en kwijtschelding van straffen gestimuleerd.

Op deze manier geeft Sixtus V via de basisrichtlijnen de structuur aan waarbinnen de barokke stad zich ontwikkelt. Geen van de latere pausen, zelfs Alexander VII niet, zal een plan van een dergelijke omvang ter hand nemen. Daarentegen zullen de pausen die na Sixtus V komen deze structuur met afzonderlijke, schitterende inpassingen op centrale punten van het wegennet van de stad aanvullen.

**Paulus V Borghese (1605-1621)**

De pauselijke bouwpolitiek aan het begin van de 17e eeuw is door grote ondernemingen bepaald, die belangrijk zijn voor de jaren die volgen; in deze omgeving vindt men echter ook nog architectonische ontwerpen van laat-maniëristische snit. Deze overgangstijd wordt vroege Barok genoemd.

Van grote betekenis is, na een bouwtijd van bijna een eeuw, de voltooiing van de St.-Pieter (afb. boven en onder). Wilde men na jarenlange discussies de kerk eerst als centraalbouw voltooien –zoals al door Bramante was gepland en door Michelangelo verder werd uitgewerkt–, de paus kiest ten slotte voor een langschip. Carlo Maderno wint de prijsvraag die wordt uitgeschreven.

Maderno had eerder van zich doen spreken met het gevelontwerp voor de S. Susanna (afb. blz. 17). Uitgangspunt voor de plannen was de bijzondere situering van de façade, evenwijdig aan de door Michelangelo aangelegde Via Pia en schuin tegenover de huidige Via Torino. Op deze perspectivische situatie (lengte- en dwarszicht) reageert Maderno met de

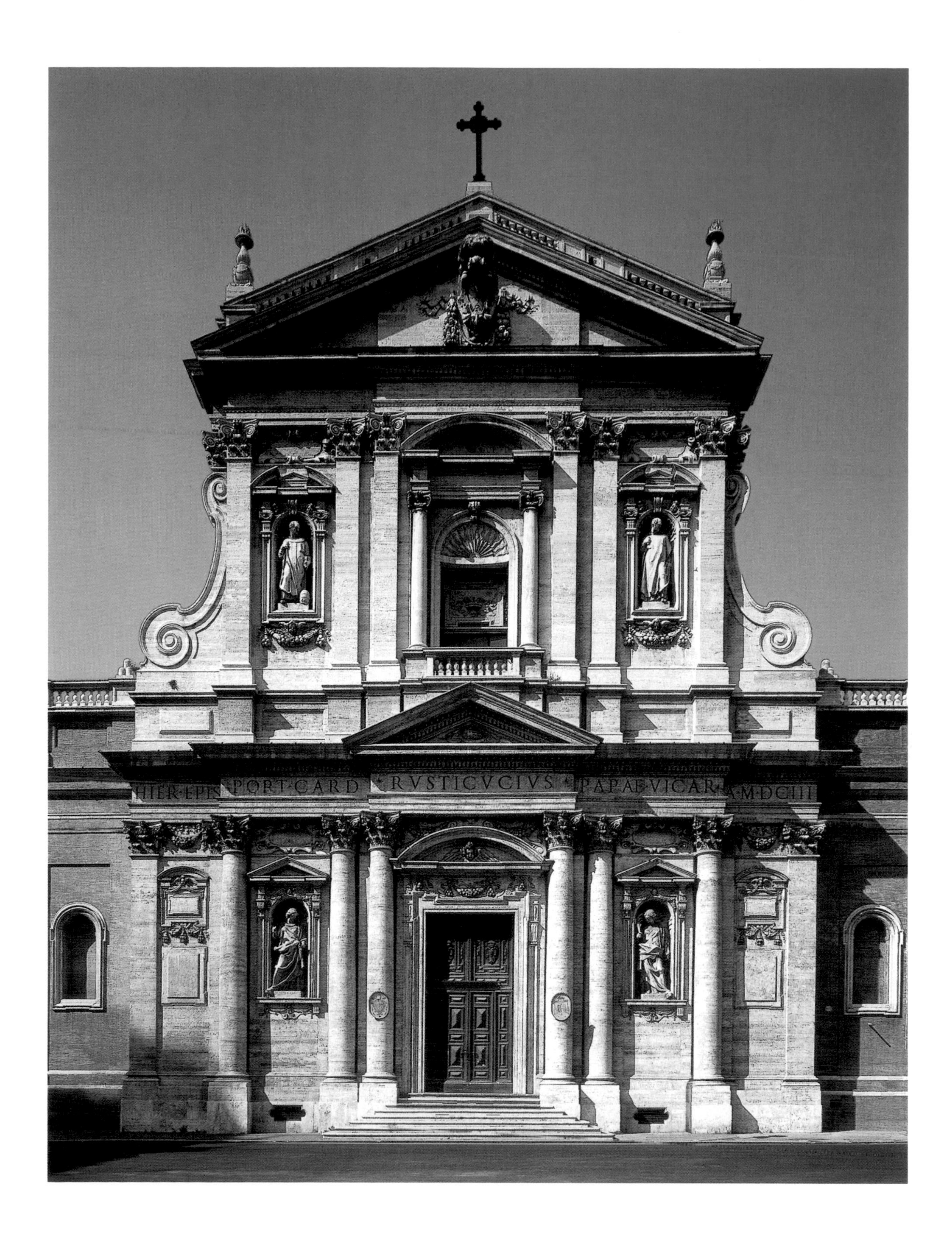
HIER·EPIS PORT·CARD RVSTICVCIVS PAPAE·VICAR A·MDCIII

**Giovanni Vasanzio**
Rome, Villa Borghese, 1613-1615
Gevel aan de tuinzijde

Veelbetekenend voor de periode van ingrijpende veranderingen onder Paulus V zijn de plannen van zijn neef Scipione Borghese voor een villa. Onder Paulus was de trend toegenomen om de uitgestrekte, tot dan toe voornamelijk agrarisch benutte zone tussen de stadskern en de muur van Aurelius in villa's en parken om te vormen. Kardinaal Scipione vermocht de vaak tegenstrijdige eigenschappen van de overgangstijd in één persoon te verenigen. Zo verzamelde hij met een enthousiaste ijver evengoed Rafaël en Titiaan als d'Arpino en Cigoli. Hij bewonderde Caravaggio en ontdekte Bernini, maar gaf Ponzio en later Vasanzio de opdracht voor de bouw van de Villa Borghese, die tussen 1613-1615 tot stand komt (afb. links). De talrijke nissen, uitsteeksels en verdiepingen, sculpturen en reliëfpanelen die de architecten op het bouwlichaam aanbrengen, zijn uitingen van een laat-maniëristisch formalisme.

### De hoge Barok in Rome

Dit is de achtergrond waartegen de hoge Barok tot ontwikkeling komt. De historische en theoretische context wordt in het kort aangegeven. Al onder Sixtus V en Paulus V waren de eerste successen behaald tegen de Spanjaarden en Fransen, die het gehele schiereiland domineerden. Tege-

ontwikkeling van een voor zijn tijd buitengewoon plastische vormgeving. Zijn ontwerp contrasteert met de grafische, slechts eendimensionaal gedachte, academisch-klassieke taal van bijvoorbeeld Ponzio en diens leerling Vasanzio. Zo projecteert Maderno de inrichting van de binnenruimte van hoofd- en zijschepen op de voorgevel, concentreert en ritmeert de traveeën en ordeningselementen naar het midden toe en verleent de voorgevel een ruimtelijke diepte. In een dynamisch wisselspel zijn de drie compartimenten door zuilen en stijlen massief gemarkeerd, waarbij ornamentele nissen een tegengesteld element vormen.

Voor Maderno was het onmogelijk om het ontwerp voor de St.-Pieter op dezelfde consequente manier uit te werken. De pauselijke eis om een langschip te bouwen, deed de door Michelangelo ontworpen koepel volledig naar de achtergrond verdwijnen. Maderno probeert Michelangelo's ontwerp zo goed mogelijk te respecteren door de hoogte van de gevel laag te houden. Bovendien ontwerpt hij torens aan de zijkanten om de koepel weer een omlijstende functie op de voorgrond te geven. In 1612 wordt op bevel van paus Paulus met de klokkentorens begonnen. Ze worden echter slechts tot aan de basisverdieping opgetrokken. Het probleem koepel-voorgevel-torens zal ook Bernini nog bezighouden.

Wat de tekening van de stad betreft, beperkt Paulus V zich tot enkele ingrepen. Zo laat hij een van de Romeinse waterleidingen tot in de wijk Trastevere leiden. Met het ontwerp van een kopgebouw (afb. rechts) belast hij de hofarchitect Ponzio. Het idee voor een brongebouw dat zich als een podium naar de stad toe opent, is interessant. Het laat zich rechtstreeks in de door Paulus voorgestane decoratie van straten en pleinen via grote fonteinen inpassen. Maar toch doet de uitwerking van het ontwerp op geen enkele manier vermoeden dat Maderno al meer dan tien jaar eerder de S. Susanna had ontworpen.

**Flaminio Ponzio**
Rome, Acqua Paola, 1610-1614

Rome, Quirinaal (paleis)
met de benedictieloggia
van Gianlorenzo Bernini
1635

lijkertijd raakte het protestantisme dat in de noordelijke landen vaste voet had gekregen sinds 1580-1590 in toenemende mate in de verdediging; het katholieke geloof weet zich te handhaven. Onder Paulus waren de statuten van de congregatie van Filippo Neri en de sociëteit van Ignatius van Loyola officieel bekrachtigd, terwijl Gregorius XV op 22 mei 1622 Ignatius, Theresia van Ávila, Filippo Neri en Franz Xaver heilig verklaart. Het is een datum van symbolische zeggingskracht, die het einde van de overgangsperiode aankondigt; de vernieuwende krachten binnen de Kerk hadden gezegevierd. Nu begint de ongeveer 50 jaar durende fase van een uitbundige Barok.

Voor de kunst betekent dit dat een maniëristisch formalisme, dat van de confrontatie van regel en uitzondering resp. van abstract denken en willekeurige fantasie leeft, plaats maakt voor een barokke kunst die uitgroeit tot de culturele revolutie in naam van de katholieke ideologie. De protestanten gingen ervan uit dat de mens zelf niet kan meehelpen bepalen of hij de goddelijke genade kan behouden. De mensen werken omdat de oerzonde ze daartoe heeft verdoemd; ze kunnen niet door hun werken worden gered. De katholieke Kerk maakt daarentegen propaganda voor haar overtuiging dat God de mensen de middelen heeft verschaft om actief naar deze redding toe te werken. Het is de Kerk die de mensen leert om deze redding te ervaren.

Het geloof zoals dat door de katholieke Kerk wordt gepropageerd, richt zich tot de vele gelovigen; deze moeten gunstig worden gestemd. De barokke poëtica ontwikkelt daarvoor het concept van de verbeelding. Kunst is voorstelling, maar het doel van deze voorstelling is niet om een object beter te doorzien, maar om indruk te maken, te ontroeren en te overreden. De kunst kan weliswaar niet de waarheid van het geloof demonstreren, maar ze kan de verbeeldingskracht oefenen. Dit is essentieel, want zonder verbeeldingskracht is een goddelijke redding onmogelijk. De grenzen van het reële dienen te worden overwonnen.

### Urbanus VIII Barberini (1623-1644)

Het nieuwe tijdperk begint met Urbanus. Hij bekrachtigt de besluiten van het Concilie van Trente en maakt de jezuïeten tot zijn belangrijkste geallieerden in de verspreiding van het katholieke geloof. Maar tegelijk laat hij een toenemende verwereldlijking van het pauselijk hof toe, dat nu de concurrentie aangaat met de koningshoven van Europa. Zo komt het na de anti-esthetische houding ten opzichte van de kunst van de Contrareformatie tot een nieuwe waardebepaling van artistieke prestaties. In het vervolg moet de kunst niet alleen onderricht bieden en het geloof propageren, maar ook vreugde schenken.

De eerste bouwactiviteiten van Urbanus betreffen heel Rome. Het is zijn initiatief om rond de stad een nieuwe muur te bouwen. Op de Monte Gianicolo komen twee gedeelten van de muur tot stand; deze omsluiten de wijk Trastevere. Er was een ommuring gepland die smaller was dan de muren van Aurelius en die beter aan de verdedigingseisen van de nieuwe tijd zou kunnen voldoen. Ook vaardigt Urbanus een programma uit om een reeks deels bouwvallige vroeg-christelijke kerken te laten restaureren. Via straatdoorbraken brengt hij bovendien een samenhang aan tussen enkele kerken of past ze in de grotere stedelijke context in. De doorbraak van de straat die loopt van de S. Eusebio naar de S. Bibiana behoort hiertoe. Hij belast Cortona met het maken van de fresco's en Bernini met de voorgevel. Voorts legt hij een straat aan tussen de Via Pellegrino, de pelgrimsweg naar het Vaticaan, en het convent van Chiesa Nuova, dat door Borromini wordt gebouwd. Daarnaast laat hij het voor het pauselijk stadspaleis op de heuveltoppen van Rome gelegen Piazza Quirinale vergroten om meer pelgrims, die zich hier in afwachting van de pauselijke benedictie verzamelen, de ruimte te geven. Bernini ontwerpt de loggia aan het plein, net als de verdedigingstoren die het plein van de dieper liggende stad afgrenst. Ten slotte geeft Urbanus opdracht om in de directe nabijheid van het Quirinaal een sierfaçade voor de Fontana di Trevi te ontwerpen. Deze zal echter pas een eeuw later worden uitgevoerd. Aan het plein van de Fontana di Trevi ontwerpt Borromini in dezelfde periode het Palazzo Carpegna.

Maar bovenal bevordert Urbanus VIII de grote architectuur. De protagonisten, Bernini, Borromini en Cortona, maken op geheel verschillende wijze naam in de jaren die volgen. Gian Lorenzo Bernini trekt al vroeg de aandacht van kardinaal Scipione Borghese. Hij begint zijn carrière als maker van de beelden van onder anderen Aeneas, Anchises en David. Zeer spoedig wordt hij de favoriet van Urbanus, die zijn positie onderstreept door te verklaren dat het een groot geluk is voor Bernini dat Matteo Barberini paus is, maar dat het een nog groter geluk is voor de paus dat Bernini in dezelfde tijd leeft als hij. Bernini zal aan één stuk door voor de Kerk werken, ook voor Urbanus' opvolger Innocentius, maar vooral voor Alexander.

Kort na zijn ambtsaanvaarding belast de paus Bernini met de voltooiing van de kort daarvoor door Maderno beëindigde 'ruwbouw' van de St.-Pieter. Deze werkzaamheden, waarvoor nimmer een uniform programma werd geformuleerd, zullen Bernini vanaf het ontwerp van het baldakijn tot aan dat van het St.-Pietersplein meer dan 40 jaar bezig-

AFBEELDING BLZ. 20:
**Pietro da Cortona**
De triomf van de goddelijke voorzienigheid
1633-1639, Rome, Palazzo Barberini
Plafondfresco van de salon

AFBEELDING BOVEN:
**Carlo Maderno** (ontwerp)
**Gianlorenzo Bernini en Francesco Borromini** (uitvoering)
Rome, Palazzo Barberini, 1626-1629
Gravure van Giovanni Battista Piranesi

In het ontwerp voor de Villa Sacchetti voegt Cortona trappen en terrassen, *portici* en nissen, waterpartijen en grotten op een buitengewoon theatrale manier samen. Het optreden van het vorstelijke gezelschap kan nauwelijks theatraler worden gevierd. Op dezelfde manier wordt de entree- en tevens tuinzijde van het Palazzo Barberini in de nauwe samenhang tussen tuin en loggia het perfecte toneel voor feestelijke opvoeringen.

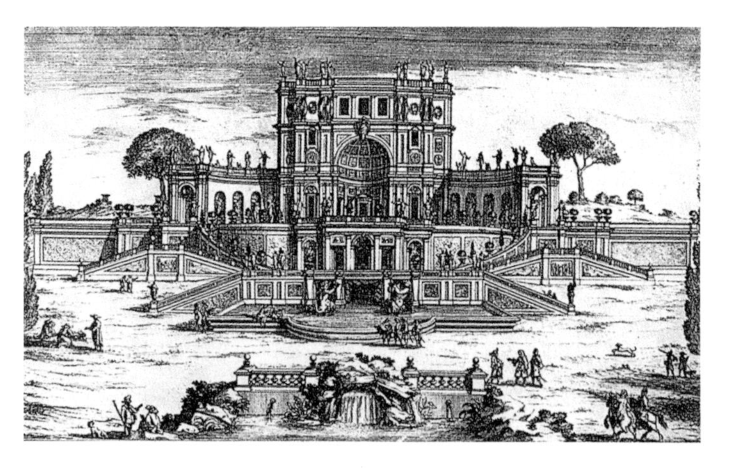

AFBEELDING LINKS:
**Pietro da Cortona**
Rome, Villa Sacchetti al Pignetto
1625-1630, naar een gravure van Ghezzi

Gianlorenzo Bernini
Rome, Santa Bibiana
Voorgevel, 1624-1626

houden. Ze staan als geen andere onderneming symbool voor de katholieke restauratie en impliciet voor de hoge Barok.

Het ontwerp voor het baldakijn boven het graf van Petrus wordt een buitengewone synthese tussen beeldhouwkunst en architectuur (afb. blz. 282). Als uitgangspunt neemt Bernini een baldakijn zoals dat in de regel bij processies wordt gebruikt, dat hij vervolgens echter enorm uitvergroot. Deze vervreemding is onverwacht en verrassend: het baldakijn wordt het hoogtepunt van de route naar het altaar en prikkelt de fantasie van de kijker. Op dezelfde manier gaat Bernini te werk met de gedraaide 'Salomonische' zuilen, die in de oude St.-Pieter de absis en het altaar omsloten, die hij eveneens tot immense proporties uitvergroot. Nu kunnen deze *colonne tortili* de vieringsruimte pas zijn dynamiek geven. Bernini, die parallel daaraan ook met de uitvoering van de vieringpijlers is belast, past tegelijkertijd de oorspronkelijke zuilen van de antieke altaarruimte in de bovenste verdieping van de pijlers in, die op die manier als een echo op het baldakijn antwoorden en een uiterst complex iconologisch programma bevatten. Door middel van dit contrast kan de kunstenaar de continuïteit van de religieuze traditie en ook de overgang van de eenvoud van het vroege christendom naar de glans van de Contrareformatie aangeven.

Om dit ontwerp overtuigend in het schip te kunnen inpassen, maakt Borromini, tussen 1630-1633 medewerker van Bernini, een serie perspectieftekeningen. Ze simuleren een kijkersstandpunt ter hoogte van de eerste travee voor de viering. Volgens bewaard gebleven berekeningen ontwerpt Borromini ook de gigantische voluten die de dynamiek van de zuilen voortzetten en die door vier grote engelen schijnbaar moeiteloos in positie worden gehouden. De figuren in de nissen, die de ruimte in beslag nemen en als toneelspelers declameren, vormen een antwoord op dit zo onorthodoxe ontwerp.

In 1624 begint Bernini ook aan zijn eerste, zuiver architectonische ontwerp. Het is zijn taak om een nieuwe gevel te plaatsen voor de S. Bibiana (afb. links). Daarvoor oriënteert hij zich op de paleisbouw, zoals vooral de ramen op de bovenverdieping laten zien, maar werkt hij het voorbeeld plastisch om. Zo kent hij het centrale gevelveld een speciale betekenis toe door de oude indeling met een nieuwe, imposante gevel te bedekken. Dit over elkaar heen laten vallen en verbinden van grote en kleine ordes is nog een laat-maniëristisch motief, waarvan de niet-uniforme behandeling in vergelijking met de voorgevel van de S. Susanna de nog jonge en minder ervaren Bernini laat zien.

Al vroeg trekt ook Pietro da Cortona als architect de aandacht. Zijn eerste studies hebben betrekking op de klassieke Oudheid en de meesters van de hoge Renaissance. Zijn kopie van Rafaëls *Galatea* brengt Sacchetti ertoe om zich over de pas 27-jarige Cortona te ontfermen. Korte tijd later ontmoet hij ook kardinaal Francesco Barberini, de neef van de paus, die altijd zijn begunstiger zal blijven. Zijn carrière begint als frescoschilder in de S. Bibiana. Op het hoogtepunt van zijn roem wordt hij voor de jaren 1634-1638 tot de *principe* van de Accademia di San Luca gekozen.

In de jaren 1625-1630 realiseert hij zijn eerste architectonische ontwerp voor de familie Sacchetti, de nu niet meer bestaande Villa del Pignetto (afb. blz. 21). De plattegrond schijnt in zijn axiale aanleg op Palladio te zijn geïnspireerd, het zo dominante nismotief gaat terug op Bramante en de Cortile del Belvedere, terwijl de indeling van de niveaus naar het klassiek-Romeinse heiligdom in Praeneste verwijst, waarvan hij later een reconstructie vervaardigt. Verder zijn als invloeden genoemd de Villa Aldobrandini voor de aanleg van terrassen, grotten en nymfaea en het werk van de Florentijnse maniërist Buontalenti voor het ontwerp van de welvende scenografische trapconstructie. Een ander maniëristisch element, de tegenstelling tussen een bijna hermetisch gesloten toegangszijde en een overdadig versierde tuinzijde, schijnt ten slotte op Giovanni Vasanzio's Villa Borghese terug te gaan. Voor Pietro da Cortona vormt de geschiedenis in belangrijke mate de interpretatie van het zichtbare, maar zo divers als de bronnen zijn, zo beslissend is hun synthese voor de ontwikkeling van de barokvilla.

Het ontwerp voor het Palazzo Barberini biedt Bernini, Borromini en Pietro da Cortona de gelegenheid om aan hetzelfde project te werken (afb. blz. 21). Maar eerst wordt de oude meester Carlo Maderno in 1626 met het ontwerp van het Palazzo belast, met de uitvoering waarvan hij na twee jaren van plannen maken begint. Aanvankelijk had Maderno een traditioneel, via een vierkante plattegrond uitgewerkt schema voor de paleisbouw gekozen. Maar deze typologie kon niet overtuigen, alleen al omdat het gebouw boven de resten van een bestaand paleis op de heuvel en op grote afstand van het Piazza Barberini en de Via Pia zou wor-

**Francesco Borromini**
Rome, San Carlo alle Quattro Fontane
1638-1641
Gezicht op koepel en kruisgang
Plattegrond

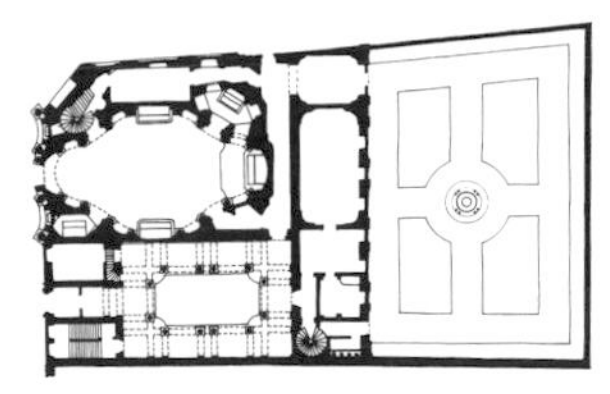

den opgetrokken. Een nieuw schema volgens het model van Peruzzi's *villa suburbana*, de Villa Farnesina, wordt nog door Maderno ontwikkeld. Twee façades met elk 15 assen richten zich nu naar het Piazza Barberini en de Via Pia, de andere, door loggia's bepaalde zijden openen zich daarentegen naar de tuin. Maderno beklemtoont de visuele ordeningsstructuur en de grote openheid van met name de loggia-gevels. Opvallend is de perspectivisch-plastische uitwerking van de raamstijlen. In deze nauwe samenhang van tuin en loggia wordt de façade het perfecte toneel voor feestelijke opvoeringen.

Na Maderno's overlijden wordt Bernini in 1629 eerste architect en Borromini zijn assistent. Bernini geeft hem grote ontwerpvrijheid. Het mooiste voorbeeld zijn de ramen aan de zijkanten van de loggia's op de zijde die op de Via Felice uitziet op de verdieping boven de *piano nobile*. Borromini's voorbeeld zijn de door Maderno voor de attiekverdieping van de gevel van de St.-Pieter ontworpen ramen. Maar de inpassing van guirlandes en de 45° naar buiten geknikte deklijst wijzen in hun dynamische interpretatie van het detail al op de later voor de meester zo karakteristieke spanning van de architectonische elementen.

Ook de architect Pietro da Cortona is enige tijd bij de bouw van het Palazzo Barberini betrokken geweest, maar zijn project voor het palazzo wordt niet geaccepteerd; alleen het nu gewijzigde theater wordt uitgevoerd. Veel meer succes echter heeft Cortona's ontwerp voor het plafondfresco van de grote zaal, de *Triomf van de goddelijke voorziening*, die hij in de periode tussen 1633 en 1639 uitvoert (afb. blz. 20). Dit werk wordt al snel het ideale voorbeeld voor de retorische formulering. Net als eerder in het ontwerp voor de Villa Sacchetti is de kunst voor Pietro niet een ideaal, maar veeleer de definitie van het zichtbare, van dat wat klaarblijkelijk ontroert.

Pas in 1634, dus ongeveer tien jaar na Bernini en Cortona, krijgt ook Borromini de kans om een ontwerp zelfstandig uit te voeren. Het stuk grond van het klooster S. Carlo ligt prominent aan de kruising van de Via Pia en de onder Sixtus V aangelegde Via Felice. Deze kruising wordt in sterke mate bepaald door vier fonteinen die de kerk haar naam geven. Borromini moest op het op deze manier ingerichte, bovendien zeer kleine perceel een omvangrijk bouwprogramma uitvoeren. Het begin wordt gevormd door de kloosterhof, het dormitorium en de refter.

In 1634 begint Borromini met de kloosterhof (afb. rechtsboven). Gezien de uiterst beperkte ruimte kiest hij voor slechts enkele, eenvoudige elementen. Het centrale motief zijn de rondlopende arcades. Hij verleent ze een doorlopend ritme doordat hij afwisselend smalle rechthoekige openingen met een horizontale lijst en openingen met bredere halve bogen toepast. Borromini breekt met oude tradities, wanneer hij beide typen op de assen tegenover elkaar plaatst. Tezelfdertijd geeft hij de hof geen rechte hoeken, maar een convexe welving naar binnen toe. In 1638 wordt de eerste steen gelegd, in 1641 wordt de kerk voltooid

Pietro da Cortona
Rome, Santi Luca e Martina, 1635-1650
Gezicht op het interieur
Plattegrond en dwarsdoorsnede

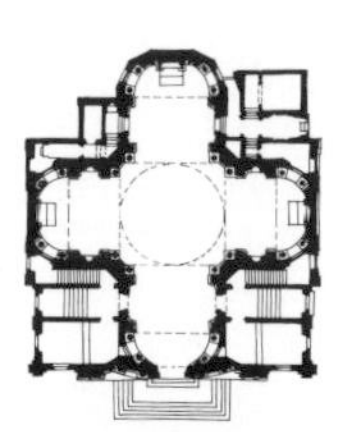

AFBEELDING BLZ. 25:
**Pietro da Cortona**
Rome, Santi Luca e Martina, 1635-1650
Uitzicht over het Juliusforum

en in 1646 wordt ze ingewijd. Ze wordt samen met de gelijktijdig begonnen SS. Luca e Martina de 'incunabel' van de Romeinse Barok. In eerste instantie hoeft alleen het interieur te worden ontworpen. Borromini stelt de basisfiguur vast door de overlapping van een loodrecht naar de Via Pia verlopende ellips en twee daaroverheen gesitueerde driehoeken. Deze figuur wordt in de opstand door de overgedimensioneerde zuilen gesteund, die de wand van de ruimte lijken te modelleren en wederom, net als in de kloosterhof, een doorlopend ritme definiëren. De lengte- en de dwarsas zijn vrijgelaten en daarna volgen vier zuilen op korte afstand van elkaar. In de opstand volgen boven de naar binnen en buiten welvende, over de gehele omtrek doorlopende lijst in de assen tongewelven, waarvan de perspectieftekening een grotere diepte wil suggereren, en pendentieven. In deze vorm maakt Borromini een overgang van de uit- en inzwenkende ruimtelijke vorm naar het ovaal van de koepel (afb. blz. 23 links). Net als de tonnen boven de aangegeven kruisarmen is ook de koepel perspectivisch verkort. De schaalconstructie is plastisch vormgegeven. Zo zijn er tussen octogonen ruiten en kruismotieven ingevoegd die een grotere hoogte van de koepel en de lantaarn suggereren.

De koepel krijgt licht door vensters direct boven het hoofdgestel. Via dit onderlicht en het door de lantaarn invallende licht weet Borromini te bereiken dat de koepel gelijkmatig verlicht wordt en dat hij de koepel tegen de kerkruimte kan afzetten. De koepel lijkt te zweven boven deze ruimte.

Er kunnen verschillende invloeden worden aangewezen. De uit- en inzwenkende ruimtelijke constructie is terug te vinden aan het Piazza d'Oro in de Villa Hadriana evenals in Peruzzi's hierop geïnspireerde ontwerpen voor de St.-Pieter. Het door afgeschuinde pijlers gedefinieerde Griekse kruis grijpt eveneens terug op Bramantes St.-Pieter. De ovale koepel is in aanzet, met name wat de lichtinval betreft, al bij Serlio te vinden. Deze onafhankelijke tradities weet Borromini in een even suggestief als revolutionair geheel samen te brengen. Dit wordt ook onmiddellijk herkend. Trots melden de bouwheren hoe vele in architectuur geïnteresseerde toeristen uit geheel Europa komen om de nieuwbouw te bekijken en te kopiëren.

Slechts een jaar na het begin van de bouw van de S. Carlo ontstaat in 1635 volgens de plannen van Pietro da Cortona de tweede incunabel van sacrale architectuur uit de hoge Barok, de SS Luca e Martina (afb. links, blz. 25 en 26). De bouwlocatie is minstens zo prominent als die van de S. Carlos, want immers gesitueerd aan de pauselijke processieroute, beneden het Capitool met zicht op het Forum Romanum.

In 1634 krijgt de kunstenaar toestemming om op eigen kosten de crypte van de kerk van de Accademia di San Luca uit te breiden. Tijdens de opgravingen wordt echter het lichaam van de H. Martina gevonden, waarop kardinaal Francesco Barberini in 1635 de nieuwbouw van de kerk op basis van de plannen van Cortona gelast. In 1644 is ze overwelfd, in 1650 is het binnenste gereed.

Cortona stelt een Grieks kruis voor, waarvan de vier uiteinden absissen zijn. Het traditionele wandsysteem formuleert hij opnieuw. De muur is van een buitengewone plasticiteit en het wisselspel van orde en muur is even verbluffend als logisch. Er kunnen drie indelingen van muurvlakken en zuilen worden onderscheiden. In de absissen zijn de zuilen in de muurnissen geplaatst, in de aangrenzende traveeën komen de zuilen ten opzichte van het muurvlak naar voren c.q. de muur wijkt naar achteren en onder de koepelpijlers zijn de zuilen in de pijlers verdiept. De zuilen hebben hun antieke autonomie teruggekregen; ze zijn weer plastisch en hebben een dragende functie. De rondlopende zuilenreeks formuleert tegelijkertijd een centrale ruimte en lost zo het probleem van de axiale inrichting op.

Interessant is het decoratieve systeem. De pendentieven, koepelzwikken en gewelven zijn rijk versierd. Cortona bedekt de gewelven met twee soorten, tegenstrijdige decoratiesystemen. Hij gebruikt enerzijds de cassetten van het Pantheon, een monolithische structuur, en anderzijds de ribben van de St.-Pieter. Borromini zal dit systeem grafisch abstraheren en variëren, Bernini zal het vereenvoudigen en tot de oorspronkelijke vorm herleiden. Net zo nieuw is de manier waarop Cortona deze

**Pietro da Cortona**
Rome, Santi Luca e Martina, 1635-1650
Voorgevel

decoratie tegen de spits toelopende vensterafsluitingen plaatst. Dit motief herhaalt hij op dezelfde manier aan de buitenzijde, alleen zijn de bepalende elementen hier de sterk geabstraheerde raamopeningen in de tamboer en de veelvuldig gewelfde sierelementen in de onderste zone van de koepel.

Niet minder bijzonder is de behandeling van de hoofdgevel (afb. boven). Terwijl de overige zijden als prismatische lichamen zijn gesneden en de vorm van het interieur slechts globaal laten zien, lijkt de toegangsgevel juist naar het interieur gevormd, wanneer deze zich parallel met de daarachter liggende absis welft. Deze gevel is afgesloten door twee steunbeerachtige pijlers. Zij verlenen de boog zijn krachtige spanning. De relatie met de as van de Via Papalis wordt in de insnijding tussen boog en steunberen duidelijk. De hoekpijlers zijn tweevoudig van achteren ingelijst, terwijl de gevel een steeds grotere welving heeft tegenover dit punt. De indruk ontstaat dat de perspectieflijnen van de muur naar de straat toe steeds strakker worden.

Toen de werkzaamheden aan het baldakijn van de St.-Pieter in 1633 waren beëindigd en in de jaren daarna ook de uitwerking van de vieringpijlers was gevorderd, ging paus Urbanus zich wijden aan de herziening van de voorgevel van de kerk.

Maderna's torens waren tot aan de basisverdiepingen opgemetseld voordat de werkzaamheden werden beëindigd. Na telkens nieuwe ontwerpen neemt Urbanus in 1636 het besluit om Bernini's voorstel voor de klokkentoren uit te laten voeren. Er wordt begonnen met de zuidelijke toren, maar al spoedig ontstaan er technische problemen. De bouwgrond verzakt en de fundamenten blijken niet stevig genoeg te zijn. Er komt kritiek en weldra beginnen de roddels en intriges. De bouwwerkzaamheden worden onderbroken. Bernini valt in eerste instantie in ongenade. Desondanks of juist daarom doet hij in de volgende jaren nieuwe voorstellen, maar die worden niet uitgevoerd. In 1646 worden de gemetselde delen definitief afgebroken.

In een late tekening neemt Bernini een voorbeeld van Maderno als uitgangspunt om de bijzonderheden van het eigen ontwerp te benadrukken (afb. onder). Hij verkleint de torens, wat ook het funderen vergemakkelijkt. Tevens reduceert hij hun gewicht door ze een grote openheid te geven. Een vergelijking met de tekening van Maderno laat zien hoe Bernini het orthogonale aanzicht wijzigt. De voorgrond kort hij perspectivisch in, de koepel boven de hoge tamboer handhaaft hij echter onverkort. Het zou correct zijn geweest om ook de zones aan de achterzijde in te korten. Vermoedelijk probeerde hij hiermee de paus te 'overtuigen'.

In 1637 begint Borromini met het ontwerpen en bouwen van het convent van de aanhangers van Filippo Neri, een net als die van de jezuïeten belangrijke congregatie van het katholieke geloof. Net als de jezuïeten hadden zij al vroeg hun zetel gekozen aan de Via Papalis, ook al was het gebouw minder gericht op deze weg dan op het zuiden op de pelgrimsweg, de huidige Via del Pellegrino. Onder Urbanus wordt deze

**Gianlorenzo Bernini**
Ontwerp voor de gevel van de St.-Pieter met torens, 1636-1641
Bibliotheca Apostolica Vaticana, Vaticaan. lat. 13442, f. 4

**Francesco Borromini**
Rome, Oratorio e Casa di San Filippo Neri, 1637-1650
Hoofdgevel aan de Via del Pellegrino

**Francesco Borromini**
Rome, Oratorio e Casa di San Filippo Neri, 1637-1650
Zijgevel aan de Via Papalis

relatie nog eens onderstreept, wanneer een straat wordt geopend vanaf de pelgrimsweg op het plein voor het convent en de Chiesa Nuova. Borromini reageert op beide straten met twee voor het convent geplaatste gevels. Het bouwprogramma van de congregatie houdt in dat naast de S. Maria in Vallicella een sacristie, cellen voor de leden, een refter, een oratorium en een bibliotheek gebouwd worden. De dispositie van het ontwerp gaat terug op de architect Maruscelli, die de prijsvraag in 1637 echter verliest. De werkzaamheden vlotten en in 1640 is het oratorium in gebruik. Daarna volgt de zuidelijke gevel, en in 1650 wordt het werk aan de gevel aan de zijde van de Via Papalis afgesloten.

Borromini geeft voorrang aan de zuidgevel aan de zijde van het plein en de pelgrimsweg. Deze kloostergevel heeft iets tweeslachtigs. Het is geen kerkgevel, maar toch doet hij eraan denken en tegelijkertijd citeert hij elementen uit de paleisarchitectuur. De gevel is onafhankelijk van het interieur ontwikkeld. Zijn as leidt weliswaar naar het oratorium, maar dan zijwaarts onder de galerij door. De eigenlijke toegang is echter tussen kerk en klooster ingeklemd. De nieuwe gevel mocht bovendien niet concurreren met de zijgevel van de kerk, reden waarom hij in baksteen is opgetrokken. Het is een techniek die subtiele overgangen en detailleringen toestaat, waarvan de architect rijkelijk gebruik maakt. De gevel is als een dubbele convex-concave schaal gevormd en elke pijler heeft een verschillende positie ten opzichte van de beschouwer en het licht. Het spel van de tegenstellingen is veelomvattend. Zo heeft de centrale as op de begane grond een convexe kromming ten opzichte van de beschouwer, terwijl op de eerste verdieping de concave nis met behulp van de perspectivisch verkorte nisoverwelving nog eens extra wordt verdiept.

Net zo tegenstrijdig is dat de orde in de bovenste deklijst is omgetrokken en dat deze ‘sterke’ orde alleen maar een gebroken gezwenkte topgevel heeft. De onderste deklijst wordt daarentegen door de bovenste vensterafsluitingen doorsneden, waarmee de visuele draagkracht wordt genegeerd.

Borromini ontwikkelt de gevel aan de zijde van de Via Papalis op een andere manier. Het gehele ordesysteem is tot enkele grafische lijnen gereduceerd. Alleen de ronde toren, die zich majestueus boven de gevel verheft, is sculpturaal gevormd. Het complex van de Filippijnse orde is zo tussen pelgrims- en pausweg ingepast. In deze ruimte van de stad wordt het spirituele leven geprojecteerd.

Direct beneden het Quirinaal en het door Urbanus met behulp van Bernini in 1635 nieuw ingerichte Quirinaalplein ligt het Piazza di Trevi. Al onder Urbanus worden de eerste ontwerpen gemaakt voor de Fontana di Trevi, die echter niet worden uitgevoerd, en voor het in het oosten

Francesco Borromini
Ontwerp voor het Palazzo Carpegna
1640-1649

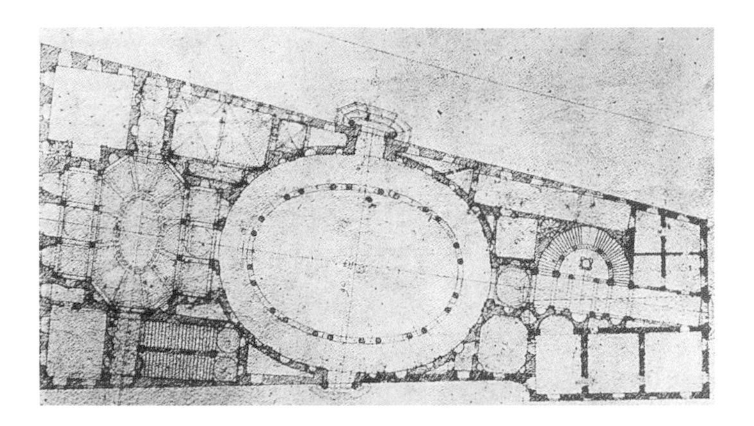

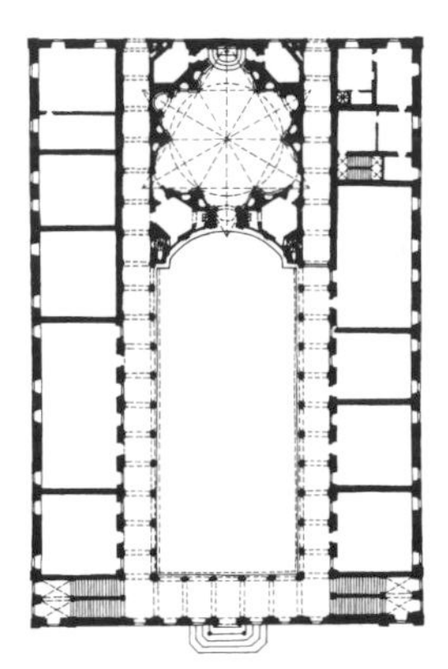

Francesco Borromini
Rome, Sant' Ivo della Sapienza
1642-1644 (1646-1665)
Plattegrond en gezicht op gevel binnenplaats

aangrenzende Palazzo Carpegna. Voor het paleis tekent Borromini in de jaren tussen 1640 en 1649 talrijke projecten, waarvan er echter maar enkele worden gerealiseerd. Het zijn gedurfde plannen, die ver op de ontwikkeling van de paleisbouw vooruitlopen. In eerste instantie neemt hij het Palazzo Barberini als uitgangspunt om de verschillende delen van het gebouw axiaal aaneen te rijgen. Revolutionair is de verbinding van grote vestibule, open trap en ovale binnenhof. De laatste plattegrond in de reeks ontwerpen laat twee trappen zien die langs de zijkanten van de ovale hof omhoog leiden. Pas Guarini zal in zijn ontwerp voor het Palazzo Carignano een deel van deze ideeën kunnen realiseren.

De universiteitskerk S. Ivo della Sapienza (afb. rechts en blz. 29) is allesbehalve het product van een enkele ingeving van een genie. De bouw van de kerk duurt bijna twintig jaar. Door drie pausen worden beslissingen genomen, ongedaan gemaakt en herzien. Conflicten tussen verschillende politieke belangen en zich wijzigende schoonheidsidealen blijken bijzonder invloedrijk. De architect is onder meer gedwongen nieuwe ontwerpen te maken, verbeteringen uit te voeren en delen van het gebouw tegen instorten te behoeden.

Al in 1632 had Bernini de universiteit voorgesteld zijn toenmalige assistent Borromini als architect aan te stellen. Borromini begint met de voltooiing van de zuidvleugel van het door Giacomo della Porta begonnen tweevleugelige complex. In 1642 krijgt hij vervolgens de opdracht voor de kerk. In de volgende twee jaar wordt de bouw na veelvuldig gewijzigde plannen tot aan de aanzet van de lantaarn uitgevoerd. De basisfiguur van dit ontwerp behelst twee elkaar deels overlappende gelijkzijdige driehoeken, waarvan de punten door trapezodale en halvecirkelvormige absissen worden doorsneden. De punten van deze figuur worden doorbroken door bogen die naar het midden toe inzwenken.

Deze figuur wordt net als in de S. Carlo door een duidelijk aanwezige orde ingedeeld, in dit geval door 'halve' pijlers. De toegang naar de hof heeft een wijde opening tussen deze pijlers, de altaarnis is diep. Anders dan in het eerste ontwerp ontwikkelt Borromini hier de structuur van een koepel. Terwijl de koepel in de S. Carlo nog een door mid-

**Francesco Borromini**
Rome, Sant' Ivo della Sapienza
1642-1644 (1646-1665)

Gezicht op de koepel (links)
Lantaarn (midden)
Ontwerp voor lantaarn (rechts)
Gezicht op het interieur (linksonder)

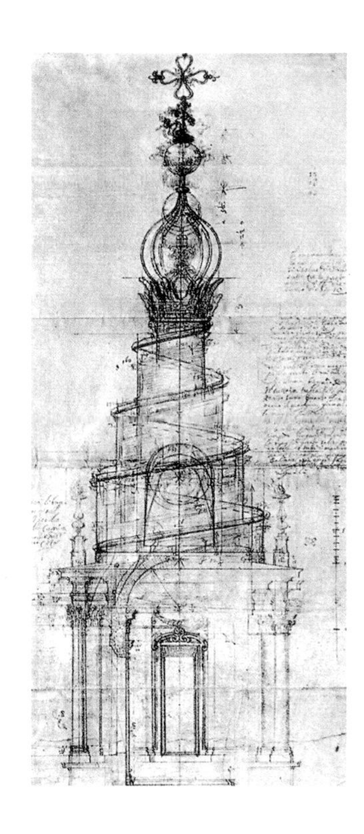

del van een eenvoudige ovaal ontworpen vorm had, volgt de koepelvorm nu de uit- en inzwenkende muur. Deze concaaf-convexe rangschikking wordt in de segmenten van de koepel voor het eerst toegepast. De convexe segmenten worden in de loop van de welving steeds verder concaaf omgevormd en zo aan de telkens aangrenzende segmenten aangepast. Het zijn vooral de ribben tussen deze segmenten die de opwaartse tendens van de randen van de pijlers zeer dynamisch voortzetten. Op deze manier wordt de complexe diversiteit van de uitgangsfiguur omgezet in een allesomvattende eenvoud.

Volgens een nog tijdens Urbanus' leven opgesteld contract wordt het werk aan de koepel aan het begin van de regeerperiode van zijn opvolger Innocentius X afgesloten. Daarna komen de werkzaamheden stil te liggen, vooral vanwege een politiek conflict van de pauselijke families, de Pamphili's en de Barberini's. Pas na talloze petities door de opdrachtgevers en de juridische faculteit van de universiteit wordt uiteindelijk in 1652 toestemming gegeven voor het vervolg van de werkzaamheden. Vervolgens worden de lantaarn en de spiraalvormige opbouw geplaatst. Dat Borromini deze niet bouwt volgens een uitgewerkt ontwerp, zoals dat bij de eerste plannen meer dan tien jaar eerder ontstond, wordt na korte tijd duidelijk, want de lantaarn, die door opvallende, dicht bij elkaar geplaatste dubbele zuilen wordt gestut en door een tussen de zuilenparen telkens inzwenkende lijst aan de boven-

Francesco Borromini
Rome, San Giovanni in Laterano
Interieur, 1646-1650

Filippo Juvarra
Studie voor de gevel van San Giovanni in Laterano met plein

zijde wordt afgesloten, dreigt de koepelconstructie ten val te brengen. Er moeten onmiddellijk maatregelen worden getroffen, die uiteindelijk een geïmproviseerde indruk maken. Daarbij horen de inpassing van een ijzeren ring op de aanzet van de koepel, en de ribben die boven de trapsgewijs verlopende koepel uitwaaieren.

Op zich zou de constructie nu gereed moeten zijn, ware het niet dat de volgende paus, Alexander VII, tot een serie wijzigingen besluit. Zo worden in het interieur toegangen verplaatst en ramen gesloten en wordt aan de buitenzijde de tekening van de tamboer veranderd. Was voor Bernini architectuur het podium van een dramatisch gebeuren, in het geval van de S. Ivo is dramatiek inherent aan architectuur, is ze deel van een conceptie. Dat deze dramatiek ook de uitvoering zelf zou bepalen, zal Borromini echter niet hebben verwacht.

## Innocentius X. Pamphili (1644-1655)

Anders dan onder Urbanus concentreert de pauselijke bouwpolitiek zich onder zijn opvolgers op een paar punten in de stad. De pauselijke interesse richt zich eerst op de Via Papalis. Enerzijds geeft hij opdracht om het Capitool aan de zijde van de S. Maria in Aracoeli met het derde, door Michelangelo bijna een eeuw eerder ontworpen paleis te completeren, anderzijds om de SS. Luca e Martina te voltooien. Maar eerst komen twee andere bouwplannen aan bod: de renovatie van de basilica S. Giovanni in Laterano en de herinrichting van het Piazza Navona. Dient het eerste plan *ad maiorem gloriam Dei*, in het tweede geval is de eigen roem de drijvende kracht.

De renovatie van de S. Giovanni, die in 1646 met het oog op het jubileum in grote haast in de recordtijd van slechts vier jaar werd uitge-

Rome, Piazza Navona
Links het Palazzo Pamphili en de Sant'Agnese, in het centrum Bernini's 'Fontana dei quattro fiumi' (vierstromenfontein)

voerd, omvat ook het ontwerp voor een groot plein 'a forma di teatro', dat echter niet tot uitvoering komt. Juvarra's later ontstane tekening (afb. blz. 30 boven) geeft een idee van dit ontwerp. In dezelfde context wordt begonnen met de aanleg van een uniforme randbebouwing langs de Via Merulana, die de S. Giovanni en de S. Maria Maggiore met elkaar verbindt. Deze 24 huizen vormen de eerste als een eenheid ontworpen lintbebouwing van de Barok.

Moet in dit geval 'nieuw land' worden veroverd, het pauselijke idee om aan het Piazza Navona het familiepaleis neer te zetten, betekent een diepe ingreep in een gedurende meer dan een eeuw gegroeid stedelijk patroon. Tegelijkertijd is het Piazza Navona een belangrijk centrum van burgerlijk leven. De paus gaat rigoureus te werk, waarbij hij zich op de bijna een eeuw eerder door Gregorius XIII uitgevaardigde wetten baseert. Aanwonenden worden onteigend en aan het project grenzende gebouwen worden afgebroken. Om de kosten te kunnen dekken, heft de paus een belasting die alle aanwonenden en huiseigenaren van de wijk moeten dragen om uiteindelijk van het hele plein de voorhof van zijn privé-paleis te kunnen maken.

In 1646, enkele jaren voor het heilige jaar, geeft Innocentius aan Borromini opdracht om de op de St.-Pieter na belangrijkste kerk van Rome, de vroeg-christelijke, uiterst bouwvallige S. Giovanni in Laterano, te renoveren. Dezelfde taak had anderhalve eeuw eerder Bramante ook gehad voor de St.-Pieter. Hij had paus Julius echter tot nieuwbouw kunnen overhalen. Voor Innocentius kan daar geen sprake van zijn, want zijn motto is 'behouden en verfraaien'. Borromini moet daarom uitgaan van wat aanwezig is; zijn mogelijkheden zijn beperkt.

Gianlorenzo Bernini
Rome, Piazza Navona
Vierstromenfontein (detail)
1648-1651

Borromini's aandacht is helemaal gericht op het centrale van de vijf kerkschepen (afb. blz. 30). De snelle opeenvolging van zuilen onder een hoog opgaande muur vervangt hij door een kolossale orde, die de hele hoogte in beslag neemt. Brede openingen naar de vier aangrenzende zijschepen en smalle ciboria verlenen ritme aan de nieuwe wand. De eerste ontwerpen tonen hoe Borromini eerst probeert van de dwarsrelaties uit te gaan, dat wil zeggen van de zuilen, de toegangen tot de grafkapellen en de statische structuur. Maar hij hecht grotere betekenis aan de uniformiteit van de ruimte, reden waarom hij in een tweede fase de kolossale orde via de hoeken van de ruimte, op vergelijkbare wijze als eerder in de kloosterhof van de S. Carlo, ook op de toegangswand projecteert. In dit ritme worden de convexe ciboria contrapunt naar het schip toe. Een extra nadruk krijgen deze ciboria nog met de inpassing van de zuilen van *verde antico* die zeer werden vereerd. Om de elementen van de ruimte samen te laten komen, ontwierp Borromini een tongewelf voor het zware houten plafond. Tot uitvoering komt het na het heilige jaar echter niet meer.

Met dezelfde vastberadenheid als bij de S. Giovanni zet Innocentius vaart achter de plannen voor het Piazza Navona. Ze omvatten zijn familiepaleis, de uitvoering c.q. herschikking van de fonteinen op het plein en de S. Agnese.

In 1646 belast Innocentius Girolamo Rainaldi met het ontwerp voor het Pallazo Pamphili (afb. blz. 31, links op de foto). Diens ontwerp is schematisch en kan nauwelijks overtuigen. Borromini komt Rainaldi in een gevorderd stadium te hulp. De galerij is op hem terug te voeren, evenals de schitterende portaalwangen en de centrale, uitbundige balklaag boven het raam aan de kant van het plein. Later zal Pietro da Cortona de zaal van fresco's voorzien (afb. blz. 385).

In 1648 krijgt Bernini opdracht om de Fontana dei Quattro Fiumi, de vierstromenfontein, te ontwerpen en, in 1653, de door Giacomo della Porta gecreëerde fontein op de uiteinden van het plein opnieuw vorm te geven. Stedelijke ruimte en natuur gaan bij de vierstromenfontein (afb. links en blz. 289) een buitengewone verbintenis aan. Op dezelfde manier waarop de fontein een Egyptische obelisk draagt, is de geschiedenis op de natuur gegrondvest. Op dezelfde directe manier geven alle allegorische figuren hun betekenis prijs. De rots lijkt bijna natuurlijk, de palmen buigen in de wind en het water stort zich met geraas in het bassin. Het gaat Bernini niet om de vertaling van concepten. De figuren zelf zijn concept, ze staan voor het enthousiasme en optimisme in deze wereld.

De opdracht om naast het familiepaleis de S. Agnese (afb. blz. 33) te bouwen, werd in 1652 in eerste instantie aan Girolamo Rainaldi en zijn zoon Carlo gegeven. Ze ontwierpen een Grieks kruis met korte armen en pijlers, die in diagonale richting beknot en door in de pijlers verzonken zuilen omsloten waren. Al snel kwam er kritiek op het ontwerp, met name op de aan de pleinzijde geplande porticus en de daarvoor geplaatste trap, die tot ver op het plein zou doorlopen.

In 1653 vervangt Innocentius de Rainaldi's door Borromini, die verder zal moeten werken aan de al tot de begane grond opgebouwde constructie. Desondanks lukt het Borromini om een paar allesbepalende wijzigingen uit te voeren. In het interieur trekt hij vooral de in de pijlers verzonken zuilen ver de ruimte in, in de richting van de kruisarmen. Het reslutaat is een fundamentele verandering van het ritme, want nu volgen bijna even brede openingen elkaar op. Uit het kruis ontstaat een min of meer regelmatige achthoek. De architect onderstreept dit nieuwe ritme doordat hij de kerk zelf wit houdt, maar de zuilen in rood marmer daar duidelijk tegen afzet.

De ver boven de zuilen uitspringende lijst suggereert een spanning van de architectonische elementen en verleent het interieur tegelijk een sterke verticaliteit. Borromini tekent ook de tamboer aanzienlijk hoger dan oorspronkelijk gepland. Deze beweging wordt voltooid door de hoog oprijzende curvatuur van de koepel.

Aan de pleinzijde ziet Borromini af van de door de Rainaldi's geplande porticus; hij dringt de gevel zo ver mogelijk terug tegen het bouwlichaam. Tevens weet hij de centrale koepel ondanks het smalle bouwperceel vrij te plaatsen en hoger te maken, doordat hij de hoog oprijzende kerktorens niet voor de kerk zelf, maar voor de belendende gebouwen plaatst. De gevel lijkt er nu tussenin te zijn opgehangen.

**Francesco Borromini, Girolamo en Carlo Rainaldi**
Rome, Sant'Agnese, 1653-1657
Gezicht op het interieur

Borromini slaagt erin een geheel nieuwe betekenis te geven aan het in de Renaissance veel besproken schema van de centraalbouw, nadat dit in de St.-Pieter met de bouw van het langschip en de daaropvolgende afbraak van de torenconstructie volledig was mislukt. Borromini weet zelfs de door Bramante en Michelangelo nagestreefde eenheid van bouwlichaam, torens en koepel te bereiken, ofschoon hem na meningsverschillen met de paus en, na diens dood, met kardinaal Pamphili de opdracht om de bouw te voltooien wordt ontnomen; de door Carlo Rainaldi uitgevoerde wijzingen –aan de buitenzijde betreft dat de toevoeging van een attiek en de vereenvoudiging van lantaarn en torens– zijn onbelangrijk.

**Francesco Borromini en Carlo Rainaldi**
Rome, Sant'Agnese, 1653-1657
Voorgevel (voltooid in 1666)

Behalve de S. Giovanni en het Piazza Navona valt er nog een reeks belangrijke bouwondernemingen in de regeerperiode van Innocentius, die weliswaar niet rechtstreeks op hem teruggaan, maar die hij voor een deel nauwkeurig volgt.

Aan het Piazza di Trevi, direct tegenover het stuk grond waarvoor Borromini het Palazzo Carpegna ontwerpt, bouwt Martino Longhi de Jonge voor kardinaal Mazzarin in de jaren tussen 1646 en 1650 de SS. Vincenzo ed Anastasio. Het perceel wordt schuin in de richting van het plein ontsloten. Hieruit ontwikkelt Longhi het even merkwaardige als succesvolle gevelmotief, de opeenplaatsing van telkens drie vrijstaande zuilen links en rechts van de centrale as, die hij op de verdieping erbo-

**Martino Longhi de Jonge**
Rome, Santi Vincenzo ed Anastasio
Voorgevel, 1646-1650

**Martino Longhi de Jonge**
Rome, Santi Vincenzo ed Anastasio
Voorgevel (detail)

ven herhaalt (afb. boven). Deze indeling wordt nog benadrukt doordat ze meerdere niveaus heeft. Twee zuilenparen definiëren tegelijkertijd de gevel in zijn volle breedte. Weinig logisch, maar hoogst effectvol is de rangschikking van drie 'topgevels' in ronde en andere vormen op de bovenverdieping. Deze corresponderen slechts in beperkte mate met de zuilen. Hoewel het nog steeds een zich telkens wijzigend maniëristisch spel is, is het zeer opmerkelijk hoe Longhi deze architectonische elementen een Romeinse statuur en massiviteit weet mee te geven.

Welk buitengewoon geduld bouwondernemingen vooral van de architect kunnen vergen, laat de S. Andrea delle Fratte zien. In 1653 krijgt Borromini van de Marchese Bufalo opdracht om deze kerk te voltooien. De zich voortslepende werkzaamheden worden in 1665, als de voltooiing nog ver is, gestaakt. Des te fascinerender zijn de door Borromini uitgevoerde delen (afb. blz. 35). De koepel heeft de vorm van een machtige bakstenen cilinder die door uitzwenkende steunbeerachtige bouwelementen wordt gestut. Concave vlakken lijken in de koepelcilinder te snijden om convexe cilinderfragmenten op te nemen, waarvan de snijpunten de machtige zuilen onderstrepen.

Een lantaarn ontbreekt. In een direct contrast daarmee staat de ver in de richting van de straat geplaatste toren. De eerste van de totaal verschillend gevormde verdiepingen is geheel gesloten en op een vierkant grondvlak aangelegd. In de diagonalen zijn de zuilen naar buiten toe verschoven. Boven een ver uitkragende lijst volgt een open, op een ronde tempel lijkende 'luchtverdieping'. Ze wordt door een deklijst en een buitengewoon majestueuze borstwering bekroond. Daarna volgt een aan de lantaarn van de S. Ivo herinnerend, uit- en inzwenkend bouwlichaam, alleen zijn hier de dubbele zuilen door cherubijnen vervangen. Hierboven verheffen zich naar binnen welvende voluten en ten slotte een op het oog uiterst instabiel volutenlichaam met een kroon met scherpe punten. Het gesloten massieve tamboer-koepellichaam vormt de perfecte achtergond voor de toren. Het eigenlijke ontwerp is gebaseerd op uiterst zeldzame motieven uit de klassieke Oudheid. Het is niet altijd duidelijk of Borromini deze motieven in eigen persoon of in de vorm van overleveringen heeft gezien, of dat hij ze onafhankelijk van, maar uiteindelijk analoog aan zijn antieke voorlopers ontwikkelt.

Nog langer duren de werkzaamheden aan het direct aan de S. Andrea delle Fratte grenzende complex van de bestuurszetel van de jezuïeten, het Palazzo della Propaganda Fide (afb. blz. 36). In 1646 wordt Borromini met de verbouwing en de nieuwbouw van het college belast. Al snel doet de architect de eerste voorstellen voor het complex, dat

Francesco Borromini
Rome, Sant'Andrea delle Fratte
Gezichten op de toren, 1653-1667

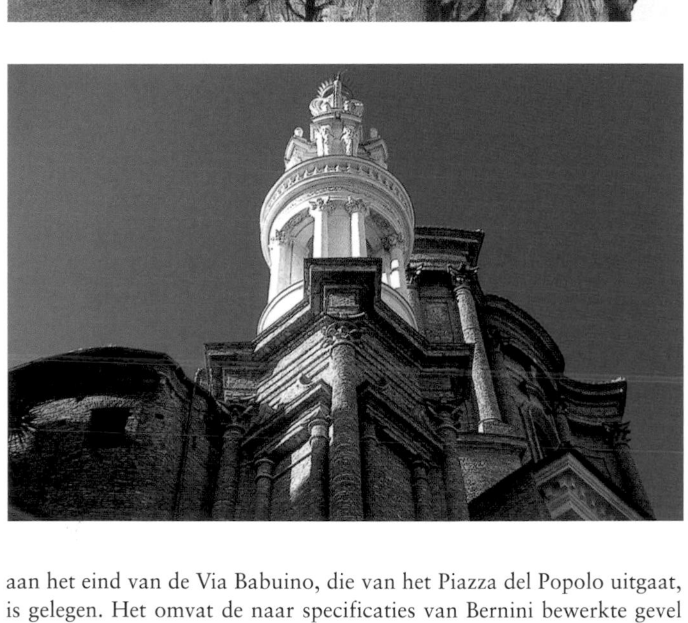

aan het eind van de Via Babuino, die van het Piazza del Popolo uitgaat, is gelegen. Het omvat de naar specificaties van Bernini bewerkte gevel aan het Piazza di Spagna en een eveneens door Bernini gebouwde kerk. Maar pas in 1662-1664 worden de veelvuldig gewijzigde plannen uitgevoerd. Het was aanvankelijk onder meer de bedoeling van de architect om Bernini's kerk, die qua compositie gelijkenis vertoonde met Borromini's eerste ontwerp voor de S. Carlo, te behouden. Maar uiteindelijk vervangt hij haar door een hallenvormige ruimte. Wederom oriënteert hij zich op de door Michelangelo zo meesterlijk geformuleerde onderlinge verwevenheid van grote en kleine orden. Tegelijkertijd voorziet hij de omsluitende wand op veel niveaus met op zichzelf staande ruimtecompartimenten. De uitwendige vormgeving van het uitgebreide complex is vergelijkbaar met dat van het oratorium van de Filippijnen. Zo ontwerpt Borromini een tot slechts enkele grafische elementen gereduceerde orde voor de later geplaatste gevels aan de straatkant, terwijl hij voor de hoofdgevel een volledig onorthodoxe, aan de paleisbouw ontleende façade plaatst. In de smalle straat is deze gevel alleen in een sterk perspectivische verkorting te zien. In overeenstemming daarmee brengt hij nog sterkere accenten aan dan bijvoorbeeld in de zeven traveeën metende kolossale orde in het ontwerp voor het oratorium en de detaillering ervan. Zo kan hij licht en schaduw gelijktijdig naar de gecompliceerde omlijsting van de ramen en naar de concave en convexe elementen leiden. In de gedetailleerde onderverdeling speelt de architect continu met tegenstellingen. Tegelijkertijd breekt hij met de traditie van de paleisgevel, wanneer hij de bouworde op geheel nieuwe wijze interpreteert. Hij abstraheert de orde sterk. Zo reduceert hij de

**Francesco Borromini**
Rome, Palazzo della Propaganda Fide
1654-1662/1664

kapitelen tot een paar verticale lijnen, en de lijst heeft geen fries. Het centrale veld is concaaf gevormd, waardoor het een verrassende tegenstelling laat zien met de rest van de overigens vlakke gevel. Een andere tegenstelling die Borromini uitwerkt, is die tussen de abstractie van de begane grond en de rijk gebeeldhouwde openingen in de bovenverdieping. Deze buigen naar binnen op de vlakke muur alsof ze tussen horizontalen worden samengeperst. In het concave gedeelte buigen ze echter naar buiten. De variaties gaan nog verder, bijvoorbeeld binnen de omlijstingen van de ramen. De overige gevels vormen de achtergrond voor deze detaillering.

**Alexander VII Chigi (1655-1667)**

Vergeleken met de op een paar plaatsen geconcentreerde bouwactiviteiten van Innocentius X lijkt paus Alexander behept te zijn met een passie voor bouwen die geen grenzen kent. Deze komt in een reeks grootse ondernemingen tot uitdrukking. De talrijke aantekeningen en zelfs schetsen van zijn hand op projecttekeningen geven aan hoe hij onvermoeibaar 'zijn' Rome ontwerpt. Door de al genoemde maquette van de stad die hij in zijn privé-woning heeft laten opstellen, is hij in staat om zijn ideeën direct nader te onderzoeken. Alexanders ontwerpen voor de stad zijn voornamelijk verfraaiingen en verrassingen, maar houden nauwelijks rekening met de belangen van de burgers.

Alexanders ondernemingen definiëren doorgaans afzonderlijke episoden in de stad als geheel, maar ze volgen slechts in beperkte mate een integrale aanpak. Daartoe behoren o.a. de inrichting van bekende pleinen als het Piazza del Popolo, het Piazza S. Pietro of de pleinen voor het Pantheon en de S. Maria della Pace, maar ook de herformulering van talrijke minder bekende pleinen, zoals dat voor het Collegio Romano, de S. Carlo ai Catinari of de S. Maria in Trastevere.

Enkele ingrepen langs de Via del Corso, de belangrijkste toegangsweg vanuit het noorden naar de stad en het Piazza Venezia, staan daarentegen in een nauwe relatie tot elkaar. In 1655, het jaar van zijn aantreden, geeft de paus Bernini opdracht voor de verbouwing van de Porta del Popolo, de stadspoort, en de renovatie van de aan het Piazza del Popolo gelegen S. Maria del Popolo. In de jaren tussen 1652 en 1655 heeft Bernini hier al de door Rafaël ontworpen kapel van de pauselijke familie Chigi gerestaureerd. Vervolgens laat Alexander de Via del Corso recht trekken en tot twee banen verbreden. Korte tijd stond de antieke Arco di Portogallo de uitbreiding in de weg, waarop deze in een rapport als een kopie wordt aangemerkt om zonder bezwaar te kunnen worden afgebroken. Aan het Piazza Venezia laat Alexander ten slotte de Via Plebiscito aanleggen om de Via del Corso en de Via Papalis rechtstreeks met elkaar te kunnen verbinden.

Het eigenlijke doel van al deze ondernemingen is de bouw van een schitterend familiepaleis aan het Piazza della Colonna, halverwege de Via del Corso. Hierover doet Bernini's biograaf Manetti ons uitvoerig verslag. Het idee was om op basis van het patroon van het Piazza Navona van Innocentius X eerst het plein opnieuw te ontwerpen. Bernini heeft het plan om het plein te vergroten, de zuil van Trajanus van zijn vertrouwde stek voor de Mercati di Traiano naar het plein te verplaatsen en naast de Colonna Antonina te zetten en bovendien nog twee fonteinen te maken. Tegelijkertijd stelt Pietro da Cortona voor om de nabije waterleiding, de Acqua Trevi, tot op het plein door te laten lopen in een imposante 'kijkmuur' die het bepalende motief van zijn ontwerp voor het Palazzo Chigi zou moeten worden.

Spoedig na zijn ambtsaanvaarding begint Alexander met de verwezenlijking van het St.-Pietersplein; in 1656 krijgt Bernini opdracht voor het ontwerp (afb. blz. 37). Dit plein wordt met zijn expansie naar de omgeving en zijn relatie met de stad de tegenhanger van de koepel van de St.-Pieter. Een opeenvolging en voortdurende afwisseling van perspectieven en open ruimten bepalen het plein. Net als op het toneel spelen herinnering en verbeelding een fraai en afwisselend spel met elkaar. Maar voor alles wordt het plein het zinnebeeld van een triomferende Kerk.

Paus Alexander en Bernini zetten hun gemeenschappelijk uitgewerkte project door tegen het interne verzet en de intriges binnen de curie in. Voor de aanleg van het plein zijn rites en processies van groot belang, vooral met Pasen, als de paus zijn *urbi et orbi*, zijn zegen voor Rome en de wereld, uitspreekt; de vorm van het plein moet een passende vertaling zijn van dit allesomvattende gebaar. Aan de andere kant is het plein uitgangspunt van pauselijke processies; hier begint de Via Papalis, waarnaar het plein zich moet richten. Bovendien moet rekening worden

AFBEELDINGEN BOVEN EN RECHTSONDER:
**Gianlorenzo Bernini**
Rome, St.-Pietersplein, 1656-1657
Colonnades (detail)

**Gianlorenzo Bernini**
Rome, St.-Pietersplein, ontwerp voor de 'terzo braccio', de derde vleugel
Gravure van Giovanni Battista Falda, 1667

gehouden met de al aanwezige gebouwen en met name de entree tot het pauselijk paleis aan de noordwestkant.

Eerst ontwerpt Bernini een trapeziumvormig plein dat door een twee verdiepingen hoge, aan het traditionele paleisfront ontleende gevel zou worden omsloten. Maar de monumentaliteit van het plein moest met zo weinig mogelijk middelen –die vooral de hoogte van de bebouwing betroffen– worden bereikt. In het voorjaar van 1657 stelt de architect een ovaal voor, in eerste instantie als vrijstaande zuilenarcade, die vervolgens in de zomer door een porticus met horizontaal hoofdgestel wordt vervangen.

Dit ontwerp heeft nu geen associaties meer met een paleis en is uiteindelijk aan het vereiste ceremoniële karakter aangepast. Het heeft zijn eenvoudigste en pregnantste vorm gevonden. Tegelijkertijd levert de reductie tot slechts één etage een beter aanzicht op, is de uitvoering goedkoper en worden de proporties van de kerkgevel beter gecorrigeerd. De geometrie van het plein is in belangrijke mate bepaald door al aanwezige gebouwen, de corridor van Ferrabosco, het Vaticaans paleis en de oriëntatie op de Via Papalis.

Tot 1667 wordt het idee besproken om het plein met een korte arm, als voortzetting van de uitgebouwde *Portici*, te sluiten. Later wordt er nog over gedacht om deze derde arm in de richting van de wijk Borgo uit te bouwen. Het is Bernini's bedoeling om een allesomvattend en onvertroebeld uitzicht op de hele architectonische structuur te creëren, als onderdeel van zijn dynamische opvatting van architectuur. Maar nog nooit stond een opening van de wijk Borgo tot aan Castel S. Angelo ter discussie.

In diezelfde jaren 1656-1657 wordt Pietro da Cortona belast met de verbouwing van de gevel van de uit het quattrocento stammende S. Maria della Pace (afb. linksonder) en de bouw van een plein voor de kerk. Alexander wilde de bijzondere relatie met zijn geestelijke stamvader Sixtus IV tot uitdrukking gebracht zien. De twee wapens van beide pausen prijken tegenwoordig prominent op de zijvleugels van de kerk.

**Pietro da Cortona**
Rome, Santa Maria della Pace
Voorgevel, 1656-1657

**Pietro da Cortona**
Rome, Santa Maria in Via Lata
Links het Palazzo Doria (Gabriele Valvassori)
1658-1662

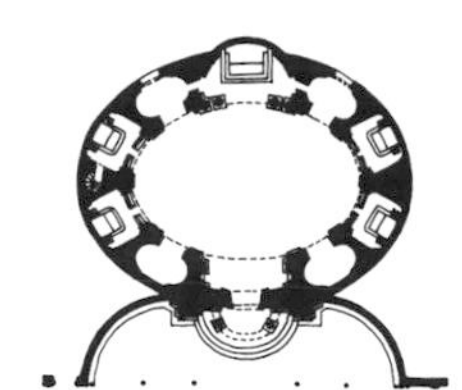

**Gianlorenzo Bernini**
Rome, Sant'Andrea al Quirinale
Plattegrond en voorgevel, 1658-1661

Tegen deze ver uitzwenkende gevels is een convexe zuilenuitbouw geplaatst, die de gehele breedte van de oorspronkelijke kerkgevel beslaat: Bramante's Tempietto gaat een verbintenis aan met Palladio's toneel van het Teatro Olimpico in Vicenza.

Indrukwekkend is de nooit eerder in een vergelijkbare vorm uitgevoerde scheiding tussen gevel en bouwlichaam. De gevel is niet langer grens, maar een autonoom plastisch lichaam, gedacht in de context: wegen en stad zelf openen zich vanuit een zijwaarts perpectief als dichtstbijgelegen achtergrond. Bernini zal deze vorm van integratie in de stedelijke context rechtstreeks in zijn ontwerp voor de S. Andrea opnemen. In de detaillering herhaalt Pietro da Cortona het motief van de beklemtoning van de hoeken, waardoor de gevel van zijn SS. Luca e Martina wezenlijk werd bepaald. Hier verlenen zuilen de voorgevel ruimte en leiden ze de blik naar de op de bovenverdieping concaaf inzwenkende zijvlakken. Deze vlakken worden achtergrond en omsluiten, door paargewijs geplaatste, ver uitzwenkende zuilen, de ruimte van het plein. Interessant is de overgang naar de naburige gebouwen, want die onderstreept daarbij bovendien nog de onderverdeling van de betekenissen, enerzijds de scènisch opgebouwde wand, anderzijds de loggia's.

Ook in het maar korte tijd uitgestelde ontwerp voor de S. Maria in Via Lata is het Pietro da Cortona's taak om een gevel te plaatsen voor het bestaande bouwlichaam, maar dit bevindt zich niet in de context van de dichtbebouwde middeleeuwse stad, maar aan de belangrijkste toegangsweg naar de stad, de Via Lata, tegenwoordig Via del Corso geheten (afb. blz. 38 rechts).

Als reactie op deze situatie ontwikkelt de architect de vereenvoudiging en monumentalisering verder. De complexiteit van de SS. Luca e Martina vervangt hij door enkele grote motieven, terwijl hij hier de klassieke tendensen, bijvoorbeeld de Dorische orde in de S. Maria della Pace, voortzet. Opnieuw ontwerpt de architect twee volledige verdiepingen, maar deze keer is het centrale veld ver geopend. En weer past hij massieve bouwelementen toe die op de begane grond de porticus en daarboven de loggia flankeren. Het geheel wordt door een enorm timpaan bekroond.

Met het oog op deze klassieke formulering van de compositie lijkt Palladio direct aanwezig te zijn, ook wanneer op de bovenverdieping een boog de lijst doorsnijdt en anders dan bijvoorbeeld in Palladio's basilica in Vicenza de hele lijst wordt 'meegebogen'. Als reactie op de straat verleent de architect de gevel bovendien een duidelijk afleesbare diepte. Zo zetten de zuilen in porticus en loggia zich duidelijk af tegen de beschaduwde achtergrond. Wederom hebben de massief gevormde, steunbeerachtige zijwaartse omvattingen de taak om de achtergrond en het contra-element te vormen. Maar vooral de keuze van het over een rechthoekige plattegrond ontwikkelde gevellichaam, uitgaande van het voornamelijk diagonale aanzicht in de straat, verleent de gevel een sterke plasticiteit en monumentaliteit. Ook dit element zal Bernini in de S. Andrea toepassen.

In dezelfde jaren wordt Bernini kort achter elkaar met het ontwerp van drie kerken belast, ontwerpen die hij ook grotendeels parallel uitwerkt. Het zijn de S. Tommaso da Villanova in Castel Gandolfo (1658-1661), de S. Maria della Assunzione in Ariccia (1662-1664) en de belangrijkste kerk van deze groep, de S. Andrea al Quirinale in Rome (afb. boven), die tussen 1658 en 1661 werd gebouwd.

Kardinaal Camillo Pamphili had Bernini opdracht gegeven om de S. Andrea te ontwerpen voor het aan de Via Pia gelegen noviciaat van de jezuïeten, tegenover het Quirinaal en niet ver van Borromini's S. Carlo. Als grondvorm kiest Bernini noch de cirkel, waarvoor het Pantheon –aan de renovatie waarvan hij in dezelfde tijd werkt– het eerste voorbeeld is, noch het Griekse kruis zoals later in Ariccia, maar het reeds in het plan voor het St.-Pietersplein gebruikte ovaal. Bernini werkt het ontwerp op een fascinerende manier uit.

De Via Pia is een dynamische lengteas, die loopt tussen het Quirinaalplein en de Porta Pia. Tegenover deze dynamiek plaatst Bernini een duidelijk statisch moment om een ruimte in het geheel van straten te creëren. Om de kerk zo goed mogelijk tegen het reeds bestaande noviciaat en de straat af te kunnen zetten, kiest hij voor het ovaal, dat in de lengte parallel aan de Via Pia komt te liggen. Voor het ovaal zijn uit-

Gianlorenzo Bernini
Rome, Sant'Andrea al Quirinale, 1658-1661
Gezicht op koepel en altaarnis

zwenkende muren geplaatst die een omsluiting van de ruimte markeren. Maar Bernini monumentaliseert vooral de schaal van de kerk om deze tegen de aangrenzende villa's en tuinen af te zetten. Elk element wordt tegelijk vereenvoudigd en enigszins aangezet, te beginnen bij de monumentale orde en het bekronende timpaan die de gevel definiëren. Het baldakijn dat de entree vormt, rust, anders dan zijn voorganger voor de S. Maria della Pace, slechts op twee zuilen; oorspronkelijk leidden er slechts drie, weliswaar royaal bemeten trappen naar de kerk; het thermenvenster boven het baldakijn is gigantisch; het wapen lijkt gevaarlijk naar de straat over te hellen; de slakvormige steunen aan het ovaal zijn niet echt noodzakelijk, maar hebben ontegenzeglijk een fraai effect. Ze gaan terug op de S. Maria in Via Lata. De gevel wordt tot een toneelachtig geheel dat het bouwwerk monumentale trekken geeft. Ritme en een dramatische schaduwval zijn belangrijker dan bijvoorbeeld de statische structuur.

De zo duidelijke nadruk op de as loodrecht op de Via Pia zet zich voort in het interieur. Het thermenvenster boven de ingang doorsnijdt als enige element de geometrie van de tamboer en de koepel. Tegenover de ingang plaatst Bernini de tweede, binnenste façade, die in het centrum het altaar en het schilderij van het martelaarschap daarachter bevat (afb. links). Het geheel krijgt extra nadruk door de plastische uitwerking, het alleen hier verwante motief van de paargewijs geplaatste zuilen en het afsluitende timpaan. Tegelijkertijd wordt de binnenruimte in zijn lengteas duidelijk bepaald door de reeks stijlen, terwijl het dynamische moment nog door het ritme van de openingen sterk wordt ondersteund. Twee bogen leiden naar de relatief donkere kapelruimten, die uitsluitend licht krijgen via smalle ramen boven de altaartafels. Daarna volgen twee kleine en donkere rechthoekige openingen. De bezoeker wordt uitgenodigd zijn blik langs de wanden van het ovaal te laten glijden, om zijn aandacht vervolgens volledig op de altaarruimte te concentreren.

Hier valt zijn blik op het schilderij van het martelaarschap dat, door engelen van stucwerk naar binnen getild, voor de bezoeker net als in het theater in scène wordt gezet. Dit toneel wordt van bovenaf helder verlicht. Het lijkt zich bovendien naar het oneindige toe te openen (afb. linksboven). Om deze illusie te kunnen realiseren, gebruikt Bernini glasmozaïek dat, in zijn blauwtonen variërend, in de richting van de centrale as steeds lichter wordt. Deze veronderstelde opening onderbreekt ook de duidelijke tekening van de orde. In elke vorm is het altaar het culminatiepunt.

Zonder twijfel zijn de donker gehouden aardse zone, de witte gipshemel of de figuren die naar de lichtbron opstijgen en de afgebeelde duif allegorieën. Kunst is verbeelding die werkelijkheid wordt, hier weergegeven in de hemelvaart van Andreas. Behalve de kleur dient het licht eveneens voor de enscenering van deze hemelvaart. In de ver van de aarde verwijderde hemelsfeer, die door ramen boven de lijst gelijkmatig is verlicht, zijn de kleuren wit en goud.

De kapellen zijn aanzienlijk donkerder en ontvangen indirect licht. De verlichting van de afzonderlijke kapellen laat fijne verschillen zien. Beide

**Carlo Rainaldi**
Rome, Santa Maria in Campitelli
Interieur en plattegrond, 1660/1662-1667

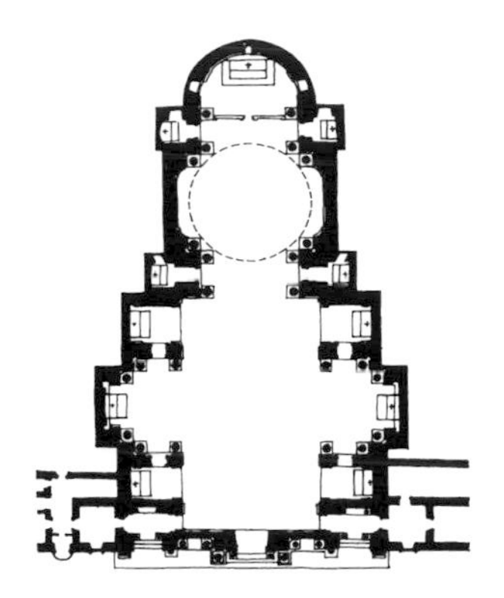

**Carlo Rainaldi**
Rome, Santa Maria in Campitelli
Voorgevel, 1660/1662-1667

kapellen in de buurt van de lengteas zijn in een diffuus licht gedoopt, de overige zijn erg donker. Dit maakt een dramatische intensivering van de altaarruimte mogelijk.

Elk podium van deze enscenering, het plein, de entree, het ovaal, de altaarruimte en de koepel dienen voor een perfecte opvoering. Ze laten het wonder van de redding van de heilige Andreas aanschouwelijk worden, een wonder waaraan de congregatie direct kan deelnemen. Zelden is de door de katholieke Kerk zo nadrukkelijk gepropageerde mogelijkheid van de hemelse redding door zinnelijke ervaring, met behulp van de beeldhouwkunst, maar vooral door de architectuur, op een welsprekender manier vertaald.

In 1660 kiest Alexander VII voor de nieuwbouw van de S. Maria in Campitelli in het getto (afb. boven). De opdracht gaat naar Carlo Rainaldi. Hij had jarenlang met zijn vader gewerkt, die op zijn beurt in de maniëristische traditie van Domenico Fontana, zijn leraar, stond. Na de gemeenschappelijke ontwerpen voor het Palazzo Pamphili en de S. Agnese gaan drie belangrijke opdrachten bijna gelijktijdig naar Carlo. Het betreft de S. Maria in Campitelli (1660-1667), de gevel voor de S. Andrea della Valle (1661-1665) en de tweelingkerken aan het Piazza del Popolo.

In de twee daaropvolgende jaren maakt Rainaldi een reeks ontwerpen voor de S. Maria in Campitelli die laten zien welke verschillende invloeden hij bestudeert om tot een zelfstandige, voor Rome buitengewone oplossing te komen. Eerst bewerkt hij het eerste ontwerp voor de S. Agnese, waarvan de gevel op de SS. Luca e Martina was geïnspireerd. In een volgende fase vult hij de voor de terugwijkende geveldelen geplaatste, convexe façade aan met het van de S. Maria in Via Lata bekende, twee verdiepingen beslaande porticus-loggiamotief. De bijbehorende plattegrond is ontwikkeld op basis van een ovaal, dat als een verzamelruimte dienst deed, en een tweede, cirkelvormige ruimte die plaats moest bieden aan het wonderbaarlijke schilderij van de Heilige Maagd aan wie de kerk is gewijd. De opstand volgt zowel Bernini's S.

**Francesco Borromini**
Rome, San Carlo alle Quattro Fontane
Voorgevel, 1664-1667

Andrea als –in de uitwerking van de dwarsas– Francesco da Volterra's S. Giacomo degli Incurabili. Rainaldi brengt zodoende maniëristische tendensen en verworvenheden uit de hoge Barok samen. Ten slotte vervangt hij het ovaal door een schip, waarbij hij de nadruk legt op de dwarsas. De werkzaamheden beginnen in 1663.

De scènische kwaliteit, waarbij elk detail is bedoeld om de blik van de beschouwer van de aan de congregatie voorbehouden ruimte naar het achterste gedeelte van het gebouw te leiden, is buitengewoon. De eerste ruimte, waarvan de plattegrond een Grieks kruis vormt, verkrijgt door zijn tongewelf een sterke dynamiek ten opzichte van het altaar. De beklemtoning van de dwarsas, theoretisch daarmee in tegenspraak, ondersteunt nog het verloop van de lengteas, vooral door de keuze van het element van de vrijstaande zuil. Dit motief past Rainaldi voor het eerst toe in de dwarsarmachtige nissen, om het vervolgens in de overgang van de ruimte van de congregatie naar de altaarruimte te herhalen, als ook in de altaarruimte zelf en in de overgang naar de absis die de ruimtesequentie afsluit. De blikrichting wordt nog benadrukt doordat in het volledig witte interieur de bogen boven de dwarsarmachtige kapellen, boven de doorgang naar de altaarruimte en de absis zijn verguld. Om dezelfde reden is de lijst boven de vrijstaande zuilen asymmetrisch omgetrokken. Zo kraagt de lijst in de kapelnissen evenwijdig aan de lengteas uit, waardoor de dynamiek nog wordt versterkt. De blik wordt van de ene naar de andere zuil en van het ene naar het andere compartiment geleid. Daarbij is ook de lichtval behulpzaam. De eerste ruimte is alleen op bepaalde punten door vier openingen boven de deklijst verlicht, maar het zijn vooral de twee naar de toeschouwer toegekeerde openingen in de dwarsarm die in hun bijna verblindende tegenlicht de relatie met de min of meer helder verlichte altaarruimten tot stand brengen.

Zo maakt een onoplosbaar maniëristisch wisselspel van tegenstrijdige assen plaats voor de voor de Romeinse hoge Barok typerende uniformering en afstemming van massa's en lichtval. Deze zo gecontroleerde geleiding van het oog wordt heel belangrijk in de late Barok.

Voor de tweelingkerken, de S. Maria in Monsanto en de S. Maria dei Miracoli, was het van primair belang om de noordelijke toegang tot Rome, het destijds nog trapeziumvormige Piazza del Popolo en het van daaruit verlopende *Trivium* vorm te geven (afb. blz. 43). Deze unieke situatie liet niet toe om een al bekend voorstel te doen, bijvoorbeeld een bebouwing langs de randen van het plein. Rainaldi had vooral de bedoeling om van de kerken niet alleen monumenten te maken die op het plein staan, maar ook kopgebouwen voor de straten die vanuit het plein uitwaaieren. Zo slaagt de architect er met succes in om het onder Leo X en Paul III in de hoge Renaissance begonnen *Trivium* van de Via del Corso, Via Ripeta en Via Babuino in een werkelijk perfecte vorm af te sluiten.

De planologische geschiedenis is ook een indrukwekkend voorbeeld van de manier waarop in het barokke Rome verschillende architecten samen, gelijktijdig en in afwisseling met elkaar hebben gewerkt. Rainaldi ontwerpt in eerste instantie op basis van hetzelfde cirkelvormige grond-

**Carlo Rainaldi, Gianlorenzo Bernini en Carlo Fontana**
Rome, Piazza del Popolo
Santa Maria in Monsanto (links)
en Santa Maria dei Miracoli (rechts)
1662-1667

**Gianlorenzo Bernini en Carlo Fontana**
Rome, Palazzo Chigi-Odescalchi
Voorgevel, 1664

plan twee kerken met hoge koepels. Maar al spoedig worden, waarschijnlijk onder Bernini's invloed, de kerken verschillend, aangezien ook de percelen verschillend waren afgesneden. Het linkergrondplan neemt de vorm aan van een ovaal. Dat wil zeggen dat men via het aanbrengen van verschillen een overkoepelende visuele identiteit probeert te bereiken. Tot 1673 heeft Rainaldi ook het toezicht op het werk aan de S. Maria in Montesanto, dat echter na een onderbreking door Carlo Fontana onder Bernini's leiding voortgezet en in 1675 afgesloten wordt. Aansluitend begint Rainaldi aan de tweelingkerk S. Maria dei Miracoli, die Fontana in de jaren tussen 1677 en 1681 voltooit.

Het model voor beide kerken is het Pantheon, maar in de qua schaal zo andere open ruimte is het noodzakelijk om de werking van de vormen, vooral van de koepels, duidelijk te versterken. Daarom ontwerpt Rainaldi enorme tamboers en koepels, waarvan de ribben bovendien nog het erop vallende licht modelleren. Op dezelfde manier is de klassiek aandoende zuilengalerij behandeld, wanneer de architect deze tot vier paargewijs geplaatste, door een timpaan bekroonde zuilen reduceert. Uitgangspunt daarvoor schijnt het door Bernini met medewerking van Fontana bestudeerde, uiteindelijk niet-gerealiseerde ontwerp voor een dergelijke porticus voor de St.-Pieter te zijn. Het monumentale model, het Pantheon, wordt het decor, zij het dat nu het Piazza del Popolo het toneel vormt.

In dezelfde jaren 1664-1667 worden twee gevelontwerpen gemaakt die de stedelijke context op geheel verschillende manier interpreteren. Waar Bernini's project voor het Chigipaleis aan het Piazza SS. Apostoli de formule wordt van het barokke aristocratische paleis, wordt Borromini's gevel voor de S. Carlo alle Quattro Fontane het synoniem van barokke, door het Classicisme heftig bekritiseerde 'dwaling'. Beide architecten hadden tot taak een gevel te plaatsen voor een bestaand gebouw.

Zeven rijk gedecoreerde traveeën bepalen het middenstuk van het Palazzo Chigi, terwijl de tweemaal drie traveeën aan de zijkanten als eenvoudig rustiek werk zijn uitgevoerd (afb. boven). De begane grond vormt de basis, waarboven zich een monumentale orde verheft die twee verdiepingen beslaat. Indrukwekkend is de nuancering van de architectonische sierelementen en de naar boven toe toenemende fijnheid van de detailtekening. Later zullen Nicola Salvi en Luigi Vanvitelli de gevel tot 16 vensterassen verdubbelen.

Parallel met Bernini's ontwerp voor het Palazzo Chigi ontwerpt Borromini voor de S. Carlo alle Quattro Fontane een zeer 'discontinue' en fragmentarische, uiteindelijk antimonumentale gevel (afb. blz. 42). Hij concipieert de façade als object. Ze dringt ver door op de Via Pia, maar doet geen poging om een relatie aan te gaan met de straat.

Bernini heeft al herhaaldelijk gerefereerd aan de door Michelangelo ontwikkelde kolossale orde. Ook Borromini's keuze voor een gigantische orde met daarbinnen een kleine orde, gecompleteerd door een horizontale lijst en openingen en nissen, gaat terug op Michelangelo's ontwerp voor het Capitool. Maar toch gaat Borromini tegen het systeem in, dat inhoudt dat een gevel in de hoogte een geheel moet blijven wanneer hij over twee etages wordt herhaald. Tegelijk handelt hij in strijd met het concept van een uniform gevelvlak wanneer hij daar tot drie keer toe welvingen in aanbrengt. De aldus in- en uitzwenkende orde wordt de omlijsting van talrijke tegenstrijdigheden. Tegenover ramen worden nissen geplaatst en tegenover de entree op de begane grond komt een nis op de volgende etage; deze nis, waarin Carlo Borromeo staat, door cherubijntjes omringd, correspondeert met het door engelen opgehouden medaillon. Inzwenkende delen van de lijst corresponderen met uitzwenkende delen, en de doorlopende lijst boven de begane grond correspondeert bovendien met de door het medaillon in tweeën gedeelde lijst op de bovenverdieping.

Het primaire principe, het onderscheid, de tegenstelling vooral, is typerend voor het architectuurbegrip van Borromini. Het muurgedeelte van de façade wordt tot een minimum teruggebracht. Het oog heeft nauwelijks gelegenheid om tot rust te komen, zo dicht staan zuilenorde en sculptuur hier bijeen. Met Borromini wordt de architectuur tot sculptuur, geheel in tegenstelling tot Bernini, die beide altijd gescheiden houdt, omdat het sculpturale voor hem in principe een vertellende functie heeft, terwijl de architectuur hiervoor het toneel creëert. Maar de tegenstelling gaat dieper. Borromini levert met de gevel van de S. Carlo

**Gianlorenzo Bernini**
Rome, Engelenbrug
1667-1668

**Gianlorenzo Bernini**
Rome, Scala Regia
1663-1666

De bestaande situatie van de bouwlocatie, zoals convergerende zijmuren of onwrikbare funderingsmuren, maakten het zeer moeilijk een homogeen ontwerp van de Scala Regia te maken. Des te indrukwekkender is het, dat Bernini in staat is deze omstandigheden te transformeren en ontroering op te roepen bij de bezoeker.

AFBEELDING BLZ. 44 BOVEN:
**Carlo Rainaldi**
Rome, Santa Maria Maggiore
Absis, 1673

rechtstreeks kritiek op Bernini's stedenbouwkundig denken. Niet de voorstelling van een universele orde in de ruimte staat bij Borromini voorop, maar de extreme intensiteit van het detail; net zo min vat hij de stad op als een spiegel van de hoogste krachten, bijvoorbeeld van de kerkelijke macht, maar als het in elkaar grijpen van de religieuze ervaring en het dagelijks leven.

Bernini, die tegelijkertijd in de smaak valt bij het Franse hof en op de architectuur van Borromini wordt aangesproken, antwoordt dat deze het antropomorfe concept van de Renaissance in twijfel trekt, omdat zijn even extravagante als fantastische architectuur in het geheel geen acht slaat op de per slot van rekening duidelijk op de mens afgestemde compositieregels.

**Late Barok en vroege classicismen in Rome**

Met de dood van Alexander VII komt er in één klap een eind aan de uitbundige periode van de hoge Barok. De katholieke Kerk wordt er zich pijnlijk van bewust dat ze steeds minder politieke betekenis bezit. Al in 1648 had zich dit verlies aan betekenis aangekondigd, toen de Vrede van Münster was gesloten zonder deelname van de Kerk. Tegelijkertijd is de opkomst van Frankrijk als leidende Europese macht niet te stuiten. Voor de architectuur betekent dit dat Romes dominante artistieke positie vervaagt, terwijl het Parijs van Lodewijk XIV het nieuwe, uiterst dynamische centrum van de kunst wordt.

In de eerste decennia na Alexanders dood werd niet alleen merkbaar dat de katholieke Kerk overduidelijk aan politieke betekenis had ingeboet, maar ook dat haar financiële situatie gaandeweg steeds slechter werd. De bouwactiviteiten stagneren eveneens. Pas in de jaren '30 en '40 van de volgende eeuw, onder de pausen Clemens XI, Benedictus XIII en Clemens XII, komt het tot een kortdurend herstel en nieuwe intensievere bouwactiviteiten. Deze nieuwe activiteiten vormen het briljante slotakkoord van de Barok in Rome.

Hoewel rond de eeuwwisseling maar weinig in Rome wordt gebouwd, blijft de stad een grote aantrekkingskracht uitoefenen op talloze kunstenaars. Verder komen er vele buitenlanders naar de stad, minder in de hoop op opdrachten, maar meer om een pelgrimstocht te maken naar de vroegere hoofdstad van de antieke en moderne architectuur. Hierbij komt de Franse academie bijzondere betekenis toe, wier studenten de klassieke Oudheid bestuderen en kopiëren en de receptie van de klassieke gedachtewereld wezenlijk mee helpen bepalen.

De Oudheid ondergaat in de tijd daarop een nieuwe interpretatie, waarbij haar geschiedenis het theoretische ideaal wordt en de voortbrengselen van haar kunst objecten van een nieuwe wetenschap worden: de archeologie. In toenemende mate raken ook de pausen in de klassieke Oudheid geïnteresseerd. Behoud en restauratie worden centrale thema's, onder meer in de Vaticaanse musea, reeds onder Clemens XI rond de eeuwwisseling, en ook in het Museo Capitolino onder Clemens XII en Benedictus XIII. Paus Clemens XIII benoemt ten slotte de archeoloog Winckelmann tot algemeen directeur van de Romeinse verzameling oudheden.

**Clemens IX Rospiglosi (1667-1669) en Clemens X. Altieri (1669-1676)**

Onder Clemens IX en diens opvolger Clemens X neemt het tempo van de pauselijke bouwactiviteiten aanzienlijk af. De onder Alexander VII onvoltooid gebleven werken, vooral met betrekking tot het St.-Pietersplein en de kerken aan het Piazza del Popolo, worden nog wel voortgezet.

Clemens IX concentreert zich intussen op de voltooiing van de Sixtijnse Via Felice en het ontwerp voor de absis van de S. Maria Maggiore (afb. blz. 44 boven). Toch wordt daarvoor onder zijn opvolger niet het project van Bernini gekozen, maar de veel minder imposante, uiteindelijk goedkopere oplossing van Carlo Rainaldi. Parallel daaraan belast Clemens IX de oude Bernini met de decoratie van de Ponte Sant'Angelo, het 'oog van de naald' op de Via Papalis. In een effectvol contrast met het massieve Castel Sant'Angelo ontwerpt Bernini een groep hoogst eloquente beelhouwwerken, die zowel boven de eveneens door hem ontworpen, uiterst transparante borstwering als boven het water van de Tiber lijken te zweven (afb. blz. 44 onder). Zijn ontwerp omvatte tevens het in de vorige eeuw vanwege de kanalisatie van de Tiber verwoeste plein voor de brug, dat het uitgangspunt vormde van het begin 16e eeuw aangelegde Trivium. De brug werd daardoor het eigenlijke verbindende element tussen het Vaticaan en het Romeins stadscentrum.

**Innocentius XI Odescalchi (1676-1689)**

Deze paus kenmerkt zich in het bijzonder doordat hij wars is van de mode van de dag, door zijn voorbeeldige vroomheid en, in de hier besproken samenhang, door zijn totale terughoudendheid tegenover elke bouwactiviteit. Tot het laatste werd hij vooral gedwongen door de hoge schulden van de kerkstaat en de precaire politieke situatie.

De door Bernini voorgestelde voltooiing van het St.-Pietersplein, met een derde arm op de as van het plein, wijst hij af. Hij wil in zijn eerste jaren zelfs geen eerste bouwmeester van de St.-Pieter benoemen om kosten te besparen. Pas later zal hij Carlo Fontana aanstellen tot eerste bouwmeester, maar alleen omdat de stabiliteit van de koepel twijfels opriep. De opdracht tot een omvangrijk onderzoek van de koepel is voor Fontana aanleiding voor een studie waarin hij de bouw van de St.-Pieter tot in Bramantes tijd naspeurt. Zijn *Templum Vaticanum...* wordt in 1694 gepubliceerd. In deze studie stelt Fontana twee alternatieve ontwerpen voor de voltooiing van het St.-Pietersplein voor.

Fontana wordt spoedig een van de invloedrijkste architecten van deze periode. Als tekenaar heeft hij in de bureaus van Cortona, Rainaldi en bijna tien jaar lang in de studio van Bernini gewerkt. Omstreeks 1665 vestigt hij zich als zelfstandig architect. Zijn eerste belangwekkende zelfstandige werk, tevens mijlpaal op weg naar het laat-barokke Classicisme, is de S. Marcello al Corso (afb. blz. 46). Het bouwwerk dateert van de jaren 1682-1683. De gevel is totaal anders gecomponeerd dan in de hoge Barok gebruikelijk was. Hier is elk element logisch, duidelijk en inzichtelijk, en gerangschikt volgens de regels. Opnieuw is de gevel, niet anders dan bij Maderno 70 jaar daarvoor, een projectie van de inwendige ruimte. Daardoor is de gevel in drie traveeen onderverdeeld, die telkens door ordes worden omlijst. Maar anders dan

**Carlo Fontana**
Rome, San Marcello al Corso
Voorgevel, 1682-1683

bij Maderno heeft elk element van de orde zijn exact gevormde tegenstuk. Vooruitspringende elementen antwoorden bijvoorbeeld op de zuilen in een 'reglementaire' positie, ja, zelfs in dezelfde breedte. De zo nadrukkelijk logische aanleg van de gevel van de begane grond herhaalt zich in de bovenste gevelzone. Duidelijk afgezet is alleen de centrale omlijsting van de ingang en het vrij zwevende nismotief, dat een hoge scenografische kwaliteit bezit.

In de daaropvolgende tijd ontvangt Fontana talrijke opdrachten, ook uit het buitenland, bijvoorbeeld voor de kerk en het klooster van de jezuïeten in het Spaanse Loyola. In Rome zijn de opdrachten van uiteenlopende aard. Hiertoe behoren ontwerpen voor paleizen, kapellen, grafmonumenten, altaars, fonteinen en feestelijke decoraties. Fontana's vooraanstaande positie wordt ook expliciet erkend wanneer hij in 1686 tot *principe* van de Academia di San Luca wordt benoemd, een positie die hij tegen de traditie in acht jaar lang, van 1692 tot 1700, bekleedt.

In zijn hoofdwerk *Templum Vaticanum...* weegt hij twee oplossingen voor de voltooiing van het St.-Pietersplein tegen elkaar af. De eerste oplossing voorziet in de sloop van het centrale gebouwenblok in de wijk Borgo, zodat er een straat van het Castel Sant'Angelo naar het Piazza S. Pietro kan worden aangelegd. In een tweede project gaat Fontana echter uit van Bernini's laatste ontwerp, waarin deze een klokkentoren buiten het ovaal van het plein, maar wel in de buurt ervan, heeft gepland. Fontana wijzigt de samenhang en stelt een tweede trapezium voor, dat nu ver in het aangrenzende Piazza Rusticucci en Borgo snijdt en het trapezium voor de St.-Pieter herhaalt (afb. onder). Aan het uiteinde ervan plaatst hij de klokkentoren. Daarmee wordt het centrale idee, namelijk het totale ensemble als eenheid zichtbaar maken, opgegeven. Een bezoeker zou, indien hij het nieuwe voorplein zou betreden, veel eerder het eigenlijke plein als een gescheiden aanleg hebben gezien. Op dit plein zouden Bernini's arcades zijcoulissen hebben geleken. Had de hoge Barok de idee van een dynamische ruimtelijke eenheid bepaald, nu komt er een scenografische opeenvolging van ruimten voor in de plaats. Het laat-barokke Classicisme zal dit nog vaak herhalen.

**Innocentius XII Pignatelli (1691-1700)**
Kort voor de eeuwwisseling is de financiële crisis van het Vaticaan althans voor een deel overwonnen en begint er wederom een sterkere bouwactiviteit. De belangstelling van de paus gaat in de eerste plaats uit naar publieke gebouwen en dienstverlening. Naast de gevangenis in de Via Giulia moet hier het monumentale hospitium S. Michele a Ripa Grande (afb. blz. 47) worden genoemd, dat tot taak had zowel invaliden als vrouwen, wezen en driehonderd kinderen op te nemen. De laatsten zouden er een beroep leren. Met dezelfde bedoeling wordt het Palazzo Lateranese uitgebouwd tot een hospitium voor maximaal 5000 mensen. De pauselijke belangstelling richt zich tevens op de rechtspraak. Hij schaft niet alleen de sinds Sixtus V gebruikelijke verkoop van openbare ambten tegen de hoogste prijs af, maar eist tegelijk een ruim gerechtsgebouw ten behoeve van de stad. Hiervoor grijpt hij terug op het door Bernini onder paus Innocentius begonnen Palazzo Ludovisi, resp. het Palazzo Montecitorio, zoals het in het vervolg wordt genoemd, met de voltooiing waarvan hij Fontana belast.

Fontana's project voor de aanleg van een halvecirkelvormig plein voor het paleis loopt spaak op de kosten die zouden zijn ontstaan door onteigening en afbraak, en de nieuwbouw van de gebouwen die aan dit plein zouden komen te liggen. Ook het nog verder gaande idee om dit plein voor het Palazzo Montecitorio richting Piazza Colonna te ontsluiten, de zuil van Trajanus te verplaatsen en tussen beide in deze vorm gecentreerde pleinen een kolossale fontein op te richten, komt niet verder dan het papier. Er bestond alweer een plan om de Acqua Trevi tot hier te laten leiden. De voor de hoge Barok zo typerende pronkstukken zijn niet langer gevraagd; in plaats daarvan beperkt men zich tot het

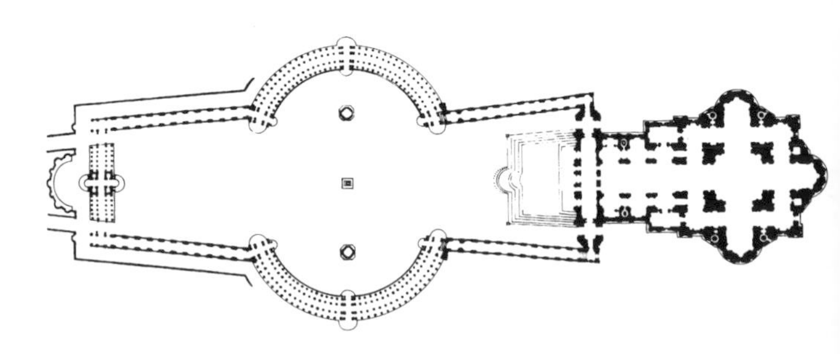

**Carlo Fontana**
Voorstel voor de vergroting van het St.-Pietersplein in oostelijke richting, gepubliceerd in 1694

AFBEELDING BOVEN:
Rome, San Michele a Ripa Grande
Gevel aan de Tiber, ca. 1700

AFBEELDING MIDDEN:
**Carlo Fontana**
Rome, Dogana di Terra (nu beurs)
in de Hadrianustempel, ca. 1700

AFBEELDING ONDER:
**Carlo Fontana**
Ontwerp voor het plein voor het Palazzo
Montecitorio, 1694

maakbare. Zo wordt er ten slotte vlak bij Fontana's project, in de tempel van Neptunus, een douanekantoor voor alle uit het noorden komende bezoekers ingepast (afb. rechts midden). Een tweede kantoor wordt gebouwd in de buurt van de S. Michele a Ripa Grande bij de haven.

Na bijna driekwart eeuw van monumentale ingrepen in de stad gedurende de hoge Barok begint zo een serie transformaties in naam van de burgerij. Hiertoe behoort met name ook een duidelijke toename van de bouw van huurwoningen.

In de jaren tussen 1650 en 1655 had Bernini het Palazzo Ludovisi ontworpen en was hij met de bouw ervan begonnen, maar bij de dood van paus Innocentius X stond er nog steeds maar weinig. Fontana, die in 1694 met het werk begint, houdt zich grotendeels aan het ontwerp van zijn leraar, ook al voert hij het in zijn detaillering uit in de academisch-klassieke taal van zijn tijd. De gevel toont drie zones die in relatie met de vensterassen een ritmische verhouding hebben van 3-6-7-6-3. Ze verheffen zich boven een convex gebogen grondplan. In het centrum overlappen de gevelvlakken elkaar enigszins. Antiquiserende zuilenpartijen, nog in de traditie van het Palazzo Farnese, omlijsten deze partijen.

Fontana formuleert zijn voorstel voor een plein in de vorm van een halve cirkel voor het Palazzo Montecitorio, zoals eerder in het ontwerp voor de uitbreiding van het St.-Pietersplein, met behulp van denkbeeldige zichtconussen. Opnieuw is er het idee om de blik van de kijker te leiden en op een prospect te richten (afb rechtsonder). De dynamische ervaring maakt plaats voor de statische definitie van de blik. In dezelfde context moet ook Fontana's voorstel worden gezien om een kerk in het Colosseum te bouwen. De centrale kerk moest naar een van de twee korte einden worden verschoven en door ovale armen worden omsloten. Opnieuw vormt Pietro da Cortona's S. Maria della Pace het uitgangspunt. Dit ontwerp wilde de dominantie van de katholieke Kerk over de heidense wereld direct aanschouwelijk maken.

Talloze jonge architecten kwamen als leerling naar Fontana. Juvarra, die later naar Turijn vertrekt, is misschien wel de bekendste. Andere belangrijke leerlingen die de ideeën van Fontana over Europa verspreiden, zijn Pöppelmann, Von Hildebrandt en James Gibbs.

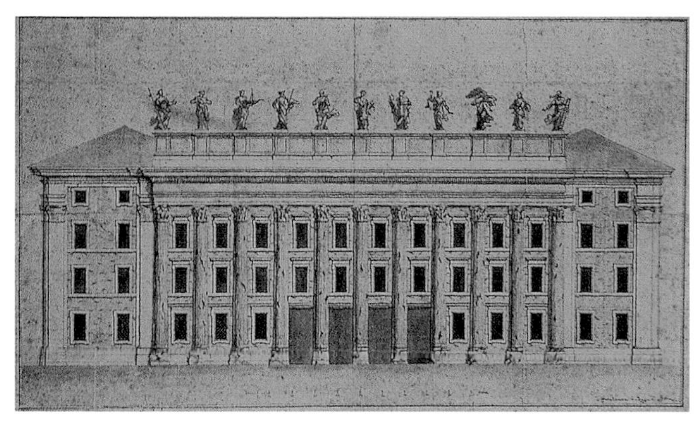

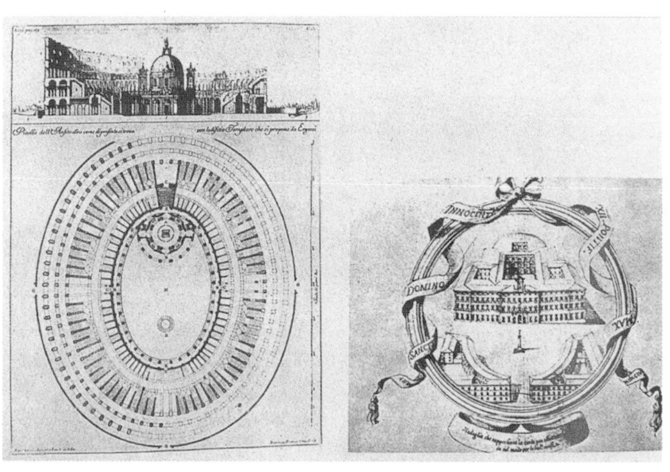

**Clemens XI Albani** (1700-1721)

Ingrijpende politieke problemen en een reeks noodsituaties dwingen het Vaticaan ertoe om zijn bouwactiviteiten opnieuw tot het noodzakelijkste te beperken. Er wordt alleen een begin gemaakt met de al lang uitgestelde, onvermijdelijk geworden restauratie van een reeks vroeg-christelijke kerken, zoals de S. Clemente, de S. Maria in Trastevere en de S. Cecilia. Desondanks wordt er tegelijkertijd met twee voor de hele stad belangrijke projecten begonnen. Het eerste, Alessandro Specchi's Porto di Ripetta, wordt in een paar jaar tijd tussen 1702 en 1705 uitgevoerd. Voor het tweede project, Specchi's en Francesco de Sanctis' Spaanse Trappen bestaan al lang plannen, maar het wordt pas in 1723-1726 afgesloten.

Er komen talrijke bezoekers af op de antieke ruïnes en het 'mythische' landschap van Rome. De eerste plaats van aankomst is, naast het

**Filippo Raguzzini**
Rome, Piazza Sant'Ignazio
1727-1728

AFBEELDING BLZ. 49:
**Alessandro Specchi en Francesco de Sanctis**
Rome, Spaanse Trappen
Op de voorgrond de Fontana della Barcaccia van Gianlorenzo Bernini

Piazza del Popolo, de Porto di Ripetta, terwijl het Piazza di Spagna tot centrum van de stad wordt. De Porto di Ripetta is een in de oever opgenomen exedra, waarvan de vloeiende, trapsgewijs verlopende bordessen de natuurlijke glooiing opnemen en voortzetten (afb. onder). De maker van dit ontwerp is Alessandro Specchi, een leerling van Fontana, die als graveur bekend is geworden. Met dit project voor de S. Girolamo degli Schiavoni, dat met de kanalisering van de Tiber en de uitbreiding van de oeverstraat aan het eind van de 19e eeuw is verwoest, wijzigt Specchi Fontana's architectuurbegrip in de richting van een toenemend inzicht in de scenografie. Het spel van de naar elkaar toe zwenkende bogen laat duidelijk zien hoe de pendel weer terugzwaait, in de richting van een hoog-barokke, veeleer aan Borromini verwante taal.

Op exact dezelfde manier zijn de Spaanse Trappen ontworpen. Jaren daarvoor had Bernini reeds, toen heimelijk in opdracht van kardinaal Mazarin, een ontwerp voor de trappen getekend (afb. onder). Op verzoek van de kardinaal moest een ruiterstandbeeld van de Franse koning het centrum van de trapsgewijs aangelegde cascade innemen – een affront zonder weerga, dat Alexander VII natuurlijk niet zo maar kon accepteren. Nadat op die manier de uitvoering van Bernini's ontwerp door het politieke conflict tussen Mazarin en Alexander VII wel móest mislukken, was de heuvel lange tijd onbebouwd gebleven. Aan het begin van de 18e eeuw zijn de accenten verschoven. In Specchi's ontwerp krijgen natuurlijkheid en gerieflijkheid een speciale betekenis. Net als het ontwerp van de haven wordt ook in dit project gebruik gemaakt van het spel van talloze bordessen die de helling in haar natuurlijke vorm integreren en nadrukkelijk vormgeven (afb. blz. 49). Maar het is vooral in staat om de bewegingen van de bezoekers een buitengewone elegantie te geven. Desondanks zijn beide ontwerpen grootschalig en aristocratisch van aard. Ze lijken op de grote feesten van de hoge Barok te zijn geïnspireerd. In hun aanleg doen ze denken aan de door Sixtus V op een grote schaal gerealiseerde, ver uithalende zichtassen. Met name de graveur Giovanni Battista Piranesi, die haven en trap tekent alsof ze op één lijn liggen, weet hier uitdrukking aan te geven.

**Benedictus XIII Orsini (1724-1730)**
Omringd en gedomineerd door middelmatige politieke adviseurs kan deze paus het steeds snellere prestigeverlies van het Vaticaan niet tegenhouden; hij draagt er zelfs toe bij. Gedurende zijn ambstperiode komen het Ospedale di San Gallicano (1724-1726) en het eveneens door Filippo Raguzzini ontworpen Piazza S. Ignazio (1727-1728) tot stand. In beide ontwerpen pakt de architect thema's op die Borromini bijna een eeuw daarvoor had geformuleerd, maar hij weet ze nauwelijks nieuwe inhoud te geven. Met name het ontwerp voor het plein kan als tegenhanger van de Spaanse Trappen worden opgevat. In verhouding tot de S. Ignazio zijn zijn afmetingen bescheiden. Het plein wordt door eenvoudige burgerhuizen omsloten. Niet een gefaseerde scenografie, maar een directe waarneming bepalen deze hofachtige aanleg (afb. linksboven).

AFBEELDING UITERST LINKS:
**Alessandro Specchi**
Rome, Porto di Ripetta
Gravure van Giovanni Battista Piranesi

AFBEELDING LINKS:
**Omgeving van Gianlorenzo Bernini**
Ontwerp voor de Spaanse Trappen in Rome, 1660
Rome, Biblioteca Vaticana

Ferdinando Fuga
Rome, Palazzo della Consulta
1732-1735

Giuseppe Sardi
Rome, Santa Maria della Maddalena
Voorgevel, 1735

### Clemens XII Corsini (1730-1740)

Onder paus Clemens lijken de bouwactiviteiten in Rome nog één keer voor korte tijd de intensiteit van de hoge Barok te kunnen ontwikkelen. Clemens gaat niet alleen verder met de restauratie van belangrijke kerken, hij geeft ook opdracht voor nieuwe bouwwerken, zoals het Palazzo della Consulta, dat voor de werkzaamheden van een van de vele kardinaalscommissies is bestemd en direct tegenover het Quirinaal ligt. Verder schrijft hij kort na elkaar twee zeer belangrijke architectuurprijsvragen uit; de één voor de Fontana di Trevi, de andere voor de gevel van de S. Giovanni in Laterano. Bovendien belast hij Ferdinando Fuga met de definiëring van het plein voor het Palazzo Montecitorio. Deze kiest voor een onregelmatige pleinvorm, waarbij hij voorbijgaat aan Fontana's exedra-oplossing.

Met het ontwerp voor het Palazzo Doria Pamphili (1731-1734) interpreteert Gabriele Valvassori het traditionele type van de paleisgevel, waaraan, vlak gehouden, alleen door vensteropeningen en de afwisselende vensterafsluitingen ritme wordt verleend – een nadrukkelijk schilderkunstige oplossing. Hij geeft de vensteromlijstingen extra profiel en laat ze sterker welven. Dezelfde speelse dynamiek kenmerkt ook de balkons en de balusters. De stijl is licht en elegant (afb. blz. 38 rechts, links naast de S. Maria in Via Lata).

Slechts een jaar later interpreteert ook Fuga het type van de paleisgevel opnieuw. Zijn gevelontwerp voor het Palazzo della Consulta (1732-1735) wordt bepaald door een reeks lichtgekleurde omlijstingen die tegen donkere velden zijn afgezet (afb. boven). Ze vormen een visueel kader dat wordt ingevuld door een aantal uiteenlopende, weelderige, op Michelangelo teruggaande motieven. De theoretische abstractie, die bijvoorbeeld de onderverdeling van de structurele, c.q. ornamentele elementen toont, verschilt in haar virtuositeit duidelijk van Valvassori's direct aansprekende luister. Deze vorm van uitwerking wijst al vooruit naar het Classicisme, maar Fuga gebruikt ook hier in principe nog barokke elementen.

Met het zogenaamde *barocchetto romano*, zoals juist door Raguzzini is gerepresenteerd, maken Clemens XII en Alessandro Galilei korte metten. In 1732 laat de paus een prijsvraag voor de gevel van de S. Giovanni in Laterano uitschrijven. Daaraan nemen 23 architecten binnen en buiten Rome deel. Commissievoorzitter is de president van de Accademia di San Luca, zoals ook de juryleden allemaal leden van de academie zijn, zodat wel duidelijk was waar de voorkeuren lagen. De prijsvraag wordt vooral beroemd door de intriges eromheen. Maar ondanks alles blijkt de keuze voor Galilei's ontwerp een historische, want daarmee krijgt de klassieke architectuur in een periode met voornamelijk antiklassieke ontwerpen de overhand (afb. blz. 51).

In Londen had Galilei de in de jaren '20 in de kring rond Lord Burlington gevoerde discussie over een terugkeer naar een klassiek, voornamelijk op Palladio geïnspireerde architectuur van dichtbij gevolgd. Ook al was er nauwelijks een gebouw in neopalladiaanse stijl opgetrokken toen hij Londen in 1719 verliet, toch moet deze ervaring zonder meer hoog worden aangeslagen.

Belangrijker nog lijkt de Romeinse traditie en dan met name Maderno's ontwerp voor de gevel van de St.-Pieter en Michelangelo's ontwerp voor het Capitool. Deze traditie verwerkt hij, met de ogen gericht op de S. Marcello al Corso, door de gevel een inzichtelijke structuur te geven. Nieuw is de verhouding tussen gesloten en opengewerkte gevelzones. Sterke licht-donkercontrasten die de orde nog sterker benadrukken, worden zichtbaar. Het ontwerp wordt als geheel door een klassieke discipline bepaald. De grootschalige elementen staan direct in de Romeinse traditie.

**Alessandro Galilei**
Rome, San Giovanni in Laterano
Voorgevel, 1732-1735

**Nicola Salvi**
Rome, Fontana di Trevi
Detail van de voorgevel van het
Palazzo Poli, 1732-1762

Nicola Salvi's ontwerp voor de Fontana di Trevi (1732-1762) laat eveneens een in principe klassieke houding zien (afb. boven en blz. 301). De eerste inspiratiebron lijkt het ontwerp voor het Palazzo Colonna van Pietro da Cortona, die een spectaculair fonteinencomplex over de hele paleisgevel had voorgesteld. Het daarop ontwikkelde centrale triomfboogmotief zal de omlijsting vormen voor rijke allegorisch-mythologische scènes. Maar tegelijkertijd vertoont de façade ook een aantal rococomotieven, vooral in de decoratie van de centrale nis van Neptunus. Het begrip 'rococo' gaat terug op het Franse woord *rocaille*, dat een overvloedig gesneden ornament aanduidt. In deze vorm verbindt Salvi verschillende tradities met elkaar en blijft hij toch ver verwijderd van de klassieke houding van iemand als Galilei of van een laat-barokke houding, waarvan Giuseppe Sardi de bekendste vertegenwoordiger is.

Sardi baseert zich in zijn ontwerp voor de gevel van de S. Maria della Maddalena (afb. blz. 50) direct op Borromini, wiens projecten voor de S. Ivo en het Oratorio di S. Filippo Neri kort daarvoor als gravures waren gepubliceerd. Hiernaar verwijst vooral de vormgeving van de centrale nis, die binnen de enigszins conventionele structuur duidelijk domineert. In vergelijking met Salvi past Sardi de overvloedige *rocaille*-decoratie hier veel ruimer toe.

**Benedictus XIV Lambertini (1740-1758)**

Ook Benedictus XIV bevordert architectuur en stedenbouw in ruime mate. Hij gaat verder met de restauratie van antieke kerken, bijvoorbeeld het Pantheon, de S. Croce in Gerusalemme en de door Michelangelo aangepaste S. Maria degli Angeli. Hij bekommert zich om de stabiliteit van de koepel van de St.-Pieter, bouwt een nieuwe gevel voor de S. Maria Maggiore, completeert de Trevifontein en breidt het Museo Capitolino uit. Zijn belangstelling voor de nieuwe wetenschap van de archeologie is groot. Zo geeft hij Giovanni Battista Piranesi opdracht om de marmerfragmenten van de *Forma Urbis*, een antieke stadsplattegrond, opnieuw te bestuderen in hun samenhang. Gelijktijdig laat hij door Nolli een gravure maken van de vorm van de stad.

Ferdinando Fuga's gevel voor de S. Maria Maggiore (afb. blz. 52 boven) dateert van de jaren 1741-1743. Hij vertoont duidelijk invloeden van de kort voordien voltooide gevel van de basilica van het Lateraan, met name wat betreft de compositie van de porticus en de loggia. De nieuwe gevel is van de oorspronkelijke af geplaatst, alleen al om het zicht op de mozaïeken vrij te laten. Maar toch heeft Fuga's ontwerp in z'n detaillering een ander ritme en andere proporties. Ook kiest Fuga niet alleen een uniform gevelmotief, maar laat ook de vlakken in afzonderlijke segmenten opgaan, varieert de openingen en speelt met opengebroken frontonmotieven, waar tegenover hij telkens massieve elementen plaatst.

Minder overtuigend proberen Pietro Passalacqua en Domenico Gregorini in hun ontwerp voor de S. Croce in Gerusalemme (1741-1744) de lichtheid van het zogenaamde *barocchetto romano*, zoals voor het laatst getoond in de S. Maria Maddalena, met de taal van de S. Giovanni in Laterano te verbinden. Indrukwekkend daarentegen is de ovale vestibule, die opnieuw duidelijk in de traditie van Borromini staat (afb. 52 onder).

In tegenstelling tot deze herhaalde pogingen om oude tradities steeds opnieuw te variëren, kiest Carlo Marchionni voor een in principe classicistische werkwijze. Het was zijn taak om voor kardinaal Albani een villa in de buurt van de Porta Salaria te bouwen (afb. blz. 53 onder) die de buitengewone verzameling antieke beelden plaats zou kunnen bieden. De kardinaal had deze met de hulp van zijn vriend Winckelmann samengebracht. De gevel aan de tuinzijde laat een structuur zien met een grote abstracte transparantie. Elk element lijkt tot zijn noodzakelijke onderdelen te zijn teruggebracht. De functie is niet de enige, maar wel de belangrijkste parameter bij het ontwerpen. Dit is de wezenlijke grondhouding van het classicistische ontwerp, die pater Lodoli slechts enkele jaren eerder in Venetië in theorie had geformuleerd.

**Ferdinando Fuga**
Rome, Santa Maria Maggiore
Voorgevel, 1741-1743

**Pietro Passalacqua en**
**Domenico Gregorini**
Rome, Santa Croce in Gerusalemme
1741-1744

Het overzicht van de pauselijke bouwpolitiek in Rome was verhelderend voor essentiële elementen van barokke stadsplanning. Ten eerste moet de nauwe relatie tussen autocratische macht en de planning en uitvoering van grootschalige projecten worden genoemd. Veel ontwerpen worden daardoor pas mogelijk, maar het lijkt er ook op dat er vele willekeurige 'overvallen' plaatsvinden. Niet minder interessant is de manier waarop de pauselijke ingrepen en overvallen worden beargumenteerd. Ze worden in de naam van God uitgevoerd tot roem van de Kerk, maar ook ter meerdere eer en glorie van zichzelf. Pas gedurende de late Barok komen de accenten anders te liggen. Het burgerdom wint aan invloed en steeds vaker worden instellingen als gerechtshoven, hospitiums of woonhuizen ontworpen die een bijdrage leveren aan deze burgerlijke samenleving. Volgens dezelfde patronen, hoewel voor een deel later, komen talrijke andere barokke steden in Europa tot ontwikkeling (zie hiervoor blz. 76/77).

In Rome worden ook de belangrijke middelen voor barokke stads-en architectuurplanning uitgewerkt, bijvoorbeeld de straat die tussen de monumenten in een rechte lijn verloopt, het qua vormgeving autonome plein dat z'n omgeving bepaalt en bovendien het concept van het *Trivium* en het gebruik van obelisken als brand- en oriëntatiepunt van de vele zicht- en bewegingsassen.

Ten slotte heeft het kijken naar Rome een aspect laten zien dat even bepalend is voor de vorming van de stad als voor de ontwikkeling van de architectuur in de 17e en 18e eeuw: het gelijktijdig naast elkaar bestaan van Barok en klassieke Oudheid. Veelsoortige tradities zijn in deze tijd gelijktijdig aanwezig. Er wordt vooral gerefereerd aan de Oudheid, de Renaissance en mettertijd ook aan de vroege en hoge Barok. De grammatica is traditioneel, maar het aantal mogelijke combinaties is onbegrensd.

Het denken verandert het eerst in Frankrijk. Twee theorieën blijken van grote betekenis te zijn. Ten eerste is er het verlangen naar een systeem van canonieke proporties die alleen op basis van klassieke systemen te ontwikkelen zouden zijn; ten tweede verklaart Louis de Cordemoy al in 1706 in zijn *Nouveau traité...* dat waarheid en eenvoud het begrip en het gedrag van de architect zouden moeten leiden en dat tegelijkertijd de functie van een gebouw duidelijk afleesbaar zou moeten zijn. Deze eisen monden ten slotte uit in de roep naar een 'functionele architectuur'. Het feit dat de Barok, die steeds meer van z'n religieuze inhoud verloor, veelal tot een zuiver decoratieve stijl was geworden, zij het met vele technische kwaliteiten, draagt daar wezenlijk toe bij. Voortaan beperkt pater Lodoli de architectuur tot haar zuiver structurele en functionele taken. In de loop van de 18e eeuw groeit de kritiek op de werkwijzen en doelen van de barokke kunst. Naast pater Lodoli vertegenwoordigen in Italië vooral Francesco Milizia, die Borromini's opvolgers als "ijlende sekte" aanduidde, en Mengs, die in Rome naast Winckelmann tot de intimi van kardinaal Albani behoorde, een dergelijke verlichte, kritische positie.

Tegen deze achtergrond zal hierna de ontwikkeling van de barokke stad en architectuur van de naast Rome belangrijkste Italiaanse steden Turijn, Napels en Venetië worden besproken.

**Alessandro Algardi**
Rome, Villa Doria Pamphili
ca. 1650

Een eerste ontwerp voor de Villa Doria Pamphili van Borromini, die de wens van de opdrachtgever naar een zo groot mogelijke rust allegorisch vertaalde in de vorm van een kasteelachtige villa die op basis van de 32 winden was ingericht, wordt afgekeurd door Camillo Pamphili. De beeldhouwer Algardi, die de opdracht krijgt in plaats van Borromini, ontwerpt een met de laat-maniëristische Villa Borghese vergelijkbare academische variant van een 'museumfaçade', waarachter talloze oudheidkundige fragmenten tentoongesteld werden.

**Carlo Marchionni**
Rome, Villa Albani
Gevel aan de tuinzijde, begonnen in 1743

**De ontwikkeling in Turijn**

Piemonte is in de 17e en 18e eeuw de enige staat in Italië met een werkelijk solide politieke en economische structuur. Nadat Emanuele Filiberto uit het huis van Savoye in 1563 Turijn tot hoofdstad had verheven, worden in de late 16e, de 17e en de beginnende 18e eeuw vele architecten naar de stad gehaald om nieuwe ontwerpen te maken voor de stad.

Turijn was een Romeins castrum geweest. De stad volgde na meer dan 1000 jaar nog steeds het in Romeinse provinciesteden toegepaste en gestandaardiseerde grondplan dat op militair gebruik was gericht en op een schaakbordpatroon was gebaseerd. Uitgaande van dit grondplan wordt de stad op basis van richtlijnen van de regering door de architecten Ascanio Vittozzi, Carlo en Amadeo Castellamonte, en Filippo Juvarra uitgebreid; begin 17e eeuw ten zuiden van de stadsmuur, vervolgens in 1673 in oostelijke richting, naar de Po toe, en ten slotte in de vroege 18e eeuw in westelijke richting, richting Porta Susina. Een strenge wettelijke controle begeleidt de stadsuitbreiding. Nadat Carlo di Castellamonte in 1621 richtlijnen voor de planning van de zuidelijke Città Nuova had uitgewerkt, werd een comité benoemd dat de omzetting van al deze gegevens diende te bewaken. Er werden bijvoorbeeld wetten uitgevaardigd over het straatverloop of de hoogte en afmetingen van paleizen. Artistieke belangen staan daarbij voorop. In 1620 worden de eerste als eenheid getekende façades langs de huidige Via Roma en aan het Piazza S. Carlo (sinds 1638) gebouwd, terwijl in Midden-Italië de autonome, vrijstaande paleisgevel nog regel is. Om een dergelijke uniforme vormgeving te bereiken, schenkt regentes Maria Christina onder meer stukken grond aan hoge leden van het hof met de instructie volgens de plannen van Castellamonte te bouwen. Turijn plant zijn toekomst dus vastberaden en met de blik vooruit, waarbij de architectuur de hoogste prioriteit krijgt. Wanneer Guarino Guarini in 1666 naar Turijn komt, wordt deze houding op grootse wijze vertaald: Turijn wordt in architectonisch opzicht het modernste en belangrijkste centrum van Italië, op bijna hetzelfde moment dat in Rome na de dood van Alexander VII in 1667 de creatieve energieën afnemen.

**Guarino Guarini (1624-1683)**

Guarini treedt al vroeg, op z'n 15e, in 1639 in Modena in de orde van de theatijnen in. Hij komt naar Rome om theologie, filosofie, wiskunde en bouwkunde te studeren. Het interieur van de S. Carlo en de zuidgevel van het oratorium, die juist gereed zijn gekomen, maken een grote indruk op hem. In 1647 is hij weer terug in Modena en werkt daar aan de S. Vincenzo. In 1655 gaat hij naar Messina, waar hij de gevel ontwerpt van de SS. Annunziata, die niet meer bestaat. Daarna gaat Guarini naar Parijs. Daar gaat een nieuwe ideeënwereld voor hem open, want in deze periode probeert men er cartesiaanse rationaliteit en religie met elkaar te verenigen. Men bediscussieert hoe het mogelijk is om tegelijkertijd logisch te argumenteren en zich een voorstelling te maken van beelden van bijvoorbeeld opstanding en hemelvaart. Guarini definieert zijn antwoord tegelijk als wiskundige en als architect. De verbeelding is voor hem een hypothese die naar de werkelijkheid moet worden vertaald. Daarbij is de techniek van doorslaggevend belang.

Deze techniek manifesteert zich onder meer in de steeds groter wordende dynamiek van de structuren van zijn koepelontwerpen. Het lukt hem om deze in een moment van zwevend evenwicht vast te houden. Het is dit moment waarin de wiskundige calculus en de op God gerichte verbeelding samenkomen. Zo zijn de roekeloze en bizar aandoende ontwerpen en constructies niet irrationeel, maar hoogst rationeel.

De Cappella della SS. Sindone (afb. blz. 55) is bestemd om plaats te bieden aan de zweetdoek van Christus. Na lange discussies wordt ten slotte het besluit genomen om de kapel aan het oostelijke uiteinde van de kathedraal in de onmiddellijke nabijheid van het koninklijk paleis te bouwen (1667-1690). Guarini ziet zichzelf in dezelfde positie geplaatst als eerder Borromini in de S. Agnese. Amadeo di Castellamonte was begonnen met de bouw van de kapel en was tot aan de eerste orde gekomen. Wanneer Guarini de werkzaamheden in 1667 voortzet, moet hij uitgaan van een boven een cirkel aangelegde ruimte, die wordt benadrukt door acht monumentale pilaren, die negen Palladio-motieven omsluiten. Hij verandert deze eentonige tekening, die waarschijnlijk een normale tamboer- en koepelconstructie zou moeten overdekken, radicaal. Hij omsluit twee van de negen cirkelvormige segmenten telkens met een boog, maar boven de overige velden plaatst hij pendentieven. De in het ontwerp van Castellamonte nog helder verdeelde ornamenteel-statische structuur voert hij tegelijk tot in het absurde door. Onder de overkoepelende boog blijft telkens één pilaar zonder visuele last, maar hij laat in de pendentieven, doorgaans de zone van de grootste samenballing van krachten, openingen voor brede vensters.

Duidelijk wordt dat Guarini in principe toch anders met een ontwerp omgaat, ook al staat hij in veel opzichten dicht bij Borromini, zoals in de toepassing van de driehoeksgeometrie of van ornamenteel-structurele motieven. Hoewel Borromini talloze verschillen aanbrengt, beoogt hij uiteindelijk toch een eenheid van ontwerp. Guarini daarentegen werkt met opzettelijke tegenstrijdigheden en opmerkelijke dissonanties. Het conflict is nogal gezocht. Zo zegt de ene ruimtelijke zone niets over de volgende. Deze tegenstrijdigheid intensiveert Guarini nog door een ornamentele, bijna fragmentarische behandeling van de oppervlakken.

In de kapel volgt boven de pendentiefzone een direct op Borromini geïnspireerde tamboerzone. Deze is bijna traditioneel getekend, maar lijkt alleen ingevoegd te zijn om een nog duidelijker contrast te creëren met de volgende constructie. In c.q. tussen de assen van de zes tamboeropeningen zijn 36 segmentbogen gespannen die in deze vorm de koepelstructuur dragen. Tussen deze bogen liggen talrijke verzonken vensters, waarvan het tegenlicht de dragende structuur als het ware vrij laat zweven. In werkelijkheid is de dom niet erg hoog, maar de perspectivische verkorting van de bogen doet tegelijk een wezenlijk grotere hoogte vermoeden. Deze complexe, boven de driehoek ontwikkelde geometrie heeft tot doel om het dogma van de Drie-eenheid te verbeelden.

In de onmiddellijke nabijheid van kathedraal en koningspaleis bevindt zich de kerk van de orde der theatijnen, de S. Lorenzo (1668-

**Guarino Guarini**
Turijn, Cappella della Santissima Sindone
Gezicht van binnenuit op de koepel,
1667-1690

Cappella della Santissima Sindone
Gezicht van buitenaf op de koepel
Verticale projectie

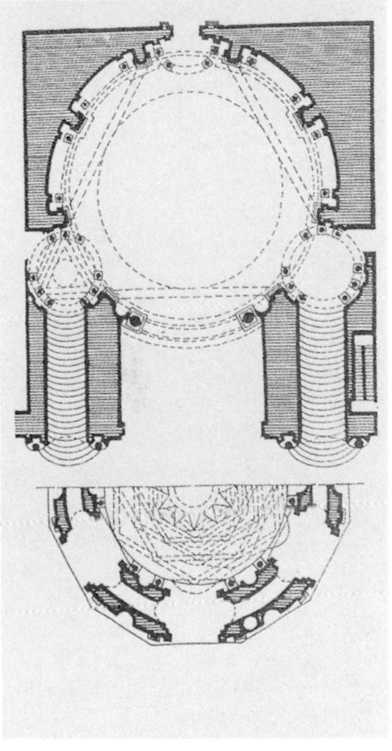

1687) (afb. onder en rechts). Ze is naar buiten toe zeer terughoudend en alleen de koepelstructuur komt naar voren. Het grondplan is boven een octogoon ontwikkeld, terwijl de acht zijden zich convex naar het midden van de ruimte welven. Boven deze segmenten verheffen zich Palladio-motieven. Aan de andere zijde van deze naar buiten welvende, door 16 zuilen van rood marmer afgesloten zone zwerft de blik tot de buitenmuur die de ruimte afgrenst. De veelvuldige herhaling van soortgelijke motieven maakt het moeilijk om de compositie van het ontwerp te begrijpen.

Pas de deklijst biedt opnieuw een rustmoment en maakt de structuur tot een eenheid. Maar ook dit verandert snel wanneer in de volgende projectiezone de Palladio-motieven in een soort kruisarmschema worden herhaald. Er volgt een tweede lijst die echter door liggende ovale ramen wordt doorbroken – een nieuwe structurele tegenstrijdigheid. Tussen de hierboven beginnende, hoog-ovale ramen verheffen zich bogen die telkens over drie ramen heen grijpen en waarvan de overlapping een grote octogoon vormt. Hierboven verheffen zich ten slotte een tweede tamboer en een tweede koepel. De diafane tekening van de koepel is met behulp van de verlichting nog intenser. Op de plattegrond sluit zich een tweede kerkruimte aan, die boven een ovaal en een ingeschreven cirkel is ontwikkeld en waarin de in de hoofdruimte gekozen motieven nogmaals veelvuldig worden gevarieerd.

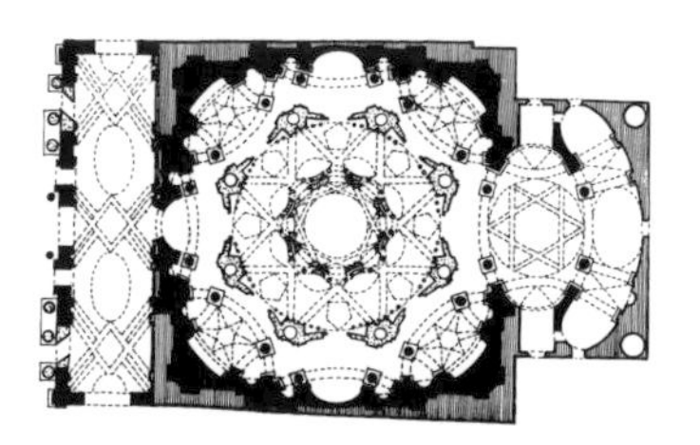

**Guarino Guarini**
Turijn, San Lorenzo
Plattegrond, gezicht op interieur en koepel, 1668-1687

De ontwerpprincipes van Guarini worden duidelijk: de koepel heeft zijn grootste aandacht, waarop hij ook in de inleiding van zijn traktaat over architectuur nader ingaat. Tot Borromini had de koepel van de St.-Pieter als voorbeeld gediend. Hoewel Borromini met dit model breekt, houdt hij toch vast aan de uniforme tekening ervan. Voor Guarini's koepel zijn geen directe formele voorbeelden te vinden, maar toch kan zijn architectuurbegrip worden herleid. In zijn traktaat concludeert hij dat bouwmeesters uit de Gotiek dragende structuren steeds ijler hadden laten worden totdat ze tot slot op wonderen leken. Dit beeld denkt hij verder uit als hij de continu verlopende sfeer van traditionele koepels door diafane structuren vervangt. Ze moeten –net zoals in de door hem bewonderde Gotiek– mystieke oneindigheid suggereren.

In de rechthoekig en eentonig aangelegde stedelijke ruimte van Turijn vormen de koepels van beide kerken een nieuw en buitengewoon element. Dit geldt in dezelfde mate voor de façades van Guarini's paleizen. Met het Palazzo Carignano (1679-1681) wordt Guarini's mathematisch-fantastische architectuur de officiële en representatieve architectuur van de absolutistische monarchie (afb. rechts). Vanuit Turijn verspreidt ze zich over het gehele koninkrijk.

Met Guarini eindigen de klassieke typologieën, die voornamelijk schema's van ruimtelijke structuren waren. Tegelijkertijd is hij de voorloper van een moderne architectuur die niet langer de weergave van ruimte op de voorgrond plaatst, maar de techniek van de vormgeving en constructie van de ruimte.

**Guarino Guarini**
Turijn, Palazzo Carignano
1679-1681

**Filippo Juvarra**
Turijn, Palazzo Madama
Voorgevel, 1718-1721

**Filippo Juvarra (1678-1736)**

Guarini overlijdt in 1683. Juvarra komt pas dertig jaar later, in 1714, naar Turijn, wat een directe continuïteit zonder meer uitsluit. Bovendien is zijn architectuurbegrip principieel anders. De opleiding begint hij in Messina bij zijn vader, een goudsmid. In de volgende tien jaar verblijft hij in Rome. Fontana beveelt hem al het voorgaande te vergeten en de academisch-laat-barokke klassieke architectuur van zijn leraar te bestuderen. Maar de vroege, op de verbeelding berustende herziening van het Capitool laten een ander, uiterst scenografisch architectuurbegrip zien. In dienst van de Ottoboni's ontwerpt Juvarra vanaf 1708 talloze decors met een grote expressiviteit. Hij verwerft bovendien een buitengewoon prestige door het *Concorso Clementino*, de architectuurprijsvraag van de Accademia di San Luca, te winnen.

Wanneer Juvarra in 1714 naar Turijn vertrekt, is hij al in heel Europa beroemd, vooral als decorontwerper. Door zijn theaterervaring had hij vooral veel kennis opgedaan over het omgaan met alle beschikbare trucs en belichtingseffecten. Hij ziet ook geen problemen in het met elkaar in verband brengen van uiteenlopende stijlen en uitdrukkingsvormen, zolang hij het gewenste effect maar kan bereiken. Als 'eerste architect van de koning' ontwerpt hij voortaan kerken, koninklijke paleizen en hele stadswijken, bijvoorbeeld tussen de Via del Carmine en de Corso Valdocco (1716-1728) en tussen de Via Milano en het Piazza Emanuele Filiberto (1729-1733). Het is indrukwekkend hoe hij voor

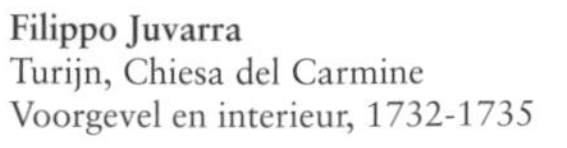

**Filippo Juvarra**
Turijn, Chiesa del Carmine
Voorgevel en interieur, 1732-1735

AFBEELDING BLZ. 59:
**Filippo Juvarra**
Turijn, La Superga
1717-1731

elke opgave de taal vindt die erbij past. Voor het Palazzo Madama oriënteert hij zich bijvoorbeeld op Versailles, voor de Superga-kerk daarentegen op Rome. Zijn roem, ook als architect, kent weldra geen grenzen meer en hij werkt in de tussenliggende perioden in Portugal, Londen en Parijs, en ten slotte in Madrid, waar hij in 1736 overlijdt.

Op een heuvelketen tegenover de uitloper van de Alpen domineert de Superga-kerk (1717-1731) de stad (afb. blz. 59). Ze is zowel votiefkerk, gebouwd na de zege op de Fransen, als mausoleum van de Savoyes. Juvarra kiest een centraal ontwerp met zuilengalerij. Uitgangspunt vormt het Pantheon, nadat Bernini het in de vrije ruimte had geplaatst en zo tot zijn visuele hoofdelementen had teruggebracht. Juvarra gaat op vergelijkbare wijze te werk. Overeenkomstig de ligging boven en ver van het stadscentrum dikt hij de elementen van het ontwerp flink aan. De tamboer is heel hoog, de zuilengalerij bijzonder diep. In zijn grootschalige vormgeving herinnert het complex aan Borromini's S. Andrea. De beslissing om een achtergrond te creëren voor het bouwlichaam herinnert bovendien aan Pietro da Cortona's S. Maria della Pace. In vergelijking met de vleugels van het gebouw winnen de torens aan grootte.

In politiek opzicht is het Franse hof het veelvuldig geïmiteerde voorbeeld voor het hof van de Savoyes. Dat Juvarra zich met het ontwerp voor het Palazzo Madama (1718-1721) door Versailles heeft laten inspireren, is tegen deze achtergrond alleen maar begrijpelijk. Het palazzo (blz. 57) lijkt voor het middeleeuwse kasteel, direct tegenover het koninklijk paleis, te zijn geplaatst, vooral om het defilé van de staatsgasten 's avonds de weg naar de balzaal te wijzen, want achter de zeer hoge ramen aan de pleinzijde gaat alleen het trappenhuis onder een zeer hoog tongewelf schuil. De bordessen veranderen in deze ruimte tot theaterpodia. In vergelijking met de aan de tuinzijde gelegen gevel van het slot in Versailles is de gevel van de *Piano Nobile* van het Palazzo Madama overtuigender in zijn accentuering.

Het jachtslot Stupinigi (1729-1733) ligt op het vlakke land en is tot stand gekomen op een veelvormige, royale plattegrond (afb. blz. 60/61). Een groot deel van het complex wordt gevormd door lage, zeer eenvoudig vormgegeven bouwlichamen, waartoe ook dienstgebouwen en stallen behoren. Ze zijn de omlijsting en definiëren het voorste podium. In het centrum ervan verheft zich trapvormig de elliptische feestzaal. Deze wordt binnenin door gaanderijen omzoomd. Aan de centrale ruimte grenzen verder nog vier kruisvormig gesitueerde balzalen. Het enige doel van dit op deze manier geformeerde grondplan lijkt erop te zijn gericht een reeks coulissen te creëren. Het contrast tussen het rurale landschap en de van spiegels voorziene en met goudkleurig stucwerk versierde interieurs draagt nog eens extra bij tot de enscenering van het geheel. Het landschap wordt coulisse, de interieurs worden daarentegen het eigenlijke toneel, waarop het hoofse gezelschap zichzelf in scène zet.

De Chiesa del Carmine (1732-1735), waarvan het hoog oprijzende hoofdschip door de zijwaarts gelegen kapelruimten via 'brugbogen' is gescheiden, doet denken aan een gotische kerk die in het Rococo onder handen is genomen (afb. linksboven en linksonder).

ROXNY
FABRY
DANY

AFBEELDING BLZ. 60:
**Filippo Juvarra**
Jachtslot Stupinigi
Grote hal, 1729-1733

**Filippo Juvarra**
Jachtslot Stupinigi
Gezicht op exterieur en plattegrond
1729-1733

Het jachtslot Stupinigi is op vlak terrein, boven een gevarieerde, royale plattegrond ontwikkeld. Een groot deel van het complex bestaat uit lage bouwlichamen in een zeer eenvoudige vorm, waartoe ook dienstgebouwen en stallen behoren. Ze vormen een soort lijst en een voortoneel. In het centrum ervan rijst aan het einde van een trapvormige constructie de elliptische feestzaal op.

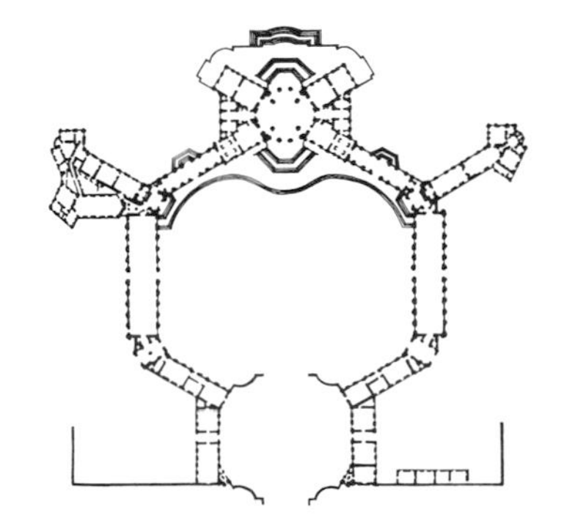

Bernardo Vittone
Bra, Santa Chiara
Gezicht op koepel en interieur, 1742

Buitengewoon is de uitwerking van de wand die het hoofdschip begrenst. Boven de drie kapellen aan elke zijde openen zich hoge galerijen. De 'brugbogen' in elk van deze kapellen lijken in de lucht te hangen. De wand als begrenzing van het hoofdschip is vervangen door een skelet van hoge pijlers. Terwijl hij de traditie van de Italiaanse Renaissance op dit punt achter zich laat, keert Juvarra terug naar een middeleeuwse, bijvoorbeeld in de S. Ambrogio in Milaan toegepaste wanddefinitie. Opmerkelijk is ook het idee om de kapelruimten boven verborgen lichtbronnen indirect te verlichten, terwijl het hoofdschip via brede ovale openingen boven de kapelzone wordt verlicht. Al vanaf 1729 maakt Juvarra tevens ontwerpen voor de kathedraal van Turijn, die echter niet worden uitgevoerd. Ze laten zien hoe hij de revolutionaire herdefiniëring van de wanden van de ruimte op de centraalbouw overbrengt.

**Bernardo Vittone** (1705-1770)
Bernardo Vittone verbindt in zijn werk de verworvenheden van Guarini en Juvarra. Ook hij studeert in Rome, waar hij in 1732 de prijsvraag van de Accademia di San Luca wint. In het jaar daarop keert hij terug naar Turijn, op een moment dat de constructie van de tegenstrijdige ontwerpen van Juvarra, Superga en Stupinigi haar einde nadert. Na zijn terugkeer geeft de orde van de theatijnen hem opdracht om het werk van Guarini uit te geven. Dit is de basis van zijn gedetailleerde kennis van het werk van Guarini, waarop hij in een groot aantal centraalbouwprojecten voortborduurt. Tegelijk probeert hij Juvarra's fantastische techniek naar de alledaagse praktijk te vertalen.

Voor de S. Chiara (1742) ontwerpt hij een centrale ruimte, die door vier identieke, op cirkelvormige segmenten gegrondveste kapelruimten wordt omsloten (afb. links). De koepelschaal wordt door vier behoorlijk smalle pijlers gedragen, en het zicht vanuit de kapellen naar de centrale ruimte wordt in de verticale tekening gevormd door twee boven elkaar geplaatste bogen, waarvan de bovenste ver in de koepelschaal snijdt. De structuur is in het onderste deel in vier kleuren weergegeven, alleen de kalot is witgekalkt. De koepelschaal wordt bovendien nog door vier grote openingen doorbroken, die zicht bieden op een tweede schaal. Op de laatste zijn engelen en een hemel geschilderd. Deze tweede ruimtelijke zone vormt het externe silhouet dat direct door nabije ramen wordt verlicht (afb. linksboven). Een door mensenhanden gemaakte schaal lijkt de ruimte te begrenzen. Daarboven verheft zich echter een aan de heiligen en engelen voorbehouden zone: tegenover de begrensde sfeer van het aardse staat de –in de naar boven toenemende complexiteit van de constructie als zodanig aangeduide– oneindigheid van de hemel. Dat dit door Vittone zo was bedoeld, kan worden opgemaakt uit zijn architectuurtraktaat.

Vittone blijft onder invloed staan van een laat-barokke houding, ook wanneer in de rest van Europa het Classicisme steeds dominanter wordt. Hijzelf maakt onderscheid tussen een klassieke houding en een architectuur "di scherzo e bizzarria", waarvoor hij Borromini en Guarini verantwoordelijk houdt.

Cosimo Fanzago
Napels, Santa Maria Egiziaca
1651-1717, voorgevel

**De ontwikkeling in Napels**

Met de vrede van Utrecht in 1713 verliest de Spaanse kroon de bijna twee eeuwen durende heerschappij over het zuiden van Italië. Desondanks wordt de zoon van Karel III in 1734 tot koning van Palermo gekroond, een positie die hij tot 1759 behoudt. Hij regeert over Napels en het zuiden als een verlicht vorst. Deze, vergeleken met de 17e-eeuwse Spaanse macht, nieuwe houding heeft direct invloed op de architectonische ontwikkeling. In deze periode ontstaan ontwerpen op een ongewone schaal, bijvoorbeeld het Museo di Capodimente en de koninklijke regeringszetel in Caserta, evenals het Albergo dei Poveri en de graansilo.

Cosimo Fanzago is de bekendste architect van de 17e eeuw in Napels. Hij is net als Bernini vooral bouwmeester en beeldhouwer. Zijn vermogen om tot een fantasierijke combinatie en voortgezette ontwikkeling van architectonische elementen te komen, is buitengewoon. Hij weet laat-maniëristische en hoog-barokke elementen, evenals een streng classicisme en overvloedige picturale effecten, met elkaar te verbinden. In zijn werk ziet hij alle mogelijkheden van de 17e eeuw onder ogen. Maar desondanks laat zijn werk een indrukwekkende eenvoud zien, waarin het ornament een toevoeging, maar niet onmisbaar is. Na Fanzago's overlijden gaat de architectuur twee kanten op: aan de ene kant volgen Domenico Antonio Vaccaro en Ferdinando Sanfelice een inventieve, onorthodoxe en tegelijk elegant decoratieve stijl, die sterk lijkt op die van Valvassori en Raguzzini. Na hun dood in 1750 roept de koning Fuga en Vanvitelli vanuit Rome naar Napels. Met hen wordt anderzijds een architectuurstijl dominant die op de internationale, laat-barok-rationele klassieke stijl lijkt. Tegelijkertijd ontstaat er een tegenstelling tussen de met het kunstambacht verbonden, ornamentrijke tendensen en vergaande voorstellen voor sociale hervormingen. Intussen wordt Napels, juist in relatie tot de opgravingen in Ercolano en later in Pompeji, het reisdoel van heel Europa.

Omstreeks 1750 is de voornaamste wens van de verlichte regering in Napels de creatie van een stedelijke infrastructuur. Twee ondernemingen zijn daarbij van bijzondere betekenis: het Albergo dei Poveri en de graansilo. In de eerste plaats krijgt Fuga opdracht voor het Albergo dei Poveri, een bouwwerk dat net als de S. Michele a Ripa Grande in Rome tegelijk hospitium, opvanghuis en onderwijsinstelling zou moeten zijn. Hij ontwerpt een gebouw van enorme afmetingen (afb. rechts). De langste façade meet ongeveer 350 meter. Het gebouw als geheel, met zijn zeer eenvoudige tekening, waarin vooral slaapvertrekken zijn opgenomen, is op een centrale kerk georiënteerd. In 1779 ontwerpt Fuga ook de graansilo. Het complex, dat onderdak moest bieden aan een openbare graansilo, een wapenarsenaal en een touwfabriek, loopt in zijn buitengewone eenvoud vooruit op de moderne industriegebouwen van de 19e eeuw. De grote helderheid waarmee Fuga de functionele problemen begrijpt en oplost, komt voort uit een sociale en praktische instelling, die een van de belangrijkste principes van het Classicisme wordt.

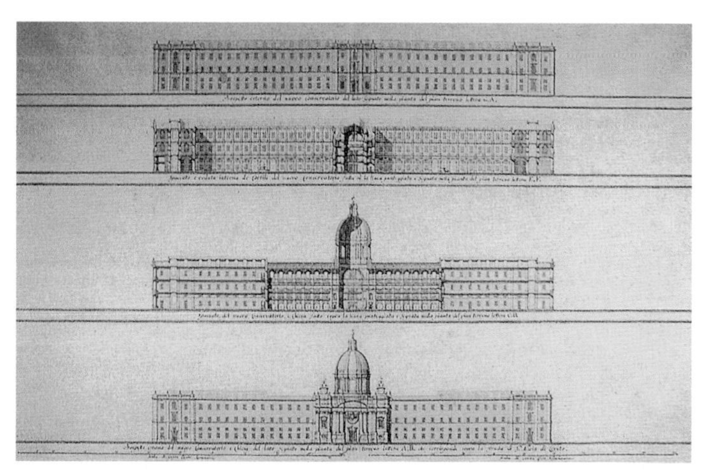

Ferdinando Fuga
Napels, Albergo dei Poveri
Ontwerptekening, 1748

**Luigi Vanvitelli**
Napels, Chiesa dell'Annunziata
Interieur, voorgevel en plattegrond
1762

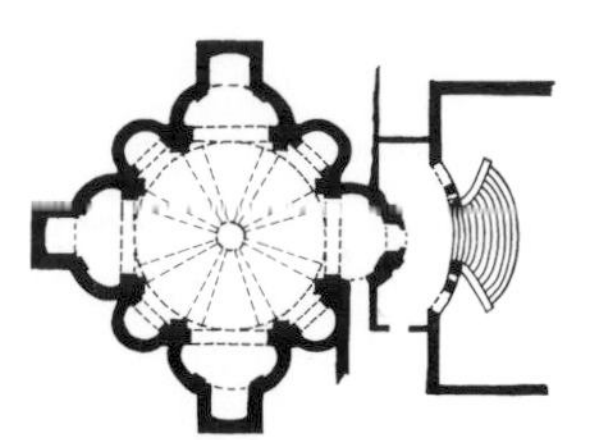

AFBEELDING BLZ. 65:
**Luigi Vanvitelli**
Caserta, La Reggia, 1751
Trappenhuis en voorgevel

**Luigi Vanvitelli (1700-1773)**
Een derde, in hoge mate functioneel monument is het Palazzo Reale in Caserta bij Napels. De architect is Luigi Vanvitelli (Lodewijk van Wittel), zoon van een schilder uit Utrecht. Hij begint eveneens als schilder, neemt deel aan de prijsvragen voor de S. Giovanni in Laterano en voor de Fontana di Trevi en construeert voor de paus vervolgens een reeks utiliteitsgebouwen, zoals het lazaret in Ancona. Terug in Rome voltooit hij Bernini's Palazzo Chigi.

In 1751 wordt hij door de Spaanse koning belast met het ontwerp van het regeringspaleis en de aangrenzende stadswijken. Vanvitelli, die gewend is om in zijn ontwerpen uit te gaan van helder omschreven eisen, definieert eerst de functionele uitgangspunten van het koninklijk paleis, waarin net als in Versailles ook de totale administratie een plaats moet krijgen. Zijn voorstel behelst een gebouw van enorme afmetingen (afb. blz. 65 boven), waarbij 1200 ruimten om een viertal pleinachtige binnenhoven worden gegroepeerd. Het centrum wordt ingenomen door een 'gran portico', waar vandaan vier galerijen verlopen. De gevel laat twee hoofdverdiepingen zien boven een hoge dubbele basisverdieping. Drie risalieten structureren de gevels naar de einden toe en in de hoofdas. De inwendige structuur en indeling worden aan de buitenzijde geprojecteerd. De architectonische elementen antwoorden op de eenvoudigste manier op de structurele eisen. Dit is het kader voor het ontwerp van de perspectivisch-toneelmatig geconcipieerde opeenvolging van ruimten die aan de ceremoniële eisen moesten voldoen. Het voorbeeld hiervoor is het overhoekse toneel dat, nadat de kunstenaarsfamilie Bibiena het had 'uitgevonden', het 18e-eeuwse theater voor een groot deel bepaalde. Zo ontsluit Vanvitelli de vier hoven langs de diagonalen. Maar hij leidt vooral de blik via eindeloze reeksen architectonische elementen door het gehele gebouw tot ver in de tuin, die als een toneel oprijst. Het basiselement van deze theatrale ruimte is echter de in zijn vorm klassiek-zuivere zuil.

Enkele jaren later, in 1762, krijgt Vanvitelli de opdracht voor de Chiesa dell'Annunziata in Napels (afb. boven). De context wordt gevormd door de verbazingwekkende resultaten van de opgravingen in Ercolano en Pompeji. Ze maken een beter begrip van de vormelementen van een klassieke Oudheid mogelijk. Dat dit begrip de architectonische structuur verandert, laat het ontwerp voor de Chiesa dell'Annunziata zien. Het grondplan volgt het voor de Romeinse kerk Il Gesù in de 16e eeuw ontwikkelde en nadien veelvuldig toegepaste schema. In een rechthoek zijn het schip, de zijkapellen en een kort dwarsschip ingetekend. Maar het is verbluffend dat viering en koepel bijna in het centrum zijn geplaatst. Ook de manier waarop het licht geleid wordt, heeft nauwelijks meer barokke kenmerken. Men vindt er bijvoorbeeld niet langer verborgen lichtbronnen, die doorgaans voor een theatrale belichting werden benut, of straalvormig tegenlicht, zoals dat vaak in hoog-barokke kerken werd toegepast. Het licht van de koepel valt daarentegen op gecanneleerde zuilen, die het vervolgens, net als in de centrale vestibule in de Reggia in Caserta, op de belendende kapelruimten terugkaatsen. De kerk is niet ontworpen om de gelovigen te pakken en te overreden, ze is veeleer een ruimte geworden waarin de functie van de kerkdienst het best kan worden vervuld. In de religieuze architectuur worden Vanvitelli's verlichte eigenschappen duidelijk.

**Baldassare Longhena**
Venetië, Santa Maria della Salute
Begonnen in 1630/1631
Interieur, plattegrond en dwarsdoorsnede

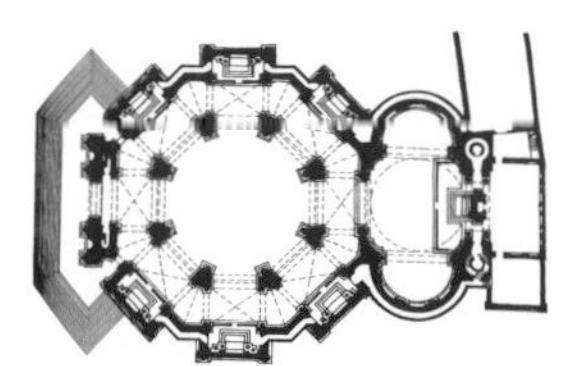

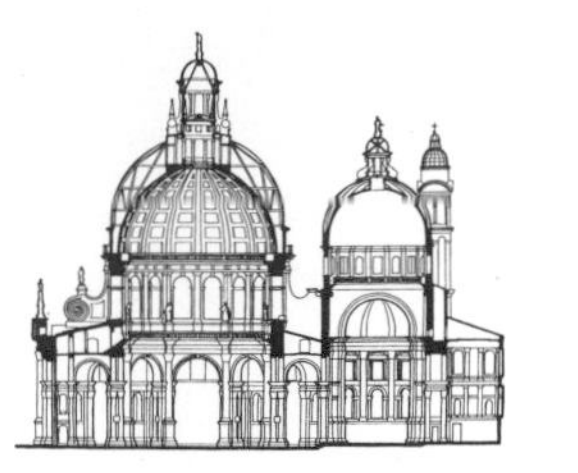

AFBEELDING BLZ. 67:
**Baldassare Longhena**
Venetië, Santa Maria della Salute
Begonnen in 1630/1631

## De ontwikkeling in Venetië

Gedurende de hele 17e eeuw bleef Venetië de invloeden van de architectuur van Palladio en diens opvolgers ondergaan. Als een rechtstreeks vervolg daarop wordt de stad in de 18e eeuw, veel eerder dan Rome, Turijn en Napels, de plaats van een verlicht Classicisme.

De bijzondere topografie van Venetië, ontstaan uit de versteviging van een lagune en het samengaan van een aantal onafhankelijk van elkaar gestichte gemeenten, maakte uitgebreide, royaal uitgevoerde ontwerpen per definitie onmogelijk. Palladio had dit al moeten vaststellen toen hij op de plek van de eerste gemeentelijke samensmelting, de Rialto-wijk, een brug wilde bouwen. Ook de traditie van het bouwen aan het water en de ontwikkeling van een Venetiaanse 'skyline' biedt weinig mogelijkheden voor de barokke architectuur. Hierop had Palladio een antwoord gevonden met zijn kerkontwerpen. De elementaire bouwvolumes van de S. Giorgio of de Il Redentore, de in de geest van de klassieke late Renaissance ontworpen gevels en de nog met de Byzantijnse architectuur verbonden, hoog oprijzende koepels zijn boven het water van de lagune gebouwd om ze beter uit te laten komen. Ze werden het model van de sacrale architectuur van de hele 17e eeuw. Ook de paleisarchitectuur volgt oude tradities. Eeuwenlang bleven grondplan en opstand ongewijzigd. Alleen de gevels worden in de 16e eeuw opnieuw vormgegeven. Sanmicheli en Sansovino formuleren een geveltype met een grote visuele kracht, dat direct antwoord geeft op het spel van het Venetiaanse licht. Het wordt voortaan een bijna bindend voorbeeld. Een andere belangrijke factor voor het bouwen in Venetië is de bouwgrond van de lagune, die voor de koepels een lichte constructie van baksteen en hout vereist.

Palladio is ook in een ander opzicht van grote betekenis. Zijn theoretische werk wordt in de 17e eeuw steeds opnieuw gedrukt en becommentarieerd. Zijn verlangen om architectuur te ontwerpen die uitgaat van Vitruvius volgens de bijzondere specificaties van de Venetiaanse context, vindt in de 18e eeuw een congeniale theoretische voortzetting door pater Lodoli. Deze veroordeelt elke formele oplossing die niet aan de structurele, functionele en contextuele eisen voldoet. Het verlangde principe van een rationele constructie wordt het uitgangspunt van het Venetiaanse Classicisme.

### Baldassare Longhena (1598-1683)

De belangrijkste uitzondering in deze ontwikkeling is Baldassare Longhena's ontwerp voor de S. Maria della Salute (afb. links en blz. 67). Longhena is een leerling van Scamozzi. Ook zijn eerste referentie is Palladio. In die zin worden zijn ontwerpen dan ook niet bepaald door een vaststaand ruimtelijk idee, maar door de analyse van de bijzondere plaatselijke context en de verlangde functie. De opdracht was om een votiefkerk te bouwen als dank voor het einde van een pestepidemie. Longhena ontwerpt daarom twee ruimten. De eerste is een door een omloop en kapellen omsloten achthoek die voorbehouden is aan gelovigen, de tweede ruimte is rechthoekig met twee absissen en is bestemd voor de dankmis. De bouwlocatie is zeer prominent gelegen aan de ingang van het Canale Grande en tegenover de Giudecca. Longhena stelt een centraal ontwerp voor, waarvan de opstand een antwoord is op deze context, in het bijzonder op de koepels van de S. Marco, de S. Giorgio en de Reden-poort. Zo heeft de koepel net als bij de hiervoor genoemde kerken een dubbele 'schil', uitgevoerd in hout om op die manier de massa's te reduceren, maar vooral ook zonder ribben. De buitenste muurring van de radiale kapellen vormt optisch gezien het steunvlak van de machtige voluten, die op hun beurt dienst doen als steunberen voor de koepeltamboer en de koepel.

Ook het ontwerp van het interieur staat in veel opzichten in de Venetiaanse traditie. De grijs-witte kleurstelling van de architectonische elementen gaat rechtstreeks terug op Palladio. Deze dient er echter niet toe om de draagstructuur te accentueren, maar is veeleer een optisch hulpmiddel om de blik van de kijker te sturen. Zo leiden de witte pijlersegmenten de blik naar de ruimten eromheen, terwijl de grijze omlijstingen van de openingen de centrering van de compositie onderstrepen. Nieuw is de decoratieve interpretatie van de zuilen. Deze zijn niet tot in de tamboer voortgezet, maar vormen boven hun verkropping piëdestals voor imposante profetenbeelden. De zuil vormt

**Baldassare Longhena**
Venetië, San Giorgio Maggiore
Trappenhuis, 1643-1645

AFBEELDING RECHTS:
**Giovanni Antonio Scalfarotto**
Venetië, Santi Simone e Giuda
Voorgevel en plattegrond, 1718-1738

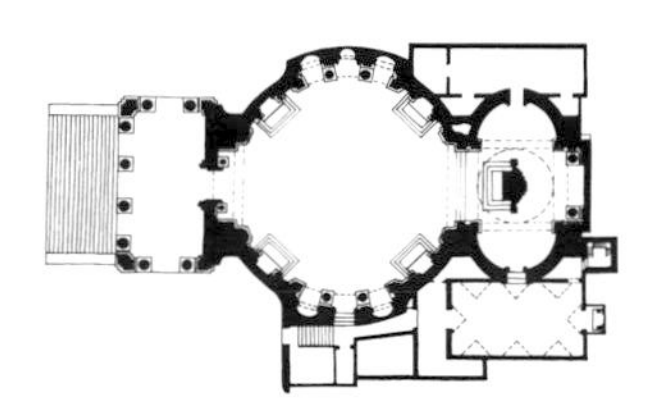

**Tommaso Temanza**
Venetië, Santa Maria Maddalena
Voorgevel, 1748-1763

een vrijstaand element dat de rondheid van de ruimte onderstreept. Terwijl de achthoek juist duidelijk is, lijkt de verbinding met de altaarruimte eerder losjes. Daarheen wijzen in eerste instantie alleen vrijstaande zuilen in de doorgang naar het koor en het altaar zelf.

Uitgangspunt van de hele enscenering is de ingang van de kerk. In relatie daarmee formuleert Longhena een reeks duidelijk getekende, afzonderlijke prospecten. Dit kijken in sequenties gaat terug op Palladio. Daartegenover ontwikkelt de Romeinse Barok in dezelfde jaren, bijvoorbeeld in de S. Carlo of de SS. Luca e Martina, het in één oogopslag waarneembare en ervaarbare ruimtelijke continuüm.

Een dergelijk scenografisch begrip bepaalt Longhena's ontwerp voor het trappenhuis van het klooster S. Giorgio Maggiore (1643-1645). Twee parallelle traparmen voeren langs de buitenwanden van deze vestibule omhoog naar een bordes dat uitzicht biedt op de vestibule en de aangrenzende loggia (afb. blz. 68).

In 1652 begint Longhena met het paleis Cà Pesaro (afb. blz. 70). Boven een rustiek uitgevoerde basisverdieping verheffen zich twee, door talloze zuilen geritmeerde, rijkelijk gedecoreerde etages. De plastische versiering neemt met de hoogte toe. Het lijkt erop alsof Longhena met deze vorm het raakvlak van het licht wil vergroten, om het schaduwspel in de diep ingesneden dagkanten extra te benadrukken.

Al vroeg in de 18e eeuw krijgt de palladiaanse traditie weer een onomstreden leidende rol. Een eerste voorbeeld is Andrea Tirali's gevel voor de S. Nicolò da Tolentino (1706-1714). Vooral de porticus is op streng Vitruviaanse wijze ontworpen.

Een mijlpaal in de ontwikkeling naar het Classicisme is Giovanni Scalfarotto's SS. Simone e Giuda (1718-1738), alleen al vanwege de vroege datum van zijn ontstaan (afb. boven). Opnieuw heeft het Pantheon als voorbeeld gediend. De porticus en de trap die er naartoe leidt, zijn weliswaar op klassieke tempels geïnspireerd, maar het bouwlichaam is desondanks smal en hoog. Ook de dubbele houten koepel is aan de Byzantijns-Venetiaanse traditie ontleend. Het Pantheon heeft ook als voorbeeld gediend voor het interieur, maar het schema wordt opnieuw, net als in de S. Maria della Salute, met een gescheiden altaarruimte aangevuld. De houding is palladiaans, maar nog niet echt classicistisch. De palladiaanse lijn domineert ook het werk van Giorgio Massari, waarvoor het Palazzo Grassi een goed voorbeeld is (afb. blz. 71). In de gevel laat de architect elke ornamen-

**Baldassare Longhena**
Venetië, Cà Pesaro
1652/1659-1710

**Giorgio Massari**
Venetië, Palazzo Grassi, begonnen in 1749
Gevel

**Francesco Maria Preti**
Stra, Villa Pisani, 1735-1756
Gevel aan de tuinzijde

In zijn ontwerp voor de Villa Pisani in Stra grijpt Francesco Maria Preti direct terug op de traditie van de palladiaanse *Villa all'antica*, bijvoorbeeld in de toepassing van een centrale tempelfaçade. In vergelijking met Palladio's villa's is de Villa Pisani echter aanmerkelijk groter. Deze 'schaalsprong' is ook de reden voor het teruggrijpen op de elementen uit de paleisbouw. Hiertoe behoort aan de tuinzijde de inpassing van een volledige etage in de attiekzone.

Gezicht op de koepel van de St.-Pieter door de berceau in de tuin achter de Santa Maria del Priorato

AFBEELDING BLZ. 73:
**Giovanni Battista Piranesi**
Rome, Santa Maria del Priorato
1764-1768, voorgevel

tele versiering achterwege om elk licht-donkereffect uit te sluiten. In plaats daarvan ritmeert hij de vensterassen en keert hij terug naar het traditionele geveltype van de Venetiaanse façade.

In dezelfde tijd als het Palazzo Grassi bouwt Tommaso Temanza de S. Maria Maddalena (1748-1763). Temanza is uitgever van het theoretische werk van pater Lodoli en bevriend met Milizia, een felle tegenstander van de Barok. In zijn ontwerp richt hij zich op Scalfarotto's SS. Simone e Giuda, maar tegelijk bekritiseert en corrigeert hij deze. Zo verkleint hij de porticus, maar belangrijker is dat hij afziet van een koepel. Vastberaden en compromisloos keert hij terug naar de klassieke standaards van de Oudheid (afb. blz. 69).

**De subtiele stad bezien vanuit het standpunt van Giambattista Piranesi (1720-1778)**

Laten we tegen deze achtergrond nog een keer terugkeren naar Rome. De uitgangsvraag was hoe het barokke Rome een stempel drukt op het denken van zijn inwoners en hoe zij op hun beurt vorm geven aan architectuur en stad. Duidelijk was dat de bouw van Rome –c.q. van Zenobia– het resultaat was van een reeks afzonderlijke ondernemingen en niet van een allesomvattende planning. Deze ondernemingen zijn vaak tegenstrijdig van aard. Ze zijn barok en tegelijk klassiek in denken en in taal, zoals ze ook kunnen zijn beïnvloed door zowel de theatrale enscenering als de archeologische reconstructie van de Oudheid, om slechts twee belangrijke aspecten te noemen. Deze tegenstrijdige heterogeniteit vormt, zo kan men concluderen, de buitengewone coherentie van de Barok. Het werk van Piranesi, de ongrijpbaarste kunstenaar van dit tijdvak, geeft aan hoe architectuur en stad in de overgang van de late Barok naar het vroege Classicisme moeten worden begrepen.

Zijn opleiding verbindt al de hiervoor aangeduide aspecten met elkaar. Geboren in Veneto maakt hij binnen de familiekring kennis met de vooral op functionele aspecten toegesneden werkzaamheden van de steenhouwer en de waterbouwkundig ingenieur. Zijn buitengewone vaardigheid voor een uiterst precieze analyse en documentatie kan hij in Rome scholen bij Giovanni Battista Nolli en Giuseppe Vasi. De eerste is de bedenker van de stadsplattegrond van Rome van 1748, de andere de belangrijkste landschapschilder van zijn tijd. Aansluitend studeert Piranesi, die voor korte tijd terug is in Venetië, bij Canaletto en komt hij in aanraking met de theorie van pater Lodoli. Piranesi's voornaamste interesse geldt voortaan zowel de theatrale enscenering van de stad als de wetenschappelijke studie van de klassieke Oudheid.

De stad van de Barok maakt vastberaden gebruik van het middel van een toneelmatige enscenering. Vaak grijpt ze terug op het theater voor religieuze en door de staat georganiseerde processies en feesten. De coulissen zijn net als in het theater van hout, dus voor weinig geld en zonder bouwjuridische problemen te vervaardigen. Aan de andere kant hebben de bouwmeesters tot doel om stad en architectuur vorm te geven aan de hand van de visuele belevenis van processies en feesten, om ze zelf dus ook tot een toneelstuk te maken. Niet toevallig heet een voor Alexander in 1665 gegraveerde serie van stadsgezichten 'Il Nuovo teatro ... di Roma moderna' en een in opdracht van Karel Emmanuel II van Savoye vanaf 1682 gemaakte verzameling stadsplattegronden 'Theatrum statuum Sabaudiae'.

Niet minder geënsceneerd zijn Piranesi's stads- en architectuurvoorstellingen. 'Drama en poëzie' bepalen zijn gravures, terwijl schilderachtige ruïnes het eerste thema vormen. Werkwijze en techniek zijn in principe die van een laat-barok kunstenaar. Dit blijkt uit de theatrale overdrijving van de schaal en de dominantie van de op het overhoekse toneel teruggaande diagonalen. Piranesi's 'Carceri ...' schijnen podia van dit barokke theater te zijn.

Zo werkt hij ook als architect, met name in zijn ontwerp voor de S. Maria del Priorato (1764-1768). De hiervoor ontworpen pleinruimte,

**Giovanni Battista Piranesi**
Reconstructie van de 'Forma Urbis'
Uit: *Le Antichità Romane*, I, Rome 1756, plaat II

**Giovanni Battista Piranesi**
Het Marsveld
Uit: *Campus Martius Antiquae Urbis Romae*, Rome 1762, plaat V

het tuinlabyrint, de rijk geornamenteerde façade van de kerk (afb. blz. 73), haar interieur, maar vooral het altaar (afb. blz. 75) vormen een serie bizar gecomponeerde antieke vondsten die toevallig op elkaar lijken te volgen. In hun enscenering zijn ze echter hoogst effectief.

Tegelijk is Piranesi een acribisch archeoloog. Hij documenteert met grote nauwkeurigheid de vondsten in Ercolano en maakt een plattegrond van de Villa Hadrianus, die in zijn precisie en volledigheid ongeëvenaard blijft. Piranesi neemt direct deel aan de discussie over de Oudheid als model. Met een steeds grotere polemische kracht grijpt hij in in de Grieks-Romeinse strijd. Hij benadrukt de grote diversiteit van de Romeins-antieke kunst en architectuur en verdedigt de daaruit resulterende suprematie over de Griekse kunst. Maar vooral bestrijdt hij dat de Oudheid –ook de Romeinse– het model kan leveren dat bepalend is voor de moderne tijd. Het is zinloos, zelfs onzinnig, om in de antieke gebouwen te zoeken naar hun functionaliteit. Er bestaat geen exclusief logische structuur in de tempels. Dit is projectie, het antieke leven is ten einde. De Oudheid is terug te vinden in de ruïnes en fragmenten, maar in theoretisch opzicht is ze onherroepelijk voorbij. Ten slotte kan de geschiedenis slechts in de tekeningen, gravures en in de verbeelding worden herbeleefd, zoals in Piranesi's 'Capricci ...'. Tegen deze achtergrond is te verklaren dat Piranesi in de S. Maria del Priorato haar tegenstuk plaatst aan het eind van de architectonische enscenering. Het altaar, dat aan de voorzijde overdadig antieke elementen citeert, wordt aan de achterzijde tot zijn grondvormen teruggebracht.

Theaterachtige enscenering en studie van de Oudheid komen in Piranesi's belangrijkste voorstelling van Rome, de 'Magnificenza ed Architettura de' Romani' samen. De manier waarop hij de decorstukken in deze plattegrond heeft gerangschikt, verwijst direct naar de architectonische enscenering als eerste basisprincipe. Zonder twijfel kan ook worden aangetoond dat Piranesi de vorm van de antieke stad zeer grondig heeft bestudeerd en aan de plattegrond ten grondslag heeft gelegd. Aanknopingspunten zijn de weinige fragmenten van de enige antieke kaart van Rome, de marmeren *Forma Urbis*. Piranesi had in 1756 hun onderlinge relaties gereconstrueerd. Maar mag de plattegrond van Rome slechts als een analytische en ook nostalgische terugblik worden gezien?

Rome is aan het begin gedefinieerd als de stad die als geen andere stad in de 17e en 18e eeuw in staat is om een stempel te drukken op de wensen van zijn bewoners. Dat Rome Piranesi's ideeënwereld in alle opzichten heeft gevormd, staat buiten kijf. Zou deze plattegrond van Piranesi een door verbeeldingskracht en enthousiasme bepaalde, in zijn definitie zonder twijfel mateloos overtrokken, maar juist daarom des te duidelijker ontwerp van een nieuw en subtiel Rome kunnen zijn?

**Giovanni Battista Piranesi**
Rome, Santa Maria del Priorato
Altaar, 1764-1766

**Giovanni Battista Piranesi**
Ontwerptekening voor het altaar van de Santa Maria del Priorato

# Barokke stadsplanning

Ehrenfried Kluckert

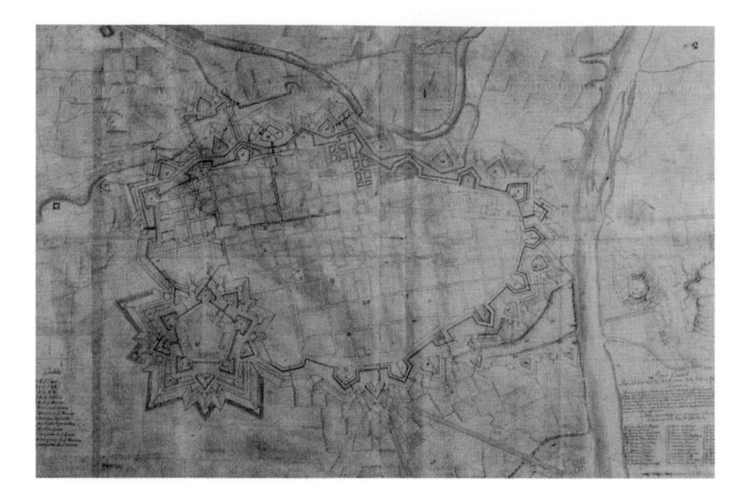

Plattegrond van Turijn, begin 18e eeuw
Turijn, Archivio di Stato

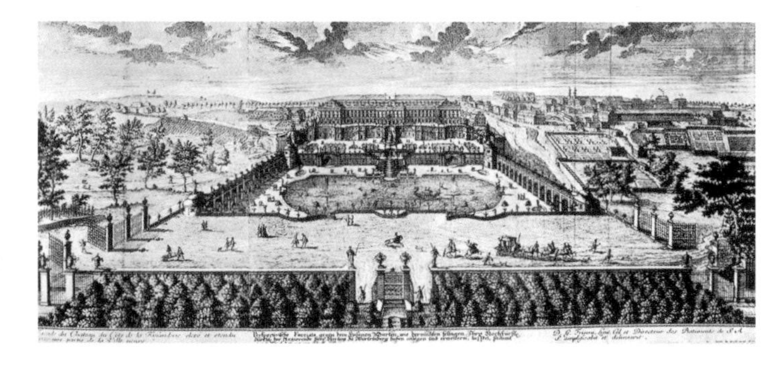

AFBEELDING MIDDENBOVEN:
Schloß Ludwigsburg, plattegrond van de uitbreiding door Giovanni Donato Frisoni, 1721

De mate waarin de pauselijke bouwpolitiek een stempel zette op de ontwikkeling van het barokke Rome, is in de vorige bijdrage beschreven. Aan de hand van enkele karakteristieke voorbeelden zal hier nu een breder panorama van de Europese stedelijke bouwkunst worden geschetst, waarbij de belangrijkste kenmerken van de stedenbouw in Rome en Turijn nog een keer worden aangehaald.

Grondslag voor de barokke stedelijke bouwkunst is het urbanisme van de Renaissance, waarin de stad moest voldoen aan het ordenings- en harmonieprincipe van de kosmos. De verhouding tussen straat, plein en gebouw werd in het tijdperk van de Barok gedramatiseerd, waarbij het regelmatige rechthoekige stratenpatroon niet altijd meer bindend was.

Bij de maatregelen ten aanzien van de stedelijke bouwkunst moet er een onderscheid worden gemaakt tussen herinrichting en stadsuitbreiding aan de ene kant en nieuwe planning aan de andere kant. Paus Sixtus V stond een van de grootste stadsplanologische opgaven voor ogen, namelijk de herinrichting van Rome, waarvoor hij Domenico Fontana in 1595 opdracht gaf. Om het 'antieke' oppervlak van de stad voor representatieve bouwprogramma's te ontsluiten, werden er vanuit de stadsrand wegenassen naar het centrum geleid, die, waar mogelijk, met elkaar werden verbonden. Elke wegenas kwam uit bij een gebouw of een groep gebouwen met een royaal plein. Dit had tegelijk de functie van een stedelijk scharnierpunt. Hiervandaan werden de stadswijken ontsloten, die gaandeweg tot een homogeen geheel zouden samengroeien. Voor het concept van de optische verbinding en oriëntatie speelden ook obelisken een grote rol (vgl. blz. 16).

Het probleem van grootschalige stadsuitbreiding voor representatieve doeleinden deed zich ook voor in Turijn, de oude metropool van de Romeinen en Langobarden. Hier was het Filippo Juvarra die in 1714 in opdracht van koning Vittorio Amadeo II de stad op basis van het oude rastersysteem voltooide (afb. boven). Bij de stadsuitbreiding ging men planmatig uit van het middeleeuwse centrum, dat zijn amandelvorm verkreeg door de stervormige versterkingsring.

Terwijl men Rome en Turijn voornamelijk om representatieve redenen uitbreidde, waren in andere plaatsen oorlogen vaak aanleiding voor nieuwe plannen. Een modelvoorbeeld voor de vervlechting van stedenbouw en ingenieursarchitectuur is de aan de Rijn gelegen vesting Neu-Breisach (Neuf-Brisach), die in 1697 ter

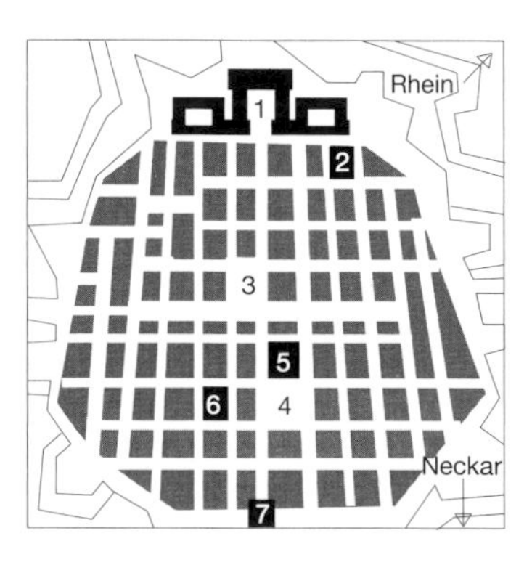



Mannheim,
schema van de stad
rond 1750

1 kasteel
2 jezuïetenkerk en -seminarie
3 paradeplein
4 marktplein
5 raadhuis en parochiekerk
6 hervormde kerk
7 Neckartor

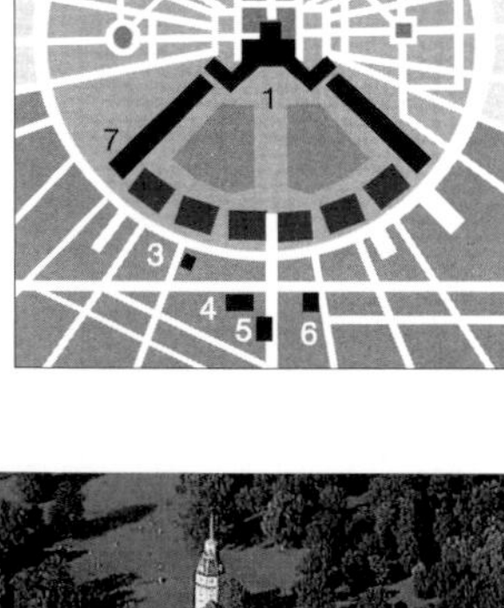



Karlsruhe, schema
van de stad rond
1780 en hele complex

1 kasteel en administratiegebouwen
2 kasteeltuin
3 katholieke kerk
4 raadhuis
5 voorm. lutherse kerk (nu piramide)
6 hervormde kerk (nu 'Kleine Kerk')
7 Linkesheimer Tor
8 Mühlburger Tor

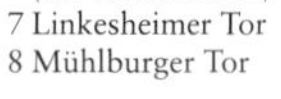

plaatse van het oude Breisach, een bij de Vrede van Rijswijk verloren gegaan bruggenhoofd, werd gesticht (afb. blz. 77, midden). De Franse legerarchitect Sébastien Le Prestre, Marquis de Vauban (1633-1707), de beroemdste vestingbouwer aller tijden, leverde de plannen voor dit volgens de modernste militaire gezichtspunten geconcipieerde complex: een stervormig versterkingssysteem, bestaande uit een drieledige gordel van muren en bastions, omsluit de stad met haar schaakbordpatroon en haar centraal gelegen, vierkante plein. Vaubans gehele stadsaanleg –van de openbare gebouwen tot aan het decor van de façades– is aan een streng pragmatisch plan onderworpen.

In Zuidwest-Duitsland waren het de Negenjarige Oorlog (1688-1697), de oorlogen met de Turken (1663-1739) en de Spaanse Successieoorlog (1701-1714) die dorpen, steden, kloosters en kastelen in puin en as legden. Net als het Neue Schloß in Baden-Baden werd ook Carlsburg in Durlach in 1689 grotendeels door de Fransen verwoest. Het leek Karl Wilhelm, die in 1709 op z'n dertigste tot markgraaf werd gekozen, weinig zinvol om financiële middelen voor het herstel van zijn burcht bijeen te brengen. Hij trok het Rijndal in. In het Hardtwoud had hij een representatieve residentie gepland. Op 17 juni 1715, een jaar na het einde van de Spaanse Successieoorlog, legde hij de eerste steen van een achthoekige toren, waaromheen de markgrafelijke residentie in de vorm van een stralenkrans was aangelegd (afb. onder). Hij wilde de stad naar zijn zeggen laten bouwen opdat men in de toekomst "van rust en het eigen gemoed" zou kunnen genieten. 'Carlos-rust' (Karlsruhe) werd al twee jaar later tot hoofdstad van de staat uitgeroepen. In 1722 en 1724 kreeg de stad nog meer privileges. Kolonisten uit heel Duitsland trokken naar Karlsruhe. Ze ontvingen gratis bouwmaterialen, met name hout, en kregen 20 jaar lang belastingvrijstelling.

Vaak ging de bouw van een residentieel slot gepaard met het ontwerp van een stad. In Ludwigsburg werd gelijktijdig met de bouw van het slot gewerkt aan de uitbreiding van de stad (afb. midden boven). De eerste plannen van Johann Friedrich Nette stammen uit 1709. De hertog probeerde kolonisten te werven om "aldaar allerlei handelsactiviteiten, ambachten en kunsten duurzaam tot stand te brengen" en hij beloofde toewijzing van gratis bouwplaatsen en bouwmateriaal, evenals belastingvrijstelling gedurende 15 jaar. De stadsplattegrond,

Versailles, plattegrond van het hele complex met gezicht op de stad
Gravure naar Israel Silvestre
Eind 17e eeuw

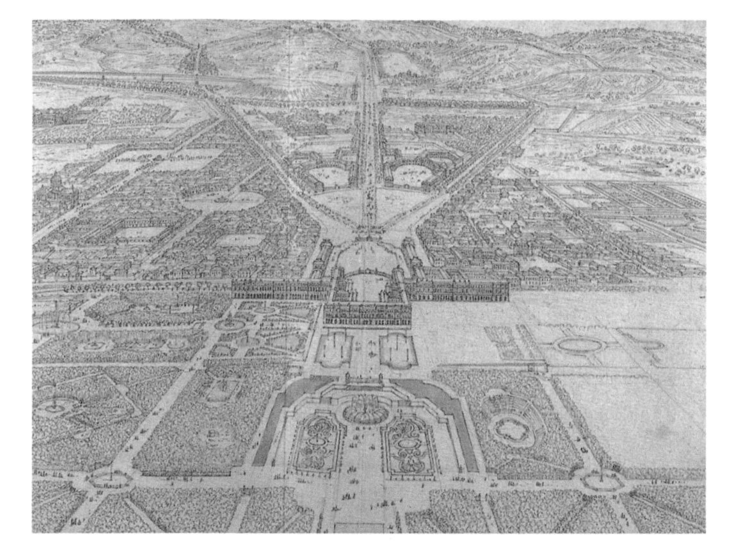

AFBEELDING MIDDEN:
Neu-Breisach, plattegrond (in reliëf), 1706 Parijs, Musée des Plan-reliefs

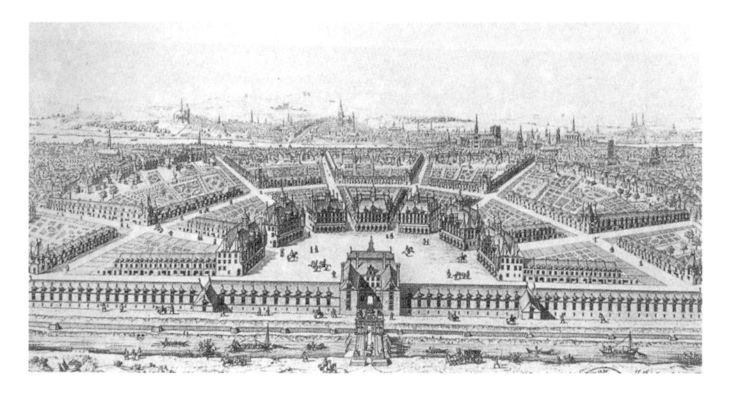

Parijs, project voor het Place de France naar C. Chastillon
Begin 17e eeuw

die Frisoni in 1715 had uitgewerkt, voorzag in een weids vierkant marktplein dat door arcades werd omzoomd. Hij maakte ook een zorgvuldig onderscheid tussen hoofd- en secundaire wegen en zag erop toe dat de bouwblokken ruim genoeg werden.

Versailles werd door het Europese absolutisme zeer gewaardeerd als het voorbeeld waarvan men kon leren (afb. rechts). De eenheid van slot, stad en park en de royale verbinding met het weidse landschap werd als het ideale model van een voor alle Duitse staten toepasbaar ordeningssysteem gezien. Het slot met de royale vleugels vormt een uniek en centraal gelegen scharnierpunt, dat het stedelijk gebied van de tuinen scheidt en tegelijk ook omsluit. Het laatste blijkt uit het wegen- en lanensysteem, dat vanaf het slot uitwaaiert in de vorm van een ster.

Ten slotte moet hier nog een stadstype worden genoemd dat zeer nauw verbonden is met de geest van de humanistische stedenbouw: de ideale stad. In Italië waren tijdens de Renaissance 'tekenbordsteden' met een idealistisch karakter ontstaan, bijvoorbeeld Palmanova bij Udine, de pauselijke stad Pienza of Sabbioneta. Via traktaten bereikten theoretische concepties zelfs de Nieuwe Wereld, waar ruimschoots werd geëxperimenteerd. Ook voor nieuwe stedelijke vestigingen in Noord-Duitsland zetten deze ontwerpen de toon. In 1621 wilde hertog Friedrich III van Gottorf uit de Nederlanden verdreven remonstranten een nieuw vaderland geven en tegelijk een handelsstad stichten. Zo ontstond de naar hem genoemde stad Friedrichsstadt tussen de rivieren Treene en Eider in Sleeswijk-Holstein. De stad, door boomrijke grachten doorsneden, bestaat uit rechthoekige bouwblokken. Het gaat daarbij om een rationele plattegrond, die typerend was voor steden die speciaal werden gesticht voor mensen die om hun geloof moesten vluchten.

De inrichting van de pleinen is, zoals al aan de hand van het voorbeeld Rome uiteengezet, van beslissende betekenis voor het ontwerp van steden. Terwijl in de late Renaissance en de vroege Barok graag werd gekozen voor een straalsgewijze aanleg of aan alle zijden omsloten pleinen, zoals het Piazza del Popolo in Rome of de Place Royale in Parijs, neigde de barokke stadsaanleg eerder naar een opeenvolging van pleinen. Zo probeerde men verschillende ruimtelijke vormen met elkaar te verbinden. In Nancy creëerde de architect Héré de Corny tussen 1752 en 1755 een verbinding tussen drie pleinen om de oude en de nieuwe stad aan elkaar te koppelen.

In de 18e eeuw kreeg de Zuid-Engelse stad Bath steeds meer betekenis door het kuurverblijf van Karel II. Na bouwkundige verbeteringen in de oude stad moesten ook de aangrenzende stadswijken 'gereguleerd' en opnieuw aangelegd worden. Er ontstonden drie grote axiale complexen: Gay Street, The Circle en Royal Crescent. Later werd het zuidelijke Queen Square erbij betrokken. De architecten John Wood I en John Wood II werkten bijna een halve eeuw (1725-1774) aan dit concept en creëerden fantastische oplossingen. In het westen van de stad legden ze een cirkelvormig woonplein aan, het Circus (1754), en verbonden het met het later gebouwde Royal Crescent (1767-1775), een korfboogvormige halve cirkel met 30 rijtjeshuizen achter één gevel, met ten zuiden daarvan parken en gazons (afb. blz. 178).

Het geometrisch ontwerp werd in relatie gebracht met de beleving van het landschap. Royal Crescent ligt op een heuvel, vanwaaruit het dal van de Avon kan worden overzien. Het park dat zich vanaf de voet van het complex uitstrekt, overbrugt het terras dat naar de benedenstad leidt. Er was tevens voorzien in een tuinbelevenis 'en miniature', aangezien de architecten de afzonderlijke gebouwsegmenten van royale achtertuinen voorzagen.

Dit met de natuur verbonden ontwerp, dat binnen de stedelijke context werd uitgevoerd, is uniek; daarbij komt de bewust burgerlijke snit van het geheel. Het weglaten van dominerende gebouwen en de samenvoeging van burgerhuizen in de context van een asymmetrisch stadscomplex voldeed aan de eisen van de woonkwaliteit – maar toch minder aan de eisen die een barokke heerser stelde.

Barbara Borngässer

# Architectuur van de Barok in Spanje en Portugal

## De historische context

De 17e en de eerste helft van de 18e eeuw kunnen –net als in andere landen– ook op het Iberische schiereiland worden beschouwd als het tijdperk van de Barok. Desondanks is de afbakening ervan tegenover de voorgaande perioden van de Renaissance en het Maniërisme, en de volgende decennia van de Verlichting, moeilijk, omdat zich vooral op cultureel gebied talrijke constanten hebben ontwikkeld die over de perioden heen grijpen, bijvoorbeeld in het mecenaat van de Habsburgers of later in het kunstbedrijf van de academies. Zo lijkt het nodig om de historische context in deze inleiding wat breder op te vatten om de voorwaarden die tot het ontstaan van de barokke cultuur in Spanje en Portugal hebben geleid, zo duidelijk mogelijk te kunnen weergeven.

Met de verovering van Granada was in 1492 de *Reconquista*, de herkerstening van het Iberische schiereiland, afgesloten. In hetzelfde jaar ontdekte Columbus Amerika voor de Spaanse kroon. De Portugezen hadden al lang geleden de Afrikaanse kusten gekolonialiseerd en ze belandden –eveneens op zoek naar de zeeweg naar Indië– in het huidige Brazilië. De verdeling van de toen bekende 'Nieuwe Wereld' in het Verdrag van Tordesilla in 1494 markeerde eens te meer de invloedssferen van Spanje en Portugal. In één klap waren beide koninkrijken van het Iberische schiereiland daarmee heersers geworden over een tot dan toe onvoorstelbaar territorium.

In de 16e eeuw moest men uit dit feit ideologisch en materieel munt slaan. De katholieke Kerk, in wier naam de Spaanse kroon in het moederland en in de koloniën optrad, leverde de inhoudelijke rechtvaardiging en de praktische hulpmiddelen voor de verdediging van de aanspraak op de hegemonie. De geestelijke orden der franciscanen, dominicanen en vooral jezuïeten brachten het katholieke geloof van Spaans-Habsburgse snit in de verste uithoeken van de wereld. De kloosterresidentie van het Escorial, die Filips II tussen 1563 en 1584 liet bouwen, werd het non plus ultra en het symbool van dit godgewijde koningschap.

In 1561 bestemde Filips II een tot dan toe nauwelijks bekende plaats in het hart van het schiereiland –Madrid– tot residentie en toekomstige hoofdstad. Van 1560 tot 1640 heerste Spanje door de annexatie van Portugal over het hele Iberische schiereiland, alle bekende regio's in Midden- en Zuid-Amerika en enkele gebieden in Azië en Afrika. De opbouw van een goed functionerend bestuur, de exploitatie van de in de koloniën gevonden bodemschatten, de kerstening van de 'heidenen' en vooral de omgang met alles wat vreemd was, confronteerde de moederlanden echter met nauwelijks op te lossen organisatorische en ideële eisen. Daarbij kwamen nog binnenlandse politieke conflicten, die ertoe leidden dat de 'Gouden Eeuw' tevens een tijdvak met vele tegenstrijdigheden werd.

Desondanks bleken ook de opvolgers van Filips II, Filips III en vooral Filips IV mecenassen te zijn: ze haalden schilders als Velázquez en Rubens naar het hof, bouwden kastelen en bevorderden in het algemeen de schone kunsten en wetenschappen. Hun regeringsperiode werd echter geteisterd door grote economische en sociale instabiliteit. Ondanks immense rijkdommen, die intussen vanuit de koloniën naar het moederland vloeiden, lukte het niet om deze ten goede te laten komen aan het land. Het geld werd besteed aan de oorlogen tegen de opstandige randgewesten Portugal en Catalonië, tegen Frankrijk in de Pyreneeën, evenals tegen de Hollanders in Brazilië. Het bestuur van het wereldrijk was hopeloos inefficiënt, de economie stagneerde –in de 17e eeuw moest de staat tot vier keer toe het faillissement aanvragen– en de bevolking nam af. De inquisitie, die voor de zuiverheid van het geloof vocht, en de adel, die streed voor de zuiverheid van het bloed, waren er debet aan dat het land zichzelf daarmee van belangrijke productiefactoren beroofde. De verdrijving van de morisken en het daarmee gepaard gaande verval van complete bedrijfstakken is slechts een voorbeeld van deze zelfverminking.

Pas in de 18e eeuw, toen de situatie zich met de vrede in de Pyreneeën in Zuidwest-Europa consolideerde en een lid van het huis Bourbon in de persoon van Filips V de Spaanse troon besteeg, werd de situatie in Spanje gestabiliseerd. Adel en clerus verloren aan invloed, zodat met het sterker worden van de middenklasse de handel en nijverheid toenamen. De verbetering van de infrastructuur en de exploitatie van bodemschatten leidden tot nieuwe economische knooppunten en de eerste industriële productievestigingen. Parallel daarmee kwamen culturele centra met sterk regionale karaktertrekken tot ontwikkeling. Het hof richtte zich daarentegen naar het voorbeeld van Frankrijk. Op artistiek vlak werd in 1760 de aanzet gegeven tot een radicale ommezwaai: met de stichting van de academie en de opkomst van een nieuwe, classicistische vormentaal kondigde zich het einde van de Barok aan.

**Spaanse Barok in de spiegel van de kritiek**

De late 16e en de 17e eeuw gelden als *Siglo de Oro*, Spanjes 'Gouden Eeuw'. De schilderijen van Velázquez, de theaterstukken van Lope de Vegas of Calderón behoren tot de in de hele wereld bekende topprestaties van de Europese Barok. Heel anders is het gesteld met de bouwkunst van deze periode: vooral bekend uit reisgidsen is ze aan clichévoorstellingen gebonden. Zelfs serieuze publicaties wekken de indruk dat tussen de bouw van de kloosterresidentie van het Escorial en het optreden van een architectonisch 'genie' als Antoni Gaudí rond 1900 een flinke kloof gaapt, waarin Spanje –en Portugal nog minder– geen eigen, hoogstaande architectuur zou hebben voortgebracht.

Daar kan een zuiver materialistisch argument tegenover worden geplaatst. De Iberische barokarchitectuur is een uitgesproken effectief exportartikel gebleken: ze vond ingang in heel Ibero-Amerika, tot in de verste regio's van Afrika en Azië, en bleek daar een flexibel en uiterst vitaal model te zijn. Niet voor niets heeft de bouwkunst –afgezien van de taal– een groter stempel gezet op het Ibero-Amerikaanse continent dan welk ander geïmporteerd cultuurgoed ook. Als drager van ideologische inhouden –hetzij van sociaal-politieke aard in de bouw van steden en bestuursgebouwen, hetzij van religieuze aard zoals in de bouw van missieposten, kloosters en kerken– speelde ze een ideale bemiddelende rol tussen moederland en koloniën. De 'transfer' van architectonische typen, decoratieschema's en stijlvormen functioneerde zo goed dat gebouwen in verschillende uithoeken van de wereld soms meer op elkaar lijken dan die in naburige regio's in Spanje en Portugal. Toch wordt de barokke architectuur van beide landen niet zelden in de hoek van 'specifieke regionale ontwikkelingen', van 'volkskunst', weggezet of als twijfelachtige vertaling van vreemde voorbeelden gezien. Met name de Spaanse late Barok ondervond stevige kritiek. Volgens de kunstcriticus Eugenio Llaguna y Amírola in 1829 leek deze op een verkreukeld stuk papier. Hij doelde op tegenwoordig hooglijk gewaardeerde bouwwerken als de voorgevel van de kathedraal van Santiago de Compostela of El Transparente in Toledo. De metafoor was –in die tijd gezien– net zo veelzeggend als vernietigend: papier bezit geen statisch karakter, is een verfrommelde hoop, geen artistieke gedaante. Daarmee werden twee aan architectuur gestelde eisen miskend die sinds Vitruvius voor waar werden gehouden. De kritiek gold het overdadige decor en de architectonische vormgeving; hierbij werd behalve op de hierboven genoemde bouwwerken vooral gedoeld op die van de familie Churriguera, Pedro de Ribera en Francisco de Hurtado. Dit oordeel, tegen de achtergrond van classicistische esthetica ontstaan, lijkt tot op heden nog niet helemaal uit de wereld te zijn geholpen.

Een andere reden voor de nog altijd merkbare voorbehouden tegenover de bouwkunst van het Iberische schiereiland en zijn koloniën schijnt ook te liggen in het feit dat ze zich onttrekt aan een categorisering door stijlbegrippen als vroege Barok, late Barok of Rococo. Dit verschijnsel is al zichtbaar in de kunst van de late 15e en vroege 16e eeuw, waarvan de diverse stadia met 'laat-gotisch', 'isabellinisch' en 'plateresk' verwarrende benamingen hebben voor de leek. Voor de architectuur van Karel I (als keizer Karel V) en Filips II spelen nu de begrippen 'Renaissance', 'Maniërisme', 'Herrera-stijl', 'estilo desornamentado' een rol; in de 17e eeuw spreken we van de 'navolging van Herrera', 'vroege Barok' en 'platenstijl'; in de 18e eeuw van 'churriguerisme', 'Spaans Rococo' of –in zoverre het om de architectuur van het hof gaat– van 'Bourbonstijl'. Bij al deze benamingen gaat het om min of meer gelukkige hypothesen die aan volledig verschillende niveaus van de beschouwing –indelingen in tijdperken, persoonlijkheden, sociaal-politieke of esthetische criteria– zijn ontleend.

Paradoxaal genoeg hadden de op kunstenaars geplakte stijlbenamingen bijvoorbeeld niet tot gevolg dat men zich met de desbetreffende personen ging bezighouden; het tegendeel was eerder het geval, zoals bij Herrera of Churriguera. Hoe vaker hun naam als etiket voor de bouwkunst van een gehele periode moest dienen, hoe minder men de prestatie van ieder afzonderlijk erkende. Daarmee is een tweede punt genoemd dat een hinderpaal bleek te zijn voor de omgang met Spaanse barokarchitectuur. De architecten hadden geen faam; hun leven en werk waren nooit aanleiding voor een diepgaande studie of zelfs de vorming van legenden, zoals in het geval van Michelangelo of Bernini. In tegenstelling tot Italië kende Spanje geen eigen historiografie die het ontstaan van een persoonlijkheidsmythe en daarmee de waardering van een individuele verrichting zou hebben begunstigd.

**Juan Bautista de Toledo en Juan de Herrera**
Kloosterresidentie San Lorenzo de El Escorial, 1563-1584
Vleugel met entree

**Het tijdperk van Filips III en Filips IV (1598-1665)**
Het hele proces van het zich losmaken van de stijlvormen van het Maniërisme tot aan de vorming van een eigen barokke architectuur nam in Spanje bijna een halve eeuw in beslag, een tijdvak dat ongeveer samenvalt met de regeerperiode van Filips III (1598-1621) en Filips IV (1621-1665). Weliswaar worden er omstreeks 1600 in Valladolid voor het eerst vroeg-barokke tendensen zichtbaar, maar de aanzet tot een blijvende verandering werd pas gegeven met het werk van Juan Gómez de Mora, wiens vrijere gevelcomposities het strenge Classicisme in de tijd na Juan de Herrera verdrongen. Maar desondanks bleef de normatieve kracht van het Escorial tot ver in de 17e eeuw merkbaar.

**Het Escorial als model voor de architectuur van de Spaanse Habsburgers**
De constructie van de kloosterresidentie S. Lorenzo de El Escorial was de inleiding tot een nieuw tijdperk in de bouwkunst (afb. onder en blz. 81). Met de keuze van een 'Romeinse', aan de eisen van Vitruvius gehoorzamende architectuur waren de tot in de 16e eeuw in Spanje dominante late Gotiek en de zgn. 'plătereske stijl' duidelijk afgewezen. De 'renaissance' van klassieke bouwtypen en vormen die in Italië al in het tweede kwart van de 15e eeuw was begonnen, had zich in Spanje tot dan toe niet kunnen vestigen; zelfs een gebouw als het klassiek aandoende paleis van Karel V op het Alhambra in Granada bleef zonder navolging. Dat was anders bij het Escorial: het rationele karakter van het complex, de klassiek ingedeelde gevels waarbij elk overbodig detail was weggelaten, de plechtstatige strengheid en monumentaliteit van het interieur en ten slotte het gebruik van het karakteristieke grijze, uit de streek zelf afkomstige graniet drukten tot in de vroege 19e eeuw een stempel op de bouwkunst van het hof in Spanje; ze dienden onder Franco's dictatuur nog als voorbeeld.

De bouw van de kloosterresidentie markeerde het begin van het absolutisme, de enige, zich op Gods genade beroepende staatsmacht. Met het besluit om koninklijk paleis en grafkapel van de Habsburgers met het convent en het seminarie van de orde der hiëronymieten te verbinden, demonstreerde Filips II het perfecte samengaan van wereldlijke en geestelijke macht. Vanuit de typologie gezien is het 208 x 162 meter metende complex een samengaan van het Spaanse 'Alcázar' en het concept van de hospitaalbouw. Wetenschappelijke en bestuurstechnische instellingen zijn aan het organisme toegevoegd, zodat een autarkische creatie ontstond, een staat in de staat, een microkosmos, een afspiegeling van een hogere orde. In emblematische zin is het complex axiaal op de kerk en de daarachter liggende privé-vertrekken georiënteerd, een concept dat in Versailles onder Lodewijk XIV zijn volmaaktste vorm zou vinden. Niet toevallig werd met de bouw van het Escorial in 1563 begonnen, dus in hetzelfde jaar dat het Concilie van Trente, waar de koning zich als verdediger en unificator van de katholieke Kerk had gepresenteerd, zijn poorten sloot. De buitengewone positie van het gebouw en vooral zijn karakteristieke structuur leidden al snel tot zijn verheffing en symbolistische interpretatie: voor de één gold het Escorial als de afspiegeling van de in het Oude Testament beschreven tempel van Salomo en daarmee als door God gelegitimeerde architectuur, anderen zagen in zijn rasterpatroon een verwijzing naar het martelaarschap van zijn patroon, naar het rooster waarop de H. Laurentius zou zijn verbrand.

De metaforische interpretatie van het bouwwerk ging gepaard met de receptie van zijn architectuur, een feit dat van het begin af aan een plaats in de planning had hekregen: Filips II was zich zeer wel bewust dat de bouwkunst *a lo romano* een nieuwe epoque zou ontsluiten. Hij die zelf als architect liefhebberde, had naar een nieuwe vormentaal gezocht die in staat was om de positie van Spanje als wereldmacht te verbeelden en die zich kon losmaken van middeleeuwse tradities. Wat lag er meer voor de hand dan de 'Gouden Eeuw' van Augustus te laten herleven? Voor de verwezenlijking van zijn doelen haalde de koning Italiaanse of Italiaans geschoolde architecten naar zijn hof, verwierf de belangrijkste theoretische geschriften voor zijn bibliotheek en liet ze vertalen. De nu in het Spaans toegankelijke werken van Vitruvius, vooral de aan de Oudheid en de bouwordes gewijde banden III en IV van zijn *Tien boeken over de architectuur* en Sebastiano Serlio's leer- en voorbeeldboeken, die de zonder afbeeldingen overgeleverde tekst van Vitruvius illustreerden, legden het fundament voor de intensieve bestudering van Spaanse bouwmeesters van de Romeinse kunst.

Met Juan de Herrera (1530-1597), de geleerde en vertrouweling van de koning, die het planologische proces van alle belangrijke bouwprojecten in het land stuurde, was een nieuw type architect opgestaan die zich nadrukkelijk van de middeleeuwse leider van een bouwloods en het ambachtelijk-technische imago van deze beroepsgroep onderscheidde. Van nu af aan en gedurende de hele periode van de Barok werd het toneel bepaald door de *trazador* of *tracista*, een 'hoofdarbeider' die als intellectueel verantwoordelijk was voor het ontwerp van een gebouw en met wie de opdrachtgever de plannen doornam. Tegenover de *aparejadores*, die de verantwoordelijkheid hadden over de uitvoering van een bepaald project, en de *obrero mayor*, de administratief leider, maakte de

**Juan Bautista de Toledo en**
**Juan de Herrera**
San Lorenzo de El Escorial, 1563-1584
Gezicht op het hele complex

ontwerpende architect aanspraak op een bovengeschikte positie: hij trad in de regel op als een soort artistiek intendant, als wetenschapper die op voet van gelijkheid stond met zijn opdrachtgever. Hoe hoog zijn aanzien was, bewijzen vooral religieuze teksten waarin God de Vader de "hoogste architect" wordt genoemd.

Hofarchitecten kregen een vaste aanstelling en een jaarlijks salaris (vergelijkbaar met dat van een dokter of professor), en bovendien flinke honoraria voor afzonderlijke projecten. Het nieuwe zelfbewustzijn van de architect, gegrondvest op de theoretische ideeën van Vitruvius en Alberti, vergde naast ambachtelijk vakmanschap, dat men aan de zijde van oudere meesters verwierf, een omvangrijke vorming. In de regel konden alleen leden van de adel of geestelijken aan deze voorwaarden voldoen. In dit verband bieden lijsten van de geschriften die zich in de bibliotheken van Spaanse architecten bevonden duidelijkheid. Zo bezat Juan de Herrera 750 en Juan Bautista de Monegro 610 vakboeken, waaronder de belangrijkste binnen- en buitenlandse traktaten en praktische handboeken.

Het Escorial en het mecenaat van Filips II leverden aldus op verschillende vlakken en in hun complexiteit het model voor de bouwcultuur van het Spaanse rijk: de nauwe binding van de adel aan het hof, de 'geestelijke' voorwaarden van de Contrareformatie, in relatie met de centraliserende maatregelen van de Spaanse kroon, hadden tot gevolg dat het strenge classicisme van het Escorial lange tijd het bindende esthetische voorbeeld werd. De conceptie en interne organisatie van de hofkunst die in de opdrachten van de adel haar neerslag vond, had een nog langduriger invloed. De adel ging zich –in navolging van het hof en geheel in de zin van contrareformatorische tendensen– ostentatief aan de zorg voor het zielenheil wijden. Zijn gehele vermogen kwam ten goede aan religieuze stichtingen, kerken, kapellen, kloosters en conventen. De profane bouw die de bouwkunst in Italië en Frankrijk nieuwe impulsen had gegeven, had in Spanje nauwelijks betekenis. Afgezien van tijdelijke architectonische constructies –triomfbogen, katafalken, monumenten van de goede week– werd alleen in de stedenbouw met het *Plaza Mayor* een eigen profaan bouwtype geschapen. Dat verklaart waarom de vroeg-barokke bouwkunst in Spanje bijna zonder uitzondering sacraal was, geheel anders dan in Italië of Frankrijk. De belangrijkste opdrachtgevers waren –naast het hof– het kapittel van de kathedraal, de orden en de talrijke religieuze broederschappen.

**Juan de Herrera**
Model van de kathedraal van Valladolid, 1585 (reconstructie Otto Schubert)

Plattegrond (onder)

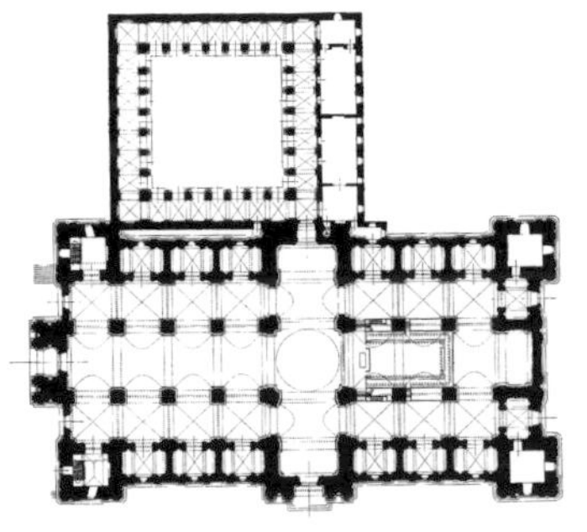

**Juan de Herrera**
Valladolid, kathedraal
Interieur, na 1585

AFBEELDING UITERST RECHTS:
**Juan de Herrera**
Valladolid, kathedraal
Voorgevel, na 1595

**Juan de Nates**
Medina de Rioseco, Santa Cruz
Voorgevel, begonnen na 1573

**Juan de Nates**
Valladolid, Nuestra Señora de las Angustias, 1598-1604, voorgevel

**De erfenis van Herrera en de speurtocht naar een nieuwe vormentaal**

Valladolid, de al sinds de Middeleeuwen rijke en belangrijke stad in Castilië, speelt een sleutelrol in het ontstaansproces van de barokke architectuur in het Spaanse rijk. De voorwaarden daarvoor werden aangereikt door een verwoestende brand die op 21 september 1561 het centrum grotendeels in de as legde. Filips II, zelf in Valladolid geboren, had royale steun toegezegd bij de wederopbouw, maar verbond tegelijkertijd zijn hulp aan radicale ingrepen in de planologie. Hem, die het om een fundamentele vernieuwing van de Spaanse hofarchitectuur ging en die bij de klassieke idealen wilde aanknopen, stond een helder ingedeelde, systematisch gestructureerde stad voor ogen. De Italiaanse traktaatliteratuur die zich op geschriften van Vitruvius beriep, leverde de voorbeelden. In Valladolid, en niet in het enkele maanden eerder tot vaste residentie uitgeroepen Madrid, werd nu 'wegens omstandigheden' de voor urbanistische experimenten geschikte vrije ruimte gevonden. Karakteristiek voor het voor Spanje unieke project was de conceptie van de stad als een op afzonderlijke elementen berustend geheel, de integratie van verschillende deelgebieden in een functionerend organisme. Het hart van de op rechte hoeken gebaseerde aanleg werd gevormd door het door zuilenhallen omzoomde Plaza Mayor met raadhuis, dat als voorbeeld diende voor talloze pleinen van dit type.

Een project dat eveneens school zou maken, was de verbouwing van de kathedraal van Valladolid (afb. blz. 82), waarmee Juan Herrera, de hofarchitect, in 1580 werd belast. Boven de laat-gotische fundamenten van een onder Karel V begonnen aanleg construeerde Herrera een gebouw dat niet alleen vanwege zijn op de klassieke Oudheid geïnspireerde vormentaal, maar ook vanwege zijn ruimtelijke conceptie de toon zou zetten. Overeenkomstig het verlangen van het Concilie van Trente naar een eucharistieviering 'dicht bij het volk' verplaatste hij de koorruimte –een tot dan toe door massieve barrières begrensde zone die leken het zicht op het hoogaltaar ontnam– naar het oostelijke deel van de kerk, zodat er een grote 'predikingsruimte' tussen portaal en viering ontstond. De overkoepelde viering, met aan de oostzijde goed zichtbaar het altaar, werd het centrum van een in de lengte en breedte symmetrische bouw. Een uniform schema van verhoudingen bepaalde het nu door rechthoek en vier hoektorens bepaalde grondplan. Weliswaar respecteerde Herrera het ontwerp van de inmiddels overleden Rodrigo Gil de Hontañón, maar toch wijzigde hij het nog middeleeuwse organisme op voor de liturgie belangrijke plaatsen. Dit type zou vooral in de koloniën navolging krijgen. Nog grotere gevolgen had de architectuur van Herrera op de vorming van stijlen: haar aan de klassieke Oudheid ontleende vormen waren doorslaggevend voor de definitieve afwijzing van laat-gotische vormen en het doorzetten van de nieuwe, op de Oudheid geïnspireerde stijl. Zo wordt de opstand van het interieur gedomineerd door machtige granieten pijlers met Corinthische pilasters, die op hun beurt het massieve hoofdgestel van het middenschip dragen. Thermenvensters en tongewelf versterken nog de plechtige ernst van de ruimte. Ook de buitenzijde van de kathedraal wordt door klassieke strengheid bepaald. Tussen de massieve hoektorens (waarvan er echter maar eentje –in gewijzigde vorm– is bewaard) verheft zich de twee verdiepingen hoge portaalrisaliet, die onderaan als triomfboog in Dorische orde is gevormd en daarboven als tempelfront met timpaan. Hoewel (of misschien juist omdat) de bouw van de kathedraal van Valladolid zich tot in de late 17e eeuw voortsleepte, werd deze stijl de norm voor veel andere sacrale bouwwerken in het gehele Spaanse rijk.

Andere toonaangevende gebouwen ontstonden in de buurt van Valladolid, in Medina de Rioseca resp. in Villagarcía de Campos (provincie Valladolid). De jezuïetenkerk van S. Luís in Villagarcía, in 1575 ontworpen door Pedro de Tolosa, een nauwe medewerker van Herrera, wordt in haar klassieke eenvoud (één schip met zijkapellen, tongewelf; twee verdiepingen hoge gevel met verbindende voluten, maar verder zonder welke opsmuk dan ook) voorbeeld van talrijke jezuïetenkerken in Spanje. Een andere weg beschreef Juan de Nates (data onbekend), die met de gevel van de Iglesia de Sta. Cruz in Medina de Rioseco (afb. linksboven) voor het eerst rechtstreeks een Romeins voorbeeld verwerkte: het niet-uitgevoerde ontwerp van Giacomo Barozzi da Vignola voor de moederkerk van de jezuïetenorde, waarover hij in de vorm van een gravure beschikte. De strenge additieve manier van 'componeren' van Herrera wordt hier doorbroken doordat de afzonderlijke architectonische elementen sterker met elkaar worden verbonden en aan een centraal motief –de beklemtoning van de centrale as– ondergeschikt worden gemaakt. Het massieve karakter van de maniëristische bouwvormen wijkt ten gunste van grotere elegantie en lichtheid. Een ander werk van Juan de Nates is de Iglesia de las Angustias (1598-1604) in Valladolid (afb. rechtsboven). Hoewel de vormgeving van de gevel duidelijk ontleend is aan Herrera's ontwerp voor de kathedraal, komen ook hier nieuwe, barokke stijlprincipes naar voren: het klassieke evenwicht is opgegeven ten gunste van een sterkere accentuering en hiërarchisering van afzonderlijke elementen. Zo is de benedenverdieping bijvoorbeeld

**Fray Alberto de la Madre de Dios**
Madrid, La Encarnación
Begonnen in 1611

**Sebastián de la Plaza**
Alcalá de Henares, kerk van het convent van de vrouwelijke bernardijnen, begonnen in 1617
Plattegrond (rechts)
Interieur (onder)

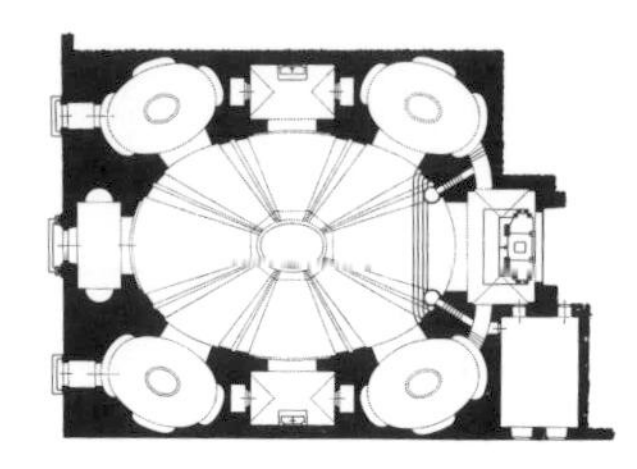

buitenproportioneel groot en beheerst de plastisch voortgezette vormgeving van de muur via massieve halfzuilen het muurvlak.

Vanuit Valladolid, dat door toedoen van de hertog van Lerma –op wie we nog zullen terugkomen– tussen 1601 en 1606 onder Filips III opnieuw tot zetel van het hof werd verheven, vonden de nieuwe vormen structuurprincipes in de meeste steden van Centraal-Spanje ingang. Terwijl het een paar jaar eerder mogelijk was om een kathedraal in de stijl van de late Gotiek te bouwen, ontstonden nu overal gebouwen in 'Romeinse stijl', *a lo romano*, die echter steeds vaker op Juan de Herrera en de school van het Escorial waren geïnspireerd dan op hun feitelijke klassieke of Italiaanse voorbeelden. Als de meest in het oog springende voorbeelden kunnen bijvoorbeeld worden genoemd het hospitaal van Medina del Campo (Juan de Tolosa, 1597 gereed), het portaal S. Frutos van de kathedraal van Segovia (Pedro de Brizuela, 1607), de voorgevel van het klooster Santiago de Uclés (Francisco de Mora?), de kapel van het Hospital de Afuero in Toledo (Nicolás de Vergara de jonge, in 1582 begonnen), de Capilla Cerralbo in Ciudad Rodrigo (in 1585 begonnen). Galicië, gelegen in het uiterste noordwesten van het Iberisch schiereiland, kan bogen op een hele reeks kwalitatief zeer hoogstaande gebouwen uit de school van Herrera, met in de eerste plaats het jezuïetenseminarie van Monforte de Lemos, dat volgens plannen van Andrés Ruiz door Juan de Tolosa, Simón del Monasterio e.a. tussen 1592 en 1619 is gebouwd. Ook in Andalusië bepaalde een bouwwerk van Juan de Herrera de richting van de architectuur van de 17e eeuw; de 'Lonja', de beurs van de expanderende havenstad Sevilla, leverde het basisschema voor de zgn. *iglesias de cajón* (blokvormige kerken), zoals de Iglesia del Sagrario (in 1617 begonnen, Miguel de Zumárraga), waarvan de wanden echter steeds meer met decoratieve details werden bedekt. Het was veelbetekenend dat ook het eerste monumentale gebouw van de Habsburgers in het geannexeerde Portugal de kenmerken van de school van het Escorial had: de S. Vicente de Fora in Lissabon, waarvan het imposante complex met de dominerende façade met twee torens tot de indrukwekkendste eigentijdse bouwwerken op het Iberisch schiereiland behoort, werd tussen 1582 en 1629 door Filippo Terzi of Baltasar Álvares, maar in elk geval naar de voorbeelden van Herrera, gebouwd.

De eerste tekenen voor een iets vrijere omgang met de door het Escorial vastgestelde vormen zijn zichtbaar in twee kerkfaçades van Francisco de Mora (overl. 1610), namelijk die van de S. José in Ávila (1608) en die van het Convento de S. Blas in Lerma (1604). De verhoudingen verschuiven ten gunste van de hoogte, terwijl de benedenverdieping met brede rondboogportalen zich opent in een soort narthex. Het metselwerk daarboven wordt nu iets levendiger vormgegeven. Tussen de klassieke structurerende elementen verschijnen cartouches, nissen en, afwisselend met de muurvlakken, raamopeningen. De voorgevel van de kerk van de H. Theresia van Ávila (fray Alonso de San José, in 1515 begonnen), riep met haar voor toenmalige verhoudingen overdadige plastische decoratie heftige weerstanden op. Het meest uitgebalanceerde gebouw

**Francisco de Mora en Juan Gómez de Mora**
Lerma, paleis van de vorsten Francisco Sandoval y Rojas, 1601-1617

van deze groep kerken is de Encarnación in Madrid (afb. blz. 84 boven), gesticht door Doña Margarita de Austria en Filips III en vanaf 1611 gebouwd door fray Alberto de la Madre de Dios (werkzaam in de eerste dertig jaar van de 17e eeuw). De drukkende zwaarte van veel bouwwerken van Herrera's opvolgers heeft plaats gemaakt voor grotere elegantie, die vooral door de structurering in de hoogte van de gevel wordt bereikt. Belangrijkste element vormen de over alle etages doorlopende pilasters die de gevel aan de zijkanten afsluiten.

Zoals bij alle genoemde voorbeelden duidelijk wordt, beperkte de architectonische innovatie zich tot de sacrale bouwwerken. De profane bouwkunst speelde aan het begin van de Barok geen noemenswaardige rol. Een van de weinige uitzonderingen is de voor Francisco Sandoval y Rojas, de favoriet van Filips III, ontworpen residentie Lerma, die Francisco de Mora en Juan Gómez de Mora tussen 1601 en 1617 bouwden. De ambitieuze vorst liet zijn paleis bouwen met vier vleugels en hoektorens (afb. boven), naar het –wat grootte betreft weliswaar gereduceerde– voorbeeld van het koninklijke Alcázar in Madrid. Het werd het prototype van feodale architectuur in de 17e eeuw in Spanje. Zijn gevels zijn zeer spaarzaam voorzien van decoraties, bijvoorbeeld in het fronton boven het ingangsportaal. Het complex heeft ook betekenis vanwege zijn inbedding in landschap en stedenbouwkundige context: het paleis ligt verhoogd met vrij uitzicht op de vruchtbare vallei van de Río Arlanza; de hoofdgevel keert zich naar het feodale, voor feestelijkheden bedoelde *Plaza de Armas*, het voormalige *Plaza Mayor* van de nu tot residentie verheven stad. Als blijk van waardering voor de ostentatieve vroomheid van de Duque de Lerma werden paleis en middeleeuwse stadskern door een ring van conventen omgeven die via overdekte galerijen met elkaar waren verbonden. Tuincomplexen met hermitages vormden de inspiratiebron voor de late aanleg van de *Buen Retiro* in Madrid. In dezelfde familiaire omgeving, als stichting van de kardinaal en aartsbisschop Bernardo Sandoval y Rojas, ontstond de kerk van de orde van de bernardijnen in Alcalá de Henares (Sebastián de la Plaza, begonnen in 1617), een bouwwerk dat geheel en al buiten het strenge classicisme van de Herrera-school staat (afb. blz. 84 onder). Het overkoepelde ovale gebouw (het enige uit zijn tijd dat resteert) is wellicht door Romeinse voorbeelden geïnspireerd, die via de traktaatliteratuur (Serlio's boek V) of gegraveerde voorbeelden van Romeinse ovale kerken (S. Andrea, S. Anna dei Palafrenieri) naar Spanje zijn gekomen. Het geldt als het enige complexe voorbeeld van een bewuste afkeer van het stijldictaat van de school van Herrera.

**Juan Gómez de Mora**
Salamanca, jezuïetenseminarie La Clerecía
Begonnen in 1617, plattegrond (rechts)
Daken (boven)
Kerkinterieur (onder)

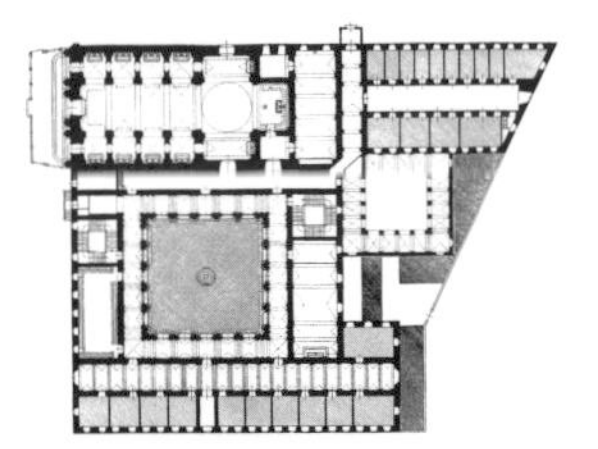

AFBEELDING BLZ. 87:
**Andrés García de Quiñones**
Salamanca, jezuïetenseminarie La Clerecía
Binnenplaats ca. 1760

**Juan Gómez de Mora en de uitbreiding van Madrid tot residentie**

Met de gebouwen van Francisco de Mora en vooral de Encarnaciónkerk was omstreeks 1610 een ontwikkeling op gang gekomen die –al naar gelang het esthetische standpunt– door de historiografie als wending tot barokke vrijheid of als 'verslapping' van de klassieke vormcanon werd geïnterpreteerd. Het betrof –en dit mag symptomatisch heten voor de architectuur van de Barok– de oppervlakken van de gebouwen, maar nauwelijks de plattegronden of de structuur van het interieur. De belangrijkste impulsen voor het doorzetten van de nieuwe stijl leverde Juan Gómez de Mora (1586-1648), de neef van Francisco. Als 'trazador del Rey y arquitecto de la Villa de Madrid', een positie die hij sinds 1611 bekleedde, bepaalde hij gedurende meer dan veertig jaar de architectuur van het Iberisch schiereiland.

Het eerste grote werk dat onder leiding van Juan Gómez de Mora ontstond, is het door Filips III en Juana de Austria gestichte jezuïetenseminarie van de Clerecía in Salamanca (afb. links en blz. 87). Het bouwwerk dat het stadsbeeld beheerst en de nabijgelegen kathedraal, universiteit en dominicanenklooster wegdrukt, was tegen de wil van de gemeente gebouwd. Dit feit is eens te meer een weerspiegeling van de voor Spanje karakteristieke situatie: de dominantie van de kerkbouw onder koninklijk patronaat, die elke urbane ontplooiing in de weg stond. In 1617 naar plannen van Gómez begonnen, kon het complexe kerk, seminarie en convent omvattende geheel pas halverwege de 18e eeuw worden voltooid. Het presenteert zich tegenwoordig in de vorm van een soort U, waarvan de ongelijke poten in het noordoosten kerk, dwarsgeplaatste sacristie en convent en in het zuiden de onderwijsvertrekken van het seminarie bevatten. Daar tussenin ligt de grote seminariehof die aan de straatkant door de aula en in het achterste deel door de kapittelzaal wordt begrensd. In de zwik tussen seminarie en convent bevindt zich de kruisgang van de clausuur. Het interieur van de kerk wordt bepaald door de plechtige Toscaanse orde; het concept volgt het schema van de Il Gesù, een vier traveeën brede pilasterkerk met onderling verbonden kapellen, een breed, maar niet vooruitspringend dwarsschip, een machtige vieringkoepel en een –hier rechte– koorafsluiting. Een directe invloed van het Romeinse op het Spaanse gebouw is echter niet aan te tonen; in Spanje waren er voorbeelden die tot de verdere ontwikkeling van dit type hadden kunnen leiden, bijvoorbeeld de oudere jezuïetenkerken van Monforte de Lemos (Galicië, begonnen in 1598), Alcalà de Henares (begonnen in 1602), de ongeveer in dezelfde tijd gebouwde S. Ildefonso in Toledo (begonnen in 1619, tegenwoordig S. Juan Bautista) en het Collegium Imperiale in Madrid (begonnen in 1622, later S. Isidro). Terwijl de voorgevels van het seminarie vasthouden aan de vroeg-barokke stijl van de Herrera-school, is de kerkfaçade met een grote artistieke vrijheid door decoratief-plastische elementen geaccentueerd. Ook hier zijn –als gevolg van de lange bouwduur– weliswaar een gewijzigd ontwerp en andere veranderingen vast te stellen. Beide uit drie assen bestaande benedenverdiepingen met zes machtige driekwartzuilen die tussen de assen een ritmische travee vormen, zijn echter een bewijs voor de veel plastischer, sterker geaccentueerde en

nauwkeuriger onderverdeling van het muurvlak. Juan Gómez de Mora's eerste opgave was de uitbouw van Madrid tot residentie van de Spaanse Habsburgers. Hoewel de stad in 1561 tot vaste zetel van de koningen werd bestemd, ontbrak tot in de 17e eeuw elk hoofdstedelijk karakter; het traditieloze oord bezat niet eens stadsrechten. Weliswaar had Filips II het middeleeuwse Alcázar overeenkomstig het Bourgondische hofceremonieel laten verbouwen en het district van de Buen Retiro om de S. Jerónimo el Real als koninklijke kloosterresidentie laten bouwen, maar zijn voornaamste belangstelling gold het Escorial. Pas toen Filips II in 1606 na het vijfjarige intermezzo met Valladolid als hoofdstad besloot om het hof weer definitief naar Madrid te verplaatsen, begon een periode van levendige bouwactiviteiten die de residentie een bij haar betekenis passend kader verschafte.

Juan Gómez de Mora was de architect van deze opleving. In hetzelfde jaar dat hij de Clerecía ontwierp, leverde hij de eerste ontwerpen voor het *Plaza Mayor*, het voor feestelijkheden bedoelde plein in het stadscentrum, dat diende voor de representatie van hof en stad (afb. blz. 88). Het bouwtype van deze voor verkeer goeddeels afgesloten, rechthoekige, door even hoge, meer etages tellende gebouwen en portici omzoomde aanleg grijpt terug op Franse of Nederlandse voorbeelden (bijvoorbeeld het Place des Vosges in Parijs of de Grote Markt in Brussel). In Madrid werd het plein naast de ruimten voor koninklijke representatie –die vooral dienden om het leven in de stad te kunnen controleren– voorzien van de Casa de la Panadería, het stedelijke broodhuis dat daardoor ook een gemeentelijke en handelsfunctie had. Gómez de Mora's Plaza Mayor werd in 1619 in slechts drie jaar tijd voltooid; in de volgende jaren was het plein het toneel van zeer uiteenlopende gebeurtenissen als de zaligverklaring van de stadspatroon S. Isidro (1620), de proclamatie van de toekomstige koning Filips IV (1621), theateropvoeringen, stierengevechten, terechtstellingen en de beruchte *Autodafés*, de verkondiging en voltrekking van de straffen van de inquisitie. Even afwisselend als de manifestaties die er plaatsvonden, is de bouwgeschiedenis van het Plaza Mayor. Meerdere keren werd het plein in de as gelegd en herbouwd, voor het laatst tegen het einde van de 18e

**Juan Gómez de Mora**
Madrid, Plaza Mayor, 1617-1619

eeuw, toen het door toedoen van Juan de Villanueva zijn huidige, neoclassicistisch aandoend uiterlijk verkreeg.

Tussen 1619 en 1627 kreeg Gómez de Mora opdracht om het oude, gedurende talrijke bouwstadia tot een onoverzichtelijk complex uitgegroeide Alcázar tot een min of meer modern paleis te verbouwen. Aangezien ook dit bouwwerk door een van de talrijke branden werd verwoest (in 1734 volgde de nieuwbouw door Filippo Juvarra en Giovanni Battista Sacchetti), zijn we aangewezen op historische afbeeldingen, plattegronden en een gelukkig behouden gebleven houten model dat waarschijnlijk als presentatiestuk voor de geplande verbouwing diende. Het laat zien dat Gómez de Mora het bouwcomplex naar buiten toe uniform maakte door een doorlopende, drie etages hoge façade, waarvan de hoeken door torens en de centrale gedeelten door portaalrisalieten werden geaccentueerd. De muurvlakken zijn in eerste instantie onderverdeeld door de horizontale rangschikking van de met frontons bekroonde vensters; alleen in de twee bovenste etages benadrukken pilasters de verticale lijn. Zo blijft in tegenstelling tot de paleisbouw van andere landen het weerbare, gesloten karakter van het Spaanse Alcázar bewaard. Het interieur bood plaats aan de unieke schilderijenverzameling van Filips IV.

Een bouwwerk dat eveneens vier vleugels bezit, is de Cárcel de Corte, de hofgevangenis, tegenwoordig ministerie van Buitenlandse Zaken (afb. blz. 89). Gómez de Mora had in 1629 opdracht gekregen voor de bouw ervan en had de ontwerpen gemaakt voor het om twee binnenhoven –een aan de bouw van seminaries ontleend concept– gelegen gebouw. De uit drie assen bestaande en door een fronton bekroonde portaalrisaliet met zijn klassieke indeling lijkt in tegenspraak te zijn met het traditionele schema. Een van zijn laatste werken in Madrid is het Ayuntamiento, het in 1640 begonnen raadhuis, dat ongeveer hetzelfde schema als de Cárcel de Corte volgt, maar een wezenlijk rijkere en plastischer geveldecoratie laat zien. (De portalen zijn werken van Teodoro Ardemans uit de 18e eeuw.) Niet uitgevoerd werd een van de ambitieuste projecten, waarvan de Spaanse koning, diens gade Isabel de Borbón en de Conde Duque de Olivares de drijvende krachten waren: de bouw van een kathedraal in

**Juan Gómez de Mora**
Madrid, Cárcel de Corte
(voorm. hofgevangenis), 1629-1634
Plattegrond en gezicht op het exterieur

Madrid die met de St.-Pieter moest wedijveren. Een tekening van Gómez de Mora in de Biblioteca Nacional toont aan dat hij zich bezighield met de ontwerpen van de roomse Kerk, met name met het project van Sangallo. De bouw kwam vanwege economische redenen nooit verder dan de fundamenten; het project werd pas in 1883 voortgezet, toen Madrid eindelijk tot bisschopszetel werd verheven.

Van de opdrachten die Juan Gómez de Mora buiten Madrid uitvoerde, worden hier alleen de belangrijkste genoemd, bijvoorbeeld het Pantheon in het Escorial (1617-1654), een ovaal gebouw dat ten slotte door Crescenzi werd uitgevoerd. Toonaangevend voor de architectonische vormgeving van altaarstukken –een opgave die voor Spanje uiterst belangrijk was– werd zijn klassieke ontwerp voor het retabel van de kerk in het klooster van Guadelupe (1614). De aan de Maagd Maria toegekende Corinthische orde drukt een stempel op de monumentale, uit zeven assen opgebouwde en vier verdiepingen hoge opbouw; ze vormt de omlijsting voor beelden en paneelschilderingen. Van de weinige in opdracht van de adel uitgevoerde bouwwerken zij het paleis van de Duque de Medinaceli genoemd, waarvan de bouw begon in 1623.

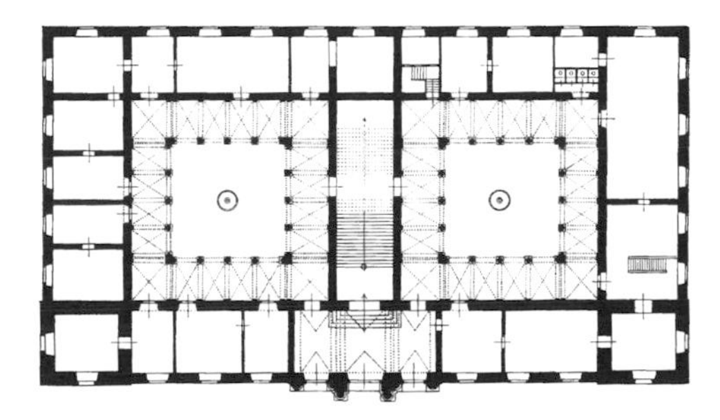

Gómez de Mora's gebouwen verbinden de strenge, klassieke vormcanon van de Herrera-school met een elegante, decoratieve vormgeving van de muurvlakken. De accentuering van afzonderlijke bouwelementen, van het paleisportaal, de kerkfaçade, de plastische intensivering van het reliëf, het gebruik van verschillende contrasterende materialen (zoals natuursteen en baksteen) bewijzen hoe ver de Spaanse architectuur zich in het tweede kwart van de 17e eeuw van de stijl van het Escorial had verwijderd, hoewel ze ook zonder dat voorbeeld niet denkbaar zou zijn. Gómez de Mora's grootste artistieke prestatie ligt echter in een bredere context: de formulering van een representatieve, maar tegelijk ook veelzijdige hofarchitectuur en de conceptie van een residentiële stad die beantwoordt aan de eisen van het barokke hofceremonieel. Anders dan het Escorial, dat als gesloten monument de staatsideologie van Filips II vertegenwoordigde, is de residentie van Filips IV een toneel waarop of waarvoor zich het scenario van barokke heerschappij ontwikkelt en aan het volk openbaart. *Alcázar* en gevangenis, *Plaza Mayor* en sacrale bouwwerken zijn daarbij onderdeel van een ideaal geconcipieerd stadsbeeld, dat al in de geschriften van Vitruvius werd gepropageerd en nu in absolutistische zin wordt vormgegeven. Madrid, 'villa y corte', levert het architectonische kader voor de apotheose van de koning, voor zowel profane als geestelijke toneelstukken, waarvan echter ook de terechtstellingen van de inquisitie deel uitmaakten. Als uitvinder van een dergelijk complex stedenbouwkundig programma kreeg de architect allengs een politiek-ideologische verantwoordelijkheid, die veel verder reikte dan zijn praktische eisen en die alleen met een solide verankering in het humanistische wereldbeeld kon worden overwonnen.

Een opdracht die niet aan Gómez de Mora werd verleend, was de uitbreiding van de Buen Retiro, een buiten de stad gelegen complex dat bestemd was als zomerresidentie en retraite van de Spaanse koningen. In 1632 liet de Conde Duque de Olivares, minister onder Filips IV, het uit klooster, bescheiden paleizen en conventen bestaande complex uitbouwen tot een paleis dat aan de modernste Italiaanse eisen voldeed. Daartoe behoorden de door Italiaanse specialisten vormgegeven tuinen en hermitages, grotten in de vorm van huizen, waterwerken, zoals deze door de *villa suburbana* als barok vrijetijds- en herstellingsoord werden verlangd. In de constructie van dit geheel, dat een zeer groot contrast met het officiële hof voorstelde, manifesteerden zich ingrijpende discrepanties tussen het nog altijd streng formalistisch ingestelde hofceremonieel en de behoeften van de adel, die vooral de wereldlijke geneugten was toegedaan. Met het in 1633 gevelde besluit om de verouderde paleiscomplexen door Giovanni Battista Crescenzi (1577-1660), de aan de Duque de Lerma verbonden architect, te laten vergroten, is tegelijk een afkeer van de strenge, ascetische levensopvatting van Filips II en ook van Filips III te bespeuren. Het bouwwerk van Crescenzi en Alonso Carbonell omvat slechts enkele representatieve salons, maar daarentegen wel een lange, corridorachtige aaneenschakeling van vertrekken die in de Spaanse paleisbouw een nieuwe ontwikkeling vormden. Tegenwoordig is alleen nog het Casón del Buen Retiro, de danszaal, en een deel van de noordvleugel bewaard. Vanwege zijn architectonische een-

**Fray Pedro Sánchez en**
**Fray Francisco Bautista**
Madrid, San Isidro el Real, 1626-1664
Plattegrond en doorsnede van het schip (naar Schubert)

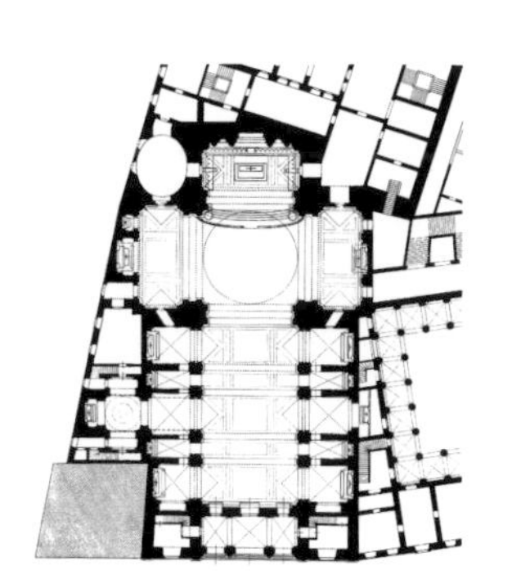

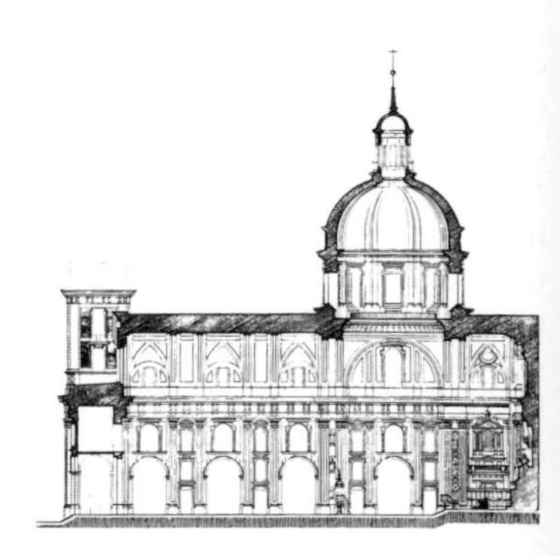

voud en het weinig kostbare materiaal werd de *Buen Retiro* door het publiek als armoedig beschouwd; dat werd door de inrichting van het interieur tegengesproken. In tegenstelling tot de traditionele en op uiterlijke representatie gerichte inrichting van het Alcázar werden hier de belangrijkste getuigenissen van de jongste trend aan het hof bijeengebracht, schilderijen die de verpozing op het land, het bucolische leven, de intieme vreugden allegorisch verbeeldden, niet de sinds eeuwen als voorbeeld dienende deugden en plichten van het bestaan als vorst. Velázquez, Zurbarán en Poussin behoorden tot de uitvoerenden van dit programma. Filips IV had bij een bezoek in Montserrat genoten van het 'landleven' c.q. de geraffineerde variant van het barokke hof; zo ontstond de tuinaanleg die diende voor feesten en 'hoofse' toneelstukken, en die in de Spaanse literatuur van de 17e eeuw, in de komedies van Lope de Vega of van Calderón, een belangrijke rol speelde. De tuin was niet bedoeld voor representatie, maar voor het persoonlijke genot.

**Ordebouwmeesters en architectuurtheoretici**

De orden domineerden de sacrale bouwkunst buiten het hof. Fray Lorenzo de San Nicolás (1595-1679), augustijner monnik, bouwmeester en auteur van het geschrift *De Arte y uso de arquitectura* (voor het eerst in 1633 gepubliceerd), merkte volledig terecht op dat in de 17e eeuw buitenproportioneel veel architecten clerici waren. De reden lag voor de hand: ze hadden nu eenmaal genoeg tijd en goede mogelijkheden voor de studie van de wetenschappelijke literatuur.

Terwijl in de meeste Europese landen het metier van bouwmeester vooral als onderdeel werd gezien van de civiele techniek of het krijgswezen, vond in Spanje het 'beroepsbeeld' van de in de schoot van een orde opgeleide 'geestelijke' architect ingang. De redenen daarvoor zijn divers: de levendige bouwactiviteiten van de orde, in de 17e eeuw in de eerste plaats jezuïeten en karmelieten, en hun idee van een weliswaar niet gestandaardiseerde, maar wel aan de specifieke eisen van de congregatie aangepaste bouwwijze hadden tot gevolg dat op experts uit de eigen gelederen werd teruggegrepen. Dezen gaven hun kennis op hun beurt door binnen de orde. Er werd tegen hun kwalificaties –vooral vanwege de uitgebreide opleiding van de bouwmeesters– zo hoog opgekeken dat zij ook vaak opdrachten van buiten de kloostermuren kregen. Een andere reden voor het ongewoon grote aantal geestelijke architecten op het Iberisch schiereiland ligt in de buitengewoon belangrijke rol die de orden –in dit geval vooral franciscanen en dominicanen– bij de kolonialisatie van de Nieuwe Wereld speelden. Het belangrijkste exportartikel en de indrukwekkendste manifestatie van Spaanse en Portugese beschaving was de kerkbouw. Deze diende tegelijkertijd als legitimatie en zichtbaar bewijs van de bezetting van heidense gebieden. De ordearchitect werd zodoende –na de veroveraar– het belangrijkste werktuig van het missiewerk.

In het moederland waren het in eerste instantie de jezuïeten die belangrijke architecten voortbrachten. Zoals Alfonso Rodriguez G. de Ceballos in talrijke studies heeft aangetoond, speelden dezen een belangrijke rol bij de verspreiding van de classicistische architectuur onder de opvolgers van Herrera. Evenzo ontwikkelde zich in deze context de zgn. 'typische' structuur van jezuïtische predikingskerken, d.w.z. een uit één schip bestaand, zaalachtig schip met zijkapellen en galerijen, dwarsschip en vieringkoepel, een concept dat ook aan de reeds besproken Clerecía in Salamanca ten grondslag ligt. De tendens tot het gelijkvormig maken van de ruimte volgde de eisen van de H. Karel Borroméus, die als gevolg van de Contrareformatie het zwaartepunt van de mis op de preek en de grotendeels zichtbare tentoonspreiding van het sacrament legde. Deze op een sterkere betrokkenheid van de leken gerichte hervorming vergde andere ruimtelijke structuren dan welke de ordegemeenschappen nodig hadden, waarin de eucharistie in de eerste plaats door de clerus diende te worden gecelebreerd. Uitgaande van het voorbeeld van de Il Gesù vond het nieuwe kerktype met de Colegiata van Villagnarcía de Campos ingang in Spanje en ten slotte ook in Latijns-Amerika. De bouw van een jezuïetenkerk of een seminarie was aan een strenge controle van het moederklooster onderworpen. Alle plannen moesten de zegen hebben van Rome. De naleving van de regels en voorschriften werd gecontroleerd door zgn. *provedores*, die op gezette tijden de provincies van de orden bereisden. Tot de bekendste en invloedrijkste behoorde in de 16e eeuw Giuseppe Valeriani, die door half Europa reisde om toe te zien op de naleving van de regels van het moederklooster. Er werd echter niet verlangd dat men slaafs vasthield aan eenmaal gevonden oplossingen, maar dat de regels op een flexibele manier aan lokale tradities werden aangepast.

Tot de belangrijkste architecten van de jezuïetenorde behoren Andrés Ruiz (data onbekend) en Juan de Tolosa (1548-1600), die het aan strenge Herreriaanse vormen gebonden seminarie van Monforte de Lemos in Galicië stichtten. Het werd het voorbeeld van talrijke andere, kwalitatief uiterst hoogstaande classicistische bouwwerken in Noordwest-Spanje. Pedro Sánchez (1569-1633), die eerst in Andalusië en later in Madrid werkzaam was, experimenteerde met ovale gebouwen, bijvoorbeeld de S. Hermenegildo in Sevilla en de S. Antonio de los Portugueses, maar hij ontwierp ook het traditionele profeshuis van de jezuïeten in Madrid en het Colegio Imperial, de huidige kathedraal S. Isidro (afb. boven). Het deftige bouwwerk, dat door een andere jezuïet, fray Francisco Bautista in 1664 werd voltooid, past in zijn interieur met de afwisseling van brede en smalle traveeën de indeling van een bouwwerk uit de 15e eeuw toe, te weten Alberti's baanbrekende kerk, de S. Andrea in Mantua. De kolossale orde van de façade mag waarschijnlijk als een bewuste reminiscentie aan de St.-Pieter in Rome worden gezien. Stilistisch weinig innovatief zou één technisch detail van het gebouw richtinggevend worden; de constructie van de koepel, die als 'cúpula encamonada' de architectuurgeschiedenis in zou gaan en voor het eerst werd beschreven in het traktaat van fray Lorenzo de San Nicolás. Door haar doelmatigheid vond ze weldra grote verspreiding. Het gaat hierbij om een houten geraamte dat met pannen werd belegd en op een massieve koepel lijkt. Het voordeel van deze constructie was dat hierdoor probleemloos grote ruimten konden worden overwelfd. Behalve de jezuïeten leidden ook de karmelieten een reeks belangwekkende architecten op. Een van hen was fray Alberto de la Madre de Dios, die samen met Francisco de Mora werkzaam was voor de Duque de Lerma en die als officiële 'Traçista' verantwoordelijk was voor alle nieuwe vestigingen van de orde. Sinds kort wordt hem de gevel van de Encarnación in Madrid toegeschreven, een constructie die –zoals reeds gememoreerd– geldt als een mijlpaal van de architectuur tussen Maniërisme en Barok. Hetzelfde geldt voor de kerk van de H. Theresia van Ávila, waarvan de architect, Alonso de San José, eveneens behoorde tot de orde der karmelieten.

De meeste belangrijke architectuurhistorici van Spanje waren geestelijken; El Greco, wiens aantekeningen over Vitruvius pas in de jaren '70 werden ontdekt, is de uitzondering. Zo mag hier in de eerste plaats worden herinnerd aan de jezuïeten Jerónimo del Prado en Juan Bautista Villalpando, wier geschriften en toelichtingen bij de 'reconstructie' van de tempel van Jeruzalem uiteindelijk een meer exegetisch dan pragmatisch karakter droegen. Van een geheel andere orde daarentegen is het traktaat *De Arte y uso de la arquitectura* (voor het eerst in 1633 gepubliceerd) van de bovengenoemde fray Lorenzo de San Nicolás (1595-1679), die zich gedecideerd tot de jonge leerlingen van zijn metier richt. De augustijn biedt hun daarmee een uiterst didactisch overzicht over de belangrijkste theoretische geschriften van de klassieke Oudheid tot het heden, in samenhang met praktische aanbevelingen voor alle stadia van de opleiding. De benedictijn fray Juan Ricci (1600-1681) schreef talrijke kunsttheoretische verhandelingen, waarvan *Pintura Sabia* (pas in 1930 gepubliceerd) en *Breve Tratado de Arquitectura acerca del Orden Salomónico* (1663) de belangrijkste zijn. Hij ontwikkelt daarin een leer van de bouwordes, waarin –in navolging van Serlio– aan elke heilige een bepaalde variant wordt toegekend. De klassieke ordes, Dorisch, Toscaans, Ionisch, Corinthisch en composiet, vult hij aan met de 'Salomonische' orde, die teruggaat op de gedraaide zuilen van de tempel van Salomo; Ricci ontwikkelt op basis daarvan een complete orde, inclusief basement en kranslijst, en gaat daarin aanzienlijk verder dan Bernini's baldakijn in de St.-Pieter (afb. blz. 282). De uitvinding van de Salomonische orde wekte –zoals later zal blijken– vooral in Andalusië grote belangstelling.

In 1668 publiceerde de cisterciënzer fray Juan Caramuel de Lobkowitz (1606-1682) in Vigevano zijn *Architectura civil recta y obliqua...*, een traktaat waarin de beschrijving van de tempel van Jeruzalem eveneens het uitgangspunt vormt van zijn overwegingen, maar waaruit hij –heel anders dan bij auteurs gebruikelijk– kritiek afleidt op Vitruvius en de klassieke interpretaties van zijn werk. Voor Caramuel is de architectuur geen 'a priori' vastgelegd, absoluut dogma, maar een vrije discipline die onderworpen is aan de wisseling der tijden. Op dit punt worden er opmerkelijke parallellen zichtbaar met de strijd tussen *anciens et modernes* in de Franse academie. Veelbetekenend is het feit dat hij –zogenaamd op verzoek van de desbetreffende opdrachtgever– volledig nieuwe ordes ontwikkelt, zoals de antropomorfe, 'atlantische' of paranimfische, of zelfs de 'gotische'. Dit is een eerste bewijs voor een herwaardering van de sinds de late Middeleeuwen als verouderd verachte stijlrichting. Nog origineler dan zijn vrije omgang met historisch repertoire is Caramuels leer van de *arquitectura oblícua*, een gecompliceerde perspectiefleer die hij bijvoorbeeld in Bernini's colonnades van het St.-Pietersplein verwezenlijkt wilde zien. Zo propageerde hij een visuele correctie van de bouwcomponenten in overeenstemming met de gezichtshoek van de kijker. Golden Caramuels geschriften lange tijd als zuiver theoretisch, op die manier kon als gevolg van nieuwere onderzoeken wel een groot aantal bewijzen voor de realisatie van zijn voorstellen worden aangetoond.

Met deze even wetenschappelijke als op de praktijk gerichte bijdragen leverde de clerus een belangrijk aandeel aan de vorming van een Spaanse architectuurtaal.

**Van de late 17e eeuw tot aan het begin van de Verlichting – sociale en regionale differentiatie**

Was de gehele 17e eeuw voor het Spaanse rijk een tijd van crises en machtsverval geweest, dat had verbazingwekkend genoeg nauwelijks invloed gehad op het mecenaat van Filips III en nog minder op dat van Filips IV. De uitbreiding van Madrid tot residentie, de verschaffing van werk aan uitstekende kunstenaars en de verzamelactiviteiten aan het hof geven niet echt een beeld van voortschrijdend economisch verval van het land. Dat was echter wel het geval. In eerste instantie trof het alleen de bouwactiviteiten van het hof die, althans na de jaren '50 van de 17e eeuw, in steeds kleinere stapjes verliepen. Zelfs de vaak door de donaties van de adel afhankelijke kerkelijke instituties waren dikwijls nauwelijks bij machte om eenmaal begonnen projecten voort te zetten, laat staan nieuwe projecten. Het voorbeeld van de kathedraal van Madrid die, door Juan Gómez de Mora ontworpen, van de koning de strijd met de St.-Pieter moest aangaan, maar vervolgens nauwelijks verder kwam dan de fundamenten, is symptomatisch voor de situatie van de eens zo bloeiende wereldmacht. Desondanks –of juist daarom– ontstonden er na het midden van de eeuw in enkele centra die sinds lang in de schaduw van de kroon hadden gestaan, belangrijke bouwwerken die een afkeer van het nog immer zichtbare herrerianisme en een nieuw begin van de barokarchitectuur in Spanje aankondigden.

AFBEELDING BLZ. 93:
**Fernando de Casas y Novoa**
Santiago de Compostela
Voorgevel van de kathedraal, 1

Galicië

Galicië was een van deze centra. Al in het tweede kwart van de 17e eeuw was er in de regio in het noordwesten van het Iberische schiereiland sprake van een bijzondere sociaal-economische situatie die het voor de algehele economische malaise behoedde. Dit is vooral terug te voeren op het bestaan van een goed gesitueerde clerus met z'n landerijen, die een behoorlijk inkomen garandeerden en de bouw van talrijke kloosters en kerken mogelijk maakten. Sinds lang beschikte men hier over uitstekende steenhouwersateliers, waarin het harde, grijze graniet van het land vakkundig werd bewerkt. Naast het reeds genoemde convent van Monforte de Lemos dienen hier vooral de S. Martín Pinario in Santiago de Compostela (begonnen in 1596, voortgezet in 1626 door Fernando Lechuga), de kloosterkerk van Monfero (1620-1624, Simón del Monasterio) en de streng classicistische omloop van de kathedraal van Orense (id., 1620-1624) te worden genoemd. In de vormgeving van de façades komen de kenmerken van de Galicische architectuur vooral goed naar voren: monumentaliteit, classicistische vormen, contrasterend met een onrustig, in rustiek werk gestructureerd oppervlak, dat met z'n in kleine delen onderverdeelde zandstenen vierkanten en ruiten en dergelijke ruw aandoet. Een voorbeeld van de ontzaglijke creativiteit die juist in Galicië tot ontplooiing kwam, is de gevel van de benedictijnenkerk Sobrado de los Monjes waarbij klassieke en volledig onconventionele elementen naast elkaar voorkomen (Pedro de Montagudo, 1666). Het daarachter liggende schip is volledig anders geproportioneerd. Smalle zijschepen flankeren het brede middenschip met tongewelf, wellicht een herinnering aan het middeleeuwse complex.

Een zeer productieve fase begon in 1649 met de aanstelling van de kanunnik José de Vega y Verdugo, Conde de Alba Real, in de kathedraal van Santiago de Compostela. Zijn humanistische vorming, die hij gedurende talloze reizen naar het buitenland had verdiept, sterkte hem in zijn streven om de vervallen Jakobskerk een nieuw en waardig uiterlijk te geven. Na een zeer verhelderende inventarisatie op basis van historisch bronmateriaal, de *Memoria sobre las obras en la Catedral de Santiago* (1657-1666), initieerde hij een ambitieus bouwprogramma dat echter slechts gedeeltelijk kon worden gerealiseerd. De spectaculairste maatregel was de constructie van een tabernakelbaldakijn boven het altaar van de apostel. Het gevaarte dat veel ruimte in beslag neemt en architectuur, sculptuur en decor met elkaar verenigt, moest wedijveren met Bernini's baldakijn in de St.-Pieter. De bekroning wordt daarbij evenwel door vier engelen gedragen in plaats van door gedraaide zuilen (de oorspronkelijk geplande koepel werd niet gebouwd). Andere verbouwingen betroffen het exterieur van het gebouw. Tussen 1658 en 1670 verbouwde José Peña del Toro (overl. 1676) het Quintana-portaal (Portico Real de la Quintana), de vieringkoepel en de klokkentoren in opdracht van Vega y Verdugo. Peña's relatief vrije omgang met traditionele bouwschema's, zijn gevoel voor decoratieve omzetting en verrijking van klassieke structurerende elementen zijn een bewijs voor een nieuw vormbegrip, dat zich in Santiago zeer indrukwekkend begon te ontwikkelen. Zijn opvolger, Domingo de Andrade (1639-1711), voltooide Peña's werk en bouwde zelf de klokkentoren (gereed in 1680) boven een laat-gotische kern. Een eigenzinnig motief van alle torens zijn de naar beneden gedraaide voluten die de bovenste vierkante verdieping accentueren; ze zijn waarschijnlijk ontleend aan de maniëristische bouwtraktaten van Wendel Dietterlin en Vredeman de Vries en tonen aan dat deze geschriften tot aan de kusten van de Altlantische Oceaan zijn verspreid. Ondanks de klaarblijkelijk door hem geïnitieerde culturele opbloei had José de Vega y Verdugo het zwaar te verduren in de pelgrimsstad. Hij moest Santiago in 1672 verlaten. De artistieke impulsen die hij achterliet, vonden een halve eeuw later hun voltooiing in de bouw van de nieuwe gevel van de kathedraal.

Deze taak werd opgedragen aan Fernando de Casas y Novoa (ca. 1680-1749). De architect die de kruisgang van de kathedraal van Lugo al in feestelijk decoratieve vormen had vormgegeven, werd in 1711 tot *maestro de obras* van de kathedraal van Santiago benoemd. Zijn eerste maatregel was de constructie van de nog ontbrekende noordelijke toren, die hij aanpaste aan de zuidelijke, door Peña del Toro gebouwde toren. De bouw van een nieuwe gevel (afb. blz. 93) begon pas in 1738 en vergde een met vooruitziende blik gemaakt ontwerp, aangezien hij moest voldoen aan verschillende, niet gemakkelijk met elkaar te verenigen eisen. Hij diende de daarachter liggende Romaanse Portico de la Gloria tegelijk aan het gezicht te onttrekken en te beschermen, maar moest indien mogelijk wel licht doorlaten en tegelijkertijd rekening houden met de urbanistische structuur van de pelgrimsstad, en vooral een al eerder begonnen barok bordes integreren. Fernando de Casas y Novoa's oplossing van dit esthetisch en technisch moeilijke probleem was opmerkelijk. Het Romaanse portaal gaat schuil achter de door de torens geflankeerde barokke façade. Deze is over drie assen en twee verdiepingen door reusachtige vensters geopend, die weliswaar niet als glaspartijen naar voren komen, maar door sterke vooruitspringende en terugwijkende delen van de structurerende elementen en tevens door een nagenoeg gotisch aandoende hoogtekarakteristiek worden gecacheerd. Een topgevel over meerdere etages bekroont het middendeel, terwijl blinde muurvlakken de onderste torenverdiepingen bedekken en overgaan in de verticale structuren van de omringende bouwelementen. De gevel van de *Obradoiro* –zo genoemd omdat men hem vanwege zijn filigreinachtige lichtheid met werken van de goudsmeedkunst vergeleek– vormt een grandioze coulisse die pas in de stedenbouwkundige context, met name ook in het spel van licht en schaduw, zijn totale effect laat zien. Casas y Novoa, door zijn tijdgenoten hevig aangevallen vanwege zijn –voor de 18e-eeuwers onbegrijpelijke– combinatie van klassieke bouwvormen en middeleeuws aandoende structuren, heeft in Santiago in meerdere opzichten een meesterwerk gecreëerd. Hij vond een oplossing voor de moeilijke taak om een Romaans bouwwerk niet alleen maar waardig te bewaren, maar ook om het een plaats te geven in de context van een barokke stad. De hierbij tot stand gekomen synthese tussen 'oude' en 'nieuwe' stijlvormen wijst op het eclecticisme van later eeuwen. Bovendien is het inbouwen van dergelijke grote ramen een technisch meesterstuk.

AFBEELDING BLZ. 94:
Jerez de la Frontera
Voorgevel van het kartuizerklooster
Santa María de la Defensión, 1667

## Andalusië

Een tweede centrum dat onafhankelijk van het hof een eigen barokke architectuurtaal ontwikkelde, is Andalusië. De historische voorwaarden die tot deze ontwikkeling leidden, zijn hier echter totaal anders dan in Galicië. Granada was door de begunstiging van Karel V het ideaalbeeld geworden van de stad van de 16e eeuw. De bouw van het christelijke paleis op het Alhambra, de nieuwbouw van de kathedraal, de bouw van de universiteit en de Chancillería, het opperste gerechtshof, getuigen daarvan. De politiek van Filips II, met de centraliseringsmaatregelen enerzijds en de verdrijving van de morisken, die de stad van zijn levensader beroofden, anderzijds, leidden tot stagnatie en waarschijnlijk tot de provincialisering van de stad. Desondanks bleven artistieke krachten waken, en met Alonso Cano (1601-1667) trad een persoonlijkheid naar voren wiens creativiteit en uitstraling slechts door Velázquez worden overtroffen. Cano, die zijn opleiding –net als Velázquez– in Sevilla bij Francisco Pacheco had genoten, is eigenlijk de enige belangrijke 'totaalkunstenaar' die Spanje heeft voortgebracht. Het zwaartepunt van zijn werk ligt zonder twijfel in de schilderkunst, die hij als hofschilder van Filips IV en tekenleraar van prins Baltasar Carlos beoefende. Maar zijn plan voor de gevel van de kathedraal van Granada (afb. rechts), die hij in 1664 kort voor zijn dood presenteerde, getuigt van een even grote inventiviteit. Hoewel Cano rekening moest houden met de structuur van het door Siloé gebouwde schip, wist hij een geheel autonoom ontwerp te maken dat zich van alle andere eigentijdse oplossingen voor dit bouwkundige vraagstuk onderscheidt. Cano koos voor een structuur van triomfboogachtige omlijstingen, waarachter de portalen en muurvelden ver terugwijken. Dit motief, hoewel in Spanje en Portugal sinds de Middeleeuwen als zgn. 'trechterportaal' gangbaar, draagt hier bij aan een volledig nieuwe ritmering en dynamisering van de gevel. Het front wordt gedomineerd door een rondboog die de middenas bekroont, een late verwijzing naar Alberti's façade van de S. Andrea in Mantua. Cano vindt ook in het detail onconventionele oplossingen, bijvoorbeeld wanneer hij kapitelen door pijlerachtige bouwelementen vervangt en reliëfmedaillons voor de pilasters 'hangt'. Cano's ontwerp, dat in 1667-1684 werd uitgevoerd, werd talrijke malen nagevolgd in Andalusië en de Levant.

Ook de stad Jaén leverde een belangrijke bijdrage aan de Andalusische barokarchitectuur. In 1667 begon men met de uitvoering van een project voor de gevel die Eufrasio López de Rojas (overl. 1684) voor de kathedraal van de stad had ontworpen (afb. rechts). De machtige, uit vijf assen bestaande façade met Corinthische kolossale orde en attiekverdieping gaat terug op Maderna's St.-Pieter. De gelijktijdig geconstrueerde kerk van het kartuizerklooster Santa María de la Defensión bij Jerez wekt daarentegen de indruk van een barokke vertaling van een gotisch schrijn (afb. blz. 94). Reden daarvoor is niet zozeer het gotische schip, maar een opvatting van architectuur die haar doel ziet in de decoratieve 'oplossing' van de structuur en de plastische vormgeving van de wand.

Sevilla, poort naar de 'Nieuwe Wereld', was in de late 16e eeuw de rijkste stad van het Spaanse imperium geweest. Na een pestepidemie in

**Alonso Cano**
Granada, voorgevel van de kathedraal
Begonnen in 1667

**Eufrasio López de Rojas**
Jaén, kathedraal, voorgevel, 1667-1688

**Leonardo de Figueroa**
Sevilla, San Telmo
Voorgevel, 1724-1734
Plattegrond

**Sebastiaan van der Borcht**
Sevilla, tabaksfabriek, 1728-1771

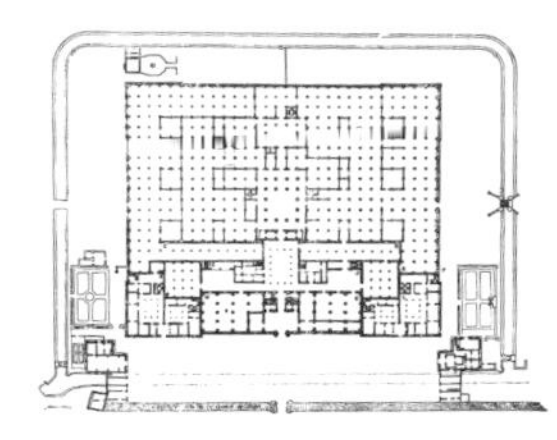

1649, die gepaard ging met een algehele neergang van het rijk, had het eenderde van zijn bevolking verloren. Desondanks behoort de Barok in Sevilla, met name op het gebied van de schilderkunst –men denke aan Zurbarán, Murillo en Valdés Leal– en de beeldhouwkunst met Martínez Montañés en Mena tot de belangrijkste uitingen van Spaanse kunst. In de architectuur knoopte men in eerste instantie aan bij de ruimtelijke vormen van de 16e eeuw, de zgn. *iglesias de cajón*, de blokvormige kerken. Men begon de gesloten structuren echter al spoedig van een weefsel van weelderige decoraties te voorzien. Een vroeg voorbeeld is El Sagrario, de in het complex van de kathedraal geïntegreerde parochiekerk van de stad, die tussen 1617 en 1662 naar plannen van Miguel de Zumárraga (overl. ca. 1651) werd gebouwd. In het interieur van het blokachtige gebouw zijn alle muur- en gewelfvlakken door een ornamenteel decor bedekt dat de klassieke indeling van de ruimte naar de achtergrond verdringt. Overvloedige stucdecoraties, een weefsel van architectonische decors met plant- en figuratieve motieven sieren ook het door de gebroeders Pedro en Miguel de Borja in 1659 vormgegeven gewelf van de Sta. María la Blanca, een voormalige synagoge uit de 13e eeuw.

Leonardo de Figueroa (ca. 1650-1730), een uit de omgeving van Cuenca afkomstige architect, stond in de laatste jaren van de 17e eeuw aan het begin van een beslissende verandering in de bouwkunst van Sevilla. In de loop van zijn lange en zeer vruchtbare carrière bewerkstelligde hij de doorbraak van een picturale en decoratieve vormgeving van het vlak. Kenmerkend voor zijn esthetische voorstellingen, maar ook voor zijn pragmatische werkwijze is de verlevendiging van de lichte muurvlakken door rode baksteen, een kleurcontrast dat typerend zou worden voor heel Andalusië en tevens de bouwkosten van het aan natuursteen arme land enorm zou verlagen. Terwijl hij in zijn vroege werken, bijvoorbeeld het Hospital de los Venerables Sacerdotes (1687-1697), nog zeer terughoudend met het 'nieuwe' (in werkelijkheid zeer oude) materiaal en zijn mogelijkheden experimenteert en in enkele reeds begonnen gebouwen (S. Salvador en S. Pablo in Sevilla, Colegiata in Jerez de la Frontera) veeleer traditioneel te werk gaat, verbindt hij in de hem vermoedelijk terecht toegeschreven jezuïetenkerk S. Luis in Sevilla (gebouwd tussen 1699 en 1731) Italiaanse invloeden met Andalusische liefde tot een ornament. Zo neemt de baksteenfaçade elementen van Borromini's S. Agnese over en richt het interieur zich in z'n plattegrond eveneens naar Rainaldi's ontwerp voor het aan het Piazza Navona gelegen bouwwerk.

Het bepalende element van de centraalbouw zijn de acht kolossale, in het onderste derde deel gecanneleerde 'Salomonische' zuilen, die het overkoepelde centrum van de compacte bouw flankeren en plastisch accentueren. Of dit motief echter een nieuwe uitvinding van Figueroa was of in een wijdere omgeving van Sevilla werd beproefd, is de vraag; bijna gelijktijdig paste men het veelvuldig toe in de bovenverdieping van klokkentorens.

Figueroa's late hoofdwerk is de elegante façade van het Colegio de S. Telmo (afb. links), een in 1671 gesticht tehuis voor vondelingen waarin de opvolgers voor de kapiteins van de Indische vloot werden opgeleid. Vanaf 1722 nam hij –samen met zijn zoon Matías– de voltooiing op zich van een om een grote binnenhof gebouwd, met hoektorens geaccentueerd complex, waaraan pas in 1735 een eind kwam en dat tot het belangrijkste werk van de Andalusische Barok behoort. De zich over drie etages uitstrekkende, in steen uitgewerkte risaliet steekt feestelijk af tegen het terughoudende, in baksteen uitgevoerde front. Zijn fijne, levendige en plastische onderverdeling met rijk geornamenteerde dubbele zuilen die de middenas met vooruitspringend balkon en de opengewerkte nis met de figuur van S. Telmo in de gevel flankeren, heeft een dramatisch effect. De coulisseachtig-decoratieve indruk wordt nog versterkt door allegorische figuren die –in hun toelichting van de nautische wetenschap en de betekenis van Sevilla– de architectonische onderdelen van het portaal 'bevolken' en een fraai contrast vormen met de effectvolle architectuur. Ongeveer in dezelfde tijd ontstond in de buurt van het Colegio de S. Telmo nog een revolutionair bouwwerk, de tabaksfabriek van de militaire architect Sebastiaan van der Borcht, die beroemd is als toneel van de 'Carmen'-legende. Het tussen 1728 en 1771 gebouwde complex, typologisch op hospitaal- en seminariegebouwen

Francisco de Hurtado Izquierdo
Granada, Sagrario van het kartuizerklooster
1702-1720

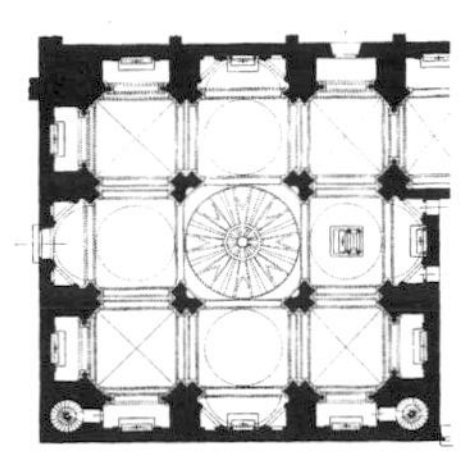

Francisco de Hurtado Izquierdo en José de Bada
Granada, Sagrario van de kathedraal
1704-1759, plattegrond en interieur

teruggaand, behoort tot de vroegst bewaard gebleven getuigenissen van de moderne fabrieksarchitectuur.

Ook in Granada wordt de klassieke vormcanon rond 1700 door decoratieve elementen bedekt en anders geïnterpreteerd. Niet baksteen is hier het bepalende materiaal, maar –in het Alhambra in z'n volmaaktste vorm gepresenteerd– stucwerk, materiaal dat een nog veel verfijndere bewerking toestaat. Voorvechter van deze ontwikkeling, en misschien wel de eigenzinnigste en inventiefste bouwmeester van heel Spanje, is Francisco de Hurtado Izquierdo (1669-1725), Andalusisch architect, beeldhouwer en decorateur. Zijn uit klassieke elementen afgeleide, maar prismatisch gebroken en vermenigvuldigde decoratievormen hebben de Andalusische barokarchitectuur tientallen jaren lang beïnvloed en worden terecht beschouwd als een autonome prestatie van de Spaanse architectuur. Bovendien schiep Hurtado, die bijna uitsluitend werkte in opdracht van de clerus, barokke 'totaalkunstwerken' die voor de gelovigen van zijn tijd symbool werden van devotie in een artistieke context.

Hurtado's eerste baanbrekende werk is de verbouwing van het *Sagrario*, het heilige der heiligen van het kartuizerklooster van Granada (afb. linksboven), dat hij vanaf 1702 leidde. Hij concipieerde de tabernakel als een sterk uitvergrote schrijn, waarvan het 'omhulsel' een vierkante, door een koepel overwelfde ruimte vormt. Beeldhouwwerken sieren zijn sokkel, terwijl zwarte Salomonische zuilen het rijk geprofileerde baldakijn schragen. Ronde vensters in de zijkapellen bieden zicht op het sacrament.

Bepalend voor het effect van dit totaalkunstwerk zijn z'n evenwichtige verhoudingen, maar vooral de tot dan toe in Spanje ongebruikelijke afstemming tussen de kleuren van de marmerdecoratie. Vergulde kapitelen en lijstprofielen contrasteren met roze, groene, zwarte, witte en grijze steen, waarvan de nuances ook in Palomino's plafondschilderingen worden toegepast.

In 1706 werd Hurtado als *maestro mayor* verantwoordelijk voor de bouw van het *Sagrario* van de kathedraal (afb. boven); de bouw zou zich echter gedurende tientallen jaren voortslepen en pas door zijn medewerker José de Bada worden afgerond. De klassiek geproportioneerde en geïnstrumenteerde centraalbouw contrasteert sterk met zijn vroegere werken. De machtige bundelpijlers van de viering nemen vor-

**Francisco de Hurtado Izquierdo en Teodosio Sánchez de Rueda**
El Paular, Sagrario van het kartuizerklooster Nuestra Señora del Paular, begonnen in 1718
Plattegrond, interieurs en sculpturen van Pedro Duque Cornejo

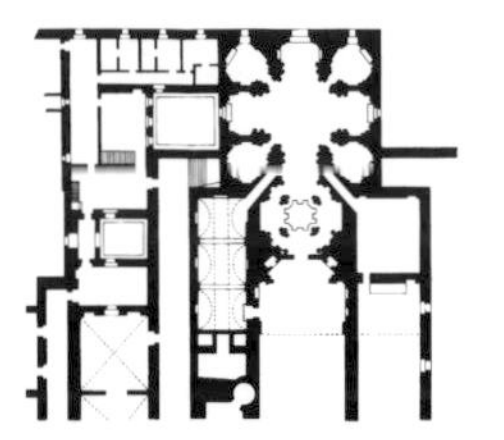

AFBEELDING BLZ. 99:
**Francisco de Hurtado Izquierdo (?)**
Granada, sacristie van het kartuizerklooster
Begonnen in 1732, interieur

men in zich op van de door Diego de Siloe in de kathedraal toegepaste composiete bouworde – een feit dat tot de instructies van het kapittel is te herleiden om het Sagrario aan de oudere kerk aan te passen, maar tezelfdertijd ook Hurtado's veelzijdigheid in de omgang met literatuur documenteert.

Voor de kartuizers van El Paular ontwierp hij in 1718 nog een, op het voorbeeld van het kartuizerklooster in Granada geïnspireerd *Sagrario* (afb. blz. 98). Het heilige der heiligen (uitgevoerd door Teodisio Sánchez de Rueda) bestaat hier uit twee vertrekken. Het centrum van het eerste vertrek wordt ingenomen door het uit marmer en jaspis vervaardigd tabernakel, een meerdere verdiepingen hoog, boven vier buitenste pijlers en een binnenste krans van kolommen ontwikkeld architectuurcapriccio. De daarachter liggende ruimte wordt door ronde vensters boven de kroonlijst verlicht; de manier waarop het licht wordt geleid, bewerkstelligt samen met het vergulde retabel een dramatisch contrast met het donkerder heilige der heiligen. Het in de bergen van Segovia gelegen bouwwerk is een zeldzaam voorbeeld van Andalusische kunst in Castilië. In feite waren delen van het tabernakel in Andalusië, in Priego, vervaardigd, waar Hurtado sinds 1712 de post van koninklijk beheerder van de belastingen bekleedde.

Het artistiek gezien rijpste, maar tevens slechtst gedocumenteerde werk van de Andalusische Barok is de sacristie van de Cartuja in Granada (afb. blz. 99). Bekend is alleen dat de werkzaamheden in 1713 zouden beginnen, maar pas in 1732 van start gingen; gegevens over de architect(en) zijn niet bewaard gebleven. Zoals aan het begin gememoreerd, werd het bouwwerk door de volgende generaties gezien als het ultieme symbool van het verval van de Spaanse kunst. Pas in de laatste decennia ging men zich op een objectievere manier met de conceptie bezighouden. De gedrongen, uit één schip bestaande ruimte maakt een levendige indruk door de overvloedige plastische vormgeving van de structurerende elementen, door de pilasters, die ondanks het weelderige stucdecor duidelijk zichtbaar blijven. Niet minder dan 45, uit klassieke voorbeelden afgeleide decoratiemotieven –delen van kapitelen, lijsten, voluten, kandelabers en de zgn. 'varkensoren', op hoeken geplaatste boogsegmenten– bedekken de pilasters. De boven de pilasterkapitelen verkropte kroonlijst zwenkt in en uit in de muurvakken, waarbij z'n lijnvoering door talrijke zich vervlakkende profielen wordt doorgezet. Ondanks de rijkdom aan details ontstond een unieke feestelijke ruimte die de indruk wekt van een filigreinschrijn. Hoewel ook de uitvoering van deze constructie wellicht door medewerkers (Luís de Arévalo, Luís Cabello en José de Bada) is uitgevoerd, lijkt het auteurschap van Hurtado onomstreden.

Hurtado, die overigens dankzij een post als koninklijk beheerder van de belastingen een zekere financiële onafhankelijkheid genoot, leidde een belangrijke school van decorateurs en kunstambachtslieden. Ze verspreidden zijn kunst door heel Andalusië; zelfs in de koloniën zijn nog sporen van zijn stijl te vinden. Ze verbonden zich daar, net als in Andalusië met de decoratieve esthetiek van de Moorse traditie, met Indiaanse versieringsmotieven.

**De kunstenaarsfamilie Churriguera; Castilië, Léon en de Levant**

Een oorspronkelijk uit Catalonië afkomstige kunstenaarsfamilie gaf de Centraal-Spaanse architectuur nieuwe impulsen. De uit Barcelona afkomstige beeldhouwer José Ratés y Dalmau had na zijn vestiging in Madrid in zijn atelier vijf zonen van een overleden familielid, Josep de Xuriguera, opgenomen. Na zijn dood deden allen, José Benito, Manuel, Joaquín, Alberto en Miguel, van zich spreken als zelfstandige architecten en makers van retabels. De oudste van het vijftal, José de Churriguera (1665-1725), vervaardigde in 1693 het retabel in de kloosterkerk van S. Esteban in Salamanca (afb. blz. 102), dat vanwege de opvallende toepassing van Salomonische zuilen, de royale conceptie en het zeer rijke decor toonaangevend werd en school maakte. De directe beïnvloeding door het traktaat van Caramuel de Lobkowitz, maar ook door de in dezelfde periode ontstane geschriften van Andrea Pozzo kan nauwelijks over het hoofd worden gezien. Zijn gebouwen in Nuevo Baztán, een residentiële stad die de bankier Juan de Goyeneche tussen 1709 en 1713 liet bouwen, hebben echter een veel strengere vormentaal. Een bijna massieve indruk maakt de door machtige torens geflankeerde kerkgevel, waarvan het middendeel door palladianesk boven elkaar 'gestapelde' topgevels wordt geaccentueerd. Joaquín de Churriguera (1674-1724) schiep zijn belangrijkste werken eveneens in Salamanca. In de beide seminariegebouwen, het Hospederia van het Colegio de Anaya (begonnen in 1715) en het Colegio de Calatrava (begonnen in 1717), verbindt hij net als in de door hem ontworpen koepel van de Catedral Nueva klassieke vormen met een weelderig bouwdecor dat ontleend is aan de pl志reske stijl. Dit teruggrijpen op de 16e eeuw, dat overigens ook op andere plaatsen valt te noteren, wordt vaak geïnterpreteerd als bewuste aanknoping bij het glorieuze Spaanse verleden, en tegelijkertijd als tegenmodel tegenover de internationalisering van de architectuur der Bourbons. De jongste van de Churriguera-broers, Alberto (1676-1750), stond lange tijd in de schaduw van zijn broers. Pas na hun dood kreeg hij de kans om vrijelijk zijn eigen, reeds door het Rococo beïnvloede stijl te ontplooien. Zijn hoofdwerk is het Plaza Mayor in Salamanca, dat hij in 1728 ontwierp. Het vierkante plein in het hart van de universiteitsstad wedijverde met de oudere Plazas Mayores in Madrid en Valladolid. Het bekoort door zijn elegantie en de feestelijk-plechtige versiering van de gevels, die zich over drie etages boven arcaden verheffen (afb. blz. 101). Voor elk raam bevindt zich een balkon met ijzeren hekwerk, die tot op heden de ideale 'loges' vormen om de activiteiten op het plein te volgen. Twee bouwwerken steken uit boven de gelijkmatige bebouwing aan het Plaza Mayor: de Pabellón Real met z'n grote poortboog, het medaillon van Filips V en de bekronende topgevel en het ertegenover gelegen, pas door Andrés García de Quiñones in 1755 voltooide raadhuis. Alberto de Churriguera ontving in Salamanca talrijke andere opdrachten voor kerken en seminaries, maar verliet in 1738 de stad in de strijd om de uitvoering van de kerktoren van de nieuwe kathedraal.

Met Andrés García de Quiñones (werkzaam halverwege de 18e eeuw) kreeg Salamanca een waardige opvolger. In de jaren tussen 1750

**Alberto de Churriguera en Andrés García de Quiñones**
Salamanca, Plaza Mayor met Pabellón Real, 1728-1755

**Andrés García de Quiñones**
Salamanca
Raadhuis aan het Plaza Mayor, 1755

AFBEELDING BLZ. 102:
**José Benito de Churriguera**
Salamanca, San Esteban, altaarretabel 1692-1694

AFBEELDING BLZ. 103:
**Narciso de Tomé**
Toledo, kathedraal
'El Transparente', 1721-1732

**Hipólito Rovira**
Valencia, Casa del Marqués de
Dos Aguas, 1740-1744, portaal

AFBEELDING BLZ. 105:
**Jaime Bort**
Murcia, kathedraal, 1742-1754

en 1755 voltooide hij niet alleen het Plaza Mayor, maar beëindigde hij ook de sinds lang stokkende werkzaamheden aan de Clerecía. De torens, maar vooral de seminariehof (afb. blz. 87), spreken een geheel andere, veel krachtigere vormentaal dan het Plaza Mayor. Machtige kolossale halfzuilen op hoge postamenten, een ver vooruitstekend verkropt hoofdgestel ritmeren de ver achter deze uitkragingen terugwijkende façade. Romeinse monumentaliteit gaat de verbinding aan met een Iberische vormgeving van het vlak. Daarbij is de hof van de Clerecía volledig onafhankelijk van de op Frankrijk en Italië gerichte Bourbonse hofarchitectuur. De belangrijkste inspiratiebron moet nog gezocht worden in de representatieve binnenhof van het seminarie van de S. Martín Pinario in Santiago de Compostela.

Aan Narciso de Tomé (gedocumenteerd 1715-1742), die net als de Churriguera's uit een familie van beeldhouwers en ornamentsnijders stamde, en zijn broer Diego danken we de waarschijnlijk spectaculairste constructie van de Spaanse Barok, een totaalkunstwerk met een onwaarschijnlijke graad van verfijning, de 'Transparente' in de kathedraal van Toledo (afb. blz. 103 en 369). Het gaat bij het tussen 1721 en 1732 opgetrokken bouwsel om een soort *Camarín*, d.w.z. een afzonderlijke, meestal hoger gelegen, maar goed zichtbare ruimte voor het bewaren van de custodia. In Toledo verschijnt deze als een architectonisch-plastische structuur achter het hoogaltaar, waarvan het heilige der heiligen ook vanaf de kooromgang door de gelovigen kan worden bekeken – overeenkomstig de bedoelingen van het Concilie van Trente, dat had geëist dat de leken bij het heilsritueel zouden worden betrokken. Een twee etages hoog, concaaf 'retabel' herbergt onder het midden de beeldengroep van de Maagd Maria met Kind, en daarboven de eucharistische scène van het Laatste Avondmaal. Een opening in het hemelgewelf laat licht naar binnen vallen en suggereert het zicht op de open hemel, voorgesteld als met stralen doorstroomde golven van engelen en heiligen tegen een achtergrond van architectonische decors. Architectuur, beeldhouwkunst en schilderkunst gaan daarbij zo'n perfecte verbinding aan dat het op tijdgenoten overkwam als het 'achtste wereldwonder'. Ponz, een reiziger en kenner van het Neoclassicisme, zag er echter het hoogtepunt in van de decadentie van de Spaanse kunst.

Madrid was ook het werkterrein van Pedro de Ribera (ca. 1683-1742), een architect die vanwege zijn ongebreidelde plastische vermogens door zijn tijdgenoten werd gewaardeerd, maar door de critici van de 19e eeuw eenvoudigweg als een gek werd afgedaan. Als *maestro mayor* van Madrid bekleedde hij een invloedrijke positie en ontwierp hij talrijke utiliteitsgebouwen en kerken in heldere, elegante vormen. Pas in de door hem gebouwde Madrileense privé-paleizen en in het Hospicio de S. Fernando (1722-1729) legde hij een grote en ongewone decoratieve verscheidenheid aan de dag, die echter uitsluitend betrekking had op het desbetreffende hoofdportaal en de daarboven liggende ramen. Deze worden –net als in een retabel– door een meerdere etages hoge omlijsting omgeven en zeer overvloedig door decor *–estípites*, rocailles, *oculi* enzovoort– overwoekerd. Figuren zijn in diepe nissen geplaatst. Een verwant type gevelindeling in privé-paleizen treft men in Spanje alleen nog in Valencia aan, waar de Marqués de Dos Aguas tussen 1740 en 1744 een stadspaleis liet bouwen volgens plannen van de schilder Hipólito Rovira. Hier is de scènisch-theatrale opvatting nog meer op de spits gedreven, doordat allegorische figuren (de Valenciaanse rivieren Turia en Júcar) op Michelangelo-achtige wijze het portaal flankeren (afb. links). Valencia kan overigens naast dit gebouw bogen op een tweede monument dat een geheel eigen interpretatie van de Barok in Spanje laat zien: de convex-concaaf gewelfde gevel van de kathedraal, een werk van de in Rome opgeleide Duitse beeldhouwer Conrad Rudolf. Het in 1703 begonnen westelijke front lijkt door Guarino Guarini of de Romeinse architectuur van de late 17e eeuw te zijn beïnvloed. Reflecties van deze voor het Iberisch schiereiland heel

ongebruikelijke en levendige vormgeving van de gevel zijn te vinden in de kathedralen van Murcia (Jaime Bort, 1742-1754; afb. boven), Guadix en Cádiz. Hun royaal bemeten, door veelsoortige structurerende elementen 'opgeloste' gevels maken ondanks hun monumentaliteit echter een veel statischer indruk dan de gebouwen van Balthasar Neumann of van de Dientzenhofers. De fijne plastische indeling van de wand gaat een verbinding aan met een altijd nog 'tapijtachtige' vormgeving van het vlak, een opvatting van decoratie die in Spanje al eeuwen lang gebruikelijk was.

De net geschetste ontwikkeling tot een regionaal gedifferentieerde eigen architectuur van de late Barok moet worden gezien als een belangrijke bijdrage van Spanje aan de Europese bouwkunst. Sinds de Verlichting met het trefwoord *churriguerismo* –synoniem voor slechte smaak– afgedaan, werden in de laatste decennia structuren herkend die tot een herwaardering hebben geleid. Zo werd enerzijds duidelijk hoe zeer de ornamentrijke stijl wortelt in eigen Spaanse tradities, maar anderzijds hoe het woekerende decor, de overvloedige plastische uitwerking van de architectuur een oorspronkelijke variant van de 'hang naar het totaalkunstwerk' is. De Churriguera's, Hurtado's of Ribera's worden niet langer als 'achterlijke narren' beschouwd, maar veeleer als zelfstandige interpreten van de eigentijdse uiteenzetting over de rol van de kunsten. Met hun werk treedt nadrukkelijk een 'nationale' vormentaal op de voorgrond, die zich –bewust of onbewust– afzet tegen de stijl van het hof van de Bourbons.

AFBEELDING BOVEN:
**Filippo Juvarra en Giovanni Battista Sacchetti**
Gevel tuinzijde van het jachtslot van La Granja de San Ildefonso, 1734-1736

AFBEELDINGEN ONDER:
**René Frémin, Jean Thierry e.a.**
La Granja, fonteinen, 1721-1728

**Filippo Juvarra en Giovanni Battista Sacchetti**
Gevel tuinzijde van het jachtslot van La Granja de San Ildefonso, 1734-1736 (detail)

**De hofarchitectuur van de Bourbons**

Vanaf ca. 1720 verschijnt er tegenover de bouwkunst van de Spaanse regio's met zijn vele rijke facetten de hofkunst van de Bourbons, die zich voornamelijk laat inspireren door de classicistische Barok van Italië en Frankrijk. Tot het midden van de eeuw, met de stichting van de academies, verlopen beide stromingen parallel aan elkaar zonder dat ze elkaar raken. Het is echter wel zo dat het geïmporteerde Classicisme de vorming van eigen, Spaanse tendensen zo goed als zeker heeft uitgelokt. De probleemstelling is echter ook een geheel andere. De belangrijkste bouwkundige opgave is de onder de Habsburgers stiefmoederlijk bedeelde paleisbouw. Deze is bijna uitsluitend in handen van buitenlandse architecten, terwijl Spanjaarden worden ontslagen of tot hulparbeiders worden gedegradeerd. De sacrale bouw blijft daarentegen een Spaanse traditie. De volledig verouderde Spaanse residenties konden bij lange na niet voldoen aan de eisen van de nieuwe dynastie. Vanaf 1720 beginnen in deze sector levendige activiteiten die tot in de jaren '80 van de eeuw aanhouden. In Madrid bouwen Filippo Juvarra (1678-1736) en Giovanni Battista Sacchetti (1700-1764) het in 1737 afgebrande stadspaleis opnieuw op – zij het nog wel in een compromis met het traditionele *Alcázar*-schema. In de verbouwingen van de zomerresidenties La Granja en Aranjuez vinden echter geheel en al Italiaanse en Franse principes ingang.

La Granja is het eerste redelijk grote bouwproject dat de Bourbonse koningen ter hand namen (afb. blz. 106). Het in een bergarchtig landschap liggende jachtverblijf van de Castiliaanse koningen diende van de 15e tot de vroege 18e eeuw als zomerverblijf van de hiëronymieten. Filips V verwierf het gebied in 1720 en belastte zijn hofarchitect Teodoro Ardemans (1664-1726) met het ontwerp. Ardemans leverde eerst nog een traditionele Spaanse plattegrond in *Alcázar*-schema; een rechthoekige aanleg met hoektorens die in het noordwesten door een kruisvormige, overkoepelde kapel wordt doorbroken. Deze werd door zijn ligging het centrale punt van het complex, hoewel de vormgeving van de gevel met grote orde en attiek pas een werk van de 18e eeuw is. Doorslaggevend voor het doorzetten van Italiaanse en Franse invloeden is de tweede bouwfase, die werd geleid door de Romeinse architecten Andrea Procaccini (1671-1734) en Sempronio Subisati (ca. 1680-1758). Omstreeks 1730 vergroten ze de kern van het complex met twee drievleugelige constructies, de Patio de la Herradura in het zuidwesten en de Patio de los Coches in het noordoosten. Daarmee krijgt het archaïsche Alcázar opeens twee *cours d'honneur*, waarvan de Patio de la Herradura de elegantste en feestelijkste is. Zijn concaaf naar binnen gezwenkte middenpartij (vandaar de naam 'hoefijzerhof') wordt in twee etages door de afwisseling van dakvensters en door zuilen omsloten nissen bepaald, een motief dat zich, wat gereserveerder, ook in de zijgevels voortzet. Bij de verbouwingen werden de oude torens van het Alcázar gedeeltelijk gesloopt. De sterkste ingreep met het oog op een internationalisering van de architectuur manifesteert zich in het geheel en al door de Barok bepaalde tuinfront van La Granja, dat in 1736 werd voltooid en door Sacchetti volgens plannen van Juvarra werd gebouwd. Vier kolossale zuilen in de middenrisaliet en een subtiele trapsgewijs verlopende rangschikking van de kolossale pilasters aan de zijden ervan verlenen een in de paleisbouw van Spanje tot dan toe totaal onbekende representatieve kracht aan de façade. Pas laat, in de jaren '80 van de eeuw, werd de Colegiata voltooid. Het door Sabatini ontworpen bouwwerk met zijn naar buiten zwenkende façade schijnt te zijn geïnspireerd door de seminariekerk in Salzburg, die Fischer von Erlach in zijn *Entwurf einer historischen Architektur* in 1721 had gepubliceerd. De vormgeving van de parken lag in handen van Franse tuinarchitecten en beeldhouwers.

Nadat in 1734 een verwoestende brand het Madrileense Alcázar samen met het grootste deel van de inventaris had vernietigd, had de bouw van een nieuwe residentie prioriteit. In 1735 gaf Filips V de Piemontese architect Filippo Juvarra opdracht plannen te maken voor de nieuwbouw. Deze ontwierp een monumentaal, Versailles qua grootte (lengte van de zijden 474 meter, 23 binnenhoven!) overtreffend complex voor een locatie buiten de stad. Zowel de afkeer van de koning voor een verplaatsing van de residentie als de dood van Juvarra verhinderden uiteindelijk de uitvoering. Diens opvolger Giovanni Battista Sacchetti wij-

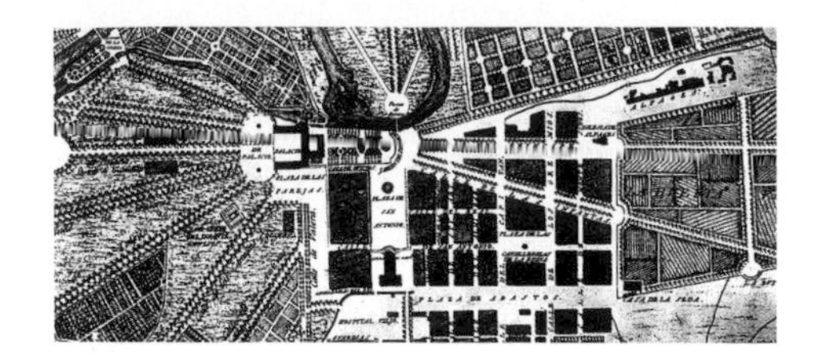

Aranjuez, Palacio Real, hele complex
16e-18e eeuw

AFBEELDING BLZ. 109 BOVEN:
**Santiago Bonavia en Francisco Sabatini**
Palacio de Aranjuez
Hoofdgevel met zijvleugels
1748 en 1771

zigde Juvarra's plannen en realiseerde het huidige bouwwerk (afb. onder en blz. 109 onder), een gesloten complex met vier vleugels met binnenhof en hoekrisalieten, dat zich trouw toont aan de traditie van het Spaanse Alcázar. In de vormgeving van de gevels vermengen zich elementen uit de Franse en de Italiaanse hofarchitectuur. Boven een hoge zandstenen sokkel, die begane grond en mezzanine samenvat, verheft zich de representatieve, drie etages hoge en met kolossale zuilen en pilasters verbonden vleugel. Een uitkragend hoofdgestel, waarin zich nog twee verdiepingen bevinden, sluit het massieve bouwwerk af dat geconcipieerd is om van verre te kunnen worden gezien. Oorspronkelijk waren voor de bekroning van de balustrade beelden voorzien; ze zouden de kubusachtige strengheid van het paleis hebben verzacht. Binnenin volgt de indeling van de vertrekken als *appartement double* de moderne Franse eisen. Tijdens de ontwerpfase werden twee elementen meerdere keren veranderd, de situering en conceptie van het monumentale trappenhuis en de vormgeving van de paleiskapel, waarvan het ovaal in de uitvoering een prominente plaats tegenover het hoofdportaal inneemt. Ondanks al deze pogingen om het Palacio Real een eigentijds uiterlijk te geven, bleef het vestingachtige karakter overheersen. Tot vandaag de dag domineert het –zonder een vaste verbinding met de stad– het dal van de Manzanares. Het Palacio Real van Aranjuez (afb. blz. 109 bovenaan) is een ander door de Habsburgers aangelegd complex, dat Filips V en Isabella Farnese lieten verbouwen. Het voormalige klooster in een waterrijk jachtgebied was onder Filips II als zomerresidentie bestemd. De plannen van Juan Bautista de Toledo en Juan de Herrera waren echter maar voor een deel door Juan Gómez de Mora gerealiseerd; branden in de 17e eeuw tastten het complex nog meer aan. In 1731 nam Santiago Bonavia (overl. 1759) de leiding op zich van de verbouwing, die in 1748 door een nieuwe brand grote vertraging opliep. De reconstructie onder Ferdinand VI oriënteerde zich grotendeels op het ontwerp van Herrera, dat voorzag in een twee verdiepingen hoog gebouw met vier vleugels, een geaccentueerde westgevel en hoektorens; de middenrisaliet werd echter herzien en voorzien van een dubbele hoofdtrap; de zijvleugels werden in 1771 door Francisco Sabatini (1722-1797) toegevoegd. Bonavia's teruggrijpen op de architectuur van de 16e eeuw was zeker geen toeval; dat lag aan een gewijzigde legitimatiestrategie van de tweede Bourbon op de Spaanse troon, die nadrukkelijker dan zijn voorvader de Hispaanse traditie van de dynastie bezwoer. Omstreeks het midden van de eeuw volgde de uitbouw van het paleiscomplex tot de huidige hofstad met geometrisch wegennet en tot het toneel van feesten van het hof. In de uitgestrekte tuinen werd een eigen haventje voor opvoeringen op het water ingericht. Tot het complex als geheel behoorden verder de S. Antonio, een met een koepel bekroonde rondbouw met een gewelfd arcadeportaal, evenals de onder Karel IV gebouwde Casa del Labrador, een in classicistische stijl tot een klein complex met drie vleugels uitgebouwde boerderij.

De andere paleizen die onder de Bourbons in de 18e eeuw werden gebouwd, Riofrío, een verkleinde uitgave van het Madrileense paleis, en El Pardo, waarvan de 16e-eeuwse kern in 1772 door Francisco Sabatini werd verdubbeld, leverden geen innovatieve bijdrage aan de Spaanse architectuur.

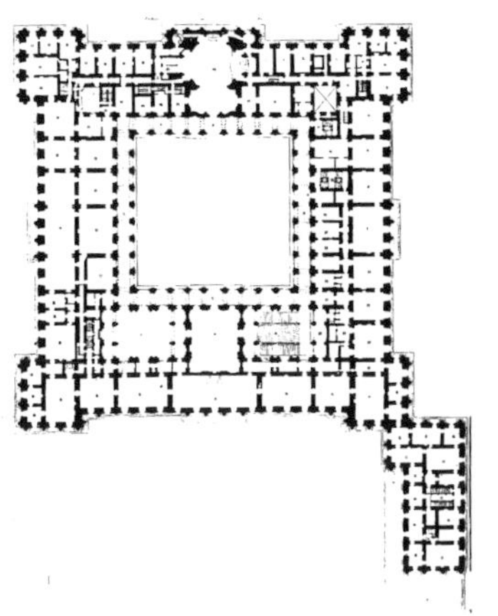

**Filippo Juvarra en**
**Giovanni Battista Sacchetti**
Madrid, Palacio Real, 1735-1764
Façade aan de zijde van het Campo del Moro (uiterst links)
Plattegrond (links)

AFBEELDING BLZ. 109 ONDER:
**Filippo Juvarra en**
**Giovanni Battista Sacchetti**
Madrid, Palacio Real, 1735-1764
Hoofdgevel aan het Plaza de las Armas

**Van de Barok tot de Verlichting**

Omstreeks het midden van de 18e eeuw werd de kritiek op de vermeende uitbundigheid van de Barok en de roep om een terugkeer naar de architectuur van de Grieken en Romeinen steeds luider. De discussie die omstreeks 1670 in Frankrijk was begonnen in de *querelle des anciens et des modernes* werd nu ook in Spanje gevoerd. Hier had ze een explosief karakter, omdat de breuk tussen de Bourbonse hofarchitectuur –die grotendeels het barokke Classicisme van Franse en Italiaanse snit volgde– en de levendige decoratieve stijl in de traditionele centra zonder meer duidelijk was.

Al in de eerste helft van de eeuw hadden Spaanse kunstenaars die in Rome of Parijs de rol van de academies hadden leren kennen en waarderen, het verlangen kenbaar gemaakt naar de stichting van een eigen kunstacademie in Madrid, temeer daar academies voor literatuur en geschiedenis al sinds 1714 resp. 1738 bestonden. In 1742 verkreeg hun instituut koninklijke goedkeuring; al in 1750, nog twee jaar voor de ondertekening van de officiële stichtingsakte door Ferdinand VI, werden de eerste stipendiaten naar Rome gestuurd. Tot de taken van de Academia de San Fernando, die natuurlijk zeer nauw verbonden was met de belangen van het hof, behoorden het wetenschappelijk onderzoek van de architectuur, de inventarisatie van kunstmonumenten en de opleiding van kunstenaars. Haar c.q. de koninklijke controle over de kunstproductie ging zo ver dat –zoals een decreet beschikte– er aan geen enkel openbaar gebouw zonder toestemming van de academie mocht worden begonnen en geen enkele bouwmeester de titel *arquitecto* of *maestro de obras* mocht voeren zonder goedkeuring vooraf. Bij deze voorwaarden is het gemakkelijk te begrijpen dat het door de academies in het algemeen gerepresenteerde Classicisme de enige bindende kunstrichting werd.

In Spanje kwam daar nog een factor bij: het aanknopen bij een strengere interpretatie van de klassieke Oudheid, zoals door Vitruvius resp. Alberti en Vignola was bepaald, verbond zich met de receptie van de architectuur van Herrera en liet zich probleemloos in een nationale context plaatsen. Het teruggrijpen op vormen van de Habsburgse paleisbouw uit de tijd van Filips II, zoals deze zich manifesteert onder de Bourbons Ferdinand VI in Aranjuez en El Pardo, bleek daardoor dubbel gelegitimeerd. Hij verenigde Spaans erfgoed met moderne, internationale architectuurtrends.

Twee architecten werden het symbool van deze sterk door de Academia de San Fernando bepaalde bouwkunst: Ventura Rodríguez (1717-1785) en Juan de Villanueva (1739-1811). Ze staan op het keerpunt tussen twee perioden, het absolutisme van de Barok en het begin van de Verlichting. Het werk van Ventura Rodríguez, die onder meer door Juvarra en Sacchetti werd opgeleid, begeleidt de overgang van de barokke architectuur van academische snit naar de classicistische bouwwijze van de latere 18e eeuw. Tot aan de dood van Ferdinand VI genoot hij een groot aanzien als hofarchitect en fungeerde daarna als –een bij tijd en wijle omstreden– hoogleraar aan de academie. Van zijn talrijke ontwerpen die hij voor het hof, de academie of particuliere opdrachtgevers vervaardigde, werden er ongeveer 50 uitgevoerd. Terwijl zijn vroege

AFBEELDING BLZ. 110:
**Francisco de Herrera de Jonge en Ventura Rodríguez**
Zaragoza, Nuestra Señora del Pilar
1677-1753

**Francisco de las Cabezas, Francisco Sabatini**
Madrid, San Francisco el Grande
1761-1785

werken nog helemaal onder invloed staan van de Italiaanse Barok van Bernini tot Guarino Guarini, wordt tegen het einde van de jaren '50 de invloed van François Blondels *Architecture Françoise* zichtbaar, die hem naar een academisch classicisme leidde. De ontdekking van de Grieks-Romeinse Oudheid bracht Rodríguez er echter ook toe om het werk van Juan de Herrera te bestuderen en zich zodoende te wijden aan het eigen architectonische erfgoed.

Zijn eerste grote, nog helemaal in de geest van de Barok gebouwde werk is de parochiekerk van S. Marcos in Madrid (1749-1753), een gebouw dat in z'n uiterlijk, met zijn concave welvingen, teruggaat op de conceptie van de S. Andrea al Quirinale en daardoor een stedenbouwkundig ongunstige situatie handig weet te verbergen. De indeling van het interieur met vijf elkaar overlappende ellipsen gaat uiteindelijk terug op Guarini's Divina Providência in Lissabon. Rodríguez betoont zich daarmee een van de weinige Spaanse architecten die afwijkt van de rigide structuren van rechthoekige plattegronden.

In 1750 nam hij met de verbouwing van de door Francisco Herrera begonnen bedevaartskerk El Pilar in Zaragoza (afb. blz. 110) een moeilijke taak op zich, aangezien de sacrosancte pijler, waar de Maagd Maria aan de apostel Jacobus was verschenen, niet mocht worden veranderd, maar er tegelijk een oplossing moest worden gevonden die voldeed aan de behoeften van de talrijke pelgrims. Rodríguez wijzigde de ruimte die de gewijde plaats direct omringde aan de westkant van het middenschip en ontwierp een overkoepelde ellips met vier in de assen gelegen concha's die aan drie kanten door Corinthische zuilen zijn geopend, terwijl de vierde –westelijke– als altaarwand gesloten blijft. Het genadebeeld staat niet in het centrum, maar is vanuit de hoofdas verschoven in de rechterexedra. Als contrast met deze nog zeer barokke ruimtelijke conceptie is zijn ontwerp voor de kerk van het convent van de augustijner missionarissen van de Filippijnen in Valladolid (1760) helder en functioneel geconcipieerd en klassiek gestructureerd. Bovendien knoopt het aan bij Herrera's ornamentloze architectuur. Invloeden van de St.-Pieter, zij het in academisch gezuiverde vormen, worden duidelijk zichtbaar in de pas na verschillende geschillen uitgevoerde bouw van de S. Francisco el Grande in Madrid (afb. rechtsboven). Meer invloed had echter de in 1783 uitgevoerde gevel van de kathedraal van Pamplona, waarvan de monumentaliteit en het pathos vooruitwijzen naar de Romantiek van de 19e eeuw.

Juan de Villanueva werd echter zonder twijfel de sleutelfiguur in de verspreiding van neoclassicistische tendensen in de Spaanse architectuur. Als hofarchitect van Karel III en Karel IV was hij verantwoordelijk voor de uitbreiding van de *sitios reales* El Escorial, El Pardo, Buen Retiro en de koninklijke schenkingen van het Museo del Prado en het observatorium; als *arquitecto mayor* van Madrid ontwierp hij talloze gemeentelijke bouwwerken in de Spaanse hoofdstad. Door zijn meerjarig verblijf in Rome en zijn invloed op de leer van de Academia de San Fernando speelde hij een bemiddelende rol ten aanzien van de artistieke theorieën in het tijdperk van de Verlichting in Spanje. Villanueva's eerste werkelijk grote opdracht was de bouw van twee casino's, in de tuin geïntegreerde landhuizen in klassieke stijl, voor de troonopvolger D. Carlos en diens broer D. Gabriel. Met zijn benoeming tot *arquitecto maestro mayor de Madrid* begint in 1786 zijn 25 jaar durende carrière als architect van de Spaanse hoofdstad, die in deze jaren een nieuw gezicht kreeg. In opdracht van het koningshuis bouwde hij eerst de zuilengalerij van de Casas de Ayuntamiento en reconstrueerde hij het door brand verwoeste Plaza Mayor. In architectuurhistorisch opzicht is echter vooral de bouw van het Museo del Prado en van het observatorium van groot belang; het zijn beide koninklijke schenkingen in het teken van de aanbrekende Verlichting, en hoofdwerken van het Neoclassicisme in Spanje.

Het Prado (afb. blz. 112) was aanvankelijk niet als schilderijengalerij bedoeld. Nadat eerdere ontwerpen van Ventura Rodríguez waren verworpen, maakte Villanueva meerdere plannen voor een natuurwetenschappelijk museum en de Academie van Wetenschappen die in een parkachtig landschap in de buurt van Buen Retiro moesten worden geïntegreerd. Een van de eerste schetsen voorzag in een centrale rotonde die via portieken en *paseos* met twee exedra's was verbonden. Parallel daaraan lag in een tweede as een ruim auditorium dat via een narthex met de rotonde communiceerde en op zijn beurt via een serie aaneengeschakelde vertrekken leidde naar twee hoekrisalieten. Het later uitgevoerde, pas in 1819 na vernielingen door de Franse invasiemacht definitief voltooide gebouw behield in grote lijnen z'n indeling, maar is beperkt tot een dwarsas. Daarbij werden de *paseos* opnieuw geïnterpreteerd als Ionische zuilengalerijen, die voor de bovenverdieping zijn

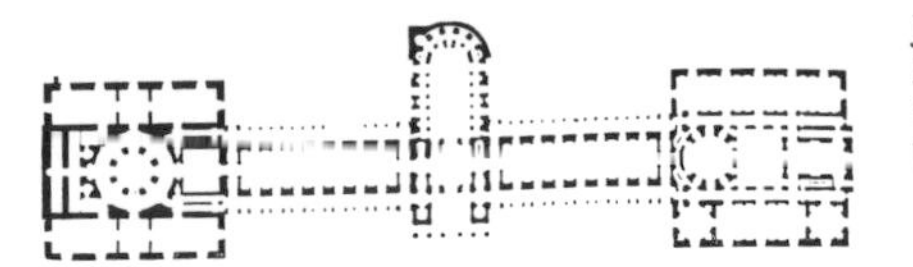

**Juan de Villanueva**
Madrid, Museo del Prado
1785-1819
Plattegrond en hoofdgevel

**Juan de Villanueva**
Madrid
Astronomisch observatorium
1790-1808

geplaatst, terwijl het souterrain met arcaden en rechthoekige nissen werd gestructureerd. De hoekpaviljoens werden vergroot en met rotonden verfraaid. De ver naar voren uitstekende Dorische porticus vormt de entree tot een loodrecht op de gevel gesitueerde, halfrond gesloten ruimte, het centrum van het gehele complex. De tentoonstellingszalen zijn volledig in de stijl van de Romeinse architectuur met halve tongewelven met cassetteplafonds en koepels overdekt. Hoewel ze zijn geïnspireerd op het voorbeeld van het Vaticaanse Museo Pio Clementino en verschillende academieprojecten, staat 'het Prado' als openbaar museum model voor bouwprojecten in latere perioden.

Het nabij gelegen Observatorio Astronómico is Villanueva's laatste grote werk. Begonnen in 1790 en omstreeks 1808 grotendeels voltooid, is het boven een kruisvormige plattegrond geconstrueerde gebouw ondanks talrijke ingrepen een belangrijk bewijs voor het binnendringen van neohellenistische vormen in de Spaanse architectuur. Functionaliteit en geometrische strengheid bepalen de opstand; als contrast tussen de Corinthische porticus en de ronde tempel die de centrale salon bepaalt, worden tegenstellingen gezocht en schilderkunstige kwaliteiten geënsceneerd, factoren die vooruitlopen op de romantische stromingen van de 19e eeuw. Desondanks is de bouw uiterst doelmatig. De *Tholos* herbergt het astronomische waarnemingsstation met z'n toestellen.

Villanueva's werkwijze en zijn talrijke kwalitatief hoogstaande bouwwerken en ontwerpen manifesteren de definitieve afwending van barokke vormgevingsprincipes binnen de Spaanse architectuur. De eis tot rationaliteit en het bewust aanknopen bij klassieke tradities leiden tot de definitieve doorbraak van neoclassicistische tendensen, die zich vermengen met de herbezinning op het eigen erfgoed. Villanueva toont zich aldus een wegbereider van de Verlichting en tevens een voorloper van historische opvattingen over architectuur.

## PORTUGAL

Het begrip 'Barok' wordt in Portugal doorgaans in verband gebracht met het tijdvak van de restauratie en de regeerperiode van João V, de tijdsspanne tussen 1640 en 1750. Bouwactiviteiten van enige importantie begonnen echter pas in het laatste kwart van de 17e eeuw. Met de ontdekking van de goud- en diamantmijnen in het Braziliaanse Minas Gerais beleefde het land een bijna onwaarschijnlijke opbloei. Het werd vrij plotseling de rijkste macht ter wereld. Het Portugese hof probeerde het voorbeeld van Lodewijk XIV na te volgen, alleen met dit verschil dat het de ontbrekende traditie probeerde te vervangen door glans en privileges die te koop waren. Daarbij verzuimde João V (1706-1750) om de infrastructuur van het land te ontwikkelen; hij vergooide geld en goud aan talrijke, meestal onvoltooid gebleven bouwprojecten, bezeten als hij was door de waan om aan de Taag een tweede Vaticaan te bouwen – een spannend hoofdstuk voor de kunstgeschiedenis. Bij zijn dood in 1750 zou er echter naar verluidt niet eens meer geld voor een passende begrafenis in de staatskas hebben gezeten. Een tweede noodlottige slag trof het land in 1755 met de grote aardbeving, die grote delen van Lissabon met zijn historisch centrum met de grond gelijk maakte. Dit was echter de kans voor een radicaal nieuw begin. Onder leiding van minister Pombal met zijn moderne staatstheorie speelde Portugal een voortrekkersrol ten aanzien van de Verlichting.

Een geschiedenis van de barokke architectuur moet evenwel al voor de 18e eeuw beginnen. In wezen had Portugal, dat immers al onder Manuel de Gelukkige een bloeiperiode had gekend en nauwe contacten met Italië onderhield, zich eerder dan Spanje opengesteld voor classicistische tendensen, waarmee het de fundamenten voor de latere ontwikkeling had gelegd. Vanaf 1530 is een verandering zichtbaar die leidt tot een heldere structurering van de ruimte, een geblokt uiterlijk en een

**Baltasar Álvares**
Porto, Nossa Senhora dos Grilos
Voorgevel, 1622

uiterst 'zuinige' klassieke indeling van gebouwen. Sinds George Kubler heeft voor deze stijl, die als radicale verwerping van het decoratieve schema van de manuelistische kunst moet worden begrepen, de benaming *Arquitectura chã (plain architecture*, eenvoudige architectuur) ingang gevonden. In vergelijking met de Spaanse *Estilo desornamentado* is deze stijl sterker gebonden aan de eigen Portugese traditie, bijvoorbeeld in de voorliefde voor zaalkerken, en beperkt hij zich tot kleinere, niet-monumentale gebouwen. De esthetiek van de reductie wortelt enerzijds in de militaire architectuur, die al lang een statussymbool was geworden voor de koloniale macht, maar kreeg anderzijds extra betekenis door de ascetische grondhouding van João III (1500-1557). Hoe radicaal de ommekeer naar het Classicisme werd geënsceneerd, demonstreert de bouw van de koorkapel van het hiëronymietenklooster van Belém. Tegenover het overvloedig gedecoreerde manuelistische schip is als een heel bewust contrast de puristische *Capela-Mor* geplaatst (Diogo de Torralva, Jerónimo de Ruão, in 1572 voltooid).

Toen Filips II in 1580 de Portugese kroon overnam, had zich in het westen van het Iberisch schiereiland al een kwalitatief hoogstaande bouwkunst ontwikkeld die een eigen bijdrage leverde aan de architectuur van het Maniërisme. De bouw van een nieuwe, karakteristieke toren binnen de aan de Taag liggende paleiscomplexen van koning Manuel is daarom meer dan alleen maar een modernisering. Hij moet worden geïnterpreteerd als het in bezit nemen van de Paço de Ribeira, het paleis dat op emblematische wijze de toegang tot de stad vormt.

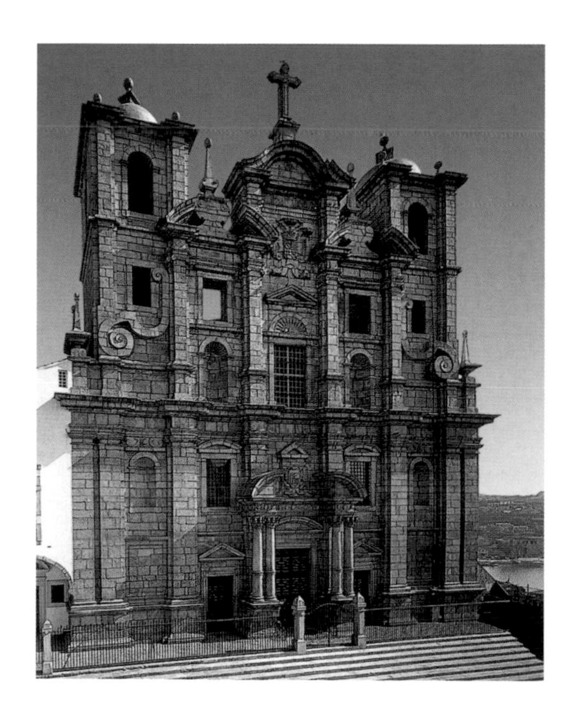

Filippo Terzi, een leerling van Herrera, refereerde daarbij bewust aan de militaire architectuur van het land, maar verbond haar wel met een aan het Escorial verwante gevelindeling. Een soortgelijk respectvol compromis jegens Portugese bouwwerken en de symbolische inbezitneming ervan is de bouw van de S. Vicente de Fora, die –op basis van oude ideeën van Terzi en nieuwere studies van Baltasar Álvares– naar specificaties van Juan de Herrera werd uitgevoerd. Het uit één schip bestaande gebouw met onderling verbonden zijkapellen herinnert aan Vignola's Il Gesù; de gevel met narthex en de twee van verre zichtbare torens past dit Portugese motief toe en wordt opnieuw zelf voorbeeld van bijna alle barokke sacrale bouwwerken.

Het kennismakingsbezoek van Filips III in 1619 aan Lissabon, de 'Joyeuse Entrée', had grote gevolgen voor de architectuur van de 17e eeuw. Naar aanleiding daarvan werden –naar voorbeeld van de monumenten ter begroeting van de aartshertogen Albrecht en Isabella in 1599 in Vlaanderen– talrijke tijdelijke triomfbogen opgericht. Gesteund door de in heel Europa circulerende traktaatliteratuur van Vredeman de Vries en Wendel Dietterlin, had het bezoek van de Spaanse koning een langdurige belangstelling voor de Vlaamse Barok tot gevolg. Voorbeeld daarvan is de in 1622 begonnen gevel van de Nossa Senhora dos Grilos in Porto (afb. links), een ander werk van Baltasar Álvares waarin de Midden-Europese invloed onmiskenbaar is.

Een nieuw hoofdstuk –het feitelijk barokke– begint met de restauratie van de Portugese kroon in 1640. Eerst was het de adel die de herwonnen macht duidelijk zichtbaar tentoonspreidde. Het Palácio Fronteira in Benfica bij Lissabon (begonnen na 1667) staat in architectonisch opzicht nog onder invloed van maniëristische voorbeelden; de perfecte samenhang tussen paleis en tuinen (afb. blz. 114), de vorstelijke enscenering van het trappenhuis en het autoritaire, complex-kosmologische iconografische programma van de zalen komen geheel overeen met het barokke denken over representatie. Zo liet de heer des huizes, Dom João de Mascarenhas, zich in de zgn. 'veldslagenzaal' hoog te paard in een levensgroot stucrelief afbeelden. Uniek is het programma van de 'tegelschilderijen', de wit-blauwe *azulejos*. Zelfs de muren van de 'tuinvijver' tonen ruiterportretten van de voorouders van de Marquês. Een ontwerp van de Italiaanse theatijner architect Guarino Guarini (1624-1683) plaatst de wetenschap tot op heden voor raadsels: een schetsboek bevat plattegrond en opstand van de kerk van de Divina Providência in Lissabon, een gebouw dat niet zo werd uitgevoerd, maar vanwege zijn op ellipsen gebaseerde grondplan een geval apart vormt in de Portugese bouwkunst van de 17e eeuw. Via Guarini's ontwerpen, die veelvuldig werden gepubliceerd, strekte de invloed van Borromini's werk zich uit tot het Iberisch schiereiland, en zelfs tot Latijns-Amerika. Onduidelijk is of de architect zelf ooit in Lissabon verbleef; aangetoond is wel dat hij omstreeks 1657/1659 naar Spanje reisde, waar hij Moorse koepelconstructies bestudeerde. Reflecties daarvan zijn in zijn Turijnse gebouwen te bespeuren.

In 1682 begon de monumentale nieuwbouw van de door een noodweer verwoeste kerk Sta. Engracia. De met een koepel bekroonde cen-

Benfica bij Lissabon
Palácio Fronteira, na 1667-1679
Tuincomplex met de 'Casa do Tanque'

Johann Friedrich Ludwig
Kloosterresidentie Mafra, begonnen in 1717
Plattegrond en zicht op de
narthex van de kerk

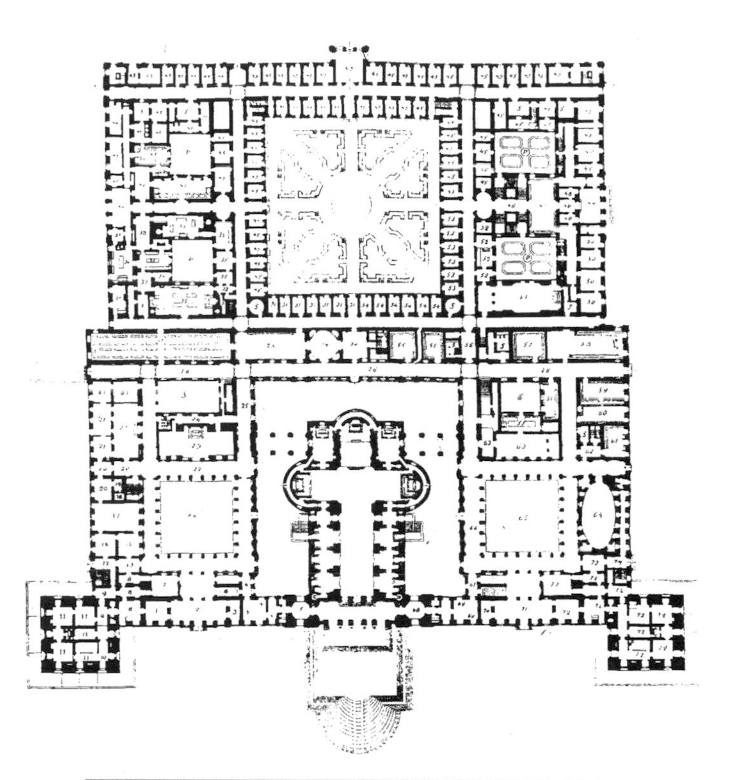

traalbouw, een werk van João Antunes (ca. 1645-1712) gaat terug op Bramantes ontwerp van 1506. Hoewel de bouw pas kortgeleden (!) kon worden afgerond, luidde dit een heroriëntatie van het Portugese hof in. Nu werd Rome het voorbeeld waaraan alle artistieke prestaties, vooral die in de architectuur, werden afgemeten.

Onder João V kreeg de imitatie van de Eeuwige Stad potsierlijke trekken. In de loop van zijn regeerperiode, van 1707 tot 1750, ontwikkelde hij het idee dat hij een tweede Rome c.q. een tweede Vaticaan kon stichten aan de oevers van de Taag. Zijn gezanten dienden hem te voorzien van modellen en plattegronden van alle Romeinse monumenten en ook van protocollen van het pauselijk ceremonieel; hierdoor alleen al werden enorme sommen geld verslonden. João's bouwprojecten, die bijna allemaal onvoltooid bleven, ruïneerden het land volledig. Een pregnant voorbeeld van zijn ambities is de kloosterresidentie Mafra, een complex dat groter is dan het Escorial en qua vorm een synthese is van de St.-Pieter, de S. Ignazio en Bernini's Palazzo Montecitorio. Leider van het in 1717 begonnen, aan de buitenzijde pas in de jaren '40 van de 18e eeuw gereedgekomen, maar nooit bewoonde complex was de Zuid-Duitser Johann Friedrich Ludwig (1670-1752), feitelijk een tweederangs architect die werkte volgens de voorbeelden uit Rome.

Ongeveer in dezelfde tijd werden de plannen gemaakt voor het Patriarcal, de residentie en kerk van de patriarch, waarvoor Filippo Juvarra speciaal naar Lissabon werd gehaald. Maar ook dit project werd slechts in een zeer gereduceerde, gewijzigde vorm uitgevoerd; Juvarra zelf had Portugal na een verblijf van meerdere maanden verlaten – tegen alle afspraken in. Wel voltooid werd de koninklijke bibliotheek in Coimbra in 1728, een werk van Ludwig, die zich daarvoor de hofbibliotheek in Wenen ten voorbeeld had gesteld. Typologisch interessant is de in 1711 begonnen votiefkerk Menino de Deus, een onregelmatige achthoek. Het interieur van deze kerk is in samenspel met alle kunsten op kostbare wijze gedecoreerd. De spectaculairste onderneming is het transport van een hele kapel van Rome naar Lissabon, enkel en alleen om te garanderen dat João V op deze manier een door de paus gewijd bouwwerk kreeg. De kapel, door Luigi Vanvitelli in 1742 ontworpen en door Nicola Salvi uitgevoerd, werd inderdaad in Rome, in de S. Antonio dei Portoghesi, opgebouwd, door Benedictus XIV ingezegend, uit elkaar gehaald, verscheept en in 1747 in Lissabon, in de S. Roque, geïnstalleerd (afb. blz. 118). Het aan de naamspatroon van de koning, S. João Baptista, gewijde gebouw is zeer rijk versierd met porfier, de zeldzaamste marmersoorten en kostbare halfedelstenen. De architectonische vormgeving laat al de eerste invloeden zien van neoclassicistische tendensen.

Naast deze monumenten, die hij vooral ter meerdere eer en glorie van zichzelf had laten bouwen, kan aan João V echter ook een aantal voorzieningen worden toegeschreven die aan de gemeenschap ten goede kwamen. Zo schonk hij Lissabon het in 1729-1748 gebouwde aquaduct van Aguas Livres, dat de stad –naast de talrijke, eveneens nieuw gebouwde fonteinen– van water voorzag. Dit is een van de grote civieltechnische prestaties uit zijn tijd.

AFBEELDING BLZ. 117:
Braga, Bom Jesus do Monte, 1784-1811
Kruisweg en kerkgevel

AFBEELDING UITERST LINKS:
**Nicola Nasoni, André Soares of José de Figueiredo Seixas (?)**
Lamego, Santuário de Nossa Senhora dos Remédios, kerk, 1750-1761, en trapconstructie, vanaf 1777

**Nicola Nasoni**
Porto, Torre dos Clérigos, 1757-1763

In het noorden van Portugal, buiten het hof, ontwikkelde zich vanaf 1725 een eigen architectonische school. Nicola Nasoni (1691-1773), een schilder uit Sienna, die pas in Porto zijn eigenlijke bestemming zou vinden, wordt beschouwd als de stichter ervan. Zijn hoofdwerk is de kerk Dos Clérigos (begonnen in 1732); aan de westzijde is een elliptisch bouwwerk met een dubbele trapconstructie geplaatst en aan de oostzijde wordt het gebouw benadrukt door de tegen de hospitaalvleugel gebouwde, karakteristieke klokkentoren (afb. rechtsboven). Afgezien van deze typologisch ongewone oplossing spreekt ook de geveldecoratie een volledig andere taal dan de pathetische hofkunst van João V. Vazen, banden en voluten sieren samen met beelden, pauselijke insignes en architectonische decorstukken de twee verdiepingen hoge, door ramen doorbroken voorgevel. Zo ontstaat een picturaal ensemble dat aan feest- of theaterdecoraties doet denken. Nasoni's stijl, die kenmerken van het Italiaanse Rococo draagt, vond zo'n grote weerklank dat hij in de volgende decennia talrijke opdrachten ontving, bijvoorbeeld voor de façade van de Bom Jesus van Matosinhos (1748 voltooid) of het Pálacio do Freixo, een van de vele laat-barokke landgoederen in het noorden van het land en in het dal van de Douro.

Een tweede centrum van laat-barokke architectuur ontstond in Braga. Een essentieel aandeel daaraan werd geleverd door aartsbisschop D. Rodrigo de Moura Teles (1704-1728), die niet alleen zijn paleis uitbreidde, fonteinen aanlegde en het centrum van nieuwe pleinen voorzag, maar de stad vooral omringde met een krans van kloosters en conventen. In opdracht van de gemeente kwam in 1754 de Câmara Municipal (André Soares) tot stand, waarvan de gevel met rococo-elementen en in- en uitzwenkende portaal- en vensterbekroningen levendig is geaccentueerd.

Soares (1720-1769), lid van de broederschap van de H. Thomas van Aquino, bouwde verder onder meer de bedevaartskerk van Falperra (1753-1755), het benedictijner convent Tibães (1757-1760) en de Casa do Raio in Braga (1754-1755), waarin het laat-barokke ornament domineert over de architectonische structuur.

Het spannendste monument uit deze tijd is het Santuário do Bom Jesus do Monte (afb. blz. 117). Gelegen op een heuvel voor Braga werd het sinds 1494 bestaande heiligdom onder D. Rodrigo de Moura Teles omgevormd tot een *Sacro Monte*. Een unieke getuigenis van de relatie tussen christelijke motieven enerzijds en heidense en klassiek aandoende motieven anderzijds is de kruisweg, die via de 14 nog resterende staties naar de (pas in de 19e eeuw voltooide) kerk leidt. In de zes bovenste, door trappen verbonden niveaus zijn scènes met de passie van Christus –in vierkante kapellen– geplaatst tegenover fonteinen met Romeinse godheden. Daaronder begint een tweede gedeelte, waarvan het 'meubilair', eveneens bestaande fonteinen en beelden, allegorieën van de vijf zinnen verbindt met scènes uit het Oude Testament. De weg van de ziel naar God, door middel van de heilsleer en de zinnen, de verlossende werking van het water – dit zijn zo'n beetje de kerngedachten van het iconografische programma, waarvan de diepere betekenis tot op heden niet kon worden achterhaald. De Bom Jesus do Monte vond veel weerklank in Brazilië – niet in zijn complexiteit als geheel, maar wel in zijn

**Luigi Vanvitelli en Nicola Salvi**
Lissabon, São Roque
Kapel van de H. Johannes de Doper
1742-1751

anagogische trapconstructie, in het Santuário van Congonhas do Campo, dat een overeenkomstige dispositie van de kruiswegstaties, van het reële en ideële opgaan van de aardse naar de paradijselijke sfeer laat zien. Aleijadinho, de legendarische –gekleurde– architect en beeldhouwer uit Minas Gerais, vertaalde het Portugese model naar een volkse beeldtaal. Hoe hij tot zijn kennis van het voorbeeld kwam, is tot op heden onduidelijk.

Terwijl er in de noordelijke regio's van Portugal relatief constante sociale en economische verhoudingen bestonden, die op hun beurt een continue ontwikkeling van de architectuur tot gevolg hadden, onderging de residentie Lissabon met de dood van João V en de aardbeving in 1755 twee rampspoeden die leidden tot een abrupte ommekeer in de

bouwpolitiek. Toen op 1 november van dat jaar tweederde van de stad in puin en as werd gelegd, waarbij meer dan 10.000 doden waren te betreuren, betekende dat niet alleen het einde van een tijdperk, maar ook een fundamentele kentering in de geschiedenis van de koloniale macht. De gevolgen kunnen hier slechts kort worden geschetst; ze hebben direct betrekking op de periode van de Verlichting en kunnen niet meer onderwerp zijn van deze bijdrage over barokke architectuur. Desondanks zijn ze echter te zeer verstrengeld met de voorafgaande periode om ze helemaal ongenoemd te laten.

De lege staatskas, de haat tegen de bigotterie en ongelooflijke spilzucht van de overleden koning en de bijna volledige verwoesting van het oude centrum van Lissabon schiepen de ideale voorwaarden voor een volkomen nieuw begin, voor de verwezenlijking van radicale, deels utopische politiek-maatschappelijke ideeën. Met de opkomst van de staatsminister Sebastião de Carvalho, de latere Marquês de Pombal, begon –onder andere in stedenbouwkundig opzicht– een geheel nieuw tijdperk. Bezeten door het idee om een ideale stad te bouwen op de puinhopen van de verwoeste *Baixa*, de benedenstad, trok Pombal drie legerarchitecten aan: Manuel de Maia (1680-1768), Carlos Mardel (overl. 1763) en Eugenio dos Santos (1711-1760), die na uitgebreide bespreking van andere oplossingen een volledige nieuwe aanleg van het verwoeste stadscentrum voorstelden. Het voorstel berustte op een systeem van elkaar loodrecht snijdende straten die zouden moeten worden geflankeerd door twee representatieve pleinen, de Terreiro do Paço op de plek van het voormalig koninklijk paleis en de Rossio aan de bovenzijde van de oude stad. De bebouwing van deze rasterstad diende zonder uitzondering uniform, functioneel en gestandaardiseerd te zijn, eisen die vooruitlopen op de stadsplanning in de 19e eeuw.

Naast deze progressieve ideeën, die in de daaropvolgende jaren ook echt werden gerealiseerd, bleven er echter ook conservatieve kenmerken bestaan. Zo werd de nog tijdens het leven van João V begonnen, voor de infant bestemde zomerresidentie van Queluz onder José I uitgebreid; ze is een juweel van de rococo-architectuur in Portugal (afb. blz. 119). Mateus Vicente was de architect van het om een grote erehof gelegen complex met drie vleugels; de vertrekken zijn naar Frans voorbeeld rijk versierd met rocailles, gobelins en schilderijen. Ook de tuinen, die vanaf 1758 door Jean Baptiste Robillion naar ontwerpen van Le Nôtre werden aangelegd, verraden de verfijnde smaak van het *Ancien Régime*. Hoogtepunt is de op een hellend terrein op fundamenten gebouwde 'Jardim Pênsil', de hangende tuin met z'n paviljoens en fonteinen die nog één keer al het allegorische 'personeel' van het baroktijdperk samenbrengen. Een ander voorbeeld moge de ambivalentie van deze periode illustreren. In 1779 begint de bouw van de Real Basílica e Mosteiro do Santíssimo Coração de Jesus no Casal de Estrela, een door prinses D. Maria als dank voor de geboorte van een zoon gestichte votiefkerk. De aanleg boven een Latijns kruis, met koepel en voorgevel met twee torens, is een van laat-barok decor voorziene uitgave van de kerk van Mafra en voldoet nog helemaal aan de statige barok van de architectuur onder João.

**Mateus Vicente en**
**Jean Baptiste Robillion**
Queluz bij Lissabon, koninklijk paleis
Uitbreiding vanaf 1747
Zgn. 'Fachada de Cerimónia' (boven)
en gezicht op de Don Quichote-vleugel (onder)

# Architectuur van de Barok in Ibero-Amerika

Barbara Borngässer

Het is niet mogelijk om gezien de beperkte ruimte een uitgebreid overzicht te geven van de bouwkunst van het tijdperk van de Barok in Midden- en Zuid-Amerika. Desondanks zal gepoogd worden een inleiding te geven over een thema dat juist in de laatste tijd herwaardering krijgt, aangezien de kunsthistorici in Zuid-Amerika een begin hebben gemaakt met de ontwikkeling van een genuanceerd beeld van de kunst van de voormalige Spaanse en Portugese koloniën.

In een subcontinent dat zich over een lengte van ongeveer 7600 km en een breedte van 5000 km uitstrekt, waarvan de regio's de meest uiteenlopende geografische en etnische structuren in zich verenigen, en de bestuursregio's te maken hebben met totaal verschillende historische omstandigheden, is het toch al gedurfd om naar een verbindende stijl, bijvoorbeeld de zgn. 'koloniale architectuur' te zoeken, ook al lijkt dit uit Europees oogpunt maar al te verleidelijk. Zonder twijfel komen de gemeenschappelijke wortels in de bouwkunst van de 16e eeuw, in de receptie van de traktaten van Serlio en Vignola, in het teruggrijpen op overgeleverde architectuurvormen van de ordes sterker naar voren dan de neerslag van 'inheemse' cultuur. In afzonderlijke gevallen bestaan er echter vaak slechts oppervlakkige overeenkomsten met de bouwkunst van het Spaanse of Portugese moederland.

De bouwmeesters in de Nieuwe Wereld waren inventief. Constructietechnieken moesten worden aangepast aan de geografische omstandigheden; zo werden gewelven vanwege het ontbreken van steen in hout nagebootst en het resultaat was bedrieglijk echt. Klimatologische omstandigheden, zoals temperatuurschommelingen, regen en extreme droogte, vergden nieuwe ruimtelijke concepties, het gevaar voor aardbevingen weer andere statische berekeningen. Vaak stuurde men daarom ingenieurs naar de Nieuwe Wereld, die in hun bagage tientallen modelboeken met zich meenamen. Op basis daarvan bouwden zij of hun inheemse helpers kerken, kloosters en gemeentelijke bouwwerken. Deze vormen op hun beurt een soort prototype voor andere gebouwen, waarin echter ook regionale varianten werden toegepast. Deze wisselwerking tussen de vaststaande Europese factoren en eigen regionale kenmerken is nog lang niet voldoende onderzocht. Een nieuw onderzoeksgebied is bijvoorbeeld de autochtone nederzettingen en wooncultuur.

Santo Cristóbal de las Casas, Mexico
Santo Domingo, voorgevel, ca. 1700

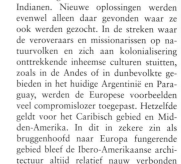

San Salvador de Bahia, Brazilië, Pelourinho met Igreja de Nossa Senhora do Rosário dos Pretos, 2e helft 18e eeuw

De correlatie tussen koloniale stedelijke en zich spontaan ontwikkelende nederzettingen, de relaties met de vestingbouw en de *reducciones*, de missieposten van de jezuïeten, zijn het voorwerp van recent onderzoek, dat het aandeel van de eigen, regionale componenten ten opzichte van een nog altijd eurocentrisch architectuuronderzoek moet verhelderen. In het algemeen bleek de Nieuwe Wereld een ideaal werkterrein voor urbanistische experimenten. Aangezien de stedelijke structuren nog niet duidelijk waren ontwikkeld, bood het de koloniale heren de gelegenheid stedenbouwkundig-sociale utopieën om te zetten die in de Oude Wereld niet met deze consequentie waren gerealiseerd.

Uit de ontmoeting van verschillende culturen ontstond –althans wat de representatie betrof– slechts in een enkel geval iets nieuws; de heersende cultuur was te dominant. Soms werden, zoals in het geval van de Mexicaanse *atriums* (voorhoven van kerken voor het onderricht van de 'heidenen'), traditionele typen –in dit geval uit de tijd van het vroege christendom– weer tot leven gewekt en aan de actuele behoeften aangepast. Even verbluffend als doelmatig zijn de 'open kapellen', een pragmatische concessie aan de natuurgebonden levensvorm van de Indianen. Nieuwe oplossingen werden evenwel alleen daar gevonden waar ze ook werden gezocht. In de streken waar de veroveraars en missionarissen op natuurvolken en zich aan kolonialisering onttrekkende inheemse culturen stuitten, zoals in de Andes of in dunbevolkte gebieden in het huidige Argentinië en Paraguay, werden de Europese voorbeelden veel compromislozer toegepast. Hetzelfde geldt voor het Caribisch gebied en Midden-Amerika. In dit in zekere zin als bruggenhoofd naar Europa fungerende gebied bleef de Ibero-Amerikaanse architectuur altijd relatief nauw verbonden met de Andalusische bouwkunst.

Sterker nog dan in het moederland wilde de katholieke Kerk –de eigenlijke motor van de veroveringen– de ongelovigen imponeren en overtuigen. De architectuur en haar min of meer nadrukkelijke retoriek boden daarvoor het beste gereedschap. Nadat een eerste fase van de kolonialisering, de inbezitname en het strategisch veiligstellen van de bezittingen, en een eerste missiegolf met de vestiging van de orden was afgesloten, diende in de 17e en 18e eeuw de macht te worden geconsolideerd.

De monumentale nieuwe kathedralen, parochie- en ordekerken en de nieuw gestichte bedevaartsoorden werden de van verre zichtbare tekenen dat het koloniale systeem 'functioneerde'. Deze bouwopdrachten drongen de profane architectuur bijna volledig naar de achtergrond. Al naar gelang het ritme van de economische welvaart, vaak beïnvloed door natuurrampen, tooiden de bisdommen en bestuurlijke centra zoals La Antigua (Guatemala), La Habana (Cuba), México, Puebla,

Havana (La Habana), Cuba
Kathedraal, begonnen in 1742

Oaxaca (Mexico), Quito (Ecuador), Cuzco, Lima (Peru), La Paz (Bolivia) –om alleen de belangrijkste te noemen– zich met kostbare sacrale bouwwerken.

De Mexicaanse en ook de Andes-kerken ontwikkelden een eigen karakter, dat vaak, verwarrend genoeg, als identiek werd beschouwd met 'typisch Latijns-Amerikaans', maar uiteindelijk toch een variant is van Spaanse voorbeelden. De voorgevel, met name het middendeel, ontwikkelde zich tot een weelderig gedecoreerde 'pronkmuur', die zich van de sterker plastisch uitgewerkte Midden-Amerikaanse exemplaren onderscheidde. In z'n opbouw lijkt hij, zoals zo vaak in het moederland, op een retabel of een tijdelijke triomfboog; zijn architectonische vocabulaire is afkomstig uit maniëristische traktaatboeken. Tegen dit 'geraamte' ontwikkelt zich een rijk repertoire aan figuren en ornamenten, dat nu echter ook Indiaanse motieven, planten en dieren omvat en de inheemse bevolking duidelijk moest imponeren en beleren. In hoeverre de bevolking direct of indirect invloed had op de vormgeving van dit soort werken, in hoeverre dat als een innovatieve bijdrage aan de kunst van Ibero-Amerika kan worden gezien, blijft een open vraag. Er bestaat ook nog altijd onduidelijkheid over bepaalde esthetische parallellen met de decoratie van het interieur van Andalusische kerken, vooral ten aanzien van het werk van Francisco de Hurtado Izquierdo (vgl. blz. 97-100), die evenwel een zuiver abstracte ornamentiek prefereerde.

De Portugese kolonialisatie beperkte zich uitsluitend tot de kuststreek, waar de eerste nederzettingen ontstonden rond de vestingen van de veroveraars. Belangrijkste stad en regeringszetel was tot 1763 São Salvador de Bahia, een stad die "meer kerken had dan dagen in het jaar". De meeste leunden sterk op Portugese voorbeelden, bijvoorbeeld de zaalkerken van Lissabon of Coimbra, met hun typische gevels met twee torens, of op de traktaten van Serlio. Alleen de S. Francisca da Ordem Terceira toont een gevelversiering die vergelijkbaar is met de esthetiek van de Andesstaten.

AFBEELDING RECHTSBOVEN:
**Aleijadinho e.a.**
Congonhas do Campo
Santuário do Bom Jesus de Matosinhos, Brazilië, 1757 tot begin 19e eeuw

AFBEELDING RECHTSONDER:
Rio de Janeiro, Brazilië
Mosteiro de São Bento
Interieur van de kerk, begonnen in 1617
Wijziging plattegrond en inrichting vanaf 1668

In de late 18e eeuw daarentegen ontwikkelde Brazilië in de door goud- en diamantvondsten rijk geworden streek rond Minas Gerais een geheel eigen variant op de late Barok. Welvende plattegronden, gecentraliseerde interieurs, convex-concave gevels waarachter de torens terugwijken en een uitgesproken plastische uitwerking van het bouwlichaam kennen in Ibero-Amerika geen voorbeelden die erop lijken. De architect ervan, Aleijadinho, een van de weinigen van het continent van wie biografische gegevens bekend zijn, mulat en gehandicapt (Aleijado = kreupele), bovendien grotendeels autodidact, stelt de wetenschap tot op heden voor raadsels; de begaafde bouwmeester werd identificatiefiguur van de Braziliaanse geschiedschrijving. Parallellen met de Zuid-Duitse en Boheemse architectuur van de Dietzenhofers hebben tot de dag van vandaag tot vermetele theorieën geleid. Waarschijnlijker dan deze hypothesen lijkt een gemeenschappelijke receptie van het werk van Guarino Guarini (vgl. blz. 54-57).

Vanwege het vasthouden aan beproefde voorbeelden, de ongebroken receptie en beschikbaarheid van de traktaatliteratuur en de geringe druk om oude vormen te vernieuwen, handhaafden zich tot in de 19e eeuw laat-gotische, op de mudjarstijl gebaseerde, plateresk e en maniëristische elementen naast elkaar; ze werden als vanzelfsprekend zelfs met barokke ruimtelijke vormen samengevoegd. Op dezelfde manier gingen voortlevende traditionele stijlvormen en bouwtypen bijna naadloos over in de neostijlen van het eclecticisme.

**Aleijadinho**
Ouro Preto, Brazilië
São Francisco de Assis
1765-1775

Barbara Borngässer

# Architectuur van de Barok in Frankrijk

## Historische voorwaarden

"De pracht en praal die koningen omgeeft, is onderdeel van hun macht." Deze zin van de sociaal-theoreticus Montesquieu levert de sleutel voor het begrip van de Franse staatskunst en verklaart haar succes gedurende de gehele periode van de Barok. Zoals sinds de klassieke Oudheid niet meer was gebeurd, werden stedenbouw en architectuur uitdrukking, ja, zelfs metafoor van absolutistische macht. Het Place des Vosges en het Place Vendôme, de Dôme des Invalides met bijbehorend hospitaal, de uitbreiding van het Louvre en van het paleis van Versailles, wat ten slotte gevolgen had voor de verplaatsing van de residentie – dit zijn slechts de spectaculairste van talrijke koninklijke bouwopdrachten die niet alleen voor praktische, maar vooral voor representatieve doelen dienden. Door de consequentie waarmee ze werden uitgevoerd, de unieke financiële en organisatorische inzet, en vooral de kwaliteit van hun uitvoering, werd Frankrijk binnen enkele decennia de leidende natie op het gebied van architectuur in Europa.

Overeenkomstig de centralistische opbouw van de staatsmacht werden Parijs en het hof het kernpunt van de bouwkundige ontwikkeling; de overige regio's verzonken in provincialisme of zouden de architectuur kopiëren. Ook het privé-paleis richtte zich naar het koninklijke voorbeeld, zodat de bouwkunst de weerspiegeling vormde van een hiërarchisch gestructureerde maatschappij, waarvan de hoogste macht altijd in handen lag van de regent.

Er waren nog twee constanten die van werkelijk fundamenteel belang bleken te zijn voor de Franse staatskunst: het gericht zijn op de klassieke Oudheid en het tegen alle trends in vast blijven houden aan het Classicisme als geschiktste stijlrichting voor representatieve taken. Dit werd ook buiten de grenzen van het land en het tijdperk de verbindende presentatievorm van absolutistische macht. Voor het Rococo, hoewel dat in Frankrijk werd ontwikkeld, waren er bijna uitsluitend decoratieve taken weggelegd.

Het hier behandelde tijdvak omvat de 17e en 18e eeuw, dus het tijdvak van het Franse absolutisme, dat onder Hendrik IV begon en met de Franse Revolutie in 1789 eindigde. In deze 200 jaar was Frankrijk uitgegroeid tot de leidende macht in Europa. Nadat de Bourbon Hendrik IV (1589-1610) in 1593 door zijn overstap naar het katholieke geloof en in 1598 met het Edict van Nantes, dat de gelijkstelling van godsdienst vastlegde, een einde had gemaakt aan de godsdienstoorlogen, begon hij met de doelgerichte uitbouw van de monarchie, het herstel van de staatsautoriteit en het bevorderen van de economie. De stabilisatie onder zijn bewind in Frankrijk werd tijdens het regentschap van Maria de' Medici en onder de zwakke Lodewijk XIII (1610-1643) echter snel tenietgedaan. Naast het voortdurend smeulende conflict met de hugenoten zorgden de opstanden van de adel, die zijn invloed probeerde te vergroten, voor onrust.

Pas toen kardinaal Richelieu in 1624 de staatszaken op zich nam, keerde de rust terug in het binnenland en in de politieke relaties met het buitenland. Dankzij de pacten die hij sloot, kon de Franse kroon gesterkt uit de troebelen van de Dertigjarige Oorlog komen; de macht

Parijs, Place des Vosges
Begonnen in 1605

van de Casa Austria werd echter verzwakt. Richelieu legde eveneens de basis voor de opkomst van Frankrijk als cultuurnatie. De oprichting van de Académie Française in 1635 was de eerste daad in een reeks van maatregelen waarmee de monarchie doelgericht wetenschap en kunsten bevorderde en zodoende tot staatszaak verhief.

Kardinaal Mazarin, die de staatszaken voor de minderjarige Lodewijk XIV (1643-1715) regelde, zette de politiek van Richelieu voort; met de uitschakeling van de *Fronde*, de opstand van parlement en hoge adel tegen het absolutistische koningschap in 1653/1654, en de vrede met Spanje maakte hij voor Frankrijk definitief de weg vrij naar een dominante positie in Europa.

Toen Lodewijk XIV in 1661 uiteindelijk zelf de regering op zich nam, trof hij versterkte grenzen, een goed functionerend staatsapparaat en een geheel op orde gebrachte financiële situatie aan, die door het mercantilistische beleid van zijn minister van Financiën, Jean-Baptiste Colbert, nog aanmerkelijk werd verbeterd. Door de aanzienlijke uitbreiding van de zeestrijdkrachten won Frankrijk nu ook als koloniale macht aan invloed; door het huwelijk van Lodewijk XIV met Maria Theresia, de oudste dochter van de Spaanse koning Filips IV, verwierf het huis Bourbon rechten op de Spaanse troon. De enorme bloei vanaf het midden van de eeuw kwam vooral ook ten goede aan de kunsten en wetenschappen. De kennistheorie van Descartes, de kritiek van Pascal, de tragedies van Corneille, het proza van Racine, de fabels van Lafontaine en ten slotte de komedies van Molière leggen hiervan een sprekend getuigenis af. De staatsbouwkunst lag in handen van Colbert, die sinds 1664 *Surintendant des Bâtiments* was en met de in 1671 opgerichte academie een effectief instrument in handen had voor de formulering en sturing van de architectuur.

Tegen het einde van de eeuw wijzigde het beeld zich in vrijwel alle opzichten. Oorlogen aan alle fronten belastten de staatskas; na de Spaanse Successieoorlog was het gedaan met de Franse dominantie in Europa, hoewel er met Filips V van Anjou nog een kleinzoon van Lodewijk XIV op de Spaanse troon zat. Economische, sociale en ook morele conflicten namen toe en luidden in de loop van de 18e eeuw het verval in van het Ancien Régime. Na de dood van Lodewijk XIV in 1715 –na een officiële regeerperiode van 72 jaar– begon een fase van voortdurende wisselingen, zowel in de gemeenschappelijke politiek als op economisch en sociaal terrein. Het regentschap van de hertog van Orléans, vervolgens de regeerperiode van Lodewijk XV (1715-1774) zelf, vanaf 1723, konden toename van de staatsschuld, verdere territoriale verliezen en ten slotte ook het afstaan van de Canadese koloniën aan Groot-Brittannië niet voorkomen.

Sociale hervormingen, vooral een gelijkmatige belastingheffing voor alle standen, liepen stuk op het verzet van het hof en de daarmee verbonden adel; het parlement eiste tevergeefs dat zijn macht werd vergroot. Toen Lodewijk XVI (1774-1792) er in 1789 mee instemde om de sinds 1614 buiten spel staande Staten-Generaal bijeen te roepen, was het voor hervormingen al te laat; de revolutie nam haar loop, die in geen enkel opzicht meer was te keren.

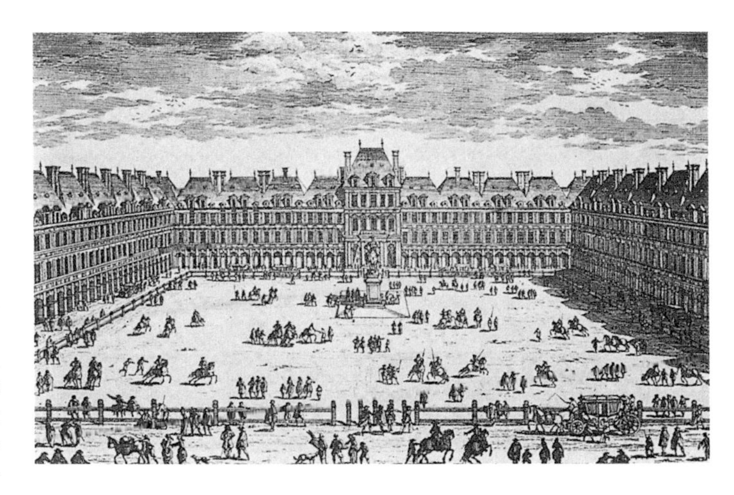

**De Franse architectuur onder Hendrik IV, Lodewijk XIII en het regentschap van kardinaal Mazarin**

De opmaat tot de bijna 200 jaar durende glansperiode van de Franse architectuur werd gevormd door de stadspleinen van Hendrik IV, die met steun van zijn minister en directeur openbare werken Sully werden verwezenlijkt. Geïnspireerd op de maatregelen die paus Sixtus V ter verfraaiing van Rome had genomen, gold zijn doel de organisatie van een 'nieuwe' stad als spiegelbeeld van absolutistische macht. De publiekelijk getoonde verantwoording van de vorst jegens zijn volk, maar tevens de hiërarchische opbouw van de maatschappij zijn constanten die gedurende het gehele tijdperk van de Barok bepalend zijn voor stedenbouw en architectuur. Het eerste project, het Place Dauphine tussen de Pont Neuf en het Île de la Cité, getuigt er al van hoezeer over theorie en praktijk is nagedacht. De driehoekige aanleg op een stedenbouwkundig gezien prominente plek wordt uitgangspunt van een assenstelsel dat door de hele stad moest lopen; gelijktijdig accentueert het de Seine als ruggengraat van de expanderende metropool. Op een centraal punt werd het standbeeld van Hendrik IV –het eerste moderne koningsmonument– opgesteld. Het tweede bouwproject van de koning, het Place des Vosges, werd het prototype van het *Place Royale* (afb. boven). Het vierhoekige plein in de Marais is omgeven door uniforme, twee etages hoge bakstenen gebouwen boven portieken, waarbij accenten alleen worden gelegd door de twee verhoogde paviljoens, het Pavillon du Roi en het Pavillon de la Reine, aan de smalle zijden. De woningen en bedrijfsgebouwen waren oorspronkelijk voorbehouden aan de zijdemanufactuur en haar werknemers, maar het plein werd al snel het ontmoetingspunt van de aristocratie. Ook hier is het hele plein georiënteerd op een ruiterstandbeeld van de koning, dat door zijn late voltooiing een monument werd voor Lodewijk XIII (geplaatst in 1639). Verder dient in relatie met de stedenbouwkundige maatregelen van Hendrik IV het Place de France (afb. blz. 77) te worden genoemd. Zijn stervormige, emblematische aanleg –de op een stadspoort uitlopende straten droegen de namen van acht

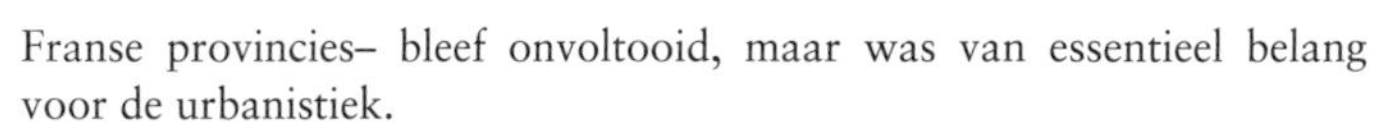

Franse provincies– bleef onvoltooid, maar was van essentieel belang voor de urbanistiek.

Onder Lodewijk XIII verschoof het accent van de bouwactiviteiten. De primaire zorg betrof de uitbreiding van het wegennet, de uniforme vormgeving van de gevels en de accentuering van het stadsbeeld. Tegelijk begon een intensieve zoektocht naar nieuwe oplossingen voor traditionele bouwtaken, waarvan de protagonisten de architecten Salomon de Brosse, François Mansart en Louis Le Vau waren. Zij ontwikkelden modellen voor de paleis- en kerkbouw die niet alleen een stempel zouden drukken op de Franse architectuur.

**Salomon de Brosse**
Parijs, Palais du Luxembourg
1615-1624
Gevel aan de tuinzijde en plattegrond

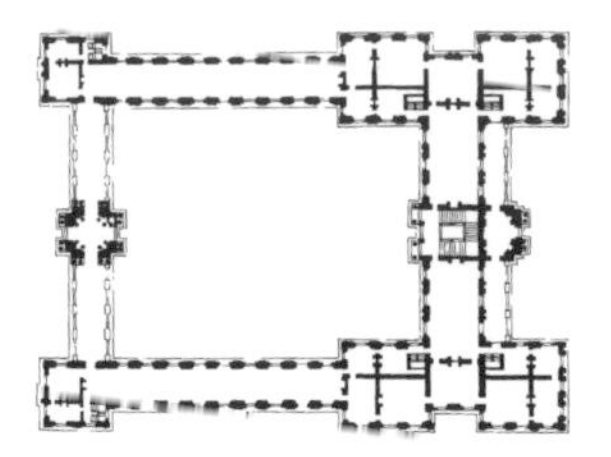

De Brosse (1571-1626), hofarchitect en telg uit een bekende familie van architecten, bouwde in het tweede decennium van de 17e eeuw drie grote paleizen, Coulommiers (1613), Blérancourt (1614-1619) en het Palais du Luxembourg (1615-1624), die allemaal veel opzien zouden baren en dit soort opdrachten een totaal ander aanzien zouden geven. Blérancourt is qua typologie de interessantste omdat er voor het eerst wordt gebroken met de in Frankrijk min of meer als heilig beschouwde U-vormige paleisaanleg en de zijvleugels achterwege worden gelaten. De reductie tot het kerngebouw, het *corps-de-logis*, en de openheid naar het landschap schiepen de voorwaarde voor de verdere ontwikkeling van de barokke paleisbouw in heel Europa.

Het oorspronkelijke ontwerp van het voor Maria de' Medici gebouwde Palais du Luxembourg (afb. links) is in een gravure weergegeven. De gravure toont een *corps-de-logis* met hoekpaviljoens, zijvleugels en een lage ingangsvleugel, waarvan het midden wordt beklemtoond door een overkoepeld paviljoen. De bouwlichamen zijn streng en helder ingedeeld, terwijl de dakzone de verschillende kubussen samenvat. Het rustieke werk van de gevel verwijst naar het Palazzo Pitti, het stadspaleis van de Medici's in Florence. Het slot, dat vanaf 1642 diende als residentie voor Gaston d'Orléans, was ook aan de binnenzijde vernieuwend. Zo bevatten alle hoekpaviljoens complete appartementen met meerdere kamers, een oplossing die vooruitliep op een toekomstige herindeling van de vertrekken, die meer comfort en grotere functionaliteit tot doel heeft. De galerij van de rechter zijvleugel was overigens uitgerust met de in 1622-1625 door Rubens gemaakte 'Medici-cyclus', terwijl de linker zijvleugel plaats had moeten bieden aan de niet-uitgevoerde schilderijen die het

**François Mansart,** Blois, slot, Gaston-vleugel, 1635-1638

**François Mansart,** Maisons (Maisons-Lafitte), slot, 1642-1650

Louis Le Vau
Vaux-le-Vicomte
Gevel aan de tuinzijde en plattegrond
1612-1670

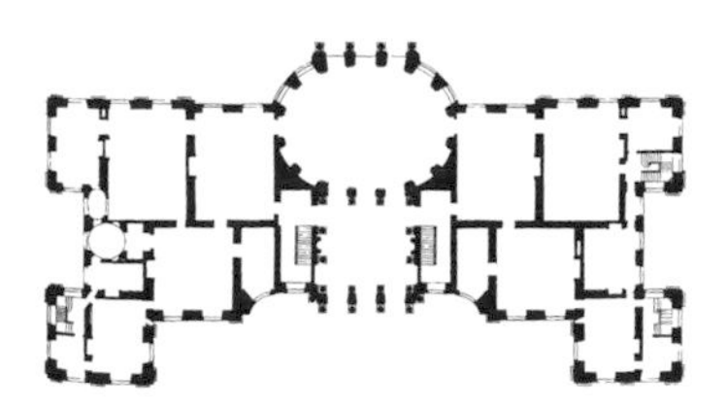

leven van Hendrik IV tot onderwerp hadden. Andere werken van Salomon de Brosse zijn het Palais de Justice in Rennes (1618) en de grote zaal van het Parijse paleis van justitie (1619-1622).

François Mansart (1598-1666), waarschijnlijk een leerling of jongere medewerker van De Brosse, wijdde zich aan andere taken. Meer nog dan een typologisch nieuwe vormgeving van paleizen interesseerde hem de plastische uitwerking van de gevel. Zijn meesterwerk is de Gaston-vleugel van het kasteel van Blois (afb. blz. 124 linksonder), die hij in 1635-1638 bouwde voor de broer van Lodewijk XIII, de reeds genoemde Gaston d'Orléans. Het complex met drie vleugels ligt rond een smalle *cour d'honneur*, waarbij de zijvleugels via gebogen colonnades zijn verbonden met het *corps-de-logis*. Buitengewoon elegant is de drie traveeën brede risaliet, waarvan de gevel door drie boven elkaar geplaatste, gekoppelde pilasterorden is versierd. Het grote trappenhuis in het middelste paviljoen benadrukt de harmonie tussen de verschillende assen van de hof en de gevel aan de tuinzijde. Het motief van de overheersende middenrisaliet is in slot Maisons (later Maisons-Lafitte, begonnen in 1642), een gebouw voor de rijke president René de Longueil, in nog sterkere plastische vormen toegepast (afb. blz. 124 rechtsonder). Opvallend is de beklemtoning van de dakzone door steil oprijzende vlakken en schoorstenen – een reminiscentie aan de 16e eeuw. Typisch voor de Franse kasteelbouw is verder dat het 'additieve' karakter van de vleugels en paviljoens zichtbaar blijft in de dakstructuur. De elegantie van de in klassieke vormen uitgevoerde vestibule wijst vooruit naar de 18e eeuw.

Het paleis van Vaux-le-Vicomte bij Melun (afb. boven) zorgde voor een uniek schandaal. Het complex dat de hofarchitect Louis Le Vau (1612-1670) vanaf 1656 voor Nicolas Fouquet, de hoofdintendant voor de financiën, in slechts één jaar en tegen aanzienlijke kosten bouwde, stelde naar de mening van de tijdgenoten alles in de schaduw van hetgeen voordien op dit gebied was gepresteerd. Het op traditionele, maar effectieve wijze door grachten omgeven slot keert zich naar de weelderige tuinen die André Le Nôtre (1613-1700), een toentertijd nog onbekende tuinarchitect, ontwierp. Een representatieve, door bedrijfsgebouwen geflankeerde voorhof vormt de entree tot het gehele complex. In het centrum van het van hoekpaviljoens voorziene *corps-de-logis* liggen aan de hofzijde een rechthoekige vestibule en aan de tuinzijde een ovale, overkoepelde salon. De gevel wordt gevormd door twee etages hoge bogengaanderijen en een timpaan ter bekroning, een motief waarvan de kleine pilasterordes op totaal niet-klassieke wijze contrasteren met de kolossale orde van de zijvleugels. De kostbare inrichting van het interieur werd uitgevoerd door Charles Le Brun (1619-1690). De allesbepalende vernieuwing in Vaux-le-Vicomte was de aanleg *entre cour et jardin*, tussen hof en tuin. De inbedding in het landschap, de geleidelijke ontsluiting van het paleis door de bedrijfsvleugels via erehof en vestibu-

**Louis Le Vau**
Parijs, Hôtel Lambert, 1640-1644
Plattegrond van de tweede etage
en hoffaçade (onder)

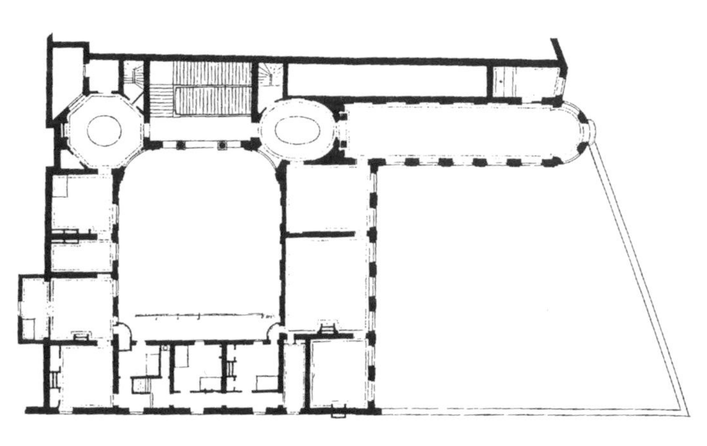

le naar de grote salon, ten slotte het open, naar de natuur gerichte karakter, zouden een verplicht programma vormen voor elk gebouw met enige pretentie. Ook in het interieur werden belangrijke vernieuwingen uitgevoerd. Het *appartement double* (tegenover de enkelvoudige rangschikking, de *enfilade* of het *appartement simple*) maakte een differentiatie van de vertrekken mogelijk, evenals een praktischer ontsluiting die de representatieve doelen enerzijds en de verzorging anderzijds ten goede kwam. Vanaf nu konden publieke en privé-sfeer beter van elkaar worden gescheiden. Het ontwerp van Vaux-le-Vicomte zou als voorbeeld dienen voor het belangrijkste paleis van Frankrijk, Versailles.

Een andere vernieuwende architectonische opgave in het Frankrijk van de 17e eeuw zou, naast het slot, het *hôtel*, het stadspaleis, worden. In Parijs wedijverden adel en gegoede burgerij in de bouw van luisterrijke domicilies, die ondanks hun privé-bestemming een publiek karakter bleven houden. De inbedding van het gebouw in de stedelijke structuur, vaak op onregelmatige percelen, het 'comfort' van de aaneenschakeling van vertrekken, vormden evenzeer een uitdaging voor de architecten als de representatieve inrichting van het gebouw als geheel. Zoals reeds vermeld, had Salomon de Brosse in Bélancourt en in het Palais du Luxembourg het middeleeuwse complex van vier vleugels opengebroken, het *corps-de-logis* geaccentueerd en de hof een nieuwe, opener functie gegeven. In het *hôtel* werden deze motieven eveneens toegepast, zij het dat ze wel aan de stedenbouwkundige omstandigheden waren aangepast. Het doorbreken van de assen tussen hof- en tuinzijde is de regel. De doorbreking wordt vaak door de verdubbeling van de erehof opgevangen. Ook het *appartement double*, de dubbele rangschikking van ruimten, richt zich naar de praktische behoeften. Vooral vestibule en trappenhuis, en de galerij, krijgen representatieve functies. Ze worden gedistingeerd vormgegeven. Het belangrijkste voorbeeld van deze stadspaleizen is het Hôtel Lambert (afb. links en blz. 127) op het Île St.-Louis. Le Vau paste een andere indeling toe die overeenkwam met de geringe diepte van de bouwplaats. In plaats van de tuin in de as portaal-hof-woonvleugel te situeren, verplaatste hij hem naar rechts, naast de erehof. De hof loopt met afgevlakte hoeken uit in een monumentaal trappenhuis dat, door ovale vestibules geflankeerd, naar de aan de zijkant gebouwde galerij leidt; deze ligt tussen de tuin en het vrije landschap. In het decor van de gevels verbinden Franse elegantie en Romeinse monumentaliteit zich met elkaar. Een boven elkaar geplaatste Dorische en Ionische orde bepaalt de hoffaçade; een doorlopend hoofdgestel verbindt de vleugels. Het overheersende motief is de trapopgang met het fronton daarboven en de vrijstaande Dorische zuilen op de benedenverdieping. De gevels aan de tuinzijde zijn door Ionische kolossale pilasters gestructureerd en opengewerkt door glazen deuren – een uitvinding van Le Vau die de Franse paleisarchitectuur zou gaan kenmerken. Een verdere intensivering van het decor betreft het interieur met de Galerie d'Hercule. De in 1654 voltooide (en bewaard gebleven) inrichting met schilderijen van Le Brun en reliëfs van Van Opstal roept de wereld van de klassieke Oudheid en de heroïsche daden van Hercules op – voorbeeld van het zelfbewustzijn van de Parijse adel.

**Louis Le Vau**
Parijs, Hôtel Lambert, 1640-1644
Galerie d'Hercule

**Salomon de Brosse**
**of Clément Métezau (?)**
Parijs, Saint-Gervais, 1616-1621

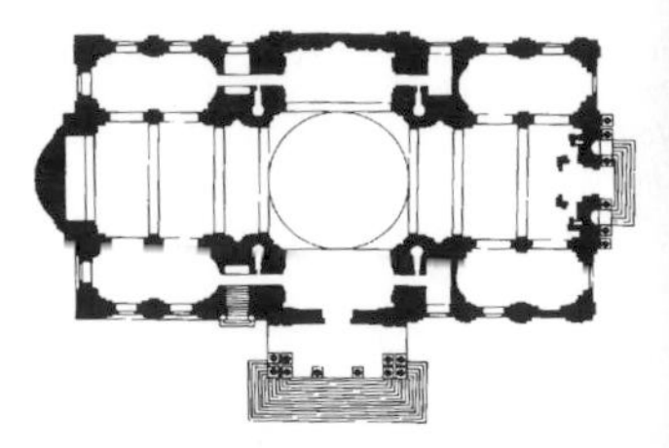

**Jacques Lemercier**
Parijs, Église de la Sorbonne, 1626
Bouw vanaf 1635, hoffaçade (onder)
Plattegrond (rechts)

**De nieuwe oriëntatie van de Franse sacrale bouwkunst**

De ontwikkeling van de Franse sacrale architectuur verloopt parallel aan die van de profane bouwkunst, maar in eerste instantie zonder een vergelijkbare innovatieve stuwkracht. Het zoeken naar representatieve vormen en stedenbouwkundige effectiviteit wordt beperkt door de binding aan traditionele patronen – enerzijds de fascinatie die nog altijd van de gotische architectuur uitging, anderzijds de oriëntatie op Rome. Pas langzaam ontwikkelt er zich een eigen vorm van barokke kerkbouw in Frankrijk; vooral in de overheersende koepelruimten vindt ze haar volmaakte vorm.

Het eerste belangwekkende sacrale bouwwerk van het tijdperk van de Barok in Frankrijk, de vermoedelijk door Salomon de Brosse gebouwde façade van de St.-Gervais in Parijs (1616-1621), staat nog helemaal in de traditie van de 16e eeuw. Deze verbindt elementen van het Franse paleis –Philibert de l'Ormes maniëristische façade van het Château d'Anet– met het pathos van de vroege Romeinse Barok, zoals belichaamd in Vignola's Gesù. De hoogtekarakteristiek van het drie etages hoge front contrasteert vol spanning met de soliditeit en plasticiteit, in navolging van het voorbeeld uit Rome. De effectieve onderverdeling van verschillende motieven zou kenmerkend worden voor de Franse kerkbouw.

De Italiaanse invloed op de sacrale bouwkunst steeg door toedoen van Jacques Lemercier. De in 1585 geboren architect verbleef tussen 1607 en 1614 in Rome, waar hij het werk van Giacomo della Porta had bestudeerd; in opdracht van Lodewijk XIII bouwde hij het Pavillon de l'Horloge van het Louvre (na 1624). Naast talrijke *hôtels* en kerken ontwierp hij voor kardinaal Richelieu het slot en de ideale stad Richelieu (vanaf 1631) en bouwde in Parijs het Palais Cardinal (tegenwoordig Palais Royal, begonnen in 1633). Maar het was een andere opdracht van Richelieu, l'Église de la Sorbonne (begonnen in 1626), die een mijlpaal in de ontwikkeling van het barokke Classicisme in Frankrijk zou worden. De door een koepel gedomineerde centraalbouw met korte dwars- en verlengde langsarmen met zijkapellen doet in z'n plattegrond denken aan de S. Carlo ai Catinari in Rome. De structurering van de gevels van de jezuïetenkerken in Rome wordt in de westgevel toegepast. Een brede portaaltravee is door zijwaartse nissen geflankeerd; de benedenverdieping wordt gedomineerd door massieve Corinthische, op de hoeken verdubbelde zuilen, op de bovenverdieping zijn deze tot pilasters gereduceerd. Een geprononceerd hoofdgestel benadrukt de horizontale lijn. Een andere opvatting wordt duidelijk uit de hoffaçade (afb. onder). De onderverdeling van tempelfront, triomfboog, schilddak en tamboerkoepel, een eigenzinnige verbinding van klassieke en barokke elementen, maakt een schilderachtige en coulisseachtige indruk.

Naar aanleiding van de geboorte van de troonopvolger werd als votiefkerk nog een koepelgebouw gebouwd, Val-de-Grâce (afb. blz. 129 onder), in 1645 door François Mansart begonnen, voortgezet door Lemercier, en pas in 1710 door Pierre Le Muet en Gabriel Le Duc vol-

François Mansart en Jacques Lemercier
Parijs, Val-de-Grâce, begonnen in 1645
Voltooiing door Pierre Le Muet en Gabriel Le Duc, 1710

Ch. Gamard, Daniel Gittard
Parijs, Saint-Sulpice, begonnen in 1646
Interieur

tooid. Ook hier vormde de architectuur in Rome de beslissende inspiratiebron, maar Mansart, wiens plannen plattegrond en opstand tot het hoofdgestel bepaalden, slaagde erin om er een opnieuw sterk monumentaal karakter aan te verlenen. De aan de viering grenzende kapellen zijn niet gericht op schip en dwarsschip, maar diagonaal op de koepelruimte, waarin een op Bernini geïnspireerd hoogaltaar is geplaatst. De hoge tamboerkoepel wordt door massieve pijlers geschraagd. Ook in de gevel ondergaat het Romeinse schema significante wijzigingen. Tegen het aan Carlo Maderna's S. Susanna herinnerende front is een vrijstaande porticus in Corinthische orde geplaatst; net als bij de Sorbonne zorgt deze voor dieptewerking en benadrukt hij de ruimtelijke onderverdeling van structurerende elementen. Het derde, omstreeks het midden van de eeuw geconstrueerde koepelgebouw is de kerk van het Collège des Quatre Nations (afb. blz. 130, het huidige Institut de France), het laatste bouwproject van kardinaal Mazarin, tevens zijn grafkapel. Le Vau bouwde de naar de Seine gekeerde hoofdgevel helemaal in de geest van de Barok in Rome. Concaaf uitzwenkende vleugels omlijsten het centraal gelegen kerkgebouw met ovaal interieur. Wederom verkrijgt het complex zijn openheid door een klassieke porticus; het wordt voorzien van een hoog oprijzende tamboerkoepel.

De centraliserende koepelkerken, hoewel sterk geïnspireerd op voorbeelden uit Rome, gaven de Franse sacrale bouwkunst een authentieke barokke expressie; desondanks bleven daarnaast ook andere stromingen bestaan. Als voorbeeld daarvan kunnen we hier de parochiekerk S. Sulpice noemen (afb. boven), een gebouw dat Daniel Gittard (1625-1686) naar plannen van Ch. Gamard vanaf 1646 bouwde. Een bij de middeleeuwse traditie aansluitend basilicaal complex met zijschepen, dwarsschip en kooromloop heeft hier een jas gekregen die op een klassieke manier is onderverdeeld.

**Het tijdperk van Lodewijk XIV**

In 1661, na het overlijden van Mazarin, nam Lodewijk XIV de staatszaken zelf ter hand. De regering van de nu drieëntwintigjarige werd binnen enkele jaren het voorbeeld bij uitstek van onbeperkte koninklijke macht en het hof van de Zonnekoning werd de luisterrijke metafoor van het absolutistische wereldbeeld. De kunst en met name de architectuur kregen daarbij een vooraanstaande politieke rol. Zij moesten het volk imponeren en tegelijkertijd de ideologische inhoud in beeldende vormen overdragen.

Jean Baptiste Colbert was de drijvende kracht achter deze staatskunst; de hoofdintendant van de financiën, die samen met Charles Le Brun leiding gaf aan de al in 1648 opgerichte Koninklijke Academie voor Schilder- en Beeldhouwkunst, werd in 1664 tot *Surintendant des Bâtiments* benoemd, een functie waarvoor hij de facto de verantwoordelijkheid kreeg over alle koninklijke bouwprojecten. Al in 1666 opende de Franse academie in Rome haar deuren, een duidelijk signaal dat de nieuwe grootmacht Frankrijk op cultureel gebied even dominant wilde zijn als de Eeuwige Stad en in de uitbreiding van hof- en kunst-

**Louis Le Vau en François d'Orbay**
Parijs, Collège des Quatre-Nations
1662-1672

stad Parijs Rome indien mogelijk voorbij wilde streven. Een belangrijke stap met het oog op deze doelbewuste 'aflossing van de wacht' was de oprichting van de Académie de l'Architecture (1671), een instituut dat een hoogstaande opleiding van de volgende generaties moest waarborgen en leiding moest geven aan de theoretische discussie. Ze werd het instrument van dirigistische bouwpolitiek.

Colberts eerste zorg gold de uitbreiding van het Louvre; de vestingachtige aanleg met z'n vier vleugels was sinds de 16e eeuw steeds opnieuw vergroot en gemoderniseerd – voor de laatste keer door middel van het klokkenpaviljoen van Lemercier en de oostelijke helft van de *cour carrée*, voor de uitbreiding waarvan Le Vau verantwoordelijk was. Wat echter ontbrak, was een representatieve gevel van het paleis aan de stadszijde. Een eerste, op 1661 gedateerd ontwerp van Antoine Léonor Houdin toont het brede zuilenfront dat zes jaar later door Claude Perrault zou worden gerealiseerd. Een ander project van François Le Vau toont een colonnade, die hier echter door dubbele zuilen wordt gevormd. Het middendeel wordt benadrukt door een met een fronton afgesloten risaliet, waarachter zich een brede, ovale vestibule uitstrekt. Aangezien Colbert echter niet akkoord ging met deze ontwerpen, nodigde hij de gerenommeerdste Italiaanse architecten uit, te weten Gianlorenzo Bernini, Pietro da Cortona, Carlo Rainaldi en Francesco Borromini, om voor dat doel plannen te maken. Borromini sloeg de uitnodiging af; de ontwerpen van Cortona en Rainaldi werden niet interessant bevonden, zodat er ten slotte uit twee voorstellen van Bernini kon worden gekozen (afb. blz. 131 midden en onder). Het eerste ontwerp behelsde een convex-concaaf gebogen front met royale loggia's, waarvan de dwarsge-

**Claude Perault**
Parijs, Louvre
Oostgevel, 1667

**Gianlorenzo Bernini**
Eerste ontwerp voor het Parijse Louvre
1664 (midden)
Derde ontwerp voor het Parijse Louvre
1665 (onder)

plaatste, ovale middenrisaliet door een tamboerachtige etage wordt bekroond. De grote orde en het plastische, breed uithalende gebaar van het gebouw doen denken aan het stedenbouwkundig effect van het St.-Pietersplein. De architectonische en ideële openheid van het ontwerp stuitte op de afwijzing van Colbert, die daarvoor klimatologische redenen en veiligheidsrisico's aanvoerde. Ook de tweede, gewijzigde versie was onderhevig aan kritiek. Toch nodigde men Bernini in april 1665 uit om naar Parijs te komen om een ander ontwerp te maken, waarvoor vervolgens op 17 oktober van dat jaar de eerste steen werd gelegd. Zelfs dit project, een versie met rechte, blokvormige gevels, was geen toekomst beschoren; het werk kwam nauwelijks verder dan de fundamenten.

De redenen waarom Bernini niet in Parijs slaagde, zijn duidelijk. Het concept van de Romeinse architect voorzag – in de beste Italiaanse traditie– in een vorstelijk paleis dat met de omringende stad communiceerde. Zo zouden de open armen van het eerste ontwerp hun tegenhanger hebben gevonden in een exedra aan de tegenoverliggende zijde van het slotplein. Colbert daarentegen eiste een gebouw dat de distantiërende macht van het absolutisme belichaamde en een monument van de Franse monarchie moest worden. Een in april 1667 ingestelde commissie, de 'Petit Conseil', stelde een compromis voor, dat echter als gevolg van verdere verbouwingen van het Louvre werd gewijzigd.

De ten slotte in 1667/1668 uitgevoerde oostgevel (afb. rechts), waarvoor de arts en wiskundige Claude Perrault tekende, belichaamt beter dan alle vroegere ontwerpen de idee van het Franse koningschap. Ook Perrault past het motief van de colonnade als plechtige pronkgevel voor het nog laat-middeleeuwse paleiscomplex toe, maar verleent er wel een klassieke strengheid aan. Boven een glooiing en een terughoudend ingedeelde sokkel ligt een langgerekte zuilengalerij, waarvan de hoeken door triomfboogachtige risalieten worden benadrukt; het vooruitspringende tempelfront wordt door een middenas geaccentueerd. De paleisbouw wordt daardoor met een sacraal motief verrijkt. De reeks dubbele Corinthische zuilen, waarvan de pathetische zwaarte via de over de hele breedte doorlopende noklijn nog eens extra wordt benadrukt, zou het bepalende, vaak geciteerde element worden.

De strijd om de gevel van het Louvre en de beslissing ten gunste van een klassiek-academisch georiënteerde architectuur zijn symptomatisch voor het kunstbesef in het absolutistische Frankrijk. Inmiddels zal niemand meer ontkennen dat niet zo zeer de koning, als wel zijn almachtige minister Colbert de voorwaarden formuleerde voor een bindende staatskunst. Het Louvre zou daarvan het paradigma worden. Voor de inrichting van de binnenhof liet hij in 1671 een prijsvraag voor het bedenken van een 'Franse' bouworde uitschrijven en voor de inrichting van de appartementen zweefden hem imitaties van ruimten uit allerlei landen voor ogen; ze symboliseerden een wereld in het klein, gedomineerd door de Franse koning. De druk van de *Fronde* en persoonlijke plannen van Lodewijk XIV gaven echter al snel na de voltooiing van de gevel van Perrault aanleiding om de totale planning op te geven; de koning ging zich aan zijn lievelingsproject wijden – de uitbreiding van het buiten Parijs gelegen jachtslot van Versailles.

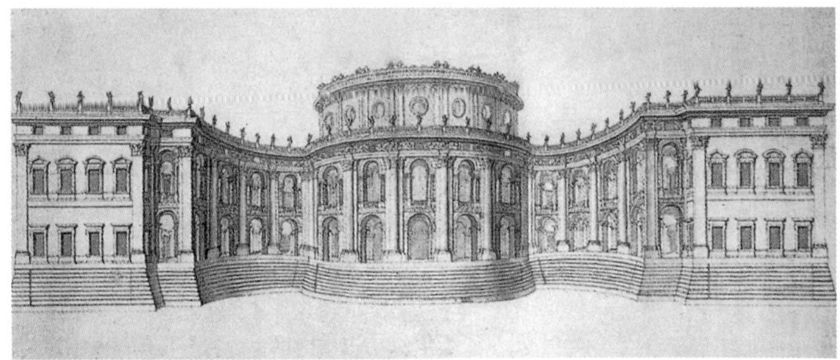

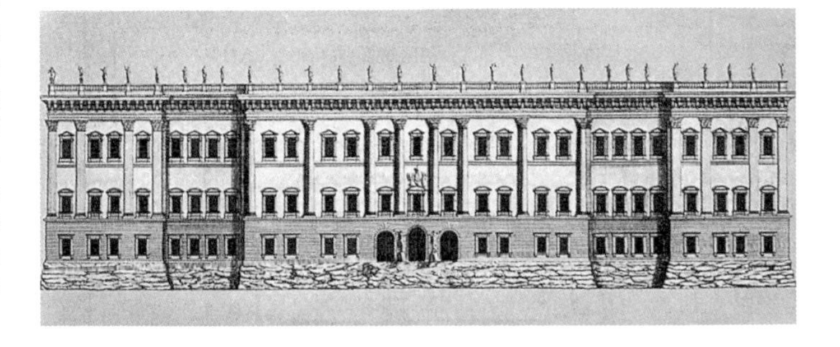

**Louis Le Vau en**
**Jules Hardouin-Mansart**
Versailles, paleis
Gezichten op de gevel vanuit de tuin, 1668/1678

## Versailles

Versailles werd het hoogtepunt van Europese paleisbouwkunst, niet alleen vanwege de grootte, de pracht en het vooruitstrevende karakter van het complex, maar ook vanwege de perfecte enscenering van absolutistische macht. Versailles is niet het hof van een deemoedige, sterfelijke vorst zoals de kloosterresidentie van Filips II, het Escorial, nog was. Versailles is symbool van onvergankelijke heerschappij, de residentie van de Zonnekoning, wiens leven en werk een exemplarisch karakter hebben en daarom aan strenge rituelen zijn onderworpen (zie blz. 138/139). Architectuur en visuele inrichting houden rekening met dit leidmotief.

De luisterrijke uitbreiding van het kleine jachtslot van Lodewijk XIII, dat pas in 1631 tot een complex met drie vleugels was uitgebreid, was al in 1668 begonnen. Met Le Vau, Le Brun en Le Nôtre trok de koning juist die kunstenaars aan die al in Vaux-le-Vicomte, het slot van minister Fouquet, revolutionaire nieuwe concepten hadden ontwikkeld. Met name de inbedding in de natuur en de conceptie 'tussen hof en tuin' waren bepalend voor de nieuwe, maar veel ambitieuzere uitbreiding. De eerste maatregel was de ommanteling van het kerngebouw, dat zich nu met een weids terras naar de tuin toe keerde, de vastlegging van het assenstelsel en ten slotte de aanleg van het uitgestrekte park zelf. In 1677/1678, naar aanleiding van de Vrede van Nijmegen, die de Franse dominantie in Europa bezegelde, besloot de koning tot verplaatsing van de residentie naar Versailles. Dit besluit had een gigantische nieuwe planning tot gevolg. Met de uitvoering werd de 31-jarige Jules Hardouin-Mansart belast. In de volgende 30 jaar gaf hij leiding aan de uitbreiding van Versailles, waaraan soms wel 30.000 arbeiders werkten.

Hardouin-Mansart sloot in een eerste fase het tuinfront, doordat hij het terras verving door de spiegelgalerij (1687 voltooid); daardoor kreeg het door Frans I in Fontainebleau ingevoerde type ruimte een monumentaal karakter. In het oude kerngebouw werden de appartementen van Lodewijk XIV ondergebracht. In het centrum werd de slaapkamer van de koning ingericht, precies in de oost-westas, omdat het verloop van zijn dag immers overeenkwam met de 'baan' van de zon. De vertrekken van de door Le Vau gebouwde ommanteling dienden in het zuiden –tot haar dood– als appartementen van koningin Marie-Thérèse, terwijl die in het noorden als ruimten voor representatieve doeleinden dienst deden. De laatste, de 'Grands Appartements', werden ontsloten door de (niet bewaard gebleven) ambassadeurstrap en de Salon d'Hercule; daarbinnen voltrokken zich de openbare ceremonieën en ontvangsten.

Dwars voor deze uit drie vleugels bestaande kern, die de oude Cour de Marbre omsloot, plaatste Mansart de noord- (1684-1689) en zuidvleugels (1678-1681), die op hun beurt een tweede binnenhof, de Cour Royale, omsloten. Het meer dan 670 meter brede gevelfront maakt ook vandaag de dag nog een overweldigende indruk. In de verticale projectie werd het indelingssysteem van de oudere gevels gehandhaafd. Boven een gebandeerde sokkel verheft zich de hoofdverdieping die op ritmische afstanden door Ionische colonnades is onderverdeeld; Ionische pilasters omlijsten de glazen deuren, die voor overvloedig licht zorgen. De afsluiting wordt gevormd door een met trofeeën bekroonde attiekverdieping.

**André Le Nôtre en**
**Jules Hardouin-Mansart**
Versailles, paleispark
Latona-fontein met gezicht op het Grand Canal, 1668/1686

AFBEELDING ONDER:
Versailles, paleis en tuinen
Gravure naar Israel Silvestre
Eind 17e eeuw

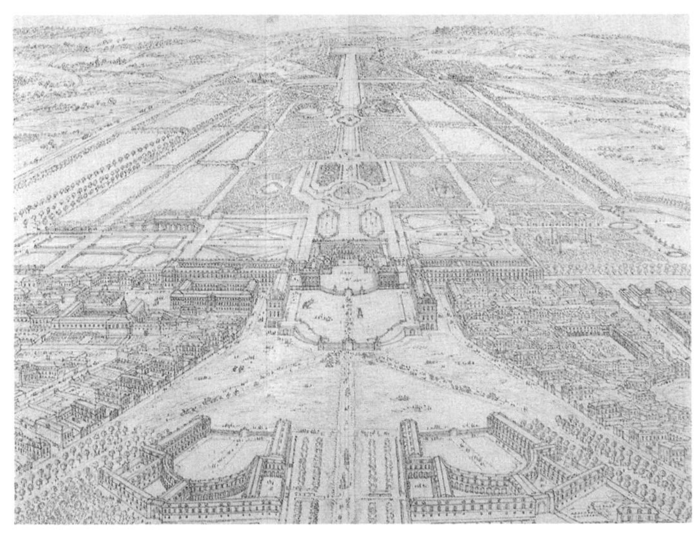

**Philibert Le Roy**
Versailles, Cour de Marbre, 1631
met de geveldecoratie van Louis Le Vau
en Jules Hardouin-Mansart, 1668

Detail van de paleisgevel en paleiskapel vanuit de tuin

**Jules Hardouin-Mansart en Robert de Cotte**
Versailles, paleiskapel, 1689-1710
Interieur

Hart van het paleis van Versailles is de Cour de Marbre, de marmerhof (afb. blz. 134), waaromheen zich de koninklijke vertrekken groeperen. Deze hof vormt het middelpunt van drie binnenhoven – de Cour des Ministres en de Cour Royale vormen de decoratieve entree van het paleis. De Cour de Marbre, die zijn naam dankt aan de vloerdecoratie van zwarte en witte marmeren tegels, vormde al de kern van het complex dat Lodewijk XIII door Philibert Le Roy liet bouwen. De daartegenover gelegen Cour Royale, die met vijf treden op een hoger niveau ligt, werd in 1980 in ere hersteld. De aan de marmerhof liggende gevels werden onder Lodewijk XIV door Louis Le Vau en Hardouin Mansart vernieuwd. Ze werden overeenkomstig de eisen van representatie getooid met balustraden, busten, beelden en vazen. De hoofdgevel kreeg een verguld balkon boven vier zuilenparen.

De paleiskapel (afb. boven en rechts), die met de noordvleugel is verbonden, behoort tot de indrukwekkendste getuigenissen van de latere Franse barokarchitectuur. De door Hardouin-Mansart in 1689 begonnen en in 1710 door Robert de Cotte voltooide galerijkerk met polygonale omloop verenigt klassieke, middeleeuwse en barokke bouwelementen; door zich de Ste. Chapelle van de H. Lodewijk ten voorbeeld te stellen, zou zij een bewuste enscenering van het Franse koningschap worden. Haar precieuze decoratie, de heldere lichtinval en het contrast tussen lichte steen en fresco's met blauw fond (Antoine Coypel) wijzen al vooruit naar de esthetiek van de komende decennia.

**Jules Hardouin-Mansart en Charles Le Brun**
Versailles, paleis, Salon de la Guerre
1678-1686

AFBEELDING BLZ. 137:
**Jules Hardouin-Mansart en Charles Le Brun**
Versailles, paleis
Spiegelzaal, begonnen in 1679

De Spiegelzaal met de belendende representatieruimten van de Salon de la Guerre en de Salon de la Paix vormen de naar de tuin gekeerde enfilade van de Grands Appartements. Ze boden een schitterende omlijsting voor de plechtigheden van het hof en de ontvangst van aanzienlijke gasten.

De 75 meter lange Galerie des Glaces, de Spiegelzaal (afb. blz. 137), werd in 1687 door Jules Hardouin-Mansart voltooid; voor de decoratie van het interieur zorgde Charles Le Brun, die daarvoor –op aanwijzing van Colbert– een eigen 'Franse orde' voor de indeling van de wand ontwikkelde. In de Spiegelzaal gaat het hoogste artistieke raffinement samen met een gecompliceerd inhoudelijk concept. Allegorische beeldcycli illustreren de geschiedenis van Frankrijk tot aan de Vrede van Nijmegen. De bekoring die van het door ontelbare spiegels gereflecteerde licht uitgaat, stelt alles in de schaduw. Ze weerkaatsten het zonen ook het kaarslicht en verzinnebeeldden de metafoor van de 'Roi Soleil'.

Aan de uiteinden van de zaal liggen de Salon de la Guerre (afb. boven) en de Salon de la Paix, die de militaire successen van de koning verheerlijken. In de eerste triomfeert Lodewijk XIV over zijn vijanden, in de tweede wordt de vrede verheerlijkt die onder de regering van de koning tot stand was gekomen. De Salon de la Guerre wordt beheerst door het grote bas-reliëf van Antoine Coysevox dat de koning als bedwinger van zijn vijanden toont.

Triomfboog op de Marché Neuf
Kopergravure uit de *Entrée triumphante...*, 1660

Triomfboog bij de fontein van Saint-Gervais
Kopergravure uit de *Entrée triumphante...*, 1660

Het tijdperk van de Barok zag zichzelf als theaterstuk; zijn toneel was de wereld. Veelzeggend genoeg droegen talrijke geschriften met een historische, cultuur- en sociaal-historische inhoud titels als *Theatrum ecclesiasticum..., Theatrum ceremoniale Historico-Politicum..., Circus regius, Theatrum praecedentiae...* enzovoort. Ze beschreven de feiten en gebeurtenissen, maar leverden tegelijkertijd de spelregels voor de interpretatie ervan. Het hele leven werd daardoor 'historie' of zelfs mythe, elke publieke handeling ceremonie en, de heerser zelf ten slotte 'levend beeld', 'image vivante', van zijn door God gegeven majesteit.

Niemand belichaamde dit principe beter dan Lodewijk XIV. Aan zijn hof, dat als spiegelbeeld van de kosmos werd opgevat, regeerde de koning als Jupiter, Apollo c.q. als alles overstralende zon. Klassieke Oudheid en vroeg-christelijke bronnen leverden de stof waarop deze topos teruggrijpt. Zo beschrijft Vergilius in zijn *Bucolica* het aanbreken van een nieuw, 'Gouden Tijdperk' onder het bewind van een zonnegod. Ten tijde van Constantijn, de eerste christelijke keizer, betrok men deze profetie op het verschijnen van de Zoon van God. Aan het begin van de Nieuwe Tijd werd de zonnemythe staatsutopie, wat bijvoorbeeld het geval is in Tommaso Campanella's *Città del Sole* (1602). Daar kwam een tweede connotatie bij, doordat de zonnegod Apollo als 'Musagetes', als aanvoerder van de muzen, werd voorgesteld. De bevordering van de kunsten –én van de wetenschappen-, maar ook het harmonie en vrede stichtende effect, werden het leidmotief van barokke machtsiconografie.

Een complex systeem van propagandistische voorstellingen diende voor het overbrengen van een dergelijke inhoud. Op visueel gebied waren dit historiestukken, portretten, monumenten en medailles, in de literatuur vooral lofredes. Het belangrijkste instrument werd echter de representatie van de koning zelf. Het verloop van Lodewijks dag was helemaal gelijkgesteld aan de 'baan' en de invloed van de zon. Elke handeling, van het 'se lever' tot het 'se coucher', de maaltijden, de ontvangsten, zelfs de wandeling door de tuinen, werd een symbolische daad, een metafoor van zijn goddelijke verschijning. In ceremonieboeken zijn de gecompliceerde en langdurige handelingen –die allemaal in de openbaarheid van het hof, gedeeltelijk ook voor de ogen van het volk plaatsvonden– opgetekend. De belangrijkste handeling was het 'se lever', het zich verheffen en het aankleden van de koning, wat overeenkomt met het opkomen van de zon. Paginalange aanwijzingen schilderen elke stap, elke handreiking van de talrijke bedienden; voor elke eventualiteit hield het protocol een voorschrift paraat. Zo verstreken de uren, totdat Lodewijk XIV zijn bed verliet en helemaal was aangekleed. De hofhouding woonde elke handeling bij, aangezien de nabijheid tot de koning een garantie was dat ze deel had aan de glans van het firmament.

Dat het paleis en het totale inrichtingsprogramma aan dit concept waren onderworpen, ligt voor de hand. In Versailles, de residentie van de Zonnegod, was elke ruimte op de metaforische interpretatie afgestemd, een privé-sfeer was er niet. In het hart van het complex, exact boven het midden van de Cour de Marbre van Lodewijk XIII, precies op de oost-westas, lag de slaapkamer van de koning (afb. onder), waarin zich het beschreven 'se lever' voltrok; de kamer was cultplaats en machtscentrum tegelijk. De rangschikking van de vertrekken, resp. de mate van toegankelijkheid, waren onderdeel van het ceremonieel; hoe hoger een hoveling in de gunst van de koning stond, hoe verder hij in het binnenste van het paleis mocht doordringen. De opmaat tot het reële en het ideële parcours door het kasteel van de

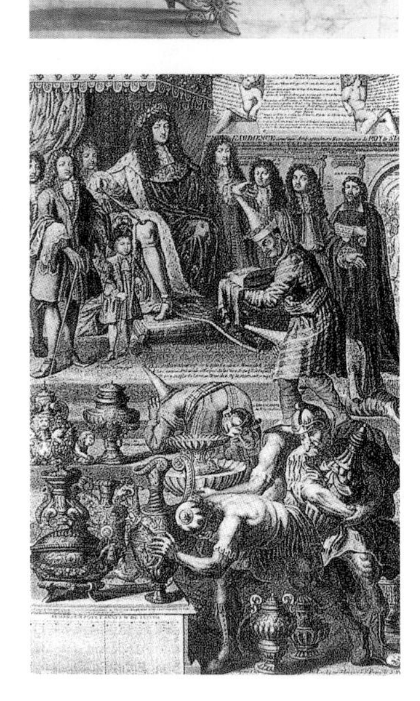

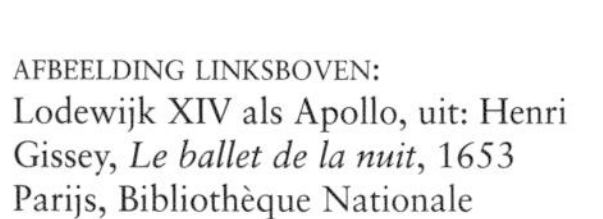

AFBEELDING LINKSBOVEN:
Lodewijk XIV als Apollo, uit: Henri Gissey, *Le ballet de la nuit*, 1653
Parijs, Bibliothèque Nationale

AFBEELDING LINKS:
'Audiëntie van de koning voor het Siamese gezandschap', uit de almanak voor het jaar 1687
Parijs, Bibliothèque Nationale

AFBEELDING RECHTS:
Versailles, paleis
Slaapkamer van Lodewijk XIV

AFBEELDING BOVEN:
**Henri Testelin**
Colbert stelt de leden van de Koninklijke Academie van Wetenschappen voor aan Lodewijk XIV, 1667
Olieverf op linnen, 348 x 590 cm
Versailles, Musée National du Château

AFBEELDING MIDDEN:
**Israel Silvestre**
Nachtelijk toneelstuk op de Cour de Marbre
Uit de serie gravures 'Plaisirs de l'île enchanté, Première Journée', 1664

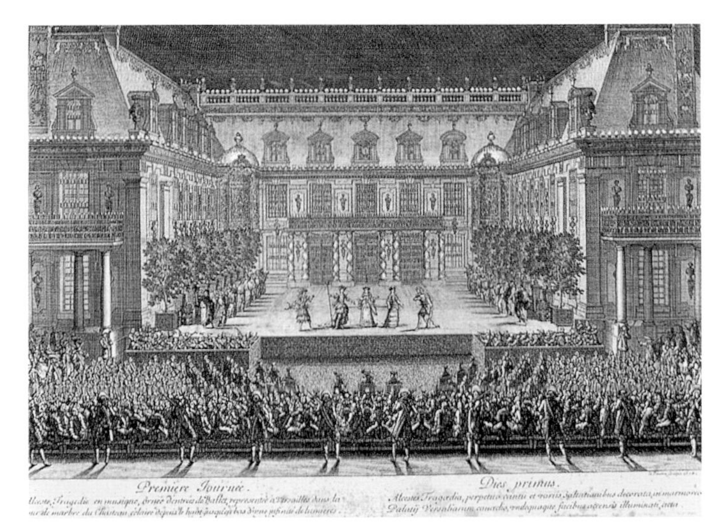


AFBEELDING ONDER:
**Jean Le Paultre**
Het vuurwerk boven het Grand Canal op 18 augustus 1674, gravure uit 1676
Versailles, Musée National du Château

Zonnekoning werd gevormd door de 'Escalier des Ambassadeurs', de eerste en belangrijkste staatsietrap van de Barok, die voortaan het belangrijkste element van de paleisbouw zou worden. De opkomst van de bezoeker en het naderen van de vorst konden er op een voorbeeldige manier worden geënsceneerd. In de 'Grands Appartements', waarvoor Le Brun een aan de planetengoden gewijd beeldprogramma had ontworpen, voerde de koning zijn staatszaken; ze werden in later jaren driemaal per week opengesteld voor het publiek (d.w.z. voor de bovenlagen van de maatschappij), dat zich hier voor spel en dans verzamelde. Dit was een gebaar om te laten zien hoe dicht de vorst bij het volk stond. De Spiegelzaal met de omliggende Salons van de Oorlog en de Vrede werden –anders dan vroegere plannen voor een Hercules-cyclus– versierd met "de geschiedenis van de koning, van de Vrede van de Pyreneeën tot de Vrede van Nijmegen". Om deze in de geest van de staatsideologie te interpreteren, liet de schrijver François Charpentier opschriften aanbrengen. De pronkvertrekken werden echter alleen bij belangrijke ontvangsten gebruikt. Desondanks vond het programma brede verspreiding, bijvoorbeeld via geschriften als de 'Mercure Galant', de maandelijkse rapportage.

Minstens even belangrijk als het kasteel werd het park (afb. blz. 154 e.v., 306 e.v.), dat met zijn lyrische installaties, plezierbouwsels, fonteinen, priëlen en beeldengroepen het ideale toneel voor grandioze feesten vormde. Beroemd werden de al in 1664 –dus nog voor de uitbreiding van het oude Versailles– in de tuinen georganiseerde 'Plaisirs de l'île enchantée', een meerdaags spektakel ter ere van de koningin (of eerder, zoals men vermoedt, voor Mademoiselle de la Vallière, de geliefde van Lodewijk XIV), waaraan de koning zelf als ridder Roger meewerkte. Hoogtepunt van het feest was op de derde dag de verwoesting van het paleis van Alcine, die gepaard ging met een gigantisch vuurwerk. Bij zulke aanleidingen richtte men tijdelijke bouwwerken op, die tijdens dramatische acties werden ingenomen en opgeblazen. Lodewijk XIV had overigens al als jongeman op het toneel gestaan. Tussen 1651 en 1659 had hij in de 'Ballets de Cour' als danser opgetreden, onder meer in de rol van Apollo (afb. blz. 138 linksboven).

Het feest en in samenhang daarmee de efemere architectuur speelden een niet te onderschatten rol in de barokke kunst. Uit gravures en eigentijdse beschrijvingen weten we welke betekenis aan deze 'schouwspelen' kon worden toegekend, of ze nu ter vermaak van het hof werden opgevoerd of om de massa's op de straat te imponeren die er een mogelijkheid in zagen om aan de deprimerende werkelijkheid te ontkomen. In heel Europa werden de 'Entrées solennelles', optochten in middeleeuwse traditie door de stad, van de Franse koning geïmiteerd. Hiervoor werden buitensporige scenario's en kostbare decoraties, meestal houten triomfbogen, ontworpen (afb. blz. 138 boven). De *Trionfo* leek op een regeringsprogramma, waarmee op speelse wijze transcendente machtsstructuren, modellen van een ideële wereld, tot stand werden gebracht. De deugden zegevierden over de zonde, het geloof triomfeerde over het ongeloof, de orde over de chaos. In het centrum van deze harmonie stond uiteraard altijd de koning zelf, lieveling der goden en aan hen gelijk, een instantie van wie het handelen altijd in dezelfde mate als realiteit en als symbolische daad kon worden opgevat. Het toneel van een dergelijk schouwspel was de hele stad; de straten, maar vooral de pleinen, dienden tegelijk als feestruimte, theater, maar ook als plaats van executies. Ze waren steeds onderdeel van een complexe enscenering, de coulisse waartegen zich het vrolijk-ernstige spektakel rond een –tenminste in de ogen van de soeverein– ideale wereld afspeelde.

Aanleiding voor deze even propagandistische als zinnelijke ensceneringen waren profane en sacrale plechtigheden. Staatsbezoeken, de ambtsaanvaarding van de vorst, diens bruiloft, geboorten en zelfs de dood werden met kostbare optochten en passende architectonische installaties *(Castra Doloris)* gevierd. Op dezelfde theatrale manier vierde men kerkelijke feesten, zoals de processies van de paasweek of Sacramentsdag. Het provisorische karakter van de efemere architectuur, ja, zelfs de tijdelijkheid van het hele spektakel, werd geïnterpreteerd als uiting van de vergankelijkheid van het zijn. De in de beeldtaal gebruikte allegorieën van sacrale en profane natuur werden zelfs door onontwikkelde mensen begrepen; symbolische handelingen, talige en visuele metaforen waren bedoeld voor een algemeen begrip; de barokke mens was veel meer dan de moderne mens vertrouwd met retorische patronen en emblematische structuren (zie ook blz. 428/429). De inhoudelijke concepten van zulke evenementen werden door kunstenaars en wetenschappers samen uitgewerkt; de visuele vertaling en toneelmatige enscenering gold als een grote creatieve prestatie. Zo kwam het tot een wederzijdse doordringing van alle kunstgenres, wat met het begrip 'totaalkunstwerk' treffend wordt gekarakteriseerd.

**Jacques Gabriel**
Versailles, Petit Trianon, 1762-1764
Hoffaçade

**Richard Mique**
Versailles, tuinen van het Petit Trianon, liefdestempel, 1775

AFBEELDING BLZ. 141:
**Jules Hardouin-Mansart**
Versailles, zuilenhal van het Grand Trianon, 1687/1688

Van grote betekenis voor de verdere ontwikkeling van de bouw van residenties werd de inbedding in het park, dat net als het paleis een vaste plaats had gekregen in het ceremonieel c.q. de allegorische interpretatie. Het diende voor de –in eerste instantie echter ook protocollair vastgelegde– verstrooiing en vormde de natuurlijke coulisse voor de talrijke feestelijkheden van het hof. Van de bouwwerken van het park van Versailles springt naast de door Jules Hardouin-Mansart gebouwde oranjerie het Trianon eruit. In plaats van een dorp met dezelfde naam was hier eerst het Trianon de Porcelaine gebouwd, een intieme plaats die was bedoeld voor de ontmoetingen van Lodewijk XIV met Madame de Montespan. Hoewel overdadig uitgevoerd en geheel met Delftse tegels bekleed, werd het onverwarmde en oncomfortabele gebouw in 1687/1688 door het Grand Trianon vervangen (afb. blz. 141). In slechts zes maanden tijd bouwde Hardouin-Mansart in 1687/1688 een vast gebouw met een open zuilengalerij en langgerekte, één etage hoge vleugels. Zijn op lichte, Italiaanse voorbeelden gebaseerde concept, zijn op *commodité* ingerichte interieurs, maakten het tot een voorloper van een verfijnde, op intieme behoeften toegesneden bouwcultuur.

Bijna 80 jaar later liet Lodewijk XV voor zijn favoriete maîtresse, Madame de Pompadour, als tegenhanger het Petit Trianon bouwen (afb. links). Jacques Gabriel, een leerling van Hardouin-Mansart, gaf het gebouw zijn klassiek-palladiaanse vormen. De liefdestempel van het Petit Trianon (afb. linksonder), een in 1775 voltooid werk van Richard Mique, de lievelingsarchitect van de gemalin van Lodewijk XVI, Marie-Antoinette, heeft dezelfde klassiek-geïdealiseerde invloed ondergaan.

Hoewel het hof naar Versailles verhuisde, bleef Parijs het centrum van de architectonische ontwikkeling. In de academies aldaar ontbrandde een hevig debat over de theoretische grondslagen van de Franse staatskunst. In de 'Querelle des anciens et des modernes' werd er ruzie gemaakt over de vraag hoe bindend de antieke kunst (preciezer gezegd die van het tijdperk van Augustus) was. In de academie voor de bouwkunst, die als opleidingsinstituut en hoogste bouwinstantie praktisch de gehele Franse architectuur controleerde, was een verbitterd literair dispuut uitgebroken tussen de directeur François Blondel (1617-1686) en Perrault; het zou meer dan alleen maar een 'culturele plaatsbepaling' worden. Terwijl voor Blondel –ondanks een zekere vrijheid van interpretatie– nog altijd de voorschriften van de architectuur van de klassieke Oudheid golden, pleitte de natuurwetenschapper Perrault voor een verdere en vernieuwende ontwikkeling van overgeleverde concepten. De nabootsing van de Ouden was voor hem niet langer een ongeschreven wet. Charles Perrault, Claudes broer, besprak de voor de late 17e eeuw essentiële vraag naar de progressie in wetenschap en kunst in zijn werk *Parallèle des anciens et des modernes...* (1688-1697). Het Parijse observatorium (begonnen in 1676), een eenvoudig vestingachtig gebouw waarin klassieke elementen werden toegepast, maar dat toch vooruitloopt op de moderne utiliteitsbouw, zou het manifest van Perraults opvatting worden. Blondels schoolvoorbeeld is de Porte Saint-Denis (1671-1673), een volgens uitgekiende proportiesystemen ontworpen monumentale triomfboog die de beste gebouwen van de klassieke Oudheid in zich zou moeten verenigen.

**Libéral Bruant en**
**Jules Hardouin-Mansart**
Parijs, Dôme des Invalides
1677-1706
Gezicht op de koepelruimte

**François Mansart**
Projecten voor de grafkapel
van de Bourbons in
Saint-Denis, 1665

AFBEELDING BLZ. 143:
**Libéral Bruant en**
**Jules Hardouin-Mansart**
Parijs, Dôme des Invalides
1677-1706

Het was echter Hardouin-Mansart, de architect van Versailles, die het evenwichtigste gebouw van de Franse Barok zou creëren. Mansart had in 1676 de leiding overgenomen van het zes jaar daarvoor door Libéral Bruant aangevangen invalidenhospitaal, een koninklijke stichting ter verzorging van uitgediende soldaten. Met de in 1706 gewijde Dôme des Invalides (afb. boven en blz. 143), de verbinding van het schip tussen een eenvoudige soldatenkerk en een centraalbouw, slaagde hij in de grootse synthese van twee architectonische elementen, de blokvormige onderbouw met portaalfront en de dominerende, aan de St.-Pieter herinnerende tamboerkoepel. Weer zijn het de vrijstaande dubbele zuilen die het gebouw tot aan de koepel z'n ritme en z'n ongewone plasticiteit geven. Op een subtiele manier wordt de blik naar het midden gestuurd, waar van de niet-geprononceerde hoeken van het blok tot aan het portaal de breedte van de assen gevarieerd en de diepte van het gevelreliëf vergroot worden. In tegenstelling tot de coulisseachtige voorzijden van bijvoorbeeld de gebouwen van Lemercier of het droge classicisme van Blondel staat de Dôme des Invalides toch vooral in de traditie van de Barok in Rome. De 105 meter hoge, door oculi opengewerkte koepel bepaalt ook het interieur. Rond de centrale ronde vorm zijn slechts korte dwarsarmen geplaatst, terwijl boven de hoeken van het vierkante gebouw zich ruimten met zijkoepels verheffen; ze zijn –net als in Val-de-Grâce– diagonaal met de viering verbonden. De Corinthische kolossale orde onderstreept het toch al dominerende verticale karakter; opnieuw worden de hoofdassen door vrijstaande zuilen benadrukt. De aanleg als centraalbouw en ook de hoogstaande uitwerking gaven aanleiding voor de hypothese dat Lodewijk XIV de dom korte tijd als grafkapel had voorbestemd. In plaats van Lodewijk XIV vond een andere regent hier zijn laatste rustplaats: in 1861 liet Visconti in het centrum van de dom een crypte uitgraven waarin Napoleon werd begraven. Inderdaad is de centraliserende aanleg sterk geïnspireerd op de ontwerpen van François Mansart voor de grafkapel van de Bourbons in St.-Denis. Weliswaar werd het project nooit uitgevoerd, maar zijn pretentieuze concept met een koepel met dubbele 'schil' werd veelvuldig geïmiteerd, niet in de laatste plaats in Christopher Wrens St. Paul's Cathedral in Londen.

Jules Hardouin-Mansart bepaalde als geen ander de architectuur van de late 17e eeuw in Frankrijk. De bouwmeester van Versailles, die in 1691 tot *Inspecteur Général* en in 1699 tot *Surintendant des Bâtiments du Roi* werd benoemd, controleerde praktisch alle bouwprojecten in de residentie en in de provincies. Zijn succes, waarop velen jaloers waren, was behalve aan zijn artistieke talent ook te danken aan zijn vermogen om een goed georganiseerde werkplaats te leiden. Dit maakte hem ook bijzonder geschikt voor stedenbouwkundige taken. Zo concipieerde hij twee nieuwe stedelijke brandpunten, het cirkelvormige Place des Victoires (1682-1687) en het Place Vendôme, aan de rand waarvan oorspronkelijk een serie koninklijke instituten was gepland. Hardouin-Mansarts invloed bereikte via zijn leerlingen ook de volgende generaties, zodat zijn stijl tot ver in de 18e eeuw bindend bleef.

Musée
Rodin

**Pierre Alexis Delamair**
Hôtel de Soubise
Gevel aan de binnenplaats,
begonnen in 1704

AFBEELDING BLZ. 145:
**Germain Boffrand en**
**Charles Joseph Natoire**
Hôtel de Soubise, Salon de la Princesse de Soubise, 1735

**Régence en Rococo**
De politieke troebelen aan het begin van de 18e eeuw en het machtsverval van de Franse kroon hadden directe en indirecte effecten op de architectuur. Het directe gevolg was dat vele koninklijke projecten slechts weinig progressie boekten of helemaal werden opgegeven; het indirecte –en veel doorslaggevender– gevolg was dat de kring van opdrachtgevers zich van het hof naar de adel –en dus naar de provincie– verplaatste en dat in samenhang daarmee dus niet langer het monumentale paleiscomplex, maar het intiemere *hôtel* de belangrijkste architectonische opgave werd. Een ander kenmerk van deze tijd is de afkeer van de pathetische gevelbouw van de jaren daarvoor; in plaats daarvan was er een trend naar een steeds kostbaardere, geraffineerdere uitwerking van de interieurs, groter comfort en meer intimiteit in de woningbouw.

De nieuwe bloei van de bouw van *hôtels* is daarvan een sprekend voorbeeld. De adel, die met de verplaatsing van de residentie naar Versailles was gedwongen om de koning te volgen, had nu, nu de Zonnekoning langzaam aan glans inboette, niets beters te doen dan naar Parijs terug te keren en zich opnieuw te vestigen. Zo ontstonden allerlei solide stadspaleizen die overeenkwamen met het uit drie of vier vleugels bestaande type gebouw uit de 17e eeuw, maar die in hun ontwerp van de ruimtelijke indeling en de inrichting onvergelijkbaar gevarieerder en gedifferentieerder waren dan hun voorlopers. Smalle of ongunstig afgesneden percelen daagden de architecten uit tot meesterwerken van plattegrondconstructie. Een goed voorbeeld daarvan is het Hôtel Amelot (1710), waarvoor Germain Boffrand (1667-1754), een medewerker en leerling van Hardouin-Mansart, een nieuwe oplossing vond. Het complex is gesitueerd rondom een diepe, ovale binnenhof; ter overbrugging van de zwikken zijn de aansluitende ruimten als vijfhoeken vormgegeven.

Hoezeer het accent van de pompeuze gevelconstructies naar de decoratie van het interieur verschoof, laat het Hôtel de Rohan Soubise (afb. boven en blz. 145) heel duidelijk zien. Terwijl het tuinfront (Pierre Alexis Delamair, begonnen in 1704) zich nog helemaal richt naar het voorbeeld van Versailles, betrad men in de uitwerking van de woonvertrekken nieuwe wegen. De zoon van de opdrachtgevers, nakomeling van twee invloedrijke families, had zijn ouders ertoe gebracht Delamair te ontslaan en in zijn plaats Germain Boffrand, die zich een begaafd tekenaar en binnenhuisarchitect had getoond, te benoemen. Boffrand ontwierp voor het paleis meerdere appartementen die door ovale ruimten met elkaar werden verbonden. Een van de mooiste ruimten uit deze

periode werd de Prinsessenzaal, die de architect samen met stucwerkers en de schilder Charles Joseph Natoire vormgaf. Hij toont de nieuwe stijl in zijn fraaiste vorm. Verguld stucfiligrein bedekt wanden en plafond; het is gevormd als luchtige takken die zich om een prieeltje slingeren, maar het blijft desondanks volkomen kunstig en symmetrisch. Panelen met ronde bogen en hoge spiegels, die de ruimte optisch groter maken en de fijngestructureerde decoratie veelvuldig weergeven, wisselen elkaar af. Opmerkelijk is dat de scheiding van wand en plafond is opgeheven; de decoratie overspeelt de hoofdlijst. Wit, zacht grijsgroen en turkoois zijn de kleuren die de salon zijn precieuze, natuurgebonden stemming verlenen. In de zwikken tussen spiegels en plafond vertellen de schilderijen van Natoire het verhaal van de psyche, eens te meer een aanwijzing dat het pathos van vroegere decoratieprogramma's geweken was voor een verfijndere levensstijl en de behoefte aan sensitiviteit.

De nieuwe stijl, die pas later 'Rococo' zou worden genoemd (naar 'rocaille' = schelpversiering), vond zo ongeveer in het tweede decennium van de 18e eeuw ingang. De elementen ervan, de wandindeling door middel van *panneaux*, spiegels en *supraportes*, de aankleding van de zoldering door *voûte* en *plafond*, omlijstingsmotieven als *cartouche* en *lambrequin*, ja zelfs de schelpversiering die in de *rocaille* zijn zegetocht zou beginnen, waren gedurende de hele Barok en ten dele al in de Renaissance en de tijd van het Maniërisme bekend. Zelfs in Versailles, in een aantal opeenvolgende vertrekken, maar ook in de decoratie van het Grand Trianon waren al vroege vormen van de nieuwe stijl waar te nemen. Tijdens de *régence*, het bewind van de Duc d'Orléans, begonnen deze decoratieve elementen de architectonische structuur naar de achtergrond te verdringen, eerst nog in symmetrische, later in alles overwoekerende asymmetrische vormen. In de jaren '30 werd de vlakgebonden decoratiestijl van de meeste Europese centra overgenomen en –in tegenstelling tot het land van oorsprong– ook op het exterieur toegepast.

In Frankrijk werd er intussen zeer hevige kritiek geuit op het *genre pittoresque*, zoals het Rococo eerst werd genoemd. Deze was vooral afkomstig uit de kring van de academies, die de classicistisch beïnvloede staatskunst nog altijd beschouwden als de enige ware. Voltaires *Temple du goût* is de literaire weerslag van een opvatting die de nieuwe stijl als de grootste barbarij na het Gouden Tijdperk van de cultuur onder Lodewijk XIV beschouwde. Desondanks liepen beide stijlrichtingen in de praktijk parallel aan elkaar of vulden ze elkaar aan, temeer daar zelfs de decoratiekunstenaars meestal een academische opleiding hadden doorlopen of als medewerker van Hardouin-Mansart waren begonnen. Tot welke fraaie oplossingen dit kon leiden, laten de paardenstallen van Chantilly zien die Jean Aubert (ca. 1680-1741), favoriet tekenaar van Hardouin-Mansart, tussen 1719 en 1735 voor de hertog van Bourbon bouwde (afb. blz. 146 boven). Dit 'paleis voor paarden', dat inderdaad

**Jean Aubert**
Chantilly, paardenstallen
1719-1735

**Robert de Cotte en Massol**
Straatsburg, Palais de Rohan
1731-1742

AFBEELDING ONDER:
**Germain Boffrand en Emmanuel Héré de Corny**
Nancy, Palais du Gouvernement, 1715
Voorgevel (detail)

in belangrijke mate door Versailles werd beïnvloed, speelt vrijuit met overgeleverde elementen uit de Franse barokbouwkunst en tooit deze met decoratieve details.

Een van de invloedrijkste architecten uit de eerste helft van de 18e eeuw was Robert de Cotte (1656-1735), eveneens een leerling en medewerker van Hardouin-Mansart. In 1689 reisde hij samen met Jacques-Ange Gabriel naar Italië en in hetzelfde jaar werd hij aangesteld als directeur van de Franse academie voor bouwkunst en na Mansarts dood als *Premier architecte du Roi*. In deze posities stuurde hij de openbare bouwkunst – net als zijn voorgangers. In Parijs bouwde hij talrijke hôtels en verbouwde hij François Mansarts Hôtel de la Vrillière in eigentijdse vormen. Aangezien hij een goed georganiseerd architectenbureau onderhield, had hij invloed op vele buitenlandse bouwprojecten, waaronder het ontwerp van de kastelen van Würzburg, Brühl en Schleißheim en op de bouw van het Palacio Real in Madrid en het kasteel van Rivoli bij Turijn.

Op dezelfde manier leverde hij plannen voor openbare pleinen, zoals het Place Bellecour in Lyon of het Place Royale in Bordeaux, evenals voor de paleiscomplexen van de vermogende clerus, die aanzienlijke invloed op de Franse bouwkunst uitoefende. De Cotte moet echter vooral als ontwerper en ondernemer worden gezien; de uitvoering van zijn voorstellen werd meestal aan andere, plaatselijke bouwmeesters overgelaten. Zo voerde de Straatsburgse architect Massol zijn grootste project uit, het Palais de Rohan, zetel van de vorst-bisschop van de stad in de Elzas. Hoogtepunt van het als monumentaal hôtel opgevatte gebouw (afb. rechtsboven) is de gevel aan de kant van de Ilm; de 17 traveeën brede gevel wordt door een centrale risaliet met kolossale orde benadrukt. Desondanks bleef de plaatselijke architect trouw aan de plannen van zijn inmiddels blind geworden leraar en verfraaide hij ze zelfs naar zijn geest. Robert de Cottes invloed op de receptie van Franse architectuur in Europa kan zelfs niet worden overschat; beter dan welke theorie ook zorgde zijn architectenbureau voor de verspreiding van de laat-barokke hofstijl.

Meer en meer eisten ook de provincies hun recht op zelfstandige ontplooiing op. Belangrijkste voorbeeld daarvoor is Nancy, zetel van Stanislas Lescinski, een schoonzoon van Lodewijk XV. Met medewerking van zijn hofarchitect Emmanuel Héré de Corny, een leerling van Boffrand, ontstond een stedenbouwkundig gezien hoogst aantrekkelijke residentie, die zowel de versterkte oude als de planmatig aangelegde nieuwe stad in een afwisselende aanleg integreerde. Deze behoort tot de hoofdwerken van de stedelijke bouwkunst van het Rococo (afb. rechts en blz. 147).

**Emmanuel Héré de Corny**
Nancy, Place Royale
(nu Place Stanislas), 1752
Fontein en smeedijzeren hek
door Jean Lamour

SOUS LE REGNE DE LOUIS XVI

AFBEELDING BLZ. 148:
**Victor Louis**
Bordeaux, Grand Théatre
Trappenhuis, 1777-1780

**Jean Germain Soufflot**
Parijs, Panthéon
(voormalige Église de Sainte-Geneviève)
Begonnen in 1756

**Jacques-Ange Gabriel**
Bordeaux, Beurs, 1730-1755
Voorgevel (detail)

## Classicisme

In 1753 eiste de jezuïetenabt Marc-Antoine Laugier in zijn *Essai sur l'architecture* de terugkeer naar de oervormen van het bouwen. Zijn door het rationalisme bepaalde opvatting verbond zich met de in de Franse kunst steeds latent aanwezige stroming van het Classicisme, die ook gedurende Régence en Rococo nooit helemaal was weggeweest. Al tien jaar eerder was met de privé-academie van Jacques-François Blondel (1705-1754, niet verwant met François Blondel) een instituut opgericht dat de volgende generatie architecten in de geest van de op de klassieke Oudheid geënte idealen opleidde. Zoals overal in Europa kwam de architectuur van het klassieke Griekenland steeds meer in de belangstelling te staan, maar men probeerde deze aan de eigentijdse architectonische opgaven, de klimatologische en maatschappelijke omstandigheden aan te passen. Iemand die kans zag de meest uiteenlopende eisen op een elegante manier te verenigen, was Jacques-Ange Gabriel (1698-1782), wiens hoofdwerk het eerder genoemde Petit Trianon (afb. blz. 140) in het park van Versailles is. Aan de tuinzijde is voor het geblokte, maar sierlijke gebouw een Corinthische peristyle geplaatst; het totale concept is nauw verwant aan de interpretaties van palladiaanse villa's door het Britse Neopalladianisme. Dezelfde sensibiliteit ten opzichte van de natuur en de omringende vrije ruimte kenmerkt ook het Place Louis XV, het huidige Place de la Concorde; Gabriel stemde de bebouwing af op de Tuilerieën, het verloop van de Seine en de destijds beboste Champs-Elysées.

Een veel strengere opvatting werd vertegenwoordigd door Jacques Germain Soufflot, aan wie de opdracht tot de bouw van de Ste. Geneviève (begonnen in 1756) werd verleend (afb. rechts). Soufflot droomde van de synthese tussen "Griekse verhevenheid en gotische gewichtloosheid"; hij bouwde een met een porticus verlengd gebouw boven een Grieks kruis met een neoclassicistisch interieur dat inderdaad ondanks z'n academische strengheid een ongewone lichtheid uitstraalde. Om de monumentale koepel te dragen, moesten de vieringpijlers echter wel al tijdens de bouw worden verstevigd. De kerk, die Laugier als "het eerste voorbeeld van volmaakte architectuur" roemde, werd in de republikeinse tijd omgevormd tot het Panthéon. Het interieur van de kathedraal van Arras kan worden beschouwd als even exemplarisch voor de kunsttheoretische ideeën in het Frankrijk van na het midden van de 18e eeuw. Ook hier werd geprobeerd om ideale gotische structuren te verenigen met klassieke stijlelementen; in dit geval verbond Pierre Contant d'Ivry (1698-1777) een basilicaal schip met een Corinthische colonnade, een motief dat aan de ruimte een ongewone helderheid en transparantie verleende.

Consequenter zette zich het Neoclassicisme door bij gebouwen die aan minder traditionele schema's waren gebonden. Dit was het geval in het vrijstaande, uit de context van het hof losgemaakte publieke theater. Het gebouw in Bordeaux (afb. blz. 148) van Victor Louis (1731-1800), een voormalig winnaar van de Prix de Rome van de Parijse academie, werd door zijn tijdgenoten beschouwd als het mooiste theater ter wereld. Het exterieur van het tussen 1777 en 1780 gebouwde Grand

**Claude Nicolas Ledoux**
Arc-et-Senans, zoutmijn, 1774
Directiepaviljoen in het centrum van het complex

Théatre bekoort door zijn brede, door een doorlopend hoofdgestel gesloten zuilengalerij; de fraaie trapconstructie van het interieur zou een voorbeeld worden voor de Parijse opera.

Het project voor een arbeidersstad bij de zoutmijn van Arc-et-Senans (afb. boven en onder) geeft een voorproefje van de architectuur van de revolutiejaren, hoewel de voorwaarden totaal anders zijn. Claude Nicolas Ledoux (1736-1806), een theoreticus met maatschappelijke ambities, ontwierp in opdracht van Lodewijk XV een ellipsvormige ideale stad die absolutistische ideeën –het huis van de directeur staat in het centrum van het complex– met moralistische utopieën verbond. Is het

gehele complex tamelijk traditioneel, in de vormgeving van de afzonderlijke gebouwen gaat Ledoux ver over de grenzen van zijn tijd heen. Brouwhuizen met een druipsteenachtig decor, de werkplaats van een kuiper als schijf met concentrische ringen, onversierde kubieke vormen die een abstracte inhoud moesten verbeelden. Ledoux citeert onbekommerd uit het repertoire van de geschiedenis en de fantasie, een vrijheid die pas zou zijn weggelegd voor latere generaties. Zijn doel was echter niet de reanimatie van voorbije vormtalen, maar het zoeken naar een expressieve architectuur, een *architecture parlante*, waarvan de betekenis niet via complexe theorieën en overgeleverde kennis, maar uit het gevoel en daarmee uiteindelijk uit de natuur wordt afgeleid. Jean Jacques Rousseau en zijn geschrift *La nouvelle Héloïse* (1762) hadden daarvoor het pad geëffend.

Zelfs het hof, dat het stijve ceremonieel eindelijk beu was, maar tegelijkertijd blind was voor de tekenen van de tijd, verviel in de droom van het aardse paradijs. De landelijke omgeving, het leven in harmonie met de natuur –weliswaar in een goed georganiseerde vorm– beloofde verlossing uit de onplezierige realiteit van het bestaan. De door Richard Mique (1728-1794) voor Marie-Antoinette geconstrueerde gebouwen in het park van Versailles, een boerenhoeve met molen (afb. blz. 151) en een melkfabriek, die echter wel werden gecompleteerd door een theater, bibliotheek en liefdestempel, zijn een uiting van deze geesteshouding. Ideeën die in de Engelse landschapstuin vorm hadden gekregen, vonden nu ingang in de Franse architectuur. Maar de idylle bedroog. Het waren de laatste bouwprojecten in Versailles voor de Franse Revolutie; al enkele jaren later eindigden Mique en zijn opdrachtgeefster op het schavot.

**Richard Mique**
Versailles, Trianon, Hameau de la Reine
Huis van de koningin (boven)
en molen (onder), 1782-1785

# Tuinkunst van de Barok

Ehrenfried Kluckert

Voor de ontwikkeling van de barokke tuin in Europa blijven twee tegengestelde oriëntatiepunten van belang: de geometrie en de natuur. De tuin wordt enerzijds als een geometrische vorm en anderzijds als een afgebakend gebied van de organisch groeiende natuur gedefinieerd. Deze tegengestelde opvatting over tuinen resulteert in twee soorten tuinen, de streng symmetrische tuin en de landschapstuin. De eerstgenoemde komt in zijn volmaaktste vorm in Frankrijk tot bloei, het andere type in Engeland.

Dit schema lijkt goed hanteerbaar en inzichtelijk in kunsthistorische zin, temeer daar de Engelse landschapstuin de streng geornamenteerde vorm van de Franse tuin van de 17e en 18e eeuw afloste en weldra in heel Europa populair werd. De bekoring van de weelderige natuur was superieur aan het raffinement en de kunstmatigheid van de Franse tuin.

Toch wordt hier een belangrijke gedachte over het hoofd gezien. De natuur, in een geometrische vormgeving of in een geregeld systeem van 'vrije' ontplooiing, was altijd de gemeenschappelijke basis van artistieke tuinontwerpen. Daarbij komt dat de in Italië en Frankrijk populaire, obligate geometrische vormgevingselementen niet zonder meer in harmonie waren met theorieën die daar over de tuinkunst op schrift werden gesteld. Zo verheerlijkte Jacopo Sannazaro bijvoorbeeld al in het voorwoord van zijn in 1504 gepubliceerde Arcadia de landschapstuin: "De trotse, dicht bebladerde bomen, die heel natuurlijk, zonder toedoen van de kunst, de toppen van vreesaanjagende bergen bedekken, zijn doorgaans aangenamer voor het oog dan de zorgvuldig gekweekte en met kennis van zaken ontwikkelde sierplanten van de tuinen."

Sannazaro's Arcadia was in de 16e eeuw wijdverspreid en werd graag gelezen en kan worden geciteerd als bewijs van de voorliefde voor de landschapstuin, lang voor de ontwikkeling van het Engelse type. Aan de andere kant kan de Franse baroktuin eigenlijk evenmin uitsluitend worden benadrukt als exemplarische vertegenwoordiger van de architectonische tuin. Dat zou hooguit kunnen opgaan voor de artistieke vormgevingsplannen van Le Nôtre in Versailles, maar zeker niet voor de ontwerpen in het tijdperk van Lodewijk XV, dus voor de tuinaanleg in de tijd rond 1750, waarin de pastorale in Versailles opnieuw tot leven zou komen.

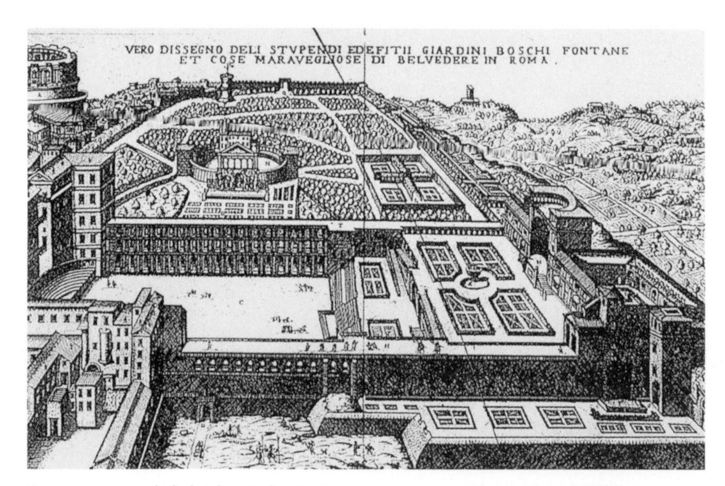


Rome, tuin van de belvédère in het Vaticaan, gravure van H. van Scheel, 1579

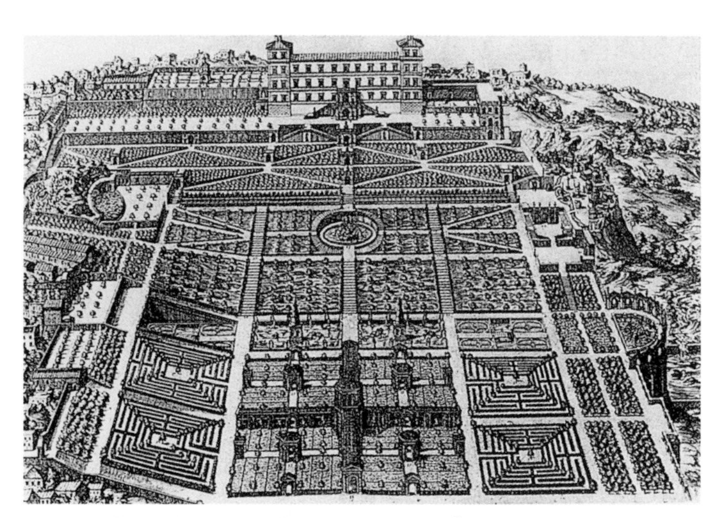

Tivoli, totaaloverzicht over de Villa d'Este, gravure van Étienne Dupérac, 1573

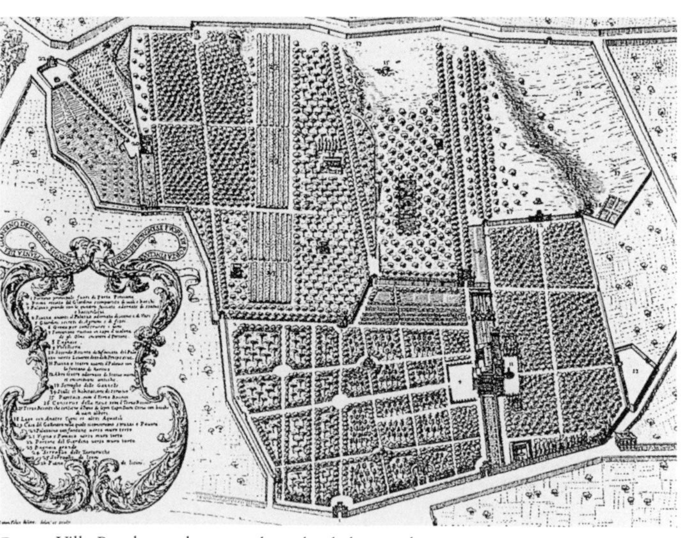

Rome, Villa Borghese, plattegrond van het hele complex, gravure van S. Felice

## Italië

De natuur in de Italiaanse renaissancetuin werd op basis van de ideeën van Petrarca verbonden met een levensgevoel waarin naar (innerlijke) rust werd gezocht. Men zag de tuin als het arcadische tegenontwerp van de drukte van de stad, als kunstzinnig vormgegeven toevluchtsoord. Daarbij moesten huis en tuin volgens Leon Battista Alberti een artistieke eenheid vormen en vanuit dezelfde geometrische vormen worden ontwikkeld. De dominicaner monnik Francesco Colonna stelde in zijn werk *Hypnerotomachia Polyphili* slingerende perken en fantasievol geschoren bomen voor die later in de Franse baroktuin werden overgenomen en veelvuldig gevarieerd. De kunstige aanleg van de parterres, de as-symmetrische structuren en knooppatronen en ook de beplanting en het padenstelsel hadden invloed op de barokke tuin in Europa.

Voor het tuinontwerp van de 17e en 18e eeuw diende de tuin van de belvédère in het Vaticaan als voorbeeld (afb. linksboven), aangezien de belangrijkste architectonische motieven hier nadrukkelijk aanwezig waren: terras, buitentrap, bordes en exedra. Het ging paus Julius II om de harmonieuze verbinding van de op een hoger niveau gelegen villa met het pauselijk paleis. Tussen de twee gebouwen strekte zich een gebied uit dat naar de belvédère toe omhoog liep en meer dan 300 meter lang was.

De dominantie van de architectuur als medium dat een tuin zijn vorm geeft, wordt nergens zo duidelijk als in de belvédère van het Vaticaan. Pirro Ligorio paste dit concept toe op een ander tuincomplex. In het jaar van de voltooiing van de tuin van de belvédère werkte hij voor kardinaal Ippolito II d'Este een plan uit voor diens tuin in Tivoli (afb. linksmidden). Het woonpaleis verheft zich op de top van een berg, waarvandaan men een machtig uitzicht heeft op het landschap. De tuinaanleg strekt zich van een laaggelegen niveau via vijf terrassen die via een stelsel van paden, trappen en plateaus met elkaar zijn verbonden uit tot het hooggelegen paleis. Jacob Burckhardt toonde in zijn Cicerone zijn enthousiasme voor de Villa d'Este als "het rijkste, door de eigenschappen van de natuur eeuwig onbereikbare voorbeeld van een prachttuin".

Pas met de aanleg van de Villa Borghese in Rome (afb. linksonder) werd het primaat van de architectuur definitief teruggedrongen. Voor de heer des huizes, kardinaal Scipio Borghese, waren de bosschages, de regelmatige aanplantingen van bomen, belangrijker dan een aan het paleis c.q. casino gerelateerd stelsel van lanen, plateaus en trappen. Het uitgestrekte terrein is in meer zones onderverdeeld, die slechts zelden een onderlinge symmetrische samenhang vertoonden. De 'Giardini Segretti' met bloemen en voedingsgewassen in de buurt van het casino zijn door eiken-, laurier- en cypressenbosschages, wildparken en een vinkenbaan omgeven.

Vaux-le-Vicomte, kasteel met parterres
Oorspronkelijke tuinaanleg van André Le Nôtre

**Carlo Maratta**
Portret van André Le Nôtre, 1678
Olieverf op linnen, 112 x 85 cm
Versailles, Musée du Château

**Frankrijk**

De Fransen waren enthousiast over het nieuwe concept van de Villa Borghese in Rome. Natuurlijk namen ze ook kennis van de architectonische tuinkunst in het Vaticaan. De Italiaanse invloeden op de tuinkunst van Frankrijk reiken zelfs terug tot aan de regeerperiode van Karel VIII, die eind 15e eeuw Italiaanse kunstenaars in Amboise uitnodigde. Tijdgenoten doen verslag van 'Italiaanse wonderen' die nu in Frankrijk zouden opbloeien. De Italiaanse 16e-eeuwse tuinkunst had in het bijzonder veel invloed gedurende de regeerperiode van Hendrik IV en zijn gemalin Maria de' Medici. De tuin van Saint-Germain-en-Laye werd onder Hendrik IV uitgebreid en tegen het eind van de 16e eeuw voltooid. De tuin werd als achtste wereldwonder geprezen. Het belvédère-concept van de verbinding van terrassen met plateaus en buitentrappen, en de effectvolle situering van lusthuizen met exedravormige verbindingsvleugels is hier op royale wijze geënsceneerd en met vele extra decoratieve componenten zoals galerijen, paviljoens, grotten of mechanische curiositeiten verrijkt.

Na de dood van haar gemaal liet Maria de' Medici vanaf 1612 de Jardin du Luxembourg in Parijs aanleggen – in de vorm van de Florentijnse Boboli-tuinen. De situering van de bosschages, waarvoor ze persoonlijk tot volle wasdom gekomen bomen had laten aanplanten, de ligging van de grote parterre en de inrichting van de dwarslaan kwamen volledig overeen met het Florentijnse voorbeeld.

In de regeerperiode van Lodewijk XIV ontwikkelde de Franse tuin zich echter tot een imposant kunstwerk dat in zijn luister alle andere tuincomplexen overstraalde. De onvergelijkbare tuinen van Vaux-le-Vicomte, de Parijse Tuilerieën en ten slotte, als onbetwiste kroon, Versailles, waren, althans grotendeels, de schepping van de vermoedelijk geniaalste Europese tuinarchitect, André Le Nôtre (afb. links). Er kan nog aan worden toegevoegd dat juist Versailles uit de geestverwantschap tussen de koning en zijn 'tuinman' Le Nôtre en –naderhand– van zijn architect Jules Hardouin-Mansart is voortgekomen.

André Le Nôtre, in 1613 in Parijs geboren, was afkomstig uit een familie van tuinlieden. Zijn vader bekleedde de rang van *jardinier en chef du roi* en was lange tijd werkzaam in de Tuilerieën. André vestigde zijn roem met het tuincomplex van Vaux-le-Vicomte (1656) (afb. boven), waarvan de kasteelbezitter Nicolas Fouquet, minister van Financiën van de koning, slechts korte tijd kon genieten. Enkele dagen na het bruisende inwijdingsfeest op 17 augustus 1661 met concert, komedie, ballet en een luisterrijk vuurwerk ter afsluiting, waarvoor ook de koninklijke familie was uitgenodigd, werd Fouquet de gevangenis in gesmeten, die hij niet meer levend zou verlaten. Het was de regent snel duidelijk geworden dat de immense kosten voor kasteel en tuin slechts via een forse greep in de staatskist te financieren waren geweest.

Voor de tuin had Le Nôtre zich georiënteerd op de middelste as van het kasteel, waarlangs hij –via verschillende terrassen op de afhellende vlakte naar het dal toe– de afzonderlijke elementen had aangelegd. De tuin, die ontworpen was met het oog op de perspectivische werking op afstand, wordt door de broderieparterre sterk geaccentueerd. Op de voorste 'inzwenkingen' plaatste Le Nôtre twee fonteinen die een relatie aangaan met een grotere fontein aan het einde en op de middenas van dit terras.

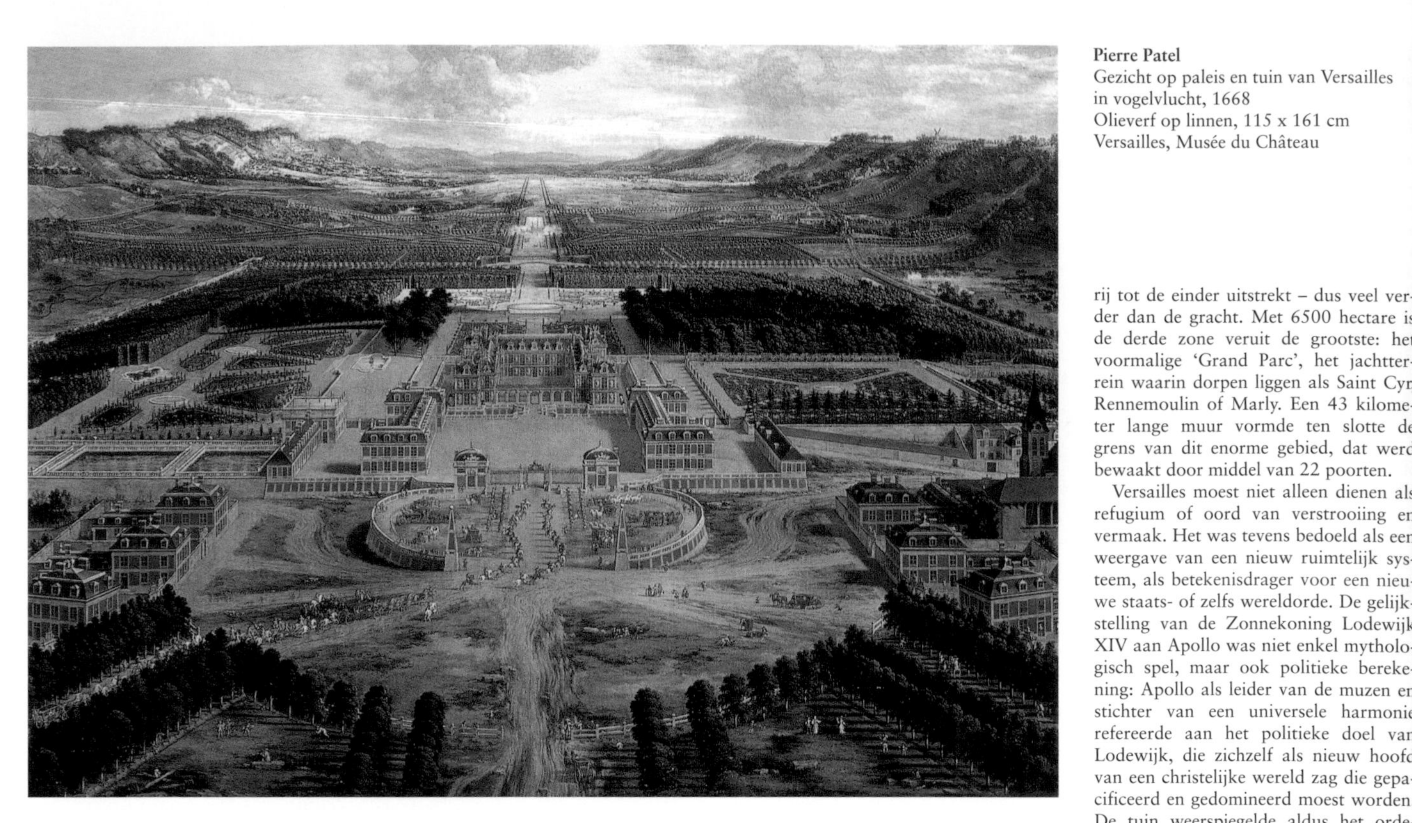

**Pierre Patel**
Gezicht op paleis en tuin van Versailles in vogelvlucht, 1668
Olieverf op linnen, 115 x 161 cm
Versailles, Musée du Château

Door deze kunstgreep wordt de blik op de verte geconcentreerd. Ook de plaatsing van de bosschages aan de zijkanten werkt als een omlijstend element dat het zijwaarts afdwalen van de blik moet tegengaan.

In Vaux-le-Vicomte experimenteerde Le Nôtre. Van verschillende Europese tuinen, met name de Italiaanse, nam hij tuinmotieven over als gracht, bassin, buitentrap of plateau en combineerde de elementen op een nieuwe manier met elkaar.

Zonder twijfel was de jonge koning enthousiast over deze weidse en schitterende tuinaanleg. Zelf kon hij op dat moment alleen maar een bescheiden jachtslot in Versailles laten zien. Nog in hetzelfde jaar van het voor de kasteelbezitter Fouquet zo noodlottige feest begon Lodewijk XIV met de uitbreiding van slot en park in Versailles. Als tuinarchitect bood Le Nôtre natuurlijk zijn diensten aan. Zo kan men zonder meer beweren dat het begin van de beroemde tuin van Versailles samenvalt met het feest in Vaux-le-Vicomte.

**Versailles**
Uit 1668 stamt een schilderij van Pierre Patel (afb. boven) dat tuincomplex en paleis in vogelvlucht toont. Men waant zich zwevend boven de aarde. Voor en onder de beschouwer opent zich een weids landschap dat in de verte, in het westen, vervluchtigt in de blauwachtige waas van een heuvelketen, en in het noorden en zuiden door glooiingen wordt afgesloten. Maar dit landschapspanorama is niet in staat om het gehele tuincomplex vast te leggen. Het strekt zich verder uit tot achter het heuvellandschap en achter de horizon. Het basisconcept gaat uit van drie zones met als oriëntatiepunt het paleis, de zon vanwaaruit de lanen uitstralen naar de ruimte eromheen; daar vertakken ze zich veelvuldig en definiëren telkens nieuwe sectoren van de tuin. De eerste zone is het huidige 'Petit Parc', het door de vader van de Zonnekoning, Lodewijk XIII, onder regie van Jacques Boyceau begonnen park. Het komt voor op de zogenaamde 'Plan du Bus' van 1661 (afb. linksonder), de oudste plattegrond van Versailles. Deze 93 hectare grote parterre met de aansluitende bosschages wordt begrensd door de dwarslaan die het Apollo-bassin kruist. De tweede zone is tien keer zo groot: het huidige 'Grand Parc', dat zich op het genoemde schilderij tot de einder uitstrekt – dus veel verder dan de gracht. Met 6500 hectare is de derde zone veruit de grootste: het voormalige 'Grand Parc', het jachtterrein waarin dorpen liggen als Saint Cyr, Rennemoulin of Marly. Een 43 kilometer lange muur vormde ten slotte de grens van dit enorme gebied, dat werd bewaakt door middel van 22 poorten.

Versailles moest niet alleen dienen als refugium of oord van verstrooiing en vermaak. Het was tevens bedoeld als een weergave van een nieuw ruimtelijk systeem, als betekenisdrager voor een nieuwe staats- of zelfs wereldorde. De gelijkstelling van de Zonnekoning Lodewijk XIV aan Apollo was niet enkel mythologisch spel, maar ook politieke berekening: Apollo als leider van de muzen en stichter van een universele harmonie refereerde aan het politieke doel van Lodewijk, die zichzelf als nieuw hoofd van een christelijke wereld zag die gepacificeerd en gedomineerd moest worden. De tuin weerspiegelde aldus het ordeningsprincipe op basis waarvan de staatsmacht functioneerde en de beschaving werd gestuurd.

De aanleg en het iconografische programma van het 'Petit Parc' geven het symbolische gehalte weer dat voor het begrijpen van de koninklijke wereldorde van belang was. Tegen het einde van zijn leven ontwierp Lodewijk een 'tour' die naar de de belangrijkste 'staties' van zijn park leidde. Als men door de Spiegelzaal

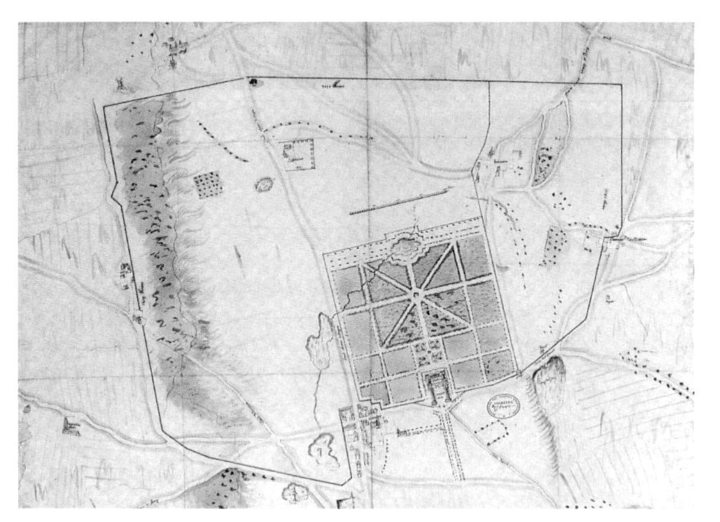

Zgn. 'Plan du bus', detail, ca. 1661/1662
Parijs, Bibliothèque Nationale

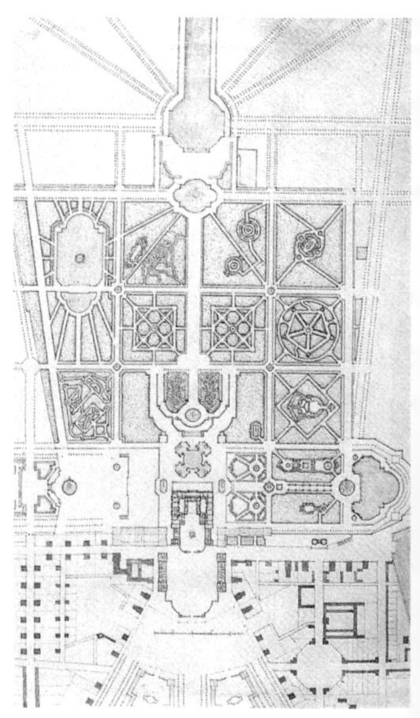

**Israel Sylvestre**
Plattegrond van Versailles als geheel, 1680, Parijs, Bibliothèque Nationale

heenloopt en het paleis verlaat, komt men op het terras van de Parterre d'Eau, waar twee waterbassins zijn aangelegd, ontworpen door Le Nôtre en tussen 1683 en 1685 uitgevoerd door Jules Hardouin-Mansart. Van hieruit wordt de blik naar de centrale as geleid en vervolgens zweeft hij over het Apollo-bassin en de gracht tot aan de horizon. De wereld verschijnt als een volledig geordende ruimte, een wereld van zon en licht, aangezien de wateroppervlakken de hemel weerspiegelen en de spiegels in het spiegelkabinet van het paleis dit plaagspel voortzetten, alsof ze de buitenruimte een plaats willen geven in het interieur. Langs een bronzen kopie van een antiek Apollo-beeld en de oranjerie, een meesterwerk van Jules Hardouin-Mansart (1684-1686), komt men in de doolhof met dierenfontein en slingerende paden, vermoedelijk de fantasierijkste schepping van Le Nôtre (1666). Volgens een oude beschrijving moet het absoluut heerlijk zijn geweest om daar te verdwalen.

Op deze manier loopt men 25 staties af en ervaart men de wereld van de geest en de natuur aan de hand van mythologische scènes, panorama's en –concreet– in de groei van de planten.

De eerste grote bouwfase vond plaats van 1661 tot 1680 (afb. blz. 154 rechtsonder). In deze periode plantte men vijftien bosschages aan die door de lanen werden begrensd. Elke bosschage is een zinnelijke wereld op zich – architectonisch in vorm gebracht en met enorme variatie in de verschillende stereometrische elementen. In de in 1679 door Le Nôtre aangelegde 'Bosquet des Sources' slingeren de paden langs talrijke beekjes en lijken ze de spot te drijven met de strenge geometrische ordening van de aanleg als geheel. Voor Le Nôtre openbaarde zich de orde in de vormgeving van het ongeordende. Vermoedelijk was dat er de reden van dat Mansart in 1684 werd opgedragen om deze bosschage weer 'recht te trekken' en van een rotonde te voorzien (afb. rechtsboven).

In dit jaar benoemde de koning Mansart tot leidinggevende kunstenaar. De vormgeving van de tuin nam een duidelijke wending naar het klassieke. De gebouwde architectuur werd voortaan strenger van de 'florale architectuur' gescheiden. Mansart vermeed stenen steunmuren en liet in plaats daarvan glooiende gazons aanleggen. Op de plaatsen waar geraffineerde padenstelsels door bosschages zouden slingeren, had Mansart vaak helder gestructureerde gazons gepland.

Een groot probleem was er ten aanzien van de watertoevoer. Een in 1664 ingerichte en door paardenkracht aangedreven pompinstallatie haalde water uit de vijver van Clagny. Later onttrok men ook water aan het reservoir van Le Vau. De voorraden waren echter weldra niet meer toereikend voor de enorme hoeveelheden water die paleis en park nodig hadden. Nog meer bronnen werden aangeboord, en ten slotte werden er in de jaren '80 windmolens gebouwd om de pompen aan te drijven. Bij de bassins zelf liet men watertorens bouwen om niet alleen de reservoirs, maar ook de bosschages van water te kunnen voorzien. Tussen 1678 en 1685 legde men afwateringssloten aan en ontwaterde men vele kleine vijvers en moerasgebieden in de buurt van Versailles. Het water werd naar verschillende vijvers en van daaruit via kanalen naar verschillende reservoirs geleid. Uiteindelijk bereikte het water paleis en tuin. In Marly, dat de koning in 1676 tot 1686 door Hardouin-Mansart als 'prieel' liet vergroten, werd een systeem met 257 pompen aangelegd, de beroemde 'machine de Marly' (afb. onder), die water van de Seine via de heuvels door een aquaduct naar Versailles leidde.

Nadat het hof zich in Versailles had ingericht, zocht de koning naar plaatsen waar hij zich terug kon trekken. Hij vond ze in Trianon en in het hierboven genoemde Marly. Na de sloop van het dorp Trianon liet hij Le Vau daar in 1670 het 'Trianon de Porcelaine' bouwen voor zijn maîtresse, het eerste Europese buitenverblijf met Chinees decor. Met de opkomst van een nieuwe maîtresse moest dit paviljoen in 1687 wijken voor een nieuw gebouw, het 'Trianon de Marbre', genoemd naar het roodachtige marmer van de pilasters. De parterre werd als 'rijk van Flora' vormgegeven, als zuivere bloementuin (afb. blz. 156).

De tuin van Marly, tussen 1676 en 1686 naar ontwerpen van Mansart aangelegd, werd beschouwd als de mooiste tuin van de koning. Als basismodel koos Mansart hier Le Vaus paviljoen uit het Trianon en modelleerde hij een tamelijk groot, twee verdiepingen hoog paleis dat door zes kleinere paviljoens werd geflankeerd. Deze gebouwen werden allemaal gegroepeerd rond een centrale as die tegelijk de compositorische grondslag vormde voor de tuinaanleg. Meer nog dan in Versailles, waarvan de tuinen hier als het ware in miniatuur terugkeren, speelde het water in Marly een belangrijke rol. Het gehele complex lag in een vallei, zodat voor de fonteinen en andere waterwerken altijd voldoende druk aanwezig was.

Na het overlijden van Lodewijk XIV in 1705 nam Lodewijk XV het onderhoud op zich van de tuinen, die in de loop der jaren sterk waren veranderd. Struiken waren intussen tot bomen uitgegroeid, zodat ze niet meer horizontaal konden worden geschoren. Voor Lodewijk XV was het Trianon een ideaal toevluchtsoord. Hier liet hij een menagerie met nuttige, inheemse dieren bouwen. De idealisering van het landleven concretiseerde zich nu in het preromantische

**Jules Hardouin-Mansart**
Versailles, paleispark
Colonnades, detail
1684

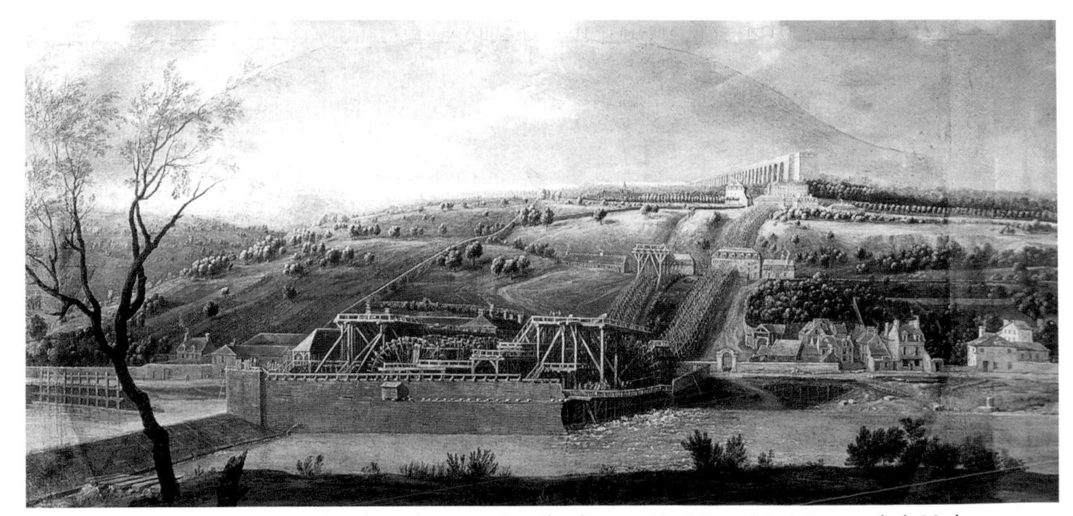

**Pierre Denis Martin**, aquaduct en 'machine de Marly', 1724, olieverf op linnen, 115 x 161 cm, Musée-Promenade de Marly

**Jules Hardouin-Mansart**, Versailles, Trianon de Marbre met bloemenparterre, 1687

beeld van de pastorale. De tuin werd langzaam veranderd in een landschapstuin. In deze jaren gaf de koning Jacques-Ange Gabriel de opdracht het 'Petit Trianon' te bouwen. Toen de koning in 1774 stierf, vermaakte zijn opvolger, Lodewijk XVI, het kasteeltje aan zijn gemalin Marie-Antoinette, die hier tot aan de Franse Revolutie genoot van de onbezorgde genoegens van het landleven.

De Engelse tuin werd tegen het einde van de 18e eeuw steeds populairder, zodat men zijn begerige oog liet vallen op tuinarchitecten uit Engeland. In deze jaren kwam het einde van de baroktuin in zicht. Nu werd de oernatuur populair, die men met vaste decorstukken als rotsen, watervallen of wild woekerende oeverpartijen wilde verrijken. Door de bouw van een kunstmatig dorp met elf met stro bedekte huizen, het 'Hameau de Trianon', deed men recht aan het landelijke aspect.

Na de Franse Revolutie verviel de tuin. De tuinen van het Trianon werden pas onder Napoleon weer beter onderhouden.

**Kroniek van de tuinen van Versailles**

1623 Bouw van een jachtslot
1638 Aanleg van een eerste tuin door Jacques Boyceau
1661 Uitbreiding van park en paleis
1662 Aanleg van de parterres en bosschages door Le Nôtre
1666 Eerste feest. Première van Molières 'Tartuffe'. Ontstaan van de doolhof.
1668 Uitbreiding van het paleis door Le Vau en afbraak van het dorp Trianon
1670 Bouw van het 'Trianon de Porcelaine' (sloop 1687)
1671 'Bosquet du Théâtre d'Eau' van Le Nôtre
1674 Het hof vestigt zich in Versailles
1675 Vervanging van de doolhof door het 'Bosquet de la Reine'
1676 'Eremitage Marly' van Jules Hardouin-Mansart (tot 1686) – bouw van de 'machine de Marly' (waterleiding en pompstation)
1678 Uitbreidingen paleis, Hardouin-Mansart. Er werkten 36.000 arbeiders aan het paleis en in de tuin.
1679 Aanleg van de 'Pièce d'Eau des Suisses'
1680 Voltooiing van het Grand Canal (begonnen in 1667)
1681 'Bosquet des Rocailles' en amfitheater
1682 Officiële zetel van het Franse hof
1683 'Parterre d'Eau' door Hardouin-Mansart
1684 Bouw van de oranjerie door Hardouin-Mansart en aanleg tweede gedeelte bosschages
1685 Bouw van de colonnade door Hardouin-Mansart en het aquaduct van Marly naar Versailles
1687 Bouw van het 'Trianon de Marbre' (later 'Grand Trianon')
1699 Bouw van de hofkapel naar plannen van Hardouin-Mansart
1700 André Le Nôtre overlijdt
1708 Hardouin-Mansart overlijdt
1715 Lodewijk XIV overlijdt
1722 Lodewijk XV 'Bien-Aimé' neemt het onderhoud van de tuinen op zich
1750 Menagerie van nuttige dieren in het Trianon
1761 Aanleg van een sier- en kweektuin in het Trianon
1762 Bouw van het 'Petit Trianon' door Jacques-Ange Gabriel in de hoofdas van de tuin en opheffing van de groentetuin
1774 Bosschages gerooid en herbeplanting (tot 1776)
1775 Bouw van het theater in de 'Jardin Français'
1779 Aanleg van de Botanische Tuin met pastorale accenten, beïnvloed door de Engelse landschapstuin
1783 Bouw van het 'Hameau de Trianon' (landelijke dorpsaanleg)
1789 Franse Revolutie; alle werkzaamheden worden gestaakt
1793 Terechtstelling van koning Lodewijk XVI. Opdeling van de tuinen en gedeeltelijke verwoesting
1795 Oprichting van de 'École Centrale'. Versailles wordt opengesteld voor bezichtiging
1798 Plaatsen van de vrijheidsboom
1805 Keizer Napoleon I maakt van het Trianon zijn privé-residentie. Herstel van het 'Petit Trianon' en het 'Hameau'
1860 De onder Lodewijk XVI aangeplante bosschages worden gerooid en nieuwe bosschages worden aangeplant
1870 Verwoesting van het park door Pruisische troepen
1883 Heraanplant van de bosschages
1889 Eeuwfeest t.g.v. de opening van de Staten-Generaal in 1789

**André Le Nôtre en Jules Hardouin-Mansart,** Versailles, paleispark, Latona-fontein 1668/1686

**Jean Baptiste Tuby,** 'De Rhône', ca. 1685

**Lerambert** (?), kleine fontein aan de 'Allée d'Eau'

Heidelberg, kasteel met de Hortus Palatinus van Salomon de Caus
Schilderij van J. Fouquières, Heidelberg, Kurpfälzisches Museum

Hannover, kasteel Herrenhausen, tuinen, gravure van Van Sassen, 1720

**Baroktuinen in Duitsland**
De ontwikkeling van de barokke tuin in Duitsland kent een furieuze opmaat: de Hortus Palatinus bij het kasteel van Heidelberg (afb. boven). Keurvorst Frederik V van de Palts kon de Franse architect Salomon de Caus voor dit project winnen. De Caus kende de beroemde tuinen van Italië, Frankrijk, de Zuidelijke Nederlanden en Engeland uit eigen aanschouwing, zodat hij in 1614 met een voorzichtige planning kon beginnen. Van de tuin zelf is nauwelijks iets bewaard gebleven, maar de gravures van De Caus en het schilderij van Foucquières geven een beeld van de afmetingen ervan en het ontwerp van de perken. Het belangrijkste voorbeeld was de Italiaanse tuin met zijn knoopornamenten en spiraalpatronen. De Caus kon geen trappen, plateaus en exedra's aanleggen vanwege de moeilijke situatie van het terrein tegen de berghelling op. Hij concentreerde zich daarom volledig op de ornamentering van de perken op de drie parterres. Behalve een waterparterre, die geraffineerd uit cirkels was samengesteld, richtte hij ook een bosschage met schaduwrijke loofgangen in.

De Heidelbergse Hortus Palatinus geldt als een zogenaamde overgangstuin tussen Renaissance en Barok en zou verwant zijn aan de vorstelijke tuin in Württemberg en Hessen, zoals de hertogelijke lusthof in Stuttgart of de lusthof van de vorsten van Brunswijk in Hessen.

Eind 17e eeuw ontstond in Nedersaksen de Grote Tuin van Herrenhausen bij Hannover (afb. rechts en rechtsboven). De keurvorstin Sophie van Hannover belastte haar Franse tuinarchitect Martin Charbonnier met het ontwerp en de uitvoering ervan. Parallellen met Franse tuinen zijn duidelijk. De middenas van de tuin loopt door in het slot en mondt uit in een rond waterbassin. De compositie van bosschages en parterres is beïnvloed door de klassieke Franse baroktuin en de *giardini secreti* aan de zijkanten van het kasteel. Maar er vallen ook kenmerken op die niet zonder meer van Franse origine zijn. Kort voordat hij in 1696 de ontwerpen maakte, reisde Charbonnier naar Nederland en bekeek daar onder meer Nieuwburg, Honselaarsdijk en Het Loo. Mogelijk heeft hij hier de inspiratie opgedaan voor de gracht die de tuinen omsluit. Ook de boomgaard met zijn door beukenhagen omzoomde triangels wijzen naar Nederland. Charbonnier was evenwel in staat om deze elementen tot een eenheid te smeden en zodoende een tuintype te creëren dat karakteristiek werd voor de Noord-Duitse laagvlakte.

Bijna gelijktijdig met Herrenhausen ontstond de tuin van het kasteel Salzdahlum, residentie van hertog Anton Ulrich von Braunschweig-Wolfenbüttel. In 1697 liet de keurvorstin en latere koningin Sophie Charlotte, dochter van Sophie van Hannover, de tuin van het Berlijnse slot Charlottenburg aanleggen. De ontwerpen zijn gemaakt door een leerling van de beroemde Le Nôtre, Siméon Godeau.

Niet ver van Charlottenburg vandaan ontstond een halve eeuw later een heel ander tuintype, de terrastuin van Sanssouci in Potsdam. De werkzaamheden

Hannover, kasteel Herrenhausen, tuinen

Terrastuin van Kamp Lintfort, 1740-1750

Kassel, Wilhelmshöhe, complex van de Karlsberg, 1701-1711

vonden plaats tussen 1744 en 1764 (afb. blz. 200). Frederik de Grote presenteerde ontwerpschetsen en hij verwachtte dat zijn bouwmeester Georg Wenzeslaus von Knobelsdorff deze pijnlijk nauwkeurig zou opvolgen. Het slot, de exedravormige terrassen, de parterre en de plateaus aan de zijkanten onttrekken zich aan de voorbeelden uit Renaissance en Barok.

Het is interessant om te weten dat omstreeks dezelfde tijd (1740-1750) nog een terrastuin is ontstaan, namelijk die van het cisterciënzerklooster van Kamp aan de Nederrijn (afb. boven). De parallellen zijn verrassend, temeer daar een wederzijdse beïnvloeding uitgesloten mag worden. Daardoor komen alleen gezamenlijke voorbeelden in aanmerking die in de Romeins-antieke exedra- en theaterarchitectuur gezocht zouden kunnen worden.

Maar ook pragmatische redenen kunnen een rol hebben gespeeld. Zo wijzen handboeken voor de tuinkunst erop dat concave terrassen gunstig zouden zijn voor de inwerking van het zonlicht en de warmteverdeling.

De lievelingsresidentie van de Keulse aartsbisschop Clemens August van Beieren was het slot Augustusburg in Brühl. Dominique Girard nam in 1728 de tuinaanleg op zich (afb. onder) en oriënteerde zich op het grachtenstelsel van Nymphenburg. Er ontstond een royaal tuinareaal dat door water omsloten en, naar het voorbeeld van Versailles, door een op de middenas aangelegd waterbassin gedomineerd werd. Een diagonaal ingericht padenstelsel verbindt de hoofdparterre met het door bosschages begroeide terrein.

Er kunnen nog vele beroemde Duitse baroktuinen worden genoemd, zoals het complex van de Karlsberg bij Kassel (afb. boven), die de Engelse auteur van reisboeken Sacheverell grandiozer vond dan Tivoli en zelfs Versailles. Verder moeten worden genoemd de tuinen van Weikersheim (1707-1725) met het unieke figurale programma, de tuin van Nymphenburg (1715-1720), die naar 'Versailles-dimensies' streefde, of de tuinen van Lothar Franz von Schönborn in Gaibach, Seehof, Pommersfelden en Favorite in Mainz.

Het tijdperk van barokke tuinarchitectuur wordt in Duitsland met Schwetzingen afgesloten. Keurvorst Carl Theodor, wiens projecten voor het jachtslot en de zomerresidentie niet goed wilden vlotten, forceerde in plaats daarvan de aanleg van tuinen in de jaren tussen 1753 en 1758. De veel in Zuidwest-Duitsland werkzame architect Nicolas de Pigage en Johann Ludwig Petri, de hoftuinier in dienst van de keurpalts, creëerden een origineel en voor die tijd uniek complex. Kunstmatige Romeinse ruïnes, een Chinese brug, een moskee en het beroemde 'perspectief' –een gezicht op een geschilderd idyllisch landschap– veranderden het park in een exotische pastorale, waarbij een gelijkenis ontstond met de Engelse landschapsstijl. De Engelse inslag van de tuin werd in de jaren '70 door Friedrich Ludwig Sckell door een vergroting van het complex vervolmaakt.

**Dominique Girard**
Kasteel Augustburg bij Brühl
Tuinen, 1728

Daniel Marot
Het Loo, baroktuin, 1685, gereconstrueerd in 1978

Dominique Girard
Wenen, belvedère-tuin, 1717

**De belvedère-tuin in Wenen**
De vormgeving van de belvedère-tuin in Wenen kwam voort uit de terreinsituatie en de ligging van beide paleizen van de zegerijke veldmaarschalk prins Eugen. Tussen het representatieve bouwwerk 'Oberes Belvedere' en het intieme kasteeltje 'Unteres Belvedere' ontvouwde zich een tuincomplex zonder weerga; de oorspronkelijke toestand is overgeleverd in de gravures van Salomon Kleiner (afb. links en blz. 254). Prins Eugen kon voor de werkzaamheden aan de tuin in 1717 de uit het keurvorstendom Beieren afkomstige architect Dominique Girard strikken die voordien in Nymphenburg en in Schleißheim had gewerkt.

Een als dwarsas dienende glooiing met zijwaartse trappen en een centrale cascade verdeelt de tuin in twee terrassen en overwint zo het hoogteverschil tussen beide paleizen. Op het onderste terras werd een tuin met hagen met stereometrisch gevormde bomen aangelegd. Voor het bovenste terras waren bloembedden en waterwerken gepland.

De overeenkomsten met Versailles zijn onmiskenbaar, maar er is geen sprake van nabootsing. De vormgeving van de bosschages, geordend door een diagonaal padenstelsel, is gebaseerd op het tuintraktaat van Dezallier d'Argenvilles dat in 1709 verscheen en de belangrijkste handleiding werd voor de artistieke, aan tuinen gerelateerde activiteiten in de 18e eeuw.

**Het Loo**
Ook de Hollandse tuin, waarvan de bloeitijd ongeveer in 1670 begint, ontvangt z'n belangrijkste impulsen uit Frankrijk. Op zijn beurt werd hij vooral voor Duitsland een voorbeeld. Nadat het noorden van de Spaanse heerschappij was bevrijd, domineerde het stadspatriciaat. Dat wilde de vormen van het hof niet opgeven, maar overeenkomstig de nieuwe politieke status symbolisch transformeren.

De Nederlandse stadhouder en latere koning van Engeland, Willem III, liet in 1685 een tuin aanleggen naast zijn paleis Het Loo naar ontwerp van Daniel Marot (afb. boven). Etsen van tijdgenoten en de beschrijvingen van de koninklijke lijfarts Walter Harris geven nog een tamelijk goed beeld van de tuin, die rond 1800 verwilderde en pas in 1978 volledig werd gereconstrueerd naar oude tekeningen en gravures.

Het concept is Frans en naar het voorbeeld van Versailles uitgevoerd. Dit betreft de bovenste tuin, die met een radiaal van de middenas afgetakt padenstelsel ingericht is op breedte. De onderste tuin, die bij het paleis is gesitueerd, doet daarentegen typisch Hollands aan. Hij is in zelfstandige en tegen elkaar afgezette eenheden opgedeeld. De voor het Nederlandse landschap zo typische bomenlanen en hagen structureren het totale complex en zorgen voor de typerende 'compartimenten'.

**La Granja in Spanje en Caserta bij Napels**

Na de Spaanse Successieoorlog werd Filips V, een kleinzoon van Lodewijk XIV, koning van Spanje en Napels. De tuinen La Granja in Spanje en Caserta bij Napels zijn daarom nauw met elkaar verwant. Filips, opgegroeid aan het hof van Versailles, liet La Granja begin 18e eeuw op meer dan 1000 meter hoogte aanleggen in de bergen van San Ildefonso bij Segovia. Het voorbeeld was natuurlijk Versailles, maar vanwege de topografische situatie kon het concept niet zo royaal uitvallen. Daarentegen was er water in overvloed aanwezig voor de talrijke fonteinen en waterwerken (afb. blz. 106 en rechts).

De tuin van La Granja wordt door een bergketen begrensd. Een vergelijkbare situatie was ook gekozen voor het Italiaanse Caserta (afb. onder). De zoon en opvolger van Filips, de Bourbon Karel III, kocht in 1734 het dorp Caserta en liet daar een prachtig kasteel en een tuincomplex aanleggen die herinneringen moesten oproepen aan zijn geboortestreek in Spanje. De tuin loopt vanaf het kasteel gezien omhoog en wordt visueel door heuvelruggen afgesloten. De voor Versailles zo bepalende perspectief als symbolische vorm voor de ordening van de wereld verkeert in La Granja en in Caserta in een panoramisch zicht op een gesloten ruimte.

Caserta bij Napels
Totaalaanzicht van kasteel en tuin
Gravures eind 18e eeuw (onder)

La Granja de San Ildefonso
Tuinen (boven en rechtsonder)

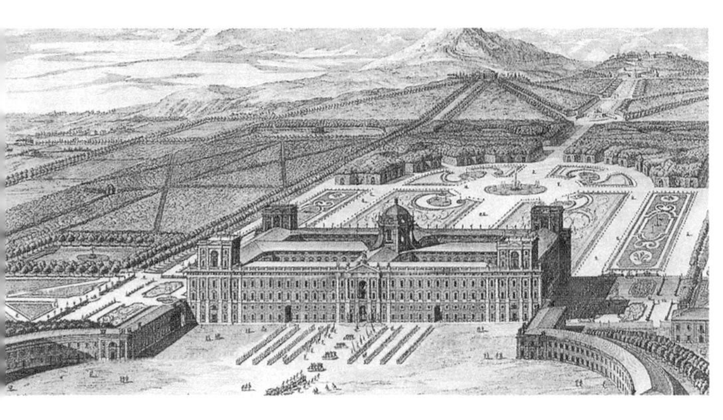

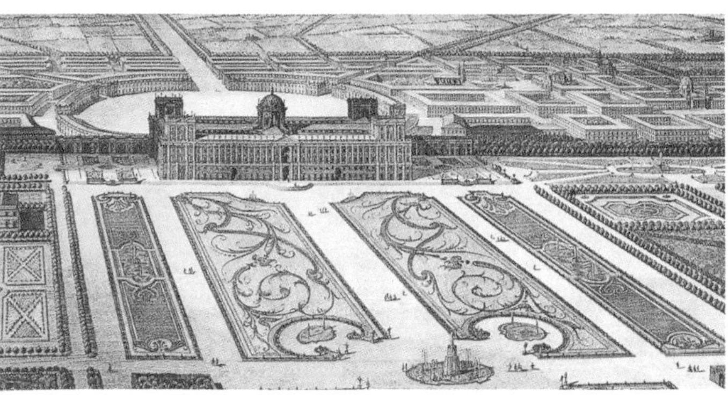

Barbara Borngässer

# Architectuur van de Barok in Engeland

## Historische voorwaarden

Het tijdperk van de Barok begint in Engeland met de 'ontdekking' van de Renaissance. Inigo Jones (1573-1652), eigenlijk een 'picture maker', een schilder en decorontwerper, reisde in 1613/1614 naar Venetië, Vicenza en Rome en keerde als een hartstochtelijk vereerder van de architectuur van Andrea Palladio terug. Jones was gefascineerd door de eenvoudige harmonie van de op de klassieke Oudheid geïnspireerde bouwwerken; tegelijkertijd stimuleerden de studies van de Vicentijnse bouwmeester hem tot een eigen onderzoek van de Oudheid. De pas ontwaakte passie voor de klassieke architectuur die Jones met de kunstverzamelaar Lord Arundel deelde, drukte niet alleen een stempel op zijn eigen creaties, maar zou in de late 18e eeuw leidmotief worden van de Engelse bouwkunst.

De hier behandelde periode, die met de Romantiek en de Gothic Revival eindigde, laat zich grofweg in drie fasen verdelen: het Palladianisme, dat de 17e eeuw tot zo ongeveer halverwege de jaren '60 bepaalt en in belangrijke mate door Inigo Jones wordt gedragen, de 'eigenlijke' Barok in de omgeving van Christopher Wren, die na de grote stadsbrand in Londen in 1666 ingang vindt, en het Neopalladianisme van de vroege 18e eeuw, dat eveneens nauw met een persoon is verbonden, in dit geval de kunstliefhebber Lord Burlington. De studie van de Griekse Oudheid leidde aan het einde van de eeuw –net als op het vaste land– tot het Neoclassicisme. Het Rococo was niet meer dan een vluchtige episode. De nooit helemaal verdwenen bewondering voor de Middeleeuwen en de constructievormen van de Gotiek bleken een constante. Lang voordat de Romantiek deze periode nieuw leven inblies, bouwde Horace Walpole met Strawberry Hill een neogotisch landhuis.

Een ideaal oefenterrein voor de omgang met historische stijlen werd de Engelse landschapstuin met z'n speelse ambiance die voor de 18e eeuw onconventionele, zelfs exotische bouwvormen toeliet. In deze context werden de voorwaarden voor het historisme en eclecticisme van de 19e eeuw geschapen.

De ontwikkeling van de Engelse architectuur verloopt daardoor op wezenlijke punten onafhankelijk van de ontwikkelingen die in dezelfde tijd plaatsvinden op het vasteland. Dit heeft oorzaken die gezocht moeten worden ver buiten de spreekwoordelijke individualiteit van het eiland. Het hier geschetste tijdvak omvat de regeerperiode van het huis Stuart, inclusief het protectoraat onder Oliver en Richard Cromwell, de installatie van het huis Hannover en de opkomst van Engeland als wereldmacht. Het wordt gekenmerkt door de voortdurende strijd tussen Kroon en parlement, die z'n hoogtepunt vond in de verklaring van de Commonwealth, die verhinderde dat de aanspraak die de Kroon al eeuwenlang op de macht maakte al te groot werd. Winnaars waren de landadel (gentry) en de middenklasse van kooplieden, die over nietonaanzienlijke financiële middelen beschikten en in de 18e eeuw een beslissende invloed op de politiek verwierven. Daarmee was de situatie ten aanzien van opdrachten heel anders dan bijvoorbeeld in het Frankrijk van Lodewijk XIV of aan het pauselijk hof in Rome, waar de kunst instrument werd van de staatsregering. Een tweede, minstens even

**Inigo Jones**
Greenwich, The Queen's Home
Zuidgevel en plattegrond, 1616-1635

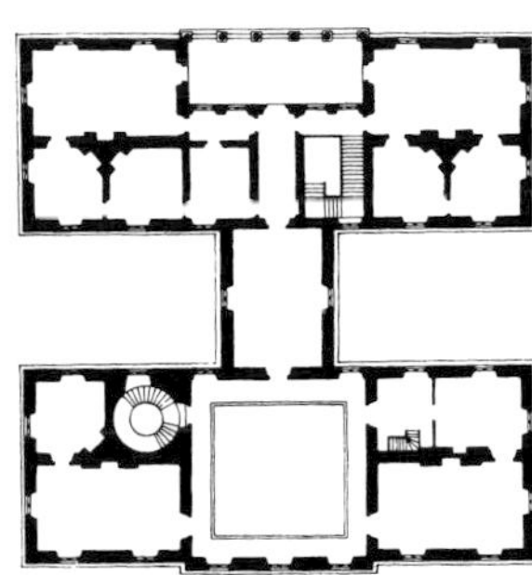

beslissende factor voor de autonomie van de Engelse barokarchitectuur is het zich losmaken van Rome, waarin Hendrik VIII in 1533/1534 was geslaagd, overigens minder uit politieke overwegingen dan vanwege de scheiding van zijn echtgenote Catharina van Aragón. Daarbij was de anglicaanse Kerk tot 'nationale' kerk uitgeroepen, waren de kloosters in 1536-1539 opgeheven en hun grondbezit en schatten aan de Kroon en de landadel geschonken. In de daaropvolgende tijd mislukten de talrijke willekeurige pogingen om de breuk met de katholieke Kerk te lijmen; het protestantisme bleef de dominante factor in de Engelse maatschappij, ook al ontstonden er in de loop van de volgende eeuwen steeds grotere conflicten tussen de absolutistische neigingen van het hof en zijn staatskerk enerzijds, en de puriteinse middenklasse anderzijds. Tegen deze achtergrond is het niet verwonderlijk dat de kerk als opdrachtgever naar de achtergrond verdween; het tentoonspreiden van overvloedige pracht, zoals dat na de Contrareformatie voortdurend gebeurde op het continent, was zonder meer onmogelijk.

Dit had tot gevolg dat de kunst werd bedacht met andere taken, en ook andere betekenissen dan in de door absolutisme gekenmerkte katholieke monarchieën. Juist de architectuur werd het uithangbord van een zelfbewuste bovenlaag waarvan de idealen eerder in het verwerven van een humanistische opleiding dan in de nabootsing van 'hoofse' uitingen lag.

**Inigo Jones** (1573-1652)
De kunstenaar die de Engelse architectuur van zijn noords-middeleeuwse invloeden moest bevrijden, vond zijn roeping pas laat. Jones, zoon van een kleermaker, had een opleiding als schilder, kostuum- en decorontwerper doorlopen, was eerst werkzaam aan het hof van Christiaan IV van Denemarken en vanaf 1605 voor Jacobus I, die hem in 1615 –ondanks zijn beperkte praktische ervaring– tot hofarchitect benoemde. Eerder al hadden reizen hem naar Parijs en vermoedelijk Venetië gebracht, maar pas het verblijf van 1613/1614 zorgde voor de beslissende wending in zijn werk en gaf de aanzet tot de vernieuwing van de Engelse architectuur.

Jones begeleidde de Earl of Arundel, een jonge edelman met wie hij bevriend was, naar Italië, waar het reisgezelschap Emilia-Romagna, Veneto en later Florence, Rome en Napels bezocht. In de Eeuwige Stad hielpen Jones en Arundel bij opgravingen en verwierven beelden die ze naar Engeland stuurden. Dit is des te opmerkelijker, aangezien de anglicaanse Engelsen Rome beschouwden als bolwerk van pauselijke intri-

**Inigo Jones**
Londen, Whitehall
Banqueting House, 1619-1622

ges, dat officieel werd gemeden. Jones bracht nog een aantal weken door in Vicenza en Venetië om zich aan de bestudering van de architectuur te wijden en Palladio's *Quattro Libri dell'Architectura* (in 1570 voor het eerst gepubliceerd) te kopiëren.

Een directe weerslag van zijn reiservaringen is Queen's House, paleis van de koningin in Greenwich, waarvoor in 1616 de eerste steen werd gelegd (afb. blz. 163). Hoewel het gebouw –na een paar wijzigingen die de inbedding in park en tuin betroffen– pas in 1635 werd voltooid, toont het de abrupte afwisseling van paradigma's van de Engelse bouwkunst en de radicale afkeer van laat-middeleeuwse-maniëristische vormen. Queen's House bestaat uit twee rechthoekige blokken die door een brug met elkaar zijn verbonden. Boven de uit rustiek werk bestaande benedenverdieping verheft zich de *piano nobile*, die zich aan de tuinzijde in een brede zuilenloggia opent. In de noordvleugel gaat achter een iets vooruitspringende risaliet de blokvormige, twee etages hoge hal schuil. De eenvoud van het doosvormige complex wordt door de elegante rangschikking van de ramen en vooral door de Ionische orde van de bovenverdieping geadeld. De voorbeelden voor het paleis, eigenlijk een *villa suburbana*, een voornaam landhuis, zijn niet moeilijk te vinden. De Medici-villa van Giuliano da Sangallo in Poggia a Caiano (1480-1485) keert zich met dezelfde blokachtigheid met een zuilenloggia naar het park en ook de villa's van Vincenzo Scamozzi, die Jones in Venetië had ontmoet, variëren op het thema van het tuinfront op bijna exact dezelfde manier. Verschillen met de voorbeelden zijn overwegend af te lezen aan de proportionering van de elementen. Men kan zich nauwelijks voorstellen welke reacties dit zwaar op de Italiaanse Renaissance leunende werk in Engeland opriep. Weliswaar werd Queen's House door een waarnemer 'some curious device' genoemd, maar zijn klassieke, tot basisvormen beperkte architectuur had wel de toekomst.

Al in 1619 ontving Inigo Jones zijn grootste opdracht: de nieuwbouw van het Banqueting House in Whitehall, een gebouw voor feesten van het hof dat oorspronkelijk deel zou moeten uitmaken van een groter paleiscomplex (afb. links). In slechts drie maanden tijd, waarin Jones met verschillende, aan de klassieke Oudheid en het werk van Palladio ontleende oplossingen experimenteerde, ontstond het concept van het monumentale gebouw voor representatiedoeleinden, dat in een voor het Engelse Palladianisme kenmerkend creatief mengsel van Venetiaanse en Vicentijnse motieven werd gecomponeerd. Van belang is dat men de in de eerste ontwerpen geplande accentuering van de gevel door een fronton opgaf ten gunste van een doorlopend hoofdgestel – een beklemtoning van de horizontale lijn die typerend zou worden voor de Engelse kasteelbouw. De grote feestzaal –waarvoor Pieter Paul Rubens de plafondschilderingen maakte– heeft de breedte van een klassieke basilica; oorspronkelijk was er zelfs een absis gepland om plaats te bieden aan de troon. De verticale projectie wordt gedomineerd door Ionische halfzuilen op de benedenverdieping, composiete pilasters op de bovenverdieping – een indeling die ook in de gevel kan worden waargenomen.

Queen's Chapel (1623-1627), de eerste kerk die Inigo Jones ontwierp, is een poging om ook in de sacrale bouwkunst nieuwe, 'palladiaanse' oplossingen te vinden. De in St. James Palace geïntegreerde hofkapel heeft geen zijschepen en de blokvormige ruimte wordt door een cassetteplafond afgesloten; driedelige ramen die het Venetiaanse motief van de combinatie van architraaf en boog toepassen, bakenen de smalle zijden af. De entree wordt door een klassiek aandoend timpaan benadrukt.

Van niet te onderschatten betekenis zijn Inigo Jones' stedenbouwkundige ontwerpen. Met het ontwerp voor Covent Garden wordt voor het eerst op het eiland een monumentaal stedelijk plein met uniforme randbebouwing uitgevoerd. Ook hier beroept Jones zich op klassieke oplossingen c.q. de interpretatie ervan door de bouwmeesters van de Renaissance en de Barok. Zo kende hij zonder twijfel het ongeveer 25 jaar oudere Place des Vosges in Parijs; de oriëntatie van het geheel op een kerk, te weten St. Paul's Cathedral (1631 voltooid, na een brand in 1795 herbouwd), was echter nieuw. De gevel bouwde Jones in strikte navolging van Vitruvius' voorbeelden als tempelfront in Toscaanse orde, een variant op de Dorische orde, waarbij de massieve zuilen niet zijn gecanneleerd, maar wel een voetstuk krijgen. Waarom Jones voor het eerste postreformatorische kerkgebouw van Engeland deze 'laagste', vooral voor toepassing op het platteland bedoelde bouworde koos, is niet helemaal duidelijk. Wilde hij het authentieke karakter van het protestantisme tot uitdrukking brengen, of moet de gekozen orde eerder worden gezien als hommage aan de Toscaanse geboortestreek van het huis Medici, waarmee Karel I via zijn echtgenote Henrietta Maria verbonden was?

**Inigo Jones en Isaac de Caus (?)**
Wilton House (Wiltshire)
Begonnen in 1632, in 1647 na brand gerenoveerd
Aanzicht op het hele complex en gezicht op het interieur 'The Double Cube'

Een veel monumentaler project dat Inigo Jones voor Karel I ontwierp, viel ten offer aan de troebelen van de burgeroorlog: Whitehall Palace, een gigantisch paleiscomplex dat tussen 1638 en 1648 in verschillende ontwerpstadia is gedocumenteerd. De belangrijkste tekeningen, die door Colen Campbell en William Kent in de vroege 18e eeuw werden gepubliceerd en in beslissende mate bijdroegen aan het ontstaan van het Neopalladianisme, tonen een dwarsgesitueerde, oblonge rechthoek met langgerekte appartementen en meerdere binnenplaatsen. Kern van het complex zijn twee achter elkaar geplaatste binnenplaatsen die door twee verdiepingen hoge zuilenreeksen worden afgesloten, de eerste rond, de tweede vierkant. Hofkapel en grote hal –gebaseerd op de basilica van Constantijn– completeren het paleis, waarvan het concept, net als in het Escorial, als een architectonische allegorie van absolutistische heerschappij kon worden opgevat. De opstand toont een langgerekte, door kolossale orde en risalieten ingedeelde gevel, waarvan het middendeel door twee met koepels bekroonde torenelementen wordt benadrukt. Net als in Covent Garden worden hier de grenzen van Inigo Jones' artistieke vermogens duidelijk. Wat op kleinere schaal, in evenwichtige verhoudingen bekoorlijk lijkt, krijgt op veel grotere schaal, in de veelvuldige optelling van de elementen, een vermoeiend effect. Na de puriteinse revolutie van 1642 werd de carrière van Inigo Jones ruw beëindigd, hoewel hij behalve als hofarchitect zo nu en dan ook voor parlementsleden werkzaam was.

Naast Jones waren er slechts enkele architecten, bijna uitsluitend medewerkers en leerlingen, die uit de schaduw van de grote vernieuwer traden. Te noemen valt Isaac de Caus, die volgens nieuwere gegevens het lange tijd aan Jones toegeschreven Wilton House (Wiltshire, begonnen in 1632, in 1647 afgebrand, gerenoveerd) bouwde. Afgewogen verhoudingen bepalen de breed opgezette, door verhoogde hoekpaviljoens geflankeerde gevel, terwijl een op Venetiaanse wijze versierd raam het midden benadrukt (afb. links). Het interieur wordt gedomineerd door 'the Cube' en 'the Double Cube', twee zeer elegant uitgevoerde, rechthoekige representatieruimten; Van Dyck schilderde de portretten van de eigenaars, de familie van de Earl of Pembroke (afb. boven). John Webb (1611-1672), leerling en aangetrouwde neef van Inigo Jones, ontwierp talrijke landhuizen in een stijl die sterk verwant is met die van de meester; zijn belangrijkste werk was het King Charles Building in Greenwich Hospital (1662-1669). Sir Roger Pratt (1620-1684), die de jaren van de burgeroorlog met reizen naar Italië, Frankrijk, Vlaanderen en Holland doorbracht, was na zijn terugkeer vanaf 1649 werkzaam voor de Engelse landadel, voor wie hij een paar architectuurhistorisch belangrijke villa's bouwde; helaas is er geen enkel landhuis in originele staat bewaard gebleven. De grootste, Clarendon House in Piccadilly (1664-1667), geldt als het eerste gebouw van het barokke Classicisme met een Franse inslag op het eiland; het is vaak geïmiteerd. Parallel daaraan bleven er echter tot omstreeks het midden van de 17e eeuw ook gotische elementen en vormen van de Renaissance, vooral naar Nederlandse voorbeelden, voortbestaan.

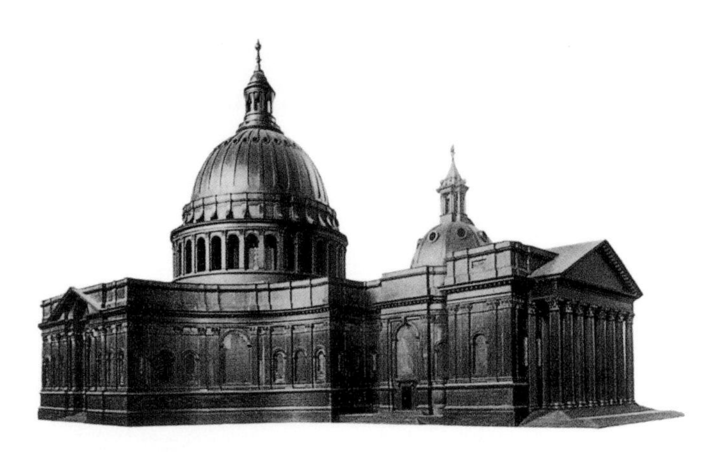

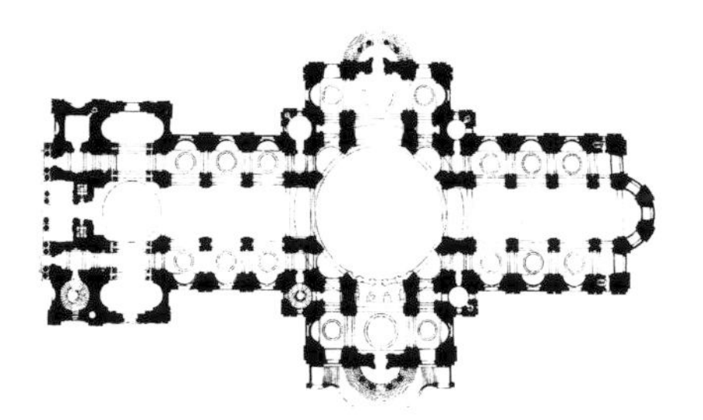

**Sir Christopher Wren**
Londen, St. Paul's Cathedral
Het 'grote model' van 1673 en
plattegrond zoals uitgevoerd

AFBEELDING BLZ. 167:
**Sir Christopher Wren**
London, St. Paul's Cathedral
1675-1711, westgevel

**Sir Christopher Wren (1632-1723)**

Pas met Christopher Wren vond het Classicisme van Romeinse snit ingang in Engeland. Dit zou nauwelijks mogelijk zijn geweest wanneer de politieke situatie zich niet in beslissende mate ten gunste van het katholicisme had gewijzigd. Na het intermezzo van de Commonwealth en het protectoraat van de beide Cromwells sloeg het weer in ere herstelde koningshuis onder Karel II een pausvriendelijke koers in die gedurende enkele –voor de architectuur belangrijke– jaren het geestelijke klimaat zou bepalen. Bovendien sloeg het noodlot toe. In september 1666 verwoestte een vuurzee Londen en legde 13.000 huizen, de kathedraal en 87 stadskerken in de as. Karel II vroeg Christopher Wren en diens oudere collega's Roger Pratt en Hugh May om plannen voor de wederopbouw en een moderne stadsaanleg te maken. Het laatste mislukte, omdat Wrens ideeën onuitvoerbaar bleken te zijn; toch is de nieuwbouw van de St. Paul's en van 51 andere kerken in essentie zijn werk. De gevarieerdheid van deze gebouwen, de technische perfectie ervan en de organisatorische verrichtingen die een dergelijk omvangrijk wederopbouwprogramma met zich meebrachten, verleenden Wren een groot prestige en maakten hem tot een van de grootste Engelse architecten aller tijden.

Sir Christopher Wren was, net als veel van zijn Britse collega's, een autodidact. Afkomstig uit een aanzienlijke familie van geleerden wijdde hij zich al vroeg aan natuurwetenschappelijke studies en kwam hij in Oxford in contact met een kring van jonge intellectuelen, de latere Royal Society. In 1651 kreeg hij een professoraat voor astronomie aan de universiteit van Londen en in 1661 werd hij in Oxford benoemd. Direct daarop ontstonden zijn eerste architectonische creaties, het Sheldonian Theatre (1662/1663) en de Pembroke College Chapel (1663-1665), beide het werk van een begaafde 'dilettant', maar nog wel zonder de creatieve kracht van zijn latere bouwwerken. In 1665/1666 ging hij voor een langere studiereis naar Holland, Vlaanderen en Frankrijk, waar hij talloze tekeningen maakte ("I shall bring you almost all France on paper") en François Mansart, Louis Le Vau en Bernini ontmoette. "Voor Bernini's Louvre-ontwerp zou ik m'n huid hebben verkocht...", bekende hij later. Na zijn terugkomst werd hij aangetrokken voor de planning van de restauratiewerkzaamheden van de Old St. Paul's.

De gevolgen van de stadsbrand en zijn benoeming in de commissie van de 'surveyors' van de wederopbouw boden Wren de unieke gelegenheid om zijn eigen architectonische ideeën te verwezenlijken. In de protestantse sacrale bouwkunst bestond er –afgezien van een aantal palladiaanse pogingen– geen bindend type, zodat er alle ruimte bestond voor het stilistische experiment. Wren bediende zich van de meest uiteenlopende voorbeelden, die hij met verbazingwekkende fantasie tot nieuwe oplossingen smeedde. De meeste impulsen ontving hij van het Classicisme van Nederlandse en Franse snit, maar de Gotiek en de Romeinse Barok zorgden ook voor menig detail.

De bestudering van de St.-Pieter is bepalend voor de plannen voor de nieuwbouw van de kathedraal van St. Paul's. Het 'grote model' (afb. boven) van 1673 wedijvert met Michelangelo's overkoepelde centraalbouw, maar uiteindelijk werd –na talrijke wijzigingen van het ontwerp– een traditioneel langwerpig gebouw uitgevoerd; de gigantische, 111 meter hoge vieringkoepel met dubbele 'schil' werd het 'handelsmerk' van de kathedraal. De voorgevel verbindt de twee verdiepingen hoge, in navolging van de nieuwe Louvre-façade met Corinthische dubbele zuilen ingedeelde porticus met de flankerende torens (pas in 1706-1708 gebouwd). Ook in het inwendige worden heterogene elementen samen toegepast. Aan het centrale complex van koepelruimte en dwarsschip zijn enigszins willekeurig de op de lengte gerichte vleugels van schip en koor toegevoegd, die worden overwelfd door een ongewone combinatie van ton- en kapgewelf; een academisch-classicistische stijl blijft echter domineren. Ondanks talrijke breuken in het concept, die ook op de lange bouwtijd (1675-1711) zijn terug te voeren, werd de St. Paul's –en met name zijn koepel– een veelvuldig gekopieerd voorbeeld voor de anglicaanse kerkbouw. De toepassing van basispatronen van de Romeinse sacrale architectuur verrast des te meer, omdat er nog maar een paar decennia eerder werd gezocht naar nieuwe, eigen oplossingen en overname van 'katholieke' elementen niet was geoorloofd.

De St. Stephen Walbrook (1672-1687), een door rijke kooplui gefinancierd gebouw, is van Wrens kerken een van de evenwichtigste. Hier wordt de verbinding tussen een op de lengte gerichte en een centrale aanleg op een originele manier gerealiseerd. Binnen het uit meer schepen bestaande, door reeksen zuilen onderverdeelde schip is een vierkante ruimte uitgespaard waarboven een houten pendentiefkoepel oprijst. In andere werken experimenteert Wren met elliptische welvingen (St. Mary-le-Bow, 1670-1677, na verwoesting in 1941 herbouwd) of met door tongewelven bedekte galerijzalen. Terwijl het interieur van deze kerken bijna altijd een variatie is op klassieke motieven, past Wren in zijn talrijke, voor Londen kenmerkende kerktorens vaak ook gotische of borromineske elementen toe, bijvoorbeeld in de Tom Tower van Christ Church College in Oxford of in de toren van de St. Vedast Foster

**Sir Christopher Wren**
Cambridge, Trinity College Library
Gevel binnenplaats, 1676-1684

Lane. De Trinity College Library in Cambridge (afb. links) is een variatie op de S. Marco-bibliotheek in Venetië.

Hampton Court werd het Versailles van het Engelse koningshuis (afb. blz. 169). Willem III en zijn eega Mary Stuart lieten de zomerresidentie in 1689-1692 bouwen in plaats van een Tudorpaleis. Er werd echter alleen een deel van een veel groter ontwerp uitgevoerd, dat verschillende vleugels, 'the King's Side' en 'the Queen's Side', galerijen, binnenplaatsen en tuinen omvatte en wellicht als afspiegeling van het Louvre kan worden geïnterpreteerd. Ook ten aanzien van de opstand werd er aanzienlijk geschrapt, zodat het huidige vier etages hoge gebouw als compromis mag worden beschouwd. Het levendige contrast tussen de behakte steen en het rode baksteenmetselwerk is bijzonder fraai. In de doorlopende ramen van de gevels en het met een fronton bekroonde portaal van de façade aan de tuinkant is de Franse invloed duidelijk zichtbaar.

Wrens laatste werk is Greenwich Hospital (afb. links, begonnen in 1695). Het complex, een koninklijke stichting, moest de uitbreiding zijn van een bouwwerk van Karel II. Naar het voorbeeld van Versailles –waarop Wren in zijn Winchester Palace echter al had gevarieerd– groeperen de vleugels zich om verschillende achter elkaar geplaatste binnenhoven die een loodrecht naar de Theems aflopende as vormen. Het verbindende motief hierbij zijn de langgerekte colonnades. Vanaf de waterkant wordt de buitengewone stedenbouwkundige kwaliteit van het complex duidelijk. Dwarsgeplaatste, frontale gebouwen met dubbele portici sluiten het complex naar de zijkanten af en in de opening daartussen valt de blik op Queen's House, het vroege meesterwerk van Inigo Jones. Bij de overgangen tussen de binnenplaatsen liggen nog meer dwarsgeplaatste gebouwen met door koepeltorens bekroonde zuilenfronten. Ze bieden plaats aan de kapel en de grote hal, die aristocratisch door monumentale Corinthische pilasters wordt gestructureerd. Het gehele complex, een van de hoogtepunten van de Engelse Barok, werd door Wrens leerlingen John Vanbrugh en Nicholas Hawksmoor voltooid.

**Sir Christopher Wren**
Greenwich Hospital, in 1695 begonnen

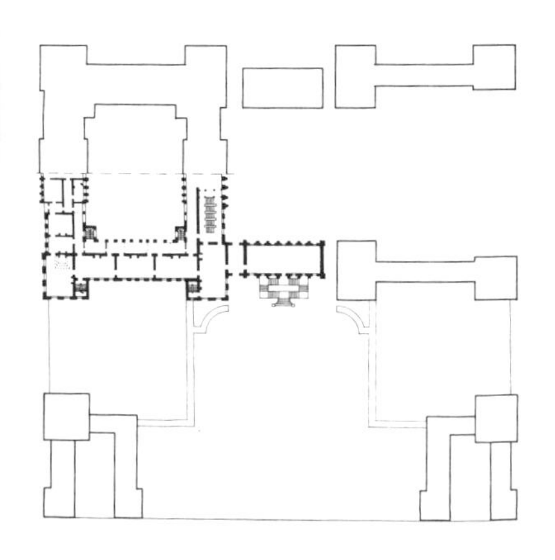

**Sir Christopher Wren**
Hampton Court Palace
Project van 1689

**Sir Christopher Wren**
Hampton Court Palace, 1690-1696
Gezicht vanuit het park (boven)
Detail van het tuinfront (linksonder)
en Queen's Drawing Room (rechtsonder)

**Sir John Vanbrugh en Nicholas Hawksmoor**
Castle Howard (North Yorkshire), 1699-1712
Façade entree en plattegrond

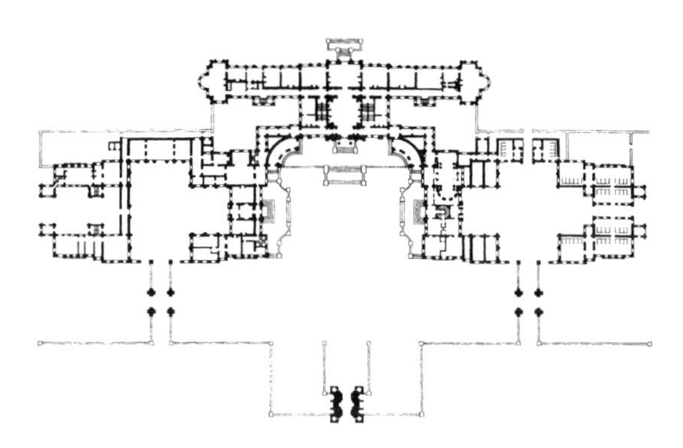

**John Vanbrugh en Nicholas Hawksmoor**

John Vanbrugh (1664-1726) en Nicholas Hawksmoor (1661-1736) gaven Wrens stijl een nog monumentaler, en in wezen ook picturale dimensie. Hun creatieve periode viel ongeveer samen met de regeerperiode van Queen Anne en King George I, een tijd waarin Engeland zich als grootmacht vestigde en de aristocratie haar invloed vergrootte. Vanbrugh, zoon van Vlaamse vluchtelingen en in adellijke kringen opgegroeid, kwam na een avontuurlijke jeugd via het theater bij de architectuur terecht; Hawksmoor, een stucwerker, was afkomstig uit een Engelse boerenfamilie. Beiden –qua karakter en in hun omgang met architectuur tamelijk verschillende persoonlijkheden– assisteerden Wren bij de bouw van Greenwich Hospital. Vanaf 1699 werden ze met de bouw van Castle Howard (in 1712 voltooid) belast, een landgoed in North Yorkshire waarvoor Vanbrugh door de Earl of Carlisle was uitgenodigd om het ontwerp te maken (afb. boven en blz. 171). Het complex, *entre cour et jardin*, tussen binnenplaats en tuin, zoals in Frankrijk ontwikkeld, bestaat uit een corridorachtige vleugel met *appartments*; het middendeel

**Sir John Vanbrugh**
Castle Howard (North Yorkshire)
Entreehal, 1699-1712

aan de tuinzijde wordt benadrukt door de salon en aan de kant van de binnenplaats door de grote vierkante hal. Met z'n korte kruisarmen en de machtige tamboerkoepel –een in de Engelse profane bouwkunst tot dan toe onbekend element– lijkt het op een sacrale ruimte. Concave arcades gaan over in de zijgevels waarin dienstgebouwen en stallen zijn ondergebracht, die zich ook weer om binnenplaatsen groeperen. Tussen paleis en paardenstal ligt de hofkapel. In z'n 'samenvoegende' concept en de picturale plaatsing van de afzonderlijke elementen wordt het voorbeeld van Greenwich Hospital duidelijk. Terwijl het strenge tuinfront aan het Franse Marly doet denken, is de gevel aan de zijde van de binnenplaats met z'n afwisseling van dubbele Dorische kolossale pilasters en dubbele vensterassen een heel eigenzinnige oplossing. In de constructies in de tuin, de toegangspoorten en zijportalen experimenteert Vanbrugh met 'historische' architectuur. Klassieke tempels dienden evenzeer als voorbeeld als Egyptische obelisken, Turkse kiosken of middeleeuwse torentjes. De blik op de geschiedenis paste in de trend van de tijd. In ongeveer dezelfde periode maakte de Weense architect Johann Bernhard Fischer von Erlach zijn *Entwurf einer Historischen Architektur*. Richtinggevend voor de periode van de Romantiek werd daarentegen het mausoleum dat Hawksmoor in 1729 als grafkapel voor de familie Howard bouwde (afb. onder). Nadat hij de eerste ontwerpen, die sterk op antieke voorbeelden leunden, had verworpen, bouwde hij een ronde tempel met een Dorische zuilenkrans, gebouwd naar het voorbeeld van Bramantes Tempietto bij de S. Pietro in Montorio in Rome. Het schilderachtige, op een heuvel gelegen gebouw belichaamt als geen tweede de dramatische creatieve kracht van de Engelse architectuur.

Blenheim Palace (Oxfordshire, 1705-1725) betekent nog een keer een toename in de barokke paleisbouw in Engeland (afb. blz. 172/173). Met de bouw van het paleis, een geschenk van de koningin aan de hertog van Marlborough na diens zege in de slag van Blenheim en de triomf over Lodewijk XIV, werd door Vanbrugh begonnen, maar –vanwege geschillen met de hertogin– door Hawksmoor voltooid. Het machtige complex strekt zich met z'n lengte van 275 meter en z'n breedte van 175 meter uit rond een grote erehof; net als in Castle Howard liggen de grote hal en de salon centraal op de lengteas. Op de dwarsas liggen Kitchen Court en Stable Court met de bijpassende voorzieningen. Ook hier zijn heterogene architectonische elementen als in een collage samengevoegd, waarbij colonnades en portici de elementen bij elkaar houden. Het verschil met Castle Howard ligt echter niet uitsluitend in de grootte van het complex; terwijl men daar vele voorbeelden voor de afzonderlijke bouwcomponenten kon aanwijzen, staat hier het Engelse erfgoed duidelijk op de voorgrond. De Corinthische porticus dook al op in de ontwerpen voor Whitehall en Greenwich Hospital en de massieve hoektorens met hun schoorsteenachtige bekroningen herinneren aan de elisabethaanse paleisbouw. Ook in het door Grinling Gibbon ontworpen decoratieschema wordt het nationale karakter van het monument duidelijk tot uitdrukking gebracht.

**Nicholas Hawksmoor**
Castle Howard (North Yorkshire)
Mausoleum, in 1729 begonnen

**Sir John Vanbrugh en Nicholas Hawksmoor**
Blenheim Palace (Oxfordshire), 1705-1724
Galerij (boven), plattegrond en entree (onder)

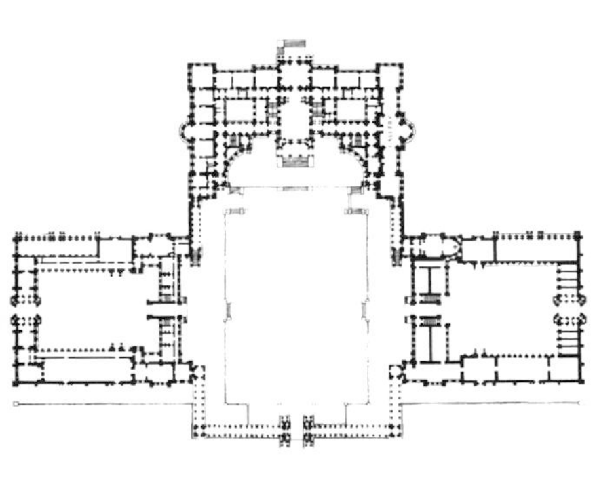

AFBEELDING BLZ. 172:
**Sir John Vanbrugh en Nicholas Hawksmoor**
Blenheim Palace (Oxfordshire), 1705-1724
Salon

**Sir John Vanbrugh**
Seaton Delaval (Northumberland)
1718-1729

In Seaton Delaval (1718-1729), Vanbrughs late werk, wordt het teruggrijpen op de Middeleeuwen nog duidelijker. Het huis is, net als een vesting, door polygonale torens geflankeerd en zware Dorische zuilen omlijsten de uit rustiek werk bestaande voorgevel. De palladiaanse ramen vormen een opvallend contrast met de ongenaakbare architectuur.

De kerkbouw, waaraan Wren na de stadsbrand van 1666 belangrijke impulsen had gegeven, stagneerde in de decennia rond de overgang naar de 18e eeuw. Pas met een onder de conservatieve Tory-regering uitgevaardigd besluit, de 'Act for Building ... fifty new churches of stone and other proper materials, with towers or steeples to each of them ...' uit 1711, werden ook op dit terrein nieuwe oplossingen gevonden. Vanbrughs 'proposals' voor de overwegend in de expanderende voorsteden te bouwen kerken weerspiegelen een vergelijkbaar stijlpluralisme dat ook de kasteelbouw kenmerkt. Klassieke, barokke en zelfs gotische vormen staan gelijkwaardig naast elkaar. Er werd niet zozeer een uniforme architectuurtaal verlangd, als wel vooral een 'gepastheid' van stijl en materiaal in relatie met de architectonische opgave – een aspect dat uitvoerig in de theorieën van de Renaissance werd behandeld, maar nu een nieuwe actualiteit verwierf.

De uitvoering van het programma lag in andermans handen: Hawksmoor leverde ontwerpen voor zes kerken, waaronder het uit architectonische decorstukken samengestelde gebouw van de St. George in Bloomsbury (1716-1727) of de aan Wren herinnerende kerk van St. Mary Woolnoth (1716-1727). Het is veelzeggend dat Thomas Archer (1668-1743), die in Rome de werken van Bernini en Borromini had bestudeerd, de 'barokste' modellen binnen het programma creëerde, zoals de St. Paul in Deptford (1712-1730), een centraalbouw met Corinthische kolossale orde, waarvoor een halfronde *tempietto* als porticus is geplaatst. Ook James Gibbs (1682-1754), op wie later nog zal worden ingegaan, bleef ondanks zijn toenadering tot Wren beïnvloed door Italiaanse voorbeelden.

Buiten de regio Londen waren het met name de universiteitssteden die zich in de vroege 18e eeuw met nieuwe sacrale gebouwen en universitaire instituten tooiden. Vermogende schenkers en intellectuele architectuurliefhebbers, de *virtuosi*, wedijverden met elkaar om voor hun *colleges* representatieve gebouwen te laten bouwen. Zo ontwierp de decaan van Christ Church College in Oxford, Henry Aldrich (1647-1710) de palladiaanse Peckwater Quadrangle (1704-1714) en in 1714 presenteerde Hawksmoor verbouwingsplannen voor het All Souls College. De verschillende ontwerpstadia tonen aan hoe de gotische stijl van de historische kapel steeds bepalender werd voor de ontwerpen van het gehele binnenhofcomplex. Tot aan de 'Gothic Revival', de reanimatie van de gotische bouwkunst ter wille van haar zelf, zouden er nog vele jaren verlopen.

**Het Neopalladianisme**

De generatie na Vanbrugh en Hawksmoor keerde zich met kracht af van de architectuurideeën van Christopher Wren en diens opvolgers: "Thro' several reigns we have patiently seen the noblest publick Buildings perish ... under the Hand of one single Court-Architect ... I question whether our patience is like to hold much longer ... Hardly ... shou'd we bear to see a Whitehall treated like Hampton Court, or even a new Cathedral like St. Paul's." Achter deze regels van de Earl of Shaftesbury, die overigens in 1712 per brief uit Italië werden overgebracht, steekt meer dan enkel tegenzin tegen bepaalde stijlvormen. In de jaren na de 'Glorious Revolution' in 1688/1689 hadden de tegen het monarchistische absolutisme optredende Whigs steeds meer invloed gekregen en na de troonsbestijging van het huis Hannover in 1714 leverden ze tientallen jaren lang de minister-president. Met de verschuiving van de machtsverhoudingen ten gunste van de grootgrondbezitters en de gegoede burgerij veranderden de voorstellingen die met de representatieve functie van architectuur waren verbonden opnieuw. In tegenstelling tot het Romeinse pathos van vele van Wrens gebouwen zocht men opnieuw naar een voorbeeld 'founded in truth and nature', een architectuur vrij van laf uiterlijk vertoon.

Niet geheel toevallig verschenen in 1715 en 1717 beide banden van de *Vitruvius Britannicus* – de eerste met 100 gravures van klassieke Britse gebouwen, de tweede met een vertaling van Palladio's *Quattro Libri dell'Architectura*. Beide publicaties, die aan George I waren gewijd en als 'Whiggish Products' waren aangemerkt, werden door Colen Campbell uitgegeven; iets later, in 1727, werden de tekeningen van Inigo Jones in de bewerking van William Kent gepubliceerd. Beiden, Campbell (1673-1729) en Kent (1685-1748), behoorden tot de intellectuele kring van de kunstliefhebber en architect Richard Boyle, de derde Earl of Burlington (1694-1753), die als feitelijke 'motor' van de palladiaanse beweging moet worden gezien. Hun doel was de terugkeer naar de "juiste en edele regels" die men in de klassieke Oudheid en in de interpretatie ervan door Palladio en in het werk van landgenoot Inigo Jones zag verwezenlijkt. Klassieke vorm en nationale traditie vormden daarmee de parameters die bepalend zouden zijn voor de Engelse archi-

**Lord Burlington (Richard Boyle, derde Earl of Burlington)**
Chiswick House (Middlesex)
1725-1729, voorgevel met entree (onder)
Galerij (rechts)
Plattegrond (rechtsonder)

tectuur in de volgende decennia; maniëristische kenmerken, die in Palladio's bouwwerken immers nadrukkelijk aanwezig waren, worden daarentegen niet toegepast.

De ideeën van de 'Dilettanti', de kunstkenners rond Lord Burlington, hadden met name invloed op de profane bouwkunst. Burlington, die zelf meerdere keren naar Italië was gereisd om de villa's van Palladio te bestuderen, belastte Campbell in 1718/1719 met de uitvoering van zijn landhuis, Burlington House, en gaf de vooral aan barokke tradities gebonden Gibbs z'n congé. Campbells landhuizen, Mereworth, Kent (1723), Stourhead, Wiltshire (vanaf 1721), Herbert's House (1724) en Whitehall, leverden de voorbeelden voor de profane bouwkunst in het Engeland van de eerste helft van de 18e eeuw. In soms nuchtere vormen worden klassiek aandoende vormen steeds opnieuw gevarieerd. Heldere, symmetrische plattegronden, harmonieuze verhoudingen, tempelportici, colonnades en overkoepelde centraal aangelegde ruimten roepen in steeds nieuwe combinaties het werk van Palladio op.

Lord Burlington zelf schiep het volmaaktste voorbeeld van neopalladiaanse bouwkunst. Chiswick House, Middlesex (afb. rechts en onder), gebouwd tussen 1725 en 1729, staat alleen al vanwege zijn relatief bescheiden afmetingen dichter bij de villa's van Veneto dan bij Campbells landhuizen. Het grondplan –een vierkant met een centrale inge-

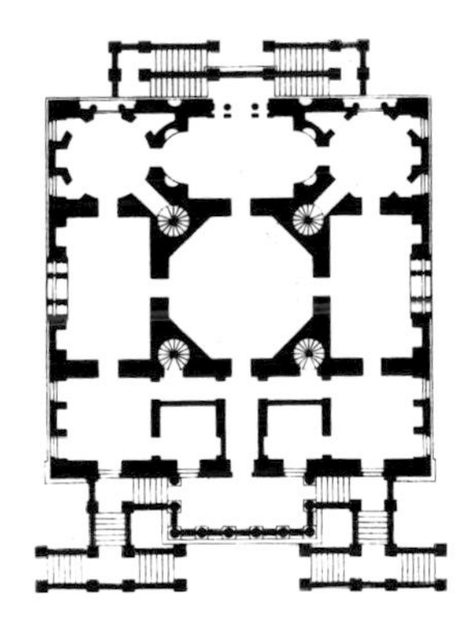

**William Kent**
Holkham Hall (Norfolk)
Begonnen in 1734
Hoofdgevel en trappenhuis

schreven achthoek– doet denken aan de rotondes van Palladio. Rondom de overkoepelde middelste zaal zijn in elkaar overgaande ruimten gegroepeerd; aan de tuinzijde zijn deze naar binnen gebogen en lopen uit in absissen met in nissen geplaatste beelden. Aan de buitenzijde zijn veelvuldig toespelingen te vinden op de klassieke Oudheid. De zes Corinthische zuilen van de porticus zijn afkomstig uit de tempel van Jupiter Stator in Rome; de koepel verwijst naar het Pantheon. De halfronde, tweemaal onderverdeelde ramen van de tamboer doen denken aan Romeinse thermen, de ramen met ronde bogen van de gevel aan de tuinzijde en ingebouwde zuilen zijn een variant op Venetiaanse voorbeelden. Alle elementen zijn weliswaar geen letterlijke citaten uit het origineel, maar gaan terug op interpretaties uit de 16e eeuw, die Burlington kende via de tekeningen van Palladio. Alleen de trappen die naar de dominerende porticus leiden, brengen een barok motief in het klassieke ensemble. Het interieur gaf Lord Burlington grotendeels vorm op basis van de voorbeelden van Inigo Jones, die op zijn beurt Palladio's ideeën weer had vertaald. De ruimten, die allemaal met elkaar communiceren, hadden duidelijk omschreven functies die zich in inrichting en iconografisch programma weerspiegelen. Uit de aanwezigheid van een ontvangstzaal, bibliotheek, galerijen en het 'tribunaal' in het centrum van de bovenverdieping kan geconcludeerd worden dat de villa een grotendeels ceremonieel karakter had; maar ook de privé-vertrekken, waaronder de slaapkamer en de 'Red Closet', zijn luxueus ingericht met schilderijen, luster, fluweel en kostbare houtsoorten.

In tegenstelling tot dit, ondanks alle luxe, intieme landhuis is Holkham Hall, Norfolk (begonnen in 1734), de monumentale vertaling van neopalladiaanse idealen (afb. links). Het vermoedelijk eveneens op de ideeën van Burlington teruggaande paleiscomplex is een pathetische 'intensivering' van Chiswick House. De strikt symmetrische plattegrond bestaat uit een centraal blok met representatieve ruimten en vier daarmee via gangen verbonden utiliteitsgebouwen. Het 'samenvoegende' karakter van het –natuurlijk weer met klassieke elementen vormgegeven– complex is onmiskenbaar. Het hoogtepunt is de bijna sacraal aandoende toegangshal, waarvan de met zuilen afgezoomde trap naar de *piano nobile* leidt. Ook hier roepen kostbare materialen, klassiek aandoende friezen en vooral het voorname cassetteplafond een beeld op van Romeinse grootheid. Kent toonde zijn gave voor een theatrale enscenering ook op kleinere schaal: de trap in het huis aan Berkeley Square nr. 44 in Londen behoort vanwege zijn welvende vormen tot de indrukwekkendste interieurs van zijn tijd.

Een uitzondering in de neopalladiaanse ambiance van de vroege 18e eeuw in Engeland is de zeer individueel werkende James Gibbs (1682-1754), juist de bouwmeester die Lord Burlington ten faveure van Campbell van zijn ontwerperstaken voor Burlington House had ontheven. Als katholieke Schot en conservatieve Tory had Gibbs met de verdreven koning uit het huis Stuart gesympathiseerd. Ter voorbereiding op een loopbaan als priester was hij in 1703 naar Rome gegaan, maar trad toen bij de drukbezette architect Carlo Fontana in de leer. Al in zijn eerste werk op Engelse bodem, de St. Mary-le-Strand (1714-1717),

**James Gibbs**
Londen, St. Mary-le-Strand, 1714-1717
Voorgevel en zijaanzicht

AFBEELDING ONDER:
**James Gibbs**
Oxford, Radcliffe Camera
(Universiteitsbibliotheek), 1737-1749

grijpt hij terug op Italiaanse, in dit geval maniëristische voorbeelden (afb. blz. 177). De geschiedenis van zijn belangrijkste werk, de St. Martin-in-the-Fields (1721-1726), bewijst hoe vrij Gibbs zich van historische voorbeelden bediende. Het uitgevoerde bouwwerk met de Corinthische porticus verwijst naar het Pantheon – dat hier evenwel geen koepelruimte krijgt, maar een met een toren bekroond schip op de manier van Wren. De eigenaardige combinatie van tempelfaçade en steil oprijzende kerktoren zou een voorbeeld worden voor vele parochiekerken op het Britse eiland. Voordien had Gibbs echter een buitengewoon concept voor de stadskerk ontwikkeld: een van een inwendige zuilenkrans voorziene rondbouw, zoals de Italiaanse architect Andrea Pozzo deze in zijn traktaat over de perspectief had gepresenteerd (de verhandeling werd in 1707 in Engeland gepubliceerd). Uit kostenoverwegingen besloot men geen bijdrage te leveren aan de realisering van dit project; desondanks werd de centraliserende oplossing in een groot aantal latere ontwerpen toegepast.

Radcliffe Camera (1737-1749), de bibliotheek van de universiteit van Oxford, staat wederom geheel in de traditie van het Italiaanse Maniërisme (afb. rechts). Het ronde, overkoepelde gebouw rust op een sokkel van rustiek werk, terwijl dubbele Corinthische halfzuilen de gevel ordenen. Gibbs' individuele, hoewel ook aan traditionele voorbeelden gebonden architectuur vond veel bijval in conservatieve kringen; zijn publicaties *A Book of Architecture* (1728) en *Rules for Drawing the Several Parts of Architecture* (1732) bleven actueel tot in de 19e eeuw.

Bath, de sinds de klassieke Oudheid vanwege zijn warmwaterbronnen beroemde badplaats, werd het schoolvoorbeeld van in het landschap geïntegreerde stedenbouw. John Wood I (1704-1754) en John Wood II (1728-1781/1782), vader en zoon, gaven tussen 1725 en 1782 het interieur vorm van de aan de oevers van de Avon gelegen stad op basis van de ideeën van het palladiaanse Classicisme. De ruggengraat van het com-

AFBEELDING BOVEN:
**John Wood II**
Bath, Royal Crescent
1767-1775

AFBEELDING ONDER:
**John Wood I**
Bath, Queen Square
Begonnen in 1729

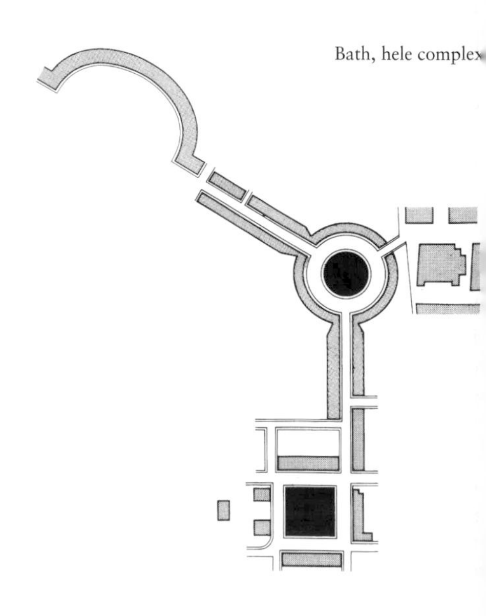

Bath, hele complex

Thomas Pitt
Twickenham, Middlesex
Strawberry Hill, galerij, na 1748

plex wordt gevormd door drie monumentale pleinen, het vierkante 'Queen Square' (John Wood I, 1729), het monumentale 'Circus' met zijn stervormige punten (John Wood I, 1754) en 'Royal Crescent' (John Wood II, 1767-1775), een halvemaanvormig complex dat zich naar het park richt en door bochtige verbindingswegen wordt geflankeerd (afb. blz. 178). Het idee om een plein met uniform vormgegeven woonhuizen te omzomen, kenden de Woods van de Parijse koningspleinen, de ronde vorm vooral van Mansarts Place des Victoires. Veel nadrukkelijker dan in de Franse monopool is in Bath echter de verwijzing naar de Eeuwige Stad. Naast basisthema's van de antieke urbanistiek worden in de gevelindeling Romeinse motieven toegepast. Zo roept de onderverdeling van de bouworden van het 'Circus' -Dorisch-Ionisch-Corinthisch- het Colosseum en de kolossale orde van 'Crescent' het Rome van Michelangelo in herinnering. In de openheid van de laatste ten opzichte van de natuur worden daarentegen elementen zichtbaar die bijna gelijktijdig gingen behoren tot het basisrepertoire van de 'Engelse tuin'.

Robert Adam (1728-1792) wordt als belangrijkste architect van de late 18e eeuw beschouwd. Deze zoon van een Schotse bouwmeester bracht tussen 1754 en 1758 langere tijd door in Rome, waar hij vriendschap sloot met de bekende architectuurhistoricus en graveur Giovanni Battista Piranesi. In 1764 leidde hij een expeditie naar Dalmatië, waar hij opmetingen deed in de ruïnes van het paleis van keizer Diocletianus in Split. De resultaten daarvan werden in 1764 onder de titel *Ruins of Spalato* gepubliceerd. Na zijn terugkeer naar Engeland trad Adam vooral als vormgever van interieurs op de voorgrond. Syon House, Middlesex (1763/1764), geeft een indruk met welke perfectie hij zowel klassiek aandoende bouwtypen als Romeinse decoratie-elementen op schilderachtige wijze wist te imiteren. Zijn interieurs doen denken aan de inrichting van Romeinse graven, aan de stadshuizen van Pompeji of Herculaneum. Van 1768 tot 1772 ontwierpen Robert Adam en zijn broer James een complex van luxueuze stadswoningen: het aan de Theems gelegen 'Adelphi'. Dit stedenbouwkundige experiment mislukte echter en bracht de familie aan de rand van de afgrond.

Hoewel Adam als geen ander de Romeinse Oudheid tot leven wist te wekken, werd hij tevens wegbereider van de 'Gothic Revival': Culzean Castle, Strathclyde (1777-1796), een kasteel in middeleeuwse vormen, bewijst hoe zeer de Romantiek het Palladianisme begon te verdringen. Het fundament daarvoor was echter al enkele decennia eerder gelegd met Horace Walpoles landhuis Strawberry Hill (afb. rechts). De Britse kunstliefhebber had al in 1749 grond verworven waarop hij William Robinson een neogotisch gebouw liet neerzetten. Het hoogtepunt vormde het niet meer in oorspronkelijke staat verkerende interieur van de galerij met waaiergewelven (Thomas Pitt), waarvoor de laat-gotische kapel van Hendrik VII in Westminster Abbey model had gestaan. Walpoles huis, dat zijn tijdgenoten zagen als een soort kunst- en rariteitenkabinet en dat eerst als een curiosum werd beschouwd, werd het uitgangspunt van de 'Gothic Revival'. Tegelijkertijd bewijst het gebouw nog maar eens hoe de visoenen van een paar amateur-architecten de bouwgeschiedenis van Engeland hebben bepaald.

**William Robinson**
Twickenham, Middlesex
Strawberry Hill, begonnen in 1748

## Architectuur van de Barok in de Nederlanden

De Zuidelijke Nederlanden, het latere België, beleefden in de eerste helft van de 17e eeuw een economische en culturele bloeitijd die echter een veel grotere uitdaging vormde voor de beeldende kunsten dan voor de architectuur. Terwijl Rubens, Van Dyck en Jordaens de schilderkunst nieuwe dimensies gaven, bleef de bouwkunst aan traditionele schema's gebonden. De reden daarvoor lag in de sterke invloed van de Contrareformatie, die van het zuidelijke deel van de (nog) verenigde Spaanse Nederlanden een bolwerk wilde maken tegen het protestantisme. Het eigen gotische erfgoed, de zeer lang voortlevende decoratievormen van het Maniërisme en Frankrijk leverden de voorbeelden waaruit de Zuid-Nederlandse bouwkunst putte voordat ze ten slotte eigen oplossingen vond.

Een uitzondering vormt alleen het Rubenshuis, de Antwerpse woning van de kunstenaar, waarvoor hij zelf het ontwerp maakte (gebouwd tussen 1611 en 1616). Het complex met drie vleugels, binnenplaats en tuin is geheel onregelmatig en onttrekt zich grotendeels aan een kunsthistorische indeling; in de gevels en de vestingachtige porticus worden herinneringen levend aan de maniëristische architectuur van Italië, die Rubens in zijn meer dan acht jaar durende verblijf ten zuiden van de Alpen kon bestuderen. Maar meer nog dan dit bouwkundige voorbeeld zou de reeks gravures van de kunstenaar, de 'Palazzi di Genova' (1622), nieuwe impulsen geven aan de profane architectuur.

Omstreeks het midden van de 17e eeuw wijzigde het beeld zich. Met de St.-Loup in Namen (1621, naar een ontwerp van Pieter Huyssens begonnen), de jezuïetenkerk St.-Michiel in Leuven (Willem Hesius e.a., 1650-1666), de Johannes de Doperkerk in Brussel (1657-1677) en de St.-Pieter-en-Pauluskerk in Mechelen (1670-1709) ontstonden de sacrale bouwwerken die weelderig werden gedecoreerd. In de hoog oprijzende, met topgevels versierde voorgevels en het meestal uit drie schepen bestaande basilicale interieur worden gotische structuren met klassieke zuilstructuren en maniëristische siervormen verbonden. Kenmerkend voor de Zuid-Nederlandse architectuur zijn de bosseringen op zuilen, pilasters en bogen, een motief dat in meer classicistisch beïnvloede landen –zoals Frankrijk– ondenkbaar zou zijn geweest.

Symptomatisch voor het vasthouden aan traditionele vormen is de wederopbouw van het in 1695 door Franse beschietingen verwoeste Brusselse marktplein. De nieuwe, omstreeks 1700 gebouwde gildehuizen houden zich volledig aan hun historische voorbeelden. Smalle, van regelmatige reeksen ramen voorziene gevels met rijke versieringen die de verticale lijn benadrukken en overvloedig gedecoreerde topgevels houden de herinnering aan de burgerlijke architectuur van de late Gotiek levend. Pas in de late 18e eeuw vond het academisch Classicisme van Franse snit ook in de Zuidelijke Nederlanden ingang.

Brussel
Gevels aan de Grote Markt, ca. 1700

AFBEELDING ONDER:
**Willem Hesius e.a.**
Leuven, St.-Michiel
1650-1666

### De Noordelijke Nederlanden

De architectuur van de noordelijke provincies van de tot 1648 onder Spaans bewind staande Nederlanden maakte een totaal andere ontwikkeling door dan die in de aangrenzende zuidelijke streken. Het belijden van het calvinistische geloof en het besluit tot oprichting van de Staten-Generaal hadden de conflictueuze scheiding van de Habsburgse monarchie en daarmee de bevrijding uit het Heilige Roomse Rijk tot gevolg. Dit leidde niet alleen tot beeldenstormen, maar ook tot een fundamentele heroriëntatie van de sacrale bouwkunst. Economische factoren bleken minstens zo belangrijk te zijn. In de expanderende handelssteden van het zich tot leidende zeemacht ontwikkelende land werd het burgerdom de belangrijkste begunstiger en opdrachtgever van de kunst.

De stedenbouwkundige opmaat vormde de uitbreiding van Amsterdam, dat voor zichzelf vanaf 1612 een indrukwekkend monument oprichtte met een gordel van drie grachten en het radiaire uitbreidingsplan (uitvoering vanaf 1615 door Daniël Stalpaert). Rechte grachten, met bomen omzoomde walkanten, verkavelde percelen en gevels met een hoog baksteenfront bepalen tot op heden het stadsbeeld. Net als Amsterdam tooiden zich vanaf het begin van de 17e eeuw veel Hollandse steden met representatieve burgerhuizen; een voorbeeld van de diversiteit van deze stadspaleizen is ook het Rapenburg in Leiden, de "mooiste gracht in Europa".

De toonaangevende architect van zijn tijd was Hendrick de Keyser (1565-1621), die in Amsterdam talrijke woonhuizen en, naar Londens voorbeeld, de beurs (1608) bouwde. Zijn kerken, waarin hij naar nieuwe vormen voor de protestantse sacrale bouwkunst zocht, werden toonaangevend. De in 1620 gebouwde Westerkerk, maar meer nog de in hetzelfde jaar begonnen Noorderkerk (De Keyser of Hendrick Staets), belichamen het ideaal van de calvinistische preekkerk dat bindend zou worden voor de gehele protestantse wereld. Het overheersende motief is de centrale aanleg, waarbij de geometrische elementen –vierkant, achthoek, cirkel of Grieks kruis– op een nuchtere en systematisch-heldere

AFBEELDING LINKS:
**Arent van 's-Gravesande**
Leiden, Marekerk
Begonnen in 1639

AFBEELDING RECHTS:
**Jacob van Campen**
Den Haag
Mauritshuis
1633-1644

manier naar voren worden gebracht. In het middelpunt staan kansel en doopvont, waaromheen de banken bijna toneelmatig zijn gegroepeerd. De in 1639 begonnen Marekerk in Leiden is een van de mooiste voorbeelden van dit type. De architect ervan, Arent van 's-Gravesande, past een vanuit de klassieke Oudheid via Leonardo overgeleverd grondplan toe, de achthoek met omloop. Ook de latere bouwwerken, bijvoorbeeld Jacob van Campens Nieuwe Kerk in Haarlem (1645), die op een vierkant met ingeschreven kruis is gebaseerd, of de rondbouw van de Lutherse Kerk in Amsterdam (Adriaan Dorsman, circa 1685) blijven trouw aan dit principe.

De profane bouwkunst nam in de loop van de 17e eeuw een beslissende wending. Nog tot kort na 1600 beheerste de renaissancestijl de Noord-Nederlandse bouwkunst; in samenhang met een levendig maniëristisch decor en de traditionele baksteenbouw bepaalde deze het stadsbeeld, zoals nu nog aan de Vleeshal in Haarlem (Lieven de Key, 1602/1603) of de Kloveniersdoelen in Middelburg (1607-1610) kan worden afgelezen. In kringen rond het hof vonden echter na 1620 meer klassieke stromingen ingang, die enerzijds door Frankrijk, anderzijds door het Engelse Palladianisme waren beïnvloed. De verspreiding ervan is vooral op Jacob van Campen (1595-1657) terug te voeren, een welgestelde schilder-architect die kennelijk in Italië had gestudeerd en nu als grote vernieuwer van de Nederlandse bouwkunst naar voren trad. Al zijn eerste gebouw, het Coymans-huis in Amsterdam (1624), is een bewijs voor zijn vertrouwdheid met de architectuur van Palladio en Scamozzi. Het Mauritshuis in Den Haag, dat hij in 1633-1644 voor de achterneef van stadhouder Frederik Hendrik, Johan Maurits van Nassau-Siegen, bouwde, werd het voorbeeld van talrijke voorname stads- en landhuizen. Het blokachtige, op een hoge sokkel rustende gebouw wordt door een Ionische kolossale orde en een timpaan gestructureerd; de hoofdgevel bezit een drie traveeën brede risaliet. Het contrast tussen lichte behakte steen en donkerrode baksteen, maar meer nog het hoge schilddak, geven het paleis een Hollandse toets.

Van Campens onbetwiste meesterwerk is het stadhuis van Amsterdam (tegenwoordig Koninklijk Paleis), met de bouw waarvan direct na de Vrede van Münster in 1648 werd begonnen. De plattegrond toont een rechthoek met twee binnenplaatsen, waarvan het centrum bestaat uit een monumentale, diepe ruimte, de Burgerzaal. De met een tongewelf bedekte hal die de hele hoogte van het gebouw benut, draagt een onmiskenbaar sacraal karakter; hij is –net als het exterieur– door twee boven elkaar geplaatste Corinthische pilastersystemen onderverdeeld. Het iconografische programma (beelden van Artus Quellinus en atelier; schilderingen met medewerking van Rembrandt en Jordaens) legt een sprekende getuigenis af van het zelfbewustzijn van de Amsterdamse burgerij. De wereld ligt aan de voeten van de beschermvrouwe van de stad, die door allegorieën van de kracht en de wijsheid wordt geflankeerd. Goden uit de Oudheid, de vier elementen, de deugden staan in dienst van de jonge Nederlandse republiek en prijzen haar roem.

Aan het eind van de 17e eeuw deed de Franse invloed –zoals bijna overal in Europa– zich opnieuw gelden. Dit proces werd nog eens extra bevorderd door de politieke verhoudingen. Talrijke hugenoot-architecten verlieten na de opheffing van het Edict van Nantes hun vaderland en werden vanwege hun kwalificaties aan andere vorstenhoven aangesteld. Met deze 'refugiés' verspreidde het barokke Classicisme zich over heel Europa. Een indrukwekkend voorbeeld daarvan is het jachtslot van prins Willem III, Het Loo bij Apeldoorn. Jacob Roman en de Fransman Daniel Marot (ca. 1660-1752) construeerden paleis en tuin vanaf 1684 in directe navolging van de Franse academie-architectuur. Als hofarchitect van Willem III volgde Marot zijn opdrachtgever naar Engeland, maar keerde later terug naar de Nederlanden, waar hij zich vestigde in Den Haag. Daar bouwde hij verschillende laatbarokke stadspaleizen, waaronder de Koninklijke Bibliotheek (1734).

**Jacob van Campen**
Amsterdam, stadhuis (nu Koninklijk Paleis), begonnen in 1648

## Architectuur van de Barok in Scandinavië

Denemarken en Zweden leverden belangrijke bijdragen aan de bouwkunst van de 17e en 18e eeuw; van een eigen stijl kan echter hooguit worden gesproken met het oog op de 'esthetica' van het materiaal – samengaan van baksteenmuren en zandsteendecor, koperen daken. Als voorbeeld voor de Scandinavische architectuur, en niet alleen voor de protestantse sacrale bouwkunst, dienden in veel gevallen de Nederlanden, maar in de tweede helft van de 17e eeuw drongen er in versterkte mate Italiaanse en Franse invloeden Noord-Europa binnen. Opdrachtgevers waren hof en adel, die bij de overname van het protestantisme hun centrale maatschappelijke positie behielden; hier en daar trad echter ook het burgerdom als begunstiger van de bouwkunst naar voren. In Noorwegen, dat samen met Denemarken onder één kroon was verenigd, verplaatste het zwaartepunt zich van de artistieke productie naar de kunstnijverheid.

**Denemarken:** met de uitbreiding van Kopenhagen tot moderne residentiële stad begon onder Christiaan IV een korte bloeiperiode van maniëristisch-vroegbarokke, op Hollandse voorbeelden georiënteerde architectuur. Bewijs daarvoor zijn de zomerresidentie slot Rosenborg (1607-1617) en de door Hans van Steenwinkel de Jonge gebouwde beurs (1619-1631, 1639/1640, afb. onder), een breed gebouw met hoge mansarderamen en dakkapellen, waarvoor de koning naar het schijnt zelf de ontwerpen heeft getekend. Het meest ambitieuze project in de vroege 17e eeuw, een achthoekig plein in het centrum van de stad, werd echter vanwege de Dertigjarige Oorlog niet uitgevoerd.

Met het in 1672 begonnen slot Charlottenburg deed het barokke Classicisme zijn intrede in Denemarken. De belangrijkste architect uit deze periode was Lambert van Haven (geboren in 1630), een in Italië geschoolde bouwmeester en schilder, wiens werk evenwel ook Hollandse kenmerken bezit. Zo is de Vor Frelsers Kirke (Kerk van de Verlosser) in Christianshavn een centraalbouw boven een Grieks kruis met opgevulde hoeken, die daarmee teruggaat op een schema dat in de protestantse kerkbouw van de Noordelijke Nederlanden werd ontwikkeld. De spiraalvormige torenbekroning stamt echter pas uit de 18e eeuw (Laurits Thura). Italiaanse invloeden worden daarentegen in het villa-achtige complex van de (vroegere) Sophie-Amalienborg in Kopenhagen zichtbaar.

**Jean de la Vallée**
Stockholm, Riddarhus (statengebouw)
1641-1674

Omstreeks het midden van de 18e eeuw bereikten de bouwactiviteiten een nieuw hoogtepunt. In 1754 begon de vergroting van het plein van de Amalienborg en de Frederikskerk, een stedenbouwkundig complex dat op Franse voorbeelden was geïnspireerd en het belangrijkste werk van de Deense Rococo werd. Het kernpunt is een achthoekig plein, waarvan de hoofdassen worden benadrukt door het uiteinde van lange, op één lijn liggende reeksen straten, en de diagonale lijnen door vier met middenrisalieten geaccentueerde paleizen. De tegenhanger wordt gevormd door een tweede vierkant plein met als centrum de met een koepel bekroonde Frederikskerk (pas in 1849 voltooid, afb. rechtsonder). Het ensemble werd ontworpen door Nicolaj Eigtved (1701-1754), een bereisde tuinarchitect en dilettant op het gebied van de architectuur, die tenslotte bij Pöppelmann had gestudeerd. De invloed van de bouwmeester uit Dresden was daarom ook bepalend voor zijn eerste grote werk, het residentiële paleis van Christiansborg (1733-1745). Als hofarchitect van Christiaan VI en Frederik V leidde Eigtved vanaf 1751 de kunstacademie in Kopenhagen. Een zekere internationale betekenis kreeg ook Laurits de Thura (1706-1759), schepper van het 'Weense' tuinprieel in het hertenkamp bij Kopenhagen en van het al eerder genoemde borrominesque bovendeel van de toren van de Kerk van de Verlosser. Hij was het die tussen 1746 en 1749 de *Deense Vitruvius* publiceerde.

**Zweden:** ook de Zweedse architectuur oriënteerde zich in eerste instantie op het Hollandse Maniërisme, maar al in 1639 trad er met de aanstelling van de Fransman Simon de la Vallée (overl. 1642) tot koninklijk architect een beslissende verandering in in de richting van het barokke Classicisme. Zijn zoon Jean de la Vallée (1620-1696) en zijn leerling Nicodemus Tessin de Oude (1615-1681) brachten de Zweedse barokbouwkunst internationaal aanzien.

Manifest van de nieuwe stijl werd het door het Palais du Luxembourg beïnvloe-

AFBEELDING LINKS:
**Hans van Steenwinkel de Jonge**
Kopenhagen, beurs, 1619-1631
en 1639-1640

AFBEELDING RECHTS:
**Nicolaj Eigtved**
Kopenhagen, Frederikskerk
1649-1849

**Nicodemus Tessin de Oude**
Stockholm, Riddarsholmkerk
Begonnen in 1671

**Nicodemus Tessin de Jonge**
Stockholm, Koninklijk Paleis, detail van de hoffaçade, 1697-1728

de Riddarhus (afb. blz. 182 boven) in Stockholm, dat door Simon de la Vallée ontworpen en met enkele wijzigingen door Jean de la Vallée en de Hollander Justus Vingboons in de jaren '50 werd uitgevoerd. De hoofdgevel is door een Corinthische kolossale orde ingedeeld en de licht vooruitspringende middenrisaliet wordt door een vlak fronton geaccentueerd; ook hier vormen baksteen en lichte zandsteen een effectvol contrast. Een geheel andere vondst is het tweeledige dak met het in het onderste deel gebogen profiel. In 1650 begon Jean de la Vallée met de bouw van het Oxenstierna-paleis, dat de neerslag vormde van zijn zojuist beëindigde studieverblijf in Frankrijk en Rome. Het Bonde-paleis (eveneens uit 1650) kreeg als eerste Zweedse paleis een cour d'honneur. In de kerkbouw, bijvoorbeeld in de centraalbouw van de Catharinakerk uit 1656, blijft het Hollandse voorbeeld belangrijk.

Nicodemus Tessin de Oude werd in 1649 tot hofarchitect benoemd; kort daarna leidde een lange reis naar de hoofdwerken van de bouwkunst in Duitsland, Italië, Frankrijk en de Nederlanden. De indrukken van deze reis waren in meerdere opzichten bepalend voor zijn werk. Zo herinnert de kathedraal van Kalmar aan het Romeinse Cinquecento, terwijl het Caroline-museum in Stockholm (1672) juist dichter bij het Franse Classicisme staat. In zijn belangrijkste werk, slot Drottningholm (afb. rechts), paste hij in eerste instantie het concept van Vaux-le-Vicomte toe, verdubbelde daar echter het corps-delogis en completeerde het door middel van zijvleugels en hoekpaviljoens, zodat er een complex met twee binnenplaatsen ontstond. Het inwendige van het slot wordt door een monumentaal trappenhuis gedomineerd. Aanleg en vormgeving van de belangrijke parken werden onder leiding van zijn zoon Nicodemus Tessin de Jonge uitgevoerd.

Nicodemus Tessin de Jonge (1654-1728) nam in 1681 het ambt van zijn vader als Zweedse hof- en paleisarchitect over. Ook hij had studiereizen door heel Europa ondernomen; in Rome onderhield hij nauwe contacten met Bernini en Carlo Fontana, wier architectuur zijn eigen werk in belangrijke mate beïnvloedde. Zijn hoofdwerk, de herbouw van het door een brand verwoeste Koninklijke Paleis van Stockholm (afb. boven), laat zien hoe vertrouwd hij is met Bernini's laatste Louvre-ontwerp en het Palazzo Chigi-Odescalchi; Tessin transformeerde de voorbeelden in een nuchtere stijl. Het blokachtige complex met vier vleugels, waarvan de drie hoofdverdiepingen boven een krachtige sokkel oprijzen, wordt door de gebogen gevel van de paardenstallen gecompleteerd. Op de grote binnenplaats moest, net als op de Franse Places Royales, plaats worden ingeruimd voor een ruiterstandbeeld van Karel XI. Tegenover het paleis bouwde Tessin zijn eigen stadspaleis, een architectonisch pronkstuk waarin hij de plattegrond van het Franse hôtel verbindt met de elementen van de opbouw van Romeinse villa's. De constructies in de tuin lijken op de coulissen van een theater; architectonische elementen zijn als een soort decorstukken neergezet.

Relatief snel, begin 1800, zette het Classicisme in Scandinavië door. Met de dodenkapel van Frederik IV in de dom van Roskilde (in 1774 door C.H. Harsdorff ontworpen) en het theater van slot Gripsholm (1743-1804, Jean-Louis Deprez) werd de toon gezet voor een buitengewoon hoogstaande, op de Griekse Oudheid geïnspireerde architectuur van de vroege 19e eeuw.

**Nicodemus Tessin de Oude**, slot Drottningholm bij Stockholm, 1662-1685

Ehrenfried Kluckert

# Architectuur van de Barok in Duitsland, Zwitserland, Oostenrijk en Oost-Europa

**Opmerking vooraf**

Homogene en dominante barokke kunstlandschappen zijn in Duitsland vermoedelijk alleen in Zwaben, Beieren en Franken te vinden. Dresden en Potsdam, om slechts twee voorbeelden te noemen, kunnen als glanzende barokke totaalkunstwerken worden beschouwd. In de overige regio's vallen steeds weer afzonderlijke ontwikkelingen op, zoals de herenhuizen in Sleeswijk-Holstein, de vakwerkkerken op de Vogelsberg of de waterburchten in het Münsterland. Met deze schets is het barokke cultuurlandschap 'Duitsland' natuurlijk niet uitputtend beschreven; in het beste geval is het bij benadering grof aangeduid, als een soort eerste oriëntatie.

De beschrijving van de barokke architectuur in Duitsland geschiedt zodoende vanuit geografische gezichtspunten om ook randgebieden te onderzoeken en objecten te bekijken die zich tot op heden in de schaduw hebben bevonden van het 'barokke totaalbeeld'. Daardoor wordt natuurlijk niet het 'historische beeld' van de Duitse Barok veronachtzaamd. Integendeel, de historische context zal duidelijk maken waarom het barokke netwerk in sommige streken fijner is en in andere grover. Er zij nog op gewezen dat de barokkunst in Duitsland opvallend genoeg op een ander tijdstip tot ontwikkeling kwam dan in andere Europese landen. Dit is vermoedelijk in hoofdzaak tot de Dertigjarige Oorlog (1618-1648) te herleiden, waarvan het voornaamste strijdtoneel in Duitsland lag. Pas tegen het einde van de 17e eeuw beschikten de wereldlijke en kerkelijke opdrachtgevers over voldoende financiële middelen om intensieve bouwactiviteiten te ontwikkelen in dienst van het absolutisme en de Contrareformatie.

**Herenhuizen, kastelen en kerken in Sleeswijk-Holstein, Mecklenburg, Hamburg en Nedersaksen**

Het barokke kunstlandschap in Sleeswijk-Holstein wordt bepaald door de landgoederen en herenhuizen van de 17e en 18e eeuw. Hier is sprake van een eigen barokke bouwretoriek die zich veelvormiger en dynamischer presenteert dan de toch veel kariger en nuchterder protestantse kerkbouw. Net als overal in Europa stond ook in de hertogdommen en graafschappen en op de landgoederen van Sleeswijk-Holstein de barokke bouwkunst in dienst van de politiek. Typisch voor de territoriale aanspraken en tegenaanspraken tussen de Deense kroon en de regionale machtsgebieden was de rivaliteit tussen de hertogen van Gottorf en de koningen van Denemarken.

In de jaren tussen 1698 en 1703 werd de machtige zuidvleugel van het kasteel in Gottorf in Sleeswijk gebouwd als een, zou men willen zeggen, autonoom paleis (afb. blz. 185). In de genoemde politieke strijd hadden de bewoners van Gottorf de Zweden voor zich gewonnen als beschermende mogendheid tegen de Denen. Daarom is het geen toeval dat de architectonische structuur en de bouwkundige proporties van slot Gottorf min of meer overeenkomen met die van het vanaf 1697 door Nicodemus Tessin de Jonge gebouwde slot van Stockholm. Daar steekt meer achter dan louter gunstbetoon. De Deense barokarchitectuur stond onder invloed van het Hollandse ideaal, terwijl de barokke bouwwerken in Zweden zich juist presenteren op Romeins voorname wijze. In deze context moet in herinnering worden gebracht dat de genoemde architect uit Stockholm op verzoek van hertog Christiaan Albrecht al ontwerpen voor de nieuwbouw van slot Gottorf had gepresenteerd. Het geld ontbrak echter. Pas Christiaan Albrechts opvolger, hertog Frederik IV, ging zich succesvol aan de nieuwbouw wijden. Hij kon zijn nieuwe domicilie echter niet betrekken. Nog voordat het interieur helemaal was afgewerkt, bezetten de Denen in de loop van de Noordse Oorlog (1700-1721) in 1713 de 'Gottorfer Staat' en daarmee ook het kasteel.

Vele herenhuizen in Sleeswijk-Holstein zien er Italiaans en daarmee bewust 'anti-Deens' uit. Het aanschouwelijkste voorbeeld is de hal van het herenhuis in Damp, die omstreeks 1720 door de Noord-Italiaan Carlo Enrico Brenno werd vormgegeven. De weelderig gestucte, twee etages hoge hal wordt op halve hoogte omgeven door een sierlijke galerij die naar een dubbele trap leidt. Vanaf het rijkelijk met rocaillevormen versierde plafond lijken de trompet blazende en fluit spelende engelen naar beneden te zweven, zo plastisch komen ze uit het stucwerk naar voren, zo luchtig zijn ze met het plafond verbonden. Feesthal, ontvangstruimte en huiskapel worden in deze ruimte op een zeer opvallende manier met elkaar verbonden.

Twee hallen lijken in Sleeswijk-Holstein met elkaar te wedijveren wie aanspraak kan maken op het predikaat meest 'barok'. De ene, in Damp, werd hierboven geschetst; de andere kan men aantreffen in het herenhuis van Hasselburg (afb. blz. 186). Hier wordt eveneens een Italiaanse sfeer voelbaar. Waarschijnlijk was het ook een landgenoot van de net genoemde Brenno die de hal in Hasselburg in 1710 voor graaf Dernath beschilderde. Stucwerk en decor zijn tamelijk ingehouden. Des te eleganter slingert zich de trap omhoog naar de galerij, waar vandaan je op een hoger gelegen 'schijnetage' kijkt. Met raffinement werden perspectivische middelen toegepast om een indruk van architectuur op te roepen. Deze architectuurschilderkunst met geïntegreerde godenfiguren herinnert aan Würzburg en Pommersfelden in het zuiden en aan het Zweedse Drottningholm in het noorden. In de van het herenhuis uitgaande middenas zie je op een afstand van ongeveer 600 meter het van 1763 daterende poortgebouw van het complex (afb. blz. 186). Elegant verheft de machtige kap van het dak zich in de hoogte en mondt uit in een lantaarn. Daardoor lijkt het poortgebouw op een paviljoen. De onderverdeling met de vlakke lisenen en de onversierde muurvelden maakt een zuivere en terughoudende indruk; de gevel past zich aan bij de architectuur van de nuchter aandoende dienstgebouwen – geheel in tegenstelling tot de vrolijke en bijna overdadig vormgegeven hal van het herenhuis. De agrarische bestemming drukt een stempel op het hele complex en er is nauwelijks sprake van decoratieve versiering of iconografische thema's die betrekking hebben op de politieke verplichtingen van de landeigenaar.

De landgoederen Emkendorf en Pronstorf (afb. onder), zonder meer vergelijkbaar met de net genoemde herenhuizen, hebben een vergelijkbare opbouw. De gevels volgen een schema dat ook in andere landhuizen wordt gevarieerd: een vooruitspringende middenrisaliet wordt door

Sleeswijk, slot Gottorf
1698-1703, zuidvleugel

Pronstorf, herenhuis

Hasselburg, herenhuis
Poortgebouw, 1763

Hasselburg, herenhuis
Hal, 1710

kolossale pilasters onderverdeeld en door topgevels en frontons afgesloten. Een dubbele trap leidt naar een min of meer ornamenteel vormgegeven portaal.

Het in 1728 voor Detlev von Buchwaldt gebouwde herenhuis Pronstorf is tevens voorzien van hoekrisalieten die het indelingsschema van het middengedeelte herhalen. Het afsluitende mansardedak verleent het gebouw iets aristocratisch en voornaams.

Terwijl in Pronstorf het obligate baksteen overheerst, probeerde men aan het eind van de 18e eeuw variaties aan te brengen in de structuur van het bouwmateriaal. De hoekpilasters en de over drie etages lopende pilasters van het middendeel van de drostwoning in Pinneberg zijn in rustiek baksteen uitgevoerd. Daardoor wint het gebouw aan plasticiteit. Het vooruitspringen en het terugwijken van de geveldelen en de licht gebogen kanten van het mansardedak suggereren een dynamische architectuur.

Het herenhuis op het landgoed in Borstel, dat omstreeks 1750 werd gebouwd, doet eerder Frans en voornaam en speels aan, en is al helemaal gebonden aan de bouwstijl van het Rococo. Een dubbele gebogen buitentrap leidt naar het portaal, dat aan weerszijden door twee hoge pilasters wordt afgesloten. Het bovenste raam wordt door een levendig vormgegeven rocaillecartouche bekroond. Daarboven loopt een segmentboog die de aanzet van het dak doorsnijdt. Atypisch voor herenhuizen uit Sleeswijk-Holstein zijn hier de eveneens op Franse voorbeelden geïnspireerde ovale ruimten.

De barokke kerkelijke bouwkunst in Sleeswijk-Holstein is op het eerste gezicht lang niet zo spectaculair als die van de herenhuizen. Eén uitzondering moet hier echter worden genoemd, de altaarruimte van de kerk in Probsteierhagen bij Kiel. Oorspronkelijk ging het hier om een vroeg-gotische kerk van veldkeien die in de 18e eeuw werd vergroot. Zonder enige twijfel het pronkstuk van het interieur is het in 1720 versierde koor. De compacte, volumineus gestucte ornamenten komen overeen met het Italiaanse vormgevoel van de feestzaal van Damp. Het was dan ook dezelfde stuccowerker, Carlo Enrico Brenno, die de werkzaamheden voor Probsteierhagen bijna gelijktijdig met die van Damp heeft uitgevoerd.

De beide kerken van Rellingen en Wilster, die, hoewel ze licht en transparant overkomen op de beschouwer en in het decor een eerder terughoudende en nuchtere indruk maken, zien er heel anders uit. Cay Dose, bouwmeester van de kerk van Rellingen (1754-1756) (afb. blz. 187), wilde een sacrale feestzaal bouwen in de stijl van de Italianen en

**Ernst Georg Sonnin**
Hamburg, St. Michael, 1750-1757
Gravure van A.J. Hillers, ca. 1780
en gezicht op het koor (rechts)

Cay Dose
Rellingen, Evangelische Kerk, 1754-1756

Fransen. Euforisch verkondigde hij wat hem voor ogen stond. Hij wilde "een buitengewone schoonheid en pracht realiseren, meer in- dan uitwendig, die hier te lande hun gelijke niet hebben, maar in Italië, Frankrijk en Engeland in een veel grotere vorm en in een andere hoedanigheid wel worden aangetroffen".

Als basisvorm koos hij een regelmatige achthoek, waarop hij een elegant mansardedak plaatste. Deze sloot hij af met een lantaarn. Lisenen flankeren hoge ramen en benadrukken de hoekpartijen. Het hoge interieur doet lang niet zo royaal aan als het exterieur lijkt te beloven. Dat zal waarschijnlijk aan de zuilen en de galerijen liggen, die ongelukkig genoeg gedeeltelijk met de raamzone samenvallen. Zo maakt de ruimte een enigzins benauwde indruk en bezit ze niet de aangekondigde "inwendige pracht".

De uit Brandenburg afkomstige architect Ernst Georg Sonnin bewees met zijn ontwerp voor de tussen 1775 en 1780 gebouwde kerk in Wilster dat hij een veel gelukkigere hand had in het proportioneren van een kerkgebouw. Hij wist beter dan zijn collega Dose hoe een plechtige protestantse preekzaal eruit moest zien, aangezien hij als grondplan een uitgerekte achthoek koos, waarvan de smalle zijden concaaf op de oost- en westpartij toelopen. De eenvoudige indeling van het exterieur wordt vol effect door een lage sokkelverdieping en rusticapilasters benadrukt. Als een scheepsboeg doemt de kansel op uit de convex gewelfde altaarwand in de door galerijen omzoomde kerkruimte.

Ernst Georg Sonnin heeft veel in Sleeswijk-Holstein gebouwd. Hij bouwde patriciërshuizen in Wilster en was onder meer verantwoordelijk voor de verbouwing van het kasteel in Kiel. Zijn hoofd- en meesterwerk was echter de nieuwbouw van de Michaeliskirche in Hamburg (afb. boven), die in 1750 afbrandde. Nog in hetzelfde jaar presenteerde hij samen met Johann Leonard Prey ontwerpen voor de nieuwbouw van de kerk. Een jaar later werd de eerste steen gelegd, en in december 1757 werd het pannenbier reeds geschonken – hoewel de torensokkel nog geen toren droeg. Pas 20 jaar later kwam er geld vrij voor de bouw van de toren. Hier toonde Sonnin zich een briljant technicus en staticus, die tot verbazing van de bevolking de toren zonder steigers liet optrekken. In 1786 werd de toren, al spoedig symbool van de Hanzestad Hamburg, feestelijk ingewijd.

Toren en middenschip zijn verschillend geconcipieerd. Terwijl de eerste twee torenverdiepingen nog voortkomen uit de architectonische structuur van het kerkschip, lijken de verdieping met de klok en de door monumentale zuilen gedragen kap te zijn losgekomen van het bouwconcept en is het alsof ze geen direct bouwhistorisch voorbeeld hebben. Dit contrast kan ook door verschillende architecten zijn bewerkstelligd. Prey zette zijn architectonische opvattingen, die nog helemaal in het teken staan van de laat-barokke *Schwung* en een rococoachtige speelsheid, door in het schip. Na zijn overlijden, kort voor het schenken van het pannenbier, nam Sonnin de algehele leiding over en zocht naar een strenge architectuurtaal, die al heel sterk met het Classicisme was verbonden.

Naast de Frauenkirche in Dresden geldt de Michaeliskirche als de mooiste protestantse kerk van de Barok. Vanuit het concept gezien protestants, vanuit de uitvoering gezien katholiek – zo kan de eerste indruk bij het betreden van de kerk worden beschreven. Opvallend zijn de ruimtelijke proporties en dimensies van de gecentraliseerde preekzaal, die op een indrukwekkende manier vanaf de galerijen zichtbaar worden. De galerijen slingeren zich elegant om de centrale ruimte heen en langs de drie kruisarmen tot het koor, waarvan de loges elegant in de zijtraveeën zijn ingepast. De vier pijlers die het grondkruis markeren, waar vanuit brede, gecassetteerde gordelbogen lopen, schragen een hoog, komvormig gewelf dat wordt benadrukt door een ver vooruitstekende lijst en een rondlopende borstwering. Vanuit de meeste posities wordt de blik vanaf de ver doorlopende bogen verder geleid naar de ruimtesegmenten en de rocailleversiering van de zwikken en het acanthusmotief van de vergulde kapel. Alleen in het gedeelte onder de galerijen kan er een indruk ontstaan van een nuchter vormgegeven evangelische kerkruimte.

Terwijl de barokke kerkbouw vaak als dominante stedenbouwkundige factor werd opgevat en slechts zelden in de beperkte bouwkundige context werd geconcipieerd, mogen barokke kasteelcomplexen slechts zelden los van hun omgeving worden gezien. Kasteel en tuin vormen meestal een onlosmakelijke eenheid. Bovendien is het kasteel vaak een centraal oriëntatiepunt voor een urbane aanleg. Het slot werd ofwel als uitgangspunt voor een te bouwen stad gepland en geconstrueerd, ofwel in een stedenbouwkundige context geplaatst. Het laatste was het geval in het Nedersaksische Bückeburg. Vorst Ernst von Schaumburg had het op een middeleeuwse waterburcht teruggaande en halverwege de 16e eeuw vergrote kasteel begin 17e eeuw bij de stad 'getrokken'. Een lange, brede straat, het zuidelijke deel van de huidige Bahnhofstraße, leidde naar het kasteelcomplex. Vier grote dienstgebouwen, het destijds gebouwde administratiegebouw en het in vakwerk gebouwde raadhuis (begin 1900 afgebroken) zetten samen met de Kammerkasse en de Fürstliche Hofkammer stedenbouwkundige accenten en fungeerden als

Bückeburg, kasteel
Poort, begin 17e eeuw

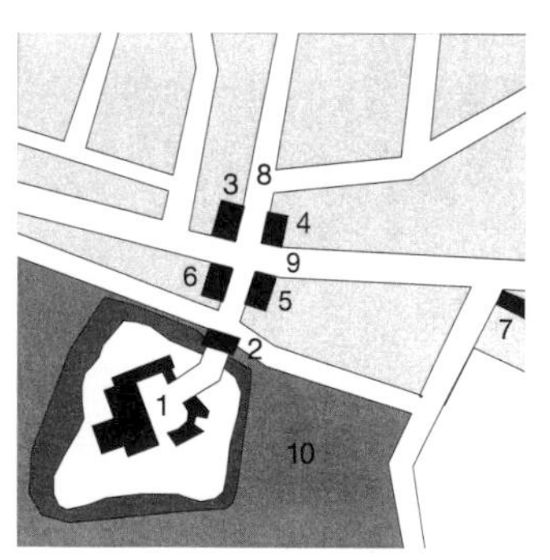


**Oriëntatieplattegrond Bückeburg: waterburcht en stadsgebied**
1 kasteel en kasteelgracht
2 kasteelpoort
3 voorm. raadhuis
4 voorm. administratiegebouw
5 Fürstliche Hofkammer
6 Kammerkasse
7 stadskerk
8 eerste barokke stadsas (nu Bahnhofstraße)
9 Lange Straße
10 kasteelpark

Bückeburg
Evangelische Stadtkirche, 1611-1615

Johann Joachim Busch
Schloß Ludwigslust, 1764-1796

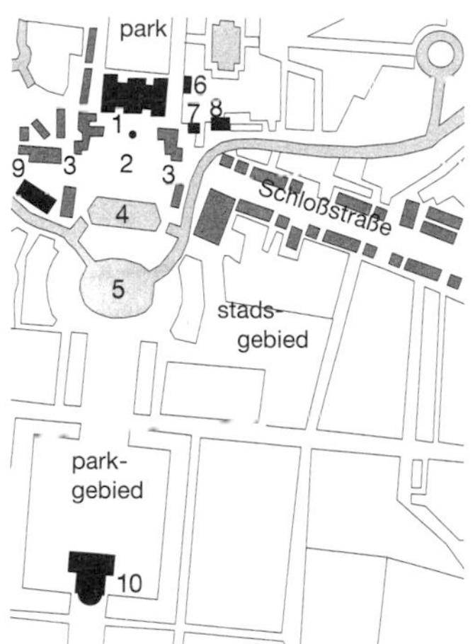

Ludwigslust, plattegrond van kasteel-, tuin- en stadsgebied:

1 kasteel
2 kasteelplein
3 paviljoens/schuren
4 cascade
5 bassin
6 Fontänenhaus
7 Spritzenhaus
8 Kavaliershaus
9 paardenstallen
10 stadskerk

een soort scharnier tussen kasteel en stad. Het marktplein bleef open aan de kant van het kasteel en werd aan de andere kant door een representatieve groep gebouwen met de rijk geornamenteerde kasteelpoort afgesloten (afb. blz. 188). Het kasteelgebouw doet nu niet meer aan als een eenheid, omdat bouwdelen uit verschillende perioden, vooral uit de Renaissance, zijn samengebracht. Toch zou men Bückeburg als een van de vroegste barokke totaalcomplexen van Duitsland moeten beschouwen en minder moeten letten op de afzonderlijke barokke vormen.

Terwijl in het Nedersaksische Bückeburg het uitgebreide kasteel bouwkundig gezien in de stedelijke context werd betrokken, heeft men in Ludwigslust in Mecklenburg, met enige overdrijving gezegd, een klein jachtslot tot een barok stadscomplex uitgebouwd. In 1724 gaf Christiaan Lodewijk II van Mecklenburg-Schwerin opdracht voor de bouw van een intiem vorstelijk pied-à-terre bij het dorpje Klenow in de zogenaamde 'Griesen Gegend', een bosrijke streek met grijs zand tussen de riviertjes Sude en Elde ten zuiden van Schwerin. Het kasteeltje noemde hij 'Ludwigslust'. Zijn zoon Frederik, een bereisd man die onder andere ook Versailles had bezocht, wilde nadat hij de regeringstaken op zich had genomen, zoiets als een Mecklenburgse variant van dit unieke Franse paleiscomplex creëren. Deze taak droeg hij na de verplaatsing van de residentie van Schwerin naar Ludwigslust in 1764 op aan zijn nieuw benoemde hofarchitect Johann Joachim Busch, die tot aan zijn pensionering in 1796 aan dit project werkte. De huizen van het dorp werden gesloopt en maakten plaats voor een planmatige aanleg. Het kasteel, de kasteelkerk en de Schloßstraße zijn axiaal aan elkaar gerelateerd. Als draaipunt fungeert de oostelijke zijde van het plein, die door een brug wordt begrensd en in de breed aangelegde Schloßstraße overgaat. Het pendant van het stadsgebied is het royale park dat zich ten westen van de door kasteel en kasteelkerk gevormde as aansluit.

Het kasteel zelf (afb. boven) ontleent zijn werking aan de verhoogde middenrisaliet, waarvoor een porticus met Toscaanse zuilen is geplaatst. Vanuit het middengedeelte verlopen twee zijvleugels, waaraan nog twee vleugels zijn toegevoegd, zodat de plattegrond een E-vorm krijgt. De oostvleugel was voor de hertog, de westvleugel voor zijn vrouw bedoeld. Ook nu nog is de oorspronkelijke indeling van het gebouw herkenbaar. Via beide kanten van de vestibule bereikt men beide trappenhuizen, die naar de twee etages hoge 'Gouden Zaal' leiden. Vandaaruit kunnen de afzonderlijke ruimten worden betreden, die gedeeltelijk met het oorspronkelijke meubilair zijn ingericht. Met het regentschap van groothertog Paul Frederik in 1837 werd de residentie weer naar Schwerin verplaatst en verviel Ludwigslust tot een oord voor gepensioneerden en een garnizoensstad.

**Johann Conrad Schlaun**
Jachtslot Clemenswerth bij Sögel
1736-1745, gezicht op slot en paviljoens

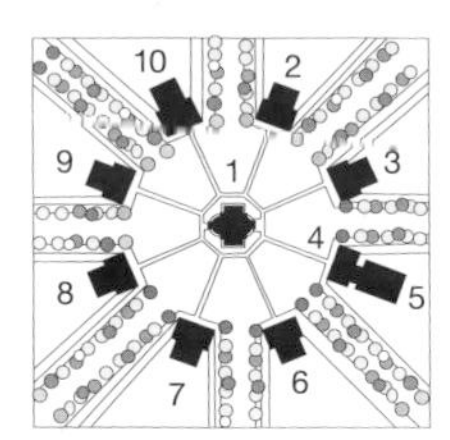


**Situatieschets:**
1 kasteel
2 paviljoen Münster
3 paviljoen Hildesheim
4 paviljoen Paderborn
5 keukenpaviljoen
6 paviljoen Osnabrück
7 paviljoen Clemens August
8 paviljoen Keulen
9 paviljoen Mergentheim
10 kapel met kapucijnenklooster

## Architectuur in het keurvorstelijke machtsgebied van Westfalen – bouwmeester Johann Conrad Schlaun

De belangrijkste Wetsfaalse bouwmeester van de Barok was Johann Conrad Schlaun, die zich al vroeg met belangrijke Europese barokbouwwerken vertrouwd had gemaakt. In Würzburg studeerde hij tussen 1720 en 1721 bij Balthasar Neumann, die juist met de bouw van de residentie was begonnen. Vervolgens reisde hij naar Rome en keerde in 1724 via Parijs naar Münster terug.

Kort daarna werd hij met het vermoedelijk interessantste project uit zijn jonge carrière belast. Clemens August, keurvorst en aartsbisschop van Keulen uit het huis Wittelsbach, gaf Schlaun, die daarvoor tot hoofdarchitect was benoemd, in 1724 opdracht tot de bouw van kasteel Augustusburg in Brühl bij Keulen (afb. blz. 194/195). De opdracht was pikant: aan de ene kant wilde de keurvorst zijn vorstelijke waardigheid in een residentie verwezenlijkt zien, aan de andere kant wilde hij bouwkosten uitsparen. Zo liet hij de ruïnes van het vorige huis, een waterburcht, grondig op hergebruik onderzoeken. Schlaun, die de plattegrond van het middeleeuwse gebouw moest overnemen en gelijktijdig probeerde moderne Romeinse ideeën van Borromini en Bernini in te brengen, wist de opgave kennelijk niet tot volle tevredenheid van zijn bouwheer op te lossen. Zijn broer, de Beierse keurvorst Karl Albrecht, leverde harde kritiek op de esthetische aspecten van het gebouw en liet zijn hofarchitect François de Cuvilliés uit München met nieuwe plannen naar Keulen afreizen. Schlaun werd wat dit project betreft in 1728 van zijn taken ontheven, maar bleef overigens nog wel voor de keurvorst werkzaam.

De Cuvilliés transformeerde Schlauns traditionele kasteeltype met de smalle binnenplaats en de middeleeuwse ronde toren in een moderne residentie met het karakter van een lustslot naar Frans voorbeeld. In 1741 kwam Balthasar Neumann naar Brühl en ontwierp het trappenhuis. Het werd drie jaar later uitgevoerd. Ruim veertig jaar later was het bouwwerk, waarin stijlelementen van voorname barokke gebouwen uit Italië, Frankrijk en Zuid-Duitsland waren terug te vinden, gereed.

Tussen 1736 en 1745 werd Johann Conrad Schlaun met een volgend groot project belast, het jachtslot Clemenswerth bij Sögel ten noorden van Osnabrück (afb. boven). Waarschijnlijk als herinnering aan zijn smadelijke afscheid van Brühl koos hij als basismodel de pagodeburcht in het park van kasteel Nymphenburg bij München. Hij liet zich eveneens inspireren op Marly-le-Roy en het jachtslot Bouchefort bij Brussel. Het resultaat overtrof alle genoemde voorbeelden. In sierlijke architec-

Johann Conrad Schlaun
Nienberge, Rüschhaus, 1745-1749
Gevel aan de hofzijde

Gerhard Koppers
Jachtslot Clemenswerth
Plafond van het trappenhuis met jachtscènes, 1745

tonische belijningen verheft zich op een groen gazon het uit rode baksteen opgemetselde en met lichte zandsteen gestructureerde, twee etages hoge kasteeltje boven een kruisvormig grondplan. Acht lanen leiden naar het uiterst terughoudend geornamenteerde jachtslot, resp. naar de praktisch geconstrueerde raamzijden. In de hoeken van de op het slot toelopende lanen liggen acht paviljoens, een kleine kapel en andere dienstgebouwen en schuren.

Het iconografische programma van het jachtslot heeft de parforsjacht van de keurvorst tot thema, die zichzelf in vier grote schilderijen heeft laten afbeelden. Naast gestucte jachtstoeten is in de grote plafondschildering van het trappenhuis Diana, de godin van de jacht, te zien (afb. rechts).

In Clemenswerth heeft Schlaun zijn specifieke bouwstijl gevonden, die wordt gekenmerkt door rechte en heldere lijnen en een eenvoudige, bijna sobere wandindeling. Alsof hij van de late Barok naar het vroege Classicisme met een Zuid-Duitse of Franse inslag wilde overgaan, sloot hij de destijds in de mode komende versieringswijze van het Rococo uit.

Nog tijdens zijn werkzaamheden in Sögel kreeg Schlaun opdracht voor de bouw van de Clemenskirche in Münster. Hij ontwierp een centrale aanleg en paste deze toe in het gebouwencomplex van het klooster van de Barmhartige Broeders, het latere Clemenshospital (1745-1753). In de Tweede Wereldoorlog werd het gehele complex verwoest. De kerk is weer hersteld en op de plek van het kloostergebouw is een parkeerplaats aangelegd.

In de nalatenschap van Schlaun heeft men opmetingsgegevens van de S. Ivo della Sapienza (1642-1660) van Francesco Borromini in Rome aangetroffen. Hij heeft zich voor de Clemenskirche zeker later inspire-

ren door de geraffineerde lijnvoering van Borromini's plattegrond, die uit een driehoek met geïntegreerde cirkel bestaat. Waarschijnlijk hadden ook de kopgebouwen aan het Piazza del Popolo, die het plein domineerden, de kerkgevels van de S. Maria dei Miracoli en de S. Maria Monte Santo, grote invloed.

Een van de mooiste en tevens gewaagdste scheppingen van de Westfaalse architect is zonder twijfel de Erbdrostenhof in Münster, die hij in aansluiting op de Clemenskirche uitvoerde (1753-1757) (afb. blz. 192/193). De moeilijkheid van dit gebouw lag in het goed benutten van een stedelijke 'hoeksituatie': van een maar iets uitstekende middenrisaliet, die licht naar binnen is gebogen, buigen de eveneens concave vleugels zich naar de in een scherpe hoek op het gebouw uitkomende Salzstraße en Ringoldstraße. Zo vormt zich voor de elegante en levendige gevel van het paleis een driehoekige erehof, die door een hek is afgesloten. Op de kruising van de wegen en dus op de punt van de erehof ligt de poort, precies op de middenas van het stadspaleis. De karossen konden op die manier dus in een *direttissima* door de toegangshal van het paleis rijden om aan de achterzijde, waar de stallen en de remises lagen, te worden verzorgd. Vanaf beide zijden van de hal lopen twee licht gebogen trappen, die via zijvertrekken en andere trappen naar de twee

etages hoge en van een galerij voorziene feestzaal leiden die zich boven de voorhal verheft (afb. boven).

Ook voor dit gebouw waren Italiaanse invloeden van doorslaggevend belang. De vijf traveeën brede middenrisaliet, die ook in de aan de stadskant gelegen slotfaçade in Brühl werd toegepast, zou geïnspireerd kunnen zijn op Borromini's gevel van het Oratorio e Casa di San Filippo Neri in Rome. Ook hier steekt een drie traveeën breed middendeel iets uit de concave gevelpartij naar voren (afb. blz. 27). Maar belangrijker was toch wel Bernini's tweede ontwerp voor de oostgevel van het Louvre, dat de Romeinse architect in 1665 maakte (afb. blz. 131). Vanaf het concave middendeel verlopen de iets naar achteren geplaatste, eveneens concave zijvleugels, waarvan de smalle zijden zich op het niveau van de middenrisaliet bevinden.

Waarschijnlijk hield Schlaun in zijn ontwerp ook rekening met stedenbouwkundige aspecten, omdat hij de Erbdrostenhof en de naburige Clemenskirche, waarvan de gevel als een pendant naar voren welft, als een samenhangend geheel ontwierp.

Enkele kilometers ten noordwesten van Münster schiep Schlaun zijn eigen landhuis, het betoverende Rüschhaus bij Nienberge, dat de architect tijdens het Clemenskirche-project tussen 1745 en 1749 bouwde (afb. blz. 191). Hij leverde een huzarenstukje door het boerderijtype uit Münsterland met het lichtvoetige Franse *maison de plaisance* te verbinden. Een centrale oprit leidt naar de aan de hofzijde gesitueerde gevel met de grote poortinrit. Dienstgebouwen, die als vleugels aan het hoofdgebouw zijn aangesloten, flankeren de hof. Daarentegen is de gevel aan de tuinzijde voorzien van sierlijke ramen en deuromlijstingen en een buitentrap. In 1825 ging het landhuis over in het bezit van baron von Droste-Hülshoff en diende het enige tijd als woning van de dichteres Annette von Droste-Hülshoff.

De laatste zes jaar van zijn leven, van 1767 tot 1773, bracht Schlaun door met het ontwerpen van en het werken aan het luxeslot van de vorst-bisschoppen (afb. blz. 193 onder). Als locatie werd gekozen voor de citadel. Voor de onbebouwde vlakte tussen de vestingwerken, die tot een groot park naar Frans voorbeeld getransformeerd zou worden, en de stad waren lanen en pleinen gepland. Schlaun ontwierp het kasteel als een complex met drie vleugels, waarbij de vleugels sterk waren verkort. De smalle zijden werden gedefinieerd als zelfstandige voorgevels. Zo kreeg het *corps-de-logis* een voor de Barok slechts geringe dieptewerking. Daarmee werden al de eerste aspecten van het Classicisme, dat juist in de mode kwam, aangegeven. Het slot van de vorst-bisschoppen mag wat betreft sommige details als een overgangsgebouw worden beschouwd. Toen Schlaun in 1773 op 78-jarige leeftijd stierf, was alleen het exterieur voltooid. Het interieur werd voltooid door Wilhelm Ferdinand Lipper, die de werkzaamheden in 1782 kon afsluiten.

AFBEELDING BLZ. 192:
**Johann Conrad Schlaun**
Münster, Erbdrostenhof
1753-1757, grote zaal

**Johann Conrad Schlaun**
Münster, Erbdrostenhof, 1753-1757
Gevel aan de hofzijde

Plattegrond
Situatieschets:
1 Erbdrostenhof
2 Clemenskirche

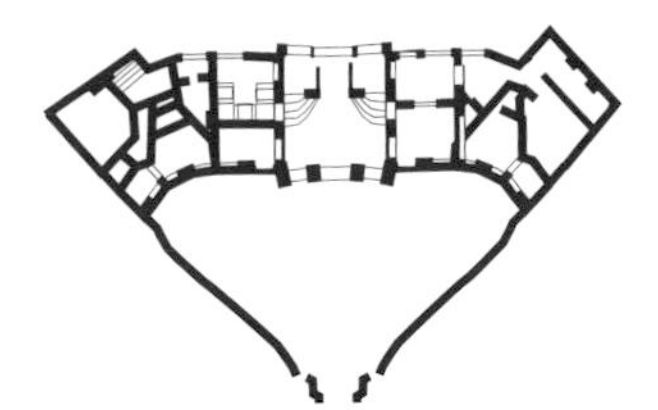

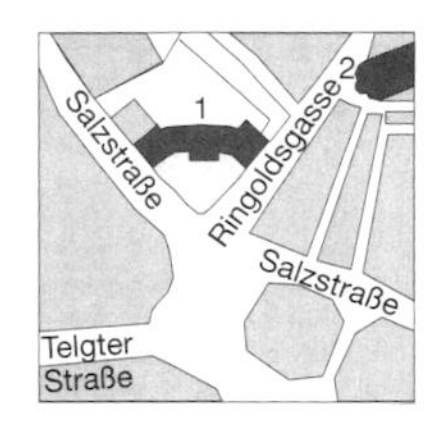


AFBEELDING ONDER:
**Johann Conrad Schlaun**
Münster
Paleis van de vorst-bisschoppen
1767-1773

**Johann Conrad Schlaun en François de Cuvilliés**
Brühl, Schloß Augustusburg
1724 en 1728-1740

Nepomukkapel (linksboven)
Eetzaal (rechtsboven)
Kasteelgevel vanuit het oosten (onder)

AFBEELDING BLZ. 195:
**Balthasar Neumann**
Brühl, Schloß Augustusburg
Trappenhuis, 1741-1744

Brühl werd door de bouwheer van slot Augustusburg, keurvorst Clemens August (1700-1761), vooral gewaardeerd om zijn fraaie omgeving. De keurvorst hield zich hier vaak op om zijn geliefde valkerij te beoefenen. Daarom dacht ook zijn hoofdarchitect, Johann Conrad Schlaun, in eerst instantie aan plannen voor een jachtslot. Hij ontwierp een complex met drie vleugels, met de opening naar het zuiden. Op dringend verzoek van zijn opdrachtgever integreerde Schlaun oudere bouwdelen om kosten te besparen. Toen de ruwbouw eindelijk klaar was, maakte de broer van Clemens August, de Beierse keurvorst Karl Albrecht, zich vrolijk over de ouderwetse bouwvormen.

Daarom werden er plannen gemaakt voor een gewijzigde opzet. De hofarchitect uit München, François de Cuvilliés, loste Schlaun af en veranderde diens concept in een residentie met het karakter van een lustslot. De buitengevel kreeg een nieuw uiterlijk en de interieurs werden opnieuw ingedeeld en uitgewerkt. Italiaanse decoraties vallen evenzeer op als Nederlandse of Zuid-Duitse vormen. Na veertig jaar was de bouw voltooid en werd het slot spoedig beroemd als een van de luisterrijkste rococoresidenties. Clemens August maakt de voltooiing van zijn prachtige paleis niet meer mee. Hij kon in het jaar voor zijn dood, 1761, echter nog wel genieten van de kostbare inrichting van zijn pronkkamers. Daarbij vallen vooral de schilderingen op. Clemens August, die zeer op de Italiaanse smaak was gesteld, is erin geslaagd om voor deze werkzaamheden de naast Tiepolo vermoedelijk beroemdste schilder van Italië aan te trekken, de Lombardijn Carlo Carlone. Hij versierde het trappenhuis, de muziek-, eet- en gardezaal, evenals de Nepomukkapel met fresco's. Verder introduceerde hij er het schilderen op linnen; een van die schilderijen vond een plaats in de Clemenskirche in Münster. Voor zijn werkzaamheden ontving 'Mahler Carlone' de zeer aanzienlijke som van 5325 rijksdaalders.

**Pruisens metropool – Andreas Schlüter in Berlijn**

In de loop van de Dertigjarige Oorlog (1618-1648) richtten de Zweedse én de keizerlijke troepen enorme verwoestingen aan in Brandenburg en Berlijn. Keurvorst Frederik Willem, de Grote Keurvorst genaamd, liet de stad na de oorlog versterken. Door het Edict van Potsdam (1685) creëerde hij voor 20.000 uit Frankrijk verdreven hugenoten een nieuw thuis. Hun ambachtelijke vaardigheden en kunstzinnig talent droegen veel bij aan de economische en culturele bloei van Berlijn. Frederik Willems opvolger, keurvorst Frederik III van Brandenburg, liet zich in 1701 in Königsberg tot koning kronen. Enkele jaren later, in 1709, werden de stadsuitbreidingen Friedrichswerder (1669), Dorotheenstadt (1674) en Friedrichsstadt (1688) met Berlijn en Kölln samengevoegd tot koninklijke hoofdstad en residentie. In deze decennia liet de keurvorst Berlijn omvormen tot een barokstad.

De planologische werkzaamheden voor de genoemde stadsuitbreidingen werden geleid door hoofdarchitect Johann Arnold Nering, die tussen 1688 en 1691 ook slot Oranienburg naar Frans voorbeeld in een complex met drie vleugels had getransformeerd. Een jaar voor Nerings dood, in 1694, kwam Andreas Schlüter naar Berlijn. De waarschijnlijk in 1663 in Danzig geboren beeldhouwer en architect reisde vanuit Warschau, waar hij onder meer de gevelreliëfs van het Krasinski-paleis had gemaakt. Schlüter kreeg van de keurvorst opdracht om de sluitstenen van ramen en deuren van het door Nering ontworpen arsenaal van reliëfs te voorzien. Na diens dood nam hij ook zijn opdrachten over. Het ging onder meer om de verbouwing van het Berlijnse Stadtschloß (afb. blz. 197 boven). Omstreeks 1698 belastte de keurvorst Andreas Schlüter met het toezicht op de bouw van het slot en benoemde hem later tot leider van de bouwwerkzaamheden. In die periode hield Schlüter zich nog bezig met de bouwkundige leiding over het arsenaal, de gieterij en de parochiekerk.

Schlüter was niet alleen verantwoordelijk voor de planning en controle van de uitvoering, maar ook voor de ontwerpen van de iconografische programma's en decoraties. Hij kende de ontwerpen van de vorstelijke paleizen van Wenen, Dresden en Stockholm, en nam ook kennis van de ontwerpen van Schloß Schönbrunn in Wenen, toen de ontwerper ervan, Johann Bernhard Fischer von Erlach, in 1704 in Berlijn verbleef. Dit concept was voor Schlüter echter van ondergeschikt belang, aangezien de heuvelachtige omgeving die zo specifiek was voor het Weense paleis, in Berlijn ontbrak. Maar in plaats daarvan inspireerde hij z'n collega uit Wenen met zijn architectonische opvattingen kennelijk zo dat deze de indelingsmotieven overnam van Schlüters portaal- en raamzones voor de hoekrisalieten in het Praagse Palais Clam-Gallas, dat hij vanaf 1713 bouwde.

Er waren ook contacten met Stockholm. Nicodemus Tessin de Jonge, die nog in 1688 in Berlijn samen met Nering de plannen voor het arsenaal besprak, begon in 1697 met zijn werkzaamheden voor het koninklijk paleis in Stockholm. Tessin liet zich door Bernini's Louvre-ontwerpen enthousiast maken en ontwierp een kubiek complex met een plat dak en een kolossale orde voor de oostgevel. Daarmee gaf hij de barokke bouwstijl op en bewoog zich in de richting van een streng Classicisme. Kennelijk drongen berichten over dit nieuwe en ongewone gebouw tot Berlijn door, want in 1699 vroeg de keurvorst advies inzake bouwaangelegenheden aan het Zweedse hof. Zonder hier nader op de samenhangen in te gaan, kunnen we zeggen dat de met platte daken bedekte noordoostelijke vleugels en de van kolossale pilasters voorziene middenrisaliet van het Berlijnse slot de invloed laten zien van het Stockholmse paleis.

Schlüters verdere werkzaamheden in Berlijn ontwikkelden zich niet echt gelukkig. In uiterste haast werden de werkzaamheden aan het slot bespoedigd. Begin 1705 nam hij ook korte tijd de leiding op zich van het Stadtschloß in Potsdam en de omliggende lust- of jachtsloten, zoals Caputh of Glienicke. Er was telkens opnieuw sprake van schade aan het Berlijnse slot, en bij andere taken waarmee hij was belast, zoals de constructie van de Münzturm, maakte hij fatale fouten, waar naburige gebouwen ook van hadden te lijden. In 1706 moest de Münzturm worden afgebroken. Een jaar later ging Johann Friedrich Eosander von Göthe zich wijden aan het planologische concept van het slot. Na de dood van de koning in 1713 verliet Schlüter Berlijn en reisde naar St.-Petersburg om in dienst te treden van tsaar Peter I. Een jaar later stierf hij in de tsarenstad.

Het Berlijnse Stadtschloß werd in de Tweede Wereldoorlog verwoest. In 1950 heeft men de ruïne gesloopt. Resten van de plastiek van het complex bevinden zich in de Berlijnse musea.

**Potsdam en de architectuur van Georg Wenzeslaus von Knobelsdorff**

Toen vorst Johan Maurits van Nassau-Siegen in 1664 op bezoek was bij de Grote Keurvorst Frederik Willem verwees hij met de woorden "het hele eiland moet een paradijs worden" naar het eiland Potsdam.

Frederik Willem, die al vier jaar eerder de stadsregio van Potsdam en ook de dorpen in de omgeving had verworven, verhief Potsdam tot tweede residentie naast Berlijn. In Potsdam, zo zei Christian Graf von Krockow treffend, presenteerde het pruisendom zich op gecomprimeerde wijze in de vorm van beelden en symbolen. Het 'Pruisische principe' openbaart zich in de doelmatigheid van de vorm, waarvan de glans hooguit ingetogen is. Deze opvatting kan men volgen vanaf het nuchtere jachthuis Stern aan de rand van Babelsberg, dat de 'soldatenkoning' Frederik Willem I voor zichzelf liet bouwen, tot aan het zogenaamde Rococo van zijn zoon Frederik II, Frederik de Grote, die het gebruik van een heldere en tektonische wandstructuur met gedisciplineerd toegepaste ornamentele patronen bevorderde. Misschien kan als motto voor de Pruisische Barok dienen wat in de volksmond destijds zo treffend werd geformuleerd: "Pruis te zijn is een eer, maar geen genoegen."

De eerste bouwkundige maatregelen die de Grote Keurvorst tussen 1664 en 1670 nam, hadden betrekking op het Stadtschloß, dat een middeleeuws burchtcomplex moest vervangen dat diende om een veilige overtocht over de Havel te garanderen. Acht jaar voor zijn dood, vanaf 1680, werd het slot met medewerking van Johann Gregor Menhardt

AFBEELDING LINKSBOVEN:
**Andreas Schlüter**
Berlijn, Stadtschloß
Begonnen in 1698, afgebroken in 1950
(na verwoesting in WO II)
Portaal I

AFBEELDING RECHTSBOVEN:
**Andreas Schlüter**
Berlijn, Stadtschloß
Begonnen in 1698, afgebroken in 1950
(na verwoesting in WO II)
Grote trappenhuis

AFBEELDING ONDER:
**Georg Wenzeslaus von Knobelsdorff**
Potsdam, Stadtschloß
Begonnen in 1664, uitbreiding door
Johann Arnold Nering e.a. vanaf 1680,
verbouwing door Knobelsdorff tussen
1744 en 1752; in WO II verwoest

Berlijn, Schloß Charlottenburg
Oostvleugel, Gouden Zaal, na 1740
Na verwoesting in WO II hersteld in
1961-1973

**Georg Wenzeslaus von Knobelsdorff**
Berlijn, Schloß Charlottenburg
Oostvleugel, 1740

Michael Matthias Smids en Johann Arnold Nering uitgebreid. In de jaren ’90 heeft de zoon van de Grote Keurvorst, keurvorst Frederik III, die zich vanaf 1701 koning Frederik I mocht noemen, het slot tot een complex met drie vleugels laten omvormen.

Pas nadat de filosofisch en muzisch geschoolde koning Frederik II de regering aanvaardde, werd het slot –tussen 1744 en 1752– omgebouwd. Voor deze werkzaamheden engageerde hij Georg Wenzeslaus von Knobelsdorff, die hij al als kroonprins van Rheinsberg kende. Frederik Willem II verwierf slot Rheinsberg, idyllisch gelegen aan de Grienicksee, voor zijn zoon Frederik. Hier woonde de kroonprins tot zijn troonsbestijging en liet het slot tussen 1737 en 1740 door Knobelsdorff vergroten. Direct na zijn inhuldiging in 1740 stuurde hij zijn architect naar Dresden en Parijs. Vervolgens benoemde hij hem tot ‘superintendant van alle koninklijke paleizen en tuinen, *directeur en chef* van alle bouwwerken in alle provincies’ en belastte hem nog in hetzelfde jaar met de uitbreiding van het kasteeltje Monbijou in Berlijn.

De uitbreiding van het Stadtschloß in Potsdam (afb. blz. 197 onder) beschouwde de koning als een van zijn hoofdtaken. Onder leiding van Knobelsdorff decoreerden de beeldhouwer Johann Michael Hoppenhaupt en de uit Straatsburg gekomen binnenhuisarchitect en decoratiebeeldhouwer Johann August Nahl de ruimten, die tot het hoogtepunt van het Rococo van Frederik II behoorden. In de Tweede Wereldoorlog werd het slot verwoest en de ruïnes werden in 1959 verwijderd.

De eerste grote opdracht en het eerste belangrijke nieuwbouwproject van Frederik II werd direct na de regeringsaanvaarding in 1741 aan Knobelsdorff gegund. De architect moest het operahuis in Berlijn bou-

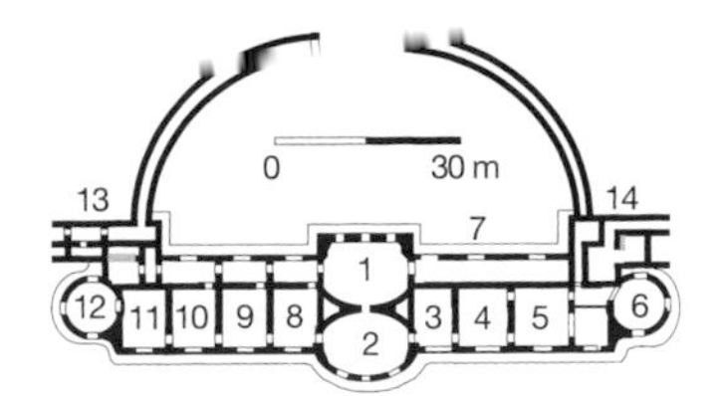


**Georg Wenzeslaus von Knobelsdorff**
Potsdam, Schloß Sanssouci
Begonnen in 1745
Gezicht van buitenaf op de Marmerzaal
en situatieschets (links):
1 vestibule
2 Marmerzaal
3 ontvangst- en eetzaal
4 'gemakkelijke' kamer
5 slaap- en werkkamer
6 bibliotheek
7 Kleine Zaal
8-12 gastenkamer
13, 14 dienstgebouwen

wen en daarbij rekening houden met de wensen van de koning. Voor hem was de opera een tempel, een 'muzisch symbool' van zijn staatswaardigheid. 'Fredericus Apollini et Musis' staat te lezen op een inscriptie. In zekere zin legt dit motto ook de architectonische, of beter gezegd, iconologische structuur van het gebouw vast. Frederik wilde de festiviteiten van het hof met operaopvoeringen verbinden – ongeveer zoals dat enkele jaren eerder in de 'Zwinger' in Dresden het geval was geweest. De 'Apollozaal' diende als vestibule en eetzaal. De publieksruimte en het toneel met acht Corinthische zuilen aan de zijkanten sloten zich erbij aan. De orkestbak kon tot op het niveau van het toneel worden gebracht om een ruime balzaal te creëren.

Knobelsdorff hield, geheel overeenkomstig de moderne Franse smaak, het exterieur van de opera goeddeels vrij van decoraties. Twee zijwaartse trappen leiden omhoog naar een monumentale zuilenporticus, via welke de Apollozaal kan worden betreden. Deze vorm, die hoogst ongewoon was voor die tijd en voor Duitsland en die zich al nadrukkelijk van de Barok afkeerde, vond z'n voorbeelden in Engeland, vooral in het Palladianisme van de bouwmeesters Inigo Jones, Lord Burlington en William Kent. De koning en zijn bouwmeester kenden deze architecten en hun werk. Langs deze weg bereikte het Engelse Palladianisme Duitsland al heel vroeg.

Schloß Charlottenburg in Berlijn was woonplaats en residentie van de koning. Al in 1740 gaf hij Knobelsdorff opdracht voor uitbreidingen, en vanaf de slagvelden van de Silezische Oorlog spoorde hij zijn bouwmeester aan om de werkzaamheden zo snel mogelijk af te ronden. Het ging om de nieuwbouw van de oostelijke vleugel (afb. blz. 198), die met het hoofdgebouw moest worden verbonden – in zekere zin als tegenhanger van de westvleugel, de oranjerie. Een sierlijk trappenhuis, dat de koning uitbundig prees, verbindt de vestibule met de eetzaal. De aansluitende 'Gouden Zaal' (afb. blz. 198 links) met z'n rocaillevormen, voluten, bloemen en dansende putti, spreidt een voornaam-ingetogen pracht tentoon en mag als een volgend hoogtepunt van het Rococo van Frederik II worden beschouwd.

Het is bekend dat Frederik zijn bouwmeester niet alleen schetsen van zijn ideeën voorlegde, maar ook volledig uitgewerkte plannen van zijn projecten. Dat leidde vaak tot spanningen. Knobelsdorff was hiervan natuurlijk de dupe, maar hij moest zich naar de eigenzinnigheid van zijn koninklijke opdrachtgever schikken. Tot heftige controverses, uitmondend in geruzie, kwam het bij de planning van Schloß Sanssouci (afb. blz. 200/201). In 1744 beschikte de koning dat de zuidhelling van een heuvelrug ten oosten van het centrum van Potsdam geterrasseerd moest worden om er een wijnberg aan te kunnen leggen. Een jaar later besloot hij tot de bouw van een zomerresidentie. Het was zijn wens om via de glazen deuren het terras te kunnen betreden zonder de trap te hoeven nemen. Knobelsdorffs ontwerp voorzag echter in een gebouw dat zich op een lage sokkelverdieping boven de voorste terrasrand zou verheffen om zich, vanuit het park gezien, in volle glorie te kunnen presenteren. De koning keurde zijn ontwerp af, en tegenwoordig kan men de verkeerde beslissing van de koning navoelen, omdat precies gebeurde wat

Knobelsdorff destijds had gevreesd: het bovenste terras overlapt op een buitengewoon ongelukkige manier de paleisgevel. Een jaar later, in 1746, werd Knobelsdorff ontslagen en verliet hij het hof. In 1753 overleed hij. Zijn werk werd overgenomen door Johan Bouman uit Amsterdam, die al vanaf 1732 in Potsdam verbleef en het 'Holländische Viertel' ontwierp.

Wat voor de rococostijl van Frederiks paleis van belang was, was echter het werk van Knobelsdorff. Het Franse *maison de plaisance* van het Rococo, het in de natuur ingebedde 'tuinprieel', kreeg door Knobelsdorff c.q. door de voor de architect onprettige interventies van de koning zijn eigen stempel. De overdadige pracht en praal en de onafzienbare reeksen kamers ontbreken. Het gebouw maakt een intieme indruk, een toevluchtsoord met gepaste proporties en met een uitgelezen inrichting. De door Knobelsdorff ontworpen figuren, de genoeglijk in lichte dronkenschap wankelende bacchanten, zijn er uitstekend op hun plaats. Als hermen met saters en nimfen schragen ze het hoofdgestel en sieren ze tegelijk de ramen (afb. boven).

Veertig jaar lang toog Frederik in de zomermaanden naar Sanssouci. In zijn testament beschikte hij dat hij naast zijn elf windhonden en zonder "pracht en praal... heel eenvoudig op de hoogte van het terras, aan je rechterhand als je naar boven klimt..." begraven wilde worden. In 1786 stierf de koning, 205 jaar later ging zijn laatste wens in vervulling.

**Georg Wenzeslaus von Knobelsdorff**
Potsdam, Schloß Sanssouci, begonnen in 1745, gevel tuinzijde met wijnberg
Plattegrond en verticale projectie, 1744/1745

## Potsdam, Schloß Sanssouci

In 1744 werd een kunstmatig geterrasseerde wijnberg met zes in een boog verlopende terrassen en een trap in het midden aangelegd. Hier koos Frederik II zijn zomerresidentie. Het complex en het Schloß Sanssouci inclusief de uitgestrekte tuinen ontstonden op basis van ontwerpen van de bouwmeester Georg Wenzeslaus von Knobelsdorff, waarin ook Frederik zijn ideeën had ingebracht, zoals schetsen aantonen.

Al twee jaar na het begin van de bouw kon onder leiding van Knobelsdorff met de aankleding van het interieur worden begonnen. Een kleine honderd jaar later hebben Ludwig Persius en Ferdinand von Arnim de zijvleugels toegevoegd.

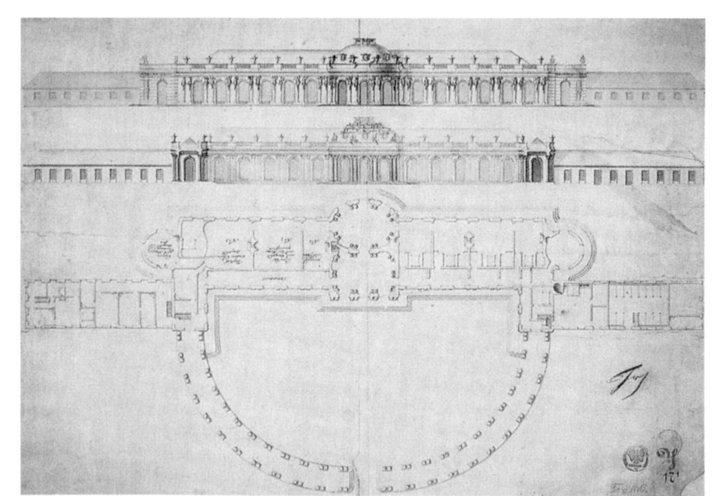

Zijn unieke karakter krijgt het slot door het ovale bouwwerk in het midden. Hier bevinden zich ook de belangrijkste zalen, zoals de met gekleurd marmer uitgevoerde koepelruimte, de Marmerzaal. Aansluitend volgen de woonvertrekken van de koning, de muziekkamer en de slaap- en werkkamer. De ronde bibliotheek met cederhouten lambrisering en bronsdecoraties ziet eruit als een kostbaar kleinood. De hof aan de achterzijde is door zuilencolonnades omzoomd.

AFBEELDING BLZ. 201:
**Georg Wenzeslaus von Knobelsdorff**
Potsdam, Schloß Sanssouci, begonnen in 1745, vestibule

**Johann Georg Starcke**
Dresden, paleis in de Grote Tuin
1678-1683

AFBEELDING BLZ. 203:
**Matthäus Daniel Pöppelmann**
Dresden, Zwinger, 1697-1716
Galerij en 'Wallpavillon'

## Barok in Saksen

Toen de publicist Johann Michael von Loen in 1718 de gebouwen van Dresden bezichtigde, schreef hij enthousiast: "De stad Dresden lijkt wel één groot lustslot waarin alle uitvindingen van de bouwkunst zich met elkaar vermengen en zich toch goed laten bekijken. Een vreemdeling is er een paar maanden zoet mee als hij alles wat dit oord aan schoons te bieden heeft, in ogenschouw wil nemen..."

Destijds, in het zogenaamde 'Augusteische Zeitalter' (het tijdperk van Augustus), gold Dresden als de mooiste stad van Duitsland. Dit predikaat had het verkregen door z'n paleizen en kerken, maar ook vanwege de ongewoon rijke kunstverzamelingen. Johann Joachim Winckelmann prees de verzameling oudheden, die werd beschouwd als de grootste in haar soort benoorden de Alpen. Voor Johann Wolfgang von Goethe was de in 1722 gestichte Gemäldegalerie met haar 284 schilderijen een "heiligdom".

Frederik August I de Sterke (1670-1733), de populaire barokvorst, en zijn zoon Frederik August II (1696-1763), de hartstochtelijke kunstliefhebber, die de staatszaken overliet aan zijn kanselier Heinrich Graf Brühl en zichzelf aan de kunst wijdde, hebben Dresden en Saksen in een pompeuze barokke schatkist veranderd. Johann Gottfried Herder zei dat nergens in Duitsland de kunstverzamelingen "op zo'n grootse en ruimdenkende wijze als in Saksen" waren aangelegd. Alsof het niet genoeg was, bleef Saksen in deze periode ook het muziekleven in Duitsland domineren. In Leipzig liet Johann Sebastian Bach als cantor van de Thomaskirche zijn nieuwe muziek klinken en in Freiberg werkte Gottfried Silbermann in zijn werkplaats aan orgels die overal in Europa werden geroemd.

Aan de culturele bloeitijd van Saksen kwam abrupt een einde met de annexatie van het Oostenrijkse Silezië door Pruisen. De 61 jaar later uitgebroken oorlog (1756-1763) verwoestte het land. Men schatte de oorlogsschade op meer dan 300 miljoen daalders en het was wel zeker dat de opbouw van het land een periode van meer dan 20 jaar in beslag zou nemen.

Al voor de regeerperiode van August de Sterke benoemde keurvorst Johann Georg II de architect Wolf Caspar von Klengel kort na de Dertigjarige Oorlog tot hoofdbouwmeester van het vorstendom.

Klengel, die de Italiaanse architectuur had bestudeerd, werd in 1661 met de uitbreiding van de Moritzburg ten noordwesten van Dresden belast. Het naar hertog Maurits genoemde jachtslot was een van de mooiste renaissancebouwwerken van Saksen. Het ging om de aanbouw van een kapel, die hij van hoge ronde gebogen ramen voorzag. Binnen construeerde hij gebogen galerijen die verwijzen naar het interieur van het operahuis in Dresden, dat Klengel eveneens in deze periode (1664-1667) bouwde. We weten alleen uit een gravure hoe het gebouw eruit heeft gezien; het was slechts een kort leven beschoren.

Een andere belangrijke bouwmeester in het 'Augusteische Zeitalter' was Johann Georg Starcke, die van kroonprins Johann Georg III, de beroemde 'Turkenbedwinger', in 1678 opdracht kreeg voor de bouw van het paleis in de 'Grote Tuin' van Dresden (afb. links). Keurvorst Johann Georg II had deze lusthof twee jaar eerder door Johann Friedrich Karcher in Franse stijl laten aanleggen. Versailles met z'n rechte lanen en het paleis op het snijpunt ervan diende natuurlijk als voorbeeld.

Boven een H-vormige plattegrond bouwde Starcke een tweeëneenhalve verdieping hoog paleis. De dubbele trap is ingepast in de specifieke ruimtelijke situatie en leidt omhoog naar een prachtig met zuilen versterkt portaal op de eerste verdieping, dat toegang biedt tot de feestzaal. De kroonprins zelf heeft het architectonische concept voor het paleis geschetst, wellicht geïnspireerd door een bouwkundig idee van Klengel. Starcke is erin geslaagd om een interessante verbinding tot stand te brengen tussen het Italiaanse lustslot en het Franse stadspaleis. Bouwlichaam en trapconstructie doen aan Italiaanse landvilla's denken. De raamomlijstingen en de architectonische versieringen daarentegen tonen een sterke verwantschap met de representatieve decoratie van Franse kastelen. Met dit paleis in de Nieuwe Tuin werd het fundament gelegd voor de barokke bouwkunst in Saksen.

In de jaren '80 van de 17e eeuw kwamen drie kunstenaars naar Dresden: Marcus Conrad Dietze uit Ulm, Balthasar Permoser, die juist een lang verblijf in Italië achter de rug had, en Matthäus Daniel Pöppelmann uit Westfalen. Nadat August de Sterke in 1694 het regeerambt had aanvaard en drie jaar later tot koning van Polen was gekroond, kreeg de beeldhouwer en architect Dietze opdracht voor het ontwerp van een nieuwe residentie. De koning wenste een oranjerie op de feestterreinen en toernooivelden tussen het oude kasteel en de vestingmuur. Daarvoor maakte hij zelfs een schets. Dietze ontwierp een hoefijzervormig gebouw – het eerste element van de later zo genoemde 'Zwinger' (afb. rechts en afb. blz. 203 e.v.). Het centrale paviljoen diende te worden gebouwd naar het voorbeeld van Dietze's 'Groene' poort van het paleis, die hij in 1692 had ontworpen.

In 1704 verongelukte de bouwmeester. August de Sterke benoemde Pöppelmann en Permoser als opvolgers. Pöppelmann begon in 1709 met het vervaardigen van omvangrijke ontwerpen. In 1716 werden de een verdieping hoge galerijgebouwen van de oranjerie, het 'Wallpavillon' en de hoekpaviljoens op het hoogste punt tot de basisvorm van een omega samengevoegd. Twee jaar later ontwikkelde de bouwheer een belangwekkend ontwerp. Waarschijnlijk herinnerde hij zich het bezoek van de Deense koning in 1709, toen hij voor de ontvangstplechtigheden een houten amfitheater met arcadegalerijen had laten neerzetten om het feestterrein te omlijsten. Wellicht dacht hij ook aan de geplande feestelijkheden naar aanleiding van het huwelijk van keurprins Frederik August met aartshertogin Maria Josefa van Habsburg in 1719. In elk geval stond hem een ruim en op zichzelf staand feestterrein zonder stedenbouwkundige relatie met het paleis voor ogen. De architectuur van de binnenplaats diende een representatieve begrenzing van het plein te zijn. Zo verordonneerde hij "dat de aanleg van het Zwinger-terrein op basis van de officiële plattegrond" moest worden uitgevoerd "als een bijzonder werk dat geen symmetrie met het paleis heeft". Pöppelmann nam deze woorden letterlijk en moest ook aan de genoemde amfitheaterachtige constructie uit 1709 denken, want hij presenteerde een eenvoudig en tegelijk geniaal ontwerp. Hij spiegelde de reeds aanwezige bouwconstructie en voegde dit 'gespiegelde duplicaat' axiaal-symmetrisch toe. Nu liep de ene lengteas door het 'Wallpavillon' en het pendant door het 'Glockenspielpavillon'. De middenas werd gemarkeerd door de al vanaf 1713 in het complex aanwezige 'Kronentor'. In 1728 was de uitvoering van de Zwinger gereed. De afsluiting aan de kant van de Elbe werd gevormd door een efemere, dus tijdelijke, houten galerij, die pas tussen 1847 en 1854 door Gottfried Semper werd vervangen door het galerijgebouw.

De Zwinger in Dresden is een goed voorbeeld van het soms geïmproviseerde en coulisseachtige karakter van het barokpaleis. De vorsten en koningen vonden de tijdsspanne tussen ontwerp en uitvoering vaak zo groot dat ze in hun ongeduld een voortijdige beëindiging afdwongen of zich in een opwelling lieten verleiden tot een onverwachte wijziging van

Matthäus Daniel Pöppelmann
Dresden, Zwinger, 1697-1716
Wallpavillon, hermenpilasters

Matthäus Daniel Pöppelmann
Dresden, Zwinger, 1697-1716
Kronentor, detail

AFBEELDING BLZ. 205:
Matthäus Daniel Pöppelmann
Dresden, Zwinger, 1697-1716

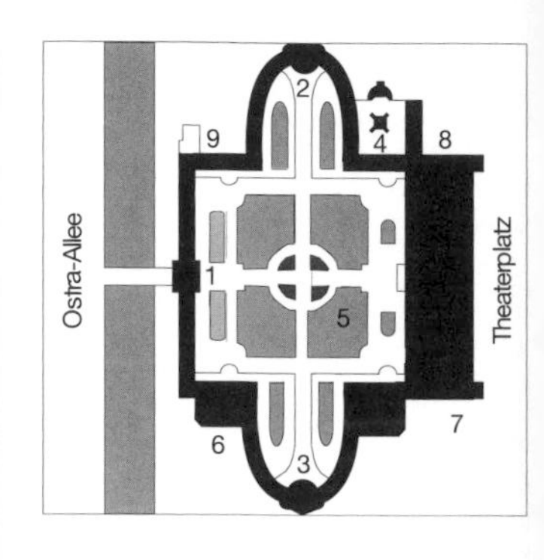


**Dresden, Zwinger**
Overzichtsschema:
1 Kronentor
2 Wallpavillon
3 Glockenspielpavillon
4 'Nymphenbad' met cascade
5 Höfischer Festplatz
6 porseleinverzameling
7 Historisches Museum
8 Galerie Alter Meister
9 Mathematisch-Physikalischer Salon

de plannen. De Duitse literatuurhistoricus Richard Alewyn karakteriseerde de Barok treffend als een "cultuur van het ongeduld".

De Zwinger is als architectuur voor een 'feestplein' geconcipieerd. De gerichtheid op Franse tribuneconstructies voor *Carrousel*-feesten is onmiskenbaar. De door Pöppelmann geconstrueerde omegavorm is mogelijk eveneens op de Franse paleisarchitectuur geïnspireerd. Als voorbeeld zou het Trianon de Porcelaine in Versailles genoemd kunnen worden, dat, gebouwd tussen 1670 en 1672, enkele jaren later weer werd afgebroken ten gunste van het Grand Trianon. Voorts zouden ook voorbeelden uit de Italiaanse tuinarchitectuur model hebben kunnen staan.

Sculptuur en architectuur vormen in de Zwinger een onlosmakelijke eenheid. Ze staan volledig in dienst van de representatie en de feestelijkheden. Balthasar Permoser heeft voor het Wallpavillon een uitgebreid allegorisch programma ontworpen om de keurvorst te huldigen en te roemen.

Pöppelmann wijdde zich tussen 1720 en 1723 aan een qua ontwerp- en topografische situatie gelijksoortig project, Schloß Pillnitz aan de Elbe. Nadat de eigenaresse van het oude slot, gravin Cosel, in ongenade was gevallen aan het hof, gaf August de Sterke opdracht voor de bouw van een "lustslot voor park- en waterfeesten". Pöppelmann ontwierp een langgerekte vleugel langs de oever van de Elbe met gewelfde daken, die overeenkwamen met de heersende liefde voor chinoiserie (afb. blz. 206 boven). Vier jaar later werd als tegenhanger van dit 'waterpaleis' het 'bergpaleis' gebouwd. Op het aldus 'omzoomde' binnenterrein werd de lusthof aangelegd. Voor de vormgeving ervan werd geen beroep op Permoser gedaan, aangezien de architect het strengere karakter van de Franse architectuur prefereerde en zich wilde beperken tot een heldere muurverdeling. Waarschijnlijk liet de bouwmeester zich leiden door de ideeën van zijn medewerker Zacharias Longuelune, een architect en schilder uit Parijs, die al sinds 1715 met Pöppelmann samenwerkte en de strengere Franse stijl voorstond.

Onmiddellijk na beëindiging van de werkzaamheden in Pillnitz werd Pöppelmann in 1723 naar Moritzburg gehaald om samen met Longuelune het renaissancekasteel aldaar in barokke stijl te verbouwen (afb. blz. 206 onder). De buitenmuren werden neergehaald. Klengels monumentale slotkapel kreeg nu een pendant in de feesthal. Om de harmonie van de verhoudingen te waarborgen, vergrootte de architect de vier ronde torens. Vier pronkzalen en meer dan tweehonderd kamers werden prachtig vormgegeven – natuurlijk in de kleuren van de Saksische Barok, in oker en wit. In 1730 werd het Franse park met de grote slotvijver aangelegd, die graag werd benut voor theatrale zeegevechten. In de buurt bevindt zich het 'Fasanenschlößchen', dat tussen 1770 en 1782 werd gebouwd in de rococostijl van de bouwmeesters Johann Daniel Schade en Gottlieb Hauptmann.

Een van de belangrijkste sacrale bouwwerken van Saksen, de Frauenkirche in Dresden (afb. blz. 207), werd gebouwd door een timmerman, Georg Bähr uit Fürstenwalde in het Ertsgebergte. 'Timmerman',

Matthäus Daniel Pöppelmann
Schloß Pillnitz, 1720-1723

Matthäus Daniel Pöppelmann
Schloß Moritzburg, 1723

althans zo noemde graaf Wackerbarth, de leider van het bouwwezen in Dresden, hem. In 1705 promoveerde Bähr tot 'Ratszimmermeister', en toen hij in 1722 de opdracht kreeg voor het protestantse gebouw, mocht hij zich 'bouwvoogd' noemen.

Bähr presenteerde een vierkante plattegrond met ingeschreven Grieks kruis en trappen op de diagonale assen, een inwendig octogoon dat de ronde centrale ruimte met bogen omzoomde, waaruit de machtige koepel met de lantaarn zou voortspruiten. Daarmee volgde hij een concept van Giovanni Antonio Viscardi voor de in 1700 begonnen Mariahilfkirche in Freystadt in de Oberpfalz. Het idee voor een protestantse centraalbouw zou echter op een dichterbij gelegen voorbeeld geïnspireerd kunnen zijn, te weten Hans Georg Roths kerk in Carlsfeld in het Ertsgebergte, de geboortestreek van Bähr, die tussen 1684 en 1688 gebouwd was. Bähr haalde het koor iets omhoog en plaatste twee gebogen trappen tegen de voorste pijlers om het niveauverschil te overbruggen. Op ongeveer dezelfde manier werd een oplossing gevonden voor het hoogteverschil tussen centrale ruimte en koor in de slotkerk van Rastatt, die enkele jaren eerder (1719-1721) was gebouwd. De acht slanke, vrijstaande pijlers geven de ruimte een open karakter, die daardoor aan een feestzaal doet denken (afb. blz. 207). De groeiende betekenis van de kerkmuziek in de directe omgeving van Bach en Händel heeft zeker ook aan dit ontwerp bijgedragen. Boven het altaar –en duidelijk indrukwekkender– verhief zich het orgel, dat afkomstig was uit de werkplaats van de beroemde orgelbouwer Gottfried Silbermann uit Freiberg. Aan de zijkanten boven het altaar waren voor zangers galerijen gebouwd. In totaal was de kerk voorzien van vijf galerijen, zodat de ruimte plaats bood aan 5000 gelovigen.

De reusachtige koepel, bekroond door een lantaarn en door de inwoners van Dresden 'stenen stolp' genoemd, werd pas na de dood van Bähr (1738) door Johann Georg Schmid uitgevoerd. Johann Christoph Knöffel, die de leiding had over de bouw en het op afzonderlijke punten oneens was met Bähr, vertraagde de voltooiing van de koepel, omdat hij niet geloofde dat de 'timmerman' de moeilijke problemen op het gebied van de statica kon oplossen. Toch wist het gebouw de bombardementen van de Pruisen in de Zevenjarige Oorlog te weerstaan en in eerste instantie ook de bommennacht van 1945 – pas twee dagen later stortte de koepel in boven het uitgebrande zandstenen gebouw. Tot voor kort beschouwde men de ruïne als een gedenkteken tegen de oorlog. Inmiddels heeft men besloten om de Frauenkirche te herbouwen, zodat deze in 2006, het jaar van de festiviteiten ter ere van het 800-jarig bestaan van de stad, voltooid is.

Frederik August II ging in 1719 in het protestantse Saksen over naar het katholieke geloof om koning van Polen te kunnen worden. Als protestantse keurvorst en katholieke koning liet hij als bewijs dat zijn 'geloofsspagaat' als een teken van zijn soevereine waardigheid moest worden opgevat in Dresden een katholieke kerk bouwen, de Hofkirche bij het bruggenhoofd van de Augustusbrücke. De Romein Gaetano Chiaveri, die zich kort daarvoor aan de stadsplanning van St.-Petersburg had gewijd, kreeg de taak om een dominante tegenhanger van de

**Georg Bähr**
Dresden, Frauenkirche, 1722-1738
(detail uit een schilderij van Bellotto)

**Bernardo Bellotto, genaamd Canaletto**
Gezicht op Dresden met Frauenkirche en Hofkirche, 1748
Dresden, Staatliche Kunstsammlungen

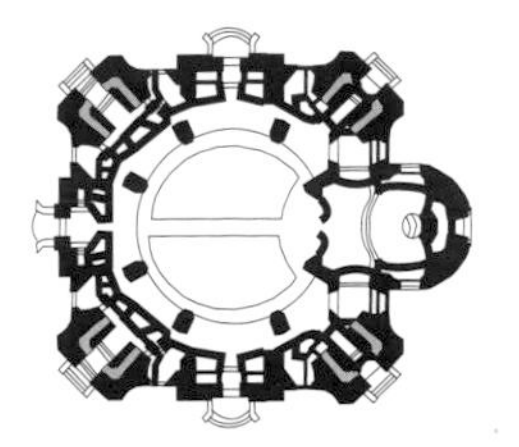

**Georg Bähr**
Dresden, Frauenkirche, 1722-1738
Plattegrond en interieur voor de verwoesting

protestantse Frauenkirche te ontwerpen. In 1738 begon hij met de werkzaamheden. Tien jaar later kwam Bernardo Bellotto, Canaletto genoemd, naar Dresden en schilderde het unieke gezicht op de Elbe-oever met de in aanbouw zijnde toren van de Hofkirche, de Augustusbrücke en de imposante koepel van de Frauenkirche (afb. links). In 1755 waren deze 'laatste barokke bouwwerken' van Dresden voltooid. Chiaveri's verblijf in St.-Petersburg en Warschau hebben hem vertrouwd gemaakt met de kerkelijke bouwkunst in het noorden. Zo koos hij een dominante westtoren, die hij als een soort filigrein, bijna 'gotisch' vormgaf. Vanaf de Elbe-oever en de Augustusbrücke gezien, stond de toren op het snijpunt van lijnen die verliepen van de slottoren en de Zwinger, zodat hij een soort scharnierpunt vormde vanwaaruit het stedelijk leven zich presenteerde. Het kerkschip, dat naar de stad wijst, is een basiliek met afgeronde oostelijke en westelijke delen, die voorzien is van balustrades en postamenten waarop Lorenzo Mattielli zijn dynamische heiligenfiguren vol effect heeft geposteerd.

## 'Mann' en Andreaskruis: barokke vakwerkbouw

Stenen kerken waren in de Karolingische tijd nog steeds een uitzondering in de gebieden ten noorden en noordoosten van de Alpen. Men bouwde voornamelijk in hout. Houten kerken zijn echter niet altijd per definitie vakwerkkerken. Het gebied van de kerkelijke vakwerkbouw strekt zich binnen Europa uit van Nederland via Noord- en Midden-Duitsland tot aan Oost-Pruisen. Daarnaast vind je hier en daar ook vakwerkkerken in Normandië en Zuid-Engeland.

Nu is de vakwerkbouw zeker geen opvallend kenmerk van de barokke architectuur, maar je mag het bouwtype voor deze periode ook niet links laten liggen, omdat het nieuwe kanten van de barokcultuur laat zien.

De unieke concentratie van vakwerkkerken in Hessen moet gezien worden in relatie met de Reformatie. Onder de Hessische landgraaf Filips de Grootmoedige werd op de synode van Homburg in 1526 de Reformatie ingevoerd. Veel kleinere plaatsen die tot dan toe niet over een eigen kerkgebouw beschikten en waarvan de inwoners zich vaak via moeilijk begaanbare wegen naar de moederkerk moesten begeven, kregen nu toestemming om een eigen kerk of kapel te bouwen. Aangezien de dorpsgemeenten zelf voor de kosten moesten opdraaien, liet men eenvoudige en onopvallende bijkerken en kapellen bouwen – veelal beïnvloed door de huizenbouw van de streek, de vakwerkbouw. De kerkelijke vakwerkbouw kreeg nog meer impulsen door het opnemen van Fransen die in de 17e en 18e eeuw vanwege hun geloof waren gevlucht. Zo heeft zich in Hessen, vooral in de regio van de Vogelberg, een cultuurlandschap van kerkelijke vakwerkbouw ontwikkeld die hier z'n belangrijkste vorm in de Barok heeft gevonden. Meer dan een tiende van de Hessische dorpskerken is volledig of voor een belangrijk deel in vakwerkbouw uitgevoerd.

De pre- of vroeg-barokke kerkelijke vakwerkbouw, ongeveer tussen 1500 en 1670, wordt gekenmerkt door hoog opgaand muurwerk met een bovenverdieping die in veel gevallen voor profane doeleinden werd gebruikt, zoals de fruitzolder in de kerk van Wagenfurth. De koorsluitingen zijn meestal vlak en worden pas in de 18e eeuw polygonaal vormgegeven. Vervolgens is er vaak een soort gemengde bouwwijze met behulp van staanders en omlijstingen vast te stellen. Pas vanaf omstreeks 1700 ontstaan er prachtige vakwerkkerken die ook nu nog als sieraad van dit landschap worden beschouwd. Het gaat hier om monumentale gebouwen met hoge schepen, waarvan de machtige ruiters op de westkant van het dak opvallen. De koorsluitingen zijn nu polygonaal uitgevoerd om het liturgische centrum nog meer te benadrukken. De buitenmuren zijn in twee of drie verspringende zones verdeeld om de zijwaartse druk van het hoge dak op te vangen. Om de muren de daarvoor benodigde dynamiek en soliditeit te geven, werden ze door windschoren aan de hoek- en vakwerkstijlen verstevigd. Een goed voorbeeld zijn de kerken van Dirlammen, Sellnrod, Stumpertenrod en Breungeshain.

De vakwerkkerk in Stumpertenrod, in 1696/1697 gebouwd (afb. onder), is de grootste van haar soort in het gebied van de Vogelsberg. De wandopbouw is zeer divers. Behalve bovendorpels werden er ook nog extra dwarsbalken geplaatst omdat de muurvlakken tussen de hoge ramen te groot waren. Hoekstijlen, steunders en staanders veranderen de muurvlakken in een dicht netwerk van vakwerk. De zijwaartse druk van het dak en het gewelf werkt het sterkst boven de ramen. Om deze reden is de

**Constructie-elementen van het vakwerk:**

1 slaper
2 balk
3 raamwerk
4 kraaghout
5 vak
6 korbeel
7 voetschoor
8 staander
9 latei
10 raam

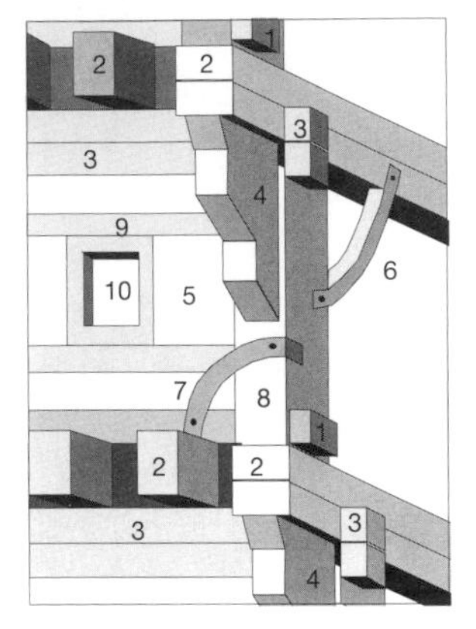


Büssfeld (Hessen), vakwerkkerk 1699/1700, portaal

Stumpertenrod (Hessen)
Vakwerkkerk, 1696/1697
Schema van de vakwerkconstructie

AFBEELDING UITERST LINKS:
Stumpertenrod (Hessen)
Vakwerkkerk, 1696/1697

AFBEELDING LINKS:
Stumpertenrod (Hessen)
Detail portaal vakwerkkerk, 1696/1697

Selnroth, portaal van een vakwerkhuis

Alemannische vakwerkvormen die ook in de Barok werden toegepast:
1 Andreaskruis; 2 'Schwäbisches Weible'; 3 vroege vorm van de 'Mann'; 4 'Mann'; 5 'Halber Mann'

zone tussen de bovenste bovendorpel, waar het gewelf begint, en de bovenste aanzet van het dak door een dwarsbalk onderverdeeld. Het schoormotief van de 'Mann' en de hoekschoren verschaffen deze bovenste muurpartij de nodige stevigheid.

Andere kenmerken van de barokke kerkelijke vakwerkbouw in Hessen zijn de versierde portaalomlijstingen en de gesneden steunpijlers in het interieur. De portalen van Stumpertenrod en Büssfeld (afb. blz. 208) dienen in dit verband te worden genoemd. De rijk met bladmotieven en spiralen versierde steunpijlers in Hohenroth uit de eerste helft van de 18e eeuw sluiten zich aan bij de kunstig bewerkte kansels en de kerkbanken.

De ontwikkeling van het Alemannische vakwerk tot in de 17e en 18e eeuw en zijn relatie met Frankische siermotieven zijn waarschijnlijk specifiek voor de Alemannische 'vakwerkbarok'. Het schilderachtige stadje Mosbach in het Odenwald is een rijke bron van barokke vakwerkmotieven. Met name zijn te noemen de woonhuizen aan de Marktplatz uit de 16e tot de 18e eeuw en van deze vooral het 'Palmsche Haus' (afb. rechtsboven), waarvan de vakwerkconstructie zich boven een stenen sokkel verheft. Alemannische motieven zoals 'Mann' en het Andreaskruis gaan een harmonieuze relatie aan met Frankische siervormen, zoals gewelfde schoren en gebogen kruisen. Erker- en raamvormen zijn voorzien van gesneden kozijnen en consoles, en sommige vakken zijn gevuld met veelvormige rozetten en bladvormen.

In het oude centrum van Sindelfingen kun je de cultuurgeschiedenis van het vakwerk zelfs volgen vanaf zijn ontstaan tot in de tijd van de Barok. Merkwaardig genoeg kunnen de vakwerkhuizen met opvallende siervormen veel eerder aan de Renaissance dan aan de Barok worden toegeschreven. Het barokke vakwerk in Württemberg is in tegenstelling tot de stenen en met krullen versierde lustsloten meer gericht op constructiviteit en symmetrie. Waarom? Het vakwerkgebouw is een burgerhuis, waarvan de bewoners met argwaan en deels ook met afschuw hebben gezien dat de hertogelijke samenleving naar willekeur handelde en zeer verkwistend was. Voor een burgerwoning was een waskaars een kostbaarheid – voor de hertog betekende die niets. Hij liet duizenden luxueuze kaarsen maken om een 'showdiner' te illumineren. Daarentegen demonstreerden de burgers eenvoud en godvrezendheid in de esthetische vorm van hun woonhuis en ambtswoning. Deze strenge vorm heeft destijds vooral ingang gevonden in de protestantse gebieden van Württemberg. In katholieke streken werd de balkenstructuur vaak wat losser gemaakt door Frankische siervormen, vooral bij de huizen van welgestelde burgers uit de 17e en 18e eeuw, zoals het 'Schwedenhaus' in Altingen bij Herrenberg (afb. rechts).

Mosbach, Palmsches Haus, 1610 – met een combinatie van Frankische en Alemannische vakwerkmotieven

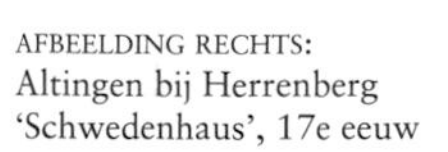

AFBEELDING RECHTS:
Altingen bij Herrenberg 'Schwedenhaus', 17e eeuw

**Maximilian von Welsch**
**Balthasar Neumann e.a.**
Schloß Bruchsal, begonnen in 1720
Gevel aan de tuinzijde

**Balthasar Neumann**
Schloß Bruchsal, trappenhuis

**Residenties en kerken in Franken**
De barokke bouwkunst in Franken is vooral met een stad en een naam verbonden, met Würzburg en met Johann Balthasar Neumann (1687-1753). Daarmee doet men weliswaar geen recht aan de diversiteit van de barokke levenscultuur in deze regio van Zuid-Duitsland, maar er ontstaat wel een goed beeld van een specifieke uiting van het barokke bouwen in Duitsland. Het was Neumanns geluk dat hij in de zogenaamde 'Schönbornzeiten' werd geboren. Daarmee werd toen al en nog tot in het begin van de 19e eeuw een periode van weelderige bouwkunst en schitterend kunstleven in Franken aangeduid. De heersers uit het huis Schönborn in Franken en langs de Rijn waren allemaal bouwheren en lieten beroemde architecten als Johann Dientzenhofer of Johann Lukas von Hildebrandt voor zich werken.

Het hoofd van de familie was Lothar Franz von Schönborn (1655-1729), keurvorst en aartsbisschop van Mainz, aartskanselier van het rijk en vorst-bisschop van Bamberg. Zijn neef, Johann Philipp Franz von Schönborn (1673-1724), was vorst-bisschop van Würzburg en Neumanns opdrachtgever. Friedrich Karl (1674-1746), een neef van de laatste, was vice-rijkskanselier in Wenen en vanaf 1729 vorst-bisschop van Würzburg en Bamberg. Allen waren ze, zoals dat toen heette, door bouwwoede bezeten. Voor Lothar Franz werkten Maximilian von Welsch (1671-1745) als hoofdbouwmeester en Johann Dienztenhofer. Soms nodigde de keurvorst Johann Lukas von Hildebrandt uit Wenen uit, die hem nadrukkelijk door zijn neef Frederik Karel was aanbevolen, om opdrachten te vervullen.

De verwijzing naar deze vertakkingen tussen bouwheer en bouwmeester is van doorslaggevend belang voor de ontplooiing van Neumanns werkzaamheden aan het hof in Würzburg. Toen hij na beëindiging van de oorlogen met de Turken, waaraan hij als luitenant deelnam, in 1719 de opdracht voor de bouw van het belangrijkste paleis, de residentie in Würzburg, kreeg, was hij tweeëndertig en kon hij met de beroemde architecten Maximilian von Welsch, Johann Dienztenhofer, Johann Lukas von Hildebrandt en de Fransen Gabriel Germain Boffrand en Robert de Cotte samenwerken.

Met de bouw werd in 1720 begonnen. Een jaar later greep Neumann in bij de planning van de Schönbornkapel in de dom, waarover

**Maximilian von Welsch, Johann Lukas von Hildebrandt, Balthasar Neumann e.a.**
Würzburg, residentie, 1720-1744
Voorgevel met entree

hij tot 1736 de leiding had. In 1723 reisde Neumann naar Parijs om de plannen voor de residentie met Boffrand en De Cotte te bespreken. De gesprekken zijn in Neumanns brieven aan de vorst-bisschop zeer goed gedocumenteerd.

De harde kritiek van De Cotte op de ruimtelijke dispositie van de residentie in Würzburg maakt twee principieel verschillende architectonische opvattingen duidelijk. Voor Neumann was de inpassing van rechthoekige binnenplaatsen een "instrument voor de indeling van een bouwwerk", voor De Cotte niets anders dan "verloren bouwgrond". Neumann verzette zich, aangezien hij het gebouw, zoals hij zei, vanuit de "Haubtfigur" plande, dus van buiten naar binnen, om homogene en proportioneel op elkaar betrokken bouwlichamen te verkrijgen. De Cotte daarentegen plande van binnen naar buiten, om recht te doen aan de representatieve functies van een paleis. Zo bekritiseerde hij ook het ontbreken van een centrale paleiskapel en drong erop aan om een van de trappenhuizen door een kerkruimte te vervangen, omdat deze niet te ver van het midden van het paleis zou mogen liggen. Neumann reageerde slagvaardig door een verwijzing naar Versailles te maken, waar de paleiskapel zich immers eveneens ver van het midden van het paleis bevond.

Een jaar later, in 1724, stierf de vorst-bisschop. Met de benoeming van bisschop Christoph Franz von Hutten werd de bouw van de residentie voorlopig gestaakt. In de volgende jaren werkte Neumann verder aan de Schönbornkapel. Enige tijd later, in 1727, werd hij door kardinaal Damian Hugo von Schönborn, de vorst-bisschop van Speyer en broer van de overleden vorst-bisschop van Würzburg, naar Bruchsal geroepen om zich aan de bouw van het paleis aldaar te wijden (afb. blz. 210). De werkzaamheden waren al sinds 1720 gaande – eerst naar ontwerpen van Von Welsch en onder leiding van Neumanns leerling Johann Daniel Seitz. Later nam Michael Ludwig Rohrer uit Rastatt diens functie over, maar die maakte ruzie met de vorst-bisschop. In de jaren daarna ontstonden er nog meer geschillen tussen architect en bouwheer, zodat men hoopte dat Neumann met een oplossing zou komen. Hij presenteerde nieuwe ontwerpen, onder andere voor het fameuze trappenhuis, dat Johann Georg Stahl in 1731 uitvoerde. Boven een ovale plattegrond buigt de trap omhoog naar het niveau van de

AFBEELDING BLZ. 213:
**Maximilian von Welsch, Johann Lukas vo Hildebrandt, Balthasar Neumann e.a.**
Würzburg, residentie, 1720-1744
Middendeel van de gevel aan de tuinzijde

**Maximilian von Welsch, Johann Lukas vo Hildebrandt, Balthasar Neumann e.a.**
Würzburg, residentie, 1720-1744
'Keizerszaal' met fresco's van Giovanni Ba tista Tiepolo, voltooid in 1752

Het iconografisch programma van de 'Kei zerszaal' geeft de geschiedenis weer van de stad Würzburg. Afgebeeld zijn Beatrix van Bourgondië wanneer ze wordt opgehaald door haar bruidegom, haar bruiloft met Frederik Barbarossa (1156) en de bevestiging van de bisschoppelijke macht door d keizer (1168). Het stucwerk werd door Antonio Bossi vervaardigd.

hoofdverdieping onder de grote koepel – een adembenemende constructie die weldra de roem van het paleis zou vestigen (afb. blz. 210).

In 1729 stierf de vorst-bisschop van Würzburg. Zijn opvolger, Friedrich Karl von Schönborn, verordonneerde dat het werk aan de residentie onverwijld moest worden hervat. In 1737 waren de werkzaamheden zo ver gevorderd dat de bouw van het trappenhuis ter hand kon worden genomen. In 1742 kon het gewelf worden gesloten. In dit jaar ontstonden ook de grote gewelven van de Keizerszaal en de Witte Zaal. In 1744 was de ruwbouw na een bouwtijd van 25 jaar voltooid.

Napoleon, die op 2 oktober 1806 voor het paleis de oorlogsverklaring aan Pruisen ondertekende, zou hebben gezegd dat hij in "Europa's grootste pastorietuin" stond. Het monumentale plein ervoor van 167 bij 92 meter en het prachtige paleis zelf moesten de Europese regenten laten zien dat het huis Schönborn iets gelijkwaardigs kon zetten tegenover de beroemde paleizen van Versailles en Schönbrunn, de twee machtspolen van Frankrijk en Habsburg. De van twee binnenplaatsen voorziene vleugels ondersteunen het hoofdgebouw en presenteren de vooruitspringende risaliet als middelpunt. De perspectivische opbouw van het complex wordt op afstand zichtbaar. Nog aan de andere kant van het plein lijken de gevels van de vleugels en het hoofdgebouw min of meer op één lijn te liggen en suggereren de aanwezigheid van een breed paleisfront. Maar dan komt de façade in beweging. De middenrisaliet met de zuilenporticus wijkt naar achteren, maar blijft wel dominant. De vleugels kunnen worden onderscheiden en geven het plein een op het centrum van het paleis gerichte diepte. Het centralisme van de katholieke Kerk en de waardigheid van de vorst zijn een symbolische expressie van deze 'architectuurdynamiek'.

Tijdens de werkzaamheden aan het paleis wijdde Neumann zich aan verschillende bezigheden, zoals het ontwerp van het landslot en de tuin

**Balthasar Neumann**
Gaibach, Dreifaltigkeitskirche
1742-1745
Interieur

van Werneck (1733-1744) of de kerkbouw in het Schönborn-dorp Gaibach bij Volkach am Main (1742-1745). De Dreifaltigkeitskirche in Gaibach verrast met een nieuwe plattegrond en een andere gewelfstructuur (afb. boven). Het interieur bestaat uit een bijna cirkelvormig ovaal dat tevens als viering dienst doet, aangezien het dwars in de ruimte werd gesitueerd. Daarbij sluiten zich aan de oostzijde drie elliptische deelruimten aan als koor en dwarsschip. Vanaf de naar voren geplaatste pijlers verlopen gordelbogen die zich elegant in de gewelfzones van de verschillende delen van de ruimte verenigen en zich, om de tegenoverliggende pijlers te bereiken, weer splitsen. De gedeeltelijke integratie van het vieringgewelf met dat van de armen van het dwarsschip en het koor is een specialiteit van Neumann. De ruimte wordt lichter en maakt een ruimere en hogere indruk.

Bijna gelijktijdig met de Dreifaltigkeitskirche in Gaibach ontwikkelde Neumann plannen voor de bedevaartskerk van Vierzehnheiligen, hoog boven het dal van de Main gelegen (afb. rechts). Waarin hij in Gaibach was geslaagd, namelijk de versmelting van de delen van de ruimte tot een dynamisch en licht ruimtelijk geheel, wist hij in Vierzehnheiligen te vervolmaken (afb. blz. 215). Ondanks de ingewikkelde planningssituatie, onder andere ontstaan door de ontwerpen van de hofarchitect van Thüringen Gottfried Heinrich Krohne en de interventies van vorst-bisschop Schönborn uit Bamberg, kon Neumann zijn architectonische opvattingen erdoor drukken. Twee door kleine ovale zijkapellen gescheiden grote ovalen vormen het hoofdschip, dat het ovaal van het koor gedeeltelijk overlapt – uitsluitend afgezet door ronde zijkapellen die je als 'zijschipkapellen' zou kunnen karakteriseren. Maar aangezien een viering –op de plattegrond herkenbaar– door het vlakke gewelf van het schip wordt 'overspeeld', wordt de ruimte in deze zijwaartse zone breder, om bij het altaar in het koor zijn architectonische hoogtepunt te vinden. Hier concentreert zich theatraal een in elkaar grijpend vlechtwerk van licht, architectuur en stucwerk. Als sacrale expressie plaatste Neumann het genadealtaar, de gewijde plaats dus, in het midden van de kerk, halverwege ingang en altaar. Hiermee volgde hij overigens een idee van zijn medewerker Jakob Michael Küchel, die eveneens een aandeel had in het ontwerp van de kerk. Het basilicale exterieur kreeg daarmee een gecentraliseerd interieur.

Er zit slechts een kleine dertig jaar tussen de periode dat Vierzehnheiligen werd gebouwd en de tegenoverliggende kloosterkerk Banz, die Johann Dienztenhofer tussen 1710 en 1718 bouwde. Terwijl Neumann

**Balthasar Neumann**
Bedevaartskerk Vierzehnheiligen
1743-1772
Voorgevel

Balthasar Neumann
Bedevaartskerk Vierzehnheiligen
1743-1772
Gezicht op het interieur, plattegrond
en genadealtaar (onder)

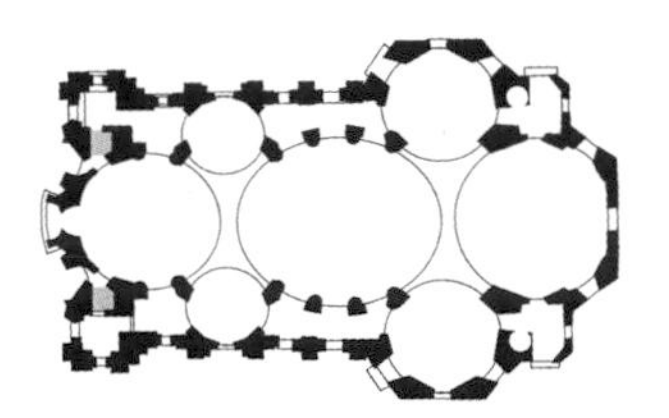

de homogene ruimtelijke ervaring zocht in het tegenspel tussen plattegrond en gewelf, deelde Dienztenhofer de kerkruimte in door overdwars gesitueerde ovalen die zich in het langgerekte koor vernauwen. De traveeën zijn aan de binnenzijde duidelijk aan de raamzones en delen van het gewelf te herkennen; hierdoor ontstaat een duidelijke ritmiek die nogal dramatisch aan de koorsluiting is gerelateerd.

Met Vierzehnheiligen is Neumann veel verder gegaan dan de bouwkunst van Dientzenhofer en heeft hij de tot dan toe geldige iconologie van de kerkruimte laten vallen. De kruising lost zich op in een zone waar het langgerekte plafondgewelf zich naar het koorgewelf toekeert en waar heldere zijruimten –ooit het dwarshuis markerend– door ronde koepels worden bekroond. Het liturgische centrum verplaatst zich naar achteren naar het centrum van het hoofdschip, waarvan de doorbroken wanden door halfzuilen, driekwartszuilen, pilasters en een galerij worden onderverdeeld.

Helaas heeft de bouwmeester de voltooiing van zijn wonderwerk zelf niet meer kunnen meemaken. Bij zijn overlijden in 1753 was de ruwbouw nog niet voltooid. Pas in 1763 werden de gewelven aangebracht, en negen jaar later kon de inwijding worden gevierd.

Terug naar Würzburg. In 1745 bezochten de Habsburgse keizer Frans Stefan en keizerin Maria Theresia de residentie in Würzburg. Neumann leidde hen rond. Wellicht zijn bij deze gelegenheid de bouw activiteiten in Wenen ter sprake gekomen. In dit jaar stierf Johann Lukas von Hildebrandt en twee jaar later, in 1747, presenteerde Neumann ontwerpen voor de Weense Hofburg. De keizerin bedankte hem met het toesturen van een gouden tabaksdoos. In hetzelfde jaar werkte hij ook ontwerpen uit voor de nieuwbouw van het paleis in Stuttgart. Vermoedelijk verbleef hij zelfs een paar dagen in de residentiële stad in Wurttemberg. Het bezoek aan keurvorst Clemens August van Keulen in Bad Mergentheim staat wel vast. Deze 'oriëntatie op buiten' kan ook in verband worden gebracht met de dood van de vorst-bisschop in Würzburg, aangezien zijn opvolger, graaf Anselm Franz von Ingelheim, Neumann als hoofdarchitect ontsloeg. De inrichtingswerkzaamheden in de residentie stokten opnieuw en werden spoedig helemaal gestaakt.

In dit gedenkwaardige jaar van reizen en ontwerpen maken bezichtigde Neumann het plaatsje Neresheim en werkte ontwerpen uit voor de nieuwbouw van de abdijkerk (afb. blz. 216/217). Twee jaar later presenteerde hij het uitgewerkte ontwerp. In Neresheim kon Neumann zijn visie op de integratie van een longitudinale en een centrale aanleg verwezenlijken, een bouwconcept dat een boog spant tussen late Barok en vroeg Classicisme. Uitgangspunt is een kruisvormige plattegrond: vanuit het westen en oosten lopen telkens twee ovale, overdwars geplaatste, met koepels overwelfde deelruimten op een met vier dubbele, vrijstaande zuilen gemarkeerde 'ronde tempel' toe, die door twee zijruimten wordt geflankeerd. Langwerpige en ronde constructies zijn met elkaar verenigd. Een 'basilicaal restant' is nog te zien in de smalle zijbeuken die schip en koor begeleiden. Muur- en vrijstaande pijlers lossen de muren als het ware op en veranderen de basiliek in een zaal.

**Balthasar Neumann**
Abdijkerk Neresheim, 1745-1792
Plattegrond en gezicht op het interieur

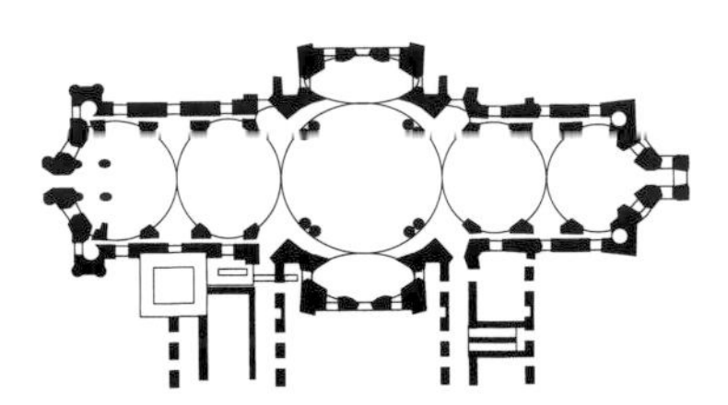

Balthasar Neumann
Abdijkerk Neresheim, 1745-1792
Gewelf met fresco's van Martin Knoller, 1770-1775

Het feestelijke karakter van de ruimte wordt vooral beklemtoond door de hoge galerijen die zich boven de sokkelgangen verheffen. De hoge wandzone wordt licht en verleent de opeenvolgende traveeën het fascinerende ritme dat de bezoekers waarnemen als ze door de kerk lopen. De gewelfvakken, die elke travee accentueren, lijken op het centrum, de hoofdkoepel, 'toe te lopen'. De vlakke gordelbogen sluiten ritmisch op elkaar aan en grenzen de ovale, overdwars gesitueerde koepels van elkaar af. Daarmee heeft Neumann een strengere, maar ook zuiverder variant gevonden dan in Vierzehnheiligen, waar de gordelbogen elkaar overlappen.

Op 13 december 1750 noteerde de hoffoerier van Würzburg: "Gisteren is de Venetiaanse schilder Tiepolo aangekomen, heeft met zich meegebracht zijn twee zonen en een bediende, logeerde in het paleis in de hoekkamers bij de tuin aan de Rennweg en kreeg vijf kamers toegewezen. Zijn eten werd hem opgediend aan de cavaliertafel, hij at aanvankelijk met de kamerbedienden, maar omdat hij dat aangenamer vond, at hij later alleen en kreeg 's middags acht en 's avonds zeven spijzen. Verder liet men het hem aan niets ontbreken en trakteerde hem in alle opzichten voortreffelijk."

Het was de taak van de Venetiaan Giovanni Battista Tiepolo om fresco's in de Keizerszaal te schilderen, een langgerekte achthoekige banketzaal met een hoog gewelf. Hij werd tot 1752 door de werkzaamheden in beslag genomen. In deze periode liep de schilder waarschijnlijk dagelijks door het trappenhuis en hij zal met verbazing het nog niet afgewerkte 600 vierkante meter grote plafondgewelf hebben aanschouwd. Tiepolo was in de gelegenheid om de in de cyclus van de seizoenen wisselende lichtomstandigheden precies te bestuderen; hij was vermoedelijk onder de indruk van de vermetele constructie. Neumann was niet meteen op de uiteindelijk gekozen oplossing voor het trappenhuis gekomen. Zijn eerste ontwerpen voorzagen in een kleine dubbele trap. Pas in 1735 na een lange worsteling met de materie ontwierp hij zijn 'lichttheater'. De dubbele trap is vrij in de ruimte geplaatst en verloopt vlak in de hoogte, rechtstreeks naar het plafond, om vervolgens via een plateau in de tegenovergestelde richting verder in de ruimte omhoog te lopen – met het hele gewelf erboven (afb. blz. 219). Het is aannemelijk dat Neumann inspiratie heeft geput uit Schloß Weißenstein in Pommersfelden (afb. blz. 220/221) – om het uiteindelijk toch heel anders te doen. Het slot in Pommersfelden was in een recordtijd van slechts zeven jaar tussen 1711 en 1718 door Johann Dienztenhofer en Johann Lukas von Hildebrandt gebouwd. Het trappenhuis, een gezamenlijk werk van Dienztenhofer en Hildebrandt, is onderdeel van een monumentale ruimte en wordt overwelfd door een reusachtig plafond. Neumanns trappenhuis in Würzburg kan daarentegen worden beschouwd als een zelfstandig ruimtelijk lichaam dat de omliggende ruimte structureert en richting geeft aan de manier waarop de zinnen het registreren. Terwijl in Pommersfelden de hele esthetische overvloed aan schilderkunst, stucwerk en architectuur direct voor de ogen van de beschouwer verschijnt, moet hij in Würzburg, terwijl hij de 'architectonische enscenering' volgt, de ruimte en de gewelfschilderingen geleidelijk op zich in laten werken.

**Giovanni Battista Tiepolo,** Würzburg, residentie, fresco's op het plafond van het trappenhuis
Detail met de allegorie van het werelddeel Amerika, 1751-1753

De beroemde Venetiaanse frescoschilder Tiepolo heeft de dramaturgische mogelijkheden van het trappenhuis goed benut en een 'narratief ontwerp' voor het iconografisch programma ontworpen. Wanneer het reusachtige plafond zich stukje bij beetje aan de beschouwer ontvouwt als deze de trap opgaat, moet hij ook 'stapsgewijs' de plafondbeschildering 'lezen'. Zo heeft Tiepolo het plafondfresco niet als een totaalcompositie ontworpen in relatie met een lijst, maar als een 'landkaart', waar je doorheen moet zwerven. Loop je de trap op, dan wordt het 'Amerika-fries' zichtbaar (afb. boven, schema: A). Langzaam gaat de hemel open met Apollo in het midden van een stralenkrans en met dynamische figuren bevolkte wolkenbanen. Nu komen links en rechts ook 'Azië' en 'Afrika' in het gezichtsveld. Intussen is men bij het bordes gekomen, waarvandaan twee trappen in de tegengestelde richting naar boven leiden. Apollo (schema: B) verdwijnt plotseling uit het centrum en dan komt, gescheiden door een reusachtige wolkenbaan, Mercurius aanzweven die naar het zuiden wijst, naar Europa, het 'centrum van de beschaving'. Het perspectief is zodanig, dat de architectonische elementen door de beschouwer optimaal ervaren worden.

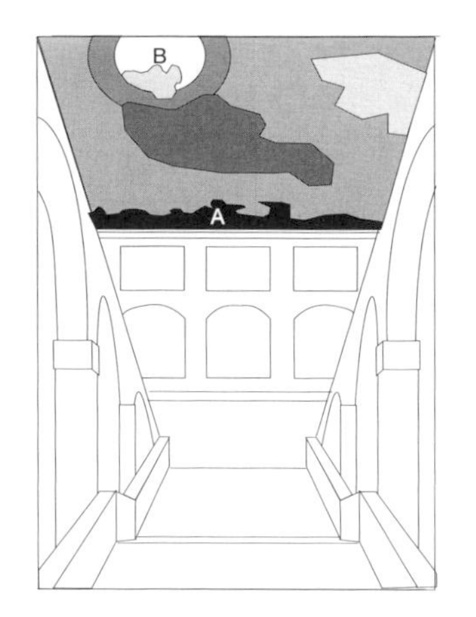


AFBEELDING BLZ. 219:
**Batlthasar Neumann**
Würzburg, residentie
Trappenhuis, 1735

AFBEELDING BLZ. 221:
**Johann Dientzenhofer en Johann Lukas von Hildebrandt**
Schloß Weißenstein bij Pommersfelden
Trappenhuis, 1711-1718

**Johann Rudolf Byss**
Schloß Weißenstein bij Pommersfelden
Plafondfresco in het trappenhuis, 1713

**Johann Dientzenhofer en Johann Lukas von Hildebrandt**
Schloß Weißenstein bij Pommersfelden, 1711-1718, gezicht vanaf de binnenplaats

Trappenhuizen waren representatieve centra van het barokke paleis. Ze dienden voor een voorname enscenering.

Het trappenhuis in Schloß Weißenstein bij Pommersfelden is als feestzaal geconcipieerd, waarvoor Johann Dientzenhofer in 1712 de eerste plannen ontvouwde. Voor het plafond van het trappenhuis wilde hij een enorm fresco laten maken. Via een rondlopende trapconstructie moest dat visueel voor de beschouwer worden ontsloten. Een jaar later kreeg Johann Lukas von Hildebrandt de ontwerpen voorgelegd met de bedoeling ze te herzien. De Weense architect interpreteerde de ruimtelijke situatie anders dan zijn collega Dientzenhofer en stelde voor om er een galerij aan toe te voegen. De transparantie van de ruimte bleef bij deze oplossing gehandhaafd, en de verhoudingen tussen plafond en hoogte van de ruimte leken nu veel imposanter.

Balthasar Neumann heeft later in Würzburg een ander concept gepresenteerd. Voor hem was het trappenhuis een zelfstandig bouwlichaam in de ruimtelijke organisatie van de residentie – in zekere zin een 'gebouw in een gebouw'.

**Paleizen in Zuidwest-Duitsland en kerken in Oberschwaben**

De Negenjarige Oorlog (1688-1697), de oorlogen met de Turken (1663-1739) en de Spaanse Successieoorlog (1701-1714) – dat waren de militaire conflicten die hun stempel drukten op het tijdperk van de Barok in Zuidwest-Duitsland. Dorpen, steden, paleizen, kloosters en burchten werden verwoest, nieuwe steden en paleizen werden gebouwd. Vooral de Negenjarige Oorlog, de wrede en voor de bevolking van Baden en de Palts met veel verliezen gepaard gaande militaire acties van Lodewijk XIV, die in Duitsland daarom ook wel 'Franzosenkrieg' of 'Orléanskrieg' genoemd werd, veranderde het cultuurlandschap.

Elisabeth Charlotte, 'Liselotte van de Palts', dochter van de Paltische keurvorst Karel Lodewijk, werd uitgehuwelijkt aan de jongere broer van de Zonnekoning, Filips van Orléans. Na het uitsterven van de Rijnpaltische lijn van de keurvorsten in 1685 deed de Franse koning zijn aanspraken op de erfopvolging in het vaderland van Liselotte gelden. Toen hem deze aanspraken werden ontzegd, volgde er een oorlog die het land in hoge mate verwoestte. Behalve Heidelberg, Mannheim en andere steden in de Palts en in het markgraafschap Baden werden bijvoorbeeld ook de Carlsburg in Durlach en het 'Neue Schloß' in Baden-Baden verwoest.

Maar weldra werden nieuwe paleizen en kastelen gebouwd en in samenhang daarmee ook nieuwe regeringssteden. Welke ruimtelijke indeling en bouwkundige details bepalen nu een barok residentieel paleis? Aan de hand van Schloß Ludwigsburg (afb. boven) kunnen de afzonderlijke bouwstadia worden getoond. De reden voor de 'tekentafelplanning' van stad en paleis zal gelegen hebben in het ruimtegebrek van de oude regeringsstad Stuttgart. Als uitwijkmogelijkheid diende zich de Erlachhof aan, middenin het oude jachtgebied van de hertogen van Württemberg en ten noorden van Stuttgart gelegen, die door de troepen van Lodewijk XIV was verwoest. Eberhard Ludwig, die pas zestien jaar oud was, maar door de keizer meerderjarig was verklaard, begon het project in 1704. In eerste instantie ging het alleen om de herbouw van het 'Jagdlusthaus zum Erlachhof', maar toen trad de door het volk als 'Landverderberin' verachte Wilhelmine von Grävenitz, Lodewijks maîtresse, op. Het is aannemelijk dat zij er bij de jonge hertog op aandrong om het jachtslot in een residentieel paleis te veranderen. Met de nieuw gebouwde Erlachhof ontstond de noordelijke dwarsvleugel, het oude *corps-de-logis*. De bouwmeesters waren Philipp Joseph Jenisch en later Johann Friedrich Nette, die het gebouw in een Italiaans palazzo veranderde. Het van een plat dak voorziene, drie etages hoge gebouw kreeg in de middenas een vooruitspringend zuilenportaal met toegangen aan weerszijden. In 1709 liet Nette de rechtervleugel, de zogenaamde 'Ordensbau' aanbouwen, een over het algemeen sober, drie etages hoog gebouw met mansardedak. Drie jaar later ontstond het pendant, de zgn. 'Riesenbau'. Het oorspronkelijk als jachtslot ontworpen complex was toen al in een residentieel paleis getransformeerd. Toen Nette in 1714 plotseling overleed, zette de Lombardijn Giovanni Donato Frisoni de werkzaamheden voort. Hij breidde het oude *corps-de-logis* volgens de plannen van Nette uit met galerijen en paviljoens en situeerde de paleiskapel en 'Ordenskapelle' op de hoeken van de vleugels. Deze werkzaamheden waren in 1720 voltooid. In de tien jaar daarop werden op de assen van de zogenaamde vleugelgebouwen de 'Kavaliersbauten' en

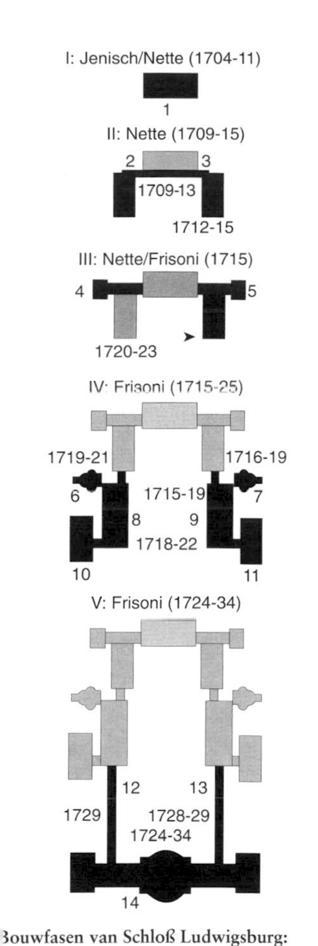


**Bouwfasen van Schloß Ludwigsburg:**

1 oud corps-de-logis ('Fürstenbau')
2 'Ordensbau'; 3 'Riesenbau'
4 jachtkapel; 5 speelpaviljoen
6 'Ordenskapelle'; 7 paleiskapel
8 westel. -; 9 oostel. 'Kavaliersbau'
10 'Festinbau'; 11 theater
12 schilderijengalerij; 13 galerij met familieportretten
14 nieuw corps-de-logis

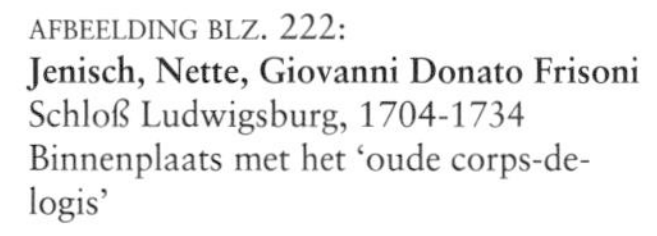

AFBEELDING BLZ. 222:
**Jenisch, Nette, Giovanni Donato Frisoni**
Schloß Ludwigsburg, 1704-1734
Binnenplaats met het 'oude corps-de-logis'

AFBEELDING BOVEN:
**Giovanni Donato Frisoni**
Ludwigsburg, Favorite, 1718

**Philippe de la Guêpière**
Monrepos bij Ludwigsburg

de galerijen, evenals, onder de paleiskapel, het theater en als tegenhanger daarvan het 'Festinhaus' gebouwd.

Naast hun residentie bezaten de barokvorsten kleinere pied-à-terres in de naaste omgeving, priëlen of jachtsloten. Het kleine jachtslot Favorite liet Eberhard Ludwig op ongeveer 350 meter ten noorden van zijn residentie bouwen op een kleine heuvel (afb. boven). Frisoni kreeg in 1718 opdracht voor het ontwerp van dit gebouw, terwijl hij nog bezig was met de planning en uitvoering van de oostelijke 'Kavaliersbau' van het paleis. Een kubusvormig gebouw met vier hoektorentjes verheft zich boven een brede benedenverdieping met zandsteen *en bossage*. Voor de hoeken zijn vier paviljoens met mansardedaken geplaatst. De vier belvedèretorentjes roepen associaties op met de eigentijdse Boheemse architectuur, terwijl de toegang en de ver vooruitstekende bordestrap juist aan Italiaanse barokvilla's doen denken.

Door het park van Favorite liep vroeger een prachtige populierenlaan van het paleis naar een klein kasteeltje aan het meer, dat hertog Karel Eugenius tussen 1760 en 1765 door zijn bouwmeester Philippe de la Guêpière had laten bouwen (afb. links). De kern wordt gevormd door een ovaal middendeel met een daarvoor geplaatste rechthoek en twee zijvleugels. Aangezien het gebouw op een heuvel staat die naar het meer afloopt, moest de aan het water gelegen zijde op een sokkel wor-

AFBEELDINGEN BOVEN:
**Caspar Moosbrugger**
Weingarten bij Ravensburg
Voorgevel van de kloosterkerk, 1715-1720
Interieur

AFBEELDING BLZ. 225:
**Johann Michael Fischer**
Benedictijnenkerk Zwiefalten, 1738-1765
Interieur

den geplaatst en de zijde aan de binnenplaats gelijkvloers worden gebouwd. De sokkelverdieping, die bestaat uit halfronde arcades en brede pijlers, verheft zich boven een grote ruimte, waarvan aan het eind een grote trap rechtstreeks naar het water leidt. De Franse bouwmeester liet zich in zijn ontwerp waarschijnlijk inspireren door het Franse kasteel Vaux-le-Vicomte bij Melun. Koning Frederik I doopte het kasteeltje Monrepos, 'mijn rust', als herinnering aan zijn landhuizen in Finland en aan het Meer van Genève.

Met hun feesten aan het hof en theateropvoeringen breidden de barokke vorsten en hertogen de reële ruimte waarin ze woonden uit tot een illusionaire ruimte. In de loop van de 18e eeuw veranderde de esthetische instelling in een illusie. Het ging er nu niet meer om een 'Gouden Eeuw' in de vorm van pastorales of idyllisch-melancholieke coulissen weer te geven, maar om nieuwe artistieke wegen te ontdekken.

De gebouwde architectuur kreeg in de plafondschildering haar vervolg met een 'hemelarchitectuur'. De in 1724 ingewijde kloosterkerk van Weingarten bij Ravensburg in Oberschwaben (afb. boven) werd tussen 1718 en 1720 door Cosmas Damian Asam beschilderd. Asam, die zich in Rome had opgehouden en daar had kunnen bestuderen hoe Lanfranco, Guercino of Pozzo de illusionaire ruimte door exact berekende perspectieven uit de werkelijke ruimte ontwikkelden, werkte op een vergelijkbare manier. Op de gewelven van de basiliek van Weingarten schilderde hij zuilen- en koepelgalerijen, trappen en pijlers en creëerde zodoende een fascinerende fantasiearchitectuur als voortzetting van de architectuur van de kerk. Op het hoogste punt van het gewelf gaat de hemel open en zweven de heerscharen naar beneden, de gelovigen tegemoet. Wolkenflarden draperen zich om de pilasters en dragen engelen of heiligen. De machtige, 'werkelijke' zuilen van het middenschip zetten zich boven de lijsten van de gordelbogen nauwelijks merkbaar voort als geschilderde zuilen.

Een motief dat populair is in de illusiearchitectuur, is de trap die zich aan de boogvorm van de gewelfgordel aanpast en licht welvend omhoog loopt. De trap bemiddelt als het ware tussen beide werkelijkheidsniveaus en fungeert als toneel waarop de handeling plaatsvindt. In Weingarten zitten mensen op de trap en kijken vol verbazing omhoog om de hemelvaart van Maria te volgen – net als de gelovigen beneden, die er in hun vroomheid naar streven om deze 'hemeltrap' eveneens te beklimmen.

Franz Joseph Spiegler, in 1691 in Wangen in de Allgäu geboren en in 1757 overleden, heeft dit motief op een ongewoon speelse manier gevarieerd. In de Fridolin-munsterkerk in Bad Säckingen (afb. blz. 226) inte-

**Franz Joseph Spiegler**
Bad Säckingen, Fridolin-munsterkerk
Interieur, 1751

AFBEELDING LINKSONDER:
Haigerloch, bedevaartskerk St. Anna
1753-1755

AFBEELDINGEN BLZ. 227:
**Dominikus Zimmermann**
Steinhausen, St. Peter und Paul
1729-1733
Interieur met plafondfresco van
Johann Baptist Zimmermann, 1733

greerde hij de trap zelfs meerdere keren in zijn hemelarchitectuur. De kunstenaar kreeg de opdracht voor de beschildering in 1751. In de *Apotheose van de H. Fridolin* komt de trap in een draaiende beweging uit het stucwerk naar voren, zet zich voort in ronddraaiende wolkenbanen om het stucwerk en het aardrijk vervolgens aan de andere kant weer als een trap te naderen. Met dit 'trappenconcept' heeft Spiegler ook de meer dan vier traveeën brede en ver naar beneden doorlopende, bijna 500 vierkante meter grote plafondschildering van de munsterkerk in Zwiefalten compositorisch onder de knie gekregen (afb. blz. 225). De geschilderde stadsarchitectuur welft mee op het ritme van het pendentief en de traveebogen en ontvouwt zich langs de lengteas van het gewelf in steil naar boven verlopende bordestrappen. Hier en op de borstwering van de verdedigingsmuur staan de mensen, onder wie ook de Frankische koning Chlodovech en missionerende benedictijnen hopend op de voorbede van Maria.

In de Fridolin-munsterkerk van Säckingen werd de nauwe samenhang tussen de architectuur, het beeldhouwwerk en de schilderingen al genoemd. Deze samenhang is het resultaat van de harmonieuze samenwerking tussen Spiegler en de beeldhouwer en stuccowerker Johann Michael Feuchtmayer uit Augsburg. In Säckingen was Feuchtmayer nog zeer terughoudend met zijn rocaillevormen. De architectuur bleef niet alleen dominant, maar hij gebruikte haar ook als basisstructuur voor de illusionaire schilderkunst. Alleen de van de cartouches uitgaande ornamentvertakkingen reiken tot in de plafondschildering en zetten zich voort in geschilderde rocaillepatronen. In Zwiefalten lijkt de architectuur zich echter in het dichte stucwerk op te lossen, om dan subliem in de geschilderde ornamentzones van de stadsarchitectuur over te gaan.

Deze verspillende dynamiek, dit overdadige spel van oprijzende pilasters, onrustige cartouches en bouwwerken die hemelwaarts 'vallen' beschrijven de enorme gevarieerdheid van het Zuidwest-Duitse Rococo. Deze decoratiekunst wordt nog weelderiger in de Maria-bedevaartskerk van Birnau aan het Meer van Konstanz, de 'feestzaal Gods' (afb. blz. 228). Hier was het Joseph Anton Feuchtmayer die als beeldhouwer en stuccowerker een stempel zette op het rococogelaat van Oberschwaben en in samenspel met de architectuur van Peter Thumb uit Vorarlberg een ongeëvenaard kunstwerk in de bedevaartskerk 'ensceneerde' (1748-1750). De relatief brede ramen laten veel licht in het kerkinterieur stromen, waarvan de stuccowerker gebruik maakte om de met rocailles versierde cartouches ook in verborgen hoekjes te laten schitteren. De balustrade van de galerij, telkens opnieuw onderbroken door kleinere ornamentvormen die uit hun omlijsting lijken te druppelen, loste hij op in een licht vlechtbandwerk. Te midden van dit georganiseerde bewegen en golven van buitelende wolkenbanen en naar boven lopende stucvertakkingen verschijnen kleine putti die zich half in het ornamentele vlechtwerk verbergen of verrassend naast een altaar te voorschijn komen. Onder het bevindt zich overigens ook de beroemde figuur van de 'honingsnoeper'.

De ruimte wordt aan de bovenzijde ontsloten door een imposante plafondschildering van de hand van de uit Bohemen afkomstige Gottfried Bernhard Goetz. De pilasters die als een soort coulisse trapsgewij

naar het koor toe lopen, monden uit in steekkappen die de plafondschildering afgrenzen en tegelijkertijd de geschilderde lijst schragen, vanwaaruit gemarmerde dubbele zuilen een met wervelende wolken gevulde hemel inschieten. Daar zit Maria als een apocalyptische vrouw op de maansikkel en laat het uitvaagsel van de hel in de diepte storten.

Hoewel ze minder feestelijk en weelderig is uitgevoerd dan de kerk in Birnau, biedt de bedevaartskerk St. Anna in Haigerloch (1753-1755) toch een vergelijkbare harmonieuze ruimtelijke indruk en samenklank van architectuur, schilderkunst en beeldhouwkunst (afb. blz. 226). Waarschijnlijk was het de beroemde bouwmeester Johann Michael Fischer uit München die de ontwerpen leverde. De uit Bad Säckingen bekende Johann Michael Feuchtmayer, de beeldhouwer Johann Georg Wenckenmann en de schilder Meinrad von Ow veranderden dit kerkje in een betoverend kunstwerk. De ideale ruimtelijke verhoudingen –de lengte van het hoofdschip is gelijk aan de breedte van het dwarsschip– openbaren zich voor het koor. Er lijkt een theatercoulisse open te gaan. Het hoofdschip wordt breder in het dwarsschip, dat in de richting van het koor smaller wordt. De pijlers en pilasters van het schip en het koor verspringen in de richting van de koorsluiting. De blik dwaalt omhoog naar de altaarvoluten, die uitmonden in een dynamische decoratie met dartelende putti. Het ornamentele werk vertakt zich over de koorkoepel en bereikt ten slotte de cartouches van het grote plafondgewelf, dat de geschiedenis vertelt van de H. Anna, de moeder van Maria.

Met Birnau en Haigerloch bereikte de barokke illusionaire ruimte in het exact op elkaar afgestemde samenspel van architectuur, stucwerk, beeldhouwkunst en schilderkunst een hoogtepunt. Misschien kan men hier niet meer spreken van 'barokruimte', maar van 'rococoruimte', een ruimte die wordt gekenmerkt door haar illusionaire karakter. Een verdere intensivering is nauwelijks voorstelbaar, tenzij de kunst- en illusionaire ruimte zich op een nieuwe manier ontplooien. Dat wordt in Steinhausen in Oberschwaben zichtbaar (afb. boven). De bedevaarts- en parochiekerk St. Peter und Paul werd tussen 1728 en 1733 gebouwd

AFBEELDING BLZ. 228:
**Joseph Anton Feuchtmayer**
Birnau, Unsere Liebe Frau, 1748-1750
Interieur

AFBEELDINGEN RECHTS:
Plattegronden van 'muurpijlerkerken'

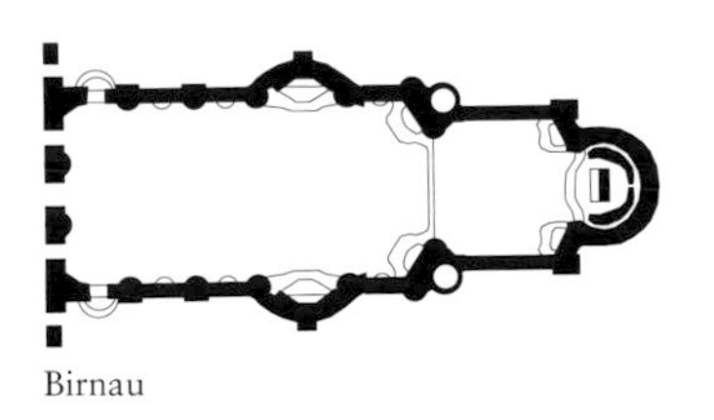
Birnau

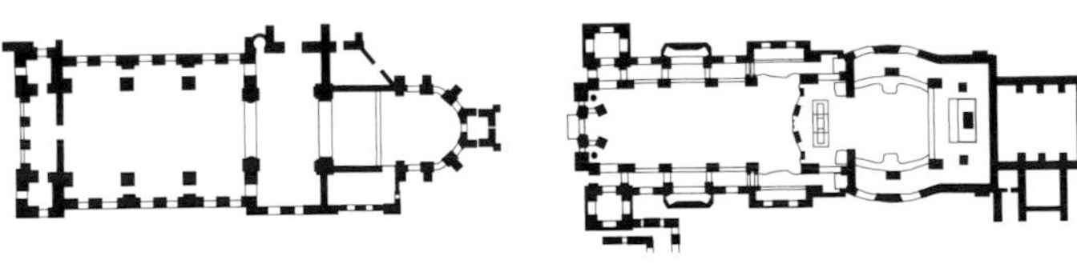
Ebersbach

Weissenau

door Dominikus Zimmermann, op wie wij in relatie met de Wieskirche nog één keer zullen terugkomen. Hij kreeg het voor elkaar om een kerkzaal met vrijstaande pijlers te verbinden met een centraalbouw. Binnen de ovale plattegrond trok hij een groter ovaal, het 'pijlerovaal'. Daarmee wordt een absolute prioriteit toegekend aan een homogene ruimtelijke indruk met het afsluitende gewelf. Een dramatische architectonische enscenering, zoals in Birnau en Haigerloch werd toegepast, heeft Zimmermann bewust vermeden. In plaats daarvan legde hij de nadruk op de hoogte van de ovale koepel, een karakteristiek die de broer van de architect, Johann Baptist Zimmermann, nog eens op een illusionaire manier op het plafondfresco tot uitdrukking bracht. Afgebeeld is 'de hele wereld', allegorisch door middel van de 'vier werelddelen' en symbolisch door middel van de Hof van Eden, het paradijs, dat zich aan de kerkruimte openbaart, maar de mensen de toegang weigert. Deze voor de gelovigen onbereikbare zone op het plafond wordt met realistische *Spielereien* 'toegankelijk' gemaakt. In het stucwerk kun je verschillende levensecht nagemaakte dieren waarnemen, zoals de specht tegen de pijler of de ekster op het nest, en ook een vlinder, eekhoorn en hop. De tuin van het paradijs loopt naar beneden in de richting van de gelovige.

## 'Auer Lehrgänge' of de kunst om een galerij te construeren: de 'Vorarlberger Bauschule'

In Birnau bepaalt het samenspel van decor en architectuur het illusionaire karakter. Men mag in dit verband echter niet van 'illusiearchitectuur' spreken, maar van het 'muurpijlerschema' van architecten uit Vorarlberg. Naast Michael Thumb, Michael Beer, Franz Beer, Johann Michael Beer, Johann Georg Kuen en Kaspar Moosbrugger was de architect van Birnau, Peter Thumb, een van de belangrijkste vertegenwoordigers van de 'Vorarlberger Bauschule'. Hun opvattingen over architectuur en theoretische grondslagen zijn vastgelegd in de zogenaamde 'Auer Lehrgänge', genoemd naar Au in Vorarlberg. In de twee delen staan onder andere perspectivische afbeeldingen voor didactische doeleinden, voorbeelden van soorten architectuur en ook tekeningen van belangrijke Romeinse barokkerken, evenals bouwtekeningen uit de eigen praktijk in Vorarlberg.

Tot de specialiteiten van de 'Vorarlberger', hoewel geen creatie van henzelf, behoorde het muurpijlerschema met galerijen. Peter Thumb paste het tussen 1719 en 1728 voor het eerst toe in de benedictijnenkerk van Ebersmünster in de Elzas. Voor zijn concept bestudeerde hij de plannen van Franz Beer voor Obermarchtal en Weissenau. Deze gebouwen hadden ook als voorbeeld gediend voor Thumbs benedictijnenkloosterkerk St. Peter in het Zwarte Woud (1724-1727), ten noordoosten van Freiburg. Via het muurpijlersysteem ontwikkelde hij drie paar zijkapellen, waar hij de galerij overheen leidde. De vierde travee verbreedde hij tot het 'gekortwiekte' dwarsschip.

Voor Birnau (1746-1750) ontwikkelde Thumb nieuwe en ongewone ontwerpen. Hij drukte het dwarsschip samen door de dwarsarmen in de vorm van een korfboog te ontwerpen en de muurpijlers dicht tegen de wand te plaatsen. Daardoor verkreeg het een ruimtelijke welving die hij in het zaalgebouw door een bovenmatig groot plafond integreerde. Daarmee was er ruimte gecreëerd voor stucwerk en frescoschilderingen. De nauwelijks merkbare overgang van de zaal naar het koor en vandaaruit naar de absis wordt door schuine altaarnissen gemarkeerd. De boven de muurpijlers aangebrachte galerij zou eerder als een vloeiend verlopende sierband gekarakteriseerd moeten worden. Hiermee bracht Thumb een geniale architectonische oplossing tot stand voor een probleem waarmee hij bij zijn gebouwen in het Zwarte Woud en de Elzas nog had geworsteld.

Het muurpijlerschema is geen 'uitvinding' van de architecten uit Vorarlberg: men bouwde al 'muurpijlerkerken' in de late Gotiek en de Renaissance, zoals de stadskerk in Schwaigen (1514) of de slotkerk in Haigerloch (1584). De bouwmeesters rond de Thumbs en de Beers droegen echter soevereine en deels artistieke oplossingen voor dit schema aan en drukten daarmee een stempel op de barokarchitectuur van het Duitse zuidwesten. De jaren tussen 1705 en 1725 waren beslissend voor deze architectuur. Het was Franz Beer die, nadat hij de bouwkundige leiding had gehad in Obermarchtal (1690-1692), nieuwe wegen insloeg. Het duidelijkst is dit af te lezen aan het premonstratenzer rijksstift Weissenau (1717-1724). Hier verbreedde hij de ruimte tussen de middelste van de drie traveeën van het schip via een soort kapellen en construeerde de tweede daaropvolgende travee volgens het schema van een dwarsschip, zodat een door zuilen gemarkeerde 'viering' ontstond. Daarboven bouwde hij een vlakke koepel als drager van een hoge schijnkoepelarchitectuur. Boven de door de muurpijlers uitgespaarde kapelruimten strekt zich een elegante en met licht doorstroomde galerij uit. Franz Beer vertaalde dit schema in een monumentale uitvoering voor het ontwerp van Weingarten. De definitieve ontwerpen zijn met zekerheid van hem afkomstig, en het is aangetoond dat hij ook de leiding had in 1715 en 1716. Daarna werd deze overgenomen door Andreas Schreck en Christian Thumb. Door de grotere dimensies en de daarmee samenhangende, ver van de muur geplaatste muurpijlers konden op de galerijen hoge doorgangen worden gemaakt. In de kruising lijken de muurpijlers op monumentale zuilen, waarboven de tamboerkoepel oprijst, die overigens geheel in Italiaanse stijl is. Norbert Lieb heeft erop gewezen dat deze voor Zuidwest-Duitsland ongewone 'Italiaanse oplossing' al in Beers ontwerp aanwezig was. Ze gaat dus niet terug op de 'Zwabische Italiaan', Donati Giuseppe Frisoni, de hoofdarchitect van het hertogdom Württemberg, die vanaf 1718 in de uitvoering van het gebouw ingreep. Aan hem is uitsluitend de concave lijnvoering van de galerijen toe te schrijven.

De architectuur in Zuidwest-Duitsland kent met het optreden van de bouwmeesters uit Vorarlberg een uitzonderlijke situatie. Gebogen muurvormen worden door een streng indelingssysteem 'getemd'. Dat is te zien in veel kerken in Oberschwaben. Of deze architectonische opvattingen al tot het vroege Classicisme behoren –dat daardoor als 'barokke overgangsstijl' kan worden aangeduid– is maar de vraag. Pas met de komst van de Fransen uit de Parijse Académie Française bereikten nieuwe opvattingen over bouwen het land.

München, St. Michael
Begonnen in 1583
Gezicht op het koor (links)
Plattegrond (rechts)

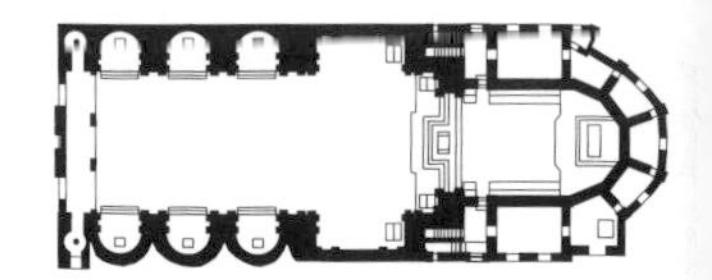

**Beierse Barok**

De jezuïetenkerk St. Michael in München (afb. boven), die gebouwd is op de drempel naar de Barok, eind 16e eeuw, is een voorbeeld voor vele latere barokkerken. Dat betrof niet alleen gebouwen van de jezuïeten of kerken in Beieren, maar de barokke kerkbouw in Zuid-Duitsland in het algemeen. Het complex met muurpijlers, het weidse, raamloze tongewelf met gordelbogen, evenals de kapellen met een dwarsgeplaatst tongewelf met galerijen erboven werden een voorbeeld voor veel latere kerken.

Het in 1583 begonnen complex wordt beschouwd als een soort 'geregisseerd bouwwerk', omdat de verschillende ontwerpen en voorstellen door de hertogelijke kunstintendant Friedrich Sustris zijn bewerkt en door werkmeesters als Wolfgang Miller zijn uitgevoerd.

Het idee van een tongewelf boven wandpijlers en een scheiding van de verdiepingen door de galerijen wordt door Michael Thumb nagevolgd in de premonstratenzer kloosterkerk in Obermarchtal, die hij ca. 100 jaar later, in 1686-1701, bouwde. Hij heeft het gewelf evenwel niet tot het niveau van de galerijen 'omlaaggehaald', maar ver boven de borstwering van de galerijen op vooruitstekende kapitelen laten eindigen. Voor dit doel maakte hij de muurpijlers hoger en creëerde hij hoge arcades, waardoor de ruimte voldoende licht kreeg. Dit concept had Thumb al kort voor die tijd in de bedevaartskerk van Schöneberg bij Ellwangen (1682-1695) toegepast. De voltooiing van de twee kerken heeft hij echter niet meer meegemaakt: hij stierf in 1690. In Obermarchtal namen Thumbs broer Christian en diens neef Franz Beer, eveneens afkomstig uit Vorarlberg, de leiding van de bouw over. Het 'Vorarlberger Schema' van de muurpijlerkerk met galerijen en het 'lichtloze' tongewelf erboven is dus wellicht voor een belangrijk deel op de St. Michaelskirche in München geïnspireerd.

Het 'Vorarlberger Schema' werd destijds beschouwd als een soort tegenconcept van de dominante Italiaanse architectuurtaal. Hoewel de ruimtelijke structuur van de St. Michaelskirche 'Italiaans' is –denk aan de inspiratiebron, de S. Andrea in Mantua– werd er bewust afgezien van het 'waardigheidsmotief' van de Italiaanse barokarchitectuur, de koepel, en daarmee werd ook het voorbeeld van de Il Gesù gewijzigd. Een van de eerste barokke kerkgebouwen na de Dertigjarige Oorlog was de voormalige kapittelkerk (tegenwoordig katholieke stadsparochiekerk) St. Lorenz in Kempten (afb. onder). De bouw begon in 1652 naar ontwerp en onder leiding van Michael Beer en de kerk was zo geconcipieerd dat een 'obligate koepel' boven de viering als overbodig moest worden beschouwd. Tegen het schip plaatste Beer een octogoon dat, het koor markerend, door het met vier pijlers begrensde vierkant in het midden op een kapel lijkt. Toch lijkt de oplossing halfslachtig, aangezien de achthoek van het koor met een vlakke koepel en een volumineuze lantaarn toch weer associaties oproept met Italiaanse voorbeelden. Bij dit ruimtelijke concept stonden echter niet alleen esthetische aspecten op de voorgrond. Beer moest de parochiekerk met de kloosterkerk verbinden. Het verlangen van de gemeente naar een vrij

**Michael Beer**, Kempten, katholieke stadsparochiekerk
Gezicht vanuit het zuidoosten, begonnen in 1652

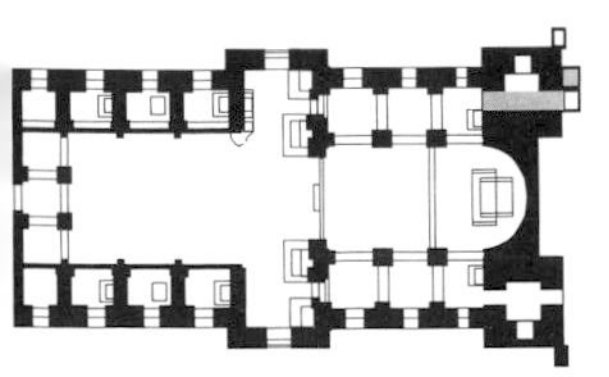

AFBEELDING ONDER:
**Johann Michael Fischer**
München, St. Michael in Berg am Laim
Begonnen in 1739, gezicht op het koor

AFBEELDING LINKS:
Plattegrond van de voorm. premonstratenzer kerk St. Peter und Paul in Obermarchtal

zicht op het koor moest evenzeer worden gehonoreerd als een afgezonderde zone voor de monniken ten behoeve van het koorgebed.

Korte tijd later begonnen in München de bouwwerkzaamheden voor een kerk in Italiaanse stijl, de in 1663 door Enrico Zucalli ontworpen theatijner kerk. Voorbeeld was de theatijner kerk in Rome, de S. Andrea delle Valle. Het 'voorbeeldige' betrof het gedrongen dwarsschip, het brede langschip en de halfronde absis. Boven de tamboerring van de kruising verheft zich de hoge vieringkoepel, die samen met de vier verdiepingen hoge toren het stadsbeeld beheerst.

Dit gebouw bleef een uitzondering in Zuid-Duitsland. In München begonnen steeds meer Duitse bouwmeesters te werken die zich tegen de 'Italiaanse smaak' afzetten, zoals Johann Michael Fischer of de gebroeders Asam.

Een jaar nadat de eerste steen van de parochiekerk St. Michael in Berg am Laim in München was gelegd, nam Johann Michael Fischer in 1739 de leiding van de bouw op zich (afb. rechts). Hij verbond de voor de gemeente gereserveerde ruimte met het koor door twee centrale ruimten volgens het principe van de gulden snede met elkaar te combineren. Het koor splitste hij toen nog een keer in een voorste koorruimte –de centrale ruimte– en een overdwars gesitueerde elliptische altaarruimte. De ruimte voor de gemeente kreeg twee korte armen als dwarsschip. Daarmee was er een volledig nieuwe plattegrond ontstaan. Enerzijds leven ruimtelijke voorstellingen van de traditionele rotonde en de basilica voort, anderzijds ondergaat de gelovige een ruimtelijke ervaring als nooit tevoren. De geprononceerde roodgemarmerde driekwartszuilen op de hoeken domineren de ruimte en zorgen in relatie met Johann Baptist Zimmermanns schilder- en stucwerk voor ongewone theatrale effecten.

Johann Michael Fischer hield ervan om met zaalruimten te experimenteren, zoals in Berg am Laim. Kort daarvoor was hij werkzaam in Ingolstadt, waar hij tussen 1736 en 1740 de in de Tweede Wereldoorlog verwoeste Maria-bedevaartskerk 'Zur Schuttermutter' bouwde – wellicht een voorspel van de St. Michael in Berg am Laim.

Ook de voormalige kloosterkerk Mariä Himmelfahrt in Diessen am Ammersee (1732-1739) behoort tot dit 'gebied van experimenten', hoewel de architect zich hier nog van het traditionele schema van de 'muurpijlerkerk' bediende. Het vijf traveeën lange schip is georiënteerd op het overkoepelde koorvierkant en de smallere altaarruimte. De gordelbogen tussen de met pilasters beklede muurpijlers in de hoofdruimte welven ritmisch en dynamisch naar binnen en lijken de blik naar het koor te leiden. Om de toneelachtigheid van de ruimtelijke impressie en daarmee de betekenis van het liturgische centrum te vergroten, voorzag Fischer de laatste travee voor het koor van gordelbogen. Daarmee was de overgang van de zaalachtige hoofdruimte naar het koor gemarkeerd, of anders gezegd: al in de laatste travee ondergaat men het 'kooreffect' dat zich openbaart.

Tot de grootste projecten van de Zuid-Duitse barokarchitectuur behoort de nieuwbouw van de abdijkerk van de benedictijnen van Ottobeuren (afb. blz. 232-233). De ontwerpgeschiedenis is ingewikkeld. Ze wordt hier slechts kort aangegeven. De eerste steen werd gelegd in

1737, maar ontwerpen van beroemde architecten, onder anderen van Dominikus Zimmermann, werden afgewezen. Een minder belangrijke Zwabische bouwmeester, Simpert Kraemer genaamd, kreeg de opdracht, maar moest zijn ontwerp wel voorleggen aan de hofarchitect van het keurvorstendom Beieren, Joseph Effner, opdat deze het kon herzien. Hij maakte de lijnvoering strakker in de geest van het opkomende Franse Classicisme en stelde een rechte koorsluiting voor. In 1748 werd vervolgens een beroep gedaan op Johann Michael Fischer. Hij zwakte de koele strengheid van Effner af, maar handhaafde de plattegrond.

Fischer concentreerde de ruimtelijke werking op de centrale viering, die door een machtige koepel wordt overwelfd. De centrale ruimte 'fleurt op' – althans, zo ervaart de bezoeker dit effect als hij naar het koor toe loopt. De traveeën voor en achter de viering zijn dwars-ovaal gebogen en zien er dus gedrongen uit. Ze suggereren in hun geheel een verkorting van de ruimte langs de lengteas. Pijlers en naar binnen geplaatste driekwartszuilen lijken zich boven de lijst en de gordelbogen in de geschilderde 'hemelarchitectuur' voort te zetten. Deze verbinding van architectuur en gewelf- c.q. koepelbeschildering wordt ondersteund

AFBEELDING BLZ. 232:
**Johann Jakob Zeiller**
Ottobeuren, kerk van de benedictijnen-abdij, gewelffresco, 1757-1764

**Simpert Kraemer, Joseph Effner, Johann Michael Fischer e.a.**
Ottobeuren, kerk van de benedictijnen-abdij, begonnen in 1737

**Johann Joseph Christian**
Ottobeuren, kerk van de benedictijnen-abdij, engel van het altaar aan de zuidkant van de kruising, ca. 1760

Ottobeuren, kerk van de benedictijnen-abdij, gezicht op het koor

door de dynamische en geciseleerde rocailleversiering die Johann Michael Feuchtmayer tussen 1757 en 1764 heeft aangebracht. De uit de gebouwde architectuur zich perspectivisch ontwikkelende fresco's –ongeveer gelijk met het stucwerk ontstaan– zijn gemaakt door Johann Jakob Zeiller (afb. blz. 232).

Een bijzonder kenmerk van de Beierse barokarchitectuur is het feit dat het gebouw twee 'schillen' heeft. Binnen- en buitenmuur komen niet met elkaar overeen, d.w.z. de buitenwand met ramen kan niet altijd worden beschouwd als definitieve ruimtegrens die de vorm van het interieur natekent. In Ottobeuren wordt bijvoorbeeld een vanuit het exterieur gezien 'niet-waarneembaar' binnenleven geënsceneerd. Het lijkt alsof de architectonische elementen hun eigen toneelspel opvoeren. Dit theatereffect heeft niet alleen betrekking op het koor en de altaarruimte –dat zou kunnen opgaan voor Diessen en Berg am Laim–, maar op het hele ruimtelijke ensemble.

Het zijn met name de gebroeders Asam die ongeëvenaarde ruimtelijke illusies hebben geschapen. De St. Johann Nepomuk, de 'Asamkirche'

in München (afb. boven), is een gezamenlijk werkstuk van Egid Quirin, de beeldhouwer, en Cosmas Damian Asam, de schilder. Beiden waren ook als architect actief. Egid Quirin Asam verwierf in de jaren tussen 1729 en 1733 vier huizen in de Sendlinger Straße. Eén verbouwde hij tot zijn eigen woonhuis, twee andere bestemde hij tot kerk en het vierde werd later door 'geestelijk raadsheer' Philipp Franz Lindmayr gekocht en als priesterwoning ingericht.

De twee etages hoge, naar voren gewelfde voorgevel verleent de huizenrij met zijn zuilenportaal, het hoge raam en de gebogen topgevel een open karakter. De nadruk die in de gevel kennelijk op de hoogte wordt gelegd, wordt in het interieur nog aanmerkelijk versterkt door de door Cosmas Damian Asam in 1735 uitgevoerde illusionaire schilderingen. De bovenste verdieping wordt met een ver uitkragende lijst afgesloten. Daarboven bevindt zich een tongewelf, dat z'n licht vanuit twee ramen aan de oost- en westkant ontvangt. Wanneer je voor het altaar staat en je blik naar boven laat glijden, openbaart de 'hemelarchitectuur' zich in het gewelf met zuilen, consoles en lijstwerk als omlijsting van het toneel waarop de H. Johann Nepomuk zijn activiteiten ontplooit. Het diffuse licht, de steil oprijzende architectuur en de plastische versieringen doen de grenzen tussen reële en geschilderde architectuur vervagen, zodat de

**Egid Quirin Asam en**
**Cosmas Damian Asam**
München, St. Johann Nepomuk
'Asamkirche', 1733/1734
Interieur en voorgevel

AFBEELDING BLZ. 235:
**Cosmas Damian Asam**
Weltenburg, kerk van de benedictijnen-abdij, koepelfresco, 1716

gelovige, aan de realiteit ontstegen, zich in een parallelle, sacrale wereld waant.

De in Rome geschoolde Cosmas Damian Asam was goed op de hoogte van de Italiaanse kunst om illusionaire ruimten te construeren en schijnarchitectuur en reële architectuur perspectivisch exact met elkaar te combineren. In München hebben de gebroeders daadwerkelijk het kunststuk volbracht om een smalle en zich naar boven toe vernauwende ruimte illusionistisch te verbreden en voor de 'architectuur van gindse zijde' te openen.

In nog extremere mate dan in München heeft Cosmas Damian Asam het fopspel tussen realiteit en illusie gespeeld in Weltenburg an der Donau (afb. blz. 235). Hier moest in 1716 de abdijkerk van de benedictijnen worden gebouwd. Boven de ovale hoofdruimte plaatste Asam een tweeledige koepel – in wezen niet meer dan een ver naar beneden reiken-

**Dominikus Zimmermann**
'Wieskirche', begonnen in 1743
Gezicht vanuit het zuidwesten
Plattegrond

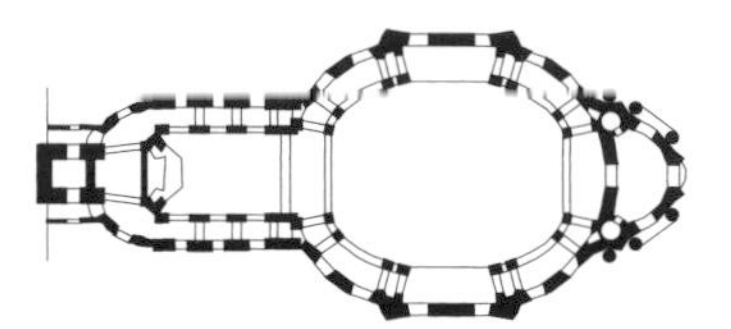

AFBEELDING BLZ. 237:
**Dominikus Zimmermann**
'Wieskirche', begonnen in 1743
Gezicht op koor en koepel

de elliptische ojieflijst. Daaroverheen is een vlak plafond geplaatst, waarop geschilderde zuilen, extreem verkort afgebeeld, een eveneens geschilderde koepelring met een wolkenband en een lantaarn dragen. Deze schijnarchitectuur is volledig beschilderd met de *Tenhemelopneming*. De illusie is perfect. De geschilderde architectuur kan als zodanig nauwelijks meer worden herkend – net zo min als het vlakke plafond, dat vanuit alle standpunten en op verschillende manieren lijkt op te bollen.

De ruimtelijke illusie als optisch bedrog in dienst van het sacrale, geïnspireerd door vergelijkbare Italiaanse modellen, vindt bij de gebroeders Asam een uniek hoogtepunt. De resultaten doen bijna overdreven aan – het theatrale effect lijkt te groot.

Heel andere ruimtelijke resultaten werden door Dominikus Zimmermann uit Wessobrunn bereikt, toen deze in 1743 van abt Hyazinth Gaßner von Steingaden opdracht kreeg om de bedevaartskerk 'Zum Gegeißelten Heiland', de zogenaamde 'Wieskirche' te bouwen (afb. onder en blz. 237). De bouwkundige opvattingen van de 'Vorarlberger' vormden een belangrijke richtlijn voor Zimmermann. In de 'Auer Lehrgänge' trof hij ovale plattegronden en hallenkoren aan die voor een deel al door Kaspar Moosbrugger waren toegepast. Bovendien had hij al jaren eerder (1728-1733) in Steinhausen in Oberschwaben een ovaal als plattegrond voor de bedevaartskerk gekozen (vgl. blz. 227). De kerk van Steinhausen keert in verschillende gewijzigde vormen en met een grotere dramatische zeggingskracht terug in de Wieskirche. Want hier koos Zimmermann ongewoon gevormde tweelingpijlers uit als ondersteuning van de ovale hoofdruimte, waarvan de pijler zelf telkens van twee inkepingen is voorzien. Anders dan in Steinhausen plaatste hij aan de oostkant van de ovale hoofdruimte een langgerekt koor om het effect van de 'sacrale perspectief' vanaf de ingang te vergroten. Zimmermann,

zelf ook stuccowerker, ontwierp de architectuur in samenhang met de versieringen van het gebouw. De rijke, soms overdadig ogende rocaillestructuur 'ontmaterialiseert' de architectonische vorm. Dat was vanaf het begin de opzet. Op punten die wat betreft de statica kritiek zijn, op de kruin van een boog of in delen van de bovenverdieping waar vrijstaande pijlers normaal gesproken het gewicht van het plafond of muurpijlers de zijwaartse druk van het gewelf opvangen, verschijnen onverhoeds sierlijke *rocaille* cartouches of als filigrein geornamenteerde decoraties. Architectuur en ornament gaan een onverbrekelijke verbinding aan – misschien kan men in dit geval zelfs van een 'ornamentalisering' van de architectuur spreken. In Steinhausen schijnt het koepelovaal direct op de van de zuilenkapellen uitgaande bogen te rusten. In de Wieskirche is het echter de rocailleversiering die de omlijsting voor de plafondschildering vormt en elke tektonische verbinding onzichtbaar maakt. Er openbaart zich geen 'architectonische', maar alleen een 'illusionistische welving', die het, met uitzondering van de geschilderde portaalarchitectuur, doet zonder schijnarchitectuur. Het grote plafondfresco met de *Menswording van Christus en zijn offerdood* is het resultaat van de samenwerking tussen de architect en zijn oudere broer Johann Baptist Zimmermann, de frescoschilder. 'Ornamentalisering' van de architectuur mag hier letterlijk worden genomen. Stuc vormt architectuur, want de vlakke koepel bestaat uit een geraamte van latten dat onder de dakstoel is opgehangen en alleen maar als fresco-ondergrond is gebruikt – zonder twijfel een geniale oplossing met het oog op de statica.

**Kaspar Moosbrugger**
Einsiedeln, benedictijnenabdij
1691-1735
Voorgevel van de kerk en schetsen van de ontwerpstadia, van boven naar beneden: ontwerp van 1691/1692, ontwerp van 1705, definitief ontwerp van Kaspar Moosbrugger, 1719

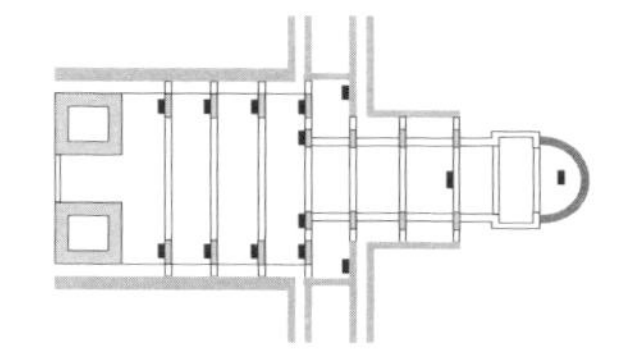

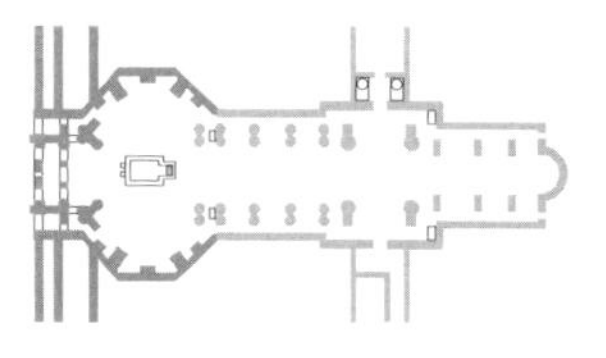

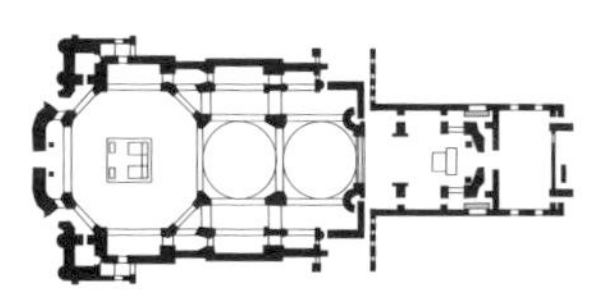

**Kerken en kloosters in Zwitserland**

De barokke kerkbouw in Zwitserland wordt gekenmerkt door de ideeënrijkdom van de 'Vorarlberger Bauschule'. Dat komt met name tot uitdrukking in de kloostergebouwen en stiftskerken, waarvan men voor de gecompliceerde architectuur concepten met vele varianten presenteerde. Vaak ging het om de verbinding van cultisch gezien verschillend gedefinieerde delen van de ruimte. Het grondplan van de abdijkerk van de benedictijnen in Einsiedeln ziet er in eerste instantie verwarrend uit (afb. boven). De geschiedenis van de in het kanton Schwyz gelegen abdij kan helderheid brengen in de ongewoon aandoende structuur, want alleen de oorsprong van Einsiedeln maakt haar functie als gedenkplaats en oord van verering duidelijk en verklaart daarmee overigens ook de meer dan dertig jaar durende barokke ontwerpfase.

In 861 werd de hier levende heremiet Meinrad von Räubern gedood en spoedig daarna vereerd. Er vormde zich een eerste gemeenschap van kluizenaars. Bijna zestig jaar later slaagde de Straatsburgse domheer Eberhard erin om van hen een gemeenschap van benedictijnen te maken, die hun godshuis als 'Unsere Liebe Frau der Eremiten' vereerden. Halverwege de 15e eeuw werd de laat-gotische 'Madonna van Einsiedeln' vervaardigd, ter ere waarvan bedevaarten werden ondernomen. Dit Mariabeeld stond in de heiligenkapel, de cel van Meinrad, in het zogenaamde 'Untere Münster'. In het oosten sloot zich hier de abdijkerk, het zogenaamde 'Obere Münster', bij aan.

Dat was de situatie voordat het barokke complex werd gebouwd. In 1674 bouwde Johann Georg Kuen uit Vorarlberg het koor. In het westen bevond zich een tweetal Romaanse torens, die men eerst in de gevel van de kerk van het nieuwe abdijcomplex wilde integreren om een nieuwe pronkfaçade te creëren. De lengterichting van de bouwplaats was dus al vanaf het begin gemarkeerd. Verder diende de genadekapel in het interieur van het oude gebouw, een sacrale plaats die bewaard moest blijven, te worden verbonden met het nieuwe bouwproject.

In 1691 begon Kaspar Moosbrugger, leerling van Kuen, met het maken van ontwerpen. Hij ontwierp een plattegrond waarin het langschip aan het 'muurpijlersysteem' van zijn leraar was aangepast. In een andere plattegrond duikt het plan op dat later bepalend zou zijn voor het definitieve gebouw en dat voorzag in de centralisering van het eerste deel van de ruimte. Deze ontwerpfase werd pas in 1693 afgesloten. Pas tien jaar later werd de nieuwbouw van het stift definitief voltooid. Een Milanese architect die men in 1705 om advies had gevraagd, wilde een ovale ruimte voor de genadekapel creëren die in een langschip met muurpijlers zou overgaan en zou uitmonden in een gecentraliseerde koepelruimte. Deze ideeën nam Moosbrugger in verschillende ontwerpen over en hij ontwikkelde meer dan tien jaar later, in 1717 en 1719, zijn definitieve plannen, die op een geniale manier aan de verschillende sacrale taken voldeden. De door de torens geflankeerde genaderuimte vormt een achthoek met twee ondiepe, rechthoekige dwarsarmen. Een

**Kaspar Moosbrugger**
Einsiedeln, benedictijnenabdij
1691-1735, gezicht op het koor (links)
Zone voor de bedevaartgangers met
genadekapel (onder)

eveneens geprobeerd om een achthoekige westelijke ruimte te relateren aan het langschip en het koor – overigens ook uit overwegingen die met de bedevaartscultus te maken hadden. Er is echter slechts één bouwmeester in geslaagd om een echte synthese tussen deze verschillende soorten ruimten aan te brengen: Balthasar Neumann in de bedevaartskerk Vierzehnheiligen (afb. blz. 214/215).

Ook de stiftskerk van St. Gallen (afb. blz. 240/241) heeft een meer dan dertig jaar durende barokke planning achter de rug, die overigens minder complex oogde dan die van Einsiedeln. Kaspar Moosbrugger presenteerde er in 1721 de eerste ontwerpen voor. Om beide cultusplaatsen van de H. Gallus en Othmer met elkaar te verbinden, construeerde hij een dubbel kruis met twee overkoepelde vieringen. Na Moosbruggers dood in 1723 toog Johann Michael Beer von Bleichten, eveneens afkomstig uit Vorarlberg, aan het werk om alternatieve ontwerpen met een grote achthoekige ruimte in het midden van het langschip te presenteren. Tussen 1730 en 1754 volgden nog eens zes architecten met hun voorstellen, onder wie ook de bouwmeester van de Duitse Orde Johann Kaspar Bagnato. Daarbij ging het steeds om de relatie tussen de concepten van Moosbrugger en Beer. Uiteindelijk had Peter Thumbs ontwerp uit 1755 succes. Hij had een variant bedacht op het concept van Beer, namelijk de verbinding van een op de lengte gericht gebouw en een centrale aanleg. Muurpijlers en een daaraan gerelateerd pijlersysteem zijn in de gehele ruimte geplaatst en voegen deze zo samen tot een eenheid. Beide koren lijken niet van elkaar gescheiden, maar met elkaar verbonden te zijn,

vergelijkbaar concept had Michael Beer overigens al rond 1652 voor de St. Lorenz in Kempten (afb. blz. 230) gepresenteerd. Het volgt op de vierkante predikingsruimte, gemarkeerd door vier pijlers en overwelfd door een hangende koepel. Ook hier sluiten zich aan de zijkanten twee ondiepe, rechthoekige dwarsarmen aan. Beide ruimten zijn door galerijen met elkaar verbonden, die doorlopen naar de koepelruimte.

De voorgevel markeert de eerste –weidse– ruimte met de genadekapel. Pilasters en dubbele pilasters verwijzen naar de positie van de pijlers in het interieur (afb. boven). De ruimtelijke indruk concentreert zich op de predikingsruimte achter de genadekapel, waar het gewelf hoger wordt, en culmineert uiteindelijk in de koepelruimte, waar de galerijen ophouden. Hier bevind je je op de drempel naar het koor. In 1723 overleed Kaspar Moosbrugger. De inwijding van de kerk vond twaalf jaar later plaats, in 1735.

Het koor en de koepelruimte zijn aan de 'vorst-abt' en zijn kapittel toebedacht, terwijl de weidse genaderuimte voor de bedevaartgangers is bestemd. In deze zin zullen echter alle opeenvolgende ruimten moeten worden begrepen, aangezien de bezoeker de geloofswaarheden ervaart wanneer hij door de verschillende ruimten loopt.

Het idee voor de integratie van de verschillende soorten ruimten uit cultische overwegingen zal, zoals gememoreerd, voor Moosbrugger voor het eerst in Beers ontwerp voor Kempten tastbaar zijn geweest. In de nieuwe munsterkerk van Würzburg heeft Joseph Greißing in 1711

**Heinrich Mayer**
Solothurn, jezuïetenkerk
Begonnen in 1680

**Kaspar Moosbrugger, Michael Beer en Peter Thumb**
St. Gallen, stiftskerk, 1721-1770
Interieur

omdat ze op het midden zijn geconcentreerd. Hier zijn ook de ingangen van de kerk aangebracht, zodat het gebouw zich niet alleen via de gevel van de toren van het koor, maar ook in z'n breedtewerking laat gelden. In 1770 waren de werkzaamheden afgerond. Twee jaar later heeft een andere architect uit Vorarlberg, Johann Georg Specht, dit concept overgenomen en op basis daarvan de benedictijnenkloosterkerk St. Martin in Wiblingen gebouwd en daarmee een eerste stap gezet in de richting van het Zuidwest-Duitse vroege Classicisme.

Tussen de bouwactiviteiten van de jezuïeten in Zwitserland en die van de architecten uit Vorarlberg kunnen nauwe relaties worden aangetoond die in de jezuïetenkerk van Solothurn (afb. boven) weer op de 'wortel' van de Zuid-Duitse barokbouwkunst, de St. Michael in München, zijn terug te voeren. Het was vooral de als hoofdopzichter werkzame jezuïet Heinrich Mayer (1636-1639) die probeerde de nieuwe architectonische opvattingen van de architecten uit Vorarlberg te verwerken.

Voor de jezuïetenkerk van Luzern zijn de namen van drie bouwmeesters overgeleverd, onder wie ook een 'Bregenzer', met wie waarschijnlijk Michael Kuen uit Vorarlberg is bedoeld. Het van 1666 tot 1669 uitgevoerde gebouw is in elk geval een variant op het 'muurpijlersysteem' uit Vorarlberg. In deze periode werd de jezuïetenkerk van Solothurn gebouwd. In 1680 kon men het leggen van de eerste steen vieren. De genoemde Heinrich Mayer heeft wellicht ook de beslissende plannen uitgewerkt en zich georiënteerd op de opvattingen van de 'Vorarlberger'. De 'muurpijlerhal' in Solothurn is een vertaling van het zuiverste patroon van deze school. In deze jaren moet Michael Thumb de Zwitserse jezuïetenarchitectuur hebben bestudeerd, aangezien hij de jezuïetenkerk op de Schöneberg bij Ellwangen naar het concept van Solothurn heeft gebouwd. In relatie met deze 'cirkel van architectonische motieven' kan nog gezegd worden dat eind 1683, dus een jaar na de eerstesteenlegging, Heinrich Mayer de jezuïetenkerk in Ellwangen kreeg toebedeeld en de leiding over de bouw van de kerk op zich nam.

Beide jezuïetenkerken gaan in hun 'halleneffect', in de lijnvoering van de galerijen en een alleen in aanzet uitgevoerd dwarsschip terug op de jezuïetenkerk St. Michael in München (afb. blz. 230).

AFBEELDING ONDER:
**Kaspar Moosbrugger, Michael Beer en Peter Thumb**
St. Gallen, stiftskerk, 1721-1770

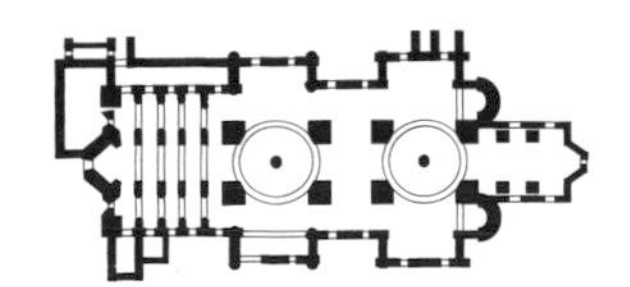

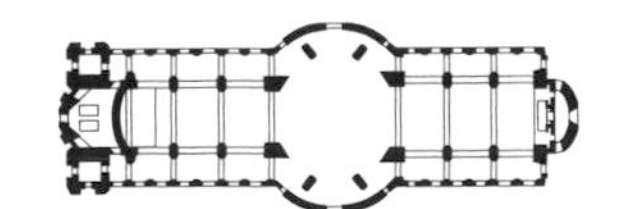

Ontwerp van Kaspar Moosbrugger, 1719 en plattegrond van het uitgevoerde ontwerp, 1755-1768

## Kunst- en rariteitenkabinetten en bibliotheken

**Frans Francken II**
Kunstkabinet, na 1636
Olieverf op hout, 74 x 78 cm
Wenen, Kunsthistorisches Museum

Van het vroege beschavingsniveau van onze cultuur, dat van het verzamelen en jagen, loopt een directe lijn via de vorstelijke kunst- en rariteitenkabinetten naar onze huidige musea. Steeds was het de verzamelpassie, hetzij om van levensonderhoud te zijn verzekerd, hetzij om schatten te vergaren, die tot schitterende kunstkabinetten en 'preciosakistjes' heeft geleid. Aangezien verzamelen verbonden is met nieuwsgierigheid, richtte men zich al vroeg op wonderbaarlijke stukken die uit verre streken kwamen. De nieuwsgierigheid activeerde de onderzoekingsdrang, zodat uit verzamelingen met wonderlijke voorwerpen encyclopedieën ontstonden. De kunst- en rariteitenkabinetten werden in veel gevallen in de buurt van belangrijke bibliotheken ingericht – of omgekeerd.

Een Nederlandse arts, de verzamelaar Dr. Samuel van Quicheberg, presenteerde in 1565 een inrichtingsplan, een zogenaamde 'methodologie van het theatrum sapientiae', waarop vele kunstkabinetten zich baseerden. Hij deelde zijn 'theatrum' in vijf afdelingen met verschillende onderafdelingen, zgn. 'inscriptiones', in. De eerste afdeling heeft betrekking op de verzamelaar of stichter en diens familiegeschiedenis. Hierin zijn historische tabellen, stambomen en familieportretten, alsmede voorstellingen van het leven in het vaderland te vinden. De tweede afdeling kwam overeen met de inhoud van de toen gangbare kunstkamers met verschillende kunstobjecten, munten, exotisch gerei of modellen. De derde afdeling was aan de natuur en de vierde aan de techniek gewijd. De vijfde afdeling had Van Quicheberg gereserveerd voor een schilderijengalerij. Voor de Nederlandse arts was dit ontwerp van het 'theatrum sapientiae' zoiets als een ideaalbeeld van een verzameling, die samen met de bijbehorende bibliotheek een 'begaanbare' encyclopedie moest voorstellen.

Volgens een inventaris uit 1598 was het hertogelijke kunstkabinet in München volgens dit schema ingedeeld. Dit kabinet, dat al vanaf het midden van de 16e eeuw bestond, werd door Albrecht V binnen de huidige residentie uitgebouwd en eind 16e eeuw met de bibliotheek verbonden. Na de bezetting van München door de Zweden in 1632 werd de kunstkamer leeggeplunderd. In de loop van de 18e eeuw heeft men hem in de 'Kölnische Zimmer' van de residentie opnieuw opgebouwd. Het was de basisverzameling van het huidige Bayerische Nationalmuseum.

De 'Dresdener Kunstkammer' kent een zeer bewogen geschiedenis. Deze werd al rond 1560 in de net voltooide vleugel van het residentiële paleis van keurvorst August ingericht. Zijn interesse gold de natuurkunde en de wiskunde, zodat klokken en geodetische apparaten voor de opmeting van het land een zwaartepunt vormden. Hier werden ook geldvoorraden en geheime staatspapieren bewaard. Na een brand in 1701, die gelukkig slechts een gering deel van de verzameling trof, liet August de Sterke dit geheime kabinet vanaf 1721 in een museaal complex omzetten. Zijn voorliefde voor de beeldende kunsten leverde het kabinet schilderijen, beelden en kunstnijverheidsobjecten op. Hij richtte een brons-, ivoor-, email- en zilverkamer in en ook een 'preciosazaal'. Het hoogtepunt was echter zijn juwelenkamer met de 'feestversieringen'. Totdat de herbouw van het paleis gereed is, worden de verzamelingen van het 'Groene Gewelf' in het Albertinum getoond.

Naast de kunstkabinetten van Praag, Salzburg, Ambras en Berlijn verenigde dat van de landgraaf van Hessen-Kassel, dat eind 16e eeuw werd gesticht, zeldzame artefacten, zoals struisvogeleieren in kostbare vattingen, nautilusschelpen, astronomische toestellen, een etnologische kostuumverzameling en oudheden die in Frankrijk waren verworven. Tussen 1776 en 1779 liet landgraaf Frederik II het Museum Fridericianum bouwen, dat overigens het eerste museum op het continent was. Toen het in 1808 tot statengebouw werd omgebouwd, werden de verzamelingen over andere gebouwen in de stad verspreid. Tegenwoordig zijn de kostbare barokke instrumenten en klokkenautomaten en de kunstnijverheidsobjecten te bewonderen in het Hessische Landesmuseum in Darmstadt en in het Museum für Astronomie und Technikgeschichte Kassel.

Een bijzonder kenmerk van het barokke kunstkabinet is het naast elkaar voorkomen van wetenschappelijke apparaten en magische objecten. De verwarrende veelheid aan encyclopedische kennis gaat gepaard met de onverklaarbare wonderbaarlijkheden van de natuur, alruinmannetjes, 'Venetiaanse hoedjes' of galgenmannetjes, die hun positie als 'curiosa', 'magica' of 'rariteiten' konden handhaven. Hier spelen nog middeleeuwse speculaties van het alchemistische laboratorium mee. In de 17e eeuw werden nog aan menig hof pogingen ondernomen om natuurwonderen te verklaren – men wilde onder andere nog altijd via experimenten aantonen dat de theorie in Vergilius' *Georgica* dat bijen uit kadavers ontstaan, klopte.

Museum Wormianum, 1655, kopergravure
Sleeswijk, Schleswig-Holsteinisches Landesmuseum

Titelblad (kopergravure) uit Valentini's *Museum Museorum*, 1704

Ulm-Wiblingen
Bibliotheek van het voormalige benedictijnenklooster
met fresco's van Martin Kuen, 1744

Peter Thumb
St. Gallen, kloosterbibliotheek, in 1766 voltooid
Houten interieur van broeder Gabriel Loser

Dergelijke curiosa of rariteiten zijn nog altijd te vinden in de door Stampart en Prenner in 1735 in Wenen uitgegeven *Prodromus*, een boek met kopergravures, dat een selectie toont van de objecten van de Weense schatkamer en de barokke voorliefde documenteert om het precieuze naast het curieuze en de naturalia naast de artificalia te plaatsen. Zulke combinaties waren met name in de bibliotheken ten tijde van de Barok aan te treffen, zoals een gravure van de Weense hofbibliotheek tijdens keizer Leopold I in de tweede helft van de 17e eeuw laat zien. Men kijkt door een metershoge zaal, waarvan de wanden tot vlak onder het plafond met boeken zijn bedekt en ziet ruime zalen met geprepareerde exotische dieren tegen de muur. Op de vloer staan kasten, waarvan de laden door nieuwsgierige bezoekers worden opengetrokken. Blijkbaar kan men zich hier ook vergapen aan curiosa en preciosa.

Deze gravure werd in 1711 in Neurenberg gedrukt en toont een deel van de enorm rijke boekenvoorraad van de Habsburgers, die slechts gebrekkig in de vertrekken in de rijkskanselarijvleugel van de Hofburg was ondergebracht. Elf jaar later belastte keizer Karel VI Johann Bernhard Fischer von Erlach met de uitbreiding van de Hofburg en de nieuwbouw van de bibliotheek met gebruikmaking van een reeds in 1681 begonnen manege. Daarmee waren de ligging en de vorm van de vleugel, de langwerpige driehoekige basisvorm, gegeven. In het centrum plaatste Fischer een ovaal met een hoge koepel en verkreeg zo een zelfstandig bouwlichaam (afb. blz. 244/-245). Majesteitelijk welft de boven de hoogste verdieping uitstekende ruimte zich naar boven, waar het licht door grote rondboogvensters in de hal valt. Het iconografische programma van de koepel, in 1726 door Daniel Gran ontworpen (afb. blz. 244 boven), stelt in een allegorische vorm de beschermheer van de kunsten en wetenschappen, keizer Karel VI, voor. De boekenwanden werden tot vlak onder het plafond opgetrokken. Op de benedenverdieping zijn de bovenste boekenplanken via ladders bereikbaar. Voor de bovenverdieping werden galerijen aangebracht die eveneens van ladders zijn voorzien. In veel van deze boeken kwam deze 'confrontatie' tussen curiosa en wetenschappelijke kennis ook aan bod, zoals in Valentini's *Museum Museorum* uit 1704 (afb. blz. 242 rechtsonder).

Veertig jaar later moest de ruimte met het oog op de statica veiliger worden

AFBEELDING BLZ. 245:
**Johann Bernhard Fischer von Erlach**
Wenen, Hofburg
Bibliotheek, 1722

**Daniel Gran**
Wenen, bibliotheek van de Hofburg
Koepelfresco, 1726

gemaakt. De door Fischer bijna naadloos gebouwde overgang van de koepelovaal naar de vleugels werd voorzien van een 'cesuur'. Gordelbogen en pilasters en vrijstaande zuilen scheiden nu beide zijruimten van de middelste ovaal.

Naast de voorname en monumentale bibliotheken moet ook aandacht geschonken worden aan de intieme kabinetsbibliotheken, die nog sterk beïnvloed waren door het kunst- en rariteitenkabinet. In de eerste plaats moet hier de kleine bibliotheek van koning Frederik II in Schloß Sanssouci in Potsdam worden genoemd. De oostelijke rotonde is de enige niet direct toegankelijke ruimte in het paleis. Men bereikt dit privé-vertrek van de 'roi-philosophe' via een smalle gang. Aangezien zelfs de deur aan de binnenzijde als boekenkast is uitgevoerd en de overige delen van de wand eveneens met boekenkasten zijn bedekt, ontstaat de indruk van een humanistisch studeervertrek. De wandpanelen zijn voorzien van sierlijke bronzen reliëfs met allegorieën van de kunsten en de wetenschappen. Daaronder bevinden zich vier antieke bustes op consoles die afkomstig zijn uit de in 1742 verworven verzameling van kardinaal Polignac.

Het waren niet alleen keizers, koningen en vorsten die bibliotheken inrichtten en zodoende de vergaarde kennis van hun tijd wilden bewaren, maar volgens de traditie ook kerkelijke orden zoals benedictijnen en cisterciënzers. Halverwege de 18e eeuw werd de bibliotheek van het benedictijnenklooster Wiblingen bij Ulm gebouwd, waarschijnlijk doo Christian Wiedemann (afb. blz. 24 boven). De elegant naar binnen en bui ten gebogen galerij rust op 32 rood groengemarmerde houten zuilen. In ee afgewogen kleurrijk contrast daarme staan witgeschilderde houten figuren o lage sokkels – allegorieën van de deug den en wetenschappen. Op het in 174 door Franz Martin Kuen geschilderd plafond wordt het thema van deze unie ke barokke zaal effectief met vele motie ven ontvouwd. Tussen met rocaille ver sierde architectonische elementen te mid den van een paradijselijke tuinambienc draaien aardse en hemelse gestalten ron die allegorisch de antieke en christelijk kennis verheerlijken. Daarboven zweve engelen in wolkenbanen en draperieë om de goddelijke wijsheid te verkondi gen.

In St. Gallen werd met de nieuwbou van de kloostergebouwen rond 176 ook de stiftsbibliotheek gebouwd (afb blz. 243 onder), waar meer dan 200 oude handschriften en 100.000 boeke worden bewaard. De bouw werd i 1766 onder leiding van Peter Thumb ui Vorarlberg voltooid. De ruimte word verticaal verdeeld door telkens vie muurpijlers die door een rondlopend galerij worden verbonden. Johann Geor uit Wessobrunn en Matthias Gigl ont wierpen het stucwerk, terwijl het houte interieur van de hand van broede Gabriel Loser is. Het uit Wiblinger bekende thema van de klassieke en chris telijke vorming wordt in St. Gallen o een opvallende manier gewijzigd. In d door Josef Wannenmacher geschilderd plafondfresco's gaat het om de verdedi ging van de christelijke geloofsleer me behulp van theologische en wetenschap pelijke argumenten.

**Johann Bernhard Fischer von Erlach**
Wenen, Hofburg
Gezicht op het ovaal van de bibliotheek
1722

**Pietro de Pomis**
Graz, mausoleum van Ferdinand II
Begonnen in 1614
Westgevel

**Paleizen, stadspaleizen, abdijen en kerken in Oostenrijk**
Het waren drie bouwmeesters die in belangrijke mate aan de glans en luister van de Oostenrijkse barokarchitectuur hebben bijgedragen: Johann Bernhard Fischer (1656-1723) uit Graz, die in 1696 het adellijke predikaat 'von Erlach' werd toegekend, Johann Lukas von Hildebrandt (1668-1745) uit Genua en Jakob Prandtauer (1660-1726) uit Stanz in Tirol.

Fischer en Hildebrandt verbleven langere tijd in Rome. Hildebrandt kreeg zijn opleiding bij de Romeinse architect Carlo Fontana en diende in 1695 en 1696 als ingenieur in het keizerlijke leger onder commando van de beroemde 'Turkenbedwinger' prins Eugenius. Na zijn afscheid vestigde hij zich in Wenen en wijdde zich overwegend aan de bouw van paleizen.

Johann Bernhard Fischer, wiens vader beeldhouwer was in een goed lopend atelier, wilde zich in Italië eveneens als beeldhouwer laten opleiden. In het Romeinse atelier van Johann Paul Schors, die contacten onderhield met de toonaangevende kunstenaars van de tijd (omstreeks 1675-1684), op de eerste plaats Bernini, voelde hij zich al snel door de architectuur aangetrokken, waarvan hij later zijn hoofdberoep maakte.

De architectuur uit de klassieke Oudheid en de fantasierijke omgang van de beroemde Romeinse barokarchitecten met de vormopvattinger van hun voorouders maakten indruk op de jonge kunstenaarsgenerati en waren ook bepalend voor hun opvattingen over architectuur. Hun idealen en belangstelling raakten de inheemse stijlopvattingen, die blij vend door de Italiaanse barokarchitectuur waren beïnvloed.

De destijds oppermachtige Italiaanse invloed in de barokarchitectuu van Oostenrijk werd door de drie genoemde kunstenaars spoedig in een eigen stijl omgezet. Fischer von Erlach en Hildebrandt mogen hier naa voren worden gebracht als de virtuoze bouwmeesters die op geraffineer de wijze een eigen 'Habsburgs stijlideaal' stelden tegenover de Italiaans stijl. Prandtauer, die een voorliefde had voor monumentaliteit en gran deur, ging daarentegen oorspronkelijker en nuchterder om met de tradi tionele bouwvormen.

Het Italiaanse bouwconcept in de Oostenrijkse architectuur van de Barok komt visueel tot uitdrukking in het mausoleum van Ferdinand I in Graz (afb. links). Ferdinand, voor zijn kroning tot keizer aartshertog van Stiermarken en een voorvechter van de Contrareformatie, liet de Italiaan Pietro de Pomis ontwerpen maken. Als begin van de bouwacti viteiten wordt het jaar 1614 genoemd. Waarschijnlijk was De Pomis de eerste architect die ten noorden van de Alpen een ovale plattegron koos. Dit betrof de grafkapel van de Catharinakerk, het feitelijke mau soleum dus. Hij ontwierp het ronde bouwwerk met twee verdiepinge en sloot het af met een ovale koepel – een typisch Italiaans bouwmotief Ook de oostgevel is geïnspireerd op de Romeinse baroktraditie. De bouwcomponenten, zoals driekwartszuilen, pilasters, raamomlijstinge en lijstwerk hebben een plastische vormgeving. De afwisseling van tim panen en segmentbogen is consequent volgehouden. De afsluitende over de hele breedte gespannen segmentboog is boven de timpaan van de zolderverdieping geplaatst –een motief dat aan de gevel van de Il Gesù in Rome (1577) is ontleend– en draagt drie monumentale figuren twee engelen en de H. Catharina.

Na de dood van de architect in 1633 en na een lange bouwstop werd Johann Bernhard Fischer in 1687 met de verdere ontwikkeling van de ruwbouw belast. Waarschijnlijk was hij gefascineerd door het concep van het ovaal, dat hij wellicht voor het eerst in Italië heeft gezien – he zou in elk geval een dominant element in zijn latere ontwerpen worden.

Al enkele jaren later kon hij deze nieuwe ideeën verwezenlijken. In 1694 kreeg hij van de aartsbisschop van Salzburg, Johann Ernst Gra Thun, opdracht voor de bouw van de Dreifaltigkeitskirche. De aartsbis schop, net zo zeer door bouwwoede gegrepen als de Schönborns ui Würzburg, wilde Salzburg in een 'Rome van het noorden' veranderen De bouw van vier grote kerken was ophanden en Fischer leek de aange wezen architect. In een gravure uit 1699 presenteert de aartsbisschoppe lijke opdrachtgever zich te midden van zijn bezittingen – uitsluiten werk van zijn bouwmeester Fischer c.q., vanaf 1696, Fischer von Erlach: priesterseminarie en Dreifaltigkeitskirche (vanaf 1694), Johan nisspital en kerk (vanaf 1694/1695), de Kollegienkirche (vanaf 1696) en de Ursulinenkirche (vanaf 1699).

Johann Bernhard Fischer von Erlach
Salzburg, Dreifaltigkeitskirche
Begonnen in 1694
Gevel en plattegrond

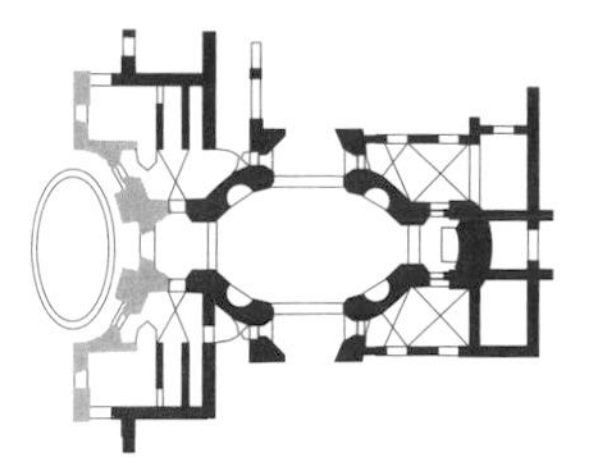

Johann Bernhard Fischer von Erlach
Salzburg, Kollegienkirche
Begonnen in 1696
Gevel en plattegrond

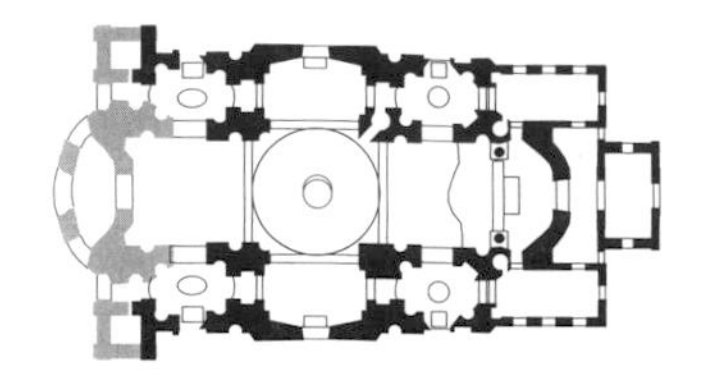

Fischers taak was het aanbrengen van een esthetische en functionele samenhang tussen de nieuw te creëren bouwlichamen en het stadsbeeld – dit was dus in wezen een stedenbouwkundig vraagstuk. Hij moest nagaan hoe een kerkgevel op een effectieve manier een plaats kon krijgen in de stedelijke context. Voor de Dreifaltigkeitskirche (afb. linksboven) moest een gevel worden geconstrueerd met de passende vleugels voor het priesterseminarie in een goede ruimtelijke verhouding met het plein ervoor. Fischer liet zich inspireren door de Romeinse kerk S. Agnese in Agone aan het Piazza Navona. Hier gaat het eveneens om een gebouw met een koepel en twee torens die een concave façade flankeren. Fischer interesseerde zich dus voor Francesco Borromini's elegante gevelconcept. De Romeinse architect kon de gebogen gevel echter niet naar de plattegrond, d.w.z. het interieur, vertalen, die, als hij consequent was geweest, eveneens beter als ovaal geconstrueerd had kunnen worden. Vóór Borromini hadden de gebroeders Rainaldi uit plaatsgebrek echter een centraalbouw met ronde plattegrond ontworpen. Fischer paste daarentegen de boog van de concave wandstructuur ook in het interieur toe en construeerde een ovaal langschip dat zich helemaal tot aan het hoogaltaar uitstrekte. Daarboven plaatste hij een loodrecht geproportioneerde rotonde – een architectonisch leidmotief dat voortaan bepalend zou zijn voor zijn sacrale bouwkunst.

Nog fantasierijker ziet het twee jaar later (1696) ontstane ontwerp voor de Kollegienkirche in Salzburg eruit (afb. boven) – eveneens ontstaan in opdracht van aartsbisschop Johann Ernst Graf Thun. Fischer varieerde het gevelconcept van de Dreifaltigkeitskirche op een originele manier. Hij liet de gevel op markante wijze constrasteren met de flankerende torens, doordat hij de gevel convex liet verlopen en vanaf de rooilijn van de torens naar voren schoof. Zo ontstonden er drie autonome bouwcomponenten die een harmonieuze en dynamische relatie met elkaar aangaan. De invloed van dit concept reikte tot in Zuidwest-Duitsland en Zwitserland – tot in Weingarten, Einsiedeln en Ottobeuren.

Het type was bekend door Rosari's Romeinse kerk S. Carlo ai Catinari (vanaf 1612). Fischer von Erlach moet deze kerk tijdens zijn verblijf in Rome uitvoerig hebben bestudeerd, want hij suggereerde een nog veel grotere ruimte. De verhouding tussen hoogte en breedte bedraagt ongeveer vier op een, zodat er een indruk van een enorm ravijn is ontstaan.

De twee Salzburgse kerken die hier net werden beschreven, waren de beste aanbeveling voor Wenen. Karel VI, die zich in 1711 tot keizer liet kronen, beloofde in het pestjaar 1713 een aan de heilige Karel Borromeus gewijde kerk te stichten wanneer het onheil zou worden afge-

VOTA MEA REDDAM IN CONSPECTV TIMENTIVM DEVM

AFBEELDING BLZ. 248:
**Johann Bernhard Fischer von Erlach**
Wenen, Karlskirche, begonnen in 1715

**Johann Bernhard Fischer von Erlach**
Wenen, Karlskirche, begonnen in 1715
Plattegrond en interieur

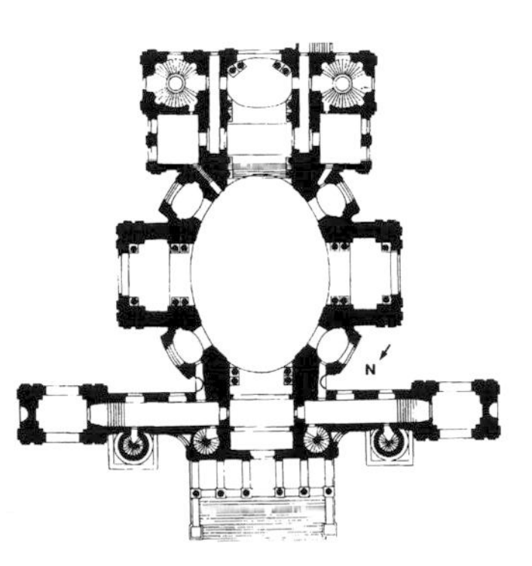


De ongewoon imposante indruk die de Karlskirche maakt, komt vermoedelijk niet alleen door de 'drieklank: zuilenporticus, koepel en triomfzuilen'. Bij Fischer von Erlach stond de koepel centraal in zijn overwegingen. Het ovaal is de kern van de compositie. Daarboven rijst de koepel met de hoge tamboerring op. Het kerkschip lijkt als het ware in de diepte en in de hoogte uit te dijen. Rond het ovaal zijn koor, kapellen, sacristies en zijruimten gerangschikt.

De west-oostas van het kerkschip wordt door de as van de gevel gekruist. Een scherper contrast lijkt nauwelijks denkbaar – dat wil althans de plattegrond duidelijk maken. De rust en rechtlijnigheid van de gevel wordt in het interieur doorbroken en in een onstuimige dynamiek omgezet. Na het betreden van de kerk dwaalt de blik naar boven en ziet men het licht dat de architectuur haar dynamiek geeft. Het constructieve en emotionele scharnierpunt van het gebouw blijft de koepel, die zijn dominantie zowel in het exterieur als het interieur tentoonspreidt.

wend. Fischer von Erlach moest het opnemen tegen bekende concurrenten, tegen de keizerlijke hofarchitecten, Johann Lukas von Hildebrandt en Ferdinando Galli-Bibiena. Fischer maakte een ontwerp dat de ideeën voor een votiefkerk en een voornaam representatief gebouw met elkaar moest verbinden – een sacraal monument van de 'pietas austriaca' (afb. blz. 248 en boven).

Het gebouw met de hoge tamboerkoepel boven een klassiek zuilenportaal, geflankeerd door twee uitgesproken klassieke triomfzuilen, is een spectaculaire variant op beide kerken in Salzburg. De kerk is dus duidelijk de inheemse traditie ontgroeid en symboliseert juist daardoor de politieke dimensie van Habsburg – bijvoorbeeld de klassieke wortels van het rijk en de daarmee gepaard gaande aanspraak van de keizer op de Spaanse troon. Het klassieke tempelfront en de triomfzuilen lijken, hoewel ze homogeen in het totale complex zijn opgenomen, op belangrijke decorstukken – alsof ze aan een 'imaginaire architectuurcatalogus' waren ontleend en nu gebruikt werden waar ze pasten.

Fischer von Erlach werkte destijds inderdaad aan zo'n catalogus, waarmee de vervaardiging van *Entwurf einer historischen Architektur* wordt bedoeld, een serie gravures op groot formaat, waarin de bronnen van het moderne bouwen waren vastgelegd. Het gaat hier om een eigenzinnig werk, waarin de verwachte thema's, zoals bouworde of proportieleer, ontbreken. Voor Fischer von Erlach waren exotische voorbeelden als de Egyptische piramiden net zo belangrijk als de plastische voorstelling van de Deinocrates-legende zoals die aan Vitruvius was overge-

**Johann Bernhard Fischer von Erlach**
*Entwurf einer historischen Architektur*, 1721
Twee vazen en een 'lustgebouw' (boven), bd. V, plaat 10
De berg Athos (midden), bd. I, plaat 18
Eerste ontwerp voor Schloß Schönbrunn (onder), bd. IV, plaat 2

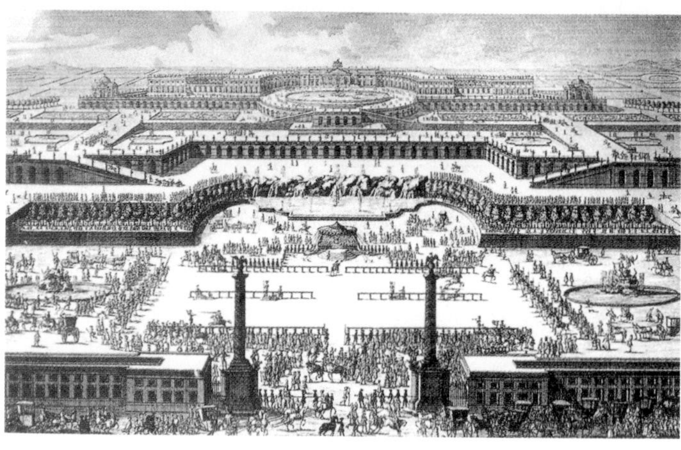

leverd. Volgens deze legende zou de berg Athos in een zittend beeld van Alexander de Grote worden omgevormd en zou er een stad op zijn schoot en een monumentale sculptuur onder zijn uitgestrekte arm worden aangelegd (afb. linksmidden).

In een gravure in de vijfde band van het boekwerk ziet men tussen twee antieke vazen de gevel van een klein tuin- of lustslot (afb. links). De gevel is geraffineerd vormgegeven, omdat boven een concaaf gevormde benedenverdieping sierlijk een convex middengedeelte oprijst dat door een met gebeeldhouwde figuren bevolkte balustrade wordt afgesloten.

Fischer hield zich al tijdens zijn verblijf in Rome bezig met deze ongewone combinatie van naar binnen en buiten welvende façades, wat uit talrijke schetsen blijkt (afb. blz. 251 linksboven). Bernini's eerste project voor de gevel van het Louvre in Parijs heeft hierbij zeker een belangrijke rol gespeeld. Fischer, die zich in het atelier van Johann Ferdinand Schor in Rome tot beeldhouwer heeft laten opleiden, zou Bernini kort voor diens dood in 1680 zelfs persoonlijk ontmoet kunnen hebben, omdat hij veelvuldig in dit atelier aanwezig is geweest. Bij de latere ontwerpen van tuinpaleizen en 'lustgebouwen' heeft hij in elk geval op zijn vroege schetsen teruggegrepen en deze voor een deel veranderd, met een voor de beschouwer verbluffend resultaat. Het betreft het door de kunstenaar zo aangeduide 'des Erzbischoffen von Salzbourg Ernestus von Thun kleines Lusst-Gebäudte zu Klesheimb' uit 1694 (afb. blz. 252 linksboven). De plattegrond bestaat uit drie ovalen die als een soort klaverblad zijn samengevoegd, waarbij in de zwikken drie vierkante hoekgebouwen zijn geplaatst. Het effect dat een voorgevel heeft, werd opgegeven ten gunste van dat van het bouwlichaam en de verticale projectie.

Vergelijkbare uitgangspunten kunnen ook voor de gevel van de twee jaar later ontstane Kollegienkirche worden aangetoond. Zijn schetsboek, de later zo genoemde *Codex Montenuovo* (Wenen, Albertina), bevat ontwerpen voor een tuincasino die bepalend zijn geweest voor het voor Wenen zo kenmerkende type van het kleine lustslot. Het is een tamelijk pikant gegeven dat zijn grootste rivaal op het gebied van de paleizenbouw, Johann Lukas von Hildebrandt, zich voor het concept van het tuinpaleis Starhemberg heeft bediend van zijn vondsten – hoewel zeker niet uit eigen beweging, maar omdat zijn opdrachtgevers erop aandrongen. Met zijn variaties op het tuinpaleis werd Fischer von Erlach snel populair bij de adel. Zijn ontwerpen schiepen het 'standaardmodel' van dit bouwtype, dat ook voor de concurrentie een richtlijn zou vormen.

Fischer wist zelfs zijn intieme tuincasino's te 'monumentaliseren', bijvoorbeeld in het eerste ontwerp voor Schloß Schönbrunn uit 1688, een fantastisch ontwerp dat indruk moest maken op toekomstige opdrachtgevers (afb. links). In 1695 werd de tuin aangelegd en een jaar later ontwierp hij een jachtslot, dat op instigatie van keizer Leopold I met twee binnenplaatsen en bijbehorende vleugels moest worden uitgebreid, "waardoor het geschikt was om de gehele keizerlijke hofhouding te herbergen". Deze variant wordt in de vierde band van de *Historische*

**Johann Bernhard Fischer von Erlach**
Schetsen voor buitenhof, ca. 1680

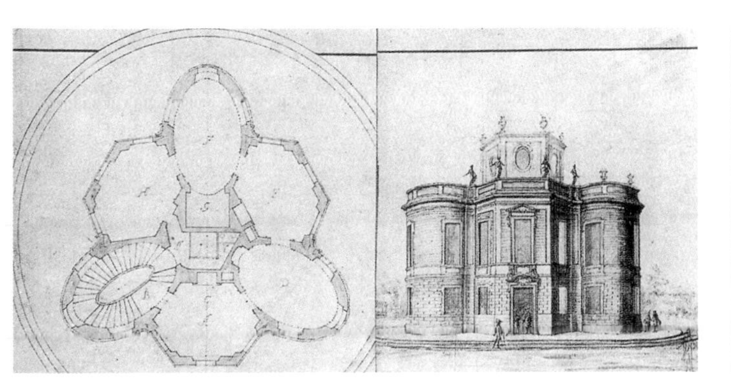

**Johann Bernhard Fischer von Erlach**
Tuinpaleis Trautson, vanaf 1710
Voorgevel

**Johann Bernhard Fischer von Erlach**
Wenen, voormalig stadspaleis van prins Eugenius
Trappenhuis, vanaf 1695

**Johann Bernhard Fischer von Erlach**
Salzburg, Schloß Klesheim
1700–1709

**Johann Lukas von Hildebrandt**
Wenen, stadspaleis Daun-Kinsky
1713-1716

AFBEELDING BLZ. 253:
**Johann Lukas von Hildebrandt**
Wenen, gevel tuinzijde van het 'Untere Belvedere', 1713-1716
Middenrisaliet

**Johann Lukas von Hildebrandt**
Wenen, Palais Schwarzenberg
(voorm. Mansfeld-Fondi), 1697
Gevel tuinzijde

*Architektur* aanschouwelijk gemaakt. Met de dood van Jozef I in 1711 verloor Schönbrunn aan betekenis. Pas Maria Theresia liet het paleiscomplex vanaf 1743 uitbreiden en verbouwen.

In 1696 kreeg Fischer von Erlach opdracht om voor prins Eugenius van Savooie een stadspaleis te bouwen. Hij ontwierp een zeven traveeën breed gebouw dat in de jaren daarna zou worden uitgebreid. Zijn ontwerp ziet er, althans ten opzichte van de ontwerpen van de tuinpaleizen, verbazingwekkend nuchter uit – in elk geval niet conform de Weense smaak van die dagen.

De gevel wordt gestructureerd door een weinig afwisselende reeks pilasters. Kortom, de gevel doet ouderwets aan. Of dat de reden was waarom prins Eugenius hem de opdracht al heel spoedig ontnam en vanaf 1700 zijn grootste rivaal, Johann Lukas von Hildebrandt, te werk stelde, is onzeker. In elk geval veranderde de situatie voor Fischer von Erlach in Wenen. De decoratieve architectuurtaal van Hildebrandt vond plotseling meer bijval. Dat Hildebrandt Fischers stijl op waarde wist te schatten en diens populaire paleistype overnam en wijzigde, tonen ontwerp en uitvoering van het in 1697 gebouwde tuinpaleis Mansfeld-Fondi (afb. blz. 252 onder). Een ovaal middengedeelte, waar een dubbele trap aan de tuinzijde naartoe leidt, wordt door twee vleugels geflankeerd. Hildebrandt kon de bouw niet voltooien. Tot 1716, toen vorst Schwarzenberg dit paleis verwierf, bleef het een ruwbouw. Vier jaar later kreeg Fischer von Erlach opdracht voor de uitbreiding van het gebouw dat nu Palais Schwarzenberg werd genoemd – een gedenkwaardige gebeurtenis. Hij wijzigde het uiterlijk drastisch doordat hij de geornamenteerde nissen door rondbogen verving en de structurerende bouwelementen zoals daklijst en pilasters plastisch accentueerde. Het voor Hildebrandt kenmerkende decoratieontwerp, dat de ovale middenrisaliet in de gevel moest integreren, werd niet uitgevoerd. Fischer liet het middelste ovaal als een autonoom en dominant bouwlichaam nadrukkelijk naar voren komen.

De verschillende bouwretoriek van de beide architecten komt duidelijk tot uiting in Hildebrandts Daun-Kinsky-paleis, dat hij tussen 1713 en 1716 bouwde (afb. blz. 252 rechtsboven). Het Weense stadspaleis presenteert zich voornaam met een dynamische en rijk gedecoreerde voorgevel. De pilasters van de iets vooruitstekende middenrisaliet worden geleidelijk smaller in het onderste deel en zijn daar grof gecanneleerd. De vensterafsluitingen op de bovenverdieping laten een elegante variatie zien van segmentbogen en een soort frontons. Boven een mezzanine verrijst een sierlijke balustrade met klassieke beelden op hoge sokkels. Hildebrandts gevoel voor het complex uitgewerkte detail komt in het interieur tot uiting. De versieringen van de balustrade van het trappenhuis concentreren zich in bladwerk en voluten of laten royale driehoekige vormen zien.

In deze jaren waren de plannen van prins Eugenius voor een residentie buiten de stad al zeer ver gevorderd. Al in de jaren '90 van de 17e eeuw was Hildebrandt begonnen met de terrassering van de tuin voor de poorten van Wenen. In 1714 wijdde hij zich aan de bouw van het 'Untere Belvedere', een langgerekt gebouw van één verdieping dat alleen in het middelste deel een bovenverdieping heeft (afb. boven). Twee jaar later waren de werkzaamheden ten einde. Veel majestueuzer was het 'Obere Belvedere', dat hij in 1721 ontwierp (afb. blz. 254/255). Voor het ver-

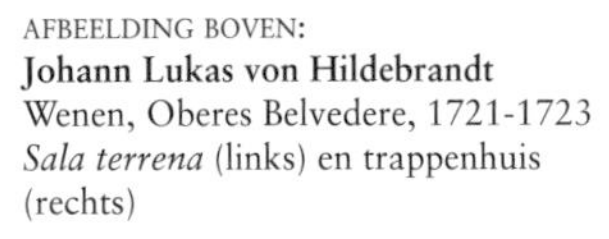

AFBEELDING BOVEN:
**Johann Lukas von Hildebrandt**
Wenen, Oberes Belvedere, 1721-1723
*Sala terrena* (links) en trappenhuis (rechts)

AFBEELDING ONDER:
Wenen, Schloß Belvedere, gehele complex
Gravure van J.A. Corvinius naar een tekening van Salomon Kleiner, 1740

AFBEELDINGEN BLZ. 255:
**Johann Lukas von Hildebrandt**
Wenen, Oberes Belvedere, 1721-1723
Exterieurs

hoogde centrale middenpaviljoen met de Marmerzaal zijn een trappenhuis en een vestibule met een gebogen segmentboog geplaatst. De vleugels lopen aan beide zijden uit in twee achthoekige paviljoens, die met hun bekronende ronde koepels het ritme van de verschillende verdiepingshoogten overnemen en afsluiten. Het concept is ongewoon en nieuw. De zijvleugels hebben een trapsgewijs verloop, of anders gezegd: de eerste vijf traveeën van de van het middenpaviljoen uitgaande vleugels zijn met een verdieping verhoogd, die breder is dan de gevel van de vestibule. Daarachter rijst het zeer fraaie middenpaviljoen op, met het dak als een soort algehele bekroning van het hele gebouw. Dit 'stijgende' en 'dalende' dakenlandschap en de terugwijkende en vooruitspringende bouwdelen krijgen een dynamische spanning door een uniform decoratiesysteem. De rode draad van dit systeem is de gemeenschappelijke benedenverdieping met het doorlopende hoofdgestel dat zelfs de hoekpaviljoens omvat.

In geen ander werk van Hildebrandt komt diens gevoel voor ruimtelijkheid en het effect ervan zo plastisch tot uitdrukking als in de dynamische gevel van het Obere Belvedere. Dat geldt ook voor de interieurs, niet in het minst voor het trappenhuis (afb. rechtsboven). De opbouw daarvan moet worden verduidelijkt door een korte blik op de situatie in Franken. In 1711 werd Hildebrandt naar Schloß Pommersfelden geroepen om de problematiek van het trappenhuis aldaar op te lossen (vgl.

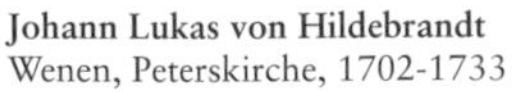

**Johann Lukas von Hildebrandt**
Wenen, Peterskirche, 1702-1733

**Johann Lukas von Hildebrandt**
Wenen, Piaristenkirche
Begonnen in 1716

afb. blz. 221). De bouwheer, keurvorst en aartsbisschop Lothar Franz von Schönborn, kende in zijn ontwerp te veel ruimte toe aan het trappenhuis. Hildebrandt klaarde de opgave doordat hij een drie etages hoge galerij aanbracht, waarbij hij rond de eerste etage de trappen construeerde.

Hildebrandt heeft misschien aan deze relatie tussen ruimtelijke proporties en afmetingen van het trappenhuis gedacht toen hij de ontwerpen voor Wenen maakte. Er diende een 'glijdende' opeenvolging van ruimten tussen *sala terrena* (afb. blz. 254 linksboven), toegangshal en Marmerzaal te worden geconstrueerd. Vanuit de vestibule kom je in het trappenhuis, waarvan de twee buitenste trappen naar boven leiden, naar de Marmerzaal en de appartementen aan de zijkanten. Via de middelste trap ga je naar beneden, naar de *sala terrena*.

De fantasierijke en tegelijk plechtige bouwretoriek van Hildebrandt kan ook aan de sacrale bouwwerken worden afgelezen. Voor de Weense Piaristenkirche (afb. rechtsboven) presenteerde de architect in 1698 zijn ontwerpen, die positief werden ontvangen. Met de bouw ervan werd pas in 1716 begonnen. Later heeft Kilian Ignaz Dientzenhofer ingegrepen in het bouwproces. Gedrongen, maar toch elegant prijkt de geve van de Peterskirche (afb. linksboven) tussen de twee flankerende en iet naar achteren verschoven klokkentorens. Een machtige koepel verhef zich boven de concave middenrisaliet. Het gebouw is ontstaan tusser 1702 en 1733.

Met dezelfde durf en bezieling is de gevel voor de parochiekerk var Göllersdorf geconcipieerd, die gebouwd is in 1740 en 1741. Hier moe verder nog de kerk van het priesterseminarie, de voormalige kerk var de Duitse Orde 'Heiliges Kreuz', in Linz worden genoemd, die tusser 1718 en 1725 tot stand kwam.

Voorname appartementen, trappenhuizen en pronkzalen waren nie alleen een vast onderdeel van vorstelijke paleizen of residenties, maa werden ook in grote abdijen aangebracht. Machtige abten of vorst abten beschikten over landerijen en politieke invloed – op z'n mins onderhielden ze vaste contacten met het keizerlijke hof in Wenen. D glans van de imperiale macht van het betreffende vorstenhuis straald dus ook af op het sacrale domein en drukte een stempel op de aanleg e uitvoering van kloosterruimten.

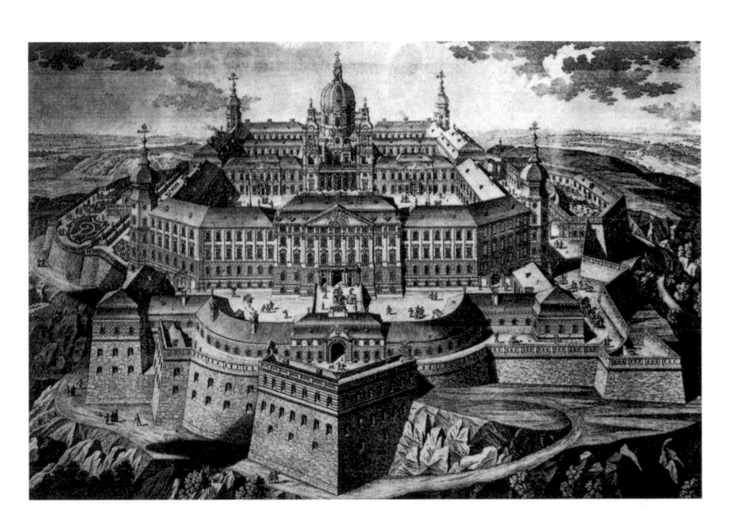

**Johann Lukas von Hildebrandt**
Stift Göttweig, het hele complex
in het ontwerp uit 1719
Gravure van Salomon Kleiner

AFBEELDING ONDER:
**Antonio Beduzzi, Lorenzo Mattielli, Peter Widerin**
Hoogaltaar van de abdijkerk in Melk
1727-1735

Een van de monumentaalste en fraaiste abdijen van Oostenrijk is zonder twijfel de benedictijnenabdij Melk aan de Donau (afb. rechtsonder en blz. 258/259). Haar geschiedenis gaat terug tot 985, toen markgraaf Leopold I van Babenberg het klooster stichtte. Ongeveer honderd jaar later trokken de benedictijnen erin. Het huidige, op een uitstekende rots hoog boven de Donau gelegen barokcomplex ontstond uit de samenwerking tussen abt Berthold Dietmayr en architect Jakob Prandtauer.

De in St. Pölten woonachtige Prandtauer begon zijn loopbaan net als Fischer als beeldhouwer, maar ging zich vervolgens aan de bouwkunst wijden. Vanaf 1701 plande en ontwierp hij vanuit St. Pölten verschillende abdijen, zoals Sonntagberg, Garsten, St. Florian, Kremsmünster en Melk. Hij beperkte zich niet alleen tot het tekenen van ontwerpen zoals Hildebrandt, maar hield zelf ook toezicht op de bouw. Prandtauer was een pragmaticus – nog helemaal een 'steenhouwersmeester' in de traditionele betekenis van het woord.

In 1702 werd de eerstesteenlegging van de benedictijnenabdij in Melk gevierd. Zestien jaar later, in 1718, was de ruwbouw voltooid. De uitbreidingswerkzaamheden vlotten goed. Prandtauer maakte de voltooiing van zijn werk zelf niet meer mee, want hij stierf al in 1726. Josef Munggenast nam alle taken over en rondde de werkzaamheden af in de geest van zijn grote voorganger.

De hoofdas van het ruim 320 meter lange complex verloopt via de toegangspoort in het oosten, de voorhof en de prelatenhof, loopt door het koor en het middenschip van de abdijkerk, komt in de 'Kolomanihof' naar buiten en stuit op het westelijke balkon, dat het bouwcomplex hoog boven de Donau afsluit.

Wanneer je de abdij vanaf de Donau-oever in het zuidwesten nadert, ontwaar je het grootse complex en de belangrijkste onderdelen ervan. De halfronde galerij en het op het hoogste punt van een rondboog doorgebroken balkon worden geflankeerd door de vleugel met de Marmerzaal in het zuiden en door de bibliotheek in het noorden. De rondboogopening van het balkon met de zuilen zou aan de Venetiaanse villa-architectuur van Palladio ontleend kunnen zijn. De bastionachtige uitbollingen van de aan de zijkanten van de balkons gesitueerde galerij pakken de vorm en de beweging van de rotsen op en leiden van het woekerende gesteente naar de hoog oprijzende architectuur. Prandtauer heeft zeker gekeken naar dit wisselspel tussen de dynamiek van de natuurlijke rots en de door mensenhanden gevormde galerij; de bouwkundige motieven van de galerij komen gewijzigd terug in de zijvleugels en in de kerkgevel.

De door slanke pilasters onderverdeelde gevels van de aan de galerij aansluitende en de 'Kolmanihof' flankerende tweelinggebouwen zetten zich voort tot de westgevel van de kerk, die door twee torens met uivormige spitsen worden bekroond.

De bekroning van de torens vormt een opvallend en merkwaardig contrast met de architectuur van de torens. De heldere structurering met dubbele pilasters en ramen met eenvoudige omlijstingen en de galmarcades gaan niet goed samen met de speelse welvingen van torentjes, klokkenhuisjes en uivormige bekroning. In 1738, lang na Prandtauers

Jakob Prandtauer en Josef Munggenast
Benedictijnenabdij Melk, 1702-1738
Totaaloverzicht vanaf de Donau

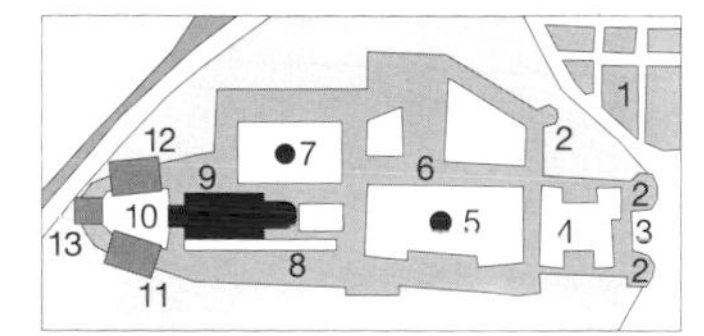


**Benedictijnenabdij Melk, situatieschets**

| | |
|---|---|
| 1 abdijtuin | 2 bastions |
| 3 toegangspoort | 4 voorhof |
| 5 prelatenhof met fontein | 6 school |
| | 7 kloosterhof |
| 8 'Kaiserhof' | 9 abdijkerk |
| 10 'Kolomanhof' | 11 Marmerzaal |
| 12 bibliotheek | 13 balkon |

AFBEELDING BLZ. 258:
**Jakob Prandtauer en Josef Munggenast**
Benedictijnenabdij Melk, 1702-1738
Interieur van de kerk

dood, verwoestte een grote brand delen van de kerk. Munggenast ontwierp deze torenbekroning – naar alle waarschijnlijkheid niet helemaal in de geest van zijn voorganger.

Daarachter, boven de kruising, verheft zich de hoge tamboerkoepel met de sierlijke lantaarn. De kloosterburcht lijkt als een kolossaal schip aan te komen varen. Deze beweging naar de rotspunt toe wordt op een dramatische manier versterkt door de langgerekte zuidvleugel, die als een burcht in de westelijke galerij door het ronde balkon wordt afgesloten. Een dergelijke manier van zien onderstreept Prandtauers sculpturale ambities. Deze komen in telkens nieuwe en ongewone associaties tot uitdrukking. Wanneer je het samenspel van architectuur en landschap bekijkt, zie je het geheel weer anders. Als een monumentale sculptuur prijkt het abdijcomplex op de rots boven de Donau. De landschappelijke situatie was voor de beeldhouwer een even grote uitdaging als voor de bouwmeester. Hij liet het architectonische complex uit de rots ontspruiten en de hemel in groeien.

**P. Anselm Desing**
Kremsmünster, observatorium
Voltooid in 1758

Het effect dat het exterieur heeft, kan ook in het interieur van de abdijkerk worden ervaren. Opvallend is de 'filigreine toename' van de verschillende architectonische componenten zoals pijlers of gecanneleerde pilasters in de veelvuldig geornamenteerde gordelbogen en in de gewelf- en koepelzone. Door de grote ramen van de tamboerring valt het licht in de viering, dat zich diffuus verspreidt over de aangrenzende ruimten, zodat het stucwerk plastisch naar voren komt.

Melk was voor Prandtauer niet uitsluitend een experiment in de omgang met de plastische en dynamische dimensie van de architectuur. Hier verzamelde hij ook ervaringen in het ontwerpen van een ingewikkeld complex dat uit veel verschillende soorten gebouwen bestaat en tot een homogeen geheel moest worden samengesmolten. De bijzondere landschappelijke situatie is voor de bouwmeester wellicht een welkome richtlijn voor deze opgave geweest, omdat hij moest werken binnen scherpe grenzen die nauwelijks alternatieven toelieten.

Een vergelijkbare bouwkundige situatie trof Prandtauer aan in Dürnstein an der Donau, slechts enkele kilometers ten noordoosten van Melk. Hij ontwierp in 1716 een complex met torens in het westen en een terras ervoor, dat hij op een zelfde 'theatrale' manier situeerde ten opzichte van de Donau als de abdij in Melk. Vanaf 1724 nam Munggenast de leiding van de bouw op zich en rondde de werkzaamheden af.

Heel anders was de situatie in het Noord-Oostenrijkse St. Florian ten zuiden van Linz (afb. blz. 261). De gebouwen van de abdij van de augustijner koorheren werden in eerste aanleg door Carlo Antonio Carlone in 1686 gebouwd. Hij construeerde de kerk volgens de ruimtelijke proporties en de indeling van de Romeinse jezuïetenkerk Il Gesù. Het concept wordt in het zijschiploze hoofdschip en in de galerijen boven de zijkapellen toegepast. Na de dood van Carlone zette Prandtauer de werkzaamheden tussen 1706 en 1724 voort. Hij ontwierp een royaal kloostercomplex in de vorm van een rechthoek. Tegen de westgevel van de kerk plaatste hij een langgerekte vleugel met het rijk gebeeldhouwde portaal en het aansluitende trappenhuis, dat al in 1714 was voltooid. Het leidt naar de appartementen van de keizer en is prachtig vormgegeven door arcades en een machtige boog met zuilen. Voor het centrum van de zuidvleugel ontwierp hij de elegante Marmerzaal. Met deze werkzaamheden was hij tot 1724 bezig. De zaal beslaat de hele breedte van de vleugel en springt aan de kant van de binnenplaats naar voren. Met deze prononcering wilde Prandtauer een iconologische brug naar de kerk slaan. De overwinning van het geloof, gesymboliseerd door de kerk, staat in relatie met de overwinning op het ongeloof. Dat laatste werd in de Marmerzaal gethematiseerd. In de door Martino Altomonte geschilderde plafondfresco's vecht prins Eugenius succesvol tegen de Turken en demonstreert de keizerlijke macht. Zijn portret is in deze zaal aangebracht tegenover dat van keizer Karel VI.

De bibliotheek in de oostvleugel werd pas tussen 1744 en 1751, dus lang na de dood van Prandtauer, gebouwd. Hier schilderde de zoon van de genoemde kunstenaar, Bartolomeo Altomonte, het plafondfresco met als thema het *Huwelijk tussen religie en wetenschap*. Daarmee is een ander iconologisch uitgangspunt met betrekking tot het thema wereldlijke en geestelijke macht gegeven. Kloostercomplex en kerk worden gerangschikt volgens een betekenisvol systeem van 'ruimtelijke ordening'. Portaal en bibliotheek, Marmerzaal en kerkkoor liggen op assen die elkaar in de kloosterhof kruisen. Het fundament voor de actieve 'confrontatie' tussen geloof en wetenschap in de bibliotheek is te vinden in de kerk en haar bescherming in de verering van de monarchie vind je in de Marmerzaal.

Tot de 'drieklank' van de grote abdijen van Oostenrijk behoort ook de benedictijnenabdij Kremsmünster, die in de 17e en 18e eeuw nieuw is gebouwd. De Romaans-gotische kerk werd tussen 1709 en 1713 op barokke wijze verbouwd. De van St. Florian bekende Carlo Antonio Carlone bouwde omstreeks 1692 de 'Kaisersaal' en enkele jaren later ontwierp Prandtauer de voorhof.

Een gebouw dat buiten de barokke typologie valt, is het observatorium (afb. linksboven) – gebouwd tussen 1748 en 1760. De redenen voor de bouw lagen in de rivaliteit tussen benedictijnen en jezuïeten. De benedictijnen wilden iets gelijkwaardigs zetten tegenover de opvoedingseuforie van de jezuïeten. Vanuit dat oogpunt ontwierpen ze in Kremsmünster het schilderachtig op een heuvel gelegen observatorium

**Carlo Antonio Carlone en**
**Jakob Prandtauer**
Abdij van St. Florian, 1686-1724
Portaal van de abdij met beelden van
Leonhard Sattler (linksboven)
Bibliotheek (linksonder)
Trappenhuis (rechtsboven)
Marmerzaal (rechtsonder)

**Johann Bernhard Fischer, Joseph Emmanuel Fischer von Erlach en Nicola Pacassi**
Wenen, Schloß Schönbrunn
Begonnen in 1696, wijzigingen in 1735 en 1744-1749
Grote zaal met plafondfresco's van Gregorio Guglielmi, 1760

AFBEELDING MIDDEN:
**Johann Bernhard Fischer, Joseph Emmanuel Fischer von Erlach en Nicola Pacassi**
Wenen, Schloß Schönbrunn
Begonnen in 1696, gevel aan de tuinzijde

AFBEELDING ONDER:
**Ferdinand Hetzendorf von Hohenberg**
Wenen, Schloß Schönbrunn
Gloriëtte, in 1775 voltooid

**Daniel Gran**
Abdij van Klosterneuburg
Koepelfresco van de 'Kaisersaal'
1749

als deel van hun academie voor jonge edellieden. Dit indrukwekkende gebouw bekoort door z'n verticale gerichtheid. Als een soort flatgebouw rijst het zeven verdiepingen hoge, convexe middelste gebouwdeel op. Het is gestructureerd door twee pilasters op de hoeken en twee in het midden, die zonder onderbreking tot aan de afsluitende muurvakken doorlopen. Aan weerszijden sluiten zich hier twee traveeën brede zijvleugels bij aan, waarvan de dakbalustrades tot aan de zesde verdieping van de middenrisaliet reiken.

Er zijn waarschijnlijk nauwelijks barokke abdijen te vinden buiten Oostenrijk waarbij het sacrale en het imperiale zo duidelijk met elkaar zijn vervlochten. Melk, St. Florian of Kremsmünster kunnen bijna als rijkspaltsen worden aangeduid. De 'unio mystica et terrena', de versmelting van God en wereld in het keizerschap, komt echter nergens zo duidelijk naar voren als in Klosterneuburg. Het hoog boven de Donau nabij Wenen gelegen klooster van de markgraaf van Babenberg, Leopold III, uit de 12e eeuw moest van Karel VI omstreeks 1730 als 'Habsburgs Escorial' opnieuw worden gebouwd. Van het oorspronkelijke ontwerp met vier binnenplaatsen werd alleen de noordoostelijke carré uitgevoerd. In 1755 werden de werkzaamheden gestaakt. Het oorspronkelijke ontwerp voorzag in een nauwe samenhang tussen keizerlijke vleugel, kerk en klooster. Op het middelste paviljoen van de tegenwoordig zo genoemde residentievleugel prijkt de monumentale keizerskroon, op het linker zijpaviljoen de hoed van de Oostenrijkse aartsbisschop en boven het trappenhuis zweeft de rijksadelaar. Op het niet meer uitgevoerde rechterpaviljoen had de kroon van Spanje moeten prijken – symbool van het verdriet om het teloorgegane Spaanse rijk; teloorgegaan omdat Jozef Frans, sinds 1711 keizer Karel VI, het tijdens de Spaanse Successieoorlog af moest leggen tegen zijn Franse concurrent Filips V. Bij de Vrede van Utrecht van 1713 werd Spanje aan Engeland toegewezen en de Nederlanden aan de Bourbons.

De idee van de 'kosmokrator', de heerser over hemel en aarde, komt tot uiting in het centrale koepelfresco van de Kaisersaal in Klosterneuburg (afb. rechtsboven). Daniel Gran heeft Karel VI hier als Romeins keizer en meester over oorlog en vrede afgebeeld. Hij troont te midden van de deugden, de kunsten en wetenschappen en laat zichzelf in het 'wereldcentrum' Wenen verheerlijken.

De politieke dominantie van de Habsburgers in Europa, belichaamd in het Heilige Roomse Rijk, moet gezien worden als tegenpool van de Franse macht. De Weense Karlskirche heeft deze imperiale gedachte in haar architectuur tot uitdrukking willen brengen. In deze context moet ook het zogenaamde fantasieproject 'Schönbrunn' van Fischer von Erlach worden gezien (afb. blz. 250 onder). Ook al is het in deze dimensies nooit uitgevoerd, destijds had het zoiets als een 'Über-' of een 'Gegen-Versailles' en een middelpunt van het niet-Franse Europa moeten worden. Parijs en Wenen waren toen de politieke en culturele centra van Europa. Wat de barokke architectuur betreft, gingen de belangrijkste impulsen echter uit van Wenen. Fischers ontwerpen en gebouwen en de paleizen van Hildebrandt waren een voorbeeld voor andere barokke kunstlandschappen in Europa.

**Santino Solari**
Salzburg, dom, 1614-1628
Voorgevel en gezicht op de koepel

Santino Solari bouwde de dom van Salzburg tussen 1614 en 1628. De meer dan 80 meter hoge torens ontstonden pas dertig jaar later. Met dit sacrale gebouw deed het 'barokke concept' voor het eerst zijn intrede in de landen ten noorden van de Alpen. De structuur van het interieur en de opstand van de gevel zijn geïnspireerd op de Romeinse jezuïetenkerk Il Gesù. Opvallend zijn de vier kolossale beelden, die de beschermheiligen van het land Rupert en Virgil (buiten) en de apostelen Petrus en Paulus (binnen) voorstellen en die op een typisch barokke manier gerelateerd zijn aan de architectuur.

**Hippolytus Guarinoni**
Volders, St. Karl Borromäus
1620-1654

Hippolytus Guarinoni, arts en universeel geleerde, liet de kerk volgens zijn ideeën tussen 1620 en 1654 bouwen. Hij wilde het principe van de goddelijke drievuldigheid in architectuur vertalen. De drie van de cirkelvormige centrale ruimte uitgaande kapellen maken de 'drie-eenheid' aanschouwelijk. Dit plattegrondspatroon herhaalt zich op kleinere schaal in de toren. De decorvormen lijken voor een deel willekeurig met elkaar te zijn gecombineerd, zodat de indruk van een homogeen totaalcomplex blijft bestaan.

AFBEELDING BLZ. 265 ONDER:
**Johann Michael Prunner**
Stadl-Paura bij Lambach
Dreifaltigkeitskirche, 1717-1724

De stichting van deze kerk gaat terug op een pestgelofte van abt Maximilian Pagel. De driehoekig gebogen plattegrond wordt door drie hoektorens gemarkeerd. In een elegante welvende belijning loopt de daklijst om het hele gebouw om zo de pilasters van de torens bij de kern van het gebouw te betrekken.

**Andreas Stengg**
Graz, bedevaartskerk Mariatrost
Begonnen in 1714

Een genadebeeld was de reden voor de bouw van deze bedevaartskerk. Strengg ontwierp een 'muurpijlerkerk' zonder galerijen. Zijn zoon Johann Georg voltooide het gebouw in 1724.

**Matthias Steinl**
Zwettl, abdijkerk
Torengevel, 1722-1727

De cisterciënzerabdij Zwettl werd al in 1138 gesticht. Het middelpunt van het gebouw wordt gevormd door de kerk met haar ongewoon hoge toren (90 meter), die Josef Munggenast in 1722-1727 bouwde. De figuren, vazen en obelisken voegen zich indrukwekkend in de architectonische structuur. De barokke kap wordt door een vergulde Christusfiguur bekroond.

Francesco Caratti
Praag, Palais Cernin, 1668-1677

Jean Baptist Mathey
Praag, aartsbisschoppelijk paleis, 1675-1679

**De barokmetropool Praag en de bouwkunst in Tsjechië**
In de tijd voordat de architectenfamilie Dientzenhofer actief was, paste de Boheemse en Moravische aristocratie voor haar gebouwen bij voorkeur het 'Italiaanse model' toe. Graaf Cernin, die Rome meerdere keren had bezocht, wenste voor zichzelf een representatief gebouw in 'Romeinse stijl'. Zijn Praagse paleis (afb. boven) werd tussen 1668 en 1677 door Francesco Caratti gebouwd in de stijl van Palladio. Een dominante begane grond met een gevelbekleding van rustieke zandsteenblokken, die door een balustrade wordt afgesloten, draagt een twee verdiepingen hoge bovenbouw met afsluitende mezzanine, die door kolossale zuilen wordt onderverdeeld.

Graaf Johan Frederik van Waldstein, aartsbisschop van Praag, probeerde echter een nieuw stijlgevoel in de Praagse architectuur ingang te doen vinden. Hij gaf opdracht aan de Fransman Jean Baptist Mathey uit Dijon voor de bouw van het aartsbisschoppelijk paleis (1675-1679, afb. rechtsboven). Dit en de andere door Mathey gebouwde paleizen en villa's zijn als complexen met drie vleugels met een verhoogd middenstuk en aan de buitenzijde aangebrachte trappenhuizen geconcipieerd.

Mathey bleef tot 1694 in Praag en bouwde onder meer de Kruisherenkerk met dwarsschepen die van een ovaal en overkoepeld centrum uitgaan – een belangrijke inspiratiebron voor Fischer von Erlachs Salzburgse Dreifaltigkeitskirche en de Weense Karlskirche. Ook de door Mathey tussen 1682 en 1687 gebouwde St.-Jozefskerk in Praag was een belangrijk voorbeeld voor de Weense architect – in elk geval nam hij de kerk op in zijn schetsboek.

Voor de uit Noord-Beieren afkomstige familie Dientzenhofer –over Johann Dientzenhofer, overleden in 1726, werd al iets gezegd in samenhang met Banz en Pommersfelden– waren deze gevarieerde, Frans-Italiaanse bouwactiviteiten inspirerend en uitdagend tegelijk. Johanns broer, Christoph (1655-1722), heeft in Praag en omgeving een nieuwe en ongewone architectuurtaal ontwikkeld. Degene die Praag echter zijn barokke gezicht gaf, was Christophs zoon, Kilian Ignaz (1690-1751); hij had onderricht gekregen in de werkplaats van Johann Lukas von Hildebrandt en zijn artistieke vaardigheden op uitgebreide studiereizen naar Italië en Parijs verfijnd.

De St.-Nicolaaskerk op de 'Kleinseite' in Praag (afb. blz. 267 links) werd reeds als een van de mooiste kerken in Europa beschouwd. Ze mag zeker worden beschouwd als een meesterwerk van de architect Christoph Dientzenhofer, die het langschip (1703-1711) en de gevel (1709-1717) bouwde. Voorbeeld van de gevel waren Borromini's speelse welvingen in de S. Carlo alle Quattro Fontane in Rome. Terwijl de Italiaan zich echter tot een strenge onderverdeling van beide verdiepingen beperkte en het schema van het onderste geveldeel in het deel erboven herhaalde, monumentaliseerde Dientzenhofer de 'mooie kant' van de kerk. Hij maakte de verdiepingen breder en gaf daarmee ruimte voor het naar binnen en buiten welven van de afwisselend concave en convexe traveeën. Hij zwakte de machtige dubbele zuilen van het portaal op de bovenverdieping af tot vlakke pilasters. Deze zetten zich voort in de bekronende topgevelzone. Daar doorbreekt een nis met figuren en schelpmotief de daklijst, die aan de uiteinden wordt omgebogen en zich in een vloeiende lijn tot een 'golvend' fronton ontwikkelt.

De welvende karakteristiek van de gevel en de levendige werking van het doorgebroken en met dynamische frontonachtige bouwelementen bedekte hoofdgestel zet zich voort in het interieur. De hoekpijlers met dubbele zuilen en pilasters die het kerkschip begrenzen, zijn sterk naar voren gehaald en suggereren een ovale plattegrond wanneer je het verloop van de aansluitende traveeën met de concave kapelnissen en de galerijen volgt. Boven de kapitelen van de dubbele zuilen en pilasters is een hoge impost met een ver vooruitstekende dekplaat geplaatst, waarboven het gewelf, onderbroken door de bogen van de traveeën, steil de

Christoph Dientzenhofer
Praag, St.-Nicolaaskerk op de 'Kleinseite'
Voorgevel, 1709-1717 (linksonder)
Interieur, 1703-1711 (rechtsonder)

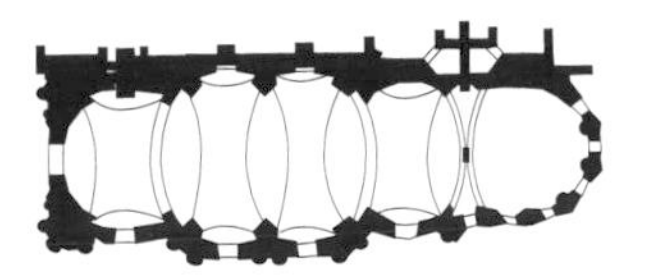

Christoph Dientzenhofer
Brevnov, Margarethakerk, 1708-1721
Plattegrond en exterieur (rechtsboven)

hoogte in rijst. Het effect van de gevel en de binnenruimte van deze Duits-Boheemse architectuurtaal overtreft niet alleen het genoemde Romeinse voorbeeld, maar toont een volledig nieuw concept, een alternatief voor de obligate 'Italiaanse modellen'.

Met de Margarethakerk van het benedictijnenklooster Brevnov (Breunau) (1708-1721, afb. rechts) heeft Dientzenhofer een meesterwerk afgeleverd. De zuidzijde van het exterieur lijkt op een voorgevel, aangezien de middelste twee traveeën als een middenrisaliet met een timpaan naar voren steken en met de 'teruggetrokken' hoekzuilen op kasteelachtige wijze worden gepresenteerd. Het koor en de entreegevel, die vanaf de brede zijde gezien op asymmetrische aanbouwsels lijken, roepen daarentegen irritatie bij de beschouwer op. Boven driehoekige sokkels, waarvan de punten naar het kerkschip wijzen, verheffen zich de pijlers. Ze zijn dus schuin in het interieur geplaatst. De gordelbogen verlopen daardoor niet via de kortste weg naar het tegenoverliggende kapiteel, maar duiken de diepte van de ruimte in. Op deze manier snijden de ovale gewelfdelen in horizontale projectie het desbetreffende ovaal van de travee. Door deze 'tegendraadsheid' van gewelf en plattegrond wordt er in de hele ruimte een eigenaardige vibratie voelbaar die in het halfronde koor tot rust komt.

Ook de oudere broer van Christoph Dientzenhofer, Georg, het oudste lid van de familie en vader van Johann Dientzenhofer, moet hier nog worden genoemd. Hij stierf in 1689 in het Oost-Beierse Waldsassen.

**Kilian Ignaz Dientzenhofer**
Praag, Villa Amerika
1720

Hier, dicht bij de grens met Bohemen, ontwierp en bouwde de architect, die meer verwantschap voelde met het Boheemse dan het Duitse cultuurleven, tussen 1685 en 1689 de bedevaartskerk Kappel (afb. blz. 269 linksboven) – het vermoedelijk ongewoonste barokke sacrale bouwwerk ten noorden van de Alpen. Het grondplan beschrijft een driepas. Rond een driehoek zijn drie halfronde kapellen gerangschikt, waarvan de snijpunten door drie minaretachtige torentjes met uivormige bekroningen worden gemarkeerd. Langs het hele gebouw loopt een galerij die de bewegingen van de kapellen en de uitbollingen van de torens elegant volgt. Santin-Aichel heeft dit idee overgenomen en ongeveer 20 jaar later op een originele manier vertaald in de St. Johann Nepomukkerk op de Groene Berg. We komen daar later nog op terug.

Na het overlijden van Christoph Dientzenhofer bouwde zijn zoon Kilian Ignaz tussen 1737 en 1751 het koor en het kruisingsgewelf van de Praagse St.-Nicolaaskerk. Het koor bouwde hij boven een centrale cirkel, die door drie ellipsen wordt doorsneden: twee zijkapellen en de altaarruimte. Met dit moedwillige spel van elkaar overlappende plattegronden heeft de bouwmeester zich eerder aan het Rococo overgegeven dan aan de trend van de tijd naar klassieke helderheid en strengheid. De gevel van de bedevaartskerk Maria-Loreto toont ook een sterke verwantschap met de rococo-architectuur (afb. blz. 269 onder). Ze ontstond in haar huidige vorm vanaf 1721 naar ontwerpen van Christoph Dientzenhofer. Zijn zoon Kilian Ignaz voltooide ook dit gebouw. De langgerekte façade is in architectonisch opzicht ingetogen gestructureerd; alleen de twee zijrisalieten verlenen een licht golvende dynamiek aan de gevel. De klokkentoren in het midden die de gevel domineert, is tevens het rijkst gedecoreerde bouwelement.

Een van de mooiste Praagse paleizen is waarschijnlijk wel Villa Amerika (afb. boven), die hij in 1720 voor hertog Johann Wenzel Michma bouwde – een fijn gestructureerde variatie op de bouwkunst van zijn begunstiger Johann Lukas von Hildebrandt.

Kilian Ignaz Dientzenhofer bestudeerde talrijke barokontwerpen en paste ze aan zijn ontwerpen aan. Zo koos hij een octogoon, rekte het als het ware uit en voorzag het van rechte zijden. Op deze manier maakte hij de plattegrond voor de kerk in Ruprechtice (Ruppersdorf). Voor de kerk in Hermanice (Hermsdorf) koos hij eveneens het uitgerekte octogoon, voorzag het aan de buitenzijde met naar binnen, en aan de binnenzijde met naar buiten welvende zijmuren. Deze aldus gevormde plattegrond werd echter voor het eerst ontworpen door Johann Santin-Aichel, de derde beroemde architect in Bohemen en Moravië. Dientzenhofer heeft dit concept in vele kerken toegepast.

De combinatie van een cirkelronde centrale ruimte met 'afgescheiden' of 'geïntegreerde' ellipsen heeft Johann Santin Aichel tussen 1719 en 1921 architectonisch virtuoos gerealiseerd in de votiefkapel van de H. Johann Nepomuk op de Groene Berg (afb. blz. 269 rechtsboven). Kappel, inspiratiebron voor deze kapel, is al ter sprake gekomen. Vijf ovalen en vijf driehoekige nissen, die allemaal regelmatig rond een cirkel zijn gerangschikt, wisselen elkaar af. Daaruit ontstaat een dynamische lijnvoering die op markante wijze in de koepellijst tot uitdrukking komt. Voor Santin-Aichel stond deze vorm symbool voor een sacraal ritueel. Toen men Johann Nepomuk in de Moldau verdronk, zouden er vijf sterren rond zijn hoofd hebben gecirkeld. Puntvormen en halfovale rondingen verwijzen naar de martelaarskroon met de vijf sterren.

Het grondplan van de votiefkapel zou met de vorm van de gotische vijfpas vergeleken kunnen worden. In Lomec bij Prachatice in Zuid-Bohemen werd voor de kapel bewust een vierpas als plattegrond gekozen – zo men wil, eveneens een 'gotisch motief'. Of Santin-Aichel hier echter de bedenker van was, is twijfelachtig, aangezien hij, geboren in 1677 en gezien het tijdsverloop van de bouw (1692-1702), daar nauwelijks voor in aanmerking kan komen. De naam van de steenhouwer Mathias Tischler uit Rozenberk (Rosenberg) is wel geopperd. Wellicht heeft deze kerk model gestaan voor Santin-Aichels votiefkerk.

Santin-Aichels voorliefde voor gotische vormen is wellicht ontstaan door de barokkisering van gotische kerken. Deze werkzaamheden zouden ook als inspiratiebron hebben kunnen dienen voor de pittoreske motieven waaraan de barokke bouwkunst van Bohemen zo rijk is. Hoe fijnzinnig Santin-Aichel met de restauratie van een gotische kerk is omgegaan, bewijst de abdijkerk van de benedictijnen van Kladruby (Kladrau) (1712). Hij mocht de middeleeuwse versiering weliswaar grotendeels verwijderen, maar desondanks handhaafde hij de structuur van het laat-gotische gewelf met zijn visblazen- en sterrenmotieven. De voor de pijlers aangebrachte halfzuilen met halfoctogonale kapitelen en smalle en fijngeprofileerde gordelbogen laten nog ruimte over voor een 'gotisch sentiment'.

De barokbouwkunst in Bohemen en Moravië pakt uit met originele voorbeelden; ze kan worden beschouwd als het cultuurlandschap van de bijzondere barokke vormen. De verplichte 'Italiaanse smaak' en gelijktijdig daarmee concurrerende Franse stijlelementen, evenals de nabijheid van de dominante barokmetropool Wenen en ten slotte de activiteiten van de fantasievolle Dientzenhofers hebben gezorgd voor een esthetische versmelting van vormen, die uniek was voor Europa.

AFBEELDING UITERST LINKS:
**Georg Dientzenhofer**
Kappel, bedevaartskerk
1685-1689
Plattegrond (boven)

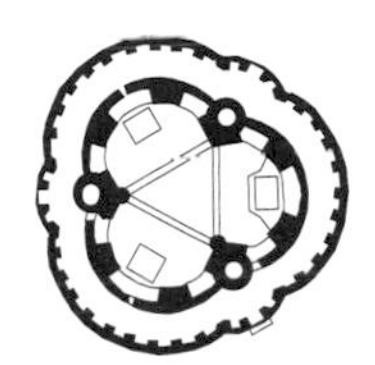

**Johann Santin-Aichel**
Zdar (Saar), votiefkerk
St. Johann Nepomuk op de
Groene Berg, 1719-1721
Plattegrond (onder)

**Christoph en Kilian Ignaz Dientzenhofer**
Praag, bedevaartskerk
Maria-Loreto, gevel
Begonnen in 1721

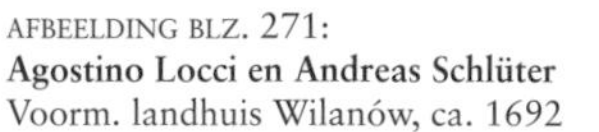
AFBEELDING BLZ. 271:
**Agostino Locci en Andreas Schlüter**
Voorm. landhuis Wilanów, ca. 1692

Wroclaw (Breslau)
Dom van St.-Johannes de Doper
Gezicht vanuit het oosten met de barokke aanbouwen van de Elisabeth-kapel (links) en de kapel van de keurvorst, naar ontwerpen van Johann Bernhard Fischer von Erlach, 1716-1724 (rechts)
Opname uit 1938

**Silezische en Poolse barokvarianten**

De Silezische barokarchitectuur ontwikkelde zich langs twee karakteristieke wegen. De gebouwen die in opdracht van de katholieke Kerk en de katholieke adel waren gebouwd, oriënteerden zich op de daarvoor in aanmerking komende centra, Wenen of Praag. In de 18e eeuw kwam Pruisen naar voren, zodat belangrijke aanknopingspunten nu ook in Berlijn waren te vinden. Anderzijds werd ook vastgehouden aan de ingeburgerde bouwkunst. Deze traditionelere weg werd bewandeld door de confessionele en politieke oppositie. Artistieke voorbeelden werden overwegend buiten de grote kunstcentra gezocht.

Naast prachtige pronkgevels, die op een aanschouwelijke manier Boheemse en Italiaanse vormen tonen, tref je ook inheemse vakwerkgevels aan met kleine uivormige torentjes.

Keurvorst Frans Lodewijk van Pfalz-Neuburg (1683-1732), bisschop van Breslau (het huidige Wroclaw), toonde zich een bijzonder actieve en royale bouwheer. Maar ook de rijke cisterciënzers en de jezuïeten, de premonstratenzers en de augustijner koorheren speelden een belangrijke rol als kerkelijke opdrachtgevers.

Voor de vervaardiging van kunstwerken in Silezië was het voorbeeld in eerste instantie wederom Rome. Toen in 1671 de Hessische landgraaf kardinaal Frederik –een goede kenner van de Romeinse kunst– tot bisschop van Breslau werd benoemd, benutte hij zijn goede contacten met de Eeuwige Stad en liet het ontwerp voor zijn grafkapel in de Breslause dom uitvoeren in de werkplaats van Bernini. Voor de bouw was eveneens een Italiaan verantwoordelijk, Giacomo Scianzi. De opvolger van bisschop Frederik was de bovengenoemde keurvorst Frans Lodewijk. Als zwager van de Habsburgse keizer Leopold I onderhield hij nauwe banden met het Weense hof. Tussen 1716 en 1724 liet hij zijn keurvorstelijke kapel (H. Sacramentskapel) –eveneens een aanbouw van de dom– naar ontwerpen van Johann Bernhard Fischer von Erlach bouwen. Boven een rechthoekige plattegrond verheft zich het koepelovaal. Hoge pendentieven die boven een ver uitkragende lijst beginnen, versterken de suggestie van hoogte en daarmee de indruk van gezag en waardigheid.

Een blik op de oostelijke partij van het koor (afb. boven) maakt een vergelijking tussen de beide kapellen, die dicht bij elkaar zijn gesitueerd en alleen door het vlak gesloten koor zijn gescheiden, zeer goed mogelijk. De typische Fischer-opstand met de helder ingedeelde muren en de hoge ramen in de tamboer doet 'inheemser' aan dan zijn elegantere Italiaanse 'rivaal'. De laatste is sierlijker en de verhoudingen zijn evenwichtiger. De vlak omlijste tondo's in de smalle tamboerring harmoniëren met de hoog gewelfde koepel, die door een slanke lantaarn wordt bekroond. Fischers kapel is voorzien van een relatief vlakke koepel, waarvan de top gesierd wordt door een, in vergelijking met de onderbouw, gedrongen lantaarn.

Een andere beroemde Weense architect, Johann Lukas von Hildebrandt, leverde in 1705 de ontwerpen voor het Breslause paleis van de Weense koopman en keizerlijke 'Handelsrat' Gottfried Christian von Schreyvogel. De werkzaamheden werden in 1711 beëindigd.

Italiaanse en Oostenrijkse architecten domineren de Silezische barokbouwkunst in de tweede helft van de 17e eeuw. Later, in de eerste decennia van de 18e eeuw, kwamen er ook Zwabische, Beierse en Noord-Duitse bouwmeesters naar het land om daar in opdracht van de bisschoppen te werken. De contrasten tussen deze uiteenlopende architectonische opvattingen bepalen zonder twijfel de plaats en de aantrekkelijkheid van de Silezische barokarchitectuur.

Aan het eind van de 17e eeuw beleefde Polen onder koning Jan Sobieski een korte culturele bloeitijd. Sobieski, die jaren eerder had

gezegevierd in de strijd met de Turken en –reeds tot koning gekroond– in belangrijke mate ertoe had bijgedragen dat de Turken in 1683 voor de poorten van Wenen waren teruggedrongen, legde het fundament voor een rijke barokcultuur. De Hollander Tilman van Gameren, architect en ingenieur, was vooral werkzaam voor koningin Maria Kasimira. In Warschau verbouwde hij onder andere de Heilige-Geestkerk, de St.-Kazimierkerk en de St.-Bonifatiuskerk in de stijl van de Barok. Hij voltooide ook het in 1682 door Giuseppi Belotti begonnen Krasinski-paleis (afb. onder), waarvoor Andreas Schlüter het rijk versierde beeldhouwwerk maakte.

Naast Tilman van Gameren was de koninklijke architect Agostino Locci werkzaam. Hij verbouwde het voormalige landhuis Wilanów (afb. boven), zo'n twaalf kilometer ten zuiden van Warschau, tot een prachtig slotcomplex met paviljoens en geflankeerd door galerijen en torens. Op advies van Schlüter en met behulp van zijn ontwerpen werd in 1692 het middengedeelte verhoogd.

Onder de Saksische keurvorst Frederik August I (August de Sterke), sinds 1697 koning August II van Polen, kwamen architecten uit Dresden naar Warschau. Van hen moet met name Johann Friedrich Karcher worden genoemd, die tot hofarchitect van Polen en Saksen werd benoemd en ontwerpen maakte voor de vergroting van het koninklijk paleis.

In 1728 kwamen de toonaangevende Saksische bouwmeesters Pöppelmann en Longuelune naar de hoofdstad van Polen. Van Pöppelmanns zoon zijn vele plannen en ontwerpen afkomstig, die hij de monarch ter goedkeuring voorlegde. Hij was blijkbaar betrokken bij de bouw van het Blauwe Paleis voor gravin Anna Orszelska in Warschau. In stijl en bouwkundige opvatting lijkt dit gebouw op dat van zijn vader, die rond 1730 het definitieve ontwerp voor het 'Saksische Paleis' in Warschau had vervaardigd. Bij het ontwerp van dit paleis, waarvan alleen het middendeel werd voltooid, was zoon Karl Friedrich betrokken.

Van de vroegere glans van de Warschause Barok is als gevolg van de oorlogen in Polen –met name ook de Tweede Wereldoorlog– niet veel meer over. Alleen de wonderschone veduta's van Bernardo Bellotto in het nationale museum van Warschau getuigen nog van de grootsheid van de barokke metropool.

**Tilman van Gameren**
Warschau, Paleis Krasinski, 1677-1682
Reliëfs in het fronton van Andreas Schlüter

AFBEELDING BLZ. 273:
**Bartolomeo Francesco Rastrelli**
St.-Petersburg, Smolnyklooster
Voorgevel van de kerk, 1748-1754

**Bartolomeo Francesco Rastrelli**
St.-Petersburg, Winterpaleis
1754-1762
Façade aan de Neva

De belangrijkste stedenbouwkundige maatregel in de 18e eeuw was het ontwerp van het Paleis-, het Admiraliteits- en het Senaatsplein. Van doorslaggevend belang was de bouw van het Winterpaleis, dat in een omvangrijk stedenbouwkundig concept geïntegreerd zou moeten worden. In 1763 was de 'Bouwcommissie voor St.-Petersburg en Moskou' bijeen en aanvaardde het plan van A.E. Kwassow, die de stad van monumentale toegangswegen wilde voorzien en de reeds aanwezige bebouwing in de nieuwe ontwerpen wilde opnemen. Het ging hier in eerste aanleg om het door graaf Bartolomeo Francesco Rastrelli tussen 1754 en 1762 gebouwde Winterpaleis (afb. links). Rastrelli, de toonaangevende architect van zijn tijd in St.-Petersburg, was van Italiaanse komaf. Zijn opleiding genoot hij in Parijs, vanwaaruit hij in 1741 door tsarina Elizabeth tot hofarchitect werd aangesteld. Zijn vader, de beeldhouwer Carlo Bartolomeo Rastrelli, vervaardigde in 1716 overigens het ruiterstandbeeld van Peter de Grote.

Het Winterpaleis is gebouwd in de stijl van de zuivere Franse late Barok. Het front beheerst de oever van de Neva en vormt samen met de Admiraliteit het lichaam van de stad. Als pendant ontwierp Rastrelli op de tegenoverliggende stadszijde het Smolnyklooster met de machtige koepel en de vier torens (afb. blz. 273). De situatie van de binnenstad wordt bepaald door paleis Stroganov, dat zich op een prominente plaats bij de overgang van de Nevski Prospect over de Moika verheft.

**Bartolomeo Francesco Rastrelli**
St.-Petersburg, Winterpaleis, 1754-1762
Ambassadeurstrap, zgn. 'Jordaantrap'

Uwe Geese

# Beeldhouwkunst van de Barok in Italië, Frankrijk en Midden-Europa

## Beeldhouwkunst tussen Renaissance en Barok

De beelhouwkunst van de Renaissance had de plastiek de trekken van de klassieke Oudheid teruggegeven, maar tegelijk ook een eigen vormentaal ontwikkeld en zich daarmee als eigentijdse stroming bewezen. Het ideaal van het volmaakte menselijk lichaam was bijvoorbeeld niet zozeer overgenomen uit de klassieke canon van architectonische ordes, als wel een gevolg van de geestesstroming die het gehele denken van die tijd doordrong: het Humanisme. In de beelden uit de klassieke Oudheid zagen de beeldhouwers van de Renaissance de natuur al in een dermate exemplarische en volmaakte vorm gevangen, dat velen de bestudering van de klassieke sculpturen belangrijker vonden dan het werken naar de natuur. Zo is van Michelangelo bekend dat hij de torso van Belvedere zeer hoog aansloeg, zozeer zelfs dat hij de schepper ervan wijzer dan de natuur genoemd schijnt te hebben. Ook vond hij het een groot gemis dat het slechts een tors was.

De invloedrijke schilder, architect en kunsthistoricus Giorgio Vasari zorgde voor een wending in het klassieke schoonheidsideaal van de Renaissance. Hij stelde de kunstenaars ten doel hun werk een 'maniera', een individueel en onmiskenbaar eigen karakter, mee te geven. Zo streefden de kunstenaars er in de loop van het Cinquecento niet zozeer meer naar de natuur zo volmaakt mogelijk weer te geven, als wel haar te overtreffen. Dat leidde tot een geheel eigen stijlperiode tussen Renaissance en Barok, namelijk het Maniërisme. De stijl vond bij navolgende generaties weinig waardering en pas in de 20e eeuw zorgden kunsthistorici als Max Dvorák en Hermann Voss voor eerherstel. Tot de voornaamste stijlkenmerken van het Maniërisme behoren verlengde ledematen en proporties, virtuoos weergegeven kunstmatige posen en de combinatie van verschillende materialen en oppervlaktexturen. Daarnaast had men er een voorkeur voor tegenstellingen die door de natuur gegeven zijn (jeugd en ouderdom, schoonheid en lelijkheid of –traditioneler– die tussen man en vrouw) in een aansprekende vorm samen te brengen.

Een van de opvallendste voortbrengselen van de maniëristische beeldhouwkunst is de *figura serpentinata*, een complexe draaibeweging van figuren en groepen die zich, tegen de wetten van de zwaartekracht in, als een spiraal naar boven slingert. Michelangelo's *Overwinnaars*-beeldengroep (afb. blz. 275 links), ontstaan tussen 1520 en 1525, loopt vooruit op deze figuur, maar handhaaft de frontaliteit en is met één kant van het hoofd naar de toeschouwer toegekeerd. Bovendien komen de ineengekrompen houding van de ene en de daarmee contrasterende houding van de andere figuur voort uit de uitbeelding van de overwinnaarspose. Daarna pakt Giambologna het motief van de *figura serpentinata* op voor zijn *Sabijnse maagdenroof* (afb. 275 rechts). Bij hem ontwikkelt het zich tot een volledig rondplastische groep, waarvan je de complexe compositie slechts kunt ontrafelen door er omheen te lopen. Daarbij presenteren zich voortdurend nieuwe invalshoeken, die echter geen van alle de gesloten, opwaartse bewegingsrichting van de groep als geheel aantasten. Een ander verschil met Michelangelo's *Overwinnaars*-groep is dat de maniëristische *serpentinata* vooral probeert te voldoen aan de door Vasari verlangde 'maniera', deze gaandeweg gelijkstelt aan virtuositeit en zich daar

**Michelangelo**
De overwinnaar, ca. 1520-1525
Marmer, hoogte 261 cm
Florence, Palazzo Vecchio

**Michelangelo**
Stervende slaaf (onvoltooid), ca. 1513-1516
Marmer, hoogte 229 cm
Parijs, Musée du Louvre

**Giambologna**
Sabijnse maagdenroof, 1581-1583
Marmer, hoogte 410 cm
Florence, Piazza della Signoria, Loggia dei Lanzi

ten slotte blind op staart. Deze 'tussenperiode' van opperste aandacht voor een gekunstelde en volmaakte vorm en elegantie mondt ten slotte uit in de Barok. Toch zou Giambologna de invloedrijkste Italiaanse beeldhouwer van zijn tijd blijven. Hij domineert de beeldhouwkunst van het eind van de 16e en begin van de 17e eeuw en vormt in zekere zin de overgang tussen Michelangelo en Bernini.

Het waren vooral de kunsthistorici van de eerste helft van de 20e eeuw die geprobeerd hebben het wezenlijke van de uiterst veelzijdige kunst van de Barok vast te leggen. Ze lieten zich in hun discussies en vraagstellingen vooral leiden door stijlhistorische principes. Zij hebben bijvoorbeeld herhaaldelijk gewezen op het binnendringen van schilderkunstige en naturalistische elementen in het late, decoratieve Maniërisme. Een aantal van hen zag daarbij het Naturalisme als reactie op het Maniërisme. Maar omdat zij allemaal hun blikveld beperkten tot de his-

**Alessandro Vittoria**
H. Sebastiaan, 1561-1563
Marmer, hoogte 117 cm
Venetië, San Francesco della Vigna

AFBEELDING BLZ. 277:
**Alessandro Vittoria**
H. Sebastiaan, ca. 1600
Marmer, hoogte 170 cm
Venetië, San Salvatore

torische vormenleer, waren er van hun kant geen bevredigende resultaten te verwachten. Daarvoor moeten de kunstuitingen in hun samenhang binnen een ruimere culturele context gezien worden en dienen dus ook algemeen-historische en vragen over mentaliteitsveranderingen in de loop van de geschiedenis gesteld te worden.

Luthers Reformatie had het Avondland langs ideologische scheidslijnen in twee machtige kampen verdeeld. In het Cinquecento formeerden zich vooral in Italië tegenkrachten, die de verdeeldheid probeerden te verzachten en zelfs een nieuwe eenheid in Kerk en geloof probeerden te bewerkstelligen. Dit resulteerde uiteindelijk in het beroemde concilie dat van 1545 tot 1563 in Trente werd gehouden. Het gevolg was weliswaar een consolidatie van de pauselijke Kerk, maar dat werd bekocht met een intoleranter geestesklimaat, waarvan de op klassieke leest geschoeide kunst van de Renaissance en in bredere zin het gehele Humanisme de nadelen ondervonden. De lotgevallen van de beeldhouwer Bartolomeo Ammanati zijn illustratief voor de veranderingen in het algemene culturele klimaat en de religieuze mentaliteit van het volk.

Bartolomeo Ammanati begon de renaissancebeeldhouwers en de klassieke Oudheid te bestuderen, en in Messina en Florence schiep hij gigantische fonteingroepen in laat-renaissancistische en maniëristische stijl. Daarna kwam zijn leven in een crisis terecht en keerde hij zijn vroegere werk de rug toe. Geheel in de stijl van de Contrareformatie spreekt hij er zelfs de banvloek over uit vanwege de vele naakte figuren die erin voorkomen. Zijn bezittingen laat hij na aan de jezuïeten.

In de vroege jaren '50 is het dan de Italiaanse kunsthistoricus Giulio Carlo Argan die het begrip 'retoriek' in de kunstbeschouwing van de Barok invoert door de Barok als "artistieke vorm van retoriek" te betitelen. Hij onderbouwt dat met het retorische begrip van de 'persuasio', de 'overredingskracht', dat hij tot centraal thema van de Barok verklaart. Daarmee stelt hij tegelijk een nieuwe relatie tussen kunstwerk en beschouwer op de voorgrond. "Tot dan toe had de kunst tot taak gehad als het ware objectief bewondering te wekken voor de schoonheid of volmaaktheid van de weergegeven natuur; de houding van de beschouwer ten opzichte van het kunstwerk weerspiegelde in meer of mindere mate zijn houding tegenover de werkelijkheid. Maar in de 17e eeuw dringt in het denken van de kunstenaar een scheiding tussen werk en beschouwer binnen. Het kunstwerk is niet langer een objectief gegeven, maar een middel tot handelen", zoals de Poolse kunsthistoricus Jan Bialistocki schrijft.

**Van het Maniërisme naar barokke retoriek – Alessandro Vittoria**

Tussen 1563 en ruwweg het einde van de 16e eeuw maakt de Italiaanse beeldhouwer Alessandro Vittoria (1522-1608) in Venetië verscheidene beelden van de H. Sebastiaan. Vittoria's eerste belangrijke werk dat in Venetië ontstond, is het altaar van de familie Montefeltre in de S. Francesco della Vigna. Het was de bedoeling het in november 1561 in opdracht gegeven werk in september 1562 te voltooien, maar de werkzaamheden sleepten zich kennelijk nog tot het einde van het volgende jaar voort. In een nis aan de rechterkant van het door zuilen gelede altaar staat de figuur van de *H. Sebastiaan* geleund tegen een boomstronk, die tot zijn zitvlak rijkt (afb. links).

Ook in deze figuur gaat een maniëristiche *serpentinata* schuil, zoals een vergelijking met haar voornaamste voorbeeld, Michelangelo's *Stervende slaaf* in het Louvre (afb. blz. 275, midden), uitwijst. Terwijl de figuur uit het Louvre in een klassiek evenwicht tussen belastende en steunende delen naar de beschouwer toegekeerd is, lijkt Vittoria's *H. Sebastiaan* van 1563 zich regelrecht aan de blik van de beschouwer te willen ontworstelen. Op de naar links gedraaide stand, die hier bijna in een lopen lijkt over te gaan, reageert het hoofd met een sterk tegengestelde draaiing naar rechts, die door de houding van de armen nog versterkt wordt. De artistieke expressie is hier volkomen ondergeschikt aan de virtuositeit in de houding. Dat het om een beeld van de heilige Sebastiaan gaat, zou niet aan de figuur af te lezen zijn als er geen pijlwond op het linkerdeel van de borst had gezeten. Het zegt genoeg dat Vittoria later een verkleinde replica van dit beeld in brons aanduidt als *Marsyas of Sebastiaan.*

In Vittoria's latere oeuvre duikt weer een altaar met een Sebastiaanplastiek op, dat zich eveneens in Venetië, maar deze keer in de S. Salvatore, bevindt (afb. blz. 277). Daar flankeert de heilige samen met een beeld van de H. Rochus het altaar van de Scuola dei Luganegheri. Beide

ALEXANDER

**Pietro Bernini**
Tenhemelopneming van Maria, 1606-1610
Marmerreliëf
Rome, Santa Maria Maggiore

beelden staan voor de buitenste, iets naar achteren geplaatste zuilen opgesteld. Hun datering varieert van 1594 en 1600 tot kort voor 1602. Met een hoogte van 170 cm staat de nog net levensgrote figuur van de H. Sebastiaan op een been dat licht gebogen is en alleen op de bal van de voet en de tenen rust. Tegelijk leunt het lichaam tegen een forse boomstronk, die tussen de benen slechts tot aan de dijbenen zichtbaar is. Op kuithoogte bevindt zich de stomp van een tak, waarop het gebogen linkerbeen rust.

Met deze plastiek verlaat Vittoria de klassieke bewegingsweergave van de contrapost: hij maakt een radicaal onderscheid tussen de twee lichaamshelften. Het rechterstandbeen volgt het opheffen van de rechterarm, terwijl het op de tak rustende linkerscheenbeen de afhangende linkerarm tegemoetkomt. Een figuur die ooit gedurende de Renaissance ontwikkeld werd, is in een barokke vorm veranderd. Daarmee verandert tegelijk de inhoud, waarin het lijdenselement op de voorgrond treedt. Het beeld en daarmee zijn schepper verlangen van de beschouwer niet langer bewondering voor de volkmaaktheid van de in het kunstwerk weergegeven natuur, maar richten zich nu onmiddellijk tot de menselijke ziel, die ze met alle mogelijke middelen proberen te raken.

### Giovanni Lorenzo Bernini (1589-1680)

Wat de uitzonderlijke talenten van Donatello voor de beeldhouwkunst van het Quattrocento en dat van Michelangelo voor de kunst van de eeuw daarna waren, dat betekende Gianlorenzo Bernini voor de Romeinse Barok. Bernini, die net als deze twee voorgangers een uitgesproken kunstenaarspersoonlijkheid was, drukte zijn stempel op de kunst van Rome in de 17e eeuw. Sterker dan enig kunstenaar voor hem had gekund, hield hij de kunst van zijn tijd in zijn greep.

Bernini werd op 7 december 1598 in Napels geboren en kreeg een opleiding in de werkplaats van zijn vader, de schilder en beeldhouwer Pietro Bernini. Deze werd in 1605 door paus Paulus V naar Rome ontboden om voor de Santa Maria Maggiore een marmerreliëf met de *Tenhemelopneming van Maria* te maken (afb. links). Zo groeit Gianlorenzo op te midden van vele getuigenissen van het rijke verleden van zowel de contemporaine als de klassieke Romeinse kunst. Daarnaast zorgt ook de diepe religiositeit van Ignatius van Loyola voor een atmosfeer die van blijvende betekenis voor zijn werk en zijn kunstopvatting zou zijn. Zijn eerste schreden zet hij op het gebied van de schilderkunst. Toch weet zijn biograaf Filippo Baldinucci ons in een in 1682 te Florence verschenen levensbeschrijving te melden dat hij zich al op achtjarige leeftijd met beeldhouwen bezighield en als zestienjarige al zelfstandig opdrachten uitvoerde. Uit vroeg werk zoals *De geit Amalthea met Zeuskind en sater* (afb. blz. 279 rechts) in de Villa Borghese spreekt al zijn virtuoze marmerbehandeling, maar de vroegrijpe kunstenaar paart deze aan het vermogen het kunstwerk aan de beschouwer te presenteren als een element dat de omringende ruimte bepaalt.

De vier beroemde marmersculpturen van de Villa Borghese, die Bernini in de jaren 1618-1625 voor kardinaal Padrone Scipione Caffarelli Borghese maakte, zijn de ijkpunten van een eerste samenhangende scheppingsfase, die tegelijk zijn roem vestigt als toonaangevend beeldhouwer in Italië, als de 'Michelangelo del suo secolo'. Tegelijkertijd blijkt echter hoezeer Bernini door de dichtkunst van de klassieke Oudheid te bestuderen ook de klassieke vormen herontdekt, die immers door het Maniërisme verwaterd waren. Al in 1619 werd de beeldengroep *Aeneas, Anchises en Ascanius* (afb. blz. 280 links) in de villa geplaatst. Het is een uitwerking in marmer van het door Vergilius verhaalde thema van Aeneas' vlucht uit het brandende Troje. Aansluitend bij de renaissancistische

**Gianlorenzo Bernini**
David, 1623-1624
Marmer, hoogte 170 cm
Rome, Galleria Borghese

opvattingen over het Romeinse imperium belichaamt de beeldengroep de kerkhistorische stichtingsidee van het pauselijke imperium. De vlucht van Aeneas uit Troje werd al voorgesteld als de aanzet tot de stichting van Rome en de vestiging van het Romeinse volk in Latium, maar nu wordt Aeneas zelfs als stamvader van Kerk en pausdom voorgesteld. De roof van de godin van de onderwereld, zoals beschreven bij Ovidius en Claudianus, vormde het literaire voorbeeld voor de in 1622 voltooide *Pluto-Proserpina*-groep (afb. blz. 280 rechts). Anders dan bij de maniëristische uitwerking die Giambologa het roofmotief bij zijn Sabijnse maagden gaf, reduceert Bernini de alzijdigheid tot een voor- en een gedeeltelijk zijaanzicht. Tegelijk wendt hij zijn kunstmiddelen aan voor een totale versmelting van gestalte en inhoudelijke mededeling, zodat je als beschouwer de indruk krijgt dat de weergegeven handeling zich voor je eigen ogen afspeelt. Het gebruik van de aanzichten is nog subtieler in de verschillende fasen van Davids strijd tegen Goliath (afb. links), een werk uit 1623. Frontaal gezien balt het beeld de gehele kracht van de komende slingerworp samen, maar *en profil* is het vooral een toonbeeld van onverzettelijkheid en zien we de uitkomst van het gevecht al bevestigd. Voor hem ligt een lier op de grond, een iconografisch teken voor zijn jeugdige muzikaliteit, die hij aan moed en kracht weet te paren. Als zodanig vormt deze David een contrast met de frivole literatuur van zijn tijd, waarin zijn tegenstander, de bijbelfiguur Goliath, als een liederlijk

**Gianlorenzo Bernini**
De geit Amalthea met Zeuskind en sater, ca. 1611-1612
Marmer, hoogte 45 cm
Rome, Galleria Borghese

monster, letterlijk “als hoerenzoon”, beschreven wordt. De beeldengroep van *Apollo en Daphne* (afb. blz. 281), de beroemdste van de Borghese-plastieken, toont het moment uit Ovidius’ *Metamorfosen*, waarop een jeugdige, in hartstocht ontstoken Apollo de in doodsangst vluchtende nimf lijkt in te halen, maar zij tegelijk onder zijn begerige handen in een boom verandert. Omsloten door de bast en de takken van de laurierboom wordt zij één met de natuur, een natuur die de rouwende Apollo voortaan in de vorm van de lauwerkrans als heilig zal vereren.

**Gianlorenzo Bernini**
Aeneas, Anchises en Ascanius ontvluchten Troje, 1618-1619
Marmer, hoogte 220 cm
Rome, Galleria Borghese

**Gianlorenzo Bernini**
Pluto en Proserpina, 1621-1622
Marmer, hoogte 255 cm
Rome, Galleria Borghese

AFBEELDING BLZ. 281:
**Gianlorenzo Bernini**
Apollo en Daphne, 1622-1625
Marmer, hoogte 243 cm
Rome, Galleria Borghese

VNA FIDES

FBEELDING BLZ. 282:
**ianlorenzo Bernini**
aldakijn, 1624-1633
Marmer, brons en goud, hoogte 28,5 m
ome, St.-Pieter

**Gianlorenzo Bernini**
Grafmonument voor paus Alexander VII,
1673-1674
Marmer en verguld brons
Rome, St.-Pieter

n 1623 begint voor Bernini een belang-
ijke nieuwe scheppingsfase. Zijn vriend
n opdrachtgever, de grote mecenas kar-
linaal Maffeo Barberini, wordt tot paus
rbanus VIII verkozen en belast hem met
rootscheepse decoratiewerkzaamheden
oor het monumentale interieur van de
rote St.-Pieter. Voordat hij de opdracht
rijgt om het pauselijke altaar en het graf
an Petrus met een enorm *baldakijn* (afb.
lz. 282) te overwelven, had hij al de lei-
ling over de pauselijke gieterijen gekre-
en, een positie die haast een voorwaarde
vas om dit buitenproportionele werk tot
en goed einde te kunnen brengen. Berni-
i stond voor de uitdaging de viering met
en liturgische constructie te vullen, die
n het midden van de immense St.-Pieter
tand kon houden. Hij koos voor een
iborie-altaar, waarvan de vier gewonden
uilen van brons de gedachte aan de tem-
el van Salomo in Jeruzalem moesten
proepen, en plaatste deze op een mar-
neren podium. Het baldakijn bestaat uit
ier voluten en wordt door beelden be-
roond. Het betekende een geheel nieuwe
verbinding van architectuur en beeld-
ouwkunst. Zijn oorspronkelijke plan
et baldakijn met een brons van de herre-
en Christus te bekronen, liet zich door
et te grote gewicht van de figuur niet
erwezenlijken. In plaats daarvan vinden
ve er een wereldbol en een kruis als sym-
olen van de wereldomspannende triomf
an Christus.

Bernini's vermogen architectuur en
eeldhouwkunst op een expressieve ma-
ier met elkaar te verenigen, blijkt verder
ok uit het *Grafmonument voor paus
Alexander VII* (afb. rechts), dat hij luttele
aren voor zijn eigen dood voltooit. Hij
oncipieert het voor de nis in een van de
ijbeuken van de St.-Pieter waar zich de
leur naar de (toenmalige) sacristie
evindt. Door de deur in zijn ontwerp te
betrekken, transformeert hij deze tegelijk
ot ingang van het grafmonument. Meer
lan dat, tot poort van het dodenrijk zelf,
waaruit een geraamte met zandloper als
memento mori te voorschijn komt.

**Gianlorenzo Bernini**
H. Longinus, 1629-1638
Marmer, hoogte 440 cm
Rome, St.-Pieter

**Gianlorenzo Bernini**
Constanza Bonarelli, ca. 1636-1637
Marmeren buste, hoogte 72 cm
Florence, Museo Nazionale del Bargello

Nog tijdens het werk aan het baldakijn geeft Urbanus VIII Bernini opdracht om de pijlers van de viering in het concept van het baldakijn te betrekken en ook van beelden te voorzien. Bernini maakt zelf alleen de figuur van de *H. Longinus*, de Romeinse soldaat die de zij van de gekruisigde Jezus met een speer doorboorde (afb. boven), terwijl Duquesnoy, Mocchi en Bolgi voor de standbeelden van de heiligen Andreas, Veronica en Helena tekenen. Na meer dan twintig *bozzetti* van het beeld gemaakt te hebben, kiest Bernini ervoor de Romein op het moment van zijn bekering weer te geven. Met kruisvormig gespreide armen kijkt hij omhoog naar het kruis en herkent de Zoon van God. In weerwil van Michelangelo's credo dat de gestalte als het ware 'bevrijd' moet worden uit dat ene blok marmer, heeft Bernini voor de bijna viereneenhalve meter hoge figuur niet minder dan vier blokken marmer nodig. Toch houdt Bernini met het buitengewoon monumentale karakter van dit beeld en de conceptie van de drie andere wel degelijk rekening met het door Michelangelo ontworpen bouwwerk en maakt de viering zowel in esthetisch als in iconografisch opzicht tot het spirituele middelpunt van de St.-Pieter.

Teruggrijpend op zijn jeugdwerk was Bernini in zijn Borghese-periode aan een reeks portretbusten begonnen. Hij bevrijdde ze van de maniëristische beperking tot het opvullen van nissen en wandgeledingen en ontwikkelde deze goed gelijkende beeltenissen van pausen en absolutistische heersers tot het summum van barokke portretkunst. Hoewel ze geen van alle de totale gestalte tonen, zijn Bernini's potretbusten altijd vervuld van de gehele persoonlijkheid van het model. Ze putten hun bijzondere zeggingskracht uit de onmiskenbaar voelbare aanwezigheid van het moment. Hieruit spreekt Bernini's overkoepelende kunstopvatting, die voor een zeer belangrijk deel schatplichtig is aan de kunst van schilders als Velazquez, Rubens of Frans Hals. Het maakt hem tot een van de meest waarheidsgetrouwe en om die reden ook gewilde portrettisten van zijn tijd.

Met Constanza Bonarelli, de vrouw van zijn medewerker Matteo Bonarelli, raakt Bernini in een dermate heftige liefdesaffaire verwikkeld dat zelfs de paus zich geroepen voelt tussenbeide te komen. Constanza's portretbuste (afb. onder) is het enige gebeeldhouwde document uit Bernini's persoonlijke leven en in dit opzicht geeft hij haar geen representatief voorkomen. Doordat het hoofd licht naar links neigt, de mond iets

**Gianlorenzo Bernini**
Kardinaal Scipione Borghese, 1632
Marmeren buste, hoogte 78 cm
Rome, Galleria Borghese

**Gianlorenzo Bernini**
Koning Lodewijk XIV, 1665
Marmeren buste, hoogte 80 cm
Versailles, Musée National de
Versailles et du Trianon

geopend is en de ogen een wakkere en belangstellende blik hebben, is het een levendige en spontane momentopname geworden, die ook van intimiteit en nabijheid getuigt. Als hij de buste van zijn beschermheer Scipione Borghese (afb. boven) bijna voltooid heeft, ontdekt Bernini een onvolkomenheid in het marmer, die dwars over het voorhoofd van de figuur loopt. Desondanks voltooit hij het werk, maar hij bestelt onmiddellijk erna een nieuw blok marmer en vervaardigt binnen de kortst mogelijke tijd een replica, die hij de kardinaal dan bij de onthulling van het onvolkomen beeld kan aanbieden.

Met de buste van Lodewijk XIV (afb. rechtsboven) bereikt hij ten slotte het toppunt van barokke portretkunst. De ontstaansgeschiedenis ervan is beter gedocumenteerd dan van enig ander werk van Bernini, aangezien Chantelou erover heeft geschreven in zijn Franse reisboek. Direct na zijn aankomst in Parijs in juni 1665 gaat Bernini ermee aan het werk en kort voor zijn vertrek in oktober is hij klaar. In een flinke hoeveelheid schetsen en kleimodellen van de koning had hij zijn voorstelling uitgewerkt voordat hij de vorst uitnodigde voor de echte portretsessies. De iets boven ooghoogte gepresenteerde buste toont de absolutistische heerser in een gebiedende pose, alsof hij net op het punt staat een hoveling bevelen te geven. De godsdienstijver van de late Bernini komt tot uitdrukking in het potret van de arts Gabriele Fonseca (afb. blz. 287 linksonder), die als een van de eersten de door jezuïtische missionarissen ontdekte kinine als medicijn gebruikte. Bernini kreeg de opdracht voor de vormgeving van diens grafkapel in de San Lorenzo in Lucina (Rome) en beeldde de arts af terwijl hij vol verbazing over de transsubstantiatie die zich op het altaar voltrekt, met zijn linkerhand naar zijn borst grijpt.

Met de dood van Urbanus VIII in 1644 komt er een einde aan een twintigjarige periode van grootscheepse barokke kunstproductie in Rome, die Bernini meer dan enig ander bepaald had. Onder Urbanus'

opvolger Innocentius X Pamphili slinkt de invloed van Bernini, die ook zijn post als architect van de St.-Pieter moet afstaan. De architect Borromini en de beeldhouwer Algardi staan hoger bij de nieuwe paus in de gunst.

Onder deze omstandigheden richt Bernini zich meer op particuliere opdrachtgevers en in 1647 begint hij aan de voorstudies voor zijn meest bewonderde, maar tegelijk ook meest omstreden werk, de *Extase van de H. Theresia van Ávila* voor de kapel van de familie Corona in de Santa Maria della Vittoria (afb. boven). De kapel is slechts door een lage balustrade van de kerkruimte gescheiden en als een theaterzaal in verschillende niveaus onderverdeeld. Als we de ruimte in de kapel beschouwen als een soort speelvlak, is het altaar een tweede toneel, waarachter de retabel (het derde niveau) als een elliptische, door dubbelzuilen geflankeerde nis in de wand is geplaatst. Hier speelt zich de wonderbaarlijke verschijning van de engel af. De beeldengroep vertegenwoordigt het culminatiepunt, de gelukzalige reactie van de heilige, die haar gevoelens ooit als volgt heeft omschreven: "Op een dag verscheen een wonderschone engel aan mij. In zijn hand zag ik een lange lans en de punt ervan leek uit vuur te bestaan. Deze, zo kwam het mij voor, stiet hij mij een aantal keren in het hart, zodat ik in het diepst van mijn ziel geraakt werd. De pijn was zo echt dat ik een paar maal luid kreunde, maar tegelijk was hij zo onbeschrijflijk zoet dat ik niet kon verlangen ervan verlost te worden. Geen aardse vreugde kan meer bevrediging schenken. Toen de engel zijn lans terugtrok, bleef ik met een grote liefde voor God achter." Door een wolk omhoog getild wacht de heilige op de pijl die de engel met zijn rechterhand op haar richt. Haar lichaam wordt op haar linkerhand en -voet na volledig door een opbollend gewaad verhuld. Het natuurlijke licht dat door een onzichtbaar venster valt en het bovennatuurlijke licht op de gouden stralenkrans plaatsen samen de heilige in een onwerkelijke, aan de zwaartekracht ontstegen ruimte, als in een visioen. Bedrieglijk echt in haar theatraliteit en plastische retoriek weet de figuur de beschouwer te betoveren en het verlangen in hem op te roepen het goddelijke karakter van de ruimte waarin ze verkeert zelf te ervaren.

En toch lijkt het alsof het tafereel niet voor onze ogen bedoeld is. En inderdaad, bij nader inzien zijn anderen ons al voor geweest: de stichterfiguren in de loges in de zijwanden (afb. blz. 287 boven). Het blijkt dat we alleen door het besloten karakter van een familiebijeenkomst geweld aan te doen ook getuige van het wonder kunnen worden. Omdat de afgebeelde familieleden echter meer op zoek lijken te zijn

AFBEELDINGEN BLZ. 286:
**Gianlorenzo Bernini**
Kapel van de familie Coronaro, 1647-1652
Altaar, totaal aanzicht (rechts)
Marmer, stuc, verguld brons en fresco
De extase van de H. Theresia van Ávila (links)
Marmer, hoogte 350 cm
Rome, Santa Maria della Vittoria

**Gianlorenzo Bernini**
Kapel van de familie Coronaro, 1647-1652
Loge met stichterfiguren, rechter zijwand

**Gianlorenzo Bernini**
De zalige Ludovica Albertoni, 1671-1674
Marmer en jaspis, lengte 188 cm
Rome, San Francesco a Ripa

**Gianlorenzo Bernini**
De arts Gabriele Fonseca, ca. 1668-1675
Marmerreliëf, meer dan levensgroot
Rome, San Lorenzo in Lucina

**Gianlorenzo Bernini**
Triton-fontein, 1624-1643
Travertijn, meer dan levensgroot
Rome, Piazza Barberini

AFBEELDINGEN BLZ. 289:
**Gianlorenzo Bernini**
Vierstromenfontein, 1648-1651
Totaalaanzicht en details
Marmer en travertijn
Rome, Piazza Navona

naar de verstrooiing die het theater een ongeïnteresseerd publiek te bieden heeft, kunnen we de ervaring van deze mystieke gebeurtenis niet met hen delen en worden we eigenlijk aangehouden hen in geloofsijver te overtreffen. Het concept van de kapel als geheel is vol van dergelijke veelbetekenende verwijzingen en dubbele bodems, zoals Matthias Kroß overtuigend heeft aangetoond.

Bernini zelf vond het zijn geslaagdste werk en zijn tijdgenoten prezen het, gesterkt door de geest van de Contrareformatie, de hemel in. Maar nauwelijks een eeuw na zijn voltooiing werd het onderwerp van een kritiek die vandaag de dag nog niet verstomd is. Bernini's weergave van de godsdienstige verrukking van de mystica zou vooral een triviale, erotische uitstraling hebben.

De barokke kunstfontein dankt aan de ontwerpen van Bernini een nieuw samenspel van water en steen en van allegorische idee en christelijk machtsstreven. Daarbij zijn de (meestal aan de klassieke rivier- en zeemythologie ontleende) figuren nauwelijks nog aan tektonische overwegingen gebonden.

De *Triton-fontein* (afb. links) is een eerbetoon van de stad aan Urbanus VIII, die na de voltooiing ervan in 1643 nog maar een jaar te leven had. Het bijzondere van deze fontein ligt in het feit dat Bernini helemaal van architectonische elementen afziet en alleen gebruik maakt van sculptuur. De compositie volgt het verhaal over het einde van de zondvloed in de *Metamorfosen* van Ovidius (I, 330 e.v.): "De toorn der zee wijkt ook, de zeegebieder laat zijn drietand zakken en strijkt het water glad en roept om Triton, die zeekleurig en de schouders overdekt met purperslakken boven het diep uitrijst. Hij vraagt hem luid te blazen op zijn holle zeeschelp en aan al wat stroomt en vloeit signalen van terugtocht uit te zenden. Triton grijpt dus naar zijn hoorn, waarvan de holle draaiingen tot wijde mond spiralen en die, wanneer hij ver op zee zijn meesters adem voelt, elk land en elke kust van oost tot west zijn klank doet horen."[1] Bernini concentreert zich op het moment waarop vier dolfijnen gelijktijdig ruggelings uit het water opstijgen en samen een geopende jakobsschelp torsen. Daarin zit de zoon van de zeegod, die met volledig gestrekt bovenlichaam in de tritonshoorn, een trompethoorn, blaast om de Grote Vloed te beëindigen. Een centrale plaats in zowel het voor- als het achteraanzicht is ingeruimd voor een combinatie van de pauselijke waardigheidstekens (tiara en sleutel) en die van de stichterfamilie (de drie bijen uit het wapen van de Barberini's). Naast deze heraldieke elementen vinden we verwijzingen die hun betekenis ontlenen aan het allegorische verband waarin verschillende natuurelementen hier geplaatst zijn. Zo staan de zorgzame dolfijnen voor gemeenschapszin en is de geopende schelp waaruit water stroomt een toespeling op zegenrijke krachten van verschillend karakter. In verbinding met de bijen in het wapen van de Barberini's (zinnebeeld van onzelfzuchtig handelen binnen een geordend staatsbestel) verheerlijken ze het Bareberini-pontificaat, een lofzang die door Triton met zijn hoorn de gehele wereld wordt rondgebazuind.

Paus Innocentius X geeft bij Bernini de *Vierstromenfontein* (afb. blz. 289) in opdracht. Deze keer zijn er uiterst diverse elementen tot een monumentale fontein van gigantische proporties samengevoegd, die het gehele Piazza Navona beheerst. Het gebruik van de obelisk was in de opdracht vastgelegd. Om hem optisch tot zijn recht te laten komen, moest Bernini hem met een sokkel verhogen. Terwille van het contrast met het grootsteedse karakter van het plein ontleende hij het grotwerk aan de tuinkunst van de landschapsparken en plaatste het in het hartje van de stad. Dat was –net als de combinatie van obelisk en fontein– nog niet eerder vertoond. De voorstelling van vier wereldstromen, die evenveel werelddelen bevloeien en aan een en dezelfde berg ontspruiten, hadden de vroege christenen van de Grieken overgenomen, misschien omdat ze er een verwijzing naar de vier stromen van het paradijs in zagen. Voor Bernini was dat een reden om van zijn fontein een soort navel van de wereld te maken. Op de vier stukken rots bevinden zich riviergoden, die de werelddelen vertegenwoordigen: de *Ganges* staat voor Azië, de *Nijl* voor Afrika en de *Río de la Plata* voor Amerika. De Europese rivier die hulde brengt aan de paus en zijn eretekens is niet de *Tiber*, maar de *Donau*. Daaraan zou de gedachte ten grondslag kunnen

**Gianlorenzo Bernini**
Moro-fontein, 1653-1654
Marmer
Rome, Piazza Navona

**Gianlorenzo Bernini**
Olifant en obelisk, 1665-1667
Marmer
Rome, Piazza Santa Maria sopra Minerva

**Gianlorenzo Bernini en leerlingen**
Twee engelen, 1667-1669
Marmer, hoogte ca. 270 cm
Rome, Ponte Sant' Angelo

liggen dat het geloof het midden van de wereld vormt, vanwaaruit de missionaire verovering van de verschillende werelddelen uitgaat. Voor uitgestrekte gebieden ten noorden van de Donau zou dat herovering betekenen. Doorgaans vinden de machtsaanspraken van Rome hun sublimatie niet in de boven alles uittorenende obelisken uit de Oudheid zelf, maar in het kruis, het overwinningsteken van het christendom dat er bovenop geplaatst is. Hier wordt het monument echter bekroond door het persoonlijke embleem van de Pamphili-paus, de 'onschuldige' duif die een olijftak in zijn snavel draagt en de goddelijke vrede verkondigt. Zo bezien strekt de allegorische betekenis van de fontein zich niet alleen uit tot het territoriale, maar ook tot het historische vlak, want hier worden het pontificaat van de zittende paus en de historische rechtvaardiging van diens missionaire ijver op de voorgrond geplaatst. Bernini voltooide het werk aan het Piazza Navona met de plaatsing van de *Moro-fontein*, (afb. blz. 290 links).

Na zijn terugkeer van het hof van de Zonnekoning in 1665 krijgt Bernini een laatste opdracht van paus Alexander VII. Net als hij bij de *Vierstromenfontein* voor paus Innocentius had gedaan, diende hij een sculpturaal voetstuk te leveren voor een obelisk die net was opgegraven in de kloostertuin van de S. Maria sopra Minerva. Het idee voor de olifant met het zadel (afb. blz. 290) nam hij over van een eerder, onuitgevoerd ontwerp voor een tuinbeeld. Op de plek van een Romeinse Minervatempel bekroont het kruis een overblijfsel van een nog ouder Egyptisch Isisheiligdom. De beschermvrouwe Maria belichaamt hier als het ware de goddelijke wijsheid.

Zijn tijdgenoten zwaaiden hem als beeldhouwer de hoogste lof toe, maar al snel na zijn dood in 1680 wordt Bernini verweten een 'kunstbederver' te zijn. "Bernini is de grootste ezel onder de beeldhouwers van de jongste tijd", schrijft Winckelmann in 1756 in Rome. Dit oordeel zou pas laat in de 19e eeuw herzien worden.

**Camillo Mariani**
H. Catharina van Alexandrië,
1603
Stuc
Rome, S. Bernardo alle Terme

**Francesco Mocchi**
Ruiterstandbeeld van Alessandro Farnese,
1620-1625
Brons
Piacenza, Piazza Cavalli

**Beeldhouwers in Italië voor en na Bernini**

Rome is in de 17e eeuw nog altijd de 'hoofdstad van de kunst' en trekt kunstenaars uit heel Europa aan. Enerzijds willen zij zich aan de hand van de beroemde werken van de grote meesters uit de Oudheid bekwamen, anderzijds zoeken ze hier kapitaalkrachtige opdrachtgevers. Haast niemand van de vooraanstaande beeldhouwers in de stad is Romein van geboorte. Hier te werken betekent voor een beeldhouwer óf de concurrentie met de alomtegenwoordige beroemdheid Bernini aangaan óf bij hem in dienst treden.

Al op jonge leeftijd komt Camillo Mariani (1556-1611) uit Vicenza naar Rome, waar hij lid van de Congregazione dei Virtuosi wordt. Ook al geldt hij als een van de talentvolste beeldhouwers, toch heeft de kunstmarkt ook hem niet veel meer te bieden dan stucdecoraties voor schilders. Samen met Pietro Bernini en anderen is hij betrokken bij het werk aan het grafmonument voor Clemens VIII. Voor de nissen in de S. Bernardo alle Terme maakt hij in 1600 acht grote stucfiguren (afb. boven), waarbij hij hoogstwaarschijnlijk is bijgestaan door zijn leerling Francesco Mocchi.

Francesco Mocchi (1580-1654), geboren in Montevarchi bij Florence, begint zijn opleiding bij de Florentijnse schilder Santi di Tito (1536-1603) en gaat daarna in Rome bij Camillo Mariani in de leer. Zijn belangrijkste vroege werken vinden we echter niet daar, maar in Piacenza, waar hij van 1612 tot 1630 gewerkt heeft. Hij maakte er portretten van Ranuccio en Alessandro Farnese te paard en schiep zo een nieuw, barok type ruiterstandbeeld. Voor zijn grote statue van de H. Veronica in de viering van de St.-Pieter (afb. blz. 293 boven) had hij verscheidene marmerblokken nodig. De gestalte is sterk beweeglijk en lijkt zijn nis uit te willen stappen. Ten gevolge van de stapbeweging bolt de mantel van de heilige op en krijgt het beeld een aan gewichtloosheid grenzende lichtheid.

Mocchi, die eigenlijk tot de vroeg-barokke voorlopers van Bernini gerekend moet worden, weet zich enige tijd naast Bernini te handhaven, maar verwijdert zich in toenemende mate van "de zich in het werk van Bernini afspelende geschiedenis van de beeldhouwkunst", zoals Norbert Huse het formuleerde. Daardoor verwordt uiteindelijk "het bijzondere van zijn kunst tot de willekeur van een zonderling". Een ontwikkeling

Stefano Maderno
H. Cecilia, 1600
Marmer, lengte 102 cm
Rome, Santa Cecilia in Trastevere

Francesco Mocchi
H. Veronica, 1640
Marmer, hoogte ca. 500 cm
Rome, St.-Pieter

als deze illustreert treffend hoe smaakbepalend de kunst van Bernini in de Romeinse Barok was.

Net als bij Mocchi bestrijkt het leven van Stefano Maderno (1576-1636), die uit Lombardije of Tecino afkomstig moet zijn, verschillende stijlperioden. Het verklaart in dit geval misschien waarom zijn kunst nooit kans ziet erg oorspronkelijk en karakteristiek te worden. Hij begint als restaurateur van beelden uit de Oudheid, maar maakt ook tal van reducties van deze klassieke en van nieuwere beelden, waarvan een groot deel wordt uitgevoerd in brons. Zijn eerste beeldhouwwerk in groot formaat is ongetwijfeld tegelijk zijn belangrijkste werk: als in een geopende sarcofaag ligt de *H. Cecilia* in een nis van rood marmer in de S. Cecilia van Trastevere (afb. onder). In dit hoofdwerk bereikt Maderno een indringend gevoel voor situatie. Door als eerste een aangrijpend religieus moment uit een martelarengeschiedenis niet in een verhalend reliëf, maar in een figuur om te zetten, maakt hij de weg vrij voor de momentgebonden expressieve kracht in Bernini's marmeren beelden.

**Alessandro Algardi**
Paus Leo de Grote en Attila,
1646-1653
Marmerreliëf
Rome, St.-Pieter

Alessandro Algardi (1598-1654) wordt geboren in Bologna en krijgt daar aan de academie les van Lodovico Carraci (1555-1619). Daarna werkt hij in Milaan voor Vincenzo II Gonzaga en in Venetië. In 1625 komt hij naar Rome. Zijn streekgenoot Domenichino bezorgt hem enkele opdrachten voor stucfiguren en kleinere beeldhouwwerken. Daarnaast restaureert hij geruime tijd oudheden. Het portret dat hij in 1626 van kardinaal Laudivio Zacchia maakte, baant de weg voor zijn eerste grote opdracht, het grafmonument van Leo XI in de St.-Pieter. Van een openlijke concurrentie met Bernini is in elk geval na de ambtsaanvaarding van Innocentius X sprake: Bernini vindt vanaf dat moment voortdurend een niet of nauwelijks kunstzinnige paus tegenover zich, wiens voorkeuren pas in de laatste plaats artistiek bepaald waren. Innocentius vond Algardi in de eerste plaats een integerder mens en bovendien stond hij vijandig tegenover de Barberini's en hun gunstelingen.

Een van Algardi's beroemdste werken is het grote marmeren reliëf voor het altaar van de H. Leo (afb. boven). Het toont de verdrijving van Attila door paus Leo de Grote. Aan de oever van de Po was hij de indringer tegemoetgetreden om hem ervan te weerhouden Rome in te nemen en te verwoesten. In een visioen ziet Attila de apostelen Petrus en Paulus aan de hemel verschijnen en hun getrokken zwaarden op hem, de gevreesde aanvoerder van de Hunnen, richten. Dat brengt hem op andere gedachten en hij trekt zich terug. Uit dit veelgeprezen reliëf komt Algardi's stijl naar voren als nuchterder en meer door eigen waarneming geleid dan Bernini's heftige expressie. Dit scherpe observatievermogen, dat soms gevaar loopt tot pure detailzwelgerij af te glijden, zou kunnen verklaren waarom Algardi tevens een van de meest gevraagde portrettisten van zijn tijd was.

François Duquesnoy (1597-1643), die in Italië als 'Il Fiammingo' bekendstond, was afkomstig uit Brussel, waar hij in de werkplaats van zijn vader Jérôme Duquesnoy werd opgeleid. Na zijn komst naar Rome in 1618 werkt hij eerst in ivoor en restaureert hij oudheden. Deze confrontatie met klassieke beelden (en zijn uitgesproken waardering voor de schilderkunst van Rafaël) wijst Duquesnoy de weg naar een geheel eigen stijl. Samen met Nicolas Poussin (1594-1665) maakt hij studies naar de Bacchanalen van Titiaan in de Villa Ludovisi om zijn eigen stijl te verdiepen. Waarschijnlijk heeft de Vlaming er inspiratie opgedaan om een geheel eigen type *putto* te ontwikkelen. Met de bevriende schilder Poussin voert hij vanaf 1626 een gezamenlijk huishouden. Aan een

**Alessandro Algardi**
De onthoofding van Paulus, 1641-1647
Marmer, hoogte Paulus 190 cm,
beul 282 cm
Bologna, San Paolo Maggiore

**François Duquesnoy**
H. Suzanna, 1629-1633
Marmer
Rome, Santa Maria di Loreto

**François Duquesnoy**
H. Andreas, 1629-1633
Marmer, hoogte ca. 450 cm
Rome, St.-Pieter

benoeming aan het hof van Lodewijk XIII kan hij geen gevolg meer geven, want op weg naar Parijs wordt hij ziek en op 19 juli 1643 sterft hij. Duquesnoy geldt als prominentste vertegenwoordiger van de beeldhouwers uit de Lage Landen die op het Rome van Bernini en de Barok afkwamen.

Anders dan Algardi, die in figuurbehandeling en compositie sterk op Bernini gericht is, slaagt Duquesnoy er met het beeld van de *H. Suzanna* in zich van Bernini's invloed te bevrijden, overigens zonder voor diens niveau onder te hoeven doen. De heilige kijkt niet omhoog naar de hemel, zoals de meeste andere Romeinse figuren in het Seicento, maar naar beneden, naar de mensen. Het is een houding die kenmerkend is voor de schoonheidsleer van de klassieke Oudheid en tegengesteld aan Bernini's concept van de mystificatie van menselijkheid en natuurlijkheid. Sterker nog: door de antiquiserende drapering van de kleding, die het lichaam gepast omhult, geeft Duquesnoy deze heilige wat voor haar wezenlijk is, namelijk kuisheid, reinheid en maagdelijkheid. Het beeld is uniek binnen het werk van Duquesnoy en is de mooiste barokplastiek naast het werk van Bernini. Eigentijdse commentatoren zagen er al een model voor een nieuwe, klassiek georiënteerde stroming in de barokke beeldhouwkunst in.

Duquesnoys tweede grote plastiek wekt daarentegen juist ergernis. Zijn *H. Andreas*, een van de figuren in de viering van de St.-Pieter (afb. boven), is het tegendeel van de *H. Suzanne* en helemaal in de pathetische stijl van Bernini. Lange tijd vroegen verbouwereerde kunstkenners zich af hoe het mogelijk was dat een begaafde kunstenaar tezelfdertijd in twee zo totaal verschillende stijlen kon werken. Tegenwoordig vermoedt men dat Bernini zich verregaand met het ontwerp van de figuur bemoeid heeft.

Antonio Raggi (1624-1686), geboren in Vico Morcote bij Como, werkte in Rome eerst in het atelier van Algardi en trad daarna bij Berni-

ni in dienst. Zijn artistieke verhouding ten opzichte van Bernini varieert daarbij sterk. Nu eens doet hij niets meer dan naar diens modellen werken, dan weer voert hij opdrachten naar eigen goeddunken uit en ten slotte heeft hij als beeldhouwer geheel de vrije hand. Zijn *Dood van de H. Cecilia*, voor het linker zijaltaar van de S. Agnese aan het Piazza Navona (afb. boven) is echt barok in zijn voorkeur voor een schilderachtig reliëf, dat hij met een grote rijkdom aan scenisch gegroepeerde figuren vult. De tegengestelde bewegingsrichting tussen lichaam en kleding van de figuur rechts op de voorgrond, de uitbreiding van de afgebeelde ruimte tot over de beeldrand en de duidelijk zichtbare emotionele betrokkenheid van de overige figuren maken Raggi voor iedere nauwkeurige beschouwer van zijn werk tot een "Bernini van de tweede generatie".

Ercole Ferrata (1610-1686), evenals Raggi afkomstig uit de Val d'Intelvi bij Como, een streek met een lange kunsttraditie, ging in Genua in de leer. In 1637 wordt hij vermeld als lid van het beeldhouwersgilde in Napels. Na een jaar in L'Aquila gewerkt te hebben, komt hij ten slotte in 1646 naar Rome en treedt in dienst bij Bernini. Later werkt hij voor Algardi. Na diens dood richt hij een eigen atelier in, maar daarnaast blijft hij opdrachten voor Bernini uitvoeren. Een grote oordeelkundigheid en een genuanceerde smaak maken hem ook tot een goede leraar en hij leidt tal van jonge en getalenteerde beeldhouwers op. Tegenover zijn leraarschap en het feit dat hij doorging voor de beste oudheidkundige van zijn tijd, staat de betrekkelijke soberheid van zijn ontwerpen. Zijn marmerreliëf van de *Steniging van de H. Emerentiana* (afb. blz. 297) is als tegenhanger van Raggi's reliëf voor het rechter zij-

.FBEELDING BLZ. 298:
**:amillo Rusconi**
:rafmonument voor paus Gregorius
XIII, 1719-1725
Marmer
Rome, St.-Pieter

nrichting van de Cappella Sansevero de'Sangri, de grafkapel van de amilie Sangrio. Steeds vaker ziet men ervan af de overledenen op groot ormaat af te beelden en kiest men voor allegorische figuren of groepen, erwijl de beeltenis van de overledenen alleen nog als portretmedaillon erugkeert. De *Bevrijding van de dwaling* (afb. onder) is een toespeling p het wereldlijke leven van de vorst Antonio Sangrio, die na de dood an zijn vrouw koos voor het kloosterleven. De sculpturale behandeling an het net (zinnebeeld van de menselijke en aardse dwalingen) is ndrukwekkend natuurgetrouw. Hiermee maakt de barokke beeldhouwunst haar aanspraak waar dat zij ook schilderkunstige thema's plasisch om kan zetten.

De Milanees Camillo Rusconi (1654 of 1658-1728) komt in 1680 ls volleerd beeldhouwer naar Rome en wordt een van de vele medeverkers van Ercole Ferrata. In stilistisch opzicht blijft hij schatplichtig an Bernini's Romeinse Barok, die zich vooral onderscheidt door een ewogen monumentaliteit en de imposante, rijke behandeling van de leding. Later maakt hij het oppervlak van de gewaden beduidend rustiger door al te gedetailleerde plooien te vermijden. Zo ontstaan grotere oppervlakken, die, zoals bij de apostelfiguren in de San Giovanni in aterano (afb. blz. 300 rechts), de monumentaliteit van de figuren nderstrepen.

Als een van de weinige vooraanstaande beeldhouwers van Rome is ietro Bracci (1700-1773) ook Romein van geboorte. Tegelijk met Filippo della Valle was hij leerling van Rusconi. Bracci onderscheidt zich door een zachtere lichtbehandeling. Zo bereikt hij een intensievere schilderachtige expressie, die hij nog versterkt door het gebruik van gekleurd marmer, zoals bij het *Grafmonument voor paus Benedictus XIII* in de San Maria sopra Minerva (afb. boven). In zijn latere werk maken de lichaamsdelen en daarmee ook de bewegingen zich steeds verder los van de zwaarte van de gewaden en ten slotte bereikt hij een classicistisch georiënteerde rococostijl.

**Francesco Queirolo**
Bevrijding van de dwaling, 1757
Marmer
Napels, Santa Maria della Pietà,
Cappella San Severo de'Sangri

**Pietro Bracci**
Grafmonument voor paus Benedictus XIII,
1734
Marmer
Rome, Santa Maria sopra Minerva

Filippo della Valle (1697-1770) werd door zijn oom Giovanni Battista Foggini (1652-1737) in Florence ingewijd in de beeldhouwkunst. In 1725 gaat hij naar Camillo Rusconi in Rome, waar zijn stijl uiteindelijk wordt gevormd. Hoewel hij korte tijd later samen met Pietro Bracci de eerste prijs bij het Concorso Clementino van de Accademia di S. Luca wint, keert hij na de dood van Rusconi in 1728 in eerste instantie naar Florence terug. Door de uitverkiezing van de Florentijn Lorenzo Corsini tot paus Clemens XII, maar vooral door het nepotisme van kardinaal

Neri Corsini, krijgt Della Valle na 1730 vele opdrachten in Rome. Met negen andere beeldhouwers werkt hij aan de inrichting van de Cappella Orsini in S. Giovanni in Laterano. In 1732 draagt hij daaraan de figuur van de *Temperantia* (afb. boven) bij, een allegorie van de matigheid. Het pathos van de Romeinse hoge en late Barok met zijn weidse gebaren treedt op de achtergrond ten gunste van een rustige beweeglijkheid. Daarnaast verraden elementen uit de Oudheid, zoals de gewichtsverdeling in het standmotief van de vrouwenfiguur, een ingehouden classicisme.

De *Fontana di Trevi* (afb. blz. 301) is het laatste grote gemeenschappelijke werk van Romeinse beeldhouwers. Zijn huidige uiterlijk komt overeen met de ontwerpen van Niccolò Salvi (1697-1751). De grandioze loze wand voor het Palazzo Poli verwijst met zijn machtige centrale ronde nis naar de Romeinse triomfboog. Aan weerszijden daarvan bevinden zich twee rechthoekige nissen met statuen van Filippo della Valle: links de allegorie van de overvloed en rechts de verpersoonlijking van de geneeskracht. Boven de linkernis toont een reliëf van Giovanni Grossi (18e eeuw) Agrippa die een ontwerp voor een aquaduct beoordeelt. Het rechterreliëf is van Andrea Bergondi (2e helft 18e eeuw) en

**Filippo della Valle**
Temperantia, 1732, marmer
Rome, San Giovanni in Laterano

**Camillo Rusconi**
Apostel Mattheus, 1708-1718
Marmer, meer dan levensgroot
Rome, San Giovanni in Laterano

AFBEELDINGEN BLZ. 301:
**Niccolò Salvi en anderen**
Fontana di Trevi, 1732-175
Marmer
Rome, Palazzo Poli

verbeeldt een legende uit de Oudheid, waarin een maagd Romeinse sol daten de weg wijst naar een bron, de 'Aqua Virgo'. In het midden treed Oceanos uit zijn nis naar voren. Vanaf een door zeedieren omhoog gehouden schelp heerst hij over het waterrijk en zijn bewoners. Hi wordt daarin bijgestaan door twee zeepaarden, die door Tritons in bedwang worden gehouden.

Deze groep ontleent zijn samenhang aan de achterliggende loze wand. Het is een werk van Pietro Bracci dat naar alle waarschijnlijkheid gemaakt werd naar een ontwerp van Giovanni Battista Maini (1690-1752), de derde Rusconi-leerling van gewicht. Met de Fontana di Trev komt er een einde aan de Barok in Rome.

CLEMENS XII PONT MAX
AQVAM VIRGINEM
COPIA ET SALVBRITATE COMMENDATAM
CVLTV MAGNIFICO ORNAVIT
ANNO DOMINI MDCCXXXV PONTIF VI
PERFECIT BENEDICTVS XIV PON MAX

**Simon Guillain**
Lodewijk XIII, 1647
Brons, hoogte 200 cm
Parijs, Musée du Louvre

**Jean II Warin**
Kardinaal Richelieu, ca. 1640
Bronzen buste, hoogte 70 cm
Parijs, Bibliothèque Mazarin

**Barokke beeldhouwkunst in Frankrijk**

Halverwege de 17e eeuw vertoont de barokke beeldhouwkunst in Frankrijk nog steeds niet de samenhang die zij na het aantreden van de jonge koning Lodewijk XIV onder diens absolutistische heerschappij zal krijgen.

Allereerst zijn daar de verschillende invloeden van beeldhouwers of beeldhouwscholen uit andere landen, die nog steeds voelbaar en misschien zelfs richtinggevend zijn. Zo staan elementen uit de Romeinse Barok naast die van de Nederlandse beeldhouwkunst, en af en toe wordt ook de invloed van de maniërist Giambologna merkbaar. Voor wie van stromingen of tendensen wil spreken, is het weliswaar mogelijk om onderscheid te maken tussen een klassiek-antiquiserende en een naturalistische richting, maar desondanks blijven aanvankelijk de monumentaliserende trekken doorslaggevend, die bij de overgang naar de Franse vroege Barok in het werk van kunstenaars als Germain Pilon (omstreeks 1525-1590) waren ontstaan.

Pilons invloed bepaalt ook de opleiding die de Parijse beeldhouwer Simon Guillain (1581-1658) van zijn vader Nicolas krijgt, voordat hij in 1621 naar Italië reist. Tussen 1630 en 1640 maakt hij decoratief werk voor het slot Blois en in 1648 is hij betrokken bij de oprichting van de *Académie Royale de Peinture et de Sculpture* waarvan hij een jaar voor zijn dood nog rector wordt. De bronsplastieken van *Lodewijk XIII* (afb. links) met Anna van Oostenrijk en haar tienjarige zoon Lodewijk XIV in kroningsornaat gelden als Guillains voornaamste werken. Deze in 1647 voltooide en tegenwoordig in het Louvre tentoongestelde beeldengroep maakte oorspronkelijk deel uit van een triomfboogconstructie aan de smalle zijde van een huizenblok tegenover de Pont-au-Change in Parijs. Met hun naturalistische en tegelijk monumentale inslag geven de figuren blijk van hun afhankelijkheid van de school van Pilon.

Jean II Warin (1604-1672) is geworteld in de traditie van een Luikse medailleursfamilie. In 1625 vestigt hij zich in Parijs, waar hij uitgroeit tot belangrijkste Franse medailleur van de 17e eeuw. In 1646, bijna twintig jaar voor het begin van zijn lidmaatschap van de Académie van Parijs, wordt hij benoemd tot *Graveur Général des Monaies de France* en twee jaar later volgt een aanstelling als *Contrôlleur Général des Effigies*. Als rijksmuntmeester neemt hij de reorganisatie van het Franse muntwezen ter hand. Waar zijn portretmedaillons in de stijl van Germain Pilon gehouden zijn, schemeren in de volplastische portretten onder het representatieve voorkomen ook zeer persoonlijke trekken door. De opgetrokken wenkbrauwen van *Kardinaal Richelieu* (afb. links) getuigen, evenals de andere fysiognomische details, bijvoorbeeld van een bijzondere psychologische opmerkingsgave. Warin maakte de portretbuste nog naar het leven, en na de dood van de kardinaal werden er zes afgietsels van gemaakt.

De als schilder en beeldhouwer actieve Jacques Sarrazin (1592-1660) volgt ook een opleiding bij Nicolas Guillain en gaat in 1610 naar Italië. Hij werkt tot 1628 in Rome en leert er Bernini en Duquesnoy kennen. Hij maakt een hele reeks tuinbeelden, maar ook een paar statuen voor

**Jacques Sarrazin**
Kariatiden aan de gevel van het Pavillon de l'Horloge, 1636
Marmer
Parijs, Musée du Louvre

het hoogaltaar van de S. Andrea della Valle. Belangrijker is echter zijn bestudering van beelden uit de Oudheid en beelden van Michelangelo, want daardoor ontwikkelt zijn kunst zich in de richting van het Franse Classicisme, een stijl die hij als een van de eersten vertegenwoordigt. Terug in Frankrijk is hij bij een reeks gewijde en profane decoratieopdrachten betrokken, onder andere van 1642 tot 1650 voor het Château de Maisons in Maisons-Laffitte en in 1660 voor het slotpark van Versailles. Daarnaast is hij in 1648 een van de oprichters van de Parijse academie, waarvan hij in 1655 rector wordt. Zijn *Kariatiden aan de gevel van het Pavillon de l'Horloge* (afb. boven) in de westvleugel van het Louvre zijn door het gedeeltelijke terugwijken van het hoofdgestel als pilasters opgevat –de twee middelste paren zelfs als haaks gebogen pilasters– en onttrekken zich daarmee aan de problemen die uit de klassieke zuilenorde voortgekomen zouden zijn. Zowel de contrapost als de vormgeving van de gewaden verraden een directe invloed van antieke voorbeelden.

Tegenover Sarrazin, de man die de Franse beeldhouwkunst van de Barok sterk in de richting van een classicistische kunstopvatting heeft gestuurd, staat een kunstenaar die in zijn werk ook door Michelangelo, maar toch vooral door Bernini is beïnvloed. Pierre Puget (1620 1694) laat zich meer leiden door barok pathos en gevoelswaarden dan door academische begrippen. Hij stamt uit Marseille en komt in de houtsnijwerkplaats in een van de werven van die stad in aanraking met de beeldhouwkunst. In 1638 gaat hij naar Italië, waar hij bij Pietro da Cortona ook het schildersvak leert. Hij werkt in de eerste plaats als scheepsdecorateur – van 1643 tot 1679 in Marseille en daarna in Tou-

**Pierre Puget**
Alexanders ontmoeting met Diogenes, 1692
Marmerreliëf, hoogte 332 cm, breedte 296 cm
Parijs, Musée du Louvre

**Pierre Puget**
Milo van Crotone, 1672-1682
Marmer, hoogte 270 cm
Parijs, Musée du Louvre

louse. Daarnaast maakt hij schilderijen van voornamelijk religieuze strekking, die qua stijl aansluiten bij de Carracci's en Rubens. Het portaal van het raadhuis van Toulon vormt zijn eerste vermeldenswaardige opdracht als beeldhouwer. Hiervoor maakt hij in 1656 het ontwerp en de bouwplastiek. Een tweede Italiaanse reis voert hem behalve naar Rome ook naar Genua. Hier maakt hij in 1663 voor de familie Sauli twee monumentale figuren voor de koepelpijlers van de S. Maria de Carignano, een *H. Sebastiaan* en een *Alexander*, die helemaal de sfeer van Bernini's hoge Barok ademen. Omstreeks 1670, als hij werfdirecteur in Toulouse is en boegbeelden ontwerpt, bouwt hij als architect herenhuizen in Aix-en-Provence, maar ook de vismarkthallen van Marseille.

Aan het begin van Pugets latere scheppingsfase staat zijn marmeren *Milo van Crotone*, die hij tussen 1672 en 1682 voor het slotpark van Versailles maakte (afb. rechtsboven). Het beeld is zonder enige twijfel een van zijn hoofdwerken en leeft van een uiterste aan spanning en een naturalistische weergave van het dramatische ogenblik waarop Milo door een leeuw wordt aangevallen. Deze tijdgenoot van Pythagoras was een beroemde worstelaar, die zich in Ovidius' *Metamorfosen* (XV, 229 e.v.) beklaagt over zijn ouderdomskwalen. Zijn van schrik vertrokken gezicht en de heftige draaiing van zijn atletische lichaam, waarin de leeuw zijn klauwen slaat, zijn een slag in het gezicht van de elegante hofkunst.

Hoewel het marmerreliëf van *Alexanders ontmoeting met Diogenes* (afb. linksboven) samen met een tweede, *Andromeda's bevrijding door Perseus*, door Lodewijk XIV wordt aangekocht, lukt het Puget later niet meer een aanstelling aan het hof te krijgen. In de Franse barokke beeldhouwkunst blijft hij vooral door de moeilijk te duiden bewogenheid van zijn figuren en door zijn duidelijk waarneembare naturalisme een vreemde eend in de bijt.

François Girardon
Grafmonument voor kardinaal Richelieu, 1675-1694
Marmer, hoogte 170 cm
Parijs, Chapelle de la Sorbonne

François Girardon
De roof van Proserpina, 1677-1699
Marmer, hoogte van de groep 270 cm
Versailles, paleispark

François Girardon (1628-1715) is juist uitdrukkelijk de ideeën van de Parijse Académie toegedaan. In zijn geboortestad Troyes maakt hij zich de grondbeginselen van de beeldhouwkunst eigen. Van 1648 tot 1650 is hij in Rome, waar hij Bernini leert kennen. Toch wijst hij diens opvatting van de Barok af en grijpt terug op een antieke vormentaal. Zijn beroemde beeld *Bad van Apollo*, een allegorie van de Zonnekoning waarvoor de antieke Apollo van Belvedere in het Vaticaan model heeft gestaan, vormt de sleutel tot de betekenis van alle plastieken in de tuinen van Versailles. Als de god uiteindelijk 's avonds van zijn rit met de zonnewagen is thuisgekomen, wordt hij door nimfen gewassen en gezalfd, terwijl zijn *Zonnepaarden* (afb. blz. 306) links voor de grot gedrenkt worden. De nauwkeurige interpretatie van het zinnebeeld was voor Girardons tijdgenoten geen probleem: net als de zonnegod komt de godgelijke Zonnekoning hulde toe vanwege zijn niet-aflatende diensten aan zijn volk.

Lees verder op blz. 309

**Balthasar en Gaspard Marsy**
Zonnepaarden, 1668-1675
Marmer
Versailles, paleispark

**François Girardon**
Apollo en nimfen (Bad van Apollo), 1666-1675
Marmer en natuursteen, levensgroot
Versailles, paleispark

AFBEELDING BLZ. 308:
**Jean-Baptiste Tuby**
Detail van de Apollo-fontein:
Apollo op zijn zonnewagen,
1668-1670
Lood, oorspronkelijk verguld
Versailles, paleispark

AFBEELDING BOVEN:
**Régnaudin**
Ceres- of Zonnefontein, 1672-1679
Lood, verguld
Versailles, paleispark

AFBEELDING ONDER:
**Jean-Baptiste Tuby**
Flora- of Lentefontein, 1672-1679
Lood, verguld
Versailles, paleispark

AFBEELDING BOVEN:
**Balthasar en Gaspard Marsy**
Bacchus- of Herfstfontein, 1672-1675
Lood, verguld
Versailles, paleispark

AFBEELDING ONDER:
**François Girardon**
Saturnus- of Winterfontein, 1672-1677
Lood, verguld
Versailles, paleispark

Het tussen 1675 en 1694 ontstane *Grafmonument voor kardinaal Richelieu* (afb. blz. 305 links) stond oorspronkelijk op de middenas van de kerk van de Sorbonne in Parijs. Daarvandaan had de door allegorische figuren (*Religio* en *Scientia*) begeleide staatsman onbelemmerd zicht op het altaar. Door de handeling op het sterfbed slaat de overledene een brug tussen de sfeer van levenden en doden. Het concept van deze beeldengroep heeft grote invloed gehad op de verdere classicistische grafkunst.

Girardon nam Giambologna's rondplastische raptusgroep van de Sabijnse maagden als voorbeeld voor zijn *Roof van Proserpina* (afb. blz. 305 rechts), maar koos wel voor een bijna reliëfachtige, eenzijdige gerichtheid. Hij heeft wel barokke bewegingselementen in het werk opgenomen, maar net als in zijn andere werk zijn de innerlijke spanning en de emotionele levendigheid erin teruggebracht en ingepast in de symmetrie en helderheid van de structuur.

Met zijn grote aandeel in de decoratie van Versailles is Antoine Coyzevox (1640-1720) een concurrent van Girardon. Hij is in Lyon als zoon van een beeldhouwer geboren en komt in 1657 naar Parijs, waar hij voor Louis Lerambert gaat werken. Op zesentwintigjarige leeftijd is hij al *Sculpteur du Roi*, oftewel hofbeeldhouwer. In 1678 krijgt hij een aanstelling als leraar aan de Parijse Académie, waarna hij in 1702 tot directeur ervan gekozen wordt. Van alle beeldhouwers van Lodewijk XIV is Coyzevox met een pensioen van jaarlijks 4000 livres duidelijk de succesvolste. Als leraar van een hele generatie beeldhouwers, onder wie

**Antoine Coyzevox**
Grafmonument voor kardinaal Mazarin, 1689-1693
Marmer en brons
Hoogte van de kardinaal 160 cm
Parijs, Institut de France

zijn neef Nicolas (1659-1733) en Guillaume Coustou de Oude (1677-1746), is hij van cruciale betekenis voor de Franse beeldhouwkunst van de 18e eeuw.

In zijn vele portretstandbeelden en -busten laat hij zich kennen als een oplettend waarnemer, die zijn beeltenissen nauwelijks idealiseert. Zijn representatieve bedoelingen realiseert hij met eigentijdse pronkgewaden, pathetisch gebarenspel en soms met antiquiserende elementen. De gestalte van de hertogin van Bourgondië, Marie-Adélaïde van Savooie, hult hij bijvoorbeeld in de laat-Romeinse kleding van de heidense godin Diana. Een van zijn belangrijkste werken is het monumentale stucreliëf *Lodewijk XIV te paard* (afb. blz. 136), dat deel uitmaakt van de wandversiering in de Salon de la Guerre in het paleis van Versailles. De koning rijdt in de stijl van een laat-Romeinse apotheose over het slagveld, een nakomeling van Caesar met vergoddelijkte trekken. Zijn overwinnaarsblik is al gericht op de verte, de toekomst, terwijl hij nog wacht op de lauwerkrans die hem door de boven hem zwevende Victoria wordt aangereikt.

Voor enkele leden van de hofadel maakt Coyzevox grafmonumenten. Dat van minister Colbert valt naast het *Grafmonument voor kardi-*

**Jean-Baptiste Tuby**
Allegorie van Prudentia op het grafmonument van kardinaal Mazarin, 1693
Brons, hoogte 140 cm
Parijs, Institut de France

**La Perdrix**
De melancholicus, 1680
Marmer
Versailles, paleispark

**Étienne Le Hongre**
De lucht, 1685
Marmer
Versailles, paleispark

**Laviron**
Ganymedes, 1682
Marmer
Versailles, paleispark

*naal Mazarin* (afb. blz. 310) op door de stilistische verwantschap met de 16e-eeuwse koningsgraven in St. Denis. De gestorven kardinaal knielt in een pronkgewaad op de verhoogde sarcofaag. Achter hem hurkt een naakte *putto* met het traditionele Romeinse waardigheidsteken van de bijlbundel. Beide marmeren figuren zijn van de hand van Coyzevox, evenals een van de bronzen allegorieën van de deugden (de andere zijn van Étienne Le Hongre (1628-1690) en Jean-Baptiste Tuby (1635-1700).

Coyzevox' tuinbeelden komen meestal niet verder dan het kopiëren van antieke voorbeelden, ook al ziet hij later kans zich van de levenloze en starre banden van de Académie te bevrijden. Los van hun kunsthistorische gewicht geven zijn werken (waarvan er tegenwoordig zo'n tweehonderd bekend zijn) een goede indruk van de heersercultus rond Lodewijk XIV.

Net als zijn broer Nicolas Coustou brengt Guillaume Coustou de Oude zijn leertijd door bij zijn oom Antoine Coyzevox en hij ziet kans om daarna bij hem in dienst te treden. Van 1697 tot 1703 is hij met behulp van een beurs in Rome. In 1704 wordt hij lid van de Académie des Beaux-Arts, die hem in 1735 tot directeur benoemt. Tot zijn beste werk behoort de *Paardentemmer* (afb. blz. 313 onder) aan het begin van de Champs-Élysées in Parijs, die oorspronkelijk bedoeld was voor het slot Marly. Het elegant steigerende paard neemt een soort rijschoolpose in en wordt bijna spelenderwijs door zijn verzorger in toom gehouden. Wat zich hier als oerkracht presenteert, is in werkelijkheid al getemde natuur: manen en haren blijven ornament binnen het begrensde illusionisme van het Rococo.

Edmé Bouchardon (1698-1762), leerling van Coustou, verbindt het Franse late Rococo met streng classicistische elementen tot een vroege

**René-Michel (Michel-Ange) Slodtz**
Grafmonument voor Languet de Gergy, 1753
Marmer
Parijs, Église Saint-Sulpice
Chapelle St. Jean Baptiste

AFBEELDING BLZ. 313:
**Edme Bouchardon**
Vierjaargetijdenfontein, 1739-1745
De stad Parijs te midden van personificaties van de Seine en de Marne
Marmer, hoogte van het standbeeld ca. 210 cm
Parijs, Rue de Grenelle

vorm van Classicisme. Zijn hoofdwerk is de *Fontaine de Grenelle*, de vierjaargetijdenfontein in de Parijse Rue de Grenelle (afb. boven). De fontein is ingepast in een classicistische zuilengevel, wat goed past bij het monumentale karakter van de figuren. Het sculpturale concept is geïnspireerd op Michelangelo's Medici-graven in Florence.

Het oeuvre van René Michel Slodtz (1705-1764) is in stilistisch opzicht vergelijkbaar met Bouchardons voor-classicistische werk en is nog sterk afhankelijk van voorbeelden uit Rome. Slodtz komt voort uit een verfranste Vlaamse kunstenaarsfamilie en wordt opgeleid door zijn vader Sébastien Slodtz (1655-1726). Daarna studeert hij met behulp van een beurs aan de Académie. Van 1736 tot 1746 werkt hij als vrij scheppend kunstenaar in Rome. Van deze tijd dateren zijn voornaamste werken: een marmeren *H. Bruno* die het bisschopsambt afwijst (St.-Pieter, 1740-1744) en het *Grafmonument voor Allessandro Gregorio Marchese Capponi* in de S. Giovanni dei Fiorentini (1745-1746). In Parijs werkt hij vervolgens samen met zijn broers Sébastien Antoine (1695-1754) en Paul Ambroise (1702-1758), vooral aan decoratieopdrachten voor het hof. Het enige monumentale werk uit zijn latere periode is het *Grafmonument voor Languet de Gergy* in de Parijse St. Sulpice (afb. blz. 312).

Het werk van de Parijse beeldhouwer Jean Baptiste Pigalle (1714-1785) moeten we in de overgang tussen Rococo en Classicisme plaatsen. Het is vervuld van de tegenstelling tussen een bijna radicaal te noemen naturalisme in de anatomische details aan de ene kant en een combinatie van gepolijste, classicistisch georiënteerde vormen en de sobere rechte lijnen van de Louis-XVI-stijl (met Pigalle als voornaamste vertegenwoordiger) aan de andere kant. Pigalle wordt opgeleid door Robert Le Lorrain en werkt in 1735 in het atelier van Jean Baptiste II Lemoyne. Een jaar later vertrekt hij voor een tamelijk lange reis door Italië. Drie jaar na zijn terugkeer, in 1744, wordt hij lid van de Académie. In 1752 volgt een benoeming tot professor en in 1777 een tot rector van de Aca-

**Guillaume Coustou**
Paardentemmer, 1745
Marmer, hoogte ca. 350 cm
Parijs, Musée du Louvre

démie. De zittende naakte figuur van Voltaire uit 1776 en zijn portretbuste van Diderot uit 1777 presenteren het individu op een intieme manier: zonder enige idealisering, slechts in zijn eigenschap als mens. Eenzelfde indruk laat *Henry Claude d'Harcourt* (als stervende afgebeeld op zijn eigen grafmonument in de Notre-Dame) achter (afb. onder). Nog één keer probeert de afgeleefde gestalte zich uit zijn doodskist te worstelen, maar de diep in zijn mantel verscholen dood laat zien dat zijn uurglas is verlopen en de fakkel van zijn genius (aan het voeteneind) is gedoofd. De bedroefde weduwe, eenzaam staande tussen de afgelegde wapenen, kijkt ook niet meer naar de dode. Zij is alleen in haar rouw en zendt een smeekbede ten hemel. Zeker, een barok *memento mori* vol verwijzingen naar de sterfelijkheid van de mens, maar toch heeft Pigalle het barokke grafmonument zeer ingrijpend veranderd: net zomin als de figuren onderling contact hebben, wordt de beschouwer bij de gebeurtenis betrokken. Zo wordt de rouw tot een houding en somt het werk als een gedenkteken alle attributen van de doorlopen levensfasen op.

Jean Baptiste II Lemoyne (1704-1778) won in 1725 de Grand Prix en werd later directeur van de Académie Royale. Desondanks zouden pas de 20e-eeuwse kunsthistorici in hem de belangrijkste beeldhouwer van het Franse Rococo zien. De critici van zijn tijd waren classicistisch georiënteerd en sterk door Diderot beïnvloed. Zijn portretbusten boeiden hen maar matig en zouden onderdoen voor het werk van zijn leerling Jean-Antoine Houdon (1741-1828). Lemoynes buste van de *Comte de la Tour d'Auvergne* (afb. blz. 315 links) wordt beheerst door een ambivalentie tussen de harde tekening van de ogen en het harnas en een bijna schilderkunstige, zachte behandeling van de draperie en de vlezige gelaatstrekken. Zijn busten doorbreken de conventies van een hoofse, representatieve portretkunst, want ze proberen het opvallendste aspect van een bepaalde houding in steen te vangen en het individuele van het model te laten spreken. Dat neemt niet weg dat de graaf La Tour in deze typische stijlproeve van het hoge Rococo alles aan ontwikkeling en elegantie meekrijgt wat de levenshouding van de Franse aristocratie in de 18e eeuw uitmaakte.

Naast de buste van graaf La Tour vinden we in het Frankfurtse Liebieghaus ook de portretbuste van *Mademoiselle Servat* (afb. blz. 315 rechts), gemaakt door Lemoynes ongetwijfeld belangrijkste leerling, Jean-Antoine Houdon. De ambivalentie in het vormgebruik van dit werk is nog extremer. Pijnlijk nauwkeurige details (bijvoorbeeld het ragfijne kant van het decolleté) staan tegenover gladgeslepen partijen in de draperie en delen van het gezicht. Tussen deze beide polen betekent het kapsel bijna een nieuw en bindend expressiemiddel, want zonder daadwerkelijk nauwkeurig uitgewerkt te zijn, maakt het wel elk afzonderlijk haartje zichtbaar. Hoezeer dit vroege hoogtepunt in Houdons oeuvre ook schatplichtig is aan het menselijke aspect in de portretkunst van zijn leermeester – het is tegelijk ook volkomen gericht op de vormenleer van het Classicisme.

Houdons levensweg bracht hem niet alleen naar Italië en Duitsland, maar in 1785 ook naar de Verenigde Staten, waar hij betrokken was bij de bouw van een monument voor George Washington. Op de drempel van een nieuw tijdperk staat hij dichter bij het nieuwe dan het oude, maar het geleerde gooit hij niet overboord.

**Jean Baptiste Pigalle**
Grafmonument voor Henry Claude d'Harcourt, 1774
Marmer
Parijs, Notre-Dame

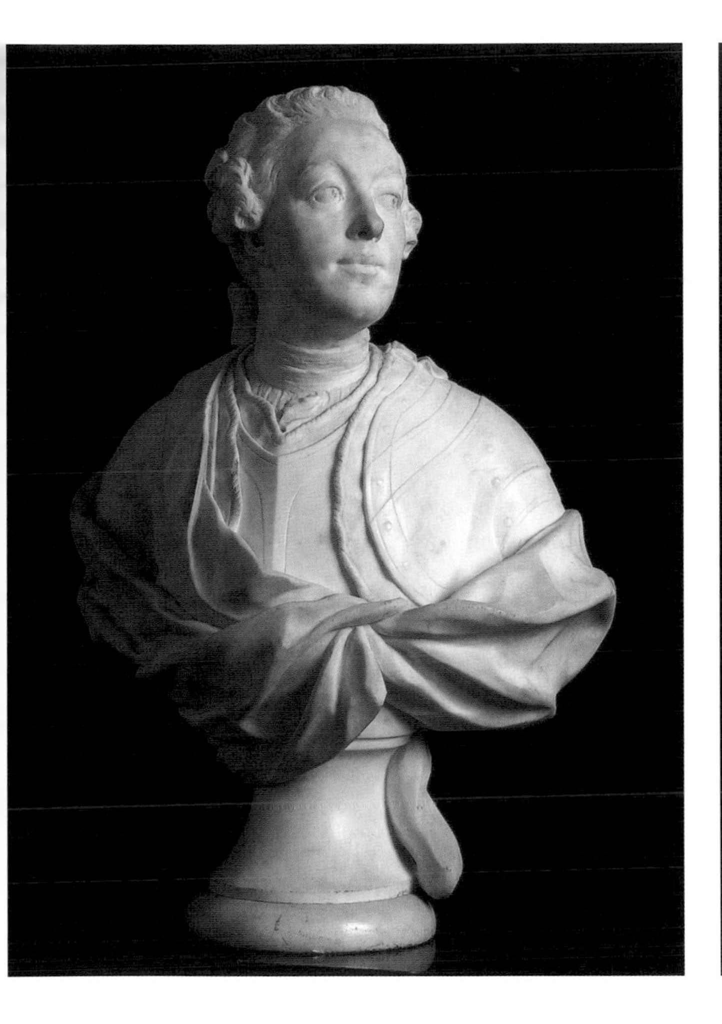

**Jean Baptiste II Lemoyne**
Comte de la Tour d'Auvergne, 1765
Marmeren buste, hoogte 71 cm
Frankfurt am Main, Liebieghaus

**Jean Antoine Houdon**
Mademoiselle Servat, 1777
Marmeren buste, hoogte 76,5 cm
Frankfurt am Main, Liebicghaus

**Hendrik de Keyser**
Grafmonument voor Willem de Zwijger,
1614-1622
Marmer en brons, hoogte 765 cm
Delft, Nieuwe Kerk

**Artus Quellinus de Oude**
Anton de Graeff, 1661
Marmer
Amsterdam, Rijksmuseum

**Barokke beeldhouwkunst in de Lage Landen**

Na de deling van de Nederlanden in de 17e eeuw wist in het protestantse noorden slechts één enkele beeldhouwer aansluiting bij het internationale niveau te vinden. Dat was Hendrik de Keyser (1565-1621), naast beeldhouwer ook architect en –op latere leeftijd– stadsbouwmeester van Amsterdam. Zijn plastiek heeft, net als zijn bouwwerken, zijn wortels in het Italiaanse Maniërisme, maar kan zich niet meten met het internationale niveau in het oeuvre van iemand als Adriaen de Vries. In 1614 krijgt De Keyser opdracht voor de bouw van het *Grafmonument van Willem van Oranje* in de Nieuwe Kerk van Delft (afb. boven), maar dat zal pas in in het jaar van zijn dood door zijn zoon Pieter voltooid worden. In een licht en rijk versierd paviljoenachtig ombouwsel van wit en zwart marmer ligt de eveneens marmeren figuur van de vorst. Deze wordt begeleid door twee bronzen beelden: aan het hoofdeind nogmaals de prins en aan het voeteneind een allegorie van de roem. Geheel in de geest van het calvinisme toont zich geen van de vier hoofddeugden in de hoeknissen naakt of ook maar halfnaakt. De Keysers school stond niet hoog in aanzien en hij leidde maar weinig beeldhouwers op, zodat na zijn dood kunstenaars uit de Zuidelijke Nederlanden ook in het noorden kwamen werken.

Het atelier van Quellinus heeft daarentegen heeft wel degelijk school gemaakt in de Nederlanden, ook al werkten veel van de hier gevormde kunstenaars (bijvoorbeeld J. Nost, D. Plumier, Aegidius Verhelst, Willem de Groff, Gabriel Grupello en Peter Verschaffelt) overwegend in het buitenland. Artus Quellinus de Oude (1609-1668) geldt zelfs als de belangrijkste vertegenwoordiger van de Nederlandse beeldhouwkunst in de 17e eeuw. Hij werd in Antwerpen geboren en door zijn vader Erasmus Quellinus (1584-1639) opgeleid. Hij ging naar Rome en studeerde bij François Duquesnoy, maar in 1639 vestigde hij zich weer in Antwerpen. Hij maakte deel uit van de wijdere kring rond Rubens. In 1650 gaat Quellinus voor vijftien jaar naar Amsterdam, waar hij allegorische reliëfs en een groep van vier kariatiden bijdraagt aan de inrichting van het nieuwe stadhuis op de Dam. De door hem gesigneerde marmeren buste van *Anton de Graeff* (afb. boven) ontstond ook in deze periode. Hij toont dit lid van een regentengeslacht in een zeer representatieve kleding en pose. Welbeschouwd bestaat Quellinus' werk uit het toepassen van Pieter Paul Rubens' schilderkunstige opvattingen op de beeldhouwkunst.

De belangrijkste vertegenwoordiger van de kunstenaarsfamilie Fayd'herbe is de in Mechelen geboren Lukas Fayd'herbe (1617-1697).

**Lukas Fayd'herbe**
Grafmonument voor aartsbisschop André Cruesen, voor 1666
Twee details, marmer
Mechelen, kathedraal

Als negentienjarige gaat hij naar Antwerpen, komt bij Rubens in huis en werkt drie jaar met hem samen. Net als Quellinus baseert Fayd'herbe zich vaak op motieven van de grote schilder, die we vooral in zijn ivoorkunst op klein formaat terugvinden. Zijn eclectische werkwijze maakt zijn figuurbehandeling en compositie wat minder geslaagd. Bij het grote formaat, waar ook Bernini's invloed voelbaar is, is dat nog duidelijker te zien. Het *Grafmonument voor aartsbisschop Andreas Cruesen* in de kathedraal van Mechelen (afb. boven en links) toont ons de bisschop in vol ornaat knielend voor de herrezen Christus. Zijn mijter staat voor hem op de grond; achter hem staat Chronos, allegorie van de vergankelijkheid, op het punt zich af te wenden. Fayd'herbe was tevens architect. Zijn belangrijkste bouwwerk is de kerk Onze-Lieve-Vrouwe van Hanswijk in Mechelen.

Rombout Verhulst (1624-1698), eveneens afkomstig uit Mechelen, assisteert in 1648 Quellinus bij de inrichting van het stadhuis in Amsterdam. Hij ontwikkelt zich al snel tot een van de belangrijkste portretbeeldhouwers van de tweede helft van de 17e eeuw naast Quellinus, wat hem overal in de Lage Landen opdrachten (vooral voor grafmonumenten) oplevert. Een van de belangrijkste is het *Grafmonument voor Johan Polyander van Kerckhoven* in Leiden (afb. blz. 318 boven). De gestorvene ligt slapend, alsof hij net is ingedommeld; zijn linkerhand stut nog zijn moede hoofd. De fijnzinnige weergave van gezicht en handen, maar ook de naturalistische behandeling van kleding en haar zijn sprekende getuigen van Verhulsts grote kwaliteiten.

**Rombout Verhulst**
Grafmonument voor Johan Polyander van Kerckhoven, 1663
Marmer
Leiden, Pieterskerk

AFBEELDINGEN ONDER EN BLZ. 319:
**Hendrik Frans Verbrugghen**
Kansel en kanseldetail (Eva en de Dood voor de verdrijving uit het paradijs), 1695-1699
Verguld eikenhout
Hoogte ca. 700 cm, breedte ca. 350 cm, diepte ca. 200 cm
Brussel, St.-Michiel- en St.-Goedele-kerk

Kansels vormen een hoogtepunt in de Zuid-Nederlandse beeldhouwkunst, ook al heeft de kunstgeschiedenis er nooit veel aandacht voor gehad. Buitengewoon, zowel naar formaat als verschijningsvorm, is het kerkmeubel dat zich tegenwoordig in het schip van de St.- Goedele in Brussel bevindt.

Voordat Hendrik Frans Verbrugghen (1654-1724) van de Leuvense jezuïeten opdracht kreeg voor deze kansel, had hij net als zijn vader Pieter de Oude (1615-1686) al heel wat kerken in Antwerpen ingericht. Verbrugghen gebruikt hier een iconografisch programma dat het Oude en Nieuwe Testament binnen de christelijke heilsbelofte op elkaar betrekt. De kuip wordt gedragen door een machtige boomstam, die met zijn takken tot boven het klankbord reikt. Voor de boomstam zien we Adam en Eva, die uit het paradijs verdreven worden door een engel met een zwaard. In afwijking van het gebruikelijke typologische schema worden ze daarbij door de Dood als knekelman begeleid. Maria en het kindeke Jezus op het klankbord vormen het pendant van deze scène: de Moeder Gods die de slang doodt, is de nieuwe Eva en verlosseres van de mensheid. Als de naturalistische weergave van flora en fauna verwijst naar het domein van het aardse, dan staat het door engelen gedragen klankbord voor de hemel. De kuip van de kansel bevindt zich ertussenin en heeft enigszins de vorm van een wereldbol. Hij is dus niet alleen als metaforische last op de rug van van de stamouders van de mensheid op te vatten, maar is als attribuut van Maria ook een brug tussen beide domeinen.

“De kuip als wereldbol wordt tot een plaats waar de (...) Kerk haar vertegenwoordiger op aarde plaatst binnen het pictorale gebeuren van de heilsgeschiedenis en hem haar boodschap laat verkondigen”, schrijft Susanne Geese. De kansel werd in 1699 in de jezuïetenkerk van Leuven opgesteld en na de ontbinding van de jezuïetenorde in 1773 naar zijn huidige plaats overgebracht.

Nicholas Stone de Oude
Grafmonument voor Sir William Curle, 1617
Marmer, levensgroot
Hatfield, Hertfordshire

**Barokke beeldhouwkunst in Engeland**

Terwijl de Engelse kunst als geheel in de eerste helft van de 17e eeuw door de bouwkundige prestaties van de Londense schilder en architect Inigo Jones (1573-1652) wordt gedomineerd, teert de beeldhouwkunst op invloeden van kunstenaars die de godsdienstoorlogen op het vaste land ontvluchten, met name uit Nederland.

De in alle opzichten belangrijkste Engelse beeldhouwer uit deze tijd is de uit Woodbury in Exeter afkomstige Nicholas Stone (1586-1647). De twee laatste jaren van zijn leven werkte hij in Londen in het atelier van Isaak James, misschien op aanraden van Hendrik de Keyser, die in 1606 tijdelijk in Engeland verbleef. Als gezel van De Keyser reist Stone mee terug naar Nederland. Tot 1613 is hij vervolgens medewerker van De Keyser en voor zijn terugkeer naar Engeland trouwt hij met diens dochter.

In het Hollandse atelier komt Stone in aanraking met plastiek van een kwaliteit die hij uit zijn vaderland niet kende. Het zal hem in staat stellen een centraal onderdeel van de Engelse beeldhouwkunst, de grafkunst, te vernieuwen. Op deze manier vindt bijvoorbeeld de liggende figuur zonder gebedshouding zijn weg naar de Engelse barokkunst. Het *Grafmonument voor Lady Elizabeth Carey*, dat nog tijdens haar leven werd gemaakt, toont de gestorvene liggend op een katafalk (afb. hieronder). Alsof ze vredig ligt te slapen, ligt haar rechterhand op haar borst.

Nicholas Stone de Oude
Grafmonument voor Lady Elisabeth Carey, 1617-1618
Marmer, levensgroot
Stowe-Nine-Churches, Northamptonshire

Louis François Roubiliac
John Belchier, 1749
Marmeren buste, levensgroot
Londen, Royal College of Surgeons of England

Louis François Roubiliac
Grafmonument voor Joseph en Lady Elizabeth Nightingale, 1760
Marmer
Londen, Westminster Abbey

Het zwarte marmer van de baar en het wit van de liggende figuur vormen een eenvoudig, maar des te effectiever contrast. Even natuurgetrouw als de stofuitdrukking van de prachtige kleding is de bepaald ongeflatteerde weergave van het gezicht. Overigens maakt in alle landen van de Reformatie het representatieve grafmonument plaats voor een intiemere opvatting van de dood. Op het *Grafmonument voor Sir William Curle* (afb. blz. 320 boven) ligt de overledene als een slaper met ontspannen ledematen op een grafsteen die iets uitsteekt boven de vloer. Op een dunne doek na is hij naakt. Het is een van de vele vernieuwingen waarmee Stone de Engelse beeldhouwkunst van zijn tijd verlevendigde. Daarnaast werkt hij als architect en bouwmeester, onder andere bij projecten van Inigo Jones. Zijn zoon Nicholas Stone de Jonge (1618-1647) is zowel zijn leerling als werkplaatsassistent. Twee bewaard gebleven notitieboekjes geven een indringend beeld van het leven en werk van Stone.

De belangrijkste Engelse beeldhouwer van het Rococo is Fransman van geboorte: de uit Lyon afkomstige Louis François Roubiliac (ca. 1703-1762). Vermoedelijk is Balthasar Permoser uit Dresden zijn eerste leermeester, gevolgd door Nicolas Coustou in Parijs. Voor een reliëf met een oudtestamentisch thema verleent de Académie hem in 1730 de Grand Prix voor beeldhouwkunst. Rond 1735 komt hij naar Engeland en trouwt er met een hugenotenvrouw. Als hij een stapel bankbiljetten

van Edward Walpole, een buitenechtelijk kind van de minister-president, vindt en terugbezorgt, gaan de deuren van vermogende en invloedrijke opdrachtgevers snel voor hem open. Zijn eerste werk, een zittende figuur van *Georg Friedrich Händel* uit 1738, is onmiddellijk een groot succes. In plaats van een Apollo of Orpheus, de traditionele allegorieën van de muziek, zit de al bij leven beroemd geworden componist lierspelend op een verhoging. Het is een van de eerste gedenktekens van een nog levende kunstenaar en qua compositie en zeggingskracht een van de hoofdwerken van het Engelse Rococo.

Nog beroemder werd het *Grafmonument voor Joseph en Lady Elizabeth Nightingale* (afb. boven) dat Roubiliac in 1760 voor Westminster Abbey maakte. Lady Elizabeth kwam in 1731 om het leven door een miskraam (een bliksemschicht bezorgde haar een shock). Na de dood van haar echtgenoot in 1752 had hun zoon het grafmonument in opdracht gegeven. Uit een zwarte grafkamer komt de Dood naar buiten en bedreigt met een speer (een verwijzing naar de bliksem) de jonge, reeds ineengezegen vrouw. Haar man probeert vertwijfeld het onheil af te wenden. Zoals zoveel grafmonumenten uit die tijd vertelt ook dit werk een verhaal, al heeft het hier niet de opstanding van Christus, maar de tragische overwinning van de dood tot onderwerp.

Roubiliac maakte niet alleen indrukwekkende grafmonumenten, hij was ook een virtuoze portretbeeldhouwer. Hij hechtte een groter belang aan een natuurgetrouwe beeltenis van een persoon dan aan een representatieve of geïdealiseerde weergave (afb. links). Hij hield ervan zijn modellen in eenvoudige eigentijdse kleding af te beelden.

**Hans Krumper**
Hertog Albrecht V van Beieren op het grafmonument van keizer Lodewijk van Beieren, 1619-1622
Brons, meer dan levensgroot
München, Frauenkirche

**Barokke beeldhouwkunst in Duitsland en Oostenrijk in de late 16e eeuw en de eerste helft van de 17e eeuw**

In die (vooral Zuid-Duitse) delen van het Heilige Roomse Rijk waar het protestantse iconoclasme teruggedrongen kon worden en de kunstvisie van de Contrareformatie zegevierde, konden aan het eind van de 16e en het begin van de 17e eeuw kunstcentra ontstaan die krachtige impulsen gaven aan de plastiek op groot formaat. Architectuur en beeldhouwkunst gingen daarbij een nieuwe relatie aan. Op beide gebieden onderscheidden zich vaak Nederlanders, die met belangrijke verse indrukken uit Italië terug waren gekomen.

De beeldhouwer Hubert Gerhard (ca. 1550-1622/1623) uit Amsterdam werkt in de Florentijnse werkplaats van Giambologna en wordt in 1581 door Hans Fugger naar Zuid-Duitsland gehaald om voor diens slot in Kirchheim de eerste monumentale fontein naar Florentijns voorbeeld ten noorden van de Alpen te bouwen. Het werk dient ter verheerlijking van de legendarische stichter van Augsburg, de Romeinse keizer Augustus, en heet daarom de *Augustusfontein* (afb. blz. 323 rechtsboven). De fontein werd opgericht ter gelegenheid van het 1600-jarige bestaan van de stad in 1589. Vier bij de rand van het bekken geplaatste riviergoden symboliseren de vier rivieren van Augsburg, elk met hun eigen economische betekenis, terwijl de gestalte van de Romeinse veldheer zich met een weids gebaar naar het stadhuis keert, de zetel van Augsburgs burgerij, die alleen aan de (Duitse) keizer onderworpen is. Gerhards bronzen plastiek van de drakendoder *Aartsengel Michaël* (afb. blz. 323 linksboven) siert de gevel van de Michaelskirche in München, die tussen 1583 en 1590 in opdracht van de jezuïeten gebouwd werd door Friedrich Sustris. Plaats en opdrachtgevers maken van het beeld een verwijzing naar de glorierijke strijd van de Contrareformatie tegen de 'ketters' van de Reformatie.

De veel jongere Weilheimse beeldhouwer Hans Krumper (1570-1634) is nauw gerelateerd aan zowel Gerhard als Sustris. Na zijn opleiding bij hen gaat hij in 1590 naar Italië. Twee jaar later trouwt hij met Sustris' dochter en in 1594 wordt hij hofbeeldhouwer van de Beierse hertog Willem V. Misschien heeft hij het aan de reputatie van zijn schoonvader te danken dat hij deze in 1599 als hofbouwmeester kan opvolgen. Als architect en beeldhouwer bundelt Krumper de kern van de activiteiten die tot een grootscheepse reconstructie van het hertogelijk paleis leiden. Van zijn hand zijn de allegorieën van de hoofddeugden en van de zgn. *Patrona Bavariae* in het midden van de façade (afb. blz. 323 linksonder). We zien de Moeder Gods als koningin der hemelen, gekroond en met scepter in haar linkerhand. Haar rechtervoet rust op de maansikkel, terwijl ze het kindeke Jezus met rijksappel in haar rechterarm draagt. Krumper ontwierp het beeld in 1611, modelleerde het in 1614 en een jaar later werd het door Bartholomäus Wenglein gegoten. Het werk is een teken van de herwonnen geloofsovertuiging van de Contrareformatie en geeft het paleis en daarmee de daar residerende Maximiliaan I wijding en een godsdienstige legitimatie. Krumpers *Hertogengestalten op het grafmonument voor Lodewijk van Beieren* (afb. links) waren oorspronkelijk bedoeld voor het graf van Willem V. Ze werden gegoten door Dionys Frey en behoren tot het beste wat de bronsgieterij in München gepresteerd heeft.

Ook de Nederlander Adriaen de Vries (ca. 1545-1626) kreeg zijn opleiding in het atelier van Giambologna in Florence, waar hij zich diens maniëristische esthetica eigen maakt. In 1588 wordt hij hofbeeldhouwer van de hertog van Savooie. Tussen 1596 en 1602 voorziet hij Ausgburg van nog twee fonteinen, die de stad in haar trots als rijksstad bevestigen: de *Mercurius-* en de *Herculesfontein* (afb. blz. 323 rechtsonder), waarvoor de werkplaats van Wolfgang Neidhart de Jonge het gietwerk verrichtte.

Een van Adriaen de Vries' indrukwekkendste werken, die zelfs behoren tot de "volmaaktste werken van de Europese kunst", is de zgn. *Christus im Elend* (afb. blz. 324 onder), die hij in opdracht van vorst Karel van Liechtenstein in 1607 uitvoerde, toen hij al 'Kammerbildhauer' van Rudolf II in Praag was. Als voorbeeld voor dit type van de eenzaam aan de rand van zijn lijdensweg zittende Man van Smarten nam hij het titelblad van de grote Passie uit 1511 van Albrecht Dürer (1471-

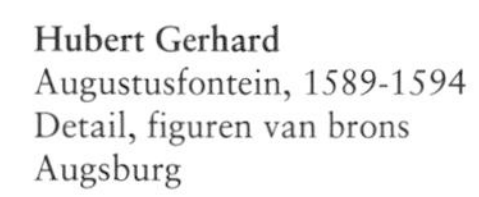

**Hubert Gerhard**
Aartsengel Michaël, 1588
Brons, meer dan levensgroot
München, gevel van de Michaelskirche

**Hans Krumper**
Patrona Bavariae, 1615
Brons, hoogte ca. 300 cm
München, façade van de residentie

**Hubert Gerhard**
Augustusfontein, 1589-1594
Detail, figuren van brons
Augsburg

**Adriaen de Vries**
Herculesfontein, 1596-1602
Figuren van brons
Augsburg

**Hans Reichle**
Aartsengel Michaël, 1603-1606
Brons, meer dan levensgroot
Augsburg, gevel van het Zeughaus

**Adriaen de Vries**
'Christus im Elend', 1607
Brons, hoogte 149 cm
Vaduz, Fürstliche Sammlung Liechtenstein

Reichles plastische meesterschap. Weids gebarend slagen de figuren erin zich in de open ruimte van de viering te handhaven, waar ze zich met hun scherpe omtrekken duidelijk aftekenen. De groep bestaat uit een crucifix en de treurende bijfiguren van Maria, Maria Magdalena en Johannes. Eigenlijk is het een gezamenlijk werkstuk van de beeldhouwer als ontwerper en de Augsburgse bronsgietrij onder leiding van Wolfgang Neidhart de Jonge, een telg uit een 'oude ertsverwerkersfamilie uit Ulm'. Het laat zien dat deze gieterij in niets voor die van Neurenberg onderdoet.

De laat-gotische ruimte van diezelfde St. Ulrich und Afra baadt in licht en zo komen ook de drie in hout gebeeldhouwde altaren met enorme retabels en bekroningen (afb. blz. 325) zeer goed tot hun recht. De Weilheimse beeldhouwer Hans Degler (1564-1634 of 1635) greep ervoor terug op het inmiddels verloren gegane sacramentshuisje van de dominicanerkerk in Augsbrug, dat in 1518 in renaissancistische stijl gebouwd werd. Op een sokkel die in breedte overeenkomt met de mensa rust de sterk ontwikkelde tabernakelzone. Daarboven verheft zich de machtige retabel, die naar een triomfboog uit de Oudheid gemodelleerd is. De arcade is voorbehouden aan het centrale thema; in zijarcaden flankeren heiligenfiguren de voorstelling. Tussen retabel en opengewerkte bekroning is een atticazone gevoegd, die ook als nis is vorm-

1528). Hij deed echter meer dan alleen een houtsnede omzetten in een driedimensionaal werk. Het ging Dürer erom het passieverhaal voelbaar en algemeen toegankelijk te maken en hij beeldde Christus af met doornenkroon en wondtekenen. De Vries plaatst het element van menselijk lijden op de voorgrond, om tegemoet te komen aan de contrareformatorische behoefte aan medelijdende devotie. De gekwelde gezichtsuitdrukking staat echter wel in schril contrast met het atletische lichaam, dat gemodelleerd is naar de torso van Belvedere. De spanning die daaruit voortkomt, is kenmerkend voor de overgangskunst tussen laat Maniërisme en Barok.

Kort na Adriaen de Vries komt een andere beeldhouwer naar Augsburg: Hans Reichle (ca. 1570-1624) uit Schongau. Ook hij was bij Giambologna in de leer gegaan (zijn verblijf in diens atelier is vanaf 1588 gedocumenteerd). Hij werd vooral bekend om zijn voortreffelijke monumentale bronzen plastieken. In 1602 komt hij naar Augsburg en nog geen jaar later begint hij aan zijn *Aartsengel Michaël* (afb. boven) voor het arsenaal. In 1606 is hij klaar. Meer dan levensgroot, een vlammend zwaard heffend, staat dan de triomferende aartsengel op het lichaam van de ten val gebrachte Lucifer, wiens ontzetting tot uitdrukking komt in een naturalistisch vertrokken grimas. In de manier waarop zij bezit neemt van de ruimte, is de groep duidelijk geïnspireerd door het voorbeeld uit München van de Vlaming Hubert Gerhard. Omdat Reichle zich niet tot een nis hoefde te beperken, kon hij het ensemble aan weerszijden met *putti* uitbreiden. De hele façade is daarbij plaats van handeling geworden. De *Kruisigingsgroep* in de St. Ulrich und Afra (afb. blz. 325 en 327 linksboven) is een nog overtuigender bewijs van

Augsburg, St. Ulrich und Afra
Koor met de kruisigingsgroep van Hans Reichle, 1605,
en de altaren van Hans Degler, 1604-1607

**Hans Reichle**
Treurende Maria (figuur van de kruisigingsgroep), 1605
Brons, hoogte 190 cm
Augsburg, St. Ulrich und Afra

**Eckbert Wolff de Jonge**
Altaartafel plus detail: fakkeldragende engel, 1601-1604
Verguld hout
Bückeburg, slotkapel

AFBEELDING BLZ. 326:
**Jörg Zürn**
Maria-altaar, 1609-1616
Lindenhout, naturel
Überlingen, stadskerk

**Georg Petel**
Ecce homo, ca. 1630-1631
Lindenhout, gepolychromeerd, hoogte 175 cm
Augsburg, koor van de domkerk

AFBEELDING BLZ. 329:
**Johannes Juncker**
Passiealtaar, 1609-1613
Zwart en rood marmer, albast
Aschaffenburg, slotkapel

gegeven. Op de vele voorsprongen, kapitelen en voluten wemelt het van de putti en heiligenfiguren. Als spelend op het theaterpodium van de Contrareformatie verschijnen als hoofdthema's van de altaren gebeurtenissen die verband houden met de katholieke hoogtijden Kerstmis, Pasen en Pinksteren.

Ook in andere streken van Duitsland ontstaan nog voor de Dertigjarige Oorlog grote altaren, die deels beïnvloed zijn door Hans Deglers Augsburgse altaren. Erg nauw verwant is wel het prachtige *Maria-altaar* van de St.-Nicolaaskerk in Überlingen (afb. blz. 326). Het werd dan ook, tussen 1609 en 1613, gemaakt door een leerling van Degler, de uit Waldsee stammende houtsnijder Jörg Zürn (ca. 1583-1635). Boven het annunciatietafereel in de predella verheft zich een centrale arcade met de aanbidding van de herders. Daar weer boven is de kroning van Maria afgebeeld. Ten slotte vinden we in de bekroning de beschermheilige van de kerk. De figuren zijn geschikt in indrukwekkende composities en nemen bezit van de ruimte die de architectonische altaarelementen beschikbaar stellen. Er zijn nog veel elementen terug te vinden van het laat-gotische vleugelaltaar, maar nieuw zijn het gebruik van het licht en de naturalistisch-plastische toneeleffecten, die het geheel een complexe dieptewerking geven. De op of buiten het architectonische kader geplaatste figuren staan duidelijk in de Duitse houtsnijtraditie en laten zien dat de overgang van het laat-gotische naar het barokke altaar zich maar geleidelijk voltrok.

Het indrukwekkende *Passie-altaar* in de slotkapel van Aschaffenburg (afb. blz. 329) is met zijn strenge opbouw uit rood en zwart marmer daarentegen nog duidelijk beïnvloed door de vormentaal van de late Renaissance. Dat weerhield zijn maker er overigens niet van de resulterende vlakken als in een ware *horror vacui* te overdekken met een welhaast al te rijke verzameling figuren en taferelen van albast. Het altaar werd omstreeks 1610 gemaakt door Johannes Juncker (ca. 1582-na 1623), die de voornaamste Frankische beeldhouwer van de vroege 17e eeuw was.

In het begin van de 17e eeuw verrijzen in heel Duitsland tal van kastelen en kerken. Zelfs in de protestantse gebieden, waar de vorsten zich van bijna het hele kerkelijke bezit meester maakten, bieden nieuwe residenties en paleizen de beeldhouwer een lucratief werkterrein. Zo ontwikkelde het hof van Bückeburg zich tot het centrum van een heel herkenbare kunstproductie, die uit de zgn. Weser-Renaissance was voortgekomen. Hier werkte de beeldhouwersfamilie Wolff, vader Eckbert de Oude en de broers Eckbert de Jonge (gest. rond 1608) en Jonas, aan de decoratie van het slot. Levensgrote knielende engelen dragen de *Altaartafel* in de slotkapel (afb. blz. 327 rechtsboven en onder), terwijl elk van hen een brandende fakkel vasthoudt. Het werk ontstond tussen 1601 en 1604 en toont –net als de een jaar later gedateerde Venus op de zgn. Göttertür van de Gouden Zaal– hoe Eckbert de Jonge het Duitse Maniërisme veranderde in een plaatselijke vroege Barok.

Deze plaatselijke kunstbloei valt, zoals op zoveel andere plaatsen in Duitsland, ten prooi aan de Dertigjarige Oorlog. Aanvankelijk lijkt Georg Petel (1601/1602-1634) uit Weilheim zich aan de neergang te kunnen onttrekken. Hij is waarschijnlijk de meest vooraanstaande Duitse beeldhouwer van het begin van de 17e eeuw en bereikt een internationaal niveau. De beeldhouwer Bartholomä Steinle was zijn voogd en vermoedelijk ook zijn leermeester. Als rondtrekkend gezel bezoekt hij München en in 1620 de Lage Landen en Parijs, gevolgd door een vrij lang verblijf in Italië. In Rome staat hij in nauw contact met de Vlaamse beeldhouwer François Duquesnoy en de schilder Anthonis van Dyck. Zijn oeuvre omvat veel houten en bronzen beelden met een monumentaliteit die door tal van echt barokke, retorische stijlmiddelen gedragen wordt. Daarnaast vertonen deze beelden ook vaak een ingehouden bewogenheid, zoals zijn *Ecce homo* (afb. linksboven). Dit werk wordt echter nog overtroffen door een kleinere tegenhanger van hout en ivoor met allerlei innovatieve elementen. In 1633 bezoekt Petel nogmaals de Nederlanden. In Antwerpen maakt hij een terracotta buste van Rubens, die een vaderlijke vriend voor hem was. Als Augsburg in het jaar daarop door het leger van de keizer belegerd wordt, behoort de pas 33-jarige Petel tot de bijna 12.000 slachtoffers die hongersnood en pest teweegbrengen.

**Justus Glesker**
Kruisigingsgroep plus detail:
Treurende Maria, 1648-1649
Hout, opnieuw verguld, hoogte Christus 220 cm
Bamberg, dom

### De tweede helft van de 17e eeuw

De Dertigjarige Oorlog had de vervaardiging van plastiek op groot formaat bijna overal onmogelijk gemaakt, maar meteen na het sluiten van de vrede in 1648 is er in Franken al weer een werkelijk grote beeldhouwopdracht, de barokke herinrichting van de dom in Bamberg. Waarschijnlijk door tussenkomst van de jongere Matthäus Merian gaat deze opdracht naar de Frankfurtenaar Justus Glesker (tussen 1610 en 1623-1678).

Gleskers jeugd in Hamelen is grotendeels onbekend, maar men neemt aan dat zijn geboortejaar ergens tussen 1610 en 1623 ligt. Sandrart vermeldt dat hij eerst een bezoek heeft gebracht aan de Lage Landen en daarna aan Italië. Lange tijd was de kunstgeschiedschrijving vooral geërgerd door dit plotselinge opduiken van een kunstenaar in een tijd waarin van continuïteit in de beeldhouwersproductie geen sprake kon zijn. De ergernis komt natuurlijk ook voort uit het feit dat het

Martin Zürn
Ridderheiligen Florian en Sebastiaan, 1638-1639
Hout, hoogte H. Florian (boven) 286 cm, H. Sebastiaan (onder) 289 cm
Berlijn, Staatliche Museen, Skulpturengalerie

heel weinige dat er van het omvangrijke oeuvre van Justus Glesker bewaard is gebleven, van een verbluffende kwaliteit is. Zijn *Bambergse kruisigingsgroep* (afb. blz. 330) moet bij deze stand van zaken als zijn hoofdwerk worden beschouwd. Het werk is in stilistisch opzicht niet eenvoudig te plaatsen. Delen als de *Treurende Maria* links verraden de invloed van de kunst uit Rome, die hij ongetwijfeld door maniëristische werken van de jaren '30 en '40 zal hebben leren kennen. Daarvoor spreken het accent op de lichaamsvormen onder de kleding en de houding van de Moeder Gods, die duidelijk volgens de *figura serpentinata* gemodelleerd is. Anderzijds verwijst Gesker in de manier waarop hij de ingehouden beweging in de gestalte van de rouwende tot uitdrukking van haar ontroering maakt, duidelijk naar het klassieke bewegingsideaal van de contrapost. De 'onvergelijkelijke beeld-kunstenaar' Gesker is dus sterk gevormd door de kunst van de klassieke Oudheid en de Italiaanse Renaissance, zoals ook de indrukwekkende naturalistisch-anatomische weergave van het naakte lichaam in zijn Florentijnse *Sebastiaan* van ivoor (afb. blz. 352 rechtsonder) bewijst. Daarmee staat hij in stilistisch opzicht in zijn tijd vrijwel alleen.

Omgekeerd staat iemand als Martin Zürn (ca. 1590/1595-na 1665) met zijn monumentale *Ridderheiligen* (afb. rechts) nog helemaal in de traditie van de Duitse Gotiek. Hij maakte de beelden voor het hoogaltaar van de parochiekerk van Wasserburg am Inn. In de 19e eeuw werden de figuren uit de kerk verwijderd, waarna ze lange tijd als vermist golden, totdat ze in de jaren '50 van deze eeuw in een Californisch hotel herontdekt werden. In 1958 kwamen ze in het bezit van de Staatliche Museen in Berlijn.

Hun ontstaan hebben de beelden te danken aan een plechtige gelofte van de inwoners van Wasserburg in het pestjaar 1634: na het einde van de plaag zouden ze hun parochiekerk grondig renoveren en van nieuwe altaren voorzien. De opdracht ging naar de twee broers Martin en Michael Zürn, die uit Zwaben geëmigreerd waren en zich in het nabijgelegen Seeon gevestigd hadden.

Hun ridderheiligen kennen niet het klassieke schoonheidsideaal in de weergave van het menselijk lichaam. Hun gezichten en ledematen zijn nauwelijks in overeenstemming met de anatomie en zijn geen nabootsing van de natuur. In de beelden leeft nog een restant voort van de middeleeuwse beeldhouwkunst, waarin het er vooral om ging het heilige en de belangrijke gebeurtenissen uit een heiligenleven aanschouwelijk te maken. Hetzelfde geldt voor veel Zuid-Duitse plastiek uit deze periode, waaraan valt af te lezen hoezeer de beeldenproductie toentertijd nog bevangen was in de wat knellende en burgerlijke banden van de gilden. "Dat de gebroeders Zürn en anderen nooit aansluiting vonden bij de internationale kunst en dat misschien ook niet nastreefden, heeft in de eerste plaats economische en maatschappelijke oorzaken. Hun bestaansgrond bestond er nu eenmaal in eersteklas ambachtslieden te zijn en als zodanig in burgerlijke kringen erkend en aanbevolen te worden", schrijft Claus Zoege von Manteuffel. Daarom waren de leerdoelen in hun ateliers ook niet zozeer artistiek en academisch als wel traditioneel ambachtelijk. Op hun beurt gaven opdrachtgevers van internationale

**Thomas Schwanthaler**
Dubbelaltaar, 1675-1676
Hout, gepolychromeerd en verguld
St. Wolfgang am Abersee, Salzkammergut

AFBEELDING LINKSONDER:
**Meinrad Guggenbichler**
H. Sebastiaan, ca. 1682
Hout, gepolychromeerd,
iets minder dan levensgroot
Museum Mondsee

AFBEELDING MIDDENONDER:
**Meinrad Guggenbichler**
H. Rochus, ca. 1682
Hout, gepolychromeerd,
iets minder dan levensgroot
Museum Mondsee

AFBEELDING RECHTSONDER:
**Meinrad Guggenbichler**
Christus met de doornenkroon, ca. 1682
Hout, gepolychromeerd, iets minder dan levensgroot
Mondsee, voormalige kloosterkerk

rang uit adel of gegoede burgerij de voorkeur aan buitenlandse kunstenaars uit de Nederlanden of Italië. Dat de Duitse plastieken toch van hoge kwaliteit konden zijn, bewijst de manier waarop hun thematiek geïntegreerd werd in het totale altaar.

In oktober 1633 wordt in het huwelijksregister van de parochie Ried in het district Inn voor het eerst een beeldhouwer vermeld die stamvader is van een beeldhouwersgeslacht dat meer dan vijf generaties, bijna 250 jaar lang, actief was: Hans Schwabenthaler (omstreeks 1600-1656). Hij richt zich naar het werk van de Münchener hofbeeldhouwers, vooral van Krumper en Degler, en maakt zowel zijn stad als zijn zoon Thomas ermee bekend.

Deze Thomas (1634-1707), die in de jaren voor 1679 zijn naam in Schwanthaler veranderde, zou eigenlijk priester worden, maar moest al op tweeëntwintigjarige leeftijd de werkplaats van zijn vader overnemen. Pas na zijn huwelijk met een rijke burgerdochter krijgt hij opdrachten voor wat grotere plastieken, waarmee hij geleidelijk ook een eigen plek op zijn concurrenten weet te veroveren. Hij krijgt opdrachten in Zell am Pettenfirst, Atzbach, Ungenach en Haag en maakt altaren voor Salzburg, Kremsmünster en Lambach, voordat hij voor het klooster Mondsee in St. Wolfgang am Abersee (zie afb. links) en ten slotte voor de augustijnenkanunnikdij Reichersberg am Inn gaat werken. Zijn in 1670 gedateerde Maria met uitgespreide mantel (Andorf bij Schärding) valt op door de zachte vormen van de zware kledingstof. Engelen houden de opbollende stof omhoog en symboliseren zo de beschermende werking van de mantel.

Het motief is ontleend aan het middeleeuwse recht dat vooraanstaande vrouwen toestond om vervolgden die hen om bescherming smeekten, onder hun sluier of mantel te beschermen en zo asiel te bie-

Salzburger meester (Waldburger?)
Maria-kroningsaltaar, 1626
Hout, gepolychromeerd en verguld
Mondsee, voormalige kloosterkerk

den. Gaandeweg werd dit juridische symbool overgedragen op vrouwelijke heiligen en vooral op de Moeder Gods.

Net als Schwanthaler werkt Johann Meinrad Guggenbichler (1649-1723) in de houtsnijtraditie van de Alpenlanden, maar zijn leraar is onbekend. In 1675 komt hij bij het Mondsee-sticht in dienst en vier jaar later krijgt hij een eigen atelier. Hier ontstaan talrijke gepolychromeerde houten beelden. De heftige gebaren en de volumineuze behandeling die Schwanthaler aan de gewaden gaf, zet Guggenbichler om in een verinnerlijkte en vergeestelijkte stijl. Rond 1690 verandert zijn stijl en maken een sterk bewogen kleding en een verhevigd pathos de figuren bijna etherisch. Hij paart daarbij een diepe inleving in martelaarschap en lijden aan een groot gevoel voor schoonheid (zie afb. blz. 332 rechtsonder). Merkwaardig genoeg zien we bij Guggenbichler ook die vlezige gelaatstrekken en opfladderende gewaden die het vooroordeel tegenover de barokke beeldhouwkunst als 'de stijl van de dikke engeltjes' onweerlegbaar lijken te bevestigen. Maar in het algemeen overheersen in zijn werk toch de eigenschappen die typerend zijn voor de Barok uit de Alpenlanden.

Voordat Matthias Rauchmiller (1645-1686) uit Radolfzell aan het Bodenmeer in het Rijnland actief wordt (omstreeks 1670), maakt hij

**Matthias Rauchmiller**
Grafmonument voor Karl von Metternich plus detail, ca. 1675
Marmer, iets meer dan levensgroot
Trier, Liebfrauenkirche

een studiereis naar Nederland en Antwerpen, waar hij met de kring rond Rubens in aanraking komt. Kort voordat hij naar Oostenrijk verhuist, ontstaat in 1675 in Trier het *Grafmonument voor Karl von Metternich* (afb. boven en rechts). Als expressieve momentopname brengt het een voor de Duitse hoge Barok volkomen nieuwe kijk op de grafkunst: de overledene ligt languit en lijkt met een dodemansblik in zijn ogen zonder pupillen een boek te lezen, een indruk die versterkt wordt door een uitdrukking van concentratie op het gelaat. Op zijn voorhoofd staan rimpels, zijn haar is niet opgemaakt. De aderen op zijn handen zijn opgezwollen, in het boek is losjes gebladerd. Zelfs het rijke staatsiekleed is wat afgezakt en gekreukeld. Het beeld onderdrukt alle representatieve elementen ten gunste van het aandenken aan een mens bij zijn leven.

Al een jaar later, in Wenen, maakt Rauchmiller de beroemde en door hem gesigneerde ivoren bokaal (Vorstelijke collectie Liechtenstein, Vaduz) met de Sabijnse maagdenroof. In 1681 is hij in Praag en bosseert de terracotta figuur van de H. Nepomuk (definitieve versie op de

**Paul Strudel**
Keizer Leopold I en de allegorie van het geloof, Pestzuil (detail), 1692
Marmer, levensgroot
Wenen, Graben

Weense Drievuldigheids- of Pestzuil
Gravure van E. Nessenthaler, 1696

AFBEELDING ONDER:
**Paul en Peter Strudel**
Altaar in de crypte van de Kapuzinerkirche: treurende Maria
Wenen

Karelsbrug). Het resultaat is een devotiebeeld dat veel navolging zou vinden. Tot zijn latere scheppingsfase behoort het ontwerp dat hij leverde voor de Drievuldigheidszuil in Wenen.

Deze *Drievuldigheidszuil*, die ook wel *Pestzuil* wordt genoemd (afb. boven), aan de Weense Graben is net als de Wasserburgse ridderheiligen in Berlijn de vrucht van een gelofte, in dit geval door keizer Leopold I in 1679 afgelegd om de pest af te wenden. Hij laat Johann Frühwirt (1640-1710) een provisorische houten zuil oprichten en vraagt vervolgens aan Matthias Rauchmiller een ontwerp voor een marmeren versie. Die blijft ten gevolge van de belegering door de Turken en daarna door Rauchmillers dood in 1686 onuitgevoerd. Uiteindelijk wordt een aangepast ontwerp van Johann Bernhard Fischer von Erlach (1656-1723) en Ludovico Burnacini (1636-1707) gerealiseerd. Om de Drie-eenheid te symboliseren, wordt de sokkel driehoekig. Elk van de zo ontstane zijden wordt aan een van de goddelijke personen gewijd. Johann Ignaz Bendl maakt naar ontwerpen van Fischer zes historiënreliëfs met overwegend bijbelse taferelen. Burnacini geeft de zuil het aanzien van een gedeeltelijk in wolken gehulde obelisk. De prominente beelden op de sokkel ten slotte zijn van de hand van Paul Strudel (1648-1708): het vooraanzicht bestaat uit de *Allegorie van het geloof* (afb. boven) die de pest in de gestalte van een oude vrouw in de afgrond stort; erboven zien we de keizer knielen, biddend om goddelijke bijstand. Bij zijn voltooiing in

**Matthias Steinl**
Maria Immaculata (voor- en achteraanzicht), 1688
Hout, oorspronkelijk verguld, hoogte 93 cm
Frankfurt am Main, Liebieghaus

**Ehrgott Bernhard Bendl**
Evangelist Johannes, 1697
Hout, gepolychromeerd, hoogte 197 cm
Neurenberg, Germanisches Nationalmuseum

AFBEELDING BLZ. 337:
**Andreas Schlüter**
Ruiterstandbeeld van de Grote Keurvorst Frederik Willem I van Brandenburg, 1689-1703
Brons, hoogte 290 cm, stenen sokkel 270 cm hoog
Berlijn, Ehrenhof van Schloß Charlottenburg

1692 had de zuil het enorme bedrag van 70.000 gulden gekost. In 1693 vond de inwijding plaats.

Een sprekend voorbeeld van de Oostenrijkse hoge Barok zijn de uitbundige vormen in het werk van de Weense hofbeeldhouwer Matthias Steinl (1643/1644-1727). Deze zijn opvallend aanwezig in zijn Frankfurtse *Maria Immaculata* (afb. links), die oorspronkelijk verguld was. Met haar rechtervoet lichtjes steunend op maansikkel en wereldbol probeert de figuur zich aan de zwaartekracht te onttrekken in heftige draaiingen die aan het Italiaanse Maniërisme zijn ontleend. Omgeven door de twaalf sterren verschijnt zij als de vrouw uit de Openbaringen van Johannes (12:1). Het beeld is alzijdig en nodigt onze blik uit de spiraal te volgen die gevormd wordt door de zeer plastisch gedrapeerde mantel. Ons oog volgt de voortdurend veranderende lichaamsmassa tot aan de volledige ontstoffelijking; van achteren bekeken is de figuur zelfs veranderd in een wolk aan de hemel.

De kunsttheorie van de Contrareformatie geeft de verwijzing naar de *immaculata conceptio*, Maria's onbevlekte ontvangenis, een centrale plaats in de katholieke cultus. De Habsburgse keizers plaatsen het begrip bovendien in de traditie van een 'op oorlog gerichte Mariaverering'. Steinls beeld wordt ook wel opgevat als model voor een niet gerealiseerde monumentale versie in brons, die deel had moeten uitmaken van een grootschalig beeldenproject, een religieus-symbolische afspiegeling van de verdedigingswerken die het bange Wenen tegen de Turkse agressors moesten beschermen.

Ehrgott Bernhard Bendl (1660-1738) werd geboren in het Neder-Beierse Pfarrkirchen. Zijn vader maakte hem vertrouwd met de beeldhouwkunst. Na zes jaren de kost te hebben verdiend als rondreizend gezel vestigt hij zich in Augsburg, waar het gilde hem in 1687 de meestertitel verleent. Hij werkt met alle belangrijke beeldhouwmaterialen en bereikt daarmee een zo hoge kwaliteit dat hij nog in de 18e eeuw met Georg Petel vergeleken wordt.

De *Evangelist Johannes* (afb. links) maakt deel uit van een imposante groep van zes, bestaande uit de vier evangelisten, de apostel Paulus en een figuur van de Salvator, die in 1697 in de St. Georg in Augsburg geplaatst werd. We zien de evangelist met het geheven hoofd van de visionair op het moment dat hij de goddelijke inspiratie ontvangt voor het schrijven van zijn bijbelboek. In zijn linkerhand houdt hij het boek vast, opengeslagen bij de woorden "In principo erat verbum" (in den beginne was het woord). Zijn schrijfhand –de ganzenveer erin is verloren gegaan– zweeft boven de bladzijden. De zwaar aangezette, sterk opbollende mantel getuigt van een groot pathos, dat Bendl in de loop van de 18e eeuw zou temperen.

**Johann Mauritz en Johann Wilhelm Gröninger en Gottfried Laurenz Pictorius**
Grafmonument van de vorst-bisschop Friedrich Christian von Plettenberg, begonnen in 1707
Marmer en albast
Münster, dom

**De 18e eeuw en de plastiek van het Rococo**
Een van de prominenten uit de beeldhouwkunst aan het begin van de 18e eeuw was Andreas Schlüter (omstreeks 1660-1714). Hij werd geboren in Danzig en werd daar ook opgeleid door de beeldhouwer Christoph Sapovius. Als architect bleef Schlüter autodidact. Vanaf 1681 is hij bij vele projecten in Warschau betrokken en in 1694 komt hij als hofbeeldhouwer van de keurvorst van Brandenburg naar Berlijn, waar zijn belangrijkste gebouwen en plastiek zullen ontstaan. In 1707 wordt hij van zijn functie als hofbeambte ontheven en aanvaardt hij een aanstelling bij de tsaar in St.-Petersburg, waar hij in 1714 overlijdt. Schlüters belangrijkste plastiek is het monumentale *Ruiterstandbeeld van de Grote Keurvorst Frederik Willem I* in Berlijn (afb. blz. 337). Het is niet alleen een van de belangrijkste ruiterstandbeelden die in de Barok gemaakt zijn, maar ook het eerste in een openbare ruimte opgestelde gedenkteken van dit type in Duitsland. De manier waarop de keurvorst de oerkracht van het paard bedwingt, resulteert in een gebiedende houding, een houding die tegelijk de roem uitdrukt die de vorst als grondlegger van de Brandenburgse huismacht vergaard heeft. Het beeld kreeg een passende, opvallende plaats bij de Lange Brücke, op de zichtlijn van de Königspforte van het Berlijnse slot. Voor het ontwerp van de slavenfiguren op de sokkel (die door andere beeldhouwers uitgevoerd werden) deed Schlüter een greep uit het vormenrepertoire van de Italiaanse late Renaissance.

In 1689 krijgt de uit de Chiemgau stammende Balthasar Permoser (1651-1732) een aanstelling als hofbeeldhouwer in Dresden. De veertien jaar die aan die aanstelling voorafgaan, leeft en werkt hij in Italië, waar Venetië, Rome en Florence gelden als pleisterplaatsen. In Italië wordt hij het sterkst door Bernini beïnvloed, maar hij maakt er ook kennis met renaissancistische werken en neemt de beheerstere trekken ervan in zijn veelzijdige werk op. In Dresden, waar hij door de Saksische keurvorst Johann Georg III naartoe gehaald wordt, maakt hij veel tuinbeelden, maar ook ivoorstatuetten van hoge kwaliteit. Een van zijn belangrijkste taken was de Zwinger van bouwplastiek te voorzien. Deze opdracht bood hem de gelegenheid de vormentaal van de Italiaanse Barok in Duitsland te introduceren.

Een meesterwerk uit zijn late periode is de *Apotheose van prins Eugenius* (afb. blz. 339), de man die in 1697 de dreiging van de Turken voor West-Europa definitief afwendde. We zien de krijgsheer in pronkharnas en allongepruik zijn rechtervoet zetten op een in het stof bijtende Turk, maar met leeuwenvel en knots is hij tegelijk ook de ideale held Hercules. Een genius voor hem houdt de zon van de roem in de hoogte, terwijl Fama met haar bazuin deze roem wereldkundig maakt. Ondanks deze barokke praal slaagt Permoser er tevens in de mens Eugenius van Savooie te laten spreken. In dat opzicht onderscheiden Permosers barokke expressievormen zich duidelijk van de voorname waardigheid in het werk van iemand als Schlüter.

In het Westfaalse Münster vinden we een andere beeldhouwersfamilie die een aantal generaties lang van zich doet spreken. Johann Mauritz Gröninger (1650-1707) werd opgeleid door Artus Quellinus in Antwerpen en werkte als hofbeeldhouwer in München. In zijn werk wordt, net als in dat van een van zijn zoons, Johann Wilhelm, de expressieve overdaad van de Italiaanse Barok sterk getemperd door de Vlaamse indrukken die hij tijdens zijn opleiding opdeed (zie afb. links).

De gebroeders Cosmas Damian (1686-1739) en Egid Quirin (1692-1750) Asam worden door hun vader, de schilder Hans Georg Asam, ingewijd in de kunst. In de jaren 1712-1714 maken ze getweeën een kunstreis naar Rome. Cosmas Damian zal vooral als plafondschilder bekend worden, maar Egid Quirin is in de eerste plaats beeldhouwer en stukadoor. Daarnaast werken ze alletwee als architect. Ze vullen elkaar dus uitstekend aan en ze werken vaak samen. Als beeldhouwer wordt Egid Quirin sterk beïnvloed door Bernini. In zijn eigen werk verbindt hij in Rome opgedane invloeden met Duitse elementen en wordt op die manier een van de wegbereiders van het Zuid-Duitse Rococo. De eerste

**Balthasar Permoser**
De apotheose van prins Eugenius, 1718-1721
Marmer, hoogte 230 cm
Wenen, Österreichische Galerie

**Egid Quirin Asam**
H. Joris strijdend met de draak, 1721
Stuc, verguld en verzilverd
Weltenburg, benedictijner kloosterkerk

AFBEELDING BLZ. 341:
**Egid Quirin Asam**
Maria's tenhemelopneming, 1723
Stuc, gedeeltelijk verguld
Rohr, kloosterkerk van de augustijner koorheren

**Johann Paul Egell**
Bewening van Christus, ca. 1740-1750
Lindenhout, hoogte 45 cm, breedte 28 cm
Frankfurt am Main, Liebieghaus

AFBEELDING ONDER:
**Johan Franz Schwanthaler**
H. Margaretha, ca. 1750
Hout, gepolychromeerd en verguld
Wippenham bei Ried, parochiekerk

AFBEELDINGEN BLZ. 343:
**Georg Raphael Donner**
Mehlmarktbrunnen, 1737-1739
Lood-tinlegering, hoogte 337 cm
Wenen, Österreichische Galerie

Personificatie van de rivier de March als jong meisje (linksonder)

Personificatie van de rivier de Enns als grijsaard (rechtsonder)

grote opdracht van de broers is de decoratie van de benedictijnenkerk St. Georg und St. Martin in Weltenburg, waaraan Egid Quirin het vergulde en verzilverde gipsen beeld van de *H. Joris strijdend met de draak* (afb. blz. 340) bijdraagt. In *Maria's tenhemelopneming* boven het altaar in de kloosterkerk van Rohr (afb. blz. 341) bereikt de laat-barokke altaarbouw een uiterst theatrale verbinding tussen architectuur en 'zwevende' sculptuur. Druk gebarende discipelen slaan de hemelvaart gade, die overigens maar een deel van het illusionistische totaalkunstwerk (zie frontispice blz. 2) uitmaakt.

Een kunsthistorisch unicum is de door de broers volledig op eigen kosten gebouwde Johann-Nepomuk-Kirche (ook wel Asam-Kirche genoemd) in de Sendlingerstraße in München. Als bouwheren en financiers hoefden ze hier bij de architectonische vormgeving geen enkele rekening te houden met de smaak van anderen (afb. blz. 234).

Johann Franz Schwanthaler (1683-1762) is de jongste zoon van de eerder genoemde Thomas en probeert diens levenswerk voort te zetten. Met het atelier van zijn vader neemt hij in 1710 tevens diens torenhoge schulden over. Ook het op zichzelf gunstige huwelijk dat hij aangaat, verandert daaraan niets. Onder deze ongekend zware financiële druk werkt Schwanthaler zich langzaam op en bouwt ten slotte een uitstekende reputatie op. De omvang van zijn gedocumenteerde oeuvre is gigantisch. Het past de stijl van vader Schwanthaler aan de veranderde smaak aan en is lyrischer en ontegenzeglijk introverter dan dat van laatstgenoemde (afb. linksonder).

Johann Paul Egell (1691-1752) kreeg zijn opleiding van Balthasar Permoser. Omstreeks 1720 keert hij als keurvorstelijk hofbeeldhouwer terug naar zijn geboorteplaats Mannheim. Hij is er betrokken bij de inrichting van het slot Schwetzingen en het bijbehorende park. Het kleine reliëf van de *Bewening van Christus* (afb. linksboven) demonstreert zijn bijzondere vermogen om zijn verschillende kwaliteiten als beeldhouwer, stukadoor, ivoorsnijder en graficus op een fijnzinnige manier te verenigen. Het werkje maakt deel uit van een vrij grote groep devotiereliëfs en is een organische verbinding van schilderachtig-grafische en plastische elementen, die Klaus Lankheit van een "schilderij in lindenhout" deed spreken. Het fascinerende aan het werk is de waarneembaar toegespitste spanning tussen een grondvlak dat glad is als een leeg vel bristolpapier en de in haut-reliëf of volplastisch weergegeven mannenkoppen, die zowel formeel als thematisch het centrum van het tafereel vormen.

Georg Raphael Donner (1693-1741) is een van de belangrijkste beeldhouwers van de Oostenrijkse late Barok. De vele stadia van zijn opleiding, gedurende welke hij reizen maakt naar Dresden en Italië, bepalen zijn artistieke ontwikkeling, waarin lood gaandeweg zijn favoriete materiaal wordt. Met zijn bekendste werk, de *Mehlmarktbrunnen* (afb. blz. 343), dat tussen 1737 en 1739 uitgevoerd wordt in opdracht van de stad Wenen, schaart hij zich tussen de kwalitatief betere beeldhouwers in de Europese regionen. *Putti* zijn rond een sokkel gegroepeerd met daarop de figuur van Providentia in lood. Zij is hier niet zozeer allegorie van de goddelijke voorzienigheid als wel van de deug-

**Georg Raphael Donner**
Piëtà, 1740-1741
Lood, hoogte 220 cm, breedte 280 cm
Gurk, domkerk

**Johann Joseph Christian**
De profeet Ezechiël, 1752-1756
Stuc, levensgroot
Zwiefalten, benedictijner kloosterkerk

**Joseph Anton Feuchtmayer**
H. Joachim, 1749
Stuc, levensgroot
Birnau, bedevaartskerk

**Johann Baptist Straub**
H. Barbara, ca. 1762
Hout, witgeschilderd en verguld
Ettal, kloosterkerk

den voorzichtigheid en wijsheid. Op de rand van het oorspronkelijke bekken belichamen een jongen, een grijsaard, een meisje en een vrouw vier belangrijke zijrivieren van de Donau: Traun, Enns, Morava en Ybbs. De hier zelf niet afgebeelde Donau wordt vertegenwoordigd door het water in het bekken.

Een laat werk van Donner is de *Piëta* in de dom van Gurk (afb. blz. 344). Zijn Maria die door een engel wordt bijgestaan, biedt een indringend beeld van smart. Donners stijl is moeilijk onder één noemer te brengen, al houdt zijn Rococo zich verre van barok pathos. Daarnaast bevat zijn oeuvre ontegenzeglijk duidelijke classicistische elementen, die onder invloed van de kunst uit de klassieke Oudheid zijn ontstaan en die tegelijk in hoge mate richtinggevend waren voor de kunst na hem.

In Zuidwest-Beieren zijn rond het midden van de 18e eeuw twee beeldhouwers gevestigd die bij voorkeur met pleisterkalk werken. De een, Joseph Anton Feuchtmayer (1696-1770), behoort tot een wijdvertakte stukadoorsfamilie uit Wessobrunn en geldt als een van de voornaamste vertegenwoordigers van het Zuid-Duitse Rococo. Zijn levensgrote stucfiguren in de bedevaartskerk van Birnau (afb. middenboven) munten uit door een verhevigde bewogenheid. Deze duidt op een heftige gemoedstoestand van de figuren, een gegeven waaraan Feuchtmayer anatomische kenmerken ondergeschikt maakt. Aan een ander lid van deze kunstenaarsfamilie, Johann Michael Feuchtmayer, dankt Johann Joseph Christian (1706-1777) zijn plaats in de beeldhouwhistorie. Christian komt uit het Württembergse Riedlingen. Hij werkt enige tijd samen met Feuchtmayer, maar dankt zijn faam vooral aan zijn rococoplastiek voor de kloosterkerken van Zwiefalten (afb. linksboven) en Ottobeuren.

Van grote betekenis voor het Rococo in Zuid-Duitsland is ook Johann Baptist Straub (1705-1784) uit het Württembergse Wiesensteig. Zijn eerste leermeester is de Münchenaar Gabriel Luidl. Vervolgens studeert hij bijna tien jaar aan de academie van Wenen en ondergaat er de invloed van Georg Raphael Donner. Hoewel hij vanaf 1737 hofbeeldhouwer in München is, werkt hij voornameijk in opdracht van kerken en kloosters.

Straub wordt, naast Egid Quirin Asam, de toonaangevende beeldhouwer van de Zuid-Duitse Rococo. Zijn faam wordt slechts overtroffen door zijn beste leerling, Ignaz Günther. Straub werkt hoofdzakelijk in hout. Zijn figuren onderscheiden zich door een fijngevoelige elegantie, die in werken als de *H. Barbara* in Ettal (afb. rechtsboven) nog versterkt wordt door een vorstelijke waardigheid.

Christian Jorhan de Oude (1727-1804) volgde een opleiding bij Johann Joseph Christian, Johann Baptist Straub en zijn vader Wenzeslaus en vestigde zich in Landshut. Zijn werk is vooral in Neder-Beieren en rond Erding te vinden en omvat verscheidene reeksen borstbeelden van de apostelen op rocaillesokkels.

Tot het grote aantal interieurs dat kunstenaars moesten inrichten, behoorden ook de bibliotheken van edellieden en kloosters. Josef Thaddäus Stammel uit Graz (1695-1765) schept zijn voornaamste werk in

AFBEELDINGEN ONDER:
**Joseph Thaddäus Stammel**
'De Hel' en 'De Dood' van de beeldengroep 'De vier laatste dingen', 1760
Hout, gebronsd, hoogte ca. 250 cm
Admont, stichtsbibliotheek

het Oostenrijkse Admont, waar hij na een tamelijk lang verblijf in Italië (1718-1725) tot aan zijn dood als beeldhouwer in dienst is van het sticht. Zijn werk is gevarieerd en omvat bijvoorbeeld ook het hoogaltaar van de St. Martin bij Graz (1738-1740), maar van het eind van de jaren '40 tot 1760 wijdt hij zich bijna volledig aan de plastische decoratie van de rijk versierde stichtsbibliotheek (afb. linksonder). Voor zijn buitengewoon expressieve figuren verbindt hij plaatselijke stijlen met vormen uit de Italiaanse Barok. Het zijn vooral vergankelijkheidsallegorieën en vanitasmotieven. De sculpturen van *De Hel* en *De Dood* (afb. linksboven) maken deel uit van de beeldengroep 'De vier laatste dingen'. Het is vooral deze groep die de bibliotheekbezoeker in diepe ernst maant de absolute macht van de dood over alle leven in te zien en het gebruik van de hier verzamelde boeken in dienst van zijn zielenheil te stellen.

De opdrachten die Franz Xaver Messerschmidt (1736-1783) voor het hof en de gegoede burgerij van Wenen uitvoerde, maken hem tot een overgangsfiguur tussen Oostenrijkse Rococo en Classicisme. Na een leertijd bij zijn oom Johann Baptist Straub in München en bij Philipp Jacob Straub (1706-1774) in Graz laat hij zich in 1755 inschrijven aan de Weense academie. In 1769 wordt hij docent aan dat instituut in de hoop het ooit tot rector te brengen. Wanneer deze promotie uitblijft, keert hij zich in 1774 tegen de academie en trekt zich terug in Preßburg (het huidige Bratislava). Hier houdt hij zich tot zijn dood bezig met die even spectaculaire als geheimzinnige *Karakterkoppen* waarop zijn huidige roem stoelt (afb. blz. 347). In een indrukwekkend kort essay toont Herbert Beck aan hoezeer deze reeks, die ten slotte negenenzestig plastieken zou omvatten, zijn spanning dankt aan de fysieke natuur van de beeldhouwer zelf en de beheersing daarvan door het gedachtengoed van de in die tijd opkomende Verlichting. Gewaarwordingen van het lichaam staan in een evenredige verhouding tot het hoofd, dat ze in zijn mimiek aanschouwelijk maakt, zo luidt Messerschmidts licht naïeve uitleg. Omdat hij echter door dierlijke zinnelijkheid geplaagd wordt, probeert hij het kwade af te wenden door de verdoemenis als grimas een tastbare gestalte te geven.

Of de grimas en de telkens terugkerende portreteigenschappen van deze "misschien door hun privé-karakter opvallend stijlloze karakterkoppen" ook de beoogde uitwerking hadden, vertelt de geschiedenis niet. Messerschmidts uitgangspunt was de idee van een "ware evenredigheid" te benaderen, "de schoonheid van het ideale en van zinnelijkheid gereinigde lichaam". Toch heeft hij geen poging gedaan dit ideale lichaam rechtstreeks weer te geven. Het is als het ware afgesneden van het bekkentrekkende hoofd en alleen de gelaatstrekken kunnen de gedachte eraan oproepen. Onder elk karakterportret bevindt zich dus een imaginair lichaam en pas de classicistische beeldhouwers zouden een poging wagen de ideale proporties daarvan weer te geven. Messerschmidt zet zich met deze beelden af tegen de absolutistische hofgeest en maakt in zijn late kunst ruimte voor volstrekt persoonlijke motieven, zonder evenwel algemeen geldende ideaalbeelden uit het oog te verliezen.

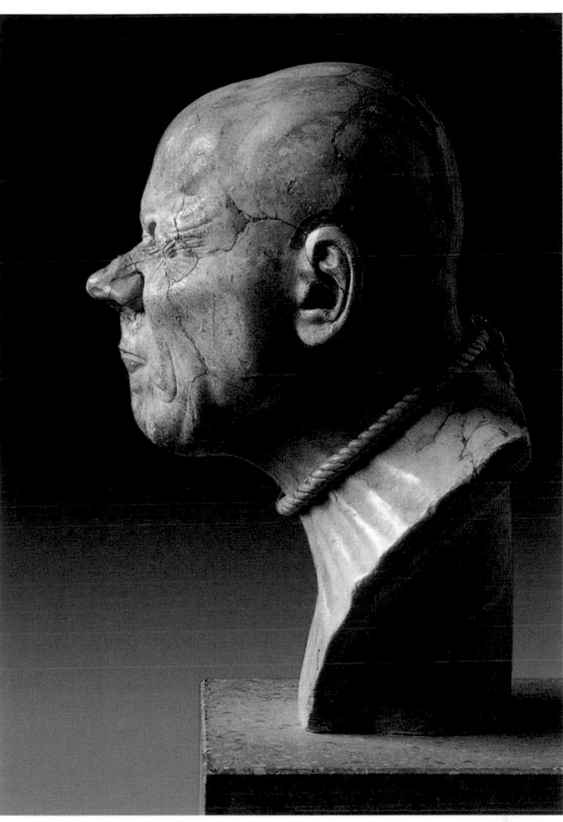

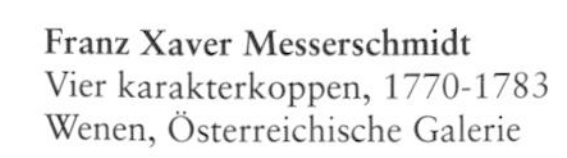

**Franz Xaver Messerschmidt**
Vier karakterkoppen, 1770-1783
Wenen, Österreichische Galerie

AFBEELDING LINKSBOVEN:
Een aartsslechterik
Tin-loodlegering, hoogte 38,5 cm

AFBEELDING RECHTSBOVEN:
Een gehangene
Albast, hoogte 38 cm

AFBEELDING LINKSONDER:
Een wellustige dwaas
Marmer, hoogte 45 cm

AFBEELDING RECHTSONDER:
Tweede snavelkop
Albast, hoogte 43 cm

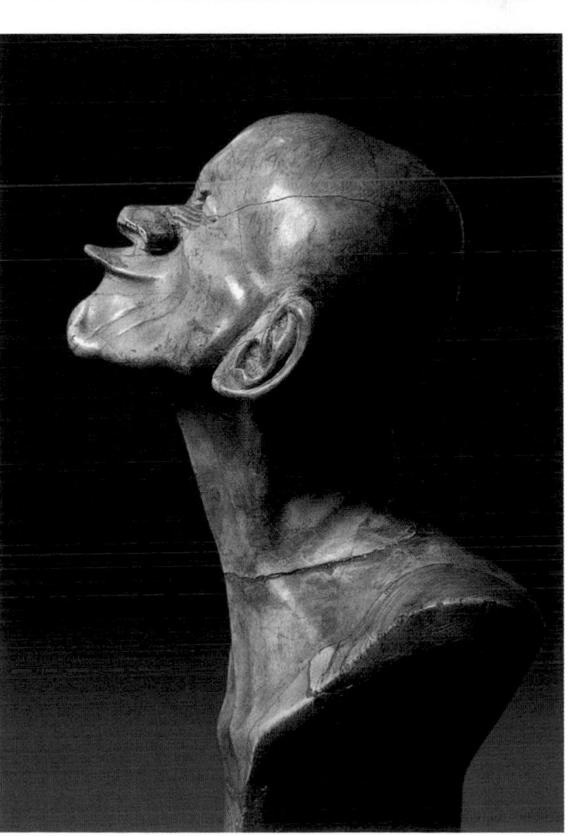

**Karl Georg Merville**
Val der engelen, 1781
Gipswerk op de koorwand
Wenen, Michaelerkirche

Na een Italiaanse reis in 1731 bezoekt Johann Christian Wenzinger (1710-1797) van 1735 tot 1737 de Parijse Académie des Beaux Arts voordat hij Breisgau, in het uiterste zuidwesten van Duitsland, tot zijn werkterrein maakt. Hij wordt beïnvloed door de Italiaanse terracotta kunst en gebruikt het amorfe materiaal klei om zijn plastische invallen zo direct mogelijk vorm te geven. Daarmee begeeft hij zich ook op het terrein van de plastische schets, de *bozzetto*. De figuren van de *Olijfberg* (afb. onder), die Wenzinger in 1745 voor de kerk van Staufen maakte, doen in hun vrije en wat grove modellering aan als ongestuurde invallen. Daarnaast demonstreren ze de grote trefzekerheid in Wenzingers materiaalgebruik. Niet alleen is alle figuren hun gemoedstoestand en karakter aan te zien – er ontstaat door de toepassing van kleur bovendien een bijna kras naturalisme. Sterker nog, aan de gestalte van een van de gerechtsdienaren kunnen we de jammerlijke levensomstandigheden aflezen die het gevolg waren van de Oostenrijkse successieoorlog. Haveloos, verminkt en apathisch als een afgedankte en plunderende huurling strompelt deze rakker voort.

Als hofbeeldhouwer in Würzburg, Bamberg en Trier houdt de uit Bohemen afkomstige Adam Ferdinand Dietz (1708-1777) zich vooral bezig met het houwen van tuinbeelden in zandsteen. Voor het slot Seehof bij Bamberg produceert zijn werkplaats er zelfs ongeveer 400! Voor de slotparken hoeft Dietz zich niet veel van de kerkelijke opinie aan te trekken en kan hij vrijelijk thema's uit de klassieke mythologie behandelen.

Zijn vele *Mercurius-figuren* (afb. blz. 349 rechts) zijn kenmerkend voor zijn oeuvre, dat de tijdgeest volgt en waarin een vrolijke onbekommerdheid en levendigheid heerst. De *Parnassus* (afb. blz. 349 boven) in

AFBEELDING RECHTS:
**Johann Christian Wenzinger**
Treurende genius, onderdeel van de zgn. 'Staufener Ölberg', 1745
Terracotta, geglazuurd, hoogte 82 cm
Frankfurt am Main, Liebieghaus

AFBEELDING UITERST RECHTS:
**Johann Christian Wenzinger**
Rakker met veldvles, onderdeel van de zgn. 'Staufener Ölberg', 1745
Terracotta, geglazuurd, hoogte 82 cm
Frankfurt am Main, Liebieghaus

de grote vijver bij het zomerverblijf van de prins-bisschop in Veitshöchheim verwijst naar de mythologische verblijfplaats van Apollo en de muzen. Het werk gaat als gesublimeerd stuk natuur naadloos over in de tuin. Het ensemble valt in drie iconografisch te verklaren delen uiteen, waarbij de "schaduwrijke boszone de natuurstaat, de halfschaduw van de prieelzone de cultuurstaat en de geheel aan het licht blootgestelde vijverzone de staat van het hogere, op het absolute gerichte streven" symboliseren. De oorspronkelijk vergulde zandsteengroep behoort tot laatstgenoemde zone en belichaamt de kracht van de inspiratie, zowel in de kunst als bij de bisschoppelijke staatsaangelegenheden. Kunst en politiek worden voorts tot kosmologische rang verheven door het gezelschap Olympische goden en allegorieën van de vier jaargetijden rond de rand van het waterbassin. De waterwerken van de Parnassus werden begeleid door een fraai speelwerk, dat in het lijf van het gevleugelde paard Pegasus was ingebouwd.

**Adam Ferdinand Dietz**
Parnasssus, 1766
Zandsteen, oorspronkelijk verguld
Veitshöchheim bij Würzburg, slotpark

**Adam Ferdinand Dietz**
Mercurius, 1758
Zandsteen, ongeveer levensgroot
Trier, voormalig keurvorstelijk slotpark

**Franz Ignaz Günther**
Piëta, 1758
Hout, gepolychromeerd
Kircheiselfing (Wasserburg)
Parochiekerk St.-Rupertus

## Ignaz Günther en het einde van het Rococo

De periodisering van stijlen is des te twijfelachtiger naarmate de grenzen moeilijker te trekken zijn. Drie beelden van de hand van een en dezelfde kunstenaar staan op de grens tussen het late Rococo en het vroege Classicisme. De kunstenaar in kwestie is Franz Ignaz Günther (1725-1775) en elk van de werken is een *Piëta*, d.w.z. de Moeder Gods rouwend om de kruisdood van haar zoon. Günther werd opgeleid door Straub in München en Egell in Mannheim en geldt als de belangrijkste figuur van het Zuid-Duitse Rococo.

De eerste van Günthers *Piëta*-uitbeeldingen stamt volgens de signatuur uit 1758 (afb. boven). De dode Christus ligt op dezelfde rotsachtige sokkel als waar Maria op zit, terwijl zijn bovenlichaam op haar schoot rust. Zijn spieren zijn ook nog in de dood gespannen; zijn mond is gesloten en zijn rechterarm glijdt weg. Maria houdt hem vast alsof hij nog stervende is en omvat zijn hoofd met beide handen. Ze is ver over hem heengebogen en het beeld wekt tegelijkertijd een indruk van grote intimiteit en van moederlijke smart. Ook al is dit type van de lijdende en liefhebbende Moeder Gods te herleiden tot Byzantijnse voorbeelden waardoor het beeld merkwaardig archaïsch aandoet, toch zal het zijn uitwerking op de beschouwer in de late Barok niet gemist hebben. Rouw en pijn zijn hier tot het uiterste gecomprimeerd en de gelovige deelt in het lijden van deze twee.

Slechts een paar jaar later, in 1764, ontstaat de *Piëta* van Weyarn (afb. blz. 351 links). Ook hier rust het lichaam van Christus op een rots naast Maria; zijn door de dood ontspannen bovenlichaam ligt op haar schoot. Zij houdt zijn linkerarm vast, terwijl zijn rechterarm en zijn hoofd net als zijn benen slap neerhangen. Het zwaard in Maria's borst is ontleend aan het plaatselijke volksgeloof. De naturalistische anatomische weergave van het naakte mannenlichaam contrasteert duidelijk met de abstraherende trekken in de stofuitdrukking, die een geometrisch en ornamentaal patroon van vouwen vertoont in het binnenlineament (bijvoorbeeld langs Maria's linkerscheenbeen) en in de lendendoek. Dit contrast in het werk zelf gaat gepaard met een inhoudelijke verschuiving ten opzichte van de eerdere Piëta, want het intieme aan de rouw is vervlogen. Maria zit rechtop, met gebogen hoofd kijkt zij naar haar dode zoon, wiens ontzielde lichaam –als om het te presenteren– meer naar de beschouwer dan naar haar toegekeerd is. Het beeld heeft niet langer tot doel de beschouwer direct te betrekken bij de bewening, die bijna gescheiden wordt van de gestalte van de dode Christus. Het schept juist een bijna tastbare afstand en laat de beschouwer vrij in de keuze van zijn relatie tot de afbeelding.

Zijn derde 'Vesperbild' gaat nog veel verder. Günther maakt het in 1774 voor de kerhofkapel St.-Maria in Nenningen (afb. blz. 351 rechts). Opnieuw rust het lichaam van Christus op een rotsachtige bodem naast Maria en ligt zijn bovenlichaam op haar schoot. Maar ditmaal is hij levend noch werkelijk dood. Het lijkt alsof hij met zijn rechterknie nog steun zoekt op de grond, en zijn hoofd, dat door Maria's rechterhand wordt ondersteund, geeft een vreemde tegenwoordigheid van geest te zien. Terwijl de halfgesloten ogen de beschouwer aan lijken te kijken, ligt er een trek van pijn om zijn mond, die half geopend is, als om te spreken. Ook Maria heeft haar hoofd niet gebogen en ze zit rechtop. Haar trieste blik is niet meer op haar zoon gericht, maar glijdt langs hem heen de verte in.

In eerdere 'Vesperbilder' moeten de retorische kwaliteiten van de barokke kunst de beschouwer ten zeerste aangegrepen hebben door de nauwe verbondenheid van kruisdood en rouw. De Piëta van Nenningen doorbreekt deze verbinding. De rouw is onbestemder geworden en doet niet langer een beroep op het medeleven van de beschouwer. Een inhoudelijke verschuiving gaat gepaard met deze uiterlijke verandering: op de drempel van een nieuw tijdperk verandert de onmiskenbaar eigen persoon van de rouwende Maria, een van de belangrijkste gestalten in de christelijke iconografie, in een boven-persoonlijke uitbeelding van de rol van rouwende. Uit een treurende moeder worden allen rouwende familieleden, moeder, dochter, zuster – kortom een vrouwelijk zinnebeeld van rouw.

Deze algemenere strekking is tegelijk een sublimatie, die duidt op een ingrijpende verandering in de betekenis van offerdood en rouw. Ellen Spickernagel heeft over de historiestukken van Jacques-Louis

**Franz Ignaz Günther**
Piëtà, 1764
Hout, gepolychromeerd, hoogte 113 cm
Weyarn, voorm. augustijnenklooster

**Franz Ignaz Günther**
Piëtà, 1774
Hout, gepolychromeerd, hoogte 163 cm
Nenningen, kerkhofkapel

David (1748-1825) opgemerkt dat ze "door een kunstzinnige enscenering van de nieuwe burgerlijke geslachtsspecifieke rollen" beogen "offervaardigheid op te wekken en in de mentaliteit van de seksen te verankeren" en de Piëta van Nenningen is een stap in die richting, want in dezelfde mate als Maria tot symbool van de in haar rouw bijna heroïsche vrouw wordt, lijkt Günthers Christus een voorafschaduwing van de rol die de toekomst voor de man in petto heeft. De opvallend gapende en centraal in de plastiek geplaatste wond is het teken van de mannelijke offerrol, een rol die door en na de Franse Revolutie als heldenrol in de gewapende strijd voor de idealen van de nieuwe, burgerlijke maatschappij gedefinieerd zal worden. Günthers artistieke formaat bestaat er gedeeltelijk in deze verandering aan te voelen lang voordat die in manifesten verwoord zou worden. Het is overigens geen toeval dat hij dit nieuwe op een plek ensceneert waar de confrontatie met de dood alledaags en individueel is en eerder tot het privé-domein behoort: in een kerkhofskapel. De Piëta van Nenningen is Günthers laatste werk van betekenis. Een jaar na de voltooiing ervan sterft hij, niet meer dan vijftig jaar oud. Met hem komt er definitief een einde aan het Duitse Rococo.

**Georg Petel**
Hercules met de Nimeïsche leeuw,
ca. 1625-1630
Ivoor, hoogte 27,7 cm, breedte 23,2 cm
München, Bayerisches Nationaluseum

Kleine beeldwerken hadden een eigen publiek, meestal in de intiemere huiselijke sfeer. Dat gold vooral als ze religieuze thema's hadden die zich voor devotie leenden. Daaraan hebben we duizenden crucifixen, heiligenbeeldjes en zelfs hele altaren op klein formaat te danken. Die laatste hadden het voordeel gemakkelijk op een bepaalde plaats in de woning neergezet te kunnen worden en waren tegelijkertijd heel geschikt om mee te nemen, bijvoorbeeld op reis. Een altaartje als dat van Leonhard Sattler (overl. 1744) voldoet geheel aan dergelijke eisen (afb. linksonder).

Volgens de stijl van de vroege 18e eeuw is het rijkelijk versierd en volledig verguld, maar het is ook uitneembaar, wat voor een bestemming als draagbaar devotiebeeld spreekt. Daarmee staat zijn daadwerkelijke functie nog niet onomstotelijk vast, want dezelfde eigenschappen kunnen ook een indicatie zijn voor het gebruik als processiealtaar. Daartegen spreekt in dit geval de geringe grootte van het altaartje. Het zou dan eerder een model voor een draagaltaar zijn geweest. In elk geval is er over een uitvoering als kerkaltaar, met een te verwachten hoogte van zo'n 4 meter, uit geen enkele bron iets bekend.

Een voorbeeld als dit geeft aan dat de kunsthistorische omgang met plastiek van klein formaat niet zonder problemen is. De kunstenaars maken de kleine beeldhouwwerken immers niet altijd meer in opdracht en kunnen er ook een verzamelaarsmarkt mee bedienen, zoals die in het Italië van de Renaissance was ontstaan. Met de reducties in brons van beelden uit de klassieke Oudheid was daar aan het eind van de 15e eeuw in zekere zin een nieuw genre ontstaan, dat van het 'autonome kleine bronsplastiek'. Het had niet in de laatste plaats tot doel de nieuwe kunstcollecties van Italiaanse renaissancevorsten van hoogwaardige objecten te voorzien. Aan het aanvankelijk ruime aanbod van originele oudheden op deze kunstmarkt was namelijk geleidelijk een eind gekomen. De vraag naar nieuw werk steeg bovendien doordat er alsmaar nieuwe kunstcollecties ontstonden, want in de eerste helft van de 16e eeuw begonnen ook welgestelde burgers eigen privé-collecties aan te leggen, zij het op veel kleinere schaal dan de rijke vorstenhuizen.

Pas het Romeinse nepotisme aan het begin van de 17e eeuw maakt de eerste grote en gespecialiseerde privé-collecties mogelijk. Het zijn vooral de pausen en hun stamhuizen, de Barberini's, de Borgheses en Pamphili's, die door hun mecenaat zowel de materiële als de maatschappelijke voorwaarden voor de Barok in Rome scheppen. Daarbij laten de verzamelaars zich door verschillende gezichtspunten leiden. In de eerste plaats komt de 'buon gusto', de goede smaak, waarvan een verzamelaar door de keus van zijn kunstwerken blijk geeft. Deze prioriteitstelling gaat kennelijk ten koste van de kleine bronsplastiek, want die krijgt steeds meer de functie van een zuivere –en bovendien reproduceerbare– reductie van grote beelden uit die tijd, bijvoorbeeld van Bernini of Algardi. Zijn functie als zelfstandig kunstgenre wordt gaandeweg overgenomen door kleine plastieken van andere materialen, waaronder ivoor veruit de voornaamste plaats inneemt. Als geen ander vraagt dit exotische en kostbare materiaal om een grote artistieke vaardigheid en een geraffineerd concept.

Van de hand van de Frankfurtse beeldhouwer Justus Glesker stamt een kleine statuette, die Alfred Schädler tot de "uitmuntendste ivoorsnijwerken" van het Museo degli Argenti rekent (tegenwoordig in het Palazzo Pitti in Florence). Het is een *H. Sebastiaan*, en wat de beschouwer het eerst opvalt, is zijn barok-pathetische, lijdende houding (afb. onder). Bij een nadere beschouwing ontpopt de statuette zich ook als een werk van uitzonderlijke plastische kwaliteit. Het lichaam lijkt wel tegen de boomstam gedrapeerd te zijn en is in anatomisch opzicht tot in de details uitgewerkt. Zo ontstaat een meermaals onderbroken bewegingsverloop met een weldoordachte ritmiek. Alessandro Vittoria's *H. Sebastiaan* uit de S. Salvatore in Venetië (afb. blz. 277) heeft Glesker waarschijnlijk tot voorbeeld gediend, wat aan diens meesterschap overigens niets afdoet, want de grootste uitdaging bij concept en uitvoering bestaat er bij dit genre in het werk uit één enkel stuk ivoor te snijden. Gleskers werk voldoet soeverein aan die eis en je zou haast denken dat je in de contouren van de statuette de olifantenslagtand nog kunt herkennen. Maar tegelijk gaat Glesker een stap verder: waar ivoren figurines zich in hun vormen doorgaans naar de natuurlijke staat van het ruwe materiaal richten, doet het opgetrokken linkeronderbeen hier aan als een weer-

**Leonhard Sattler**
Altaarmodel, ca. 1725
Lindenhout, verguld, hoogte 75 cm, breedte 40 cm
Frankfurt am Main, Liebieghaus

AFBEELDING UITERST RECHTS:
**Justus Glesker**
H. Sebastiaan, ca. 1640
Ivoor, hoogte van de figuur 35,6 cm
Florence, Museo degli Argenti

**Andrea Brustolon**
Jacobs gevecht met de engel, 1700-1710
Buksboomhout, hoogte 46,5 cm
Frankfurt am Main, Liebieghaus

**Leonhard Kern**
'Erbärmedichchristus', ca. 1614
Albast, gedeeltelijk verguld,
hoogte 36,5 cm, breedte 23,2 cm
Frankfurt am Main, Liebieghaus

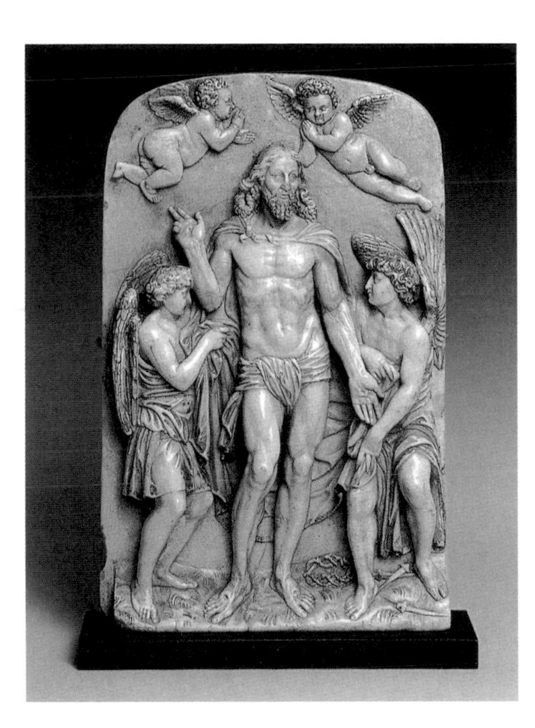

AFBEELDING ONDER:
**Joseph Götsch**
H. Elizabeth, 1762-1763
Lindenhouten bozzetto, hoogte 17,5 cm
Frankfurt am Main, Liebieghaus

naak in de stroomlijn van het materiaal. Dat is gedurfd en getuigt zowel van een grote trefzekerheid in de omgang met voor als van het vermogen een hoogst oorspronkelijke inval in materiaal vast te leggen. Jammer genoeg weten we niets over de lotgevallen van het beeldje en kennen we zijn vroegere eigenaren niet. Zoveel schijnt vast te staan, dat Gleskers verblijf in Italië omstreeks 1645 er de aanzet toe gaf.

Georg Petel is misschien wel de vernieuwendste Duitse beeldhouwer van de vroege 17e eeuw. Zijn kleine plastieken zijn van zo hoge kwaliteit dat Joachim von Sandrart, de 'Duitse Vasari', van een van zijn crucifixen zelfs een afgietsel in zilver liet maken. Petel heeft zich nog niet geheel van het Italiaanse Maniërisme losgemaakt en veel van zijn werk herinnert nog onmiskenbaar aan de latere fase van deze net afgesloten periode. Zijn *Hercules met de Nimeïsche leeuw* (afb. blz. 352 boven) is een typologische afleiding van een verloren gegane oudheid, een dikwijls herhaalde figurengroep, maar heeft vele karakteristieke elementen van Petels persoonlijke vormentaal. Dat geldt bijvoorbeeld voor de zorgvuldige en zacht gemodelleerde anatomische details, die toch de indruk van lichamelijke kracht niet te niet doen, zoals gewekt door het naakte lichaam van de held en het door hem bedwongen dier.

Bijna in elke collectie van betekenis die tijdens zijn leven bestond, zijn werken van Leonhard Kern (1588-1662) vertegenwoordigd, een van de hoofdvertegenwoordigers van de kleine plastiek in de vroege Barok. Tot zijn omvangrijke atelierproductie in speksteen, albast, hout en ivoor behoort ook de zgn. *Erbärmedichchristus* in het Frankfurtse Liebieghaus, een albastreliëf (afb. rechtsboven). De ongebruikelijke iconografie van een door engelen geflankeerde en zijn wondtekens tonende Christus wijst op protestantse invloeden, waaraan Kern zowel in zijn geboorteplaats, het Württembergse Forchtenberg, als in het protestantse Schwäbisch-Hall heeft blootgestaan. De uitgewogen figurale symmetrie, de sterk lichamelijke aanwezigheid van de atletische Christus-gestalte, evenals de lichte contrapost met beeldparallel bovenlichaam geven het reliëf iets statisch' en maken het schatplichtig aan de late Italiaanse Renaissance. Wat zijn voorbeelden betreft, is Kern dus betrekkelijk conservatief.

Andrea Brustolon (1662-1732) stamt uit Belluno en werkte ook in Venetië. De beeldengroepen *Het offer van Abraham* en *Jacobs gevecht met de engel* (afb. linksboven) worden aan hem toegeschreven en zijn als tegenhangers gedacht. De bewuste passage uit het Oude Testament waarin de latere stamvader van het volk Israël worstelt met God in de gedaante van een engel krijgt hier een heel compacte, sterk beeldende vertaling. De idee van een daadwerkelijk fysiek conflict tussen mens en God vraagt om het tastbaar maken van bovenmenselijke kracht.

Brustolon doet dat op een sterk dramatische manier door verschillende bewegingsassen te combineren en de tot het uiterste gespannen gezichten elkaar bijna te laten raken.

De grote belangstelling die de verzamelaar in de Barok had voor de omzetting van de artistieke inval, leidde tot het ontstaan van een nieuwe categorie verzamelobjecten: die van het ontwerp of *bozzetto* in klei, hout, was of ander materiaal. Iedere verzamelaar probeerde deze direct van de kunstenaar zelf te betrekken. Als eerste aanschouwelijke vastlegging van een idee is de bozzetto meer dan alleen uitgangspunt voor de onderhandelingen over een contract, het is een "tastbaar bewijsstuk van de geniale inval" van de kunstenaar. Als zodanig wordt de bozzetto niet zelden waardevoller geacht dan het uiteindelijke kunstwerk, vooral als dit laatste door leerlingen of assistenten wordt uitgevoerd.

De kleine lindenhouten bozzetto van de *H. Elizabeth* (afb. onder) is een ontwerp van Joseph Götsch (1728-1793) voor een levensgrote figuur voor de voormalige benedictijnenabdij van Rott am Inn. In liefdevolle zorgzaamheid wendt de heilige zich tot een kleine, alleen schetsmatig aangeduide gestalte rechts van haar. Haar geesteshouding en de visualisering daarvan zijn een eerste, nog aarzelende manifestatie van de artistieke idee, maar het ontwerp vertoont ook al aanzetten tot de stilistische uitwerking daarvan. Wat echter op klein formaat compact aandoet en er door een thematische consequentie beheerst uitziet, verslapt in Götsch' uiteindelijke grote beeld en doet dan eerder koel en afstandelijk aan.

Tegen het einde van de verzamelaarspraktijk in de Barok verschijnt er een nieuw materiaal. Waar eerst het exotische ivoor wist te bekoren door zijn biologische en geografische vreemdheid, daar doet nu het porselein zijn intrede als voortbrengsel van de menselijke vindingrijkheid. Het materiaal heeft zijn bestaan te danken aan de grootspraak van alchemisten die kunstmatig goud beloofden, maar wist zich in de nieuwe tijd van industriële productie ook moeiteloos te handhaven. De betekenis van porselein als kunstzinnig materiaal heeft daar echter wel onder te lijden.

José Ignacio Hernández Redondo

# Beeldhouwkunst van de Barok in Spanje

Bijna twee eeuwen heeft de kunstgeschiedschrijving voeding gegeven aan vooroordelen over de Spaanse beeldhouwkunst van de Barok en de artistieke waarde ervan miskend. Pas korte tijd geleden is daar verandering in gekomen en geeft men toe dat deze beeldhouwkunst een van de briljantste en origineelste bijdragen van Spanje aan de Europese kunst uitmaakt.

Hoe paradoxaal het ook mag klinken, deze uitzonderlijke bloeiperiode was uitgerekend het gevolg van economisch verval en een politiek en cultureel isolement waar Spanje de gehele 17e eeuw mee te kampen had.

Aan de gevolgen van deze neergang ontkwamen ook de beeldhouwers niet. Anders dan in de eeuw ervoor gebruikelijk was, waren buitenlandse reizen ook voor gerenommeerde kunstenaars eerder uitzondering dan regel. Omgekeerd staan de buitenlandse kunstenaars in het 17e-eeuwse Spanje in aantal en status in geen vergelijking tot de kunstenaars die er in de 16e eeuw hun sporen nalieten – als we tenminste afzien van zwaargewichten als de verspaanste Vlaming José de Arce en de Portugees Manuel Pereira.

Vaak maakt men het zich gemakkelijk door het ontstaan van een nieuwe stijlperiode met het begin van een nieuwe eeuw te laten samenvallen, maar er mag daarbij nooit van een volledige breuk met een oude stroming gesproken worden. Feit blijft dat zich in de tijd rond 1600 een verandering in de Spaanse beeldhouwkunst voltrok. Hieronder zullen we zien dat het een overgang betreft van het Romanisme (een aanduiding gebruikt voor het Maniërisme buiten Italië) naar een barok naturalisme, een proces dat omstreeks 1630 zijn beslag gekregen had. De komst van de Bourbon-dynastie in het begin van de 18e eeuw luidde weliswaar een nieuwe politieke en culturele fase in, toch kan de 18e-eeuwse kunst tot 1770 als een voortzetting van dezelfde stroming worden beschouwd. Pas daarna doen namelijk academische theorieën opgeld die uiteindelijk tot een ingrijpende verschuiving in thematiek en materiaalgebruik zouden leiden. Dit duidde er wél onmiskenbaar op dat er een nieuwe tijd was aangebroken.

## De 17e eeuw

De Spaanse Kerk hield hardnekkig vast aan haar rol als verdedigster van de Contrareformatie en ging openlijk de strijd aan met protestantse leerstellingen. In beeldenverering en kanselretoriek vond zij de belangrijkste middelen om het volk bekend te maken met en te winnen voor de katholieke doctrine. Het aantal gewijde beelden dat gemaakt werd, oversteeg in het toenmalige Spanje verre dat van de gemaakte profane werken. Het is in dit geval een teken van een diep religieuze maatschappij, waar de mensen in de eerste plaats op het bereiken van zielenheil gericht waren en waarin zelfs de wereldlijke feesten tot een aanhangsel van kerkelijke plechtigheden werden gemaakt; waarin, kortom, het leven in het teken van het hiernamaals stond.

Het aantal voorbeelden waarmee deze bewering gestaafd kan worden, is legio. Zo ging het bij het leeuwendeel van de adellijke kunstopdrachten om grafmonumenten en -kapellen. Er werden relikwieën voor verzameld, die op heel verschillende manieren werden opgesteld, bijvoorbeeld in armreliekschrijnen, busten of urnen, die in edelmetaal of hout gevat waren. Soms werden deze schrijnen in een kleine, overvolle ruimte samengebracht, zoals in de S. Miguel in Valladolid (afb. rechts), een ware schatkamer van de gewijde kunst. De kathedralen, parochiekerken en kloosters besteedden aanzienlijke sommen geld aan plastiek. Soms waren het ook stadsbesturen die de benodigde fondsen voor een grote retabel bijeenbrachten. Hun rol komt het duidelijkst naar voren in de processies tijdens de lijdensweek, die een hoge vlucht namen en tot op heden floreren. Bij zulke gelegenheden veranderen de steden in reusachtige gewijde ruimten en vullen ze zich met enorme mensenmassa's, die afkomen op de beeldengroepen van de verschillende kruiswegstaties.

Dit verklaart waarom de vraag naar sculpturen zich doorgaans beperkte tot altaarbeelden en volplastische devotiebeelden. Andere sacrale genres verdwenen weliswaar niet helemaal, maar ze gaven wel een duidelijke teruggang ten opzichte van de 16e eeuw te zien.

De compositie van biddende figuren op de toenmalige grafmonumenten is van een grote nuchterheid en houdt zich verre van de complexiteit en rijke versiering uit de Renaissance. Dezelfde strengheid vinden we ook bij de koorbanken uit de eerste drie decennia van de 17e eeuw. Ze volgen het voorbeeld van het Escorial en ontberen elk plastisch ornament. Dat maakt ze tot puur meubelmakerswerk naar architectonisch ontwerp. Deze ontwikkeling was echter van korte duur en in de loop van de eeuw heroverde het reliëf dit terrein, zoals blijkt uit de koorbanken van de kathedraal in Málaga, waarvoor Pedro de Mena's atelier grotendeels verantwoordelijk was (afb. rechtsonder).

Sinds het verschijnen van Emile Mâles verhandeling *L'art religieux après le Concile de Trente* (1932) zijn de meeste onderzoekers van de Barok het erover eens dat het wezenlijke kenmerk van deze 'contrareformatorische' stijl het scheppen van een nieuwe iconografie is. Wie de frequentst voorkomende thema's langsloopt, moet vaststellen dat deze door de katholieke Kerk als wapen tegen de doctrinaire aanvallen van het protestantisme gebruikt werden. Dat was ook de reden waarom de verering van de Maagd Maria zo sterk aan betekenis won. Haar aandeel in de verlossing van de mensheid werd zelfs met dat van Christus vergeleken, wat blijkt uit het feit dat in sommige composities de *Ecce Homo* en de *Dolorosa* als pendanten gebruikt werden. De inspanningen om de onbevlekte ontvangenis van Maria als kerkelijk dogma vast te laten leggen, hielden in alle lagen van de bevolking de gemoederen bezig. Het dogma leverde een iconografish model op dat ontelbare malen herhaald werd in kerken, kloosters en zelfs bidkapellen van particulieren. Eenzelfde functie hadden het thema van de pauselijke autoriteit (dat zijn neerslag vond in de voorstelling van Petrus als apostelvorst), het belang van de sacramenten (beelden van boetvaardige heiligen) en de zin van goede werken (het voorbeeld van de heiligen). Bijzondere aandacht kregen daarbij die heiligen die relatief laat de canonieke status hadden verworven, zoals Theresia van Avila, Ignatius van Loyola of Franciscus Xaverius.

Valladolid, S. Miguel
Relikwieënkapel, 17e eeuw
overwegend gepolychromeerd hout

**Pedro de Mena**
Koorbanken (detail), 1658-1662
Cederhout, naturel
Málaga, kathedraal

Kunstenaars die zo positief staan tegenover het gebruik van het beeld als vehikel voor katholieke dogmatiek, moeten zich in stilistisch opzicht wel bijna vanzelf tot realist ontwikkelen. Hout was tot dat moment het belangrijkste materiaal in de Spaanse beeldhouwkunst geweest. Omdat het zich goed leent voor het aanbrengen van kleuren en

**Francisco Rincón**
'Paso' (processiegroep) met de
Oprichting van het kruis, 1604
Gepolychromeerd hout, levensgroot
Valladolid, Museo Nacional de Escultura

dus het beste materiaal is voor zeer realistische voorstellingen, konden tradities bewaard blijven. Tegelijkertijd werd een aantal technische vernieuwingen doorgevoerd die het hartstochtelijk nagestreefde naturalisme binnen handbereik brachten. Van de verschillende technieken die ontwikkeld zijn om dat te bereiken, is de merkwaardigste het gebruik van *postizos* (postiches, dat wil zeggen valse haarwerken, en andere applicaties), iets wat in de 16e eeuw ondenkbaar was geweest. Ongeveer vanaf 1610 voorzag men de beelden van pruiken van echt haar, ogen of tranen van kristal, tanden van ivoor, nagels van hoorn en werden wonden weergegeven met kurk of leer. Samen met een zeer realistisch kleurgebruik voor huid en stoffen versterken deze applicaties het barokke karakter van de werken.

Het zijn hoogstwaarschijnlijk imitatieve elementen als deze die later de stijl als geheel in diskrediet hebben gebracht. Het gaat evenwel om werken van uitzonderlijke kwaliteit, van de hand van de voornaamste Spaanse beeldhouwers van de 17e eeuw en het is merkwaardig dat ze sommigen minder weten te overtuigen dan werken van dezelfde kunstenaars in de zogenaamde 'edelere' materialen als steen en albast.

Onderzoekers van de plastiek uit deze periode hebben meestal de neiging die in 'scholen' in te delen. Wij sluiten ons daarbij aan, omdat dit indelingsprincipe heel geschikt is voor een korte schets. Een ander uitgangspunt is het onweerlegbare gegeven dat in Andalusië en Castilië het hoogste artistieke peil bereikt werd, ook al moeten we ons daarbij terdege bewust blijven van de aantrekkingskracht die het hof in Madrid als brandpunt van verschillende stromingen op vrijwel alle kunstenaars uitoefende. Deze vaststellingen willen niet ontkennen dat ook de andere Spaanse landstreken rijk aan sculpturen waren. Sterker nog, het artistieke aanbod was er zó ongelooflijk breed, dat elke plaats van enige betekenis zijn eigen ateliers had. Als we desondanks van een dominantie van bovengenoemde scholen spreken, komt dat omdat we ons er rekenschap van geven dat gebieden als Catalonië en de oostelijke Middellandse-Zeekust in de vergetelheid raakten nadat de burgeroorlog er grote verwoestingen had aangericht.

Bij een algemeen overzicht van de belangrijkste centra van de Spaanse barokke beeldhouwkunst –Castilië en Andalusië– mogen de uitzonderingen die juist het tegendeel van onze hypothese suggereren, niet buiten beschouwing blijven. Toch kun je stellen dat in Andalusië de heftige dramatiek van Castilië getemperd wordt door een vormentaal die naar elegantie neigt, nevenelementen opwaardeert en de weergave van wreedheden vermijdt of toch minder confronterend maakt. Als gevolg daarvan vind je in Andalusië een grotere verscheidenheid in de aankleding van de figuren, evenals veelvuldiger gebruik van zilverversiering en vriendelijker thema's als de jeugd van Jezus of Maria. Omgekeerd ontbreekt het er aan voorstellingen van de dode Christus in de verlatenheid van zijn doodsbed, die tekenend zijn voor Castilië, waar ze verbonden werden met het feest van Sacramentsdag.

Laten we ons na deze algemene opmerkingen, zij het kort, richten op de belangrijkste Spaanse kunstenaars die het hunne aan de ontwikkeling van de Europese beeldhouwkunst hebben bijgedragen.

**Castilië**

Wie over de barokke beeldhouwkunst van Castilië spreekt, denkt in eerste instantie aan Valladolid, het belangrijkste centrum van plastiek. Al in de loop van de 16e eeuw had deze stad zich tot een brandpunt van de Spaanse beeldhouwkunst ontwikkeld. Het voorbeeld van Juan de Juni (overleden in 1577) werd daar tot het eind van de eeuw nagevolgd. Hij was in menig opzicht een voorloper van de barokke esthetica. Tegelijkertijd groepeerde zich rond Esteban Jórdan de maniëristische romanisten.

Het verblijf van Filips III en zijn hofhouding in Valladolid (van 1601 tot 1606) was een extra stimulans voor het toch al florerende kunstbedrijf in de stad. Dat is vooral te danken aan de aanwezigheid van de hofbeeldhouwer Pompeo Leonis en zijn kring. De goede vooruitzichten op werk lokten tal van beeldhouwers, van wie vooral Gregorio Fernández opviel door een zeer persoonlijke stijl. Zijn roem leidde ertoe dat een schare navolgers en leerlingen na de dood van de meester zijn stijl in heel Castilië en Noord-Spanje uitdroegen.

Bij de totstandkoming van de nieuwe stijl speelde de omstreeks 1567 geboren Francisco de Rincón een sleutelrol. Zijn nuchtere vormentaal ontwikkelde zich binnen het kader van het romanistische Maniërisme, maar zijn latere werk kan al op één lijn gesteld worden met dat van een nieuwe generatie. Steeds weer onderstreept men dat de jonge Gregorio Fernández in Rincóns atelier werkte, maar daarmee doet men de innovatieve kracht van de oudere meester tekort, die deze ook in de compositie en iconografie aan de dag legde. Rincóns vroege dood op veertigjarige leeftijd betekende een gevoelig verlies voor de Spaanse kunst. Als staaltje van zijn kunnen tonen we hier zijn *Oprichting van het kruis* (afb. blz. 356), die zich tegenwoordig ook in het Museo Nacional de Escultura bevindt. Het werk wordt in documenten uit 1604 vermeld en vormt het begin van een reeks monumentale figurengroepen van gepolychromeerd hout die voor processie bestemd waren. Voordien werden alleen de gestalten van Christus en de Heilige Maagd in deze groepen van hout gemaakt en bestonden de overige taferelen uit figuren van karton – een veel lichter, maar helaas ook vergankelijker materiaal. De compositie van Rincóns beeldengroep getuigt al van een echt barokke zin voor het spel van bewegingen en is een poging het moment vast te leggen waarop de mannen zich inspannen het kruis overeind te zetten en waarop het hoofd van Christus in een scherpe draai zijwaarts valt – een hoogst dramatisch gebaar.

De Castiliaanse barokke plastiek culmineerde in het beeldhouwwerk van Gregorio Fernández, de man die tevens gezien moet worden als de grondlegger van de zogenaamde Castiliaanse school. Hij was het immers die kans zag iconografische formuleringen te vinden die strookten met de hierboven uiteengezette religieuze mentaliteit van het Spaanse kernland.

Fernández werd in 1576 in Sarria (Lugo) geboren, kreeg het kunstenaarsvak met de paplepel ingegoten en zette net als vele andere beeldhouwers een familietraditie voort. Toen hij aan het begin van 17e eeuw in Valladolid aankwam, was hij al volleerd: bij Rincón was hij als vakkracht en niet als leerling in dienst. Wel is het zo dat zijn talent in deze stad pas tot volle rijping kwam. De aanwezigheid van vakgenoten die voor het hof werkten en de mogelijkheid kennis te nemen van buitenlandse beeldhouwwerken, schiepen de voorwaarden voor zijn eerste maniëristisch-elegante stijlfase, hier vertegenwoordigd door zijn *Gabriël* (afb. rechts) in het diocesane museum van Valladolid. Het werk is onmiskenbaar door Giambologna beïnvloed. De opdrachten voor monumentale retabels, die in de jaren '20 binnen begonnen te stromen, geven aan hoe hoog zijn ster gerezen was. Ze maken het verder aannemelijk dat hij toen al veel medewerkers in dienst had. Ander voortreffelijk werk van klein formaat ontstond omstreeks 1614, bijvoorbeeld het fraaie reliëf van de *Aanbidding der herders* in het klooster Las Huelgas in Valladolid (afb. blz. 358 links) of de *Dode Christus* in het kapucijnenconvent van El Prado (Madrid), waarvoor de koning persoonlijk betaald heeft.

Nog steeds gaat men ervan uit dat de processiegroep van de Piëta met de twee misdadigers aan weerszijden (1616) –de belangrijkste delen ervan bevinden zich in het Museo Nacional de Escultura– het begin vormt van een nieuwe, naturalistische fase die de idealisering langzamerhand verdrong.

In de stofuitdrukking krijgt een harde, hoekige stijl de overhand, die de lichtcontrasten versterkt. Twee andere devotiebeelden, bestemd voor processies in de goede week (beide eigendom van het broederschap van Vera Cruz in Valladolid) vertegenwoordigen de rijpe stijl van de meester. Zijn *Christus aan de martelpaal* (afb. blz. 358 rechts) is de stamvader van een van de iconografische eigenaardigheden van de Castiliaanse Barok. In tegenstelling tot de voorstellingen uit de 16e eeuw wordt hier een lage martelpaal gekozen, waardoor de uitwerking van de pijniging over het gehele naakte lichaam is waar te nemen. Als het succes van een kunstwerk afgemeten kan worden aan de duur van zijn populariteit, spant deze figuur de kroon: het werk mag zich tot op de dag van vandaag in de straten van Valladolid verheugen in een zeer levendige bijval.

In artistiek opzicht vormt de monumentale beeldengroep van de *Kruisafname* (afb. blz. 359) echter het hoogtepunt van deze processiekunst. Het is een uitzonderlijk voorbeeld van barok uitdrukkingsvermogen. Je kunt je nauwelijks iets aangrijpenders voorstellen dan deze uitbeelding van de twee mannen op ladders die het losgemaakte lichaam tegenhouden – een compositorisch huzarenstukje.

**Gregorio Fernández**
Aartsengel Gabriël, begonnen in 1606
Gepolychromeerd hout, hoogte 110 cm
Valladolid, Museo Diocesano

**Gregorio Fernández**
Retabel met de Aanbidding der herders,
1614-1616
Gepolychromeerd hout
Middenpaneel 187 x 102 cm
Monasterio de las Huelgas (Valladolid)

**Gregorio Fernández**
Christus aan de martelpaal
Gepolychromeerd hout, middenpaneel 177 cm
Valladolid, Vera Cruz

AFBEELDING BLZ. 359:
**Gregorio Fernández**
'Paso' (processiegroep) met
Kruisafname, 1623-1625
Gepolychromeerd hout, meer dan levensgroot
Valladolid, Vera Cruz

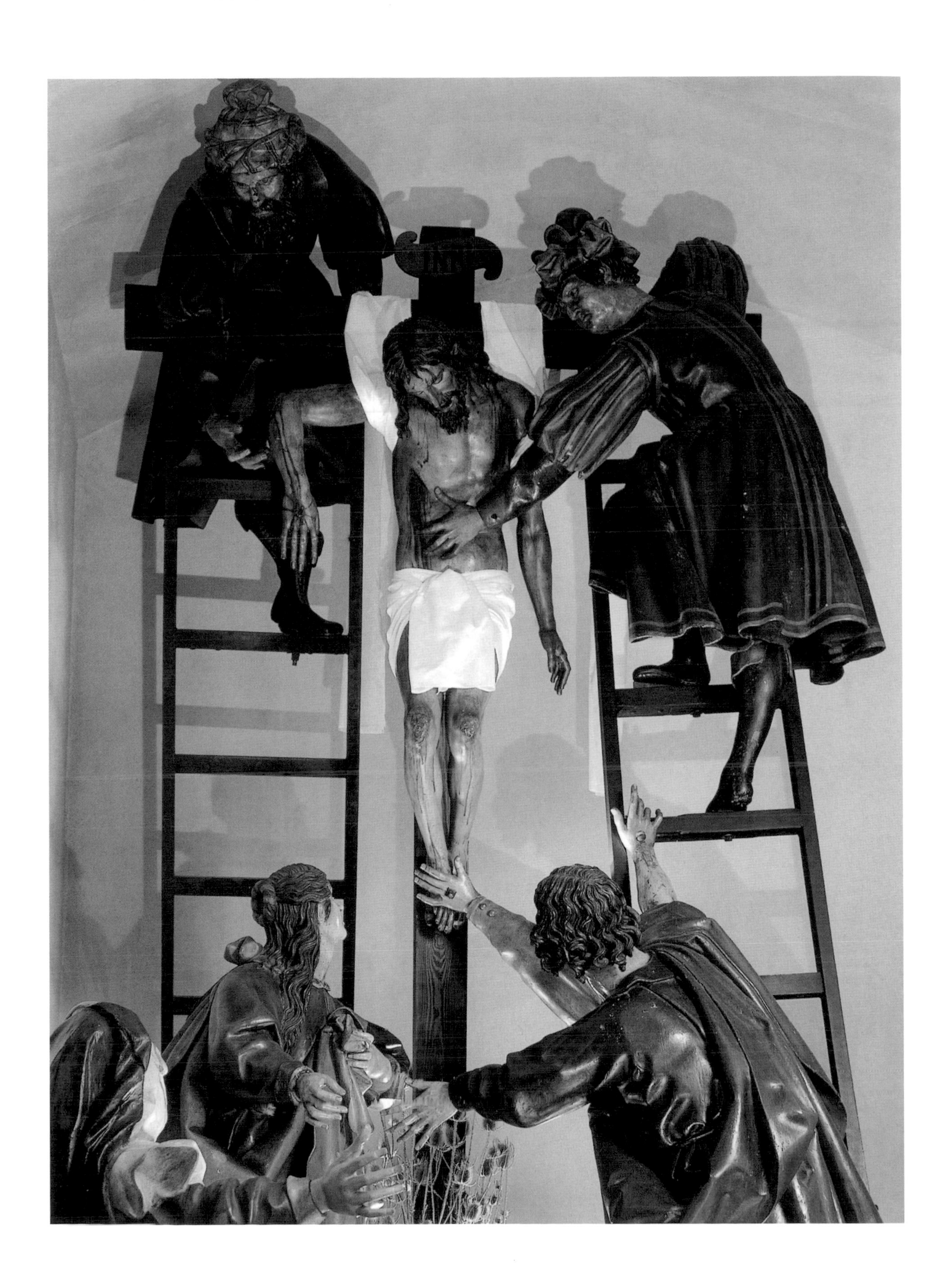

AFBEELDING BLZ. 360:
**Gregorio Fernández**
Retabel, 1632
Hout, figuren gepolychromeerd, breedte 1610 cm
Palencia, kathedraal

**Sebastián Ducete en Esteban de Rueda**
H. Anna, 1e helft 17e eeuw
Gepolychromeerd hout, hoogte van zittende figuur 102 cm
Villavelliz (Valladolid), parochiekerk

In 1626 begon voor Gregorio Fernández een intensieve scheppingsfase, die tot zijn dood zou voortduren. Zijn atelier bood werk aan een groot aantal assistenten, waaruit we mogen opmaken dat er retabels van groot formaat gemaakt werden. Het tussen 1625 en 1632 voor de kathedraal in Palencia gemaakte altaar is een mijlpaal in de Spaanse kunst van de eerste helft van de 17e eeuw. Hoewel Fernández kwakkelde met zijn gezondheid en overwerkt was, beschikte hij tot het eind van zijn leven over een enorm artistiek vermogen. Daarvan getuigt nog de *Christo de la Cruz* (tegenwoordig tentoongesteld in de kapel van het Colegio Santa Cruz in Valladolid).

Fernández' betekenis voor de Spaanse beeldhouwkunst valt af te lezen uit het feit dat zijn werken nog vele jaren na zijn dood zonder enige verandering werden nagemaakt. Zijn persoon blijft dan ook tot in de jaren '60, maar eigenlijk tot aan het einde van de eeuw, aanwezig in de kunst van zijn land.

Uit ruimtegebrek kunnen we hier helaas niet meer kunstenaars bespreken. Hopelijk kan een detail van de zittende *H. Anna* in de kerk van Villavelliz bij Valladolid (afb. boven) spreken voor het vele waardevolle en artistiek hoogstaande werk dat buiten beschouwing moet blijven. De figuur stamt uit een werkplaats in Toro (Zamora) en is de vrucht van de samenwerking tussen Sebastián Ducete en Esteban de Rueda, tijdgenoten van Fernández. Het beeld is illustratief voor de overgang van Juan de Juni's stijl naar de Barok, die zich hier zonder de tussenfase van het Maniërisme voltrok.

**Andalusië**

Bij de Castiliaanse beeldhouwkunst was beknoptheid geboden en dat geldt in sterkere mate voor de tweede belangrijke beeldhouwschool in het 17e-eeuwse Spanje, die van Andalusië. Dat komt vooral door het grote aantal uitstekende beeldhouwers in dit deel van Spanje. Bovendien waren het kunstenaars die zich in hun vak steeds verder bleven ontwikkelen.

Twee belangrijke centra deden van zich spreken: in het westen Sevilla met een uitstraling tot in de huidige provincies Huelva, Córdoba en Cádiz, in het oosten Granada, samen met de provincies Málaga, Jaén en Almería. Het is mogelijk om de verschillen tussen beide centra onder één noemer te brengen, maar je moet dan wel voorbijgaan aan de vele uitzonderingen, die nog in aantal toenamen door de langdurige uitwisseling van kunstenaars tussen beide invloedssferen. Met een flinke slag om de arm zou je kunnen stellen dat Sevilla neigde naar plastiek van groot formaat met een elegant gebarenspel en Granada juist naar virtuoze werken van klein formaat. Door hun geringe omvang waren ze gemakkelijk te transporteren en ze raakten dan ook in heel Spanje verbreid.

**Sevilla**

Sinds de ontdekking van Amerika was de stad gestaag gegroeid en oefende een grote aantrekkingskracht op kunstenaars uit. Geleidelijk sloten die zich aaneen in groepen, die zich ongeveer in de laatste dertig

**Juan Martínez Montañés**
'Cristo de la Clemencia', sacristie, na 1605
Gepolychromeerd hout, hoogte 190 cm
Sevilla, kathedraal

**Juan Martínez Montañés**
H. Hiëronymus, 1611
Gepolychromeerd hout, hoogte 160 cm
Santiponce, Monasterio de S. Isidoro del Campo (Sevilla)

jaar van de 16e eeuw als scholen begonnen te manifesteren. Hun consolidering en uiteindelijke roem hebben ze te danken aan de belangrijkste meester uit Sevilla, Martínez Montañés (1568-1649). Al op jeugdige leeftijd begon hij aan een glanzende carrière, waarvan de verschillende stadia zich moeilijk kort laten weergeven. Grofweg maakte hij een ontwikkeling van Maniërisme naar Barok door. Typerend is zijn streven naar een uitgewogen schoonheid. Het geeft zijn figuren een grote gelatenheid, maar hun gebaren houden voldoende kracht om waarachtig te zijn. Een treffend voorbeeld is de crucifix van *Cristo de la Clemencia* in de kathedraal van Sevilla, een van zijn voornaamste werken (afb. boven). De contractbepalingen voor dit beeld worden vaak geciteerd en geven dan ook een goede indruk van de mentaliteit die in het 17e-eeuwse Spanje aan dergelijke werken ten grondslag lag. In het contract lezen we: "Hij (Christus) moet nog in leven zijn, vlak voor zijn laatste ademtocht, het hoofd afhangend naar zijn rechterarm, zijn blik op iemand gericht die biddend aan de voet van het kruis staat en wel zo dat hij tegen deze persoon lijkt te spreken en zich erover beklaagt dat wat hij door moet maken omwille van deze persoon gebeurt..." Montañés' voorstelling houdt zich verre van alle Castiliaanse dramatiek. Het vloeiend gemodelleerde lichaam contrasteert met de minutieuze plooival van de lendendoek. De houtbehandeling harmonieert met de kleuren die de schilder Francisco Pacheco aanbracht, die slechts mondjesmaat gebruik maakte van realistische effecten, zoals bloedsporen.

De periode 1605-1620 geldt als Martínez Montañés' belangrijkste scheppingsfase. In deze jaren maakte hij ook de *H. Hiëronymus* voor het klooster S. Isidoro del Campo in Santiponce (Sevilla) (afb. boven).

**Juan de Mesa**
'Jesús del Gran Poder', 1620
Gepolychromeerd hout,
totale hoogte 181 cm
Sevilla, Iglesia de Jesús

**Francisco Ruiz Gijón**
Stervende Christus, 'El Cachorro', 1682
Gepolychromeerd hout, hoogte 184 cm
Sevilla, Iglesia del Patrocinio

De figuur is eigenlijk geconcipieerd voor de hoofdretabel van de kerk (en dus frontaal), maar is aan alle kanten zo goed uitgewerkt dat hij zich zeer goed voor gebruik bij processies leent. Ook ditmaal is de anatomische weergave van een ongewone kwaliteit. Zo is de aangespannen arm minutieus weergegeven, met een realistisch spierstelsel, inclusief opgezwollen aders.

Na genezen te zijn van een slepende ziekte die hij in 1629 had opgelopen, ging Montañés over tot zijn hoog-barokke latere stijl. Tot op hoge leeftijd leverde hij meesterwerken af, zoals de *Maria van de Onbevlekte Ontvangenis* (Inmaculada) van de Capilla de los Alabastros in de kathedraal van Sevilla. Het verbaast dus niet dat hij in 1635 door het hof werd aangetrokken om een portretbuste van Filips IV te vervaardigen. Het zo ontstane werk gebruikte de Italiaan Pietro Tacca als voorbeeld voor zijn ruiterstandbeeld. Net als Gregorio Fernández in Castilië ging er van Montañés tijdens en na zijn leven een grote invloed uit in Sevilla. Juan de Mesa (1583-1627) uit Córdoba, die helaas maar een kort leven beschoren was, werd zijn belangrijkste leerling en medewerker. Zijn oeuvre bestaat voornamelijk uit processiebeelden en getuigt van een sterkere hang naar expressieve middelen. Dat betekende een beslissende stap in de richting van het realisme van de school van Sevilla. Een voorbeeld daarvan is de beroemde *Jésus del Gran Poder* (1620) in de gelijknamige Sevilliaanse kerk (afb. linksboven). Het beeld is geïnspireerd op de Jésus de la Pasión van zijn leermeester, maar appelleert met kunstgrepen als de bijna door de doornenkroon doorboorde wenkbrauw, het van pijn vroegoude gezicht en de lijkbleke verfkleur veel sterker aan het medeleven van de beschouwer.

AFBEELDING BLZ. 364:
**Pedro Roldán**
Graflegging van Christus, 1670-1672
Gepolychromeerd hout, meer dan levensgroot
Sevilla, Hospital de la Caridad

Beeldhouwers die rond het midden van de eeuw een voorname rol speelden in Sevilla, waren Alonso Cano (op wie we terug zullen komen bij de school van Granada) en de van oorsprong Vlaamse José de Arce, die zich in 1636 in de stad vestigde. Met zijn grote compositorische dynamiek introduceerde hij er de Barok. Illustratief zijn de beelden voor de S. Miguel in Jerez de la Frontera, een opdracht die Montañés kort voor zijn dood aan hem had doorgespeeld.

In het laatste kwart van de 17e eeuw kwam het tot een totale doorbraak van de Barok in Sevilla. De allesbeheersende figuur van deze periode is Pedro Roldán (1624-1699). Hij was Sevilliaan van geboorte, maar volgde zijn opleiding in het atelier van Alonso de Mena in Granada. Na zijn terugkeer naar zijn geboorteplaats onderging hij de invloed van José de Arce, van wie hij de dynamische vormen en de eigenaardige weergave van het haar overnam. Het theatrale element in de plastiek van die tijd komt het duidelijkst tot uitdrukking in de monumentale ensembles met taferelen uit de lijdenstijd, die het middelpunt van talrijke retabels vormen. Een van de imposantste is dat in de kerk van het hospitaal de la Caridad in Sevilla (afb. blz. 364).

Luisa Roldán (1654-1704), dochter van Pedro Roldán, is de voornaamste persoonlijkheid in de beeldhouwkunst aan het eind van de 17e eeuw. Hoewel de kwaliteit van haar werk natuurlijk voor zich spreekt, is het het vermelden waard dat zij de enige beroemd geworden Spaanse beeldhouwster van de 17e eeuw is. Dat zij ook aan het hof gewaardeerd werd, moge blijken uit de haar verleende eretitel.

Haar tijdgenoot Francisco Ruiz Gijón, de laatste grote 17e-eeuwse kunstenaar in Sevilla, maakte de *Crucificado de la Expiración*, in de volksmond *El Cachorro* genoemd (afb. blz. 363 rechts). Net als in het geval van de crucifix *Cristo de la Clemencia*, die Montañés aan het begin van de eeuw gemaakt had, wordt Christus hier nog levend voorgesteld. Deze keer richt zijn blik zich echter smekend hemelwaarts, terwijl zijn lendendoek een prooi van de wind lijkt te zijn geworden. Uit de vergelijking tussen deze twee werken blijkt de ontwikkeling die de beeldhouwersschool van Sevilla in de loop van de eeuw heeft doorgemaakt.

### Granada

Als het al gerechtvaardigd is om bij een voortduren van gemeenschappelijke kenmerken in de kunstproductie van een stad van een school te spreken, dan zeker in het geval van Granada. Hier zagen kleine beeldsnijwerken, intieme en exquise stukken die tot kunstgenot uitnodigen, het licht. Gedurende de gehele 17e eeuw waren ze geliefd, wat blijkt uit de enorme hoeveelheid werken die in andere delen van Spanje bewaard zijn gebleven.

Hoewel Alonso Cano als de eigenlijke grondlegger van de school beschouwd moet worden, traden aanvankelijk Pablo de Rojas en de broers García en vooral Alonso de Mena (1587-1646, een sleutelfiguur in de vroege Barok) duidelijk op de voorgrond. Mena's atelier bracht belangrijke kunstenaars voort, onder wie zijn eigen zoon Pedro de Mena en Pedro Roldán.

**Alonso Cano**
Johannes de Doper, 1634
Gepolychromeerd hout, hoogte 119 cm
Valladolid, Museo Nacional de Escultura

Toen Alonso de Mena in 1646 stierf, was zijn zoon nog te jong en was Roldán naar Sevilla gegaan. Dit had tot een verarming van het kunstleven in Sevilla kunnen leiden, ware het niet dat de veelzijdige figuur Alonso Cano (1601-1667) terugkeerde naar zijn geboorteplaats, waar hij als architect, schilder en beeldhouwer actief was. Hij was al op jonge leeftijd in de voetsporen van zijn vader getreden en met hem naar Sevilla gegaan. In het atelier van Francisco Pacheco kreeg hij een uitstekende opleiding en het was ook hier dat hij vriendschap met Velázquez sloot. Hij bleef daar tot 1639, toen de invloedrijke hertog van Olivas hem naar Madrid ontbood. Uit zijn tijd in Sevilla, waarin hij vooral onder invloed van Montañés stond, stammen werken als het Mariabeeld *Virgen de Oliva* of *Johannes de Doper*, dat zich in het Museo Nacional de Escultura bevindt (afb. boven). Het zijn twee vroege voorbeelden van het geïdealiseerde naturalisme dat zijn werk zou kenmerken.

In zijn Madrileense periode wijdde Cano zich hoofdzakelijk aan de schilderkunst. In 1652 besloot hij terug te keren naar Granada om een prebende van de kathedraal te verwerven, die hem er tegelijkertijd toe

**Pedro de Mena**
Koorgestoelte (detail),
1658-1662
Cederhout, naturel
Málaga, kathedraal

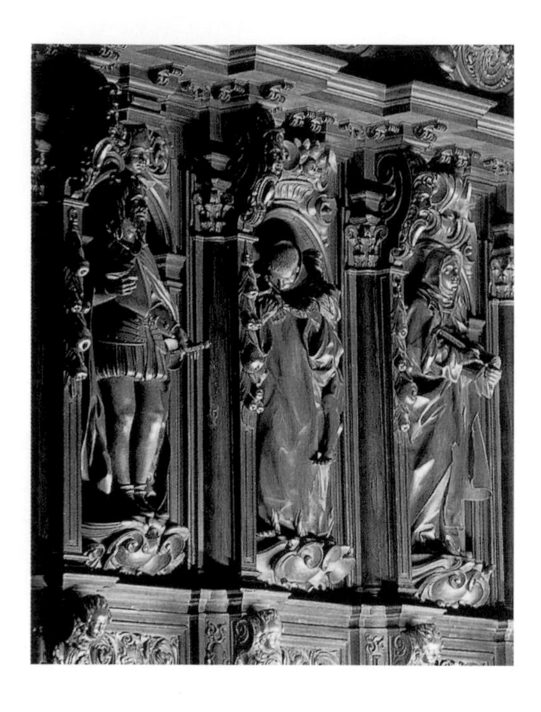

**Alonso Cano**
Maria van de Onbevlekte Ontvangenis, 1655
Gepolychromeerd hout, hoogte 55 cm
Granada, kathedraal

verplichtte alle benodigde decoratiewerkzaamheden in de kerk op zich te nemen. Nu werkte hij weer als beeldhouwer en hij bereikte daarbij een hoge graad van perfectie, zoals valt op te maken uit een groot aantal statuettes van edele, maar ingetogen snit, bijvoorbeeld de figuur van de beroemde *Inmaculada* (onbevlekte ontvangenis) aan de lezenaar van de kathedraal (afb. rechtsboven). De houtsculptuur is op een ovaal gebaseerd en op een evenwichtige manier geritmiseerd. Het werk vraagt erom van alle kanten bekeken te worden. Het sobere kleurgebruik vormt met zijn blauwgroene tinten en het daarmee contrasterende rijke verguldsel een ideale aanvulling. Alleen iemand die in beide kunstrichtingen ervaring heeft, kan zo'n perfecte symbiose van plastiek en schilderkunst tot stand brengen. Cano had met zijn voorbeeld een beslissende invloed op zijn medewerker Pedro de Mena (1628-1688), de grote persoonlijkheid van de Sevilliaanse school. Hij werkte ook in Granada en Málaga, waar hij zich in 1658 vestigde om het koorgestoelte voor de plaatselijke kathedraal te maken (afb. boven en blz. 355). Carl Justi schreef daarover het volgende: "Het gaat hier om de origineelste en mooiste werken van de Spaanse kunst en zelfs van de nieuwere beeldhouwkunst als geheel. Deze beelden zijn waarschijnlijk de ultieme uiting van de Spaanse beeldhouwkunst."

Op een reis naar Madrid en Toledo leerde de Mena de Castiliaanse plastiek kennen, waar hij een aantal iconografische voorbeelden van overnam die tot dan toe onbekend waren in Andalusië. Maar een veel belangrijkere ontlening was de diepgaande emotionaliteit, die de rest van zijn oeuvre zou gaan beheersen. Geen ander beeldsnijwerk weet zo pregnant het mystieke element van de Spaanse barokke beeldhouwkunst te treffen als de boetvaardige Maria Magdalena. In 1933 gaf het Prado dit beeld in bruikleen aan het Museo Nacional de Escultura in Valladolid, maar een paar jaar geleden ging het ter restauratie terug naar Madrid. Zolang dat duurt wordt het provisorisch aan het publiek getoond. Laten we hopen dat het uiteindelijk weer terugkeert naar de plaats waar het als pronkstuk van de belangrijkste beeldencollectie van Spanje bekeken kan worden. Tot die tijd is De Mena er echter ook met zijn *S. Pedro de Alcántara* (afb. blz. 367 rechts) waardig vertegenwoordigd. In de uitbeelding van hoofd en handen van deze heilige spreidt hij een indrukwekkend realisme tentoon. De heilige Theresia van Avila merkte over dit beeld op dat het eruitzag alsof het uit wortels bestond en dat de van verschillende stukken hout gemaakte, hobbezakkige monnikspij de deemoedige verschijning van de heilige nog versterkte.

Uit plaatsgebrek moeten andere grote meesters van de school van Granada onbesproken blijven, bijvoorbeeld José de Mora (1642-1724), die op de door Alonso Cano ingeslagen weg tot aan de hoge Barok voortging.

### Madrid

Tot slot van dit overzicht over de beeldhouwkunst van de 17e eeuw richten we ons op het hof in Madrid, dat een centrale plaats in de ontwikkeling van de beeldhouwkunst innam. Opdrachten van het koningshuis en de hoge adel zorgden voor de invoer van buitenlandse kunst en maakten Madrid tot een ontmoetingsplaats van beide grote Spaanse

**Pedro de Mena**
Boetvaardige Maria Magdalena, 1664
Gepolychromeerd hout, hoogte 165 cm
Valladolid, Museo Nacional de Escultura
(bruikleen van het Prado)

**Pedro de Mena**
S. Pedro de Alcántara, 1633
Gepolychromeerd hout, hoogte 78 cm
Valladolid, Museo Nacional de Escultura

**Manuel Pereira**
H. Bruno, ca. 1630
Steen, hoogte 169 cm
Madrid, Real Academia de Bellas Artes de San Fernando

AFBEELDING BLZ. 369 LINKS:
**Narciso Tomé**
'El Transparente', 1721-1732
Marmer en brons
Toledo, kathedraal

AFBEELDINGEN BLZ. 369 RECHTS:
**Tomás de Sierra**
Retabel (boven), detail (onder), 1704
Gepolychromeerd hout, breedte 1200 cm
Medina de Rioseco, Iglesia de Santiago

beeldhouwscholen. Daardoor ontstonden hier enkele van de beste plastieken van de 17e eeuw. In Madrid overheerste de eerste dertig jaar de Castiliaanse school en pas later de Andalusische, wat grotendeels is terug te voeren op de aanwezigheid van Alonso Cano, Pedor de Mena en José de Mora.

De belangrijkste beeldhouwer die in de 17e eeuw in Madrid werkte, was de Portugees Manuel Pereira (1588-1683). Zijn *H. Bruno* (afb. boven), gemaakt voor de façade van het hospitium dat de kartuizers van El Paular in Madrid onderhielden (tegenwoordig te zien in de Koninklijke Academie voor Schone Kunsten van San Fernando in Madrid), is een van de waarlijk grote prestaties van de toenmalige steensculptuur. Deze figuur –een bezinning op de dood– is een sprekend voorbeeld van de ascetische inslag van de Spaanse kunst, juist ook omdat hier werd afgezien van het gebruik van kleur. Volgens Palomino liet Filips IV elke keer als hij voorbijreed zijn koets stoppen om het beeld rustig in zich op te kunnen nemen.

Naast Pereira zorgden Domingo de la Rioja en Juan Sánchez Barba voor een hoog niveau in de Madrileense kunst, dat in de 18e eeuw gehandhaafd zou blijven.

## De 18e eeuw

Aan de Spaanse plastiek van de 18e eeuw is de kunstgeschiedschrijving ten onrechte steeds voorbijgegaan. Men plaatste haar in de schaduw van de 17e-eeuwse kunst, en het Neoclassicisme veroordeelde haar. Pas de laatste jaren werd het mogelijk dit eenzijdige beeld te herzien. Voor ons zijn er vooral twee redenen om kort bij deze periode stil te staan: ten eerste zijn er enkele grote namen die beslist in een overzicht van de Spaanse barokke beeldhouwkunst thuis horen, ten tweede ontstonden er in de eerste dertig jaar van deze eeuw werken die een voortzetting en voltooiing betekenen van de tendensen die zich tegen het eind van de eraan voorafgaande eeuw aftekenden.

Dit proces is het duidelijkst waar te nemen in de uitvoering van de retabels: de kerken vulden zich met ensembles van zuilen, balkwerk, reliëfs en sculpturen – een hang naar het totaalkunstwerk die kenmerkend zou worden voor de Barok. Een goed voorbeeld is de grote en bijzonder rijk versierde retabel van de Santiago-kerk in Medina de Rioseco (afb. blz. 369 rechts), een door Joaquín de Churriguera (1674-1724) ontworpen werk dat in de werkplaats van de beeldhouwer Tomás de Sierra werd uitgevoerd. Het dankt zijn bestaan dus aan twee van de bekendste kunstenaars van die tijd.

De Tomés vormden een vooraanstaande kunstenaarsfamilie en zijn zeer nauw betrokken bij het *Transparente* in de kathedraal van Toledo (afb. blz. 369 links en blz. 103) dat een nieuw hoogtepunt in de Spaanse beeldhouwkunst betekende. Het gebruik van brons en marmer was in Spanje geen gewoonte en duidt op buitenlandse invloeden. Narciso Tomé (1690-1742) werkte twaalf jaar aan deze enorme opdracht en werd daarbij ondersteund door zijn broers Diego en Andrés.

Het resultaat was een indrukwekkende, "architectonische enscenering van de ruimte", een monumentale retabel die de kooromgang en het hoofdaltaar met elkaar verbindt en zijn licht krijgt van een dakvenster erboven. Een achter de retabel gebouwde altaarkapel (Camarín) vereenvoudigde de hostieverering door het volk. Er is hier een illusionistische ruimte geschapen, waarin architectuur, plastiek en schilderkunst het hunne bijdragen aan een barok totaalkunstwerk terwille van een eucharistisch program.

In de loop van de 18e eeuw werd Madrid het centrum van de Spaanse beeldhouwkunst. Met de troonsbestijging van de Bourbons kwam er een eind aan het artistieke isolement waarin het land verkeerd had. Er werden veel buitenlandse beeldhouwers aangetrokken, aanvankelijk vooral Franse, later meer Italiaanse. Zij werden met de decoratie van de nieuwe koninklijke paleizen belast. Anderzijds werkte de grote vraag naar bouwplastiek voor de Madrileense kerken juist een vasthouden aan traditionele schemata in de hand.

Dat bewijst bijvoorbeeld het bekende *Hoofd van de H. Paulus* (Juan Alonso Villabrille y Ron, afb. blz. 370, tegenwoordig in het Museo Nacional de Escultura). Hier wordt de gruwelijkheid van het martelaarschap benadrukt door de illusie dat het hoofd, met zijn van pijn vertrokken gelaatstrekken, de wijd opengesperde ogen en het doorgroefde voorhoofd, op de grond is gevallen.

**Juan Alonso Villabrille**
Hoofd van de H. Paulus, 1707
Gepolychromeerd hout, hoogte 55 cm,
breedte 61,5 cm
Valladolid, Museo Nacional de Escultura

**Luis Salvador Carmona**
'La Divina Pastora', midden 18e eeuw
Gepolychromeerd hout en zilver,
hoogte 90 cm
Nava del Rey (Valladolid)
Convento de Madres Capuchinas

**Francisco Salzillo**
Laatste-Avondmaalsgroep, 1762
Gepolychromeerd hout, levensgroot
Murcia, Museo Salzillo

De generatie die nu aantrad, was geboren in de 18e eeuw en luidde de laatste fase in de Spaanse barokke beeldhouwkunst in. Deze kunstenaars waren eerder traditionalistisch en ambachtelijk ingesteld. Zonder geheel en al van de realistische elementen uit voorgaande tijden af te zien, gaven zij de kunst in de eerste helft van de 18e eeuw een duidelijk bevalligere inslag, die beantwoordde aan het schoonheidsideaal van het Rococo.

Luis Salvador Carmona (1708-1767) was nu de hoofdvertegenwoordiger van de school van Madrid, die ook in andere streken van Spanje haar sporen achterliet. De *Divina Pastora* (heilige herderin), een buste die in het kapucijner nonnenklooster van Carmona's geboorteplaats Nava del Rey bewaard wordt, biedt een nieuwe kijk op Maria als medeverlosseres: ze doet veel zachtaardiger en menselijker aan dan in voorgaande perioden. Dat ligt niet alleen aan haar gezichtsuitdrukking, maar ook aan de zilveren accessoires –hoed, staf, oorbellen en ring– waarmee het beeld versierd werd (afb. boven).

De kunst van het Rococo vond haar grootste voorvechter in Francisco Salzillo (1707-1783) uit Murcia. Zijn geboortestreek onderscheidde zich door een geregeld handelsverkeer en een culturele uitwisseling met andere landen in het Middellandse-Zeegebied. Daardoor vestigden zich er ook kunstenaars uit deze landen, zoals de Fransman Antoine Dupar en de Napolitaan Nicolo Salzillo, Francisco's vader. Zij baanden de weg voor een Europees georiënteerde, dynamische stijl.

Als beeldhouwer perfectioneerde Francisco Salzillo zijn stijl in processiegroepen als de *Laatste-Avondmaalsgroep* uit 1762 (afb. rechtsboven). Hij heeft de dertien figuren in een verfijnde compositie rond de tafel geplaatst en het karakter van elk van hen zeer nauwkeurig uitgewerkt. Opvallend is dat vanaf het begin in Castilië tot aan het einde in Murcia de voornaamste uitingen van de barokke beeldhouwkunst een en hetzelfde medium gebruikten, namelijk de oer-Spaanse processiekunst. Het lijdt echter geen twijfel dat daarbij oplossingen gevonden werden die lijnrecht tegenover elkaar staan.

Tijdens de regering van Karel III van 1760 tot 1788 voltrok zich de overgang naar het Neoclassicisme. Vanaf zijn troonsbestijging verlangde de koning een strenge, zakelijker kunst en met decreten dreef hij zijn zin door. Ontwerpen voor retabels en altaren werden bij koninklijk bevel van 1777 onderworpen aan de controle door de Koninklijke Academie van San Fernando. Daarbij werd vermeld dat van het gebruik van hout afgezien diende te worden, aangezien er nauwelijks een stad in het land te vinden was waar zich geen marmer of andere geschikte steensoort in de buurt bevond. Ter rechtvaardiging van dit voorschrift wees men op de veelvuldige branden en op de hoge kosten van het polychromeren. De ware reden was natuurlijk een andere en wel een esthetische. Dat bewijst het bestaan van vele –geautoriseerde– houten retabels (waarvan de productiekosten juist lager lagen) in een jaspiskleurige, witte verflaag die marmer moest suggereren. Er werd dus met bepaald drastische maatregelen een einde gemaakt aan de beeldhouwkunst van de Barok in Spanje. Het betekende het einde van een van de authentiekste Spaanse kunstuitingen. Hoogstwaarschijnlijk was langs een andere weg een eeuwenoude traditie ook niet te vernietigen geweest.

Karin Hellwig

# Schilderkunst van de 17e eeuw in Italië, Spanje en Frankrijk

Uit de mond van een zot in Lope de Vega's roman *El peregrino en su patria* stamt een rake typering van de verschillende omstandigheden in Italië, Spanje en Frankrijk in de 17e eeuw, die waarschijnlijk ook op de schilders uit deze tijd van toepassing geweest zal zijn. De zot zegt dat je zou wensen in Frankrijk geboren te worden, in Italië te leven en in Spanje te sterven; het eerste land vanwege de zuivere adel en het nationale koningschap, het tweede land vanwege de vrijheid en de levensvreugde en het derde ten slotte met het oog op het geloof, dat in Spanje immers zo katholiek, zo waarachtig heet te zijn. De door Lope opgetekende wens in Italië te leven, vinden we inderdaad bij tal van Franse en Spaanse kunstenaars van zijn tijd. Niet alleen Poussin en Lorrain, maar ook Velázquez en Ribera –om slechts vier grote meesters te noemen– voelden zich ondanks hun totaal verschillende wortels aangetrokken tot Italië en Rome in het bijzonder. Weliswaar veranderden de toenmalige Italiaanse kunstenaars ook vaak van werkkring, maar ze bleven meestal wel op eigen bodem.

Tegelijkertijd gingen er in Spanje en Frankrijk stemmen op die van dit werken in Italië een probleem maakten. De Spaanse kunstkenner Antonio Palomino wees er bijvoorbeeld op dat in Rome alleen de rijpe kunstenaars een werkelijke uitdaging vinden. Hun jongere vakbroeders hadden er daarentegen kostbare tijd verloren, raakten verward en verdoofd door dat "verbazingwekkende labyrint van wonderen", en menigeen van hen kwam ellendig aan zijn eind. Vele kunstenaars –zo vervolgt Palomino zijn betoog– kwamen door schade en schande tot het besef dat het beter was een Spaanse kunstopleiding dan een Romeinse kroeg te bezoeken.

Zoals de receptiegeschiedenis laat zien, is het waardeoordeel over die 17e-eeuwse schilders die we tegenwoordig tot de groten rekenen in de loop van de laatste 200 jaar zeer wisselend geweest. De kritiek die in de 18e en 19e eeuw op de kunst van de Barok werd uitgeoefend, geldt echter niet zozeer de schilderkunst, maar in eerste instantie de architectuur. Heinrich Wölfflin keerde zich in zijn studie *Renaissance und Barock* (1888) nog tegen de voorliefde van deze tijd voor "imposante massa's, het kolossale, het overdonderende" en betreurde de vergrijpen tegen het renaissancistische harmoniebegrip. Later, in zijn boek *Kunstgeschichtliche Grundbegriffe* (1915), ontdekt hij dan een verwantschap tussen de barokke en de moderne vormenwereld. Tussen deze beide jaartallen verscheen Alois Riegls verhandeling *Die Entstehung der Barockkunst in Rom* (1908), wiens positieve oordeel vooral de architectuur geldt. Complete overzichten van de barokke schilderkunst ontstaan pas nadat er verscheidene kunstenaarsmonografieën verschenen zijn. Van de synoptische boeken mogen vooral Hermann Voss' *Die Malerei des Barock in Rom* (1925) en *Barockmalerei in den romanischen Ländern* (1928) van Nikolaus Pevsner en Otto Grautoff mijlpalen in de kunstdocumentatie genoemd worden.

Caravaggio's oeuvre had al kans gezien zijn tijdgenoten in twee kampen te verdelen. Zijn vijanden beklaagden zich over zijn minachting voor het *decorum* en het ontbreken van een *historia*, maar al in de 19e eeuw begon men in hem een voorloper van de moderne kunst te zien.

De Fransman Poussin wordt door zijn tijdgenoten als 'peintre philosophe' geapostrofeerd en omstreeks 1800 door David en Ingres hogelijk gewaardeerd. Het oordeel over Guido Reni laat zich lezen als een enkele lofzang, met als enige smet de commerciële uitbating en trivialisering van zijn picturale invallen door middel van kopieën en slaafse navolging, met name in de 18e en 19e eeuw. Gemengde gevoelens bestaan er ook over de Spaanse schilders, waarbij onmiddellijk opvalt dat het moderne museumpubliek vooral waardering heeft voor meesters als Diego Velázquez, Francisco Zurbarán en Jusepe Ribera en minder voor bijvoorbeeld Bartolomé Esteban Murillo. Velázquez wordt in het midden van de 19e eeuw door Franse schilders als Courbet en Manet ontdekt en in mateloze bewondering 'peintre des peintres' genoemd. Pas daarna is de belangstelling van de kunsthistorici voor deze man gewekt: er verschenen talloze monografieën, waarvan Carl Justi's nog altijd leesbare en relevante *Diego Velázquez und sein Jahrhundert* (1888) met afstand de beste is.

Murillo's schilderijen zijn al in de 18e eeuw buiten Spanje zo geliefd, dat Karel III in 1779 de uitvoer ervan liet verbieden, maar sinds het einde van de 19e eeuw is steeds luider de kritiek te vernemen geweest dat zijn werk te veel op het gemoed werkt en te zoetsappig is. Pas in de twee laatste decennia van de 20e eeuw kreeg men weer waardering voor deze schilder en probeert men recht te doen aan zijn artistieke rang. Ook over het werk van Zurbarán veranderde de kunstwereld nog onlangs van mening. Lange tijd waren zijn schilderijen opgeslagen in kloosters in Andalusië en de Estremadura en waren niet toegankelijk voor het grote publiek. Bovendien maken ze het de beschouwer niet gemakkelijk met hun verinnerlijkte figuren en de kloosterlijk-ascetische stijl, die van alle decoratie afziet en maar moeilijk in het totaalbeeld van de Barok in te passen is. Van een meer dan gewone belangstelling van het publiek juist voor kunstenaars uit het tijdperk van de Barok getuigen –naast een stroom publicaties– de talrijke tentoonstellingen die de laatste twintig jaar gewijd werden aan schilders als Caravaggio, Guercino, Gentileschi, Lorrain, Murillo, Poussin, Reni, Ribera, Valdés Leal, Velázquez, Vouet, Zurbarán.

In de loop van de 17e eeuw werd de kunst sterker geïnstrumentaliseerd en werd ze enerzijds door de Kerk in dienst van de Contrareformatie gesteld en anderzijds door absolutistische heersers voor zelfverheerlijking gebruikt. Tegelijk werd de paneelschildering een steeds feller begeerd verzamelaarsobject onder edellieden, hovelingen en koningen, maar ook in een zich emanciperende burgerij. Nog sterker dan in de Renaissance concentreert het kunstleven zich op de grote centra: residentiesteden als Madrid, Parijs en het pauselijke Rome, of plaatsen met een bijzondere economische betekenis, zoals de handelssteden Napels en Sevilla. Bovendien verplaatsten deze zwaartepunten zich ook. Zo speelden Florence en Venetië, de belangrijkste kunstmetropolen van de Renaissance, tussen 1600 en 1700 nauwelijks nog een rol van betekenis in het culturele leven van Italië.

Tegelijkertijd vindt er een aanzienlijke uitwisseling tussen de afzonderlijke centra plaats. Politieke en economische factoren hebben hun uitwerking op de opdrachtenportefeuille van de kunstenaars en velen zien zich gedwongen herhaaldelijk van woonplaats te verwisselen. Caravaggio verlaat Lombardije en gaat naar Rome, waarvandaan hij eerst naar Napels gaat, dan naar Malta en tot slot weer terug naar Napels. De Carracci's en veel van hun leerlingen trekken naar Rome en slechts enkelen keren naar hun geboorteplaats terug. Artemisia Gentileschi werkt zowel in Rome en Florence als in Napels en Engeland. Ribera verruilt Valencia voor Rome en vestigt zich uiteindelijk in Napels. De uit Lotharingen afkomstige Claude Lorrain en de Parijzenaar Poussin vestigen zich in Rome en blijven daar tot aan hun dood werken. Daarnaast neemt in deze tijd de kunstexport in volume toe, en tussen de verschillende kunstcentra is zelfs sprake van een levendige uitwisseling van kunstwerken: Poussin schildert in Rome voor Spaanse en Franse opdrachtgevers en Ribera maakt in Napels veel schilderijen voor de Spaanse (hof)adel.

Archieven en een breed scala van andere bronnen voorzien ons van een keur van informatie, waardoor we niet alleen op de schilderijen aangewezen zijn en waardoor we ons een beter beeld kunnen vormen van de kunstenaar, zijn werk, de artistieke praktijk, de kunsttheorie en esthetische waardeoordelen in de 17e eeuw. Verder beschikken we over veel contemporaine geschriften over de verschillende kunstuitingen en hun beoefenaars. De schilder en kunstpublicist Giorgio Vasari had in 1550 een boek uitgebracht met biografieën van Italiaanse, maar vooral Florentijnse kunstenaars. Dit boek, *Le vite de' più eccelenti pittori, scultori e architetti*, betekende en nieuw paradigma, waarbij in de loop van de 17e eeuw tal van schrijvers –kunstenaars en leken– zouden aanknopen.

Van de vele Italiaanse kunstpublicisten van de 17e eeuw onderscheidden zich Giovanni Baglione (*Le vite de' pittori, scultori ed architetti dal Pontificato di Gregorio XIII del 1572 fino a' tempi di Papa Urbano VIII nel 1642*, Rome, 1642), zijn opvolger Giovanni Battista Passeri (*Vite de' pittori, scultori ed architetti che anno lavorato in Roma morti dal 1641 fino al 1673,* Rome, 1673), Giovanni Pietro Bellori (antiquair en de geleerde bibliothecaris van de koningin Christina van Zweden) met *Le vite de' pittori, scultori ed architetti moderni* (Rome, 1672) en ten slotte de Florentijnse abt Filippo Baldinucci (*Notizie de' Professori del disegno da Cimabue in qua*, Rome, 1681). Laatstgenoemde beperkt zich vooral tot de kunstenaars die in Rome werkten, maar betrekt daar ook veel buitenlanders bij. De schilder en literaat Bernardo De Dominici (*Vite dei pittori, scultori ed architetti Napoletani*, Napels, 1742/1743) bericht uitvoerig over het Napolitaanse kunstleven. Gedetailleerde informatie over leven en werk van Spaanse kunstenaars danken we aan de Sevilliaanse schilder en kunstpublicist Francisco Pacheco (*El Arte de la Pintura*, Sevilla, 1649), de geschiedschrijver en musicus aan het hof van Filips IV, Lázaro Díaz del Valle (*Origen e Yllustracion del nobilissimo y real Arte de la Pintura y Dibuxo*, 1656/1659) en de schilder en kunstpublicist Antonio Palomino (*El parnaso español pintoresco laureado*, Madrid, 1724). Wat de Franse kunstenaars betreft, kunnen we putten uit de geschriften van André Félibien (*Entretiens sur les vies et les ouvrages des plus excellents peintres anciens et modernes*, Parijs, 1666-1685) en van de amateur en kunstliefhebber Roger de Piles (*Abregé de la Vie des Peintres*, Parijs, 1699).

Biografieën van afzonderlijke kunstenaars blijven in de 17e eeuw een uitzondering. Van de hier behandelde schilders is alleen van Velázquez een (helaas verloren gegane) biografie bekend, die door zijn leerling Juan de Altaro (1640-1680) geschreven werd.

**Rome**

Rome gaat terecht door voor het centrum van de Italiaanse schilderkunst in het Seicento. In een nostalgische terugblik schrijft de chroniqueur Giambattista Passeri in 1673: "Toen Urbanus VIII paus werd, leek het werkelijk of de Gouden Eeuw van de schilderkunst herleefde, want hij was een paus met een goede inborst en een open geest en hij had de beste bedoelingen." Inderdaad is de geschiedenis van de Romeinse schilderkunst in de eerste plaats het verhaal van het mecenaat der pausen en dat niet alleen omdat bijna de gehele Italiaanse schilderkunst van de Barok in dienst stond van de Kerk, maar ook omdat heel wat kunstenaars door de pausen, hun talrijke verwanten en bevriende families voor de meest uiteenlopende opdrachten naar Rome werden gelokt.

Na de zege van de Contrareformatie hadden de nieuwe bekleders van de Heilige Stoel de droom van hun voorgangers van het pausdom als wereldlijke machtsfactor laten varen. Ze richtten hun machtsstreven op een groots geestelijk rijk, waarvan de hoofdstad Rome een afspiegeling moest worden. Ze zagen zichzelf als de erfgenamen van de Romeinse keizers en probeerden de grandeur van het oude Rome te laten herleven. De pausverkiezing van Paulus V Borghese (1605-1621) betekende al een radicale breuk in het culturele leven van Rome. Het pontificaat van Sixtus VII en Clemens VIII had vooral in het teken van de Contrareformatie gestaan, maar voor Paulus V en meer nog voor zijn neef Scipione Borghese speelden ook representatieve overwegingen en een zekere hang naar luxe een rol. Zijn villa op de Pincio werd een trefpunt voor de literaten en kunstenaars van de stad.

Elke nieuwe paus die in de 17e eeuw aantrad, gelastte de bouw van een paleis, een villa, de decoratie van een familiekapel in een van de vooraanstaande kerken van de stad, evenals de vorming van een nieuwe kunstverzameling. Geen wonder dat de pauselijke metropool kunstenaars aantrok als een magneet. Ze stelde niet alleen goed betaalde opdrachten in het vooruitzicht, maar bood ook kansen op te klimmen op de maatschappelijke ladder. Een verdere attractie vormde de aanwezigheid van een enorme hoeveelheid klassieke en moderne monumenten. Zo werd Rome een tweede vaderland voor vele ambitieuze kunstenaars. Iedere stadhouder op de stoel van Petrus begon gelijk aan het begin van zijn ambtsperiode koortsachtig kunstwerken in opdracht te geven om maar zo snel mogelijk macht en rijkdom ten toon te kunnen spreiden. De dood van een paus betekende daarentegen meestal dat zijn familie en vrienden in ongenade vielen. Even wispelturig was meestal ook de fortuin van de kunstenaars, want met elke nieuwe paus probeerde weer een andere familie het mecenaat een nieuwe richting te geven en meestal vielen ze daarvoor terug op kunstenaars die uit hun eigen stad waren meegekomen.

Nadat paus Julius II de nieuw- en verbouw van de St.-Pieter tot hoofdkerk van de katholieke wereld had doorgezet, zouden onder Urbanus VIII en Alexander VII de voltooiing en decoratie van deze kerk –naast tal van andere stedenbouwkundige initiatieven– een belangrijke plaats innemen.

Een hoogtepunt beleefde het kunstleven in Rome onder Urbanus VIII Barberini (1623-1644), Innocentius X Pamphili (1644-1655) en Alexander VII Chigi (1655-1667). Urbanus VIII was bij zijn aantreden pas 55 jaar oud en kerngezond. Tijdens zijn pontificaat (hij bood werk aan kunstenaars als Bernini en Cortona) werd de strengheid van de Contrareformatie getemperd door een zekere luxe en streefde men een nog niet eerder vertoonde grandeur en extravagantie na. Rome groeide uit tot het belangrijkste culturele centrum van Italië en bood schilders een zeer breed werkterrein. Er bestond een grote vraag naar schilderijen voor de inrichting van kerken en familiekapellen en voor het opbouwen van kunstcollecties. Daarnaast vroegen de kerkgewelven en de plafonds van talrijke nieuwe paleizen om fresco's.

Omstreeks 1600 werd Annibale Carracci belast met de decoratie van de Galleria in het Palazzo Farnese. Zo'n twintig jaar later schiep Pietro da Cortona de fresco's in de Galleria van het Palazzo Barberini. Nog eens twintig jaar later deed hij hetzelfde in de Galleria van het Palazzo Pamphili. Naast de pausen als opdrachtgever waren er de talrijke nieuwe orden, die tijdens de Contrareformatie het licht zagen (zoals de oratorianen, jezuïeten en theatijnen). Die orden hadden allemaal behoefte aan nieuwe en representatieve godshuizen. De vele nieuwe kerken, waaronder de S. Maria della Pace, Il Gesù, S. Ignazio, Sant' Andrea al Quirinale en de S. Carlo al Corso werden allemaal met magistrale frescocycli versierd.

De verhouding tussen schilder en opdrachtgever kende vele vormen. Vaak werd een bepaalde kunstenaar door een en dezelfde opdrachtgever regelmatig van werk voorzien, woonde in diens paleis en ontving naast de courante honoraria ook een maandelijkse toelage. Zo is bekend dat Andrea Sacchi tussen 1637 en 1640 in het palazzo van kardinaal Antonio Barberini woonde. Het was echter gebruikelijker dat een schilder onafhankelijk was en over een eigen atelier beschikte. Kreeg de kunstenaar een aanzienlijke opdracht, dan werd er meestal een contract afgesloten, waarin de afmetingen van het werk, de plaats waar het voor bedoeld was, zijn thema, de leveringstermijn en het honorarium schriftelijk vastgelegd werden. Daarbij werd het thema niet zelden heel ruim omschreven. Zo bestelde Urbanus VIII voor de S. Sebastiano een altaarstuk met *De marteling van de H. Sebastiaan met acht figuren*, wat wil zeggen dat de kunstenaar deze acht figuren zelf kon uitkiezen. De prijs van het schilderij hing vaak samen met het aantal hoofdfiguren in de compositie, waarvoor veel kunstenaars vaste bedragen in rekening brachten. Daarnaast speelde de mate van bekendheid van een kunstenaar een rol. Als zijn ster rijzende was, kon hij hogere prijzen bedingen. Domenichino vroeg bijvoorbeeld voor elke figuur op zijn fresco's in de kathedraal van Napels 130 dukaten, terwijl Lanfranco niet meer vroeg dan 100. Guercino wist heel goed raad met al te zuinige opdrachtgevers. Hij schreef aan Antonio Ruffo: "Aangezien mijn gebruikelijke honorarium per figuur 125 dukaten bedraagt en Uwe Excellentie een bovengrens van 80 dukaten heeft vastgesteld, zult U van elke figuur slechts iets meer dan de helft te zien krijgen." Naast werk in opdracht hielden de meeste schilders een kleine voorraad onvoltooide werken achter de hand. Ze konden die te allen tijde aan bezoekers tonen en desgewenst in korte tijd afmaken. De meeste schilders kon je niet rijk noemen. Malvasia schrijft over Reni dat deze ondanks zijn aanstelling als pauselijke hofschilder bij zijn terugkeer naar Bologna in 1612 liet weten dat hij er genoeg van had voor zijn schildershonorarium te moeten vechten en dat hij zijn geld heel wat gemakkelijker in de kunsthandel zou kunnen verdienen.

**De Romeinse schilderschool**

Met Annibale Carracci en Caravaggio gaan in de 17e eeuw de doorslaggevende impulsen voor de ontwikkeling van de schilderkunst in de rest van Europa van Rome uit. Michelangelo Merisi, naar zijn geboorteplaats Caravaggio (1573-1610) genoemd, was afkomstig uit Lombardije en kreeg zijn opleiding in Milaan. Hij kwam in 1590 naar Rome en zou daar een groot deel van zijn leven doorbrengen en zijn belangrijkste werken creëren. Caravaggio moet vanwege zijn revolutionaire omgang met thema's een vernieuwer genoemd worden. Hij introduceerde het profane in het heiligenleven, schilderde in een uitdagend realistische trant en schrok ook voor de uitbeelding van het lelijke niet terug. Zijn helden zijn geen geïdealiseerde gestalten – vaak genoeg zijn ze oud, en een aantal van hen heeft ook vuile voetzolen. Op zijn schilderijen heerst vaak een diepe duisternis, waar de figuren door een schel slaglicht uit naar voren gehaald worden.

Kort na Caravaggio arriveerde een reeks Bolognese schilders in Rome, waar ze de kunstwereld domineerden. Annibale Carracci (1560-1609), wiens familie vele schilders opleverde, werd door Odoardo Farnese naar Rome ontboden om een bijdrage te leveren aan de decoratie van het Palazzo Farnese. Zijn voornaamste prestatie was de plafondschildering in de Galleria Farnese, waaraan ook zijn broer Agostino Carracci en Domenichino meewerkten. Het was de Carracci's om de hernieuwing van Rafaëls kunst te doen, die tijdens het Maniërisme volledig in de vergetelheid was geraakt. Gianlorenzo Bernini's oordeel uit het jaar 1665 suggereert dat Carracci daarin geslaagd was. Had hij immers niet "al het goede bijeengebracht – Rafaëls sierlijke lijnvoering, Michelangelo's doorwrochte anatomie, Correggio's voorname schildertrant, Titiaans prachtige koloriet en de verbeeldingskracht van Giulio Romano en Mantegna"?

Domenico Zampieri, Il Domenichino (1581-1641) genaamd, was ook afkomstig uit Bologna, assisteerde Annibale Carracci bij schilderingen in de Galleria Farnese en schilderde naast een groot aantal heiligen ook de fresco's voor de S. Andrea della Valle. Domenichino geldt als de vroegste vertegenwoordiger van een consequent classicisme in Rome. Zijn duidelijke en eenvoudige composities komen de 'leesbaarheid' en overzichtelijkheid van zijn schilderijen ten goede, die een vredige, stille innerlijkheid ademen.

Guido Reni (1575-1642), ook voortgekomen uit de Bolognese school, staat voor een andere richting. Na zijn leertijd bij de Vlaamse schilder Denys Calvaert belandde hij in 1594 op de *Accademia* van de Carracci's. Zijn Bolognese periode werd door talrijke tussenpozen in Rome onderbroken: 1600-1603, 1607-1611, 1612-1614. In Rome was hij tegen een vast honorarium in dienst bij Scipione Borghese. Met de emotionele lading van zijn schilderijen en zijn koloristische vernieuwingen drukte hij zijn stempel op de ontwikkeling van het religieuze schilderij, het devotieschilderij en het historiestuk. Giovanni Francesco Barbieri werd bekend onder de naam Guercino (1591-1666) en was in Cento bij Bologna geboren. Hij werkte in zijn geboorteplaats en –na de dood van Reni– ook in Bologna. Hij werd in 1621 door paus Gregorius XV naar Rome gehaald, maar verbleef daar niet langer dan diens tweejarige pontificaat. Naast altaarstukken leverden deze jaren vooral de decoratieve schilderingen in het Casino Ludovisi op. Guercino bereikte door een sterke bewogenheid en verkorting een dramatisch effect in zijn voorstellingen, dat vroeg-barok genoemd kan worden en op de hoogbarokke stijl van Cortona vooruitloopt. Zijn voorbeelden stamden niet uit de Oudheid en hij was veel meer puur schilderkunstig georiënteerd, waarbij het accent op het koloriet lag.

Pietro Berrettini da Cortona (1596-1669) kwam in 1613 naar Rome, waar hij als schilder en bouwmeester werkte. Zijn oeuvre omvat naast schilderijen ook talrijke fresco's, waarvan die op het plafond van de balzaal van het Palazzo Barberini (1633-1639) en in de S. Maria in Vallicella (1633-1639) genoemd moeten worden. Met zijn pathetische en figurenrijke composities geldt Cortona als de grondlegger van de Romeinse hoge Barok.

Lijnrecht hiertegenover staat de streng klassieke stijl van de schilder Andrea Sacchi (1599-1661). Deze had in Rome les gehad van Francesco Albani, ging in 1616 naar Bologna en werkte van 1621 tot aan zijn dood in Rome, voornamelijk voor de Barberini's. Van zijn hand zijn veel altaarstukken, maar hij maakte ook vele fresco's. Vooral zijn in 1630 geschilderde fresco *Divina Sapienza* in het Palazzo Barberini oogstte veel bewondering. Sacchi vermeed elke toespitsing van handeling en gebaren, die hij ondergeschikt maakte aan strenge vormprincipes en een herkenbare, gesloten compositie als uitdrukking van plechtige stilte. Daarmee toont hij zich schatplichtig aan de Romeinse kunst uit de Oudheid en Rafaël.

Rome was al in de 17e eeuw het Mekka voor kunstenaars uit alle landen. Talloze lieden beproefden dan ook hun geluk in de Eeuwige Stad. Vooral uit Nederland en Vlaanderen kwamen de *bamboccianti*, een groep die werd gesticht door Pieter van Laer (1599-1642). Zij introduceerden een nieuw genre in de Romeinse schilderkunst, namelijk de naturalistische voorstelling van eigentijdse straat- en herbergtaferelen waaruit elke idealisering was verdwenen. Haar naam dankt de groep aan Van Laer, die door zijn vrienden vanwege zijn vreemde lichaamsbouw 'Bamboccio' (lappenpop, onnozele hals) genoemd werd. De bambocccianten onderhielden goede betrekkingen met de Franse schilders in Rome, van wie Poussin en Lorrain de belangrijkste waren.

Nicolas Poussin (1594-1664) was afkomstig uit een klein dorp in Normandië. In Parijs werkte hij bij Philippe de Champaigne. In 1624 kwam hij naar Rome, waar hij een groot deel van zijn leven zou blijven. Hier werd hij een enthousiast navolger van de antieke kunst en er ontstonden tal van kleine schilderijen met mythologische inhoud voor particuliere opdrachtgevers. Na 1648 ontdekte Poussin de landschapskunst. Hij maakte een reeks schilderijen, waarin hij door middel van kleur een bedrieglijk echte ruimtewerking wist te bereiken en de figuren slechts bijzaak zijn. Ook Claude Gellée, genaamd Le Lorrain (1600-1682), zou zich in Rome vestigen. Hij wordt gezien als de eerste landschapschilder in de moderne zin van het woord. Zijn met zorg gecomponeerde motieven zijn een weerslag van de confrontatie tussen schilder en natuur. Vaak zijn er geen bestaande plaatsen afgebeeld, maar imposante klassieke landschappen, waarin bouwwerken uit de Oudheid of de Renaissance zich in harmonie voegen en goden en mensen elkaar ontmoeten. Wel is het zo dat de Duitse kunstkenner Sandrart bij hem al een zekere onhandigheid in de weergave van figuren vaststelde. Lorrain maakte tekeningen van zijn schilderijen (ze staan allemaal in zijn zgn. *Liber veritatis*) om zijn auteurschap te staven en zich tegen kopiisten te wapenen.

Tot de belangrijkste schilders die in de tweede helft van de 17e eeuw in Rome actief waren, behoren Carlo Maratta en Fra Andrea Pozzo. Carlo Maratta (1625-1713) kreeg in Rome les van Sacchi en zette diens klassiek georiënteerde stijl voort. Hij maakte hoofdzakelijk altaarstukken en religieuze historiestukken, maar is tevens van belang als portretschilder. Fra Andrea Pozzo (1624-1709) uit Como werkte in Milaan en werd in 1665 lekenbroeder bij de jezuïeten. Hij legde zich toe op perspectivische architectuurstukken. In 1681 werd hij door Maratta naar Rome gehaald, waar hij voor de S. Ignazio zijn belangrijkste werk maakte.

In het Rome van het Seicento was dus zeker geen sprake van een samenhangende schilderschool. Integendeel, in de loop van de eeuw vallen er verschillende hoofdstromingen te onderscheiden. Goed vertegenwoordigd is daarbij het academisme van de Carracci's en hun navolgers, die het er vooral om te doen was weer tot de klassieke schoonheid en evenwichtigheid van de Renaissance te komen. Anderzijds vindt het realisme van Caravaggio veel navolging in Italië (maar ook in Spanje en de Lage Landen), ook al wordt hem door zijn critici een gebrek aan *invenzione*, *disegno*, *decoro* en *scienzia* verweten. Halverwege de eeuw treden tegelijkertijd de meeslepende hoog-barokke schilderstijl van Cortona en het strenge 'classicisme' van iemand als Sacchi op de voorgrond. Bellori heeft in zijn in 1664 verschenen boek *Idea del pittore, scultore e architetto* de officiële leerstellingen van het Classicisme programmatisch vastgelegd. Een van zijn uitgangspunten was dat het de plicht van de kunstenaar was de mooiste en geslaagdste onderdelen van de natuur te kiezen en deze in een volmaakte vorm om te zetten die de uiteindelijk onvolkomen natuur overtreft. De hele eeuw overheersen de religieuze thema's, want de Contrareformatie versterkte alleen maar de mening dat het de voornaamste opgave van de schilderkunst was om geloofsartikelen overtuigend en voor iedere beschouwer begrijpelijk te presenteren. Daarnaast komen mythologische thema's veel voor. Wat daarbij opvalt, is dat er, anders dan in Spanje en Frankrijk, geen allegorieën van de staat voorkomen waarin vertegenwoordigers van de belangrijkste families figureren. De mythologische cycli van de galerieën in de paleizen blijven beperkt tot de Romeinse Oudheid en men zag ervan af deze direct op de eigen tijd te betrekken.

### De academies

Als tegenhanger van de vele uit de Middeleeuwen stammende gilden waarvan de kunstenaars lid waren, werd in Rome de tweede academie op Italiaanse bodem gesticht. Nadat Vasari al in 1564 in Florence de Accademia del Disegno had opgericht, opende op aandringen van Federico Zuccari de Accademia di San Luca in 1593 in de pauselijke metropool haar poorten. In haar statuten wordt het opleiden van kunstenaars als hoofddoel vastgelegd. Dat betekende niet alleen praktijklessen en tekenen naar het levende model, maar ook colleges en disputen over kunsttheorie. De academie werd geleid door een *principe*, die de kunstenaars uit hun midden kozen en die van advies werd voorzien door een aantal *consiglieri*.

De Accademia verwierf ook grote invloed op het kunstpolitieke vlak, want zij kreeg het monopolie op alle openbare opdrachten. Tot de leden behoorden zowel Italiaanse als buitenlandse schilders als Velázquez, Poussin en Lorrain. In de jaren '30 van de 17e eeuw was de academie het toneel van de beroemde controverse tussen Cortona en Sacchi, die draaide om de werking die met grote schilderijen bereikt kon worden. Cortona streefde naar alomvattendheid en het grote gebaar en bepleitte ingewikkelde composities met vele figuren, waarin het hoofdthema door nevenhandelingen werd toegelicht. Hij vergeleek het historiestuk met het epos, waarin de handeling ook door versierende nevenintriges wordt aangevuld. Voor Sacchi leek het ideale schilderij daarentegen op een tragedie, die –zo meende hij– aangrijpender is naarmate er minder figuren in voorkomen. Het vele figurale bijwerk leidde tot niets anders dan 'confusione' en zeker niet tot het overbrengen van een bepaald gevoel en wekken van ontroering in de beschouwer. Sacchi verweet Cortona dat hij zich in wijdlopigheid verloor in plaats van zich met wezenlijke dingen bezig te houden. De onenigheid tussen twee kunstenaars die beiden in hoog aanzien stonden, is symptomatisch voor de meningsverschillen die zich in de schilderkunst van de Romeinse hoge Barok voordeden. Naast de Accademia di San Luca was er in Rome de Académie de France, die in 1666 door toedoen van Colbert als dependance van de Parijse academie werd gesticht. Doel van deze academie was begaafde studenten van de Parijse Académie Royale met een beurs voor vier jaar een opleiding en een leven zonder geldzorgen in Rome te bieden. Als tegenprestatie werd van hen verlangd dat zij van de waardevolste kunstwerken in de stad kopieën maakten voor het Franse hof.

**Caravaggio**
De bekering van Saulus, 1601
Olieverf op linnen, 230 x 175 cm
Rome, S. Maria del Popolo
Cerasi-kapel

**Caravaggio**
De kruisiging van Petrus, 1601
Olieverf op linnen, 230 x 175 cm
Rome, S. Maria del Popolo
Cerasi-kapel

Een van Caravaggio's belangrijkste opdrachten in Rome was de decoratie van de Cerasi-kapel. In 1600 sloot hij een contract waarin hij zich verplichtte twee schilderijen voor de familiekapel van Tiberio Cerasi, de schatbewaarder van Clemens VII, te vervaardigen. Als thema's werden *De bekering van Saulus* en *De kruisiging van Petrus* overeengekomen, onderwerpen die Michelangelo al voor de Cappella Paolina in het Vaticaan gebruikt had. Zoals hem wel vaker overkwam, moest Caravaggio op aandringen van een ontevreden opdrachtgever van beide schilderijen een tweede versie maken. De schilder koos als uitgangspunt voor zijn uitbeelding het moment waarop Saulus, die als stadhouder van Damascus leiding had gegeven aan de christenvervolgingen, van zijn paard valt en door de oppermachtige verschijning van Christus verblind wordt. Saulus ligt op zijn rug en heeft de armen gespreid, zijn ogen zijn gesloten. Zijn lichaam is sterk verkort in de imaginaire diepte geprojecteerd en wordt door een hemels licht getroffen. Alleen zijn paard en zijn bediende zijn getuige van de gebeurtenis. Uit een erg donkere en niet nader te definiëren omgeving rukt een schel licht de figuur van Saulus, het paardenlijf en het hoofd van de bediende los. Het dramatische karakter van de handeling wordt zowel versterkt door het fragmentarische beeldkader (dat bijna geheel door het paard gevuld wordt) als door de lichtregie. Bij Caravaggio is er echter niets dat op een wonder duidt. De goddelijke verschijning die je op andere schilderijen met dit thema vindt, ontbreekt. De rol van de goddelijke almacht wordt hier door een lichtstraal overgenomen. Paard en bediende onderstrepen de betekenis van de handeling niet, en de verschijning van Christus voltrekt zich uitsluitend in het bewustzijn van de uitverkorene.

Op de tegenhanger *De kruisiging van Petrus* zien we hoe de apostel in het circus van Nero door drie beulsknechten ondersteboven aan het kruis genageld wordt. Het vergt van hen onmiskenbaar een grote krachtsinspanning. Terwijl maar van een van hen het gezicht te herkennen is, zijn van de heilige zowel gezicht als lichaam helemaal zichtbaar. Petrus wordt afgebeeld met geheven hoofd. Hij is een actief mens, die zijn martelaarschap bij volle bewustzijn accepteert. Net als bij *De bekering van Saulus* brengt Caravaggio de handeling terug tot de vier protagonisten en ziet hij af van verdere getuigen. Hij intensiveert zijn dramatiek met compositorische middelen: de vorm van het kruis, dat het beeldvlak van links binnensteekt, wordt overgenomen in de schikking van de vier figuren. Uit het duister van de achtergrond worden de vier door een fel slaglicht naar voren gehaald. De beschouwer wordt niet bij de uitgebeelde handeling betrokken; de personen gaan helemaal op in hun handelen respectievelijk lijden, en geen blik of gebaar verwijst naar wat zich buiten het beeldkader afspeelt. In de twee schilderijen voor de Cerasi-kapel heeft Caravaggio de discrepantie tussen het aardse en het geestelijk-mystieke domein uitgewerkt. Thema's als *De bekering van Saulus* en *De kruisiging van Petrus* zijn voor hem slechts aanleiding de onmacht van beide heiligen te tonen, zonder de religieuze ervaring die zij innerlijk beleven aan zichtbare hemelse verschijningen te koppelen.

**Annibale Carracci**
Plafondschildering in de Galleria Farnese, Rome, Palazzo Farnese
Rome, ca. 1600
Totaalaanzicht (links): *Triomf van Bacchus en Ariadne*, detail (boven)

Het belangrijkste werk van de Bolognees Annibale Carracci is de plafondschildering van de Galleria Farnese, die hij met de hulp van Agostino Carracci en Domenichino in opdracht van Odoardo Farnese uitvoerde. Bij de Galleria gaat het om een 20 meter lange, 6 meter brede en door een tongewelf overhuifde ruimte, waarin de sculpturenverzameling van de Farneses bewaard werd. Het decoratieve program bestaat uit de verheerlijking van de familie Farnese in mythologische taferelen. Aanleiding daartoe werd al gegeven door Alessandro Farnese, de vader van de kardinaal en veldheer van Filips II en diens stadhouder in de Nederlanden. Carracci verdeelde het gewelf overlangs in drie zones en reserveerde de zijdelingse gewelfvlakken voor tal van kleinere mythologische voorstellingen, de vier hoeken voor de personificatie van de deugden en de twee grote schilderingen op de smalle zijden voor scènes uit de Perseus-sage. Van bijzonder belang zijn de vijf schilderingen in de middelste strook op de kruin van het gewelf. Het middelpunt wordt gevormd door de triomftocht van Bacchus en Ariadne, geflankeerd door scènes met Pan en Diana enerzijds en Paris en Mercurius anderzijds. Aan de uiteinden vinden we Ganymedes en Hyacinthus. De 'triomftocht' toont het paar zittend op een zegekar, begeleid door jubelende nimfen en saters. Bacchus, de god van de wijn en de extase, had Ariadne gered nadat Theseus haar op Naxos had achtergelaten. De fresco's geven een indrukwekkend beeld van het esthetische hoofddoel dat de Carracci's nastreefden: het herwinnen van een ideale natuurlijkheid, zoals die door de schilderkunst van de Renaissance bereikt was. Steengrijs geschilderde atlanten en hermen lijken de middenstrook te schragen. Werkelijke en geschilderde architectonische en plastische elementen, guirlandes, cartouches en medaillons staan naast *Quadri riportati*, *Tondi* en niet-omlijste figurale taferelen, die zich achter de kariatiden en nuditeiten afspelen. Op een aantal plaatsen worden de grenzen van de ruimte verdoezeld, bijvoorbeeld in de hoeken, waar het gesloten geheel ineens uitzicht op stukken hemel biedt. Vaak is er geen duidelijke grens tussen architectuur en schildering te trekken. Het langs de lengteas georganiseerde beeldsysteem zorgt ervoor dat het plafond ondanks deze veelheid van decoratieve elementen –gezien vanuit een centraal punt– zijn leesbaarheid behoudt. In de mythologische taferelen wordt de liefde tussen goden of die tussen goden en uitverkoren stervelingen behandeld. Centrale gedachte van het picturale program is de verheffing van de menselijke ziel door de macht van de goddelijke liefde.

**Domenichino**
Geseling van de H. Andreas, 1609
Rome, San Gregorio Magno, Oratorio di Sant' Andrea, fresco

In de persoon van Domenichino en Reni, alletwee leerlingen van Annibale Carracci, kwamen twee Bolognese schilders naar Rome, die tegengestelde standpun ten over het historiestuk innamen. Hun respectievelijke oogmerk bij het uitbeelden van een *historia* is heel goed te verduidelijken aan de hand van de fresco's in het Oratorio S. Andrea (behorend tot de S. Gregorio Magno). Hier creëerden zij in 1609 in opdracht van kardinaal Scipione Borghese op tegenover elkaar gelegen wanden twee even grote fresco's met scènes uit het leven van de H. Andreas.

Andreas was een van de twaalf discipelen van Jezus, die volgens overleveringen in Klein-Azië het evangelie predikte en de kerk van Byzantium stichtte. Hij werd geconfronteerd met de stadhouder Egea van Patras, maar kon deze in een dispuut niet tot het christendom bekeren. Daarop liet Egea hem geselen en een langzame dood op een gaffelkruis sterven. De twee dagen dat hij aan het kruis hing voordat hij stierf, preekte hij tot het volk. Hij stierf gehuld in hemels licht. De stadhouder die de spot met hem gedreven had, werd getroffen door waanzin en stierf ook.

De schilders kiezen ieder een verschillend moment van de martelaarsgeschiedenis. Domenichino's fresco biedt de scène met de geseling van de H. Andreas, dat van Reni het moment waarop de heilige op weg naar zijn kruisiging het kruis ziet, aan Christus herinnerd wordt en met biddend geheven handen op de knieën valt. Groter kan het verschil van mening over wat van een *historia* verlangd moet worden niet zijn dan tussen deze twee schilders. Domenichino's werk is overzichtelijk gestructureerd, al was het maar omdat hij een Romeins tempelcomplex als achtergrond heeft gekozen. In de rechterbeeldhelft wordt de heilige door een groep beulsknechten gemarteld, wat van links angstig wordt gadegeslagen door een groep vrouwen. Op de achtergrond is nog een andere groep toeschouwers zichtbaar, en tussen beide groepen zetelt de stadhouder op zijn troon. Domenichino verplaatst de handeling dus naar de folterplaats van Achaia, wat een architectonische begrenzing van de scène mogelijk maakt. Ook tussen beschouwer en het vooraanzicht van het tafereel bestaat een grens: de soldaat die we op de rug zien en die de van links te hulp snellende vrouwen terugduwt, houdt ook ons op een afstand.

Reni gebruikt daarentegen een veelheid van figuren en een doorleefd landschap voor zijn weergave van het verhaal. In het midden valt Andreas, omgeven door drie beulsknechten, op de knieën en heft zijn handen in gebed terwijl hij kijkt naar het kruis dat rechts op een heuvel opdoemt. De stoet die de heilige begeleidt (Romeinse soldaten, toeschouwers), is daardoor tot stilstand gekomen en maakt een ongeordende indruk. Toch blijkt bij een nadere beschouwing hoe de verschillende figurengroepen door blikken en gebaren met elkaar in verband zijn gebracht. We worden als kijker door Reni bij de handeling betrokken: de haag van begeleiders is op de voorgrond ver genoeg doorbroken om ons deelgenoot te maken van de centrale gebeurtenis.

De twee tegenover elkaar aangebrachte schilderingen gaven aanleiding tot een verhitte discussie (Bellori spreekt van een *duello*), die in de zgn. 'Vechiarella-anekdote' in een notendop is samengevat. Volgens dit verhaal zou Annibale Carracci, gevraagd aan wie van zijn twee pupillen hij de voorkeur gaf, geantwoord hebben dat hij zich pas door het gedrag en het commentaar van een oude volksvrouw bewust was geworden van het wezenlijke verschil tussen de fresco's. Deze vrouw –zo staat er bij Bellori– bezocht met haar kleinzoon het Oratorio. Eerst bekeek ze aandachtig en met kennelijk welgevallen het fresco van Reni en keerde zich daarna zonder een woord te zeggen om. De aanblik van Domenichino's geselingsscène daarentegen maakte in haar een groot medeleven los en ze verduidelijkte het kind alle details van de handeling. Zo beschouwd ging de voorkeur niet uit naar Reni's werk, waarin niets te 'lezen' viel. Omgekeerd kon een analfabete persoon als deze oude vrouw Domenichino's fresco 'lezen', zodat het kijken naar de schildering het lezen van een tekst kon vervangen.

Reni's werk werd door zijn tegenstanders aangegrepen als bewijs dat hij niet tot de *maniera grande* van het historiestuk in staat zou zijn. Ondanks dergelijke kritische geluiden beschouwden velen zijn fresco al gelijk na voltooiing als een meesterwerk van de barokke schilderkunst. In latere stijlperioden zou het werk een indrukwekkende receptiegeschiedenis ten deel vallen. Kritiek zoals die naar voren gebracht wordt in de 'Vechiarella-anekdote' veraanschouwelijkt treffend de twee tegengestelde artistieke doelstellingen in de 17e eeuw: *istoria, invenzione* en *instruire* enerzijds, zoals te vinden op Reni's fresco, en *grazia, delicatezza* en *piacere* anderzijds, zoals bij Domenichino te zien is.

**Guido Reni**
De gang van de H. Andreas naar het kruis, 1609
Rome, San Gregorio Magno, Oratorio di Sant' Andrea, fresco

**Guido Reni**
De kindermoord van Bethlehem, 1611
Olieverf op linnen, 268 x 170 cm
Bologna, Pinacoteca Nazionale

Ook *De kindermoord van Bethlehem* is een van Reni's hoofdwerken die al door zijn tijdgenoten met lof overladen werden. Hij schilderde het in de laatste jaren van zijn tweede Romeinse periode, tussen 1607 en 1611, kort voor zijn terugkeer naar Bologna. Het was bedoeld voor een kapel in de S. Domenico in die stad en werd door de familie Beró aldaar in opdracht gegeven. Afgebeeld is een episode uit het evangelie van Mattheus (2:1-19), waar we lezen van Herodes, die door de Wijzen uit het Oosten gevraagd wordt: "Waar is de koning der Joden, die geboren is?" Als hij er niet in slaagt het kind te vinden, beveelt hij alle kinderen in Bethlehem die jonger zijn dan twee jaar om te brengen.

Reni brengt het verhaal terug tot het wezenlijke en presenteert dat als een detail. Het compositieschema is een omgekeerde driehoek, die met zijn top op de onderste beeldrand balanceert. Vervolgens zijn de twee beeldhelften symmetrisch opgebouwd: elke figuur links heeft een tegenhanger aan de overzijde. Op de bovenste helft zijn het zelfs twee tegengestelde paren –telkens een soldaat en een vrouw– die elkaar kruiselings weerspiegelen. Deze ruggelings en *en face* weergegeven figuren staan door hun gebaren met elkaar in tegenstelling. De donkere gebouwen steken op een sprekende manier af tegen de in licht badende achtergrond. Het accent ligt op de weergave van de smart van de vrouwen. Terwijl we slechts twee soldaten hun gruwelijke werk zien doen, wordt alle ruimte geboden aan de zes vrouwen, die in pathetische gebaren vertwijfeld en bijna in zwijm vallend proberen hun kinderen van de dood te redden.

**Guercino**
Aurora, plafondschildering, 1621-1623
Rome, Casino Ludovisi

Guercino's enige plafondschilderingen zijn de *Aurora* en de personificaties van *Fama, Honor* en *Virtus* voor het casino van kardinaal Ludovico Ludovisi op de Pincio-heuvel. De schilder Agostino Tassi verhoogde het lage plafond van het casino optisch door een schijnarchitectuur van extreem verkorte arcaden. Guercino is op hetzelfde uit wanneer hij zijn *Aurora* geheel in onderaanzicht presenteert. In haar vergulde wagen zweeft de godin langs de wolken, begeleid door putti met bloemen en vogels, en laat ze de ochtendschemer aanbreken. Aan weerszijden van deze stoet zijn twee landschappen te zien: een waarheidsgetrouw gezicht op het casino aan de ene en zilvergroene populieren, waarboven spelende putti zweven, aan de andere kant. Aurora strooit bloemen en rijdt de nacht verdrijvend voorbij aan de zittende, bebaarde Tithonos. Voor haar ontwaren we, oprijzend uit een wolk, de drie Horae, vrouwelijke wachters aan de hemelpoort. Door zo'n dramatiserende weergave te situeren tussen een hemel die naar boven open is en een geschilderde voortzetting van het vertrek betoont Guercino zich een wegbereider van de hoge Barok zoals die in het werk van Cortona gestalte krijgt.

**Domenichino**
De jacht van Diana, 1617
Olieverf op linnen, 225 x 320 cm
Rome, Galleria Borghese

Domenichino schilderde *De jacht van Diana* in opdracht van kardinaal Aldobrandini. Later kwam het werk terecht in de verzameling van Scipione Borghese, die het met alle geweld in eigendom wilde hebben. Afgebeeld is een schietwedstrijd, waarbij Diana's nimfen op een vogel schieten die vastgebonden is aan een stang. Drie van de boogschietsters links hebben al een meesterstukje laten zien: één pijl steekt in de paal, een tweede is dwars door de strik gegaan en de derde trof de wegvliegende vogel. Diana is scheidsrechter en heeft de prijs (een gouden diadeem) in haar rechterhand, die waarschijnlijk zal gaan naar de laatste schutteres, de nimf links met ontbloot bovenlijf.

Onderzoek heeft aangetoond dat Domenichino hier teruggrijpt op een passage in het vijfde boek van Vergilius' *Aeneïs*. Daar worden de toernooispelen beschreven die Aeneas en de met hem naar Sicilië getrokken overwonnen Trojanen organiseren ter ere van de oude Anchises. In het middelpunt van het schilderij staat de rijzige gestalte van de godin Diana, terwijl de andere figuren in een ovaal om haar heen zijn geplaatst. Verstopt in het struikgewas rechts slaat iemand het tafereel gade, die zijn wijsvinger als teken voor zwijgen voor zijn mond houdt. In recent onderzoek is hij als Aktaion geïdentificeerd. Deze vaardige jager had –zo schrijft Ovidius– de naakte Diana bij het baden gadegeslagen en was voor straf veranderd in een hert, dat vervolgens door zijn eigen honden verscheurd werd. Voor zo'n interpretatie spreekt niet alleen de naakte nimf op de voorgrond, maar ook de twee jachthonden, waarvan er een op de schuilplaats van de man afspringt. Onze rol als beschouwer wordt hier in zekere zin gelijkgesteld aan die van Aktaion, dus die van voyeur en ongewenste pottenkijker.

**Pietro da Cortona**
De Sabijnse maagdenroof, ca. 1629
Olieverf op linnen, 280 x 426 cm
Rome, Pinacoteca Capitolina

**Andrea Sacchi**
Het visioen van de H. Romboud, ca. 1631
Olieverf op linnen, 310 x 175 cm
Rome, Pinacoteca Vaticana

Ook Cortona en Sacchi hielden er verschillende opinies over het effect van grote schilderijen op na. Waar Cortona de voorkeur gaf aan een *historia* met veel figuren en hoofd- en nevenhandelingen, pleitte Sacchi voor een gering aantal figuren om een grotere uitwerking te bereiken. Cortona schilderde dit werk in opdracht van kardinaal Sacchetti, die met de keus voor dit thema het feit probeerde te verdoezelen dat zijn familie nog maar kort in Rome woonde en zich daarom als Romein van het eerste uur wilde voordoen. Het was bedoeld als tegenhanger van Cortona's *Offer van Polyxena. De Sabijnse maagdenroof* gaat terug op de sage waarin Romulus, de stichter van Rome, vanwege een overschot aan mannen de Sabijnen uitnodigde zijn nieuwe stad te komen bezichtigen en aan een groot feest deel te nemen. Toen de bezoekers er het minst op verdacht waren, stortten de Romeinen zich op de vrouwen en dochters van de Sabijnen en verjoegen de mannen. Cortona situeert de handeling voor een Neptunustempel en verdeelt deze in verscheidene *raptus*- of roofscènes. Op de voorgrond heeft hij drie paren over een soort voortoneel verdeeld. De groep rechts is een ontlening aan Bernini's beeldengroep *Pluto en Proserpina*.

Cortona's werk doet in zijn sculpturale uitwerking, de ordening van de hoofdgroepen en de vlakke achtergrondcoulissen denken aan reliëfs uit de 16e eeuw. Zijn schilderstijl en de intentie om met zijn kleurgebruik indruk te maken (dit laatste werd door de critici van zijn tijd als teken van decadentie veroordeeld) waren in strijd met de klassieke esthetica van iemand als Andrea Sacchi.

Voor Sacchi's positie spreekt het monumentale schilderij *Het visioen van de H. Romboud* voor het hoogaltaar van de inmiddels gesloopte S. Romualdo in Rome. De H. Romboud was een benedictijn uit de buurt van Ravenna die als kluizenaar ging leven en in Frankrijk en Italië enkele kluizenaarsnederzettingen stichtte, waarvan Camaldoli de bekendste was. Op Sacchi's schilderij wordt de heilige in een wit habijt en met reisstaf afgebeeld, terwijl hij met een aantal van zijn ordebroeders in een landschappelijke omgeving zit. Hij vertelt hun van zijn visioen over het stichten van het klooster Camaldoli. Met zijn rechterhand wijst de heilige naar de linkerbovenhoek van het schilderij, waar zijn visioen is afgebeeld. Zoals ooit Jacob voor hem, zag Romboud een ladder waarop zijn ordebroeders in hun witte kleding ten hemel stijgen om het toekomstige klooster te bezichtigen. Sacchi schiep een sterk contrast tussen het sombere, bijna dreigende landschap, waarin een boom met zijn stam en kruin het schilderij van twee kanten afgrenst, de sterke slagschaduwen op de stralend witte pijen van de monniken enerzijds en het in heel lichte tinten weergegeven visioen anderzijds. Daarmee benadrukt hij het bovennatuurlijke aspect van de handeling.

**Pieter van Laer**
Flagellanten, ca. 1635
Olieverf op linnen, 53,6 x 82,2 cm
München, Bayerische Staatsgemälde-sammlungen, Alte Pinakothek

De weinige genrestukken die in het Seicento in Rome ontstonden, werden voornamelijk geschilderd door de 'bamboccianti'. Van Laer toont ons in zijn schilderij *Flagellanten* een bescheiden kerkplein in Rome, waar het dagelijks leven een bonte aanblik biedt. Daarvoor zorgen verschillende groepen, zoals kerkgangers, passanten, bedelaars, spelende kinderen, fruitverkopers en knielende pelgrims. Twee in witte kapmantels geklede gestalten op blote voeten steken af bij de overige figuren. Het zijn flagellanten, fanatieke christenen, die zichzelf zweepslagen toebrachten om voor hun zonden te boeten.

De flagellatie was al in de Middeleeuwen door de Kerk verboden en kwam omstreeks 1400 bijna niet meer voor, maar in de 17e eeuw zorgden groepen als de 'disciplinati' voor een opleving. Het schilderij thematiseert daarnaast nog andere vormen van godsdienstigheid, die door lekenbroederschappen en andere religieuze verenigingen gepropageerd werden. De biddende pelgrims verwijzen naar de vroomheid, de flagellanten naar kastijding en de aalmoezen gevende passanten naar de barmhartigheid. Op de achtergrond is een doorkijkje naar een ruimte waar vis te koop wordt aangeboden, wat een toespeling op Christus zou kunnen betekenen. Gezien de vele verwijzingen naar de strenge, opofferingsgezinde aspecten van het christelijke geloof wordt het schilderij ook wel geduid als allegorie van de vastentijd.

**Diego Velázquez**
Portret van paus Innocentius X, ca. 1650
Olieverf op linnen, 140 x 120 cm
Rome, Galleria Doria Pamphili

De twee keer dat Velázquez in Rome was, waren van buitengewone betekenis voor de artistieke ontwikkeling van de schilder. Tijdens zijn tweede verblijf van 1649 tot 1651 ontstond een van zijn meesterwerken, namelijk het *Portret van paus Innocentius X*. Het is een van de weinige geschilderde beeltenissen van deze paus, die wel een aantal keren door de beeldhouwers Algardi en Bernini geportretteerd is. Over de precieze totstandkoming van het werk weten we weinig. Het kan heel goed in opdracht gemaakt zijn, want Velázquez' roem als uitzonderlijke portrettist was hem allang naar Rome vooruitgesneld. Anderzijds kan de schilder ook zelf zijn diensten hebben aangeboden. Hij kende tenslotte de paus nog uit de tijd dat deze nuntius aan het hof van Filips IV was. Daarnaast had Velázquez er een heel concreet belang bij om bij de paus in de gunst te komen, want hij probeerde al jaren door een toetreding tot de Santiago-orde in de adelstand te worden opgenomen. Een portret dat in de smaak viel, zou hem van de welwillendheid van de paus verzekeren. De kunstpublicist Palomino weet te vermelden dat Velázquez bij wijze van oefening voor het schilderen van een hoofd naar het levende model eerst een portret van zijn reisgenoot en assistent Juan de Pareja maakte. Pas daarna had hij het pauselijke portret ter hand genomen. Velázquez maakt gebruik van het door Rafaël ontwikkelde type van het driekwartsportret, het zgn. kniestuk. Ook Titiaans portret van paus Paulus III is een kniestuk. De paus werd door zijn tijdgenoten omschreven als onaantrekkelijk en zelfs lelijk en deze weinig vleiende afbeelding moet aan hem de uitroep 'troppo vero' ontlokt hebben. Velázquez ziet af van attributen en ruimtewerking en concentreert zich volledig op de psychologie. Gelaatstrekken en handen zijn dan ook met bijzondere aandacht behandeld. Verschillende roodtinten overheersen het palet. De losse penseelvoering dwingt de beschouwer afstand van het werk te nemen. Het is een techniek die Velázquez van de Venetianen en met name Titiaan heeft afgekeken. Het portret vond grote weerklank en leidde ertoe dat de schilder tot de Accademia di San Luca werd toegelaten.

**Pietro da Cortona**
Landing van de Trojanen bij de monding van de Tiber
Detail van de plafondschildering in de Galleria Pamphili, 1655
Rome, Palazzo Pamphili

AFBEELDING ONDER:
Galleria Pamphili, totaalaanzicht

Ongeveer tezelfdertijd als Velázquez hem portretteerde, liet Innocentius X het paleis van zijn familie aan het Piazza Navona renoveren, waarvoor hij Pietro da Cortona belastte met het beschilderen van de *galleria*. Thema van de fresco's zijn de laatste omzwervingen van Aeneas, die na de verwoesting van Troje uiteindelijk met zijn metgezellen in Italië terechtkwam. Daar zou hij Latium veroveren en stamvader van de Julische keizers worden. De scènes variëren in grootte al naar gelang de waardigheid van het uitgebeelde thema, maar zijn allemaal gerelateerd aan dit ene verhaal. Cortona verdeelt het plafond in een aantal opeenvolgende vlakken, waartussen de grenzen gedeeltelijk vloeiend zijn. Enkele scènes zijn afgebakend als *Quadri riportati*, beeld-in-een-beeld. Een verhalende rode draad leidt de beschouwer van de ene scène naar de andere. Een centrale rol speelt het grote, vierkante fresco in het middenvlak van het plafond met Jupiter die een eind maakt aan de tweedracht tussen Juno en Venus. Juno had in de Trojaanse oorlog de zijde van de Grieken gekozen, terwijl Venus, de moeder van Aeneas, haar zoon zo veel mogelijk probeerde te beschermen en hem ten slotte naar Latium leidde. Jupiter verzoende de twee godinnen om Aeneas in zijn gevecht tegen koning Turnus, de koning van de Rutuliërs, de overwinning te kunnen bezorgen. Boven Jupiter verschijnt het noodlot, gepersonifieerd door een vrouwengestalte met de weegschaal van Justitia in de hand. Op een ander fresco zien we de geslaagde landing van Aeneas en zijn juichende metgezellen aan de monding van de Tiber, waar ze door een riviergod ontvangen worden.

De episoden die zich op aarde afspelen, zijn op de wang van het gewelf geschilderd en in tegenstelling tot de scènes in de hemel niet ingekaderd. Zo ontstaat een open aaneenschakeling van fragmenten, die de illusie van een ruimtelijk continuüm wekt en de grenzen van het plafond verdoezelt. Aan Cortona's fresco's ligt een gedifferentieerd iconografisch program ten grondslag: de reis van Aeneas wordt gezien als *itinerarium mentis*, als reis in de geest dan wel als geestelijk ontwikkelingsproces, dat van het *vita voluptuosa* (het brandende Troje) via het *vita activa* (Carthago) naar het uiteindelijke doel van het *vita contemplativa* (Rome) verloopt. Cristoforo Landino interpreteert *Aeneïs* anagogisch en ziet er dan een verwijzing naar de triomf van het pausdom en de katholieke Kerk in, die zich als wettelijke opvolger van het Imperium Romanum zag.

**Nicolas Poussin**
Het rijk van Flora, 1631
Olieverf op linnen, 131 x 181 cm
Dresden, Staatliche Kunstsammlungen
Gemäldegalerie Alte Meister

De beide in Rome levende Fransen Poussin en Lorrain vertegenwoordigen een andere stroming in de schilderkunst. Poussins *Het rijk van Flora* behoort tot de eerste werken die hij in Rome schilderde. Het werd gemaakt in opdracht van de Siciliaanse edelman Fabrizio Valguarnera. Tegen de achtergrond van een lieflijk parklandschap danst de godin Flora tussen een gevolg van liggende en staande gestalten. Het zijn Griekse helden en halfgoden die door verschillende spelingen van het lot om het leven kwamen en daarna in bloemen veranderd werden. Voor een herme van de natuurgod staat Ajax, een van de belegeraars van Troje. Uit teleurstelling dat de wapenrusting van de dode Achilles niet aan hem, maar aan Odysseus gegeven werd, stortte hij zich in zijn zwaard. Op de plek waar zijn bloed de aarde raakte, ontsproten hyacinten. Rechts van hem knielt Narcissus. Tegenover hem zit de verliefde nimf Echo, die zijn afwijzende houding niet kon verkroppen en een schaduw werd. Achter deze twee zit Klythia, de jaloerse geliefde van Apollo, die een zonnebloem werd. Rechts op de voorgrond rusten Krokos en Smilax, een liefdespaar dat zijn naam gaf aan de saffraankrokus en een windesoort. Achter hen staat Adonis, de geliefde van Venus die door een everzwijn gedood werd, waarna uit zijn wonden een adonisroosje groeide. Links van hem staat Hyacinthus, de geliefde van Apollo, die hem per ongeluk met een discus doodde. Ook in zijn geval bracht het vergoten bloed een bloem voort, ditmaal een soort iris. Adonis en Hyacinthus wijzen allebei op hun wonden. In de bovenhelft van het schilderij rijdt de zonnegod Apollo in zijn wagen langs het hemelgewelf. Poussins bewondering voor de kunst van de klassieke Oudheid spreekt uit bijna het hele schilderij: de vriendelijke, tere kleuren, het uniforme licht waarin alle dingen baden, de gelijkmatig golvende bewegingslijnen in de compositie van de figuren en de ornamentele verlevendiging van het beeldvlak door ritmisch verbonden, duidelijk neergezette vormen. De figuren zelf nemen slechts een smalle strook op de voorgrond in beslag. Met de manier waarop ze zijn geplaatst, wil Poussin de indruk van een ongedwongen natuurlijkheid wekken en tegelijk de rol van ieder van hen afzonderlijk onderstrepen. De enige naar de verte verlopende bewegingslijn is de blik van Klythia, die Apollo's rit langs de hemel volgt. Poussin vond zijn stof zowel in Ovidius' *Metamorfosen* als in een gedicht van Giambattista Marino. Het schilderij geeft uiting aan de gedachte dat het leven op zich onvergankelijk is, maar dat de vormen waarin het zich manifesteert aan een voortdurende verandering onderhevig zijn.

**Nicolas Poussin**
Landschap met Pyramus en Thisbe, 1651
Olieverf op linnen, 192,5 x 273,5 cm
Frankfurt am Main, Städelsches Kunstinstitut

Met zijn *Landschap met Pyramus en Thisbe* had Poussin heel andere bedoelingen. Hij maakte het doek voor zijn vriend, de geleerde Cassiano dal Pozzo, in een periode waarin hij zich vooral met de problemen van het landschap bezighield. Het is een van de weinige schilderijen op groot formaat van zijn hand. Poussin situeert het verhaal van Pyramus en Thisbe in een indrukwekkend en weids onweerslandschap met een meer en een stad op het middenplan en een heuvellandschap daarachter. Het verhaal van de ongelukkige geliefden uit Babylon is overgeleverd door de *Metamorfosen* van Ovidius. Ze hadden afgesproken elkaar 's nachts bij een bron te treffen en te vluchten omdat hun vaders tegen de verbintenis waren. Pyramus kwam te laat en toen hij uiteindelijk kwam, was Thisbe al bij de bron weggevlucht voor een dorstige leeuwin. Daarbij verloor zij haar sluier, die door het dier in stukken gescheurd en met het bloed van een pas gedode koe besmeurd werd. Toen Pyramus ten tonele verscheen en deze sporen van geweld zag, waande hij zijn geliefde dood. Hij gaf zichzelf daarvan de schuld en stortte zich vol vertwijfeling in zijn zwaard. Toen Thisbe terugkwam, was hij stervende. Zij pleegde daarop ook zelfmoord. Poussin geeft de vertwijfeling van Thisbe weer, terwijl zij wild gebarend op haar stervende geliefde afloopt. De natuur lijkt in haar smart te delen: er trekt een krachtig onweer met verschillende bliksemschichten en rukwinden van links naar rechts over het beeld. Daarbij lijken het landschap en de ontketende elementen zelfs de hoofdrol op te eisen, terwijl de eigenlijke tragische gebeurtenis uit de mythologie zich op de voorgrond bijna terloops lijkt af te spelen.

Uitlatingen van Poussin suggereren dat het hem inderdaad in de eerste plaats te doen was om de problemen die het schilderen van een onweer met zich meebracht en pas in tweede instantie om het tragische lot van dit klassieke liefdespaar. De centrale gedachte van het schilderij is de almacht van Fortuna, die –zoals het spreekwoord zegt– veranderlijk is als het weer en die de mens volkomen in haar macht heeft.

**Claude Lorrain**
De inscheping van de H. Ursula, 1642
Olieverf op linnen, 113 x 149 cm
Londen, National Gallery

Lorrain schilderde *De inscheping van de H. Ursula* in Rome voor kardinaal Poli. Volgens de legende had Ursula, de dochter van de gekerstende koning van Bretagne, beloofd te zullen trouwen met Maurus, de zoon van de koning van Engeland, als deze binnen drie jaar christen zou worden. In de tussentijd trok ze met duizenden Engelse maagden naar Rome, om hen daar te laten dopen en een hoofse opvoeding te geven. In Rome kreeg Ursula een verschijning, die haar aanspoorde naar Keulen te reizen omdat haar daar de martelaarsdood wachtte. Nadat ze ontvangen was door paus Cyriacus vertrok de heilige inderdaad met 11.000 maagden naar Keulen, waar de groep overvallen en grotendeels gedood werd. Als enige overlevende werd Ursula uiteindelijk met een pijlschot gedood, omdat ze geweigerd had in te gaan op de avances van de daar verblijvende Hunnenkoning. Lorrain beeldt de heilige hier af terwijl ze met haar metgezellinnen scheep gaat in de haven van Ostia. Het banier met het rode kruis is een verwijzing naar het ophanden zijnde martelaarschap.

**Claude Lorrain**
Zeehaven bij opgaande zon, 1674
Olieverf op linnen, 72 x 96 cm
München, Bayerische Staatsgemäldesammlungen, Alte Pinakothek

Deze 'Münchense' *Zeehaven bij opgaande zon* is de laatste van drie versies die Lorrain van dit thema maakte. Een imposante zonsopgang aan de kust beschijnt een haven met klassieke ruïnes (de antieke porticus rechts doet denken aan de Titusboog in Rome). Op de voorgrond zijn enkele havenarbeiders bezig balen van de kade naar een vrachtschip te transporteren. Twee van hen zijn met zware planken in de weer. Een groepje mensen op de kade voorziet de bedrijvigheid van commentaar; onder de triomfboog staat een ander groepje. De mensen die voor dit antieke decor in de weer zijn, zijn geen mythologische gestalten, maar zijn ontleend aan de werkelijkheid van alledag. Toch slagen zij er niet in de stilte in de zeehaven te verstoren met hun werkzaamheden. Tijd en plaats zijn niet te bepalen, wat het geheel iets tijdloos' geeft. Het is de schilder kennelijk in de eerste plaats te doen om de weergave van een natuurverschijnsel: de zonsopgang, die met zijn licht door het waas van morgendauw boven de zee heenbreekt.

**Claude Lorrain**
Landschap met Noli me tangere, 1681
Olieverf op linnen, 84,5 x 141 cm
Frankfurt am Main, Städelsches Kunstinstitut

Dit *Landschap met Noli me tangere* behoort tot Lorrains late werk. Uitgebeeld is de ontmoeting tussen Maria Magdalena en Christus, waarover in het evangelie van Johannes geschreven wordt. Toen Maria Magdalena met Johanna en Maria, de moeder van Jacobus, naar het graf van Christus ging om zijn lichaam te balsemen, was het graf leeg. Maria Magdalena keerde zich om en zag Christus met een spade in zijn hand. Zij hield hem voor de hovenier en vroeg of hij het lichaam had weggehaald. Toen zei Christus wie hij was en sprak de woorden 'Noli me tangere' (Houd mij niet vast). De ontmoeting vindt plaats in een weids en zich naar de achtergrond openend landschap. De plek waar Maria Magdalena met een kruikje zalfolie voor Christus knielt, geeft Lorrain als heilige grond te kennen door hem met een houten hek van de omgeving af te grenzen. Op de berg rechts staan drie kruisen. Het is Golgotha. Het prille ochtendgloren dat vanachter de heuvel achter Christus uitgaat, is wel als verwijzing naar de opstanding opgevat. De achtergrond geeft vrij zicht op Jeruzalem, dat nog in ochtendnevelen gehuld is. Lorrain moet de natuur intensief bestudeerd hebben, want zijn met grote zorg geschilderde landschap laat een sterke atmosferische indruk achter en de waargenomen natuurverschijnselen zijn treffend in fijne licht- en kleurnuances vastgelegd.

**Carlo Maratta**
De dood van de H. Franciscus Xaverius
1674-1678
Olieverf op linnen
Rome, Il Gesù, altaar in het rechter-dwarsschip

Carlo Maratta schilderde *De dood van de H. Franciscus Xaverius* voor het altaar in de rechterdwarsbeuk van Il Gesù. De heilige Franciscus Xaverius is een van de prominente heiligen van de orde der jezuïeten. Hij sloot zich al in 1533 bij Ignatius van Loyola aan en werkte in Azië, vooral in Goa, Japan en China, als missionaris. In 1619 werd hij zalig en al in 1622 heilig verklaard. Dit werk en een schilderij van Gaulli voor de S. Andrea del Quirinale zijn de eerste afbeeldingen van de heilige. Maratta schilderde een stervensscène. Naar de overlevering wil, stierf Franciscus Xaverius door de mensen verlaten, maar getroost door engelen op het eiland Sancian. Het doek is in twee vlakken verdeeld. Op het onderste vlak zien we de stervende heilige met enkele figuren om hem heen. Daarboven zien we engelen die getuige zijn van de dood van de heilige en misschien zijn hemelvaart afwachten. Een Indiër verwijst naar het missiewerk van Franciscus Xaverius. Hij figureert als individueel attribuut van de heilige en reageert op de stervensscène door zijn handen in gebed te vouwen.

Maratta was een leerling van Sacchi, dus verbaast het niet dat het accent ligt op een klassieke compositie met een gering aantal figuren en sprekende gebaren, die Maratta gelegenheid geven de plasticiteit van de lichamen uit te werken.

Fra Andrea Pozzo
Allegorie van het missiewerk van de jezuïeten, 1691-1694
Rome, Sant' Ignazio
Plafondschildering

Fra Andrea Pozzo werd naar Rome gehaald om een plafondschildering aan te brengen in de S. Ignazio, op Il Gesù na de grootste jezuïetenkerk van de stad. Het ging om fresco's in de absis en een monumentaal fresco op het tongewelf boven het 17 meter brede en 36 meter lange middenschip. De absis werd versierd met scènes uit het leven van de H. Ignatius, de stichter van de jezuïetenorde. Het gewelf werd ingeruimd voor de apotheose van de heilige. De inhoud van deze *Allegorie van het missiewerk van de jezuïeten* gaat terug op een woord van Jezus in Lucas 12:49. In het centrum zweeft de Heilige Drie-eenheid, die een lichtstraal werpt op de door engelen op een wolk gedragen H. Ignatius. Daar wordt het licht gebroken en gaat naar de vier hoeken in de illusionistische architectuur van de attiekzone, elk met een personificatie van de toen bekende werelddelen. De lichtsymboliek wil zeggen dat het goddelijke vuur wordt overgedragen op Ignatius, die het in alle werelddelen verbreidt. Andere jezuïetenheiligen, die afhankelijk van hun rang verder van of dichter bij Ignatius staan afgebeeld, bevolken samen met een grote schare eerbiedig biddende figuren de hemel. De personificaties van de werelddelen zien gelouterd op naar de heilige, want de kersteningsarbeid van de jezuïeten had het immers "van dwaalleren en afgoderij verlost". Bouwkundige elementen gaan ongemerkt over in geschilderde. Door het fresco verandert het tongewelf in een koepel die baadt in licht. Met een grenzeloze inventiviteit negeert Pozzo de grenzen tussen kerkgebouw en geschilderd hemelrijk en het resultaat is zo soeverein dat het nauwelijks te doorgronden valt. Pozzo heeft zelf met een marmeren plaat in het centrum van de vloer in het middenschip het standpunt aangeduid dat de beschouwer moet innemen om de centraalperspectivische constructie van de illusionistische architectuur naar waarde te kunnen schatten.

**Napels**

Het vice-koninkrijk Napels maakte (samen met Sicilië) van 1516 tot 1700 deel uit van het rijk van de Spaanse Habsburgers. Tijdens de Renaissance was de stad als kunstencentrum van geringe importantie en kon ze niet bogen op een schilderkunst van Europees niveau. In de 17e eeuw verandert dat en schaart Napels zich onder de toonaangevende cultuur- en handelscentra van Europa. Tegelijk wordt de stad de belangrijkste Middellandse-Zeehaven. Alleen Parijs was groter, en met zijn 450.000 inwoners was het aan het begin van het Seicento drie keer zo groot als Rome.

Niet alleen de vice-koning, maar ook veel edellieden en handelsmagnaten leidden er een weelderig bestaan. Voor het hof werden tal van paleizen ingericht en straten en pleinen verbreed. Naast deze rijke kant had de stad ook een ander gezicht: door de overbevolking en de grote sociale tegenstellingen was het er voortdurend onrustig. De grote vroomheid onder het gewone volk staat daarmee in een opvallende tegenstelling (tegen het einde van de eeuw telde de stad meer dan 500 kerken), waardoor Napels bij tijdgenoten een fascinerende mengeling van 'paura e meraviglia' (vrees en verwondering) opriep.

De geschiedenis van de stad in de 17e eeuw is getekend door een aantal zeer ingrijpende catastrofes: in 1624 heerste er hongersnood en in 1631 kwam de Vesuvius tot uitbarsting. Enige tijd later kwam het door een aanzienlijke verhoging van de broodprijs en de belasting op vis tot een opstand tegen de verantwoordelijke vice-koning, Duque de Arcos. De opstand onder leiding van de vishandelaar Masaniello was niet direct tegen het Spaanse bestuur gericht, maar na de moord op Masaniello werd Napels tot onafhankelijke republiek verklaard. Dit streven werd door de Spanjaarden echter gelijk de kop in gedrukt. Weer later, in 1656, teisterde een pestepidemie de stad en halveerde het inwonertal.

De voornaamste opdrachtgevers voor de kunstenaars waren naast kerken en kloosterorden de vice-koning, de Spaanse en plaatselijke aristocratie aan het hof, de patriciërs en de grootgrondbezitters in het zuiden van Italië, zoals de Colonna's, Maddaloni's en Montleones. Toch zou bij alle in de stad verzamelde rijkdom en macht nooit een klimaat ontstaan dat voor de kunsten even gunstig was als dat onder het pauselijk bestuur in Rome. De vice-koningen kochten niet alleen voor hun eigen collecties schilderijen, maar deden dat dikwijls ook op last van de Spaanse koning voor diens eigen collectie. Ze kochten voor Filips IV bijvoorbeeld een groot aantal werken van Claude Lorrain, Poussin, Lanfranco en Ribera. De Conde de Monterrey, vice-koning van 1631 tot 1637, bezat een grote kunstcollectie. Bij zijn terugkeer naar Spanje waren zijn schilderijen en antieke beelden goed voor 40 scheepsladingen. De Marqués del Carpio, die het ambt tussen 1683 en 1687 bekleedde, kon 1800 schilderijen de zijne noemen. Een belangrijke kunstvriend was ook de Vlaamse koopman Gaspar Roomer, in wiens uitmuntende kunstcollectie zich tal van schilderijen van Ribera bevonden. Toch waren vooral de kerken, kloosters en lekenbroederschappen de belangrijkste werkgevers voor de kunstenaars. Een grote opdracht voor Caravaggio, namelijk de *Zeven werken van barmhartigheid*, kwam van de liefdadige vereniging Pio Monte de la Misericordia, een *compagnia* die door edellieden en patriciërs was opgericht en die zich vooral met armenzorg bezighield.

Verder betekende de decoratie van met name plafonds in kerken en kloosters een belangrijk werkterrein voor schilders. Voor de beschildering van het plafond van de Cappella del Tesoro in de kathedraal werden Domenichino en Reni aangetrokken uit Rome. Lanfranco kwam in de jaren '30 eveneens van Rome naar Napels, om de Certosa di S. Martino met fresco's te versieren. Bij de decoratie van de S. Maria del Pianto waren de Napolitaanse schilders Luca Giordano en Andrea Vaccaro betrokken.

De diversiteit die het Spaanse bestuur en de handelsbetrekkingen met alle landen van Europa en met Azië met zich meebrachten, schiep in de stad een vruchtbare voedingsbodem waarin de meest uiteenlopende kunstrichtingen konden gedijen. Er is nauwelijks een schilder van de 'Napolitaanse school' die uit de stad zelf afkomstig is en de stad moet dus een grote aantrekkingskracht op de vele kunstenaars van elders uitgeoefend hebben. Nieuwe ontwikkelingen, zoals het 'caravaggisme', werden hier snel geaccepteerd en er bestonden verschillende stijlen naast elkaar.

Sommige schilders kwamen naar Napels omdat hun in Rome niet het verwachte succes ten deel gevallen was. Omgekeerd verlieten schilders Napels om in Rome, Florence of zelfs Spanje emplooi te zoeken. Anderen waren slechts op doorreis in Napels, maar lieten er een blijvende indruk achter. Een van hen was Caravaggio (1573-1610). Hij was Rome ontvlucht omdat hem een proces wegens doodslag boven het hoofd hing en hij bracht het jaar 1607 in Napels door, waar de Spaanse vice-koning Conde de Benavente zijn beschermheer werd. Na een verblijf van enkele maanden op Malta was hij kort voor zijn dood in 1610 weer een jaar in de stad. In deze korte periode maakte hij grote indruk in de Napolitaanse kunstwereld en in deze stad ontstond dan ook wat men later de Caravaggio-school is gaan noemen. Artemisia Gentileschi (1597-1651) die uit Rome afkomstig was en door haar vader Orazio Gentileschi was opgeleid, ging eerst naar Florence en kwam daarna naar Napels, waar ze van 1630 tot 1637 woonde. Na een verblijf in Engeland keerde ze omstreeks 1640 naar de stad terug. Zij maakte er een aantal altaarstukken voor kerken en talrijke schilderijen voor het Spaanse hof en particuliere verzamelaars. Jusepe Ribera (1591-1652) verliet na een opleiding bij Francisco Ribalta in Valencia zijn vaderland. Eerst beproefde hij zijn geluk in Parma, toen in Rome. Toen succes daar uitbleef, vestigde hij zich ten slotte in 1616 in Napels, waar hij als 'Il Spagnoletto' bekend zou worden. Hij onderhield er een groot atelier met veel leerlingen en domineerde de kunstmarkt. Ribera was aanvankelijk sterk beïnvloed door Caravaggio's stijl, maar nam later afstand van het *tenebroso* en werd vooral geprezen om zijn stralende koloriet. De in Napels geboren Salvator Rosa (1615-1673) begon zijn schildersloopbaan in zijn geboortestad, maar ging later naar Rome en koos uiteindelijk voor Florence. Hij werd niet alleen als schilder, maar ook als

**Caravaggio**
Madonna met de rozenkrans, 1607
Olieverf op linnen, 364 x 249 cm
Wenen, Kunsthistorisches Museum

Napels was voor veel schilders een belangrijk tussenstation in hun carrière, maar slechts weinigen bleven hun hele leven in de stad. Tot de schilders die het duidelijkst hun stempel drukten op de schilderspraktijk in de stad, behoort Caravaggio. Van zijn schilderij *Madonna met de rozenkrans* wordt voor het eerst gewag gemaakt in 1607, toen het te koop werd aangeboden. Het was waarschijnlijk voor de dominicanerkerk bedoeld. De legende wil dat Maria aan de H. Dominicus verscheen en hem een rozenkrans overhandigde. Zij leerde hem vervolgens het bijbehorende gebed en droeg hem op dit onder het volk te verspreiden. De uitbeelding van deze legende werd populair ten tijde van de Contrareformatie, zeker na de zeeslag van Lepanto in 1571, waarbij het christelijke Avondland de opmars van de Turken een halt toeriep, want de overwinning werd toegeschreven aan de werking van het rozenkransgebed. Maar bovenal betekende het bidden van de rozenkrans een nieuwe, door de Kerk gepropageerde vorm van religiositeit. Deze vereiste zelfdiscipline en zelfstandig initiatief, maar diende vooral ter structurering van het dagelijks leven.

In het midden van het schilderij zetelt de madonna. Ze is iets naar links van de lengteas verschoven en op haar schoot staat het kindeke Jezus. Links van haar staat een in vervoering geraakte H. Dominicus. Bijgestaan door enkele monniken rechts van haar verdeelt hij rozenkransen onder het volk. De figuur aan de linkerbeeldrand die de beschouwer aankijkt, is waarschijnlijk de opdrachtgever. De tegenspeler van de H. Dominicus, de H. Petrus Martyr, richt zijn blik eveneens tot buiten het kader van het schilderij. Het armoedig geklede straatvolk wendt zich heel theatraal gesticulerend tot de H. Dominicus. Caravaggio ziet af van de bij deze scène gebruikelijke strenge scheiding tussen het aardse en hemelse domein. De handeling speelt zich af in een en dezelfde ruimte en de figuren vormen samen een groep, maar hij heeft wel een streng hiërarchische ordening aangebracht. Maria wordt niet alleen hoger geplaatst, maar is ook als enige gestalte volledig zichtbaar. Opvallend zijn de sterke lichtinval en de krachtige modellering van de lichamen door de contrastwerking van het clair-obscur, waarbij afzonderlijke lichaamsdelen sterk uitgelicht worden. Hier vinden we de typisch vroeg-barokke kleurencompositie met krachtige kleuren, die telkens maar één keer voorkomen. Een ander kenmerk van deze periode is er ook: de coloristische onderverdeling van het vlak in drie zones, waarbij de bovenste en onderste duidelijk gesloten kleurvelden zijn, terwijl in de middelste zwart en wit domineren.

De *Madonna met de rozenkrans* is een van Caravaggio's traditioneelste schilderijen, maar had desalniettemin een buitengewone voorbeeldfunctie. De schilder heeft hier dan ook het archetype van het barokke altaarblad gevonden. Het schilderij is een verwijzing naar een strenge kerkelijke hiërarchie, die tijdens de Contrareformatie opnieuw gepropageerd werd. Zichtbaar gevolg is dat het volk een direct contact met de Madonna ontzegd wordt en aangewezen is op de tussenkomst van een heilige.

dichter en muzikant beroemd. Als schilder bouwde hij vooral als veldslagen- en landschapschilder een goede naam op, maar ook zijn vanitasvoorstellingen werden beroemd. Van zijn romantische landschappen waardeerde het publiek vooral de poëtische zeggingskracht en het pathos. Tussen 1620 en 1630 ontstonden in Napels de eerste stillevens. De schilders Giuseppe Recco (1634-1695), Giovanni Battista Ruoppola en Paolo Porpora maakten naam met hun bloemen-, vruchten-, vis- en keukenstillevens op groot formaat. In de tweede helft van de eeuw was Luca Giordano (1632-1705), een leerling van Ribera, een van de succesvolste schilders. Vanwege zijn uitzonderlijke productiviteit (hij vervaardigde maar liefst 500 schilderijen) werd Giordano ook 'Luca fa presto' genoemd. Vanwege zijn enorme aanpassingsvermogen, dat hij gebruikte om de stijlen van verschillende meesters te imiteren, noemden de mensen hem ook wel 'proteo della pittura', een toespeling op Proteus, de god van de gedaanteverandering.

Net als in een aantal andere Italiaanse kunstcentra, bijvoorbeeld Venetië, Genua en Bologna, maar in tegenstelling tot Rome en Florence, was het kunstbedrijf in Napels nog middeleeuws van karakter. Het schildersgilde werd in 1665 met steun van de jezuïeten omgezet in een broederschap onder de naam SS. Anna e Luca de Pittori. Haar voornaamste taken waren het schilderonderwijs, de ondersteuning van arme schilders en het onderhouden van de gildekapel in de jezuïetenkerk. Pas in 1755 werd de Accademia del Disegno opgericht. Bij belangrijke opdrachten was de onderlinge concurrentie groot. De Dominici, de kroniekschrijver van de Napolitaanse schilders, vermeldt dat Ribera, Corenzio en Caracciolo zich heftig verzetten toen men voor de decoratie van de S. Gennaro-kapel in de kathedraal de gerenommeerde schilders Reni, Domenichino en Lanfranco uit Rome liet komen.

In Napels manifesteert zich in de 17e eeuw een groot aantal kunstenaarspersoonlijkheden die niet zonder meer onder de noemer 'Napolitaanse school' zijn te brengen. Als men al probeert gemeenschappelijke kenmerken voor de Napolitaanse schilderkunst van het Seicento te definiëren, dan moeten twee stromingen genoemd worden: de snel om zich heen grijpende, sterk naturalistische tendensen bij Caravaggio's navolgers en de pas laat doorgebroken 'classicisten' in de zin van de Carracci's. Het 'armeluisrealisme' en de hang naar een sombere dramatiek van mensen als Caravaggio en Ribera passen echter beter bij het diepgewortelde Napolitaanse volksgeloof en de sterke maatschappelijke tegenstellingen dan de nauwkeurige uitgewogenheid van de Carracci's of een schilder als Reni.

**Artemisia Gentileschi**
Judith en Holofernes, ca. 1630
Olieverf op linnen, 168 x 128 cm
Napels, Galleria Nazionale di Capodimonte

Artemisia Gentileschi maakte een hele reeks schilderijen van groot formaat met een bijbelse en mythologische thematiek waarin vrouwen de hoofdrol spelen. In veel schilderijen, bijvoorbeeld *Suzanna en de ouderlingen* en *Judith en Holofernes*, houdt zij zich bezig met de seksuele bedreiging van de vrouw door de man. Het apocriefe verhaal van Judith die Holofernes het hoofd afhakt, heeft zij zelfs meerdere keren uitgebeeld. Een daarvan moet omstreeks 1630 in Napels of vlak voor haar verhuizing daar naartoe zijn ontstaan. Judith was een beeldschone weduwe die in de Israëlitische stad Bethulia woonde. De stad werd door koning Holofernes belegerd, en na een aantal dagen van groot gebrek aan water besloten de oudsten van de stad zich over te geven, maar Judith, die als godvrezend bekend stond, vatte het plan op de stad te redden. Ze ging naar Holofernes en wendde voor hem aan de overwinning te willen helpen. Hij werd betoverd door haar schoonheid en verteerd door begeerte en toen zij alleen met hem in zijn legertent was, overmeesterde zij hem, hakte zijn hoofd af en nam dat mee terug naar de stad. Daar werd het aan de tinnen van de stadsmuur gehangen, wat de Israëlieten de overwinning bracht op de verschrikte Assyriërs.

Gentileschi kiest voor de weergave van dit verhaal het hoogtepunt van de handeling: Judith is net bezig de koning te onthoofden. Haar jonge dienares ondersteunt haar daarbij daadkrachtig door de tegenstribbelende koning in bedwang te houden. Holofernes' gezicht is een en al ontzetting. Judith en haar dienares trekken geen hoogmoedig of triomfantelijk gezicht zoals in de meeste andere schilderijen met hetzelfde thema. Zij kijken eerder vastberaden en gespannen en hebben al hun aandacht bij de daad. Het middelpunt van het schilderij wordt ingenomen door het hoofd van de koning en de handen van de vrouwen die hem overmeesteren. Er zijn enkele spaarzame verwijzingen naar de worsteling die aan dit moment moet zijn voorafgegaan, maar verder beperkt Gentileschi zich tot de hoofdzaak: de onthoofding van de koning. Ze presenteert deze als een detail, waardoor geen van de personages helemaal zichtbaar is. Ook van een typering van de ruimte wordt afgezien. Aan de invloed van Caravaggio dankt het schilderij zijn sterke clair-obscur, het krachtige kleurenscala en de uitvergrote, op de wezenlijke mededeling gerichte compositie. De primaire kleuren overheersen: tegen de donkere achtergrond steken het diepe rood van Holofernes' gewaad, het blauw van de kleren van de dienares en het goudgele gewaad van Judith en het witte, met bloed bespatte laken af. Het dramatische karakter van de voorstelling wordt nog versterkt door een sterke lichtstraal, die op het bovenlichaam van Holofernes, de handen van de vrouwen en het hoofd van Judith valt.

Terwijl Holofernes door vele schilders als slachtoffer van een boosaardig en koelbloedig manwijf wordt opgevat, vindt er bij Gentileschi een betekenisverschuiving plaats. Voor haar is Judith niet het symbool van een gevaarlijk opspelende, onberekenbare vrouwelijkheid. Evenmin is Holofernes met zijn afgehakte hoofd hier ten prooi gevallen aan een geheime vrouwelijke castratiedrift. Weliswaar wordt ook bij Gentileschi de man de macht ontnomen, maar misschien even belangrijk is de nadruk op de kracht van de vrouwen, die voortkomt uit hun eendrachtige samenwerking.

**Jusepe Ribera**
Duellerende vrouwen, 1636
Olieverf op linnen, 235 x 212 cm
Madrid, Prado

Ook in Jusepe Ribera's *Duellerende vrouwen* gaat het om vrouwen en geweld. Het werk maakte deel uit van de kunstcollectie van Filips IV en wordt al in 1666 op een inventarislijst van het Madrileense Alcázar vermeld. We zien en zwaardgevecht tussen twee vrouwen in een arena. Ribera kiest voor zijn schilderij een hoogst dramatisch moment: terwijl de ene vrouw al duidelijk het onderspit heeft gedolven en op de grond ligt, staat de andere juist op het punt haar met het zwaard te doorboren. Op de achtergrond kijkt een menigte met grote aandacht toe. Men vermoedt dat Ribera hier toespeelt op een voorval dat zich in 1552 in Napels had voorgedaan. In het bijzijn van de vice-koning Marqués del Vasto duelleerden toen de twee Napolitaanse adellijke dames Isabella de Carazi en Diambra de Petinella omwille van een jongeman die luisterde naar de naam Fabio de Zeresola.

De figuren worden gepresenteerd op een manier die overeenkomt met laatantieke Romeinse reliëfs met strijdende Amazones. Alles draait om de twee levensgrote en sterk plastisch uitgewerkte vrouwengestalten. De toeschouwers blijven ook in overdrachtelijke zin op de achtergrond en zijn niet meer dan schetsmatig uitgewerkt. Ribera betoont zich een waardig opvolger van de grote Venetiaanse koloristen Titiaan en Veronese en wel door zijn subtiele kleurcombinaties en -harmonieën, maar vooral door de overheersende goudkleurige tonen. Afgezien van de presentatie van een historisch incident in de hogere Napolitaanse kringen heeft men de strijd tussen de twee vrouwen ook wel opgevat als een strijd tussen deugdzaamheid en zonde.

**Jusepe Ribera**
Apollo vilt Marsyas, 1637
Olieverf op linnen, 182 x 232 cm
Napels, Museo Nazionale di S. Martino

Jusepe Ribera is tegenwoordig vooral bekend om zijn schilderijen waarin hij het martelaarschap van heiligen en mythologische gestalten op een drastische en ronduit gewelddadige manier presenteert. Op verschillende voor privécollecties vervaardigde doeken heeft hij het thema van 'Apollo die Marsyas vilt' uitgebeeld. De Frygische sater Marsyas had in het fluitspel een dusdanig meesterschap bereikt dat hij de moed had Apollo tot een wedstrijd uit te dagen. De winnaar zou naar eigen goeddunken met de verliezer mogen omspringen. Aanvankelijk ontliepen de twee elkaar niet, totdat Apollo, die op de lier speelde, zijn tegenstander uitdaagde om zijn instrument achterstevoren te bespelen, wat op een fluit natuurlijk niet mogelijk is. Als gevolg daarvan werd Apollo winnaar en bestrafte hij Marsyas door hem aan een pijnboom vast te binden en te villen.

In de christelijke optiek kwam dit verhaal overeen met het martelaarschap van de H. Bartholomeus. Ribera kiest voor zijn uitbeelding het moment van de bestraffing. De sater ligt naakt en geboeid op de grond en wordt juist door Apollo gefolterd. Als enige verwijzing naar de zojuist beëindigde wedstrijd ligt er in de hoek linksonder een muziekinstrument. Op de achtergrond zien we enkele toeschouwers die met ontzetting op deze verschrikkelijke daad reageren. Ribera slaagt erin het dramatische element te benadrukken door te kiezen voor een sterk diagonale compositie, die hij verwezenlijkt door Marsyas' lichaam bijna tot over de rand van het beeld te laten uitsteken. Verdere spanning wordt opgeroepen door het contrast tussen enerzijds het van pijn verwrongen gezicht van de sater, het fladderende roodachtige gewaad van Apollo en de onrustige wolkenhemel en anderzijds de serene gelaatstrekken van de god, die met ingehouden gebaren zijn gruweldaad verricht.

**Salvatore Rosa**
Landschap met Apollo en de Cumeïsche sibylle, ca. 1661
Olieverf op linnen, 171 x 258 cm
Londen, Wallace Collection

Onder Salvatore Rosa's late werk bevinden zich veel sfeervolle landschappen die door mythologische gestalten bevolkt worden, zoals dit *Landschap met Apollo en de Cumeïsche sibylle*. Naar Ovidius vertelt, had Apollo de sibylle van Cumae aangeboden elke wens die in haar opkwam te vervullen als ze op zijn avances inging. De sibylle nam een handvol zand en vroeg om zoveel levensjaren als er zandkorreltjes in haar handpalm lagen. Haar wens ging in vervulling, maar omdat zij Apollo toch afwees, nam hij wraak. De sibylle had vergeten ook om de eeuwige jeugd te vragen en hield dus niet op te verouderen. Zij leefde langer dan zevenhonderd jaar een ellendig leven en wilde ten slotte alleen nog maar sterven.

Rosa geeft de ontmoetingsscène weer tussen de sibylle en haar twee begeleidsters en Apollo, die met zijn vergulde lier op een boomstronk zit. Rondom ligt een woest en bergachtig landschap, met rechts de grot waarin de sibylle leeft. Op een berg op de achtergrond ligt de acropolis van Cumae, waar ooit een Apollotempel stond. Rosa betoont zich hier een meester in de lichtvoering: terwijl de berghelling rechts in de schaduw ligt, vangt de linkerhelling naar achteren toe steeds meer van het goudglanzende avondlicht op. Het figurale tafereel steekt door krachtige kleuren af tegen de donkere achtergrond: Apollo gaat in zalmroze gekleed, de sibylle in citroengeel en koningsblauw.

In de keuze van zijn motieven is Rosa beïnvloed door Lorrain, maar hij geeft wel blijk van een andere natuuropvatting. Zijn landschappen hebben niet de waardige rust, de transparantie en de overzichtelijke harmonieën van de Fransen. Integendeel, ze zijn vol van een hartstochtelijke onrust en abrupte lichteffecten, wat ze een onheilspellende lading en zelfs een troosteloos en verlaten karakter geeft.

**Luca Giordano**
H. Gennaro bevrijdt Napels van de pest,
ca. 1660
Olieverf op linnen, 400 x 315 cm
Napels, Santa Maria del Pianto

De heilige Gennaro is de schutspatroon van Napels. Hij vormt het middelpunt van het schilderij dat Luca Giordano in 1660 voor de S. Maria del Pianto maakte. Tegelijk met deze *H. Gennaro bevrijdt Napels van de pest* werd bij Andrea Vaccaro een *Maria bidt voor de zielen in het vagevuur* in opdracht gegeven. De Dominici schrijft dat er onmiddellijk een heftige ruzie tussen beide schilders ontbrandde over de vraag wiens schilderij voor het hoogaltaar gebruikt zou moeten worden. De H. Gennaro van Benevento was een van de martelaars die in 307 n.Chr. onthoofd werden wegens hun weigering een offer te brengen aan heidense goden. Als beschermheilige van Napels behoedde hij de stad vooral tegen vulkaanuitbarstingen. Nog altijd wordt zijn bloed in de naar hem genoemde kathedraal in twee fiolen bewaard. Het volksgeloof wil dat het elk jaar op zijn naamdag weer vloeibaar wordt als teken van zijn bezorgdheid om de Napolitaanse bevolking.

Uiteindelijk was het Giordano's werk dat op het hoogaltaar belandde. Hij verdeelde het in twee zones. In het 'hemelse' gedeelte zien we de H. Gennaro te midden van engelen knielen op een wolk. Hij kijkt op naar Christus en Maria en smeekt hen om genade voor de stad die door de pest getroffen is. Met zijn rechterhand wijst hij op de lichamen van al diegenen die al aan de ziekte bezweken zijn. Giordano brengt de verschrikkingen van de pest aangrijpend in beeld: links zit bijvoorbeeld een huilend kind dat probeert aan het levenloze lichaam van zijn moeder een reactie te ontlokken.

**Giuseppe Recco**
Stilleven met vruchten en bloemen, ca. 1670
Olieverf op linnen, 255 x 301 cm
Napels, Galleria Nazionale di Capodimonte

Dit monumentale *Stilleven met vruchten en bloemen* uit het jaar 1670 is een laat werk van Giuseppe Recco. Afgebeeld is een enorme verzameling van de meest uiteenlopende vruchten en bloemen, deels over de grond verdeeld, deels in manden opgetast. Het geheel is voor een weelderig landschap geplaatst, dat zelf ook overvloedig vrucht draagt. Er bestaat een sterk contrast tussen de donkere kleuren van de natuurlijke omgeving en de bloemen en vruchten die eraan lijken te ontspruiten. Ook al vertoont Recco's werk sterke overeenkomsten met het Nederlandse bloemenstilleven, er zijn ook duidelijke verschillen. Zo zijn er het aan Caravaggio ontleende kleurgebruik en de asymmetrische compositie waardoor de vruchten een minder ornamentele schikking krijgen. Daarnaast wijken de Napolitanen met hun monumentale formaat af van de Hollanders en Vlamingen.

De plaatsing van het bloemen- en vruchtenarrangement in een landschap maakt beide beeldniveaus gelijkwaardig aan elkaar. De lange traditie van het vruchtenstilleven wordt ook wel als een reactie op het gestaag uitdijende warenaanbod gezien. Tevens zijn ze symptomatisch voor de groeiende belangstelling voor de verscheidenheid in het plantenrijk, die mede aanleiding gaf tot de toenmalige ontdekkingsreizen. Verder kwam men in deze tijd veel te weten over de geneeskrachtige werking van planten. Deze stillevens hebben dan ook niet in de eerste plaats een emblematische betekenis. Ze vormen veeleer de neerslag van de ontdekking van en reflectie op de alledaagse werkelijkheid waaraan ze hun bestaan danken. Het is overigens geen toeval dat dit genre juist in de handelsstad Napels, te midden van een weelderige mediterrane vegetatie, bijzonder geliefd was.

**Madrid**

Madrid was in de 17e eeuw een van de nieuwkomers onder de culturele centra van Europa. Pas in 1561 had Filips II (1556-1598) de stad tot hoofdstad verklaard. Hij liet zich daarbij leiden door Madrids gunstige ligging in het midden van zijn land en de aangename klimatologische omstandigheden die er heersten. Het voordien zo onbeduidende stadje kreeg door de verplaatsing van het hof een zekere betekenis als economisch en cultureel knooppunt.

Filips bouwde de stad uit tot een koninklijke residentie met allure: het Moorse Alcázar werd vergroot, er verrezen talrijke kerken, wegen werden verbreed en pleinen vergroot en de omgeving van de stad werd opgesierd met buitenverblijven als Casa del Campo, Aranjuez, El Pardo en het Escorial. Voor de inrichting van het Escorial liet de koning een aantal Italiaanse schilders overkomen (onder anderen Federico Zuccari, Bartolomé Carducho en Patricio Cajés), van wie er enkelen niet meer naar hun land teruggingen. Alonso Sánchez Coello, Juan Pantoja de la Cruz en de Nederlander Anthonis Mor vestigden er een reputatie als portretschilders.

Tijdens de regering van Filips III dreigde Madrid aan betekenis in te boeten, omdat de koning zich er in 1601 door een gunsteling, de graaf van Lerma, toe liet brengen het hof naar Valladolid te verplaatsen. Na heftige protesten van de kant van de adel draaide hij dat besluit echter vijf jaar later terug. Toch zou Madrid ook in de 17e eeuw geen noemenswaardige rol in handel en industrie spelen. De titel van Alfonso Núnez de Castro's lofzang uit 1658 *Sólo Madrid es corte* (Alleen Madrid is hoofdstad) werd door spotters veranderd in *Madrid es sólo corte* (Madrid is niet meer dan het hof) en ze sloegen daarmee de spijker op zijn kop.

Filips III versterkte wel het grootstedelijke karakter van de stad met tal van architectonische ingrepen, waaronder de uitbreiding van het Plaza Mayor, maar de man die als 'rey piadoso', als de vrome koning, de geschiedenis in zou gaan, heeft zich als kunstminnaar en -verzamelaar niet bijzonder laten gelden.

Pas onder Filips IV (1621-1665) werden er weer verscheidene grote bouwprojecten ter hand genomen waar ook schilders bij betrokken waren. Een van die projecten was de inrichting van het slot Buen Retiro bij Madrid. Verder werden enkele vertrekken van het Alcázar verbouwd en opnieuw ingericht (Salón de los Espejos, Salón dorado, Salón ochavada). In de jaren '30 werd het jachtslot Torre de la Parada opnieuw ingericht. Rubens en assistenten uit zijn atelier leverden een groot aantal schilderijen met mythologische thema's en Velázquez portretteerde leden van de koninklijke familie in jachtkostuum. Onder Karel II (1665-1700), de laatste Spaanse Habsburger, waren de voornaamste schilderprojecten de beschildering van het trappenhuis in het Escorial, van het Casón in Buen Retiro en het aanbrengen van groots opgezette frescocycli in Madrileense kerken als Nuestra Señora de Atocha en S. Antonio de los Alemanes.

De belangrijkste opdrachten voor de kunstenaars kwamen dus van het hof en de Kerk. Een zelfbewuste en kunstlievende burgerij ontbrak in Spanje. Vooral de koning gold als groot liefhebber en kenner van de schilderkunst. In 1700 telde de koninklijke verzameling 5500 schilderijen, waarvan meer dan de helft door Filips IV was aangekocht. Er waren ook enkele verwoede adellijke verzamelaars. De Marqués de Leganés had bijvoorbeeld meer dan 1100 kunstwerken, de Marqués de Carpio zelfs meer dan 3000. De verzamelingen hadden meestal dezelfde zwaartepunten: van de Italiaanse meesters waren de Venetianen duidelijk favoriet vanwege hun gebruik van de *colore*. Grote aantallen Titiaans, Tintoretto's en Veroneses sierden de wanden van het koninklijke Alcázar, het Prado en Buen Retiro. Geliefde verzamelobjecten waren verder vroege Vlamingen en Nederlanders als Van Eyck, Rogier van der Weyden en Jeroen Bosch. Van de contemporaine schilders waren vooral de Franse Romeinen Poussin en Lorrain, de Vlaming Rubens en de in Napels wonende en werkende Spanjaard Ribera gezocht.

In het algemeen verzamelde men schilderijen uit het buitenland, vooral van Italiaanse en Nederlandse meesters, en sloeg men werk uit eigen land lager aan. Deze onverschilligheid tegenover de Spaanse meesters schijnt –als we schilder en kunstpublicist Jusepe Martínez mogen geloven– voor Ribera reden te zijn geweest om in Napels te blijven. Zijn werk was dan wel geliefd in Spanje, maar als hij terug zou gaan –zo meende Ribera– zou hem in de eerste jaren een enthousiast onthaal ten deel vallen, maar zou hij daarna snel vergeten worden. Spanje was een zorgzame moeder voor vreemden, maar een hardvochtige moeder voor haar eigen kinderen!

Rond de eeuwwisseling deden de nazaten van de door Filips II uit Italië overgehaalde Escorial-schilders van zich spreken. Enkelen van hen waren hofschilders van Filips IV en zij stonden nog sterk onder invloed van de Italiaanse maniëristen, zoals Vicente Carducho (1576-1638), broer van Bartolomé uit Florence, Eugenio Cajés (1574-1634), zoon van Patricio uit Arezzo, en Angelo Nardi (1584-1665). Waardering kregen ook de oorspronkelijk Vlaamse stillevenschilder Juan van der Hamen y León (1596-1631) en Juan Bautista Maino (1581-1649), zoon van Italiaanse ouders en tekenleraar van de jonge Filips IV. Veel ambitieuze schilders kwamen uit Sevilla naar de residentie. Voor Diego Velázquez (1599-1660) was dat het begin van een succesvolle carrière. Na de dood van zijn voorganger Rodrigo de Villandrando in 1623 werd hij de nieuwe hofportrettist. Velázquez stond aan het begin van zijn loopbaan nog sterk onder de inlvoed van Caravaggio. In Madrid maakte hij kennis met een groot aantal schilderijen van Titiaan uit de koninklijke collectie. Ook een ontmoeting met Rubens, die zich in de jaren 1628-1629 voor de tweede keer in de stad ophield, was van grote betekenis voor zijn ontwikkeling.

Ook de voornamelijk in Sevilla werkende Francisco Zurbarán (1598-1664) voerde verscheidene opdrachten voor het hof uit. Een andere Sevilliaan die naar Madrid kwam (en daar zowel voor het hof als de Kerk werkte), was Alonso Cano (1601-1667), geboren in Granada en niet alleen een volleerd schilder, maar ook beeldhouwer en architect. In de hoofdstad schijnt hij echter als schilder en ontwerper van tijdelijke bouwsels, maar niet als begenadigd beeldhouwer gewaardeerd te

**Vicente Carducho**
Zelfportret, ca. 1633
Olieverf op linnen, 101 x 86 cm
Glasgow, Pollok House
Collection Stirling Maxwell

Terwijl in Italie en de Lage Landen portretten van schilders en beeldhouwers een veel voorkomend genre vormden, waren ze in Spanje een zeldzaamheid. Dat kwam doordat de kunstenaars hier een te lage sociale rang innamen om een portret waardig geacht te worden. Vicente Carducho's zelfportret uit 1633 behoort echter wel tot een geslaagd voorbeeld van het genre.

De schilder en kunstpublicist beeldt zichzelf zittend achter een tafel af. Zijn romp en hoofd zijn licht naar rechts gekeerd en hij kijkt de beschouwer met een oplettende blik aan. Hij is voornaam gekleed en heeft in zijn rechterhand een ganzenveer waarmee hij zijn traktaat over de schilderkunst schrijft. Carducho presenteert zichzelf dus in de eerste plaats als auteur van de *Diálogos*. Verder verwijzen attributen als de liniaal en geodriehoek naar de kunstenaar als wetenschapsbeoefenaar. Met ezel, schetspotlood, penseel en palet geeft hij zich daarentegen ook als schilder te kennen. Carducho vond het kennelijk van groot belang als *pictor doctus* –geleerde schilder– over te komen. Hij schilderde het zelfportret in 1633, het jaar waarin het proces dat de Madrileense schilders hadden aangespannen tegen het Real Consejo de Hacienda, het koninklijke belastingkantoor, na acht jaar eindelijk in hun voordeel was uitgevallen.

zijn. Antonio de Pereda (1611-1678) had vooral succes als schilder van vanitas-voorstellingen.

Tot de binnenlandse schilders die onder Karel II niet alleen met hun schiderijen, maar ook met fresco's eer inlegden, behoorden Francisco Herrera de Jonge (1627-1685) uit Sevilla, José Antolínez (1635-1675), Francisco Rizi (1614-1685), Claudio Coello (1642-1693) en Juan Carreño de Miranda (1614-1685).

De meest voorkomende genres waren religieuze voorstellingen, portretten en stillevens. Mythologische voorstellingen waren minder populair. Ze golden als onzedelijk en werden uit angst voor de inquisitie niet gekocht, want de Kerk bekeek ze me wantrouwen. Voor de clerus was het niet meer dan een excuus om naakte lichamen af te beelden. Anders dan in de Lage Landen legden de schilders in Spanje zich meestal niet toe op een speciaal genre om dat dan ook volledig, in alle facetten, te beheersen. Desondanks slaagden de meesten er niet in om in meer dan één genre een absoluut meesterschap te bereiken (Velázquez was een opvallende uitzondering). Antonio de Pereda had bijvoorbeeld weliswaar voortreffelijke schilderijen met vanitas-thematiek gemaakt, maar in de compositie van zijn historiestukken is hij niet bijster vernieuwend. Het ontwikkelingsniveau van deze schilders was op enkele uitzonderingen na niet erg hoog. Een aantal van hen was zelfs analfabeet, zoals van Antonio de Pereda bekend is. Uit de inventarislijsten die bij de dood van schilders werden opgemaakt, weten we hoeveel en wat voor boeken zij bezaten. De schilder en kunstpublicist Vicente Carducho had er driehonderdzes, maar Velázquez had er bijvoorbeeld niet meer dan honderdzesenvijftig.

Veruit de meeste schilders leefden in armoedige omstandigheden. Zij verdienden hun brood met het maken van heiligenvoorstellingen voor de godsdienstoefening in huiselijke kring, die ze op markten verkochten. Daarnaast werkte een aantal schilders ook als kunsthandelaar en dreven sommigen van hen een eigen winkel.

Een belangrijk deel van hun inkomen haalden veel schilders uit het polychromeren van beelden, aangezien in de kerken toentertijd geschilderde beelden overheersten. Een hofkunstenaar als Velázquez had door een vaste toelage en het extra geld van een aantal erebaantjes en incidentele opdrachten wel een hogere levensstandaard. Hij hield er een bediende op na en bezat zijden kleren en een koets. Hij leidde dus het leven van een edelman. Toch hebben succesvolle schilders als Velázquez en Murillo hun nabestaanden geen vermogen, maar slechts schulden nagelaten.

**Juan van der Hamen y León**
Stilleven met bloemenvaas, klok en hond,
1625-1630
Olieverf op linnen, 228 x 95 cm
Madrid, Prado

**Juan van der Hamen y León**
Stilleven met bloemenvaas en welp,
1625-1630
Olieverf op linnen, 228 x 85 cm
Madrid, Prado

Stillevens en portretten waren de enige kunstwerken met profane inhoud die in Spanje ontstonden. Met het hof waren verschillende stillevenschilders gelieerd en ook op de toenmalige inventarislijsten van de koninklijke kunstcollectie worden talrijke werken van hun hand genoemd. Het genre werd in Madrid bij uitstek vertegenwoordigd door Juan van der Hamen y León (1596-1631). Hij stamde af van Vlaamse ouders die zich in Madrid gevestigd hadden en maakte deel uit van de kring intellectuelen rond Lope de Vega.

Op zijn schilderijen figureren vooral voorwerpen die verband houden met de hofkringen waarin hij verkeerde. We zien een stijlvol arrangement van uitgelezen gebak en suikergoed, het verfijndste tafelgerei, Venetiaans glas, vergulde drinkbekers, zilveren schalen en Chinees porselein. De twee schilderijen in staand formaat zijn omstreeks 1625 ontstaan en hingen als pendanten aan weerszijden van een deur in het huis van de hofdignitaris Jean de Croy, graaf van Solre, in de Calle de Alcala in Madrid. Ze namen het tegelpatroon van het vertrek waarin ze hingen over en fungeerden zo als trompe-l'oeil. Na de dood van de graaf belandden ze in de koninlijke kunstcollectie en kregen een plaatsje in de eetzaal van Filips IV.

**Diego Velázquez**
Los Borrachos
(Triomf van Bacchus), 1629
Olieverf op linnen, 165 x 227 cm
Madrid, Prado

Een ander profaan genre, het mythologische historiestuk, was in Spanje tamelijk ongebruikelijk. Na zijn benoeming tot hofportrettist van Filips IV schilderde Velázquez niet alleen talloze beeltenissen van de koninklijke familie, maar ook enkele historiestukken. Kort voor zijn eerste verblijf in Rome (1629-1631) maakte hij deze *Triomf van Bacchus*. Het werk was bestemd voor de verzameling van de koning en hing in de slaapkamer die de koning 's zomers gebruikte. Bacchus is in een landschappelijke omgeving afgebeeld in het gezelschap van acht wat boerse drinkebroers, van wie hij er een een krans op het hoofd drukt. Velázquez modelleerde zijn Bacchus-figuur sterk naar die van Caravaggio, maar het maakt in anatomisch opzicht een nog wat onzekere indruk: het menselijk lichaam ziet er papperig uit en is niet ver uitgewerkt. In Italië (1629-1631) zou hier verandering in komen.

Het is aangetoond dat Velázquez hier is uitgegaan van een Vlaamse gravure uit de 16e eeuw. Op deze gravure staat te lezen dat de boeren Bacchus vroegen hen hun zorgen te laten vergeten. De god van de wijn zou aan dit verzoek gehoor gegeven hebben. Nu hadden de mensen deel aan zijn geneugten en vergaten ze hun beslommeringen. Recente interpretaties zien in het schilderij een verwijzing naar het bewind van Filips IV: zoals Bacchus met wijn de zorgen van de mensen wegspoelt, zo diende ook de koning de zorgen van zijn onderdanen te verlichten.

**Reconstructie van de Salón de los Reinos in het slot Buen Retiro**
uit: Jonathan Brown, *Velázquez. Painter and Courtier*, New Haven, Londen, 1986

Het Escorial staat te boek als het voornaamste bouwproject tijdens de regering van Filips II. Onder Filips IV was dat de bouw en inrichting van het slot Buen Retiro. Het werd tussen 1632 en 1634 ten zuiden van Madrid gebouwd. Aanzet daartoe had graaf Olivares gegeven, de eerste minister en gunsteling van de koning. Buen Retiro bood de koning de gelegenheid om als verzamelaar en kunstminnaar actief te worden, maar het slot werd vooral vermaard om zijn park en theater. De 34,6 meter lange en 10 meter brede Salón de los Reinos (Zaal van de Wereldrijken) is een van de ontvangstruimten. De decoratie werd tussen 1633 en 1635 aangebracht. Daarvoor werden de aloude deugdencycli opgepakt en toegepast op het staatshoofd.

In een gecompliceerd iconografisch program passeren de zegeningen die het huis Habsburg Spanje gebracht heeft de revue. Fresco's met florale motieven en grotesken sierden het plafond en op de buitenboogvullingen van het gewelf prijkten de wapens van de 24 gebiedsdelen van het Spaanse koninkrijk. Aan de ene smalle zijde van de zaal hingen twee, aan de andere zijde drie ruiterportretten die Velázquez en zijn assistenten van de koninklijke familie gemaakt hadden. Afgebeeld zijn de directe voorouders –onder wie Filips II en Margaretha– van het regerende koningspaar en de troonopvolger, de infant Baltasar Carlos. Twaalf monumentale veldslagen aan de lange zijden van de zaal sierden de wanden tussen de glazen deuren. Ze verheerlijkten de recentste overwinningen die de Spaanse legers in verschillende oorlogen behaald hadden. Ze dienden verder ter rechtvaardiging van de hoge kosten van de campagnes, die voortvloeiden uit de expansiepolitiek van Filips IV en Olivares. Opdrachten voor deze werken gingen naar de meest vooraanstaande van de aan het hof gelieerde schilders: Diego Velázquez, Vicente Carducho, Antonio de Pereda, Felix Castelo, Francisco Zurbarán, Eugenio Cajés en Jusepe Leonardo. De meeste schilders volgen een vast patroon (de veldheer als soeverein overwinnaar poserend op de voorgrond, de krijgshandelingen op de achtergrond), maar Velázquez en Maino leggen andere accenten: zij richten hun blik op de onmenselijkheid en de verschrikkingen van de oorlog en sluiten het wapengekletter buiten.

**Diego Velázquez**
De overgave van Breda, 1635
Olieverf op linnen, 307 x 370 cm
Madrid, Prado

Het beroemdste schilderij van de Salón de los Reinos is Velázquez' *Las Lanzas*, bij ons beter bekend als *De overgave van Breda*. Het geeft het moment weer waarop de Nederlandse veldheer Justinus van Nassau na de inname van Breda door het Spaanse leger de sleutel van de stad overhandigt aan generaal Ambrogio Spinola.

Dit gebeurt in een rustige sfeer, waarin de eerbied van de overwinnaar voor de overwonnene tot uitdrukking komt. Velázquez presenteert de scène als ontmoeting, waarbij de overwinnaar de overwonnene met een bijna vriendelijk gebaar ontvangt. Zijn grootmoedige gedrag komt voort uit het bewustzijn dat hij de overwinning aan de voorzienigheid te danken heeft, die deze keer op zijn hand was. We zien geen vernederde verliezer en geen triomfantelijke winnaar, maar een ontmoeting tussen twee gelijkwaardige veldheren. Toch brengt Velázquez subtiele verschillen aan: terwijl het zegevierende leger een geordende eenheid is en optreedt met recht overeind gehouden lansen (waaraan het doek zijn titel dankt), staan de overwonnenen er ontgoocheld en in ongeordende groepjes bij. Het schilderij mijdt de in dit genre gebruikelijke allegorieën die ter verheerlijking van de overwinnaar dienen. Hij doorbreekt daarmee het patroon van triomf en vernedering waar vergelijkbare werken zwaar op leunen. Tegelijk introduceert hij een nieuwe dimensie, namelijk die van de menselijkheid en ridderlijkheid van de overwinnaar en dus van het Spaanse koningshuis.

Voor het landschap op de achtergond maakte Velázquez gebruik van Vlaamse gravures. Zijn compositie volgt het voorbeeld van de in 1553 in Lyon gepubliceerde *Quadrins historiques de la Bible* met de *Ontmoeting tussen Abraham en Melchizedek*. Voor het welwillende gebaar van Spinola, die van zijn paard gekomen is om de sleutel aan te nemen en naar zijn tegenstander Justinus van Nassau toegekeerd is, zijn er literaire parallellen: Caldéron de la Barca schildert in zijn gelijknamige blijspel de scène met de volgende woorden die hij zijn Spinola tegen de gouverneur laat zeggen: "Justinus, ik aanvaard de sleutel en heb waardering voor uw dapperheid, want op de moed van de overwonnene stoelt de roem van de overwinnaar."

**Diego Velázquez**
De spinsters, 1656
Olieverf op linnen, 117 x 190 cm
Madrid, Prado

Velázquez schilderde deze *Spinsters*, net als de bekendere *Meninas*, op latere leeftijd, ongeveer in 1656. Hij gaf de twee schilderijen eenzelfde thematiek mee, ook al valt die op het eerste gezicht moeilijk te ontdekken. In beide gevallen gaat het namelijk om de rangorde van de kunsten en de positie van de kunstenaar binnen de Spaanse maatschappij. In de *Meninas* beeldt de schilder zichzelf zonder omhaal in gezelschap van de koninklijke familie af, maar in de *Hilanderas* brengt hij deze boodschap in bedektere termen.

De handeling speelt zich af op verschillende niveaus en doet daardoor denken aan vroege *bodegones*. Op de voorgrond wordt de fabricage van een wandkleed getoond: een aantal vrouwen spint en windt garen. Dit verklaart waarom het doek aanvankelijk werd gezien als niet meer dan een afbeelding van een werkplaats, namelijk van de koninklijke tapijtmanufactuur Sta. Isabel. Door een opening als van een theaterpodium zien we een tweede niveau. Hier staan drie vrouwen die een tapijt bekijken. De tapisserie stelt een scène uit het zesde boek van Ovidius' *Metamorfosen* voor en biedt de sleutel voor de ontcijfering van het doek. Het sterfelijke meisje Arachne had de moed gehad de godin Pallas Athene, beschermster van de wevers en spinners, uit te dagen tot een wedstrijd in het weven. De scheidsrechters vonden de weefsels gelijkwaardig en daarmee was Arachne de morele winnares. Haar weefkunst was immers goddelijk bevonden. Erger was de directe belediging van de goden, want Arachne had de roof van Europa tot onderwerp genomen en Zeus in de gedaante van een stier afgebeeld. Arachne werd daarom door Athene in een spin veranderd. Op de gobelin zien we de in woede ontstoken godin en links van haar Arachne voor haar kleed. Het schilderij duidt haar straf slechts verholen aan: in de vorm van het muziekinstrument op het podium (men hield muziek voor een tegengif bij een spinnenbeet).

Net als in het schilderij *Keukentafereel met Christus ten huize van Martha en Maria* (afb. blz. 413) heeft men het tafereel op de voorgrond geïnterpreteerd als verwijzing naar het gebeuren op de achtergrond. En inderdaad hebben de wevende vrouwen iets gemeen met de Arachne-mythe, want bij Ovidius lezen we dat de godin zich als oude vrouw verkleed had toen ze Arachne opzocht. Het motief op het afgebeelde wandkleed ontleende Velázquez aan Titiaans *Roof van Europa*, die hij kende uit de koninklijke kunstcollectie. Arachnes kleed is dus ook een verwijzing naar Titiaans *disegno*, diens *idea* en daarmee naar het aandeel van de creativiteit van de kunstenaar dat in elk schilderij steekt, al lijkt het nog zo natuurgetrouw. De begenadigde schilder Titiaan wordt dus gelijkgesteld aan Arachne, die kon weven als de goden. In de schetsmatig weergegeven fleurige en lichtovergoten scène op de achtergrond mogen we dus gerust een toespeling op het goddelijke karakter van de schilderkunst zien. Zo bezien bestaat er juist een tegenstelling met de gestalten op de voorgrond: zij komen niet boven het niveau van het handwerk uit.

De late Velázquez spreidt hier een volmaakte schildertechniek tentoon, bijvoorbeeld in de ingenieuze suggestie van beweging in het spinnewiel. Het historiestuk is zowel een bijzonder veeleisend als een hogelijk gewaardeerd genre en Velázquez grijpt het aan om eens te meer een bewijs van zijn kunnen te leveren.

**Alonso Cano**
Het wonder van de put, ca. 1646-1648
Olieverf op linnen, 216 x 149 cm
Madrid, Prado

Een van de belangrijkste schilderijen van de uit Granada afkomstige Alonso Cano is *Het wonder van de put*. Het stelt een scène uit het leven van de H. Isidorus van Sevilla voor, de beschermheilige van Madrid. Toen een zoon van Isidorus in de put gevallen was, steeg door het gebed van de heilige de waterspiegel in de put en kwam het kind ongedeerd bovendrijven. De compositie van het schilderij is meesterlijk. Verschillende figuren staan op een uiterst beperkte ruimte rond de put gegroepeerd. Links staat de heilige, die ten voeten uit geschilderd is, met een rozenkrans in de hand. Hij onttrekt de moeder gedeeltelijk aan het zicht. Zij houdt het kind vast en kijkt vol verbazing op naar Isidorus. Rechtsachter staan twee vrouwen die bij elkaar bevestiging van het wonder lijken te zoeken dat zich zojuist voltrokken heeft. De kring wordt gesloten door een hond en twee kinderen die spelen met het over de rand stromende water. Cano's verrukte tijdgenoten noemden het schilderij op hun beurt "een waarachtig wonder". Ze prezen vooral het koloriet, waarin warme bruin- en groentonen bijzonder effectief gecombineerd zijn met oranje en rood. Cano maakt gebruik van een schildertechniek waarin de harde contouren wijken voor een modellering met tal van hoogsels en glanzende oppervlakken, die door licht- en schaduweffecten verzacht worden. Het schilderij verbindt twee ogenblikken uit de legende met elkaar: de redding van het kind en het moment waarop de vrouwen zich bewust worden van Isidorus' heiligheid. De compositie geeft de heilige een geïsoleerde positie en hij is ook als enige figuur rechtop staand en ten voeten uit geschilderd, wat hem iets van een standbeeld geeft. Toch doet Cano's schilderij nauwelijks denken aan een altaarstuk, omdat het tafereel als fragment binnen het krappe beeldkader geplaatst is en de personen (net als bij Murillo) realistisch zijn weergegeven. Het wonder krijgt zo bijna terloops het karakter van een alledaagse gebeurtenis.

**Antonio de Pereda**
De droom van de cavalier, ca. 1650
Olieverf op linnen, 152 x 217 cm
Madrid, Museo de la Real Academia de San Fernando

In de Spaanse schilderkunst spelen de *vanitas*-voorstellingen een even grote rol als scènes uit heiligenlevens. Met een groot arsenaal van symbolen en allegorische elementen houden zij ons de vergankelijkheid van al het aardse voor ogen. *De droom van de cavalier* van Antonio de Pereda toont ons een edelman slapend achter een tafel. Voor hem zijn allerlei voorwerpen uitgestald: sieraden en geld, boeken, een masker, een opgebrande kaars (een herinnering aan de mogelijkheid van een plotselinge dood), bloemen, een doodshoofd, wapens en een harnas – allemaal tekenen van macht, rijkdom en vergankelijkheid. Naast de dromer een engel, die hem een banderol voorhoudt, die opnieuw, maar ditmaal schriftelijk, verwijst naar een plotselinge dood. De Pereda herinnert de beschouwer eraan dat verlossing alleen bereikt kan worden door je af te keren van de verlokkingen van de wereld en je te oefenen in gebed, boetedoening en kuisheid.

**Juan Bautista Maino**
De herovering van Bahía, 1635
Olieverf op linnen, 309 x 381 cm
Madrid, Prado

Juan Bautista Maino droeg ook een schilderij voor de Salón de los Reinos bij. Nadat de Nederlanders bezit hadden genomen van de havenstad Bahía slaagden de Spanjaarden er op 1 mei 1625 in de plaats terug te veroveren. Maino situeert het zegevierende leger samen met de overwonnenen voor een podium waarop een wandkleed gepresenteerd wordt. Dit biedt hem de mogelijkheid de niet bij de gebeurtenis aanwezige koning Filips IV af te beelden. De overwinningsgodin Victoria en Filips' minister Olivares drukken hem een krans op het hoofd. Aan zijn voeten liggen drie figuren die oorlog, ketterij en toorn vertegenwoordigen. Op de voorgrond wijden vrouwen zich aan de verpleging van gewonden. Maino's schilderij getuigt van medeleven met de gewonden en van tederheid ten opzichte van de kinderen. Hij thematiseert dus niet alleen de triomf van de overwinnaar, maar ook het lijden van de overwonnenen. Net als Velázquez' schilderij is ook *De herovering van Bahía* mijlenver verwijderd van een ondoordachte verheerlijking van de oorlog.

**Francisco Zurbarán**
De dood van Hercules, ca. 1635
Olieverf op linnen, 136 x 167 cm
Madrid, Prado

Tot de wandversiering van Salón de los Reinos behoorden ook tien schilderijen van Zurbarán met daarop de werken van Hercules. Het waren zogenaamde supraportes, wat wil zeggen dat ze boven de deuren hingen. De keus van Hercules was geen willekeurige. De held gold als belichaming van de *virtus*, de deugd en kracht, waarover een rechtvaardig heerser beschikte en werd hier dus gebruikt als allegorie. Bovendien beschouwden de Habsburgers hem als hun voorvader en was hij in hun fictieve geneaologie opgenomen. Door deze mythische held als onderwerp te kiezen, gaf men tevens aan dat het Spaanse rijk een onafgebroken herculische strijd tegen bedreigingen van buitenaf te voeren had, namelijk tegen afvalligen en ketters. Negen schilderijen stellen de werken van Hercules voor, de tiende zijn allerlaatste strijd aan het einde van zijn aards bestaan.

Op dit schilderij knielt hij en is zijn rechterarm ver uitgestrekt en zijn gezicht vetrokken van pijn. Wat hem zo kwelt, is het in bloed gedrenkte gewaad van Nessus, dat zijn jaloerse vrouw Deïanira hem had doen toekomen en dat nu zijn huid verbrandt. In Zurbaráns versie ondergaat de held lijdzaam, als op een brandstapel, de vlammen, omdat het orakel van Delphi voorspeld had dat hij zo in de kring der goden opgenomen zou worden. Het krachtige clair-obscur geeft het lichaam van de held een grote plastische kwaliteit. De kleuren van het idyllische landschap verraden het palet van Titiaan. In de verte is vaag als een schaduw Nessus te zien, getroffen door de dodelijke pijl van Hercules. Voor de rest is het landschap donker en contrasteert het met de voorgrond die door vlammen verlicht wordt.

Door deze mythische stamvader was de Hercules-cyclus niet alleen een verwijzing naar de eerbiedwaardige ouderdom van de Spaanse dynastie. Zijn lichamelijke en geestelijk deugden, zijn bijna bovenmenselijke vermogens en zijn status als halfgod werden daarmee ook verondersteld aanwezig te zijn bij zijn verre nazaat Filips IV.

Diego Velázquez
Filips IV bij Fraga, 1644
Olieverf op linnen, 135 x 98 cm
New York, Frick Collection

Uit hoofde van zijn functie moest Velázquez in de eerste plaats de leden van de koninklijke familie portretteren. De beeltenissen van Filips IV werden altijd bij speciale gelegenheden gemaakt, zo ook dit zgn. 'Fraga-portret'. Na de opstand van 1640 in Catalonië had het Franse leger delen van die streek en Aragón bezet. In 1644 marcheerde het Spaanse leger op voor de herovering. Nog datzelfde jaar begaf ook de koning zich naar het krijgstoneel, begeleid door zijn hofschilder Velázquez.

Het portret ontstond tijdens een verblijf in het door de Fransen ontruimde Fraga. Palomino schrijft dat Velázquez het schilderij binnen drie dagen voltooide om het naar de koningin in Madrid te kunnen sturen. De koning staat in driekwartprofiel afgebeeld en draagt het tenu van opperbevelhebber, zoals hij dat droeg bij zijn intocht in Lérida. Met zijn rechterhand drukt hij zijn maarschalkstaf tegen zijn dijbeen, in zijn andere hand houdt hij zijn hoed. Filips IV draagt een rode overmantel, die rijkelijk met wit stiksel versierd en met een kanten kraag afgezet is. Zijn kleding suggereert rijkdom en praal en steekt scherp af tegen de grijsbruine, neutrale achtergrond. Terwijl Filips IV op Velázquez' eerdere koningsportretten meestal in het zwart gekleed voor een donkere achtergrond te zien is en dus een zekere strengheid en soberheid uitstraalt, valt er op dit 'Fraga-portret' een verandering te bespeuren. De koning komt vrijer en ontspannener over. Velázquez bereikt dit door lichtere kleuren te gebruiken en een lossere penseelvoering te hanteren in de weergave van het kostuum. Kenmerkend voor de Spaanse schilderkunst is dat als ereteken bedoelde attributen ontbreken en de heerser niet in allegorieën verheerlijkt wordt.

In Madrid werd het schilderij ter gelegenheid van het overwinningsfeest onder een baldakijn in de S. Martín opgesteld. Net als het portret in Maino's *Bahía*-schilderij moest dit werk de fysiek niet aanwezige koning vervangen en het hem mogelijk maken dan in elk geval in effigie overal in zijn rijk aanwezig te zijn.

**Francisco Herrera de Jonge**
De triomf van de H. Hermenegild, 1655
Olieverf op linnen, 328 x 229 cm
Madrid, Prado

Francisco Herrera de Jonge verhuisde van Sevilla naar Madrid toen hij een aanstelling als hofschilder van Karel II kreeg. In 1655 maakte hij 14 schilderijen voor het convent van de ongeschoeide karmelietessen in Madrid. Een daarvan is *De triomf van de H. Hermenegild.* Palomino beschrijft Herrera als een trotse, zelfs verwaande man. Hij was zich er terdege van bewust een meesterwerk geschapen te hebben en moet geëist hebben dat het onder geschal van pauken en trompetten opgehangen zou worden.

Afgebeeld is de apotheose van de H. Hermenegild van Sevilla, zoon van de arianistische koning van de West-Goten Leovigild, die volhardde in zijn weigering het arianisme van zijn vader aan te nemen. Zijn vader gooide hem in de kerker en liet hem doden. Nu zweeft de heilige met het kruis in zijn rechterhand en begeleid door engelen in glorie ten hemel. Het werk heeft een sterk theatraal karakter: bovenin zien we dus de in een gloriool omhoog zwevende heilige. Zijn langgerekte lichaam is in lichte en stralende kleuren geschilderd en in een zwierige boog gemodelleerd. Daaronder, in donkere kleuren gehouden en opeengepakt in de linkerbeeldhoek, liggen zijn vader Leovigild en een arianistische bisschop aan zijn voeten. De laatste heeft de kelk in handen waaruit de heilige weigerde te drinken.

**José Antolínez**
Atelierscène, ca. 1670
Olieverf op linnen, 201 x 125 cm
München, Alte Pinakothek

Een werk dat in een notendop het alledaagse kunstenaarsleven in de hoofdstad weergeeft, is de door José Antolínez in 1670 geschilderde *Atelierscène*. We zien een ruimte die door schildersbenodigdheden en schilderijen als atelier gekarakteriseerd is. Een schamel geklede oudere man (waarschijnlijk een kunsthandelaar) toont een denkbeeldige koper (en tegelijk de beschouwer) een madonna. Op de achtergrond staat een tweede figuur, goedgekleed en jonger. Ook hij kijkt de beschouwer aan, terwijl hij met zijn linkerhand naar de oude man wijst. Men heeft in hem Antolínez zelf gezien, die de handelaar in zijn atelier ontvangt. Voor een verkoopscène pleiten ook de munten op tafel. De armoedige aankleding kan ook gezien worden als kritiek op de geringschatting die men voor het werk van een kunstenaar in Spanje had, een land waar op schilderijen net als op alle andere goederen belasting werd geheven en veel schilders op de rand van de armoede leefden.

Er ontstonden in de Spaanse Barok maar weinig directe afbeeldingen van historische gebeurtenissen. Dat maakt hun waarde als tijdsdocument alleen maar groter. Een goed voorbeeld van zo'n werk is Francisco Rizi's *Autodafé van 1680*. Een *autodafé* was een ceremonie die door de inquisitie georganiseerd werd, meestal naar aanleidig van een plechtige gebeurtenis. Het doel van zo'n ongebruikelijke plechtigheid was enerzijds de overwinning van het ware geloof te vieren, anderzijds de vijanden daarvan schrik aan te jagen. Er werd een statige optocht geformeerd, met aan het hoofd de gevangen genomen ketters, begeleid door de *familiares*, vertrouwenspersonen van de inquisitie. De volgende groep bestond uit monniken en wereldlijke en geestelijke hoogwaardigheidsbekleders met aan het eind de bisschop. Deze stoet begaf zich naar het feestterrein. In het midden daarvan was een altaar opgesteld en daarachter zaten de vertegenwoordigers van de Kerk. De veroordeelden werden tegenover hen opgesteld. Bij het nu volgende schijnproces werden de verdachten veroordeeld tot de dood, de galeien of gevangenisstraffen. Het werd bijgewoond door een grote schare toeschouwers. De door Rizi afgebeelde *autodafé* vond plaats in 1680 op het Plaza Mayor in Madrid tijdens het bewind van Karel II. Op het balkon van de Casa de Panadería zijn de koning en zijn gemalin, María Luisa van Orléans, samen met de koningin-moeder, Marianne van Oostenrijk, getuige van het proces. De schilder lijkt zich in de eerste plaats om een waardheidsgetrouwe weergave van de gebeurtenis te hebben bekommerd.

Claudio Coello's *La Sagrada Forma* legt ook een bepaalde gebeurtenis uit de regeringsperiode van Karel II vast. Coello was naast Rizi en Carreño de voornaamste schilder in Madrid in de tweede helft van de 17e eeuw. In 1685 kreeg hij een opdracht voor het monumentale altaarstuk voor de sacristie van het Escorial. Dat resulteerde in een van zijn beste werken. Afgebeeld is het overbrengen van een wonderdadige hostie naar een speciaal daarvoor ingerichte kapel, die aan de sacristie van het Escorial was vastgebouwd. Uit deze 'hostie van Gorkum', beter bekend als de 'Sagrada Forma', zou tijdens een beeldenstorm in 1572 bloed gevloeid zijn. Het was een geschenk van Rudolf II aan Filips II.

Plaats van de door engelen gadegeslagen handeling is de kapel. Hier overhandigt de koning de hostie aan de bisschop. Talrijke levensechte beeltenissen (waaronder die van Karel II) geven het doek het karakter van een groepsportret. Het warme palet, gedomineerd door geel- en goudtinten, zorgt voor een feestelijke atmosfeer. De afgebeelde ruimte lijkt de bouwwijze van de sacristie voort te zetten. Coello is dan ook een meester in de illusionistische schilderkunst, een eigenschap waarvan hij als fresco- en plafondschilder herhaaldelijk blijk heeft gegeven.

**Claudio Coello**
La Sagrada Forma, 1685-1690
Olieverf op linnen, 500 x 300 cm
Escorial, sacristie

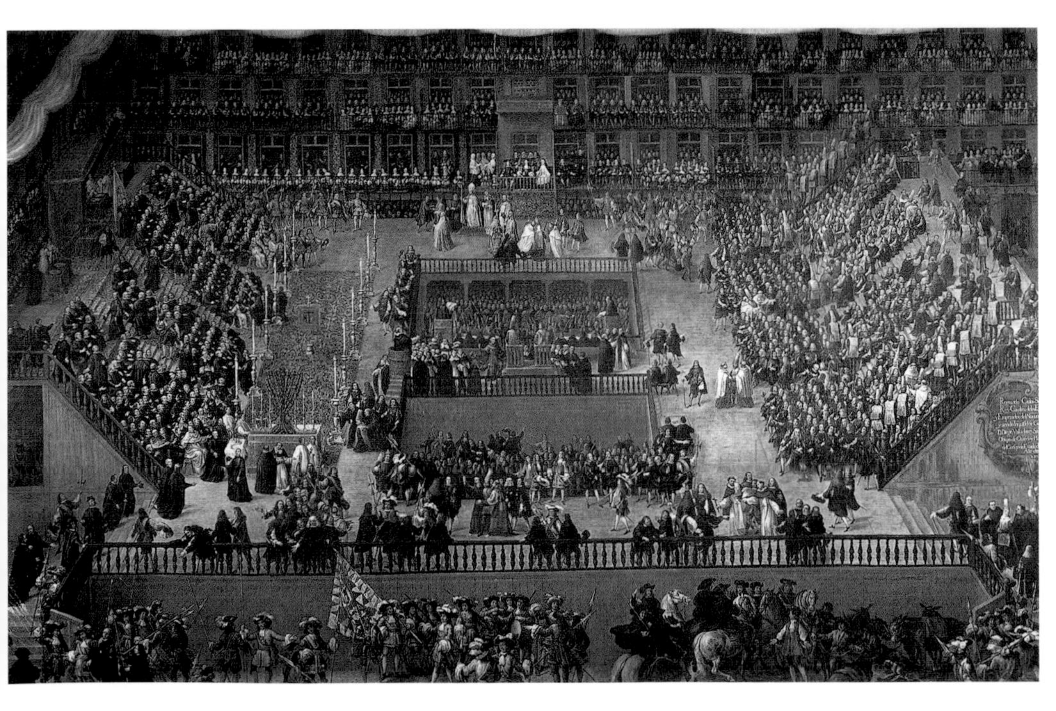

**Francisco Rizi**
Autodafé van 1680, 1683
Olieverf op linnen, 277 x 438 cm
Madrid, Prado

**Sevilla**

Sevilla, de hoofdstad van Andalusië, was in de 17e eeuw na Madrid het belangrijkste culturele centrum van Spanje. Aan het begin van deze eeuw was het ook nog de belangrijkste handelsstad, want van hieruit werd na de kolonisatie van Amerika de bloeiende handel met de *Indias*, de Spaanse overzeese gebiedsdelen, afgewikkeld. Over de rivier de Guadalquivir voerden handelsschepen de schatten uit de Nieuwe Wereld aan, vooral goud en zilver. De stad ontwikkelde zich tot voornaamste overslagplaats van de overzeese handel. Daarna begon echter het verval, want de stad deelde in de politieke en economische crisis die heel Spanje in de eerste decennia van de eeuw in haar greep hield. Daarnaast bleef de stad ook een demografische crisis niet bespaard: de pestepidemie van 1649, die door een hongersnood gevolgd werd, halveerde bijna het inwonertal van de stad.

Gelukkig strekte dit verval zich niet onmiddellijk uit tot de kunst. Het Concilie van Trente 1545-1563 had een sterke contrareformatorische beweging in het leven geroepen, waarin Spanje het voortouw nam. Als gevolg daarvan ontstond er in de eerste helft van de 17e eeuw een ware hausse in de kloosterbouw in en rond Sevilla. Naast de vijfendertig bestaande kloosters en conventen werden er niet minder dan zeventien nieuwe gesticht. Ook werden er talrijke hospitalen gebouwd. De inrichting van deze kloosters en hun kerken, sacristieën, refectoria en kruisgangen alsmede de decoratie van de vele hospitalen met retabels en grote schilderijencycli betekende voor de Sevilliaanse schilders een welhaast onbegrensd werkterrein. Een belangrijke andere afzetmarkt vormden de Amerikaanse koloniën, waar complete scheepsladingen schilderijen met bijbelse motieven en scènes uit de verschillende heiligenlevens naartoe getransporteerd werden. De portretschilderkunst leverde een volgend werkterrein. Zowel de plaatselijke aristocratie en kerkelijke hoogwaardigheidsbekleders als de hier woonachtige handelsvertegenwoordigers uit de Nederlanden gaven vele schilders de portretten in opdracht.

Sevilla genoot in Spanje niet alleen groot aanzien als handelsknooppunt, maar al sinds de Renaissance ook als geestelijk centrum. Vele grote persoonlijkheden voelden zich sterk aangetrokken tot dit 'nueva Roma'. De schilder en kunstpublicist Francisco Pacheco, die echter alleen als leraar van Velázquez herinnerd zou worden, had omstreeks 1600 een kring van humanisten, dichters en theologen rond zich verzameld, die een voorname rol in het culturele leven van de stad speelde. Aan dit gezelschap van geleerden (bekend geworden als de 'Academie van Pacheco') hebben we niet alleen veel literaire werken, maar ook allerlei verhandelingen over de kunst te danken.

Van Pacheco's eigen hand is *El Arte de la Pintura*, waarin hij niet alleen uitvoerig ingaat op praktische problemen van de schilderkunst, maar ook een grondige uiteenzetting geeft over de christelijke iconografie, dat wil zeggen de gepaste manier van uitbeelden van de religieuze kunst. Daar was behoefte aan gekomen sinds de inquisitie (bijgestaan door speciaal daarvoor aangestelde censoren, waarvan Pacheco er een was) er nauwlettend op toezag dat er geen ketters gedachtengoed in de schilderijen insloop en er in ruimere zin op uit was het land voor elke 'lutherse dwaling' te behoeden.

Pacheco moet samen met Juan de las Roelas en Francisco Herrera gerekend worden tot de belangrijkste schilders van de Sevilliaanse schilderschool van rond de eeuwwisseling. Daarbij dient wel opgemerkt te worden dat ze alledrie stelselmatig teruggrepen op de gravures die ze kenden uit de Nederlanden of Italië en daarnaast gebruik maakten van kopieën van Italiaanse meesters. Ze kunnen dus bezwaarlijk erg innovatief genoemd worden. Pas door het werk van de jonge Diego Velázquez en van Francisco Zurbarán, Alonso Cano, Francisco Herrera de Jonge, Bartolomé Estebán Murillo en Juan de Valdés Leal zag Sevilla kans om als centrum van schilderkunst Madrid in de *Siglo de Oro* te evenaren.

Bovengenoemde schilders kregen een ambachtelijk georiënteerde opleiding in het atelier. Diego Velázques (1599-1660) legde na een leertijd van zeven jaar in het atelier van Pacheco zijn meesterproef af voor een commissie bestaande uit deskundigen van het Sevilliaanse schildersgilde. Dit gaf hem het recht een eigen atelier te beginnen. Hij verliet zijn geboortestad echter al in 1622 en vestigde zich het jaar daarop als hofschilder van Filips IV in Madrid. Dit was het begin van een bijzonder succesvolle carrière.

Francisco Zurbarán (1598-1664) ging in de leer bij een tamelijk onbekende Sevilliaanse kerkschilder, Pedro Díaz de Villanueva. Al na drie jaar was hij gezel, waarna hij in zijn geboorteplaats Llerena en omgeving ging werken. In 1626 ging hij in Sevilla wonen. Toch kreeg hij niet alleen daar veel opdrachten. In de jaren '30 van de 17e eeuw was hij ook betrokken bij een aantal grote projecten van het Madrileense hof. Tijdens de pestepidemie van 1649 was hij tijdelijk in de hoofdstad en in 1658 vestigde hij zich er definitief.

Bartolomé Esteban Murillo (1617-1682) bleef daarentegen zijn hele leven in zijn geboorteplaats Sevilla. Hij leerde het vak in de werkplaats van Juan de Castillo. Hij werd bijzonder gewaardeerd in Sevilla en in 1656 als "beste schilder van de stad" vermeld. Hij hield er een omvangrijk atelier met tal van assistenten op na en leidde ook veel leerlingen op. Van Murillo weten we van slechts één bezoek aan de hoofdstad met zekerheid, in 1658.

Juan de Valdés Leal (1622-1690) werd waarschijnlijk door Antonio del Castillo in Córdoba opgeleid. In 1656 trok hij naar Sevilla. Afgezien van een kort verblijf in Madrid in 1664 zou hij hier tot aan zijn dood blijven.

Het vervaardigen van schilderijen was niet de enige inkomstenbron van de schilders. In bepaalde perioden was het polychromeren van houten beelden voor retabels in kerken en kloosters belangrijker. Bij de totstandkoming van de rijke sculpturale versieringen speelden de schilders als *doradores* (vergulders) en *policromadores* een voorname rol en de beloning was dienovereenkomstig. De 'Hermandad de S. Luca', het Sevilliaanse schildersgilde, reglementeerde zowel de opleiding als de kunstproductie met strenge *ordenanzas*. In het jaar 1660 werd in Sevilla op instigatie van vooraanstaande schilders als Murillo en Herrera de Jonge een academie opgericht, die haar deuren wegens financiële pro-

**Diego Velázquez**
Keukentafereel met Christus ten huize van Martha en Maria, 1618
Olieverf op linnen, 60 x 103,5 cm
Londen, National Gallery

De *bodegones*, die in Sevilla en Toledo gemaakt werden, vormen een van de weinig niet-religieuze genres binnen de Spaanse schilderkunst van die tijd. Zij vermengen elementen van het stilleven en van het genrestuk. Mensen uit het volk worden getoond tijdens alledaagse verrichtingen als water putten, koken, eten of drinken. De weergave van de figuren en de presentatie van de objecten en etenswaren getuigt van een bijzondere aandacht voor de textuur van de dingen en een precieze stofuitdrukking. In het vroege werk van Velázquez nemen de *bodegones* een prominente plaats in. Een van de bekendste is dit *Keukentafereel met Christus ten huize van Martha en Maria*. Op de voorgrond staan twee vrouwen. De oudste van de twee kijkt de beschouwer aan en wijst op de jonge vrouw, die een maaltijd klaarmaakt. Op de tafel staat een aantal schotels met ingrediënten als vissen, knoflook en eieren. Rechts op de achtergrond wordt op verkleinde schaal het bezoek van Christus aan Maria en Martha weergegeven, waarbij niet valt uit te maken of

VERVOLG OP BLZ. 414

blemen evenwel al in 1674 weer moest sluiten. De oprichting was geen privé-initiatief van de schilders die leemten in hun tekenvaardigheid wilden opvullen. Het onderwijs in de ateliers was immers meer op het aanleren van praktische vaardigheden gericht en voor de theorie (waar het tekenen ook onderdeel van uitmaakte) was er weinig aandacht. De kunstenaars van de stad kwamen elke avond in deze academie bij elkaar, die gevestigd was in het Casa de la Lonja, de beurs, om te oefenen naar het levende model.

Wat hun artistieke en financiële succes betreft bestonden er grote verschillen. Voor de schilders aan het begin van de eeuw bestond het werkterrein voornamelijk uit Sevilla, maar na het midden van de eeuw werd de aantrekkingskracht van Madrid steeds groter. Een aantal schilders, onder wie Velázquez, Zurbarán en Herrera de Jonge, probeerde –met wisselend succes– voet aan de grond te krijgen in de hoofdstad. Velázquez en Herrera slaagden daarin. Zij werden respectievelijk eerste hofschilder van Filips IV en hofschilder van Karel II. Zurbarán sleepte er daarentegen wel een aantal opdrachten in de wacht, maar bracht de belangrijkste tijd als scheppend kunstenaar in Sevilla door. Anderen, zoals Murillo en Valdés Leal, waren hun hele leven bijna uitsluitend in Sevilla actief. Hoewel sommigen van hen beroemd werden door hun betrokkenheid bij de academie, werden hun toch geen opdrachten vanuit Madrid verleend.

In de eerste decennia ondergingen de jonge Velázquez en Zurbarán evenals de jonge Murillo sterk de invloed van Caravaggio en zijn navolgers. Met een markante lichtvoering en een strenge scheiding van lichte en donkere partijen creëerden zij scherpe contrasten en gaven zij de lichamen en dingen heel precieze contouren en daarmee, in plastisch opzicht, een zekere hardheid. De compositie doet als geheel vlakmatig aan. Omdat zij meestal donkere kleuren en koele tonen aanbrachten, is men in het geval van Murillo ook wel van een *estil frio* gaan spreken. In de tweede helft van de eeuw richtte men zijn blik naar twee kanten: enerzijds naar Titiaan en andere Venetianen, anderzijds naar de Vlamingen onder aanvoering van Rubens en Van Dyck. De schilderijen uit deze periode hebben uitgesproken losse contouren, een pasteuze modellering van de lichamen en een zacht licht, waardoor de overgangen tussen lichte en donkere partijen vervagen. Andere kenmerken zijn een lichte, maar wazige achtergrond, een warm koloriet en een sterk ruimtelijke compositie.

we hier te maken hebben met een schilderij of een doorkijkje naar een ander vertrek. Zulke tweeledige beeldstructuren, die scènes uit verschillende levenssferen met elkaar verbinden, vinden we al in de tweede helft van de 16e eeuw bij Nederlandse meesters als Pieter Aertsen (vgl. afb. blz. 469). Tot op heden is er nog geen bevredigende verklaring van de inhoud gegeven. Wel valt er wat te zeggen voor een interpretatie waarin de jonge vrouw op de voorgrond door de oudere vrouw wordt onderhouden over de *vita activa* en de *vita contemplativa*. Laatstgenoemde levenswijze zou dan vertegenwoordigd worden door Maria en Martha op de achtergrond. Tussen hen beiden was onenigheid ontstaan over de vraag of geloofsijver en vrome ernst belangrijker zijn dan huiselijkheid en vlijt. Ook goed mogelijk is een verwijzing naar een opmerking van de H. Theresia van Avila dat Christus "wandelt tussen het keukengerei".

**Francisco Zurbarán**
Het visioen van de H. Petrus Nolascus met de gekruisigde apostel Petrus, 1629
Olieverf op linnen, 179 x 233 cm
Madrid, Prado

Een zwaartepunt in het schilderswerk vormden de groots opgezette cycli met heiligenlevens. Francisco Zurbarán vervaardigde in de jaren '30 drie van dergelijke reeksen rond het kloosterleven voor kerken en kruisgangen: twee voor de dominicanen, die de levens van de H. Dominicus en de H. Bonaventura tot onderwerp hadden, en een voor de orde van de geschoeide mercedariërs, die draaide om het leven van de in 1628 gecanoniseerde H. Petrus Nolascus, de stichter van de orde, die in 1249 in Barcelona gestorven was. Zurbarán verplichtte zich tot de levering van 22 schilderijen van groot formaat, maar is die verplichting vermoedelijk niet nagekomen. Het oorspronkelijke doel van de ridderorde der mercedariërs was christenen te bevrijden of vrij te kopen bij de Moren die hen gevangen hielden. Een van de schilderijen geeft een visioen weer waarin de apostel Petrus aan de H. Petrus Nolascus verscheen. Nadat Nolascus dagenlang volhard had in smeekbeden om een bedevaart naar het graf van deze apostel te mogen maken, verscheen Petrus aan hem en wees hem op dringender christelijke taken: de bevrijding van het Iberisch Schiereiland van de Moren. Zurbarán situeert de verschijning in een onbepaalde ruimte. Rechts knielt de heilige met devoot gespreide armen en halfgesloten ogen. Hij is licht voorovergebogen om de boodschap van de apostel te vernemen. Volgens de overlevering werd Petrus ondersteboven gekruisigd. De schilder laat hem opduiken uit een wolk van licht en heeft hem zo geplaatst dat tussen hem en de heilige oogcontact mogelijk is. De wonderbaarlijke gebeurtenis krijgt bij Zurbarán een realistisch aanzien, want er bestaat geen duidelijke grens tussen het hemelse en aardse deel van de voorstelling.

**Francisco Zurbarán**
H. Margaretha, ca. 1635
Olieverf op linnen, 194 x 112 cm
Londen, National Gallery

Een herkenbaar subgenre onder de heiligenbeelden uit de Barok zijn de voorstellingen met portretkarakter. Door heiligen als voorname dames af te beelden, creëerde Zurbarán een portrettype dat in de vakwereld als *retrato a lo divino* bekendstaat. Voor een nonnenklooster in Lima leverde hij een twintigtal *Staande vrouwelijke heiligen* die inmiddels verloren zijn gegaan. Waarschijnlijk leken ze sterk op deze *H. Margaretha*, die tussen 1635 en 1640 werd geschilderd. Zurbarán schilderde de heilige ten voeten uit en gaf haar een wereldse schoonheid mee. Gekleed als herderin en in een bevallige pose kijkt ze de beschouwer aan. Ze heeft een bijbel in haar hand. De stralenkrans, het onmiskenbare attribuut van de heilige, ontbreekt. Margaretha was een ongetrouwde vrouw uit Antiochië, die weigerde als christen een huwelijk aan te gaan met de prefect Olibrius. Haar vader, die heiden gebleven was, verstootte haar daarom. Ten tijde van de christenvervolging onder Diocletianus werd ze gruwelijk gemarteld en vervolgens onthoofd. De herdersdracht verwijst naar haar jeugd op het platteland. De draak aan haar voeten, die zij met het kruis op een afstand houdt, is een teken van haar onverschrokkenheid. De heldere contouren en het clair-obscur zijn aan Caravaggio ontleend. Zurbarán bereikt er een heel plastisch effect mee.

**Murillo**
De Heilige Familie met het vogeltje, ca. 1650
Olieverf op linnen, 144 x 188 cm
Madrid, Prado

Ook Murillo wiste in de vele religieuze schilderingen die hij maakte de grens tussen de aardse en de hemelse sferen verregaand uit. Zijn heiligen komen over als vertrouwde menselijke wezens, gevoelig en vol medeleven. *De Heilige Familie met het vogeltje* dat hij omstreeks 1650 maakte (een vroeg werk), geeft zijn opvatting over de religieuze thematiek treffend weer. De figuren zijn in een donkere, pover gemeubileerde ruimte geplaatst. Maria zit aan een spinrok en kijkt vertederd naar haar kind, dat in zijn rechterhand een vogeltje vasthoudt en tegelijk het hondje voor hem plaagt. Kenmerkend voor Murillo's vroege stijl is het krachtige *chiaroscuro* waarmee hij de figuren als op een reliëf modelleert. Elke verwijzing naar de heiligheid van de figuren ontbreekt. Het is Murillo kennelijk vooral te doen om de uitbeelding van gevoelens als ouderliefde, tederheid en ouderlijke trots. Opvallend is dat Jozef zich bij Murillo dichter bij het midden van het beeld bevindt dan Maria. Deze keuze kan opgevat worden als een teken van de opwaardering die deze bijbelse figuur in de hervormingen volgend op het Concilie van Trente ten deel viel.

**Murillo**
De H. Thomas van Villanueva geneest een lamme, ca. 1670
Olieverf op linnen, 220,8 x 148,7 cm
München, Bayerische Staatsgemälde-sammlungen, Alte Pinakothek

Murillo schilderde vaker scènes uit het leven van de H. Thomas van Villanueva (1488-1555). Hij was eerst hofgeestelijke van Karel V en werd in 1544 aartsbisschop van Sevilla. Thomas geldt naast Theresia van Ávila en Ignatius van Loyola als een van de belangrijkste heiligen in het Spanje ten tijde van de Contrareformatie. *De H. Thomas van Villanueva geneest een lamme* stamt, net als zijn tegenhanger *De H. Thomas verdeelt als kind zijn kleren*, uit 1670. De meesterlijke compositie en de volmaakte schildertechniek maken het tot een van Murillo's meesterwerken. Het was bedoeld als altaarstuk voor de kapel die in de kerk van het augustijnerklooster in Sevilla aan de heilige gewijd was. Het tafereel verwijst naar een van de kardinale deugden, de *caritas* (naastenliefde), waarover de heilige al vanaf zijn prille jeugd beschikte. Naar in de *Acta sanctorum* staat opgetekend, liet de H. Thomas voor het bisschoppelijk paleis dagelijks voedsel uitdelen aan de armen. Toen hij op een dag in hun midden een lamme op krukken zag, liet hij hem bij zich roepen en vroeg naar zijn wensen. Daarop antwoordde de lamme dat hij als kleermaker gewerkt had en dat hij niets liever wilde dan zijn oude beroep weer uit te oefenen, wat door zijn aandoening onmogelijk voor hem geworden was. De heilige bekruiste hem en spoorde hem aan weer aan het werk te gaan. De invalide liet zijn krukken vallen en rende volkomen genezen de trappen van het paleis af naar huis.

Murillo valt voor zijn weergave van deze gebeurtenis terug op een middeleeuwse beeldconventie. Hij geeft de in de 17e eeuw gebruikelijke eenheid van ruimte en tijd op en presenteert twee fasen van de handeling gelijktijdig. Van dichtbij zien we de genezing van de lamme. De heilige Thomas bekruist in het bijzijn van twee leerlingen de voor hem knielende lamme. Op het resterende beeldvlak zien we vanuit de verte de heilige bij de spijziging van de armen voor het bisschoppelijk paleis. De lamme is dan al genezen en rent zwaaiend met zijn krukken de trappen af. Er bestaat een scherpe tegenstelling tussen beide vlakken: hier de buitenproportioneel grote, in een zwarte pij gehulde heiligengestalte in een statig tafereel waarin donkere kleuren de ernst van de gebeurtenis onderstrepen, daar een in lichte kleuren geschilderde, vrolijke scène. Het werk is een bewijs van de uitzonderlijke koloristische gaven van de schilder.

**Valdés Leal**
In Ictu Oculi (links) en Finis Gloriae Mundi (rechts), 1670-1672
Olieverf op linnen, 220 x 216 cm
Sevilla, Hospital de la Caridad

Net als Murillo droeg Valdés Leal met verschillende schilderijen bij aan de decoratie van de kerk van het hospitaal 'de la Caridad' in Sevilla. Deze twee pendanten, *In Ictu Oculi* (In het aangezicht van de dood) en *Finis Gloriae Mundi* (Het einde van de wereldlijke roem) zijn beide een uitdrukking van de vanitasgedachte. Ze demonstreren het schijnkarakter en de vergankelijkheid van al het aardse. Het hospitaal was gesticht door de bemiddelde Sevilliaanse koopman Miguel de Mañara, die na de dood van zijn vrouw in 1662 toetrad tot de broederschap van de Caridad en zich vol overgave inzette voor de armen- en ziekenzorg. Inderdaad thematiseren ook de schilderijen van Valdés Leal de naastenliefde als enige redding van de eeuwige verdoemenis. Het eerste schilderij toont de dood als vernietiger van alles wat de mens in de loop van zijn leven heeft vergaard – kennis, erebanen, onderscheidingen en bezit. De dood treedt op als geraamte, dooft het levenslicht en zet de tijd stil. Zelfs macht en geleerdheid laten de mens die oog in oog staat met de dood in de steek. Het tweede schilderij biedt uitzicht op een krocht vol met lijken in verschillende stadia van ontbinding. Een opvallende plaats vooraan kregen de stoffelijke resten van een bisschop en een Calvara-ridder. Boven hun hoofden hangt in de hand van Christus een balans. Op de ene schaal vinden we de symbolen van de Zeven Doodszonden, op de andere die van het christelijke geloof: naastenliefde, gebed en boetvaardigheid. Beide allegorieën herinneren ons eraan dat de dood de mensen zonder aanzien des persoons wegneemt en dat bij het jongste gericht geoordeeld zal worden over hun verdiensten en hun zonden.

**Parijs**

Van beslissende betekenis voor de Franse schilderkunst in de 17e eeuw was het ontstaan, omstreeks 1600, van een uniforme Franse staat. Daarbij won de absolutistische monarchie aan kracht en maakte ze een eind aan de feodale versnippering, de binnenlandse conflicten en godsdiensttwisten die het land in de 16e eeuw parten gespeeld hadden. Met de bekering van Hendrik IV tot het katholicisme in 1593 en het Edict van Nantes uit 1598 kwam er een eind aan de godsdienstoorlogen en werd de Fransen godsdienstvrijheid toegestaan. Tegelijkertijd werd een economische en politieke crisis overwonnen waaronder ook de kunsten te lijden hadden gehad.

Parijs werd al tegen het einde van de 16e eeuw het culturele middelpunt van het land. Als gevolg van de grootscheepse stedenbouwkundige ingrepen van Hendrik IV (1589-1610) veranderde de stad in een moderne metropool. De vernieuwing en verfraaiing van de hoofdstad waren een afspiegeling van de –voor de toenmalige verhoudingen– vooruitstrevende staatkundige orde. Lodewijk XIII (1610-1643) en kardinaal Richelieu, zijn eerste minister, hadden de kunst al in dienst van de staat gesteld, maar het was Lodewijk XIV (1661-1715) die er een welbewust propagandistisch gebruik van maakte en wel op een voor die tijd onvoorstelbare schaal.

Jean Baptiste Colbert, de eerste minister van de 'Zonnekoning', was niet alleen verantwoordelijk voor de financiën, maar had ook in artistieke kwesties een doorslaggevende stem. Hij haalde de gerenommeerdste kunstenaars naar het hof voor de verwezenlijking van een reusachtige onderneming, namelijk de bouw en inrichting van het slot van Versailles, waaraan gedurende een periode van enkele tientallen jaren gewerkt zou worden. Colbert voerde de titel van *Surintendant et ordonnateur général des Bâtiments, Arts et Manifactures de France* en organiseerde de kunsten met een politiek oogmerk. Onder hem ressorteerde een reeks kunstenaars, onder wie Charles Perrault, Louis le Vau (*Premier Architecte du Roy*), Charles Le Brun (*Premier Peintre du Roy*) en André Le Nôtre (*Premier Jardinier du Roy)*. In 1648 werd in Parijs de Académie royale de peinture gesticht. Le Brun had er de artistieke leiding, maar de algehele leiding berustte bij Colbert, die de instelling al snel tot een doeltreffend instrument van de koninklijke kunstpolitiek maakte.

Naast het hof, dat een groot aantal kunstwerken bestelde, had ook de Kerk heel wat opdrachten aan schilders te vergeven. Parijs was een belangrijk centrum van de Contrareformatie en de Kerk koesterde er zelfs plannen het in een 'nieuw Rome' te veranderen. De grote kloosterorden vestigden zich in de stad en dus verrezen er tussen 1600 en 1640 zestig nieuwe conventen en twintig nieuwe kerken.

Pas de omstreeks 1600 geboren schildersgeneratie (waartoe onder anderen Le Nain, Vouet en La Tour behoren) kan met enig recht als Franse school omschreven worden. Simon Vouet (1590-1649) bracht twintig jaar van zijn leven in Rome door en stond daar uiteindelijk zo hoog in aanzien dat hij in 1624 tot *Principe* van de plaatselijke Accademia di San Luca gekozen werd. In 1627 keerde hij terug naar Parijs en trad in dienst bij Lodewijk XIII, maar werkte daarnaast ook voor de Kerk en particuliere opdrachtgevers. Vouet hield er een groot atelier op na en had veel leerlingen. Van Caravaggio, maar ook van Guercino en Reni verwerkte hij invloeden en hij was degene die de vormentaal van de Romeinse Barok in Parijs introduceerde.

Georges de La Tour (1593-1652) woonde en werkte vooral in de provincie, ook al onderhield hij van tijd tot tijd contacten met het hof van Lodewijk XIII en werd hem in 1639 de titel van *Peintre ordinaire du Roy* verleend. Zijn voornaamste opdrachtgevers waren echter de gegoede burgers van Lunéville en Nancy. La Tour werd vooral door zijn nachtstukken beroemd, waarin opnieuw de invloed van Caravaggio tastbaar wordt. In vrijwel al La Tours werk heerst meestal een kunstmatig licht, waarbij het schelle licht en de scherpe contouren resulteren in een sterke plasticiteit van de figuren. La Tour maakte vooral schilderijen van mystiek-filosofische strekking rond vaste thema's als de voorzienigheid en ontstaan en vergaan. Zij hebben over het algemeen een monumentale compositie, bevatten weinig figuren en draaien voortdurend om stemming.

Ook de gebroeders Matthieu (1607-1677), Louis (1593-1648) en Antoine Le Nain (1588-1648) kwamen uit de provincie, namelijk uit Laon, maar zij gingen wel naar Parijs, waar ze betrokken waren bij de oprichting van de academie. Ze werkten samen en signeerden slechts met hun achternaam, zodat hun schilderijen tegenwoordig moeilijk van elkaar te onderscheiden zijn. Ze schilderden vooral genrestukken, maar maakten ook portretten, waarop meestal mensen uit het gewone volk afgebeeld staan. Terwijl in de Lage Landen het boerenleven satirisch of drastisch werd afgeschilderd, haalden de broers Le Nain met hun helder gecomponeerde werken de menselijke waardigheid en de ernst van de kleine lieden naar voren.

Philippe de Champaigne (1602-1674) was Vlaming en kwam uit Brussel. Hij volgde een opleiding bij de landschapschilder Jacques Fouquières. In 1621 kwam hij naar Parijs, waar hij onmiddellijk succes had. Als eerste schilder van de koningin-moeder Maria de' Medici had hij de leiding bij de decoratie van het Palais du Luxembourg. Zijn faam berustte vooral op zijn staatsieportretten, waaraan te zien is dat Champaigne sympathie koesterde voor het Jansenisme, een strenge stroming binnen de bourgeoisie, die zich fel kantte tegen de rekkelijkheid waarmee de jezuïeten geloofsvraagstukken benaderden.

Nicolas Poussin (1594-1665) verruilde Frankrijk weliswaar al in 1624 voor Rome, maar verloor nooit alle contact met zijn vaderland. Daarvan getuigen niet alleen de vele schilderijen die hij voor de Franse amtsadel en voor vrienden en beschermheren in Parijs maakte, maar ook een levendige briefwisseling. Op aandringen van Lodewijk XIII keerde Poussin nog voor twee jaar terug naar Parijs (1640-1642) om zijn aandeel in de decoratie van het Louvre te schilderen.

Ook Charles Le Brun (1619-1690), leerling van Vouet, voelde zich aangetrokken tot Rome en bleef er vrij lang. In 1664 volgde een benoeming tot *Premier Peintre du Roy*, waarna hij tal van Parijse *Hôtels* decoreerde en grote schilderijencycli voor de koning uitvoerde. Zijn belangrijkste werk maakte hij in Versailles. Hij was verantwoordelijk schilderingen in de Spiegelzaal, de Zaal van de Vrede (Salon de la Paix), de Zaal van de Oorlog (Salon de la Guerre) en en het Ambassadeurstrappenhuis. Le Bruns betekenis ligt niet alleen in zijn artistieke prestaties, maar vooral in zijn invloed op de verschillende grote kunstprojecten onder Lodewijk XIV. Als een voorname schakel en een hoogst ondernemende sleutelfiguur in de kunstpolitiek van de vorst stond hij in de gunst bij Colbert en had hij de leiding over de Académie Royale de Peinture. De dood van zijn beschermheer Colbert in 1683 betekende ook het einde van Le Bruns carrière, want de nieuwe minister Louvois gaf de voorkeur aan Le Bruns tegenspeler Mignard.

Pierre Mignard (1612-1695) ging eerst bij Jean Boucher in Bourges in de leer, daarna, in Parijs, bij Vouet. In 1636 ging hij naar Rome en bleef daar 20 jaar. Hij vergaarde grote roem als portrettist en werd na de dood van Le Brun in 1690 directeur van de Académie, waar hij aan de zijde van de 'rubénistes' streed voor een opwaardering van de betekenis van de kleur in de schilderkunst. Een andere leerling van Vouet was Eustache Le Sueur (1616-1655), die tal van schilderijencycli voor kerken, kastelen en stadspaleizen vervaardigde. Een van zijn grote opdrachten behelsde 22 schilderijen rond leven en werken van de H. Bruno voor het kartuizerklooster van Parijs. Het elegante classicisme en het vanzelfsprekende kleurgebruik van zijn werk verraden de invloed van Poussin. Hyacinthe Rigaud (1659-1743) kwam uit Perpignan en vertrok rond zijn twintigste naar Parijs. Hier behaalde hij in 1682 als student van de Académie Royale de tweede prijs in het vak historieschilderkunst. Op aanraden van Le Brun concentreerde hij zich echter op het portret. Talrijke staatsieportretten waren het gevolg, maar hij vervaardigde ook beeltenissen van vrienden, die een veel intiemer karakter hebben.

Aangezien de schilderkunst in Frankrijk veel sterker dan elders in dienst gesteld was van de staat, bracht zij ook veel minder verschillende stromingen voort. Wel staan er ook in Frankrijk twee stromingen tegenover elkaar, waarbij de ene, duidelijk grotere groep schilders een streng klassieke kunst voorstaat en de andere een meer barokke koers vertegenwoordigt.

Opvallend is de buitengewone afhankelijkheid van de schilders ten opzichte van het hof, die in geen enkele ander hofstad te vinden is en ook gevolgen heeft voor de behandelde thema's. Het absolutisme wordt in een vloed van allegorieën en mythologische historiestukken verheerlijkt en verdringt de religieuze thematiek naar het tweede plan. Daarnaast ontstaat er een nieuw soort staatsieportret, dat ook weer symbolen en allegorieën gebruikt voor een lofzang op de deugden en de macht van de heerser.

Ook in Parijs waren de schilders aan het begin van de eeuw nog in gilden of compagnieën georganiseerd. Hendrik IV stond afwijzend tegenover de gilden omdat ze zijn plannen bemoeilijkten voor de verfraaiing van het Parijse stadsbeeld. Toch werden in 1622 nogmaals de privileges van de gilden vastgelegd, zodat bijvoorbeeld alleen gildeleden een eigen bedrijf mochten voeren. Toen echter de gildemeesters een beperking van het aantal hofschilders eisten, kwam het tot een conflict. In 1648 vond de oprichtingsvergadering van de Parijse Académie plaats. De formulering van de statuten doet denken aan die van de academies in Rome en Florence. Het accent lag op de theoretische vorming en het modeltekenen, waaraan elke dag twee uur werd besteed. De academie werd nog niet financieel ondersteund door de staat, maar raakte toch in conflict met de gilden. Het schildersgilde opende uit concurrentie-overwegingen een eigen academie onder leiding van Vouet, de Académie de St. Luc.

Na verhitte debatten werden beide instellingen ten slotte in 1651 samengevoegd tot de Académie Royale, die in 1655 nieuwe statuten kreeg. Men betrok een vleugel van het Louvre en werd ook financieel door de koning ondersteund, wat het nieuwe instituut het predikaat 'koninklijk' opleverde. Door Colbert eerst (in 1661) tot vice-rector te kiezen en elf jaar later tot 'protector', brachten de leden de academie steeds meer in politiek vaarwater. De staat van zijn kant probeerde met succes alle kunstuitingen onder zijn toezicht te stellen en vooral de kunstenaars in het gareel te houden. Colbert had al in 1635 de Académie Française opgericht, niet alleen om de Franse taal te uniformeren, maar ook om invloed op de filosofie en de literatuur uit te oefenen.

De Académie Royale trok niet de gehele kunstenaarsopleiding naar zich toe, maar alleen het theoretische deel, dat voornamelijk bestond uit hoorcolleges en modeltekenen. De colleges hadden vooral de kennisoverdracht aan de studenten tot doel en weken dus af van wat aan de academie van Rome gebruikelijk was. Daar boden ze in de eerste plaats de kunstenaars een platform voor het uitwisselen van gedachten en het toelichten van hun ideeën. Het praktisch deel van de opleiding vond nog hoofdzakelijk plaats in de ateliers van de meesters. Met regelmatige tussenpozen werden aan de begaafdste leerlingen prijzen uitgereikt en af en toe stelden de leden van de academie hun werk tentoon. Bij de colleges streefde men ernaar een systeem te scheppen dat een exacte beoordeling van kunstwerken mogelijk moest maken. Daarom wendden Fréart de Chambrai en Le Brun categorieën aan die al door Italiaanse kunsttheoretici opgesteld waren –inventie, proportie, kleur, expressie en compositie– om kunstwerken te analyseren. Tegelijkertijd werd een strenge hiërarchie van de schildergenres gepropageerd, waarin alles wat niet *histoire* was, geringschattend ontvangen werd. Bij het vaststellen van deze rangorde steunde men op begrippen en criteria die zowel uit de filosofie als de kunstpraktijk kwamen. De uitgebeelde stof werd ondergebracht in een bepaalde waardeschaal, waarbij de aristotelische en neoplatonische tweedeling van de werkelijkheid in vorm en materie een rol speelde.

Aan de afbeelding van god en mens als uiting van vorm werd zonder twijfel de hoogste waarde gehecht. Daarna volgde de natuur als materie, die weer ingedeeld werd in een levend en bezield deel, en helemaal onderaan kwamen de levenloze dingen. Vervolgens werd ook geanalyseerd op welke artistieke vaardigheden de verschillende stoffen een beroep deden. Een historiestuk vergde van de kunstenaar allereerst de beheersing van tekening en compositie. Verder mocht het de historieschilder niet aan *ingenium* en theoretische kennis ontbreken. Van een

**Simon Vouet**
*Jezus' voorstelling in de tempel*, 1641
Olieverf op linnen, 383 x 250 cm
Parijs, Musée du Louvre

portretschilder werden daarentegen alleen praktische vaardigheden en een goed kleurgebruik verlangd. Het stilleven kreeg in deze hiërarchie de onderste sport toegewezen. Daarboven plaatste men respectievelijk het landschap, het dierenstuk, het portret en –helemaal bovenaan– het historiestuk.

Op de Académie Royale werd in de laatste dertig jaar van de 17e eeuw een verhit debat gevoerd dat draaide om de twee richtingen in de toenmalige kunst en waarin beide kampen door prominente schilders aangevoerd werden. De zogenaamde 'poussinistes' bepleitten met grote stelligheid het primaat van het *dessin*, van de lijn boven de kleur. Tegen deze opvatting keerden zich de groep schilders die als 'rubénistes' bekendheid hebben gekregen. De naam geeft aan dat ze zich op Rubens beriepen voor hun standpunt dat de kleur juist het voornaamste bestanddeel van een schilderij was. Deze discussie kreeg een voortzetting in de beroemde *Querelle des Anciens et des Modernes*. Deze kwestie onder de academici ontstond in de jaren 1671-1672 en zou zich tot 1699 voortslepen. In Charles Perraults *Parallèle des Anciens et des Modernes* (een geschrift dat hij in 1688 publiceerde) wordt de controverse tot hoofdlijnen teruggebracht.

Het ging om twee fundamenteel verschillende opvattingen over de schilderkunst, die vervat werden in de tegenstelling tussen klassieke Oudheid en moderniteit en tussen de schilders Poussin en Rubens. De 'poussinistes' en hun woordvoerder Le Brun zagen in de kunst van de klassieke Oudheid een niet te overtreffen artistiek voorbeeld en verklaarden de daarin gehanteerde regels nog altijd bindend. Ze beschouwden Poussin als de grootste schilder van hun tijd en gaven aan de vorm, het principe van de tekening en dus de classiciteit een absolute voorrang. Zelfs de natuur wilden zij corrigeren voor zover zij niet beantwoordde aan het Griekse dan wel Romeinse schoonheidsideaal. De tegenpartij van de 'rubénistes' stond onder aanvoering van Mignard en Roger de Piles. Zij hadden grote waardering voor de colorist Rubens en sloegen de kleur hoger aan dan de tekening. In zijn dialoog over het kleurgebruik stelt De Piles de Venetianen boven Rafaël en Rubens boven Titiaan. Zijn fractie bespotte de 'poussinistes' om hun blind geloof in autoriteiten en meende dat in de *Siècle Louis le Grand* een hoogtepunt van artistieke volmaaktheid was bereikt. Het was niet alleen een strijd om Rubens of Poussin, oude of nieuwe kunst, vorm of kleur, classiciteit of Barok, maar niet in de laatste plaats een generatieconflict. Daarnaast had de kwestie ook een politieke dimensie, zoals moge blijken uit het feit dat Louvois, de opvolger van Le Brun, de 'rubénistes' protegeerde en Mignard aan het hoofd van de academie stelde. In esthetisch opzicht betekende dit de gelijkstelling van *couleur* en *dessin*. De machtswisseling was verder richtinggevend voor de kunst van de 18e eeuw, in zoverre dat kunstwerken niet langer volgens een ijzeren systeem van regels beoordeeld werd, maar dat er ook rekening werd gehouden met de gewaarwordingen die het werk in de beschouwer oproept. Er kwam ruimte voor een zeker stijlpluralisme, zodat voortaan ook het werk van Venetiaanse en Vlaamse meesters naast dat van Romeinen en Fransen genade kon vinden.

Een van Simon Vouets talrijke religieuze werken is *Jezus' voorstelling in de tempel*. Het doek werd in 1641 door Richelieu gecommissioneerd voor de Parijse jezuïetenkerk Saint-Louis. De handeling is ontleend aan Lucas, waar we lezen hoe Maria haar kind naar joods gebruik de hogepriester Simon in handen geeft. Vouet plaatst de gebeurtenis in een imposante ruimte en geeft het tafereel in onderaanzicht weer. Maria knielt op een trap en overhandigt het ontspannen liggende kind aan Simon. Naast haar staat Jozef, die een liefdevolle blik op het kind werpt. Achter Simon volgen nog enkele figuren, die gebarend uiting geven aan hun medeleven. Verschillende *repoussoir*-figuren aan weerszijden schermen de handeling in de richting van de beschouwer af. Door de manier waarop hun kleding gedrapeerd is, krijgen alle figuren een standbeeldachtige uitwerking. De schilder voegt geen bovennatuurlijke en emotionele dimensie toe. Zoals aan de nauwelijks nog barokke compositie te zien is, heeft Vouet hier het caravaggisme van zijn vroege werk achter zich gelaten. Hij wordt daarmee een directe voorloper van het Classicisme.

**Georges de la Tour**
De H. Irene met de gewonde
H. Sebastiaan, ca. 1640
Olieverf op linnen, 166 x 129 cm
Berlijn, Gemäldegalerie Dahlem

Een van de belangrijkste werken van La Tour is *De H. Irene met de gewonde H. Sebastiaan.* Anders dan de meeste van zijn collega's kiest La Tour uit de Sebastiaanlegende niet de marteldood, maar de bewening van de martelaar door de H. Irene en haar begeleidsters. Sebastiaan, een lijfwacht van keizer Diocletianus, had zich tot het christendom bekeerd. Hij werd verraden en voor straf aan een boom gebonden en door boogschutters met pijlen doorzeefd. Nadat deze hem voor dood hadden laten liggen, werd hij gevonden door de H. Irene, de weduwe van de martelaar Castulus, die hem verpleegde. Toen hij genezen was, maakte hij zijn opwachting bij de verbouwereerde keizer Diocletianus om hem te wijzen op de zinloosheid van de christenvervolgingen. Hij werd nogmaals gegrepen en met knuppelslagen ter dood gebracht.

La Tour kiest voor een nachtelijk tafereel, dat slechts door een fakkel in handen van een van de dienaressen wordt belicht. Rechts van haar staat de H. Irene, haar houding een stille weeklacht. Achter haar staan nog twee vrouwen, de ene biddend, de andere haar tranen drogend met een doek. Drie van de vrouwen reageren met gebaren van medeleven en smart op de toestand van de gewonde. De vrouwen stralen een waardig gedragen smart uit. De heilige Sebastiaan is slechts door één pijl getroffen en zijn volmaakte lichaam vertoont bijna klassieke trekken. Zijn naaktheid doet denken aan de heroën uit de Oudheid en zo bezien is Sebastiaan een heros van het christelijke geloof. Het licht van de fakkel brengt iets raadselachtigs in het ingehouden, stomme verdriet van de vrouwen en onderstreept het bovennatuurlijke van het tafereel. Er heerst een onwerkelijke rust en elke beweging is uit het schilderij gebannen. Bij La Tour vallen een sobere en overzichtelijke vormgeving en een meesterlijke kleurcompositie op. Voor lelijkheid (die bij de afbeelding van de gewonde zeker te verdedigen zou zijn geweest) en dramatiek, zoals we die bij Caravaggio vinden, is op dit schilderij geen plaats.

**Matthieu en Louis Le Nain**
Venus in de smidse van Vulcanus, 1641
Olieverf op linnen, 150 x 115 cm
Reims, Musée Saint-Denis

Een wijdverbreid thema in de 16e en 17e eeuw waren de amoureuze avonturen van Venus, de godin van de liefde. Venus had haar echtgenoot Vulcanus herhaaldelijk met de oorlogsgod Mars bedrogen. Geliefd was vooral de scène waarin Vulcanus de beide overspeligen betrapt, een onzichtbaar net over hen werpt en hen prijs geeft aan de spot van de goden. Le Nains schilderij toont Venus en Amor in de smidse van Vulcanus. De god van de metaalbewerking en het handwerk zit er merkwaardig inactief bij en alleen zijn knechts, drie cyclopen, zijn aan het werk en smeden de wapens voor de goden. Het schilderij maakt niet duidelijk waarom Venus haar man bezoekt. Het zou kunnen zijn dat de wapenrusting rechtsonder, waar zowel Amor als de godin naar kijken, het werkstuk is dat Venus voor Aeneas besteld heeft om haar gunsteling aan een overwinning op de Latijnen te helpen. Met hun donkere haar steken de koppen van de twee cyclopen op de achtergrond af tegen de vuurgloed in de gietoven. Het lichaamsgebrek van de verlamd geboren Vulcanus wordt aangeduid met zijn gekromde rug en merkwaardig over elkaar geslagen benen. Er valt geen enkele vorm van communicatie te ontdekken tussen de afgebeelde personen, die bijna roerloos en in een vreemde verstarring getoond worden. Alleen de cycloop op de achtergrond kijkt Venus aan. Het godenpaar is alleen door hun houding, maar niet door oogcontact onderling met elkaar verbonden en het is hen aan te zien dat ze uit elkaar gegroeid zijn.

**Nicolas Poussin**
Zelfportret, 1650
Olieverf op linnen, 98 x 74 cm
Parijs, Musée du Louvre

**Philippe de Champaigne**
Portret van kardinaal Richelieu, 1635-1640
Olieverf op linnen, 222 x 165 cm
Parijs, Musée du Louvre

Nicolas Poussin kreeg van zijn Parijse vrienden verscheidene opdrachten. Dit in Rome geschilderde zelfportret was bedoeld voor Fréart de Chantelou, die bovendien een van zijn begunstigers was. Poussin schilderde het zelf omdat hij ontevreden was over de portretten die een Italiaanse kunstenaar van hem had gemaakt. De schilder presenteert zich met zijn tekenmap in de hand, ten halven lijve geschilderd, donker gekleed en met een stola over de schouders. Met een ernstige blik kijkt hij de imaginaire beschouwer aan. Zoals blijkt uit de drie lijsten achter hem bevindt hij zich in een atelier. Een aantal details is aangegrepen om Poussins zelfportret een 'geschilderde kunsttheorie' te noemen. Verder ontdekte men enkele verwijzingen naar de ontvanger van het schilderij. Zoals bekend hield de kunstenaar zich intensief bezig met theoretische problemen en werkte hij aan een traktaat over de schilderkunst. Het lege doek vooraan draagt een opschrift. Het is een verwijzing naar het *disegno interno*, dat wil zeggen *idea* en *concetto*. Zij vormen de onmisbare schakels die aan elke praktische schildershandeling voorafgaan. Door de betekenis van het *disegno* voor de schilderkunst te onderstrepen vraagt Poussin aandacht voor de scheppende activiteit van de kunstenaar, die tegengesteld is aan de praktische uitvoering (*disegno esterno*). Al in de 15e en 16e eeuw was er in Italië een regelrechte theorie over het *disegno* ontwikkeld, waarop men de intellectuele aanspraken van het vak baseerde. Van het tweede afgebeelde schilderij zien we maar een klein deel met daarop en profil een vrouw die door twee handen bij de schouders gevat wordt. Omdat zij een diadeem met daarop een oog draagt, is zij wel opgevat als allegorie van de schilderkunst, die als edelste van de drie kunsten (de andere twee zijn de bouw- en de beeldhouwkunst) als enige een kroon waardig is. In het omarmingsmotief zou je een teken van de vriendschap kunnen zien die er bestond tussen Poussin en de ontvanger van het werk. Nog een indicatie voor deze vriendschap is de ring van de geportretteerde. Het is een diamant, die als vierzijdige piramide geslepen is. In de emblematiek gold de piramide als symbool van de *constantia*, de standvastigheid. De ring zou dus kunnen wijzen op de bestendigheid van de vriendschappelijke gevoelens van de schilder, maar misschien ook op diens vasthouden aan een strenge, volledig klassiek georiënteerde kunstdoctrine.

Philippe de Champaigne maakte verschillende varianten van zijn portret van kardinaal Richelieu. De familie van deze eerste minister van Lodewijk XIII behoorde tot de lagere adel van de toga. Al op 21-jarige leeftijd werd Richelieu bisschop van Luçon. Korte tijd later benoemde Maria de' Medici hem tot staatssecretaris. Hij is ten voeten uit in een waardige houding geschilderd. Het purper van de kardinaalstoog, de vele plooien daarin en het kostbare wandtapijt achter hem zorgen samen voor een statige indruk. De compositie is niet alleen monumentaal, maar ook streng. Richelieu wekt eerder de indruk van een machtig en ambitieus politicus dan van een godsvruchtig geestelijke die de wereld verzaakt. Eigenlijk maken zijn bleke gezicht en retorisch gebarende handen hem eerder tot een typische vertegenwoordiger van het ascetische arbeidsethos dat het moderne rationalisme had voortgebracht.

**Eustache Le Sueur**
De drie Muzen, ca. 1652-1655
Olieverf op linnen, 130 x 130 cm
Parijs, Musée du Louvre

Eustache Le Sueur schilderde in de jaren 1645-1647 een aanzienlijk aantal mythologische voorstellingen die bestemd waren voor de inrichting van het 'Cabinet de l'Amour' in het Parijse Hôtel Lambert. Op twee daarvan staan muzen. Deze beschermvrouwen van de schone kunsten waren allen dochters van Zeus en de Titanide Mnemosyne en waren gelieerd aan Apollo, die hen aanvoerde. Zij werden vooral vereerd door de dichters van het oude Griekenland en Rome, die de inspiratie aan hen toeschreven en hun om de nodige bijstand vroegen. In een arcadische omgeving musiceren drie jonge vrouwen met kransen op het hoofd. De belangrijkste figuur is Klio, de muze van het verhalen schrijven. Met ontblote borst en een bazuin, het symbool van Fama, de personificatie van het gerucht, leunt ze op een in leer gebonden boek. Rechts naast haar, iets naar achter gepositioneerd, speelt Eutherpe, de muze van het fluitspel, een betoverende melodie op haar instrument. Aan de voeten van de beide zusters zit, met haar rug naar de beschouwer gekeerd, Thalia, de muze van het blijspel, gesymboliseerd door een masker.

AFBEELDING ONDER:
**Charles Le Brun**
Alexanders intocht in Babylon, ca. 1664
Olieverf op linnen, 450 x 707 cm
Parijs, Musée du Louvre

**Charles Le Brun**
De marteling van de H. Johannes voor de Porta Latina, 1641-1642
Olieverf op linnen, 282 x 224 cm
Parijs, St. Nicolas du Chardonnet

*Alexanders intocht in Babylon* maakt deel uit van een cyclus die Le Brun tussen 1662 en 1668 voor Lodewijk XIV schiep. In 1661 had hij van de koning een opdracht gekregen voor een scène uit het leven van Alexander de Grote. Le Brun koos voor *De familie van Darius* en dat werd een buitengewoon succes. Daardoor aangemoedigd besloot Le Brun een viertal monumentale doeken te schilderen. Dat werden *Het oversteken van de Granikos*, *De slag bij Arbela*, *Alexanders intocht in Babylon* en *Poros voor Alexander*, stuk voor stuk roemrijke momenten uit het leven van deze Macedonische vorst.

De intocht in Babylon volgde op Alexanders overwinning op de Perzen in de slag van Gaugamela bij Arbela (331 v.Chr.). Daarna had hij zich tot 'Heer van Azië' laten uitroepen en reed hij onder begeleiding van zijn zegevierende leger en gevangengenomen vijanden op een gouden, door olifanten getrokken wagen het overwonnen Babylon binnen. Het midden van het schilderij wordt beheerst door de koning in zijn kolossale strijdwagen. Op de voorgrond heerst grote drukte: moeders met kinderen en een lierspeler kijken vol verbazing toe, terwijl enkele slaven een baar dragen. Bij Le Brun speelden de *expressions* en de *passions* op de gezichten van de afzonderlijke figuren een prominente rol. Zijn bijzondere belangstelling bij de weergave van mensen geldt hun verschillende fysiognomieën en reacties – het doffe staren van een van de dragers, de bewonderende blik van de lierspeler en de duistere blik van de Babyloniër die tegen het beeld van Semiramis, de mythische stichtster van Babylon, geleund staat.

Le Brun behandelt de stof als in een reliëf. Op de achtergrond kijken we uit op de hangende tuinen van de stad. Een contrast met dit groots opgezette klassieke tableau en zijn archeologische details vormt het realistische en bijna anekdotische tafereel op de voorgrond. De serie was opgezet als eerbetoon aan de Franse koning, die zich graag presenteerde als nazaat van Alexander, de grootste veldheer uit de Oudheid en de veroveraar van Azië. De Alexandercyclus ontstond in een tijd dat de Vlaamse veroveringen voor Lodewijk XIV een militair bijzonder succesvolle periode inluidden. Van Le Bruns schilderijen werden niet alleen gravures gemaakt, ze dienden ook als voorbeeld voor gobelins. De schilder zelf rekende de cyclus tot zijn beste werk.

Le Brun schilderde het schilderij *De marteling van de H. Johannes voor de Porta Latina* op 23-jarige leeftijd voor de St. Nicolas du Chardonnet, waar het nog steeds hangt. Onderwerp is de marteling van de evangelist Johannes in het Rome van keizer Trajanus. Hij zou de folteringen ongedeerd hebben doorstaan en later een natuurlijke dood zijn gestorven. Le Brun koos het moment waarop de evangelist in een ketel met ziedende olie gehesen wordt. Twee engeltjes zweven boven de personen. Ze dragen bloemen en palmtakken, de tekens van het martelaarschap. Getuige de compositie die op ruimtewerking gericht is en de heftige beweging die er op het schilderij heerst, stond de jonge Le Brun nog sterk onder invloed van Vouet. Opvallend is zijn belangstelling voor de gezichtsuitdrukking van de betrokken figuren, maar ook de liefde voor historische details als het Romeinse vaandel en de lictorenbundel.

**Pierre Mignard**
Het paradijs, 1663
Parijs, Val-de-Grâce, koepelfresco

De kerk Val-de-Grâce is een van de geslaagdste barokke ensembles in Parijs. Stichtster was Anna van Oostenrijk, de vrouw van Lodewijk XIII, die nadat haar huwelijk lange tijd kinderloos was gebleven de gelofte aflegde bij de geboorte van een zoon een prachtig godshuis te laten bouwen voor het benedictijnenklooster Val-de-Grâce. Het gebouw werd ontworpen door François Mansart. Het heeft een langschip en een centraalbouw, die in zijn afmetingen de breedte van het schip overtreft. Mignard schilderde het fresco in de majestueuze en naar de St.-Pieter gemodelleerde koepel. Afgebeeld is God de Vader in glorie, omringd door engelen en martelaren alsmede belangrijke kerkleiders. De compositie is cirkelvormig met meer dan 200 figuren in onderaanzicht. Aan de voet van de koepel biedt de stichtster, begeleid door de H. Lodewijk, een model van de kerk aan. De schilder is wonderwel geslaagd in zijn opzet om de illusie van een zich openende hemel te wekken. Het fresco werd met groot enthousiasme door zijn tijdgenoten begroet en onder anderen door Molière geprezen.

**Pierre Mignard**
Perseus en Andromeda, 1679
Olieverf op linnen, 150 x 198 cm
Parijs, Musée du Louvre

Mignard schilderde *Perseus en Andromeda* voor de Grand Condé, zoals Lodewijk II, prins van Bourbon, genoemd werd, die het werk in zijn collectie in Chantilly opnam. Het is een van Mignards weinige werken met een mythologisch thema. Afgebeeld is een scène uit de sage van Perseus, die door Ovidius in zijn *Metamorfosen* werd opgenomen. Perseus was de zoon van Zeus en Danaë en degene die Medusa onthoofdde. Rijdend (of beter gezegd: vliegend) op het gevleugelde paard Pegasus bereikte hij de kust van Fenicië en ontwaarde daar Andromeda. Zij was als prooi van een zeemonster aan een rots vastgeketend. Dit was de straf voor de grootspraak van haar moeder Kassiopeia, die beweerd had dat haar dochter mooier was dan de Nereïden. Andromeda's vader Kepheus beloofde Perseus haar hand en zijn rijk als bruidsschat als hij het monster zou doden en zijn dochter zou bevrijden. Perseus doodde daarop het monster met een zwaardslag (volgens een andere overlevering hield hij het hoofd van Medusa voor, waardoor het dier versteende) en trouwde met de koningsdochter.

Mignard koos voor het moment waarop Perseus Andromeda bevrijd heeft en de koning en zijn gemalin dolgelukkig en vol dankbaarheid op hem afkomen. Zij worden gevolgd door een geagiteerde stoet die zeer onder de indruk is van het gebeurde. De handeling wordt spectaculair en vol beweging gepresenteerd. Het midden van de compositie vormt Perseus. Achter hem is het paard Pegasus zichtbaar, dat uit het bloed van de gedode Medusa te voorschijn was gekomen. Voor de voeten van de op Andromeda wijzende held ligt het hoofd van Medusa en daar weer voor het gedode monster. Mignard is een groot kolorist met de volle kleuren die hij de natuur en de gewaden geeft.

**Hyacinthe Rigaud**
Portret van Lodewijk XIV, 1701
Olieverf op linnen, 279 x 190 cm
Parijs, Musée du Louvre

Dit schilderij waarop Rigaud de 63-jarige Lodewijk XIV vereeuwigde, was oorspronkelijk bedoeld als geschenk voor een neef van de koning, Filips V van Spanje. Omdat hij het een uitstekend werk vond, liet Lodewijk er een kopie van maken en hield hij het origineel zelf. De vorst staat in een lichte contrapost en steunt met zijn rechterhand op zijn scepter, terwijl hij zijn linkerhand in zijn heup heeft geplant. De koning is in vol ornaat afgebeeld. Hij draagt een mantel van zware stof, waarop op het blauw van de buitenkant de lelie van de Bourbons zichtbaar is en waarvan de binnenkant is gevoerd met hermelijn. Achter hem, op een verhoging, zien we zijn troon, die door een baldakijn overdekt wordt. De kroon ligt links op een kussen. Daarachter staat een zuil als teken van waardigheid, macht en bestendigheid. Het vrijhouden van de benen is ontleend aan een van de klassieke heersersposes uit de Oudheid. Lodewijk verschijnt bij Rigaud als stralend symbool van koninklijke macht. Waar het Champaigne in zijn portret van kardinaal Richelieu vooral om het uitwerken van diens karakter te doen was, wilde Rigaud in de eerste plaats de status van de geportretteerde zichtbaar maken.

# Emblematiek

Ehrenfried Kluckert

Voor de Barok was het embleem zoveel als een cultureel knooppunt. Het verbond op tal van manieren literatuur, retorica en schilderkunst met elkaar. Daarnaast was het een cruciaal onderdeel van de rijke feestcultuur in die periode. Kort gezegd is het embleem een beeld met vele betekenislagen, dat het moet hebben van toespelingen, allegorieën en symbolen.

Het heeft een geheel eigen tekensysteem, dat voortgekomen is uit de aandacht voor hiërogliefen gedurende de Renaissance. Destijds had men de overblijfselen van Egyptische cultuur herontdekt en aan de vergetelheid ontrukt. Opnieuw werden vele stukken naar Rome gehaald, de stad die Egypte ooit als kolonie inlijfde. De Florentijnse humanisten geloofden dat er achter de geheimzinnige tekens op deze overblijfselen van een ver verleden de oerkennis van de mensheid vastgelegd, maar tegelijk ook gecodeerd was om misbruik door niet-ingewijden tegen te gaan. Als bron gebruikte men Horapollo's *Hieroglyphica*, een compendium van de alexandrijnse wetenschap in de 5e eeuw, dat in een Griekse versie omstreeks 1500 naar Italië gebracht werd en daar snel bekend raakte.

Francesco Colonna's *Hypnerotomachia Poliphili* is een leerboek op het gebied van beelden en tekens dat vol staat met Egyptische hiërogliefen, pythagoreïsche symbolen en kabbalistische getallenmystiek. Het boek verscheen in 1499 in Venetië en beïnvloedde niet alleen latere embleemboeken: zelfs tuinkunstenaars raadpleegden het werk voor het aanleggen van decoratieve bloembedden. Het was echter vooral de motiefkeuze in de schilderkunst en literatuur die ingrijpend veranderde. Het beroemdste embleemboek veroverde Europa snel: het *Emblematum Liber* van Andrea Alciati dat in 1522 in Milaan werd uitgegeven. Daarnaast moeten Michael Maiers *Emblemata Nova de secretis naturae chymica* (beter bekend als *Atlanta Fugiens*) uit 1618 en Cesare Ripa's *Iconologia* uit 1758 genoemd worden.

Een embleem bestaat uit de 'pictura' (het beeld), de 'inscriptio' (het motto) en de 'subscriptio' (een Latijns epigram). Voor het beeld komt elk denkbaar motief in aanmerking – uit het dagelijks leven, het dieren- of plantenrijk. Het motto, dat boven het beeld staat, heeft betrekking op het thema van het embleem, dat met beelden aanschouwelijk gemaakt wordt. De 'subscriptio' licht ten slotte de afbeelding toe en interpreteert deze. Vaak maakt men daarvoor

Embleem uit *Idea de un Principe politico Christiano* van Diego de Saavedra, 1640

gebruik van een levenswijsheid of een stichtelijke spreuk.

De Duitse barokdichter Georg Philipp Harsdörffer stelde in zijn *Poetischer Trichter* spitsvondig vast: "Es wird die Poeterey ein redendes Gemähl/ das Gemähl aber eine stumme Poeterey genennet." Het 'stomme woord' (het beeld) deelt dus mee wat het 'sprekende beeld' (het woord) niet kan uitdrukken. Emblemen (die hij 'Gemählpoesien' noemde) waren voor Harsdörffer een belangrijk bestanddeel van de poëzie en de dramatische literatuur.

Het treurspel *Epicharis*, dat Daniel Caspar von Lohenstein in 1665 schreef, gaat over de ondergang van keizer Nero. In zijn plaats zal Gaius Piso tot heerser uitgeroepen worden. Echter:

Wat kan Rome verwachten
van Piso? Woelen in hem al niet alle kwade krachten?
Tegen dat gif is nog kruid gewassen,
waarmee de schorpioen
op aarde ons verwondt;
Maar als diegene wonden slaat
wiens hoge troon te midden van de sterren staat
dan gaat zijn gif als lopend vuur de aarde rond.

Von Lohenstein liet zich voor deze wijsheid inspireren door een embleem en als we dat goed bekijken, kunnen we deze passage ontraadselen. Ze is afkomstig uit het embleemboek *Idea de un Principe politico Christiano* van Diego de Saavedra uit 1640 (afb. boven). Het motto luidt 'Meer dan op aarde schadelijk' en heeft betrekking op de schorpioen, die afgebeeld staat in de hemel. Daaronder een landschap: de aarde. Het motto wordt in de subscriptio toegelicht: alhoewel de schorpioen aan de hemel staat, beïnvloedt hij met zijn boosaardigheid de mensen nog meer dan wanneer hij zich op aarde in hun midden zou bevinden. Een vorst die in moreel opzicht niet onberispelijk handelt en eenmaal de troon bestegen heeft (en dus 'van bovenaf' regeert), heeft het in zich complete volken en landen op het slechte pad te brengen. De metaforische vaardigheid, dat wil zeggen het denken in beelden, was ten tijde van de Barok sterker ontwikkeld dan tegenwoordig. Men kon kennis van wijdverbreide embleemboeken veronderstellen en erop vertrouwen dat een theaterpubliek in staat was een emblematische toespeling als hierboven te herkennen.

Voor iemand uit onze tijd kan het ontcijferen van Nederlandse genrestukken uit de 17e eeuw een bijzondere uitdaging betekenen, omdat bijna alle verborgen toespelingen of symbolen te herleiden zijn tot embleem- of volksboeken uit die tijd. In Jan Steens *Afvaart voor de herberg* (afb. blz. 429) van omstreeks 1660 zien we een schuitje met daarin een vrolijk gezelschap. Een van hen houdt zijn glas op en een baldadige jongeman giet er nog de laatste druppel uit het vat in bij wijze van afscheidsdronk. Deze figuur in het middelpunt van het beeldvlak kom je vaker tegen op schilderijen van Jan Steen. Hij vormt de verbinding tussen de drie figurengroepen: links de vrolijke lieden

"Overvloed is nodig"

die op het punt staan weg te varen, rechts de drinkers die uit de deur van de herberg komen en op de voorgrond het neergezegen groepje dat zich aan zijn roes overgeeft. Achter de boom rechts zit verder nog een klein groepje te kaarten. De plaats van de man met het vaatje is geen toevallige, want hij vertegenwoordigt de betekenis van het schilderij, het doel waarvoor men bij elkaar gekomen is: inschenken, drinken en genieten.

Dergelijke motieven waren indertijd wijdverbreid. Ze werden niet slechts gebruikt om de vanzelfsprekende vrolijkheid van een gezelschap drinkebroers weer te geven. Er was ook een boodschap in verborgen, een met een knipoog geuite vermaning, het geheven wijsvingertje, ook al trok niemand zich daar iets van aan. De 'vijf zintuigen' vormden een veel voorkomend thema in de Nederlandse schilder-

De vijf zintuigen, uit Jacob Cats' *Spiegel van den Ouden en den Nieuwen Tijdt*, 1632

**Jan Steen**
Afvaart voor de herberg, ca. 1600
Olieverf op linnen, 84 x 109 cm
Stuttgart, Staatsgalerie

kunst en ook hier vinden we ze: drinken (smaak), roken (reuk), omarming (gevoel), zingen (gehoor) en een opvallend spel met blikken en gebaren bij de mensen in de boot (gezicht). Daarvoor is wel kennis van de emblemata vereist, bijvoorbeeld uit de geliefde boeken van 'vadertje Cats' (*Spiegel van den Ouden en den Nieuwen Tijdt*, 1632), waaruit ook de afbeelding op blz. 428 onder afkomstig is. Daar en in andere volksboeken duiken de 'vijf zintuigen' op als reisgezelschap in een boot, die weer allegorisch het leven vertegenwoordigt. Op voor- en achtersteven zijn een genius (leven) en een geraamte (dood) geposteerd, die de koers aangeven. De man met het vaatje zou een zinnebeeld voor de 'overschuimende levenslust van de jeugd' kunnen zijn. Op een embleem met het motto 'Defervere necesse est' (Overvloed is nodig, afb. blz. 428 rechtsboven) zien we een mostvat in een kelder waar most uit stroomt. In de 'subscriptio' wordt het gistingsproces van de jonge wijn vergeleken met het ontwaken van de lusten in de jeugd. Een andere mogelijkheid is dat Steen de typische 'Cithera-thematiek', bekend geworden door Antoine Watteau, aanroert en er een burgerlijke draai aan geeft: het uitgelaten volkje dat in het schuitje plaats heeft genomen, gaat op weg naar het paradijs van zijn gelukzalige gevoelens. Het embleem kan hulp bieden bij de interpretatie van de barokke beeldcultuur. De transfer was eenvoudig, aangezien de betekenis van het beeld zonder moeite door het motto en de 'subscriptio' te achterhalen was. Daarom maakte men ook in de feestcultuur aan de hoven gebruik van emblemen. Zo kon een vuurwerk ter gelegenheid van een bruiloft of hoog bezoek een niet mis te verstane boodschap meekrijgen. Naast de handwerkers en technici die het feest voorbereidden, was er een *inventor*, die verantwoordelijk was voor de coulissen en zinnebeelden. Vaak greep hij terug op bekende emblemen en stemde de stellages, decoraties en illuminatie daarop af. Keurvorst Johann Georg II van Saksen stond bekend om de luisterrijke feesten die hij in Dresden gaf. In 1637 gaf hij een feest waarbij tien emblematische schilderingen getoond werden, die om thema's als 'oorlog', 'triomf van het gezag', 'vroomheid' en 'rechtvaardigheid' draaiden.

Het gebruik van het embleemboek in het culturele leven van de Barok kunnen we dus zonder overdrijving 'multimediaal' noemen.

Kira van Lil

# Schilderkunst van de 17e eeuw in de Nederlanden, Duitsland en Engeland

## Inleiding

De term 'Gouden Eeuw' gaat, toegepast op de Noordelijke Nederlanden, terug op de schrijver Arnold Houbraken, die in 1721 zijn *Groote Schouburgh* publiceerde. Het is een verzameling levensbeschrijvingen van Nederlandse kunstenaars uit de eeuw daarvoor. En inderdaad, van de paar duizend 17e-eeuwse Nederlandse schilders worden er nog steeds meer voor belangrijk gehouden dan uit enig ander land of uit enige andere periode.

Houbrakens 'paradijs op aarde' heeft vooral betrekking op het noordelijke deel van de Nederlanden, de Zeven Provinciën, die in het buitenland vaak de naam droegen van de dominantste provincie, Holland. Tot aan de 17e eeuw was het een land geweest van boeren en vissers, en op cultureel gebied had het niet van zich doen spreken. Daarin verschilde het fundamenteel van de Zuidelijke Nederlanden, vooral Vlaanderen. In de grote handelssteden Gent en Brugge maakten de kunsten al in de 15e eeuw een bloeiperiode door en schilders als Jan van Eyck, Hans Memling en Rogier van der Weyden konden de toets van een vergelijking met de Italiaanse meesters zeker doorstaan. In de 16e eeuw kwamen Antwerpen en Brussel op als handelssteden. Ook in hun geval betekende dat een culturele opleving, culminerend in de schilderijen van Pieter Brueghel.

Beide delen van de Lage Landen hadden eerst onder Bourgondisch en daarna onder Spaans bestuur gestaan, totdat Filips II de landen als erfgoed van zijn vader, keizer Karel V, overnam. Na de beeldenstorm van 1566 sloeg hij de protestantse opstand neer en vestigde met steun van de inquisitie een hardvochtig bewind. Na de moord op de graaf van Egmond ontbrandde de onafhankelijkheidsoorlog, die 80 jaar lang zou duren. Alleen de sterk calvinistische noordelijke provincies bereikten hun doel en werden onafhankelijk. Het overwegend katholieke zuiden bleef onderworpen aan Spanje. De noordelijke provincies hadden zich in 1579 aaneengesloten in de Unie van Utrecht en wisten in 1609 een wapenstilstand te bevechten. Welbeschouwd was dat het geboorte-uur van een onafhankelijke republiek in het noorden. In 1585 hadden de Spanjaarden Antwerpen veroverd, waarop het noorden de Schelde afsloot, de zeearm die letterlijk de levensader van de stad vormde. Nu begon de onstuitbare opmars van Amsterdam als handelscentrum. In korte tijd had men een omvangrijke vloot gebouwd, die overigens al in 1588 zijn aandeel had gehad in de overwinning op de Spaanse Armada. In 1602 werd de Verenigde Oost-Indische Compagnie opgericht en werd de Republiek een machtige handelsnatie, die rond het midden van de eeuw met Engeland streed om de opperheerschappij ter zee.

Een nieuw land begon zijn eigen cultuur te ontwikkelen. Aanvankelijk sloot de kunst er nog nauw aan bij de Vlaamse traditie, waarmee de vele protestantse vluchtelingen uit het Zuiden de Hollandse steden bekend hadden gemaakt, maar al snel vormde zich een eigen karakter, gebaseerd op een nieuw wereldbeeld. Dat werd gevoed door de trots van de burgers op hun land, op de eigenhandig bevochten onafhankelijkheid en de weergaloze materiële voorspoed. Het calvinistische geloof versterkte deze trots nog, want volgens Calvijns predestinatieleer was economisch succes een teken van een uitverkiezing door God. Misschien verklaart dat ook de grote realiteitszin, de 'liefde tot de dingen', die voor Johan Huizinga het wezenlijke kenmerk van de Nederlandse mentaliteit was. De kunst reageerde daarop met een realisme dat telkens opnieuw bewondering afdwingt, een realisme dat zover werd doorgevoerd als zelfs voor iemand als Caravaggio niet mogelijk was geweest. De Nederlanders hadden waardering voor de bedrevenheid die nodig was voor een getrouwe weergave van de dingen, maar de schilderijen zijn altijd meer dan platte kopieën van de werkelijkheid en worden toegesneden op een bepaalde zin.

Later werd dat vaak over het hoofd gezien, vooral vanaf het midden van de 19e eeuw, toen de Franse realisten en na hen de impressionisten het Nederlandse realisme opnieuw ontdekt hadden. In krasse tegenstelling tot het negatieve oordeel uit de classicistisch georiënteerde 18e eeuw en in de veronderstelling met gelijkgestemden van doen te hebben, hadden zij juist waardering voor wat zij voor een onvoorwaardelijke toewijding van de Nederlanders aan de empirische werkelijkheid hielden. Tot ver in de 20e eeuw ging men ervan uit dat zij de eerste geweest waren die elke achterliggende betekenis terzijde hadden durven schuiven.

Dat zou in de 17e eeuw echter volkomen ondenkbaar zijn geweest. Met Roemer Visscher, een van de beroemdste Nederlandse samenstellers van embleemboeken, was men van mening dat niets in de dingen zonder zin was. In dergelijke boeken werd met een motto en een vers de betekenis die aan de dingen ten grondslag lag duidelijk gemaakt en overgedragen (zie blz. 428/429). Aan de preek over de vergankelijkheid van alle aardse goed kon je in de Republiek nauwelijks ontsnappen. In het licht van de eeuwige goddelijke waarden konden ze niet anders dan nietig en 'ijdel' genoemd worden. Hoewel deze *vanitas*-gedachte het leidmotief is van de gehele Barok, lijkt hij zich toch nergens zo hardnekkig te manifesteren als in Nederland, waar de burgers te pas en te onpas het najagen van wereldse eer relativeerden.

Dit zijn ook in de Zuidelijke Nederlanden belangrijke thema's, maar waar de 'Hollanders' uit de verborgen betekenis van alledaagse dingen nieuwe allegorieën afleidden, grepen kunstenaars als Rubens en Van Dyck terug op de personages uit de klassieke mythologie, die ondanks de vaak uitgesproken zinnelijke presentatie niet levensecht aandoen. De Vlaamse kunst werd onder totaal andere voortekenen geproduceerd. Net als in andere katholieke landen was er vooral behoefte aan altaarstukken van groot formaat. De kunstenaars richtten daarvoor hun blik op de Italiaanse traditie, ook al is er daarnaast sprake van het plat-zinnelijke element dat het werk van Rubens en Jordaens een geheel eigen karakter geeft. Daarentegen viel in het noorden de Kerk als opdrachtgever bijna geheel weg, want de kerkbesturen hielden zich streng aan het verbod op afbeeldingen in hun kerken. De gebouwen dienden niet zozeer voor meditatie als wel voor bijeenkomsten. De mensen namen hun hond mee naar binnen, kleine kinderen kregen de borst, de groteren mochten vrij spelen en ook tijdens de preek voerde men gesprekken. De kerk was een sociale, geen eerbiedwaardige ruimte. In de witgeschilderde kerkinterieurs was er op wapens, gedenktafels en grafmonumenten na geen versie-

**Frans Francken**
Maaltijd ten huize van burgemeester Rockox, ca. 1630-1635
Olieverf op hout, 62,3 x 96,5 cm
München, Bayerische Staatsgemäldesammlungen, Alte Pinakothek

**Gerhard Houckgeest**
Het grafmonument van Willem van
Oranje in de Nieuwe Kerk te Delft, 1650
Olieverf op hout, 125,7 x 89 cm
Hamburg, Kunsthalle

AFBEELDING ONDER:
**Willem van de Velde de Jonge**
Het kanonschot, z.j.
Olieverf op linnen, 78,5 x 67 cm
Amsterdam, Rijksmuseum

ring te vinden. Het heldere licht had er vrij spel en schiep diffuse, sfeervolle effecten. Deze vormden –samen met het binnenperspectief– de voornaamste attractie voor de schilders van kerkinterieurs, een genre dat zich alleen in de Noordelijke Nederlanden ontwikkelde.

Niet alleen de Kerk, ook de adel had in Nederland maar weinig opdrachten te vergeven. Voor een feodaal-hoofse cultuur zoals die in de rest van Europa hoogtij vierde, was nauwelijks plaats. In Brussel hielden de stadhouders van Filips II er een kunstminnend hof op na. In Den Haag resideerde wel een stadhouder, een titel die aan de nakomelingen van de vader des vaderlands, Willem van Oranje, was toegekend, maar de Oranjes hielden er slechts een bescheiden hof op na, omdat ze de facto van de patriciërs in de grote steden afhankelijk waren en het oppergezag ontegenzeggelijk bij de Staten-Generaal berustte. Korte tijd hieven de burgers het ambt van stadhouder zelfs gewoon op. Houckgeests kerkinterieur (afb. links) moet voor iemand van de stadhouderspartij of voor het hof zelf geschilderd zijn, want het toont het grafmonument van Willem van Oranje, met daarop de vergulde figuur van de *Aurea Libertas* om aan de verdiensten van de prins in de strijd om de vrijheid van het land te herinneren. Het werd geschilderd in 1650, het jaar dat de stadhouder werd afgezet.

De alles overheersende stedelijke en burgerlijke cultuur drukte ook op de kunsten haar stempel, en de schilders richtten zich naar de belangen van de burgerij. Zo ontstonden er volkomen nieuwe genres in de schilderkunst: onderwerpen als landschap en stilleven (tot dan toe slechts als versierend bijwerk geduld op historiestukken) werden als autonome kunstuitingen gewaardeerd. Verder werden voor het eerst scènes uit het dagelijks leven op grote schaal als schilderkunstig onderwerp geaccepteerd, een terrein dat in de 18e eeuw 'genrestuk' of zedenschildering is gaan heten. De kunsttheorie beschouwde het sinds de klassieke Oudheid als een uitdaging om een verhaal net zo treffend in beelden weer te geven als in de literatuur, ook al kon het beeld niet meer dan een momentopname bieden. Op de voorgrond stond het sujet en pas in tweede instantie beoordeelde men hoe het thema uitgevoerd was. Daarentegen leek het er in de nieuwe genres landschap, stilleven en genrestuk in de eerste plaats op aan te komen hoe iets weergegeven was en niet zozeer wat het was. In de ogen van de Nederlanders demonstreerden landschappen de vruchtbaarheid van het land en waren de kostbare voorwerpen op de stillevens en in de interieurs een afspiegeling van welvaart en wereldomspannende handelsbetrekkingen. Dat alles werd mogelijk gemaakt door de scheepvaart, vandaar dat de marine of het zeestuk een belangrijke plaats innam (afb. links).

De meeste kunstenaars specialiseerden zich in een van de genres en soms zelfs op een bepaald type schilderij. Nergens was de vaksgewijze indeling van de schilderkunst zo ver doorgevoerd als in de Noordelijke Nederlanden: Hendrik Avercamp schilderde bijvoorbeeld voornamelijk winterlandschappen met schaatsers, Paulus Potter schilderde vooral koeien, Aert van der Neer specialiseerde zich in landschappen bij maanlicht en stillevenschilders als Willem Kalf en Pieter Claesz konden hun hele beroepsleven met een zeer klein aantal rekwisieten toe. Gerard ter

Borch ontwikkelde een bijzondere vaardigheid in het schilderen van satijn, terwijl weer anderen meesters waren in de textuur van metalen oppervlakken. Sommigen schilderden alleen bloemen en anderen beperkten zich tot gedood wild. Rubens had in zijn werkplaats verschillende van deze specialisten: Jan Brueghel schilderde de bloemen op zijn schilderijen, Frans Snyders de dieren, Jan Wildens en Frans Wouters de landschappelijke achtergrond. Veel landschapschilders probeerden niet eens het uitwerken van de stoffage onder de knie te krijgen en deden daarvoor een beroep op specialisten.

Thema's, rekwisieten, compositie en de uitwerking van een schilderij hingen sterk af van de smaak in de stad waar de schilder woonde en werkte. Dit heeft te maken met de organisatie in gilden, die in de Lage Landen hechter was dan elders. Een kunstenaar mocht alleen in die plaats werk verkopen waar hij lid van het gilde was, dat ook streng over de productievoorwaarden waakte. Schilders stamden meestal uit handwerkersfamilies: Rembrandts vader was molenaar, die van Jan van Goyen schoenmaker en Ruisdaels vader was lijstenmaker. Schilderen gold nog als handwerk, hoewel de kunstenaars in Italië er al sinds de Renaissance aanspraak op maakten deel uit te maken van de *artes liberales* en dus intellectuele en niet zozeer handenarbeid te verrichten.

Dat nam niet weg dat een aantal Nederlandse kunstenaars vorstelijk betaald werd, hoogachting genoot en met onderscheidingen werd overladen. Succes en mislukking hingen net als in absolutistisch geregeerde landen af van de gunst van de machtigen. Maar anders dan in dergelijke landen was er een groot verloop in de rangen van deze machtigen, omdat zij op bestuursposten gekozen werden. Rembrandts opkomst en ondergang is een schokkend voorbeeld van deze afhankelijkheid (zie ook blz. 441 e.v.). Dan waren diplomatiekere naturen als Ter Borch en Gerard Dou beter in staat zich aan de wisselingen van de politieke wacht aan te passen. Maar de meeste schilders konden van hun vak alleen niet leven. Vermeer verdiende bij als kunsthandelaar, van Goyen speculeerde met onroerend goed en tulpenbollen, Jan Steen had een tapvergunning en Philips Koninck onderhield een veerdienst tussen Amsterdam en Rotterdam. Ook enkele schilderessen kregen bekendheid. Judith Leyster is een van hen. Zij schilderde portretten en genrestukken in de stijl van Frans Hals, van wie ze ook les had gehad. Over het leven van Clara Peeters weten we weinig. Ze was richtinggevend in de vroege stillevenschilderkunst. Aan het eind van de eeuw brachten Rachel Ruys en Maria Oosterwijk het met hun bloemenstukken tot internationale roem.

De schilderijen schommelden danig in prijs. Enkele schilderijen werden verkocht tegen sensationele prijzen. Vandaar dat kunstwerken ook als beleggingsobject gebruikt werden. De schilderproductie berustte nauwelijks nog op vaste opdrachten en er ontstond een kunstmarkt zoals we die tegenwoordig nog kennen. Er waren kunsthandelaren die hun kunstenaars opdrachten verschaften, maar daarnaast waren er boek- en prentenwinkels en jaarlijks terugkerende beurzen als overslagplaatsen van de kunst. En zelfs op de gewone warenmarkten werden er tussen de groenten en het fruit schilderijen verkocht. Kortom, het is een ware schilderkoorts waarmee de mensen van de Gouden Eeuw ons aansteken.

**Frans Hals**
Lachende cavalier, 1624
Olieverf op linnen, 83 x 67 cm
Londen, Wallace Collection

**Portretten**

De burger greep het portret aan om te pronken. Wie wat voorstelde, bestelde een conterfeitsel. Net als bij aristocratenportretten elders kwam het er in de Republiek op aan de status en waardigheid van de afgebeelde te onderstrepen, maar meer dan ooit tevoren hechtte men daarbij aan een direct aansprekend en levensecht resultaat. Evenals in het landschap, het genrestuk en het stilleven streefde men bij het portret naar realisme, en daarvoor werden verstarde formules terzijde geschoven. In het begin van de eeuw verrichtten de kunstenaars uit het rijke Haarlem daarbij baanbrekend werk: Esaias van de Velde bij het landschap, Willem Buytewech bij het genrestuk en Frans Hals bij het portret. Hij steekt –samen met Rembrandt– met kop en schouders uit boven de vele portrettisten.

Frans Hals bleef zijn hele leven in Haarlem en schilderde uitsluitend portretten, hoewel enkele daarvan ook genrestuk genoemd zouden kunnen worden. We zien volksmensen, kunstenmakers, viswijven, lachende kinderen of de getikte *Malle Babbe* met haar drinkkroes. De vitaliteit en frisheid die deze modellen uitstralen, wist Hals echter ook aan het statigste portret mee te geven. Zijn zgn. *Lachende cavalier* (afb. boven) is

–geheel volgens de traditie– ten halven lijve geschilderd en de klassieke pose met de hand steunend op de heup is een niet mis te verstaan teken van het zelfvertrouwen van de geportretteerde, die bovendien enigszins in onderaanzicht gepresenteerd wordt. Hals speelt het echter klaar om de persoon van al het statische en de stijfheid te ontdoen die deze pose met zich mee brengt. Nu zorgt alleen al de pure brille waarmee het doek geschilderd is daarvoor: het weelderige zwart contrasteert met een stralend wit, een effect dat ondersteund wordt door de kleurenregen van het rijke stikwerk op zijn kostuum. Verder berust het effect op een aantal subtiele compositorische middelen: geen van de belangrijke lijnen verloopt parallel met de rechte lijnen die het kader van het beeld vormen; de schaduw schuift de man uit het beeldvlak naar voren en met name zijn elleboog lijkt uit het schilderij te steken. Zo kan hij door zijn forse lichamelijke aanwezigheid indruk maken. Maar wat deze man vooral zo echt maakt, is zijn mimiek. Bij conventionele portretten kijkt de afgebeelde vaak naar de verte, door de beschouwer heen of in gedachten verzonken langs hem heen. Zoniet deze man, die op de blik van de beschouwer lijkt te reageren, bijna met ons lijkt te spreken. Zijn glimlach kan op elk moment overgaan in een brede lach, die heel zijn bestudeerde pose al weer teniet zou doen. Dit momentkarakter is wat de portretten van Hals zo fascinerend maakt.

Portretten werden vaak bij bijzondere gelegenheden in opdracht gegeven, bijvoorbeeld als aandenken aan een huwelijk. Dit kon een dubbelportret zijn, zoals Rubens maakte (vgl. afb. blz. 438), maar meestal waren het twee afzonderlijke werken. Het portret van de vrouw was dan altijd als rechterpendant gedacht, omdat zij traditiegetrouw links van de man zit. Helaas gingen beide schilderijen in de loop van de geschiedenis meestal hun eigen weg, iets wat nergens zo betreurenswaardig is als bij Hals' *Portretten van Stephanus Geraerdts en Isabella Coymans* (afb. onder links en midden). Nergens in de portretschilderkunst vinden we een werk dat zozeer de genegenheid tussen twee mensen uitstraalt. Isabella staat en brengt de vrolijkheid van de jeugd tot uitdrukking in de zwierige manier waarop ze zich tot haar man wendt. Die zit en belichaamt een voorname waardigheid. De blikken van de twee ontmoeten elkaar en gaan een gesprek aan. Zij houdt hem een roos voor, die hij zo meteen aan zal pakken. Wordt het paar gescheiden, dan zijn noch hun blikken, noch hun gebaren te begrijpen.

Duidelijker nog dan bij de *Lachende cavalier* heeft Hals ook hier een moment in een doorlopende handeling weten te vangen, die wij in gedachten moeten voortzetten. Zo wordt ook hier het statische karakter van het portret doorbroken. Om dat ook in het enkele portret mogelijk te maken, ontwikkelde Hals al in het midden van de jaren '20 een nieuw type portret, waartoe ook *De man met de slappe hoed* (afb. rechtsonder), een van zijn laatste werken, gerekend kan worden: de geportretteerde keert zich om naar de beschouwer, alsof deze hem heeft aangesproken. Zijn arm hangt over de rugleuning; het is een ongemakkelijke houding, die slechts kort zal duren. Je krijgt de indruk dat hij zich meteen weer zal omkeren, om weer achterover te kunnen leunen. De beweging die zo bij ons opkomt, blijft hangen in de gedraaide contouren van de enorme hoed, maar wordt nog meer door de ongemeen beweeglijke penseelvoering overgebracht. Deze kenmerkt de late stijl van de meester, die in de 19e eeuw voor Edouard Manet een openbaring zou betekenen. Al met het doek *Lachende cavalier* aan het begin van zijn carrière had Hals in zijn penseelvoering grote trefzekerheid gedemonstreerd, maar nu is het gezicht niet langer zorgvuldig uitgewerkt. De hand is in een paar streken neergezet, zodat je je zelfs afvraagt of het

**Frans Hals**
Stephanus Geraerdts, 1650-1652
Olieverf op linnen, 115 x 87 cm
Antwerpen, Koninklijk Museum voor Schone Kunsten

**Frans Hals**
Isabella Coymans, 1650-1652
Olieverf op linnen, 116 x 86 cm
Privé-collectie

**Frans Hals**
De man met de slappe hoed, 1660-1666
Olieverf op linnen, 79,5 x 66,5 cm
Kassel, Staatliche Kunstsammlungen, Gemäldegalerie Alte Meister, Schloß Wilhelmshöhe

**Frans Hals**
De regentessen van het oudemannenhuis in Haarlem, 1664
Olieverf op linnen, 170,5 x 249,5 cm
Haarlem, Frans Hals-Museum

De regentessen van een oudemannenhuis tonen op dit groepsportret hun onbaatzuchtige en grootmoedige sociale betrokkenheid, maar ook hun sociale positie, want dergelijke ambten verleende de gemeentelijke overheid uitsluitend aan patriciërs. Hals brengt in een overzichtelijke, eenvoudige compositie de rust en orde van de vrouwen tot uitdrukking. Hun strenge normbesef wordt weerspiegeld in de grote donkere vlakken van het schilderij. Alleen de kleuren geven de vrouwen leven; de strakke penseelvoering laat hun vormen vrijwel opgaan in de omgeving. In deze voorstelling bereikt de schilderkunst van de 80-jarige Hals, die zelf van een kleine uitkering leefde, zijn hoogtepunt.

doek wel als voltooid mag worden opgevat. Deze krachtige streken staan echter in dienst van een levendige expressie. Het is geen geringe prestatie om dat te bereiken in een werk dat voor het grootste deel door zwarte vlakken in beslag wordt genomen. De weinige witte accenten van kraag en manchetten of de gehoogde, lichtere plekken op het gezicht en de hand zijn daarvoor niet genoeg. Daarnaast wordt ook in de zwarte vlakken zelf de stof in een bewogen spel van veranderende delen omgetoverd waardoor de blik gevangen blijft.

Rembrandt doorliep een soortgelijke stilistische ontwikkeling. In de jaren '50 en '60 van de 17e eeuw gaf hij de gladde schilderstijl en de zorgvuldige uitwerking op, die bijvoorbeeld nog zijn zelfportret uit 1640 of de beeltenis van zijn vrouw Saskia kenmerken (zie afb. blz. 441). Op het *Portret van Margaretha de Geer* (afb. blz. 436 boven) dat hij in de laatste tien jaar van zijn leven schilderde, modelleerde Rembrandt de verf op bepaalde plekken tot een reliëf, waarbij hij met het paletmes of direct met zijn vingers werkte. Op andere plaatsen is er weer een heel dunne en doorzichtige verflaag aangebracht en daar blijft een brede, natte penseelstreek zichtbaar. Zo wordt ook het oppervlak van het doek tot spanningsveld gemaakt en aantrekkelijk gemaakt voor het oog, ook al ziet Rembrandt daarbij bijna helemaal af van kleurcontrasten en concentreert hij zich op het nuanceren van bruintonen. De afwisselende verfbehandeling stelde hem in staat toch accenten te leggen: handen en gezicht werden met een dikke verfsubstantie opgezet, terwijl de achtergrond en de mantel juist dun en vlakmatig zijn gehouden. Toch blijft de voering als bont herkenbaar en heb je als kijker een vermoeden van de stofeigenschappen van het diepzwarte gewaad. Tegenover de vlakmatige schilderwijze staat hier de kraag met gesteven vouwen, een zogenaamde molensteenkraag, die Rembrandt juist heel zorgvuldig met fijne penseelstreken heeft weergegeven. Opvallend grof daarentegen is weer de zakdoek behandeld, kortaf als in één veeg dikke witte verf. Deze beide lichte plekken op het doek lijken te corresponderen met twee tegengestelde kanten van de persoonlijkheid van Margaretha de Geer. Ze is alert en vitaal, maar ook gedisciplineerd en degelijk; ze is kennelijk aan welvaart en luxe gewend, maar verloochent evenmin (kijk maar eens naar haar handen) haar plattelandsafkomst en het harde werken waarmee ze opgegroeid moet zijn. In het portret van deze 78-jarige vrouw, die tot een van de invloedrijkste families van het land behoorde, brengt Rembrandt een groot aantal eigenschappen aan het licht die de grondleggersgeneratie van de Gouden Eeuw kenmerken.

Dan gedroeg de jonge, moderne generatie zich heel anders, zoals we aan Stephanus Geraerdts en Isabella Coymans kunnen zien. Zij zijn naar de nieuwste mode gekleed. De zedige halskraag werd afgelegd en Isabella toont zonder gène haar decolleté. Zulke ontblotingen waren net zo goed een zaak van politiek belang als het lange haar waar Stephanus mee pronkt. In 1640 stelden kerkeraadsleden ook in Haarlem het wilde haar van de mannen aan de kaak en er werd gedurende een aantal jaren een verhit debat gevoerd over deze haardracht. Ten slotte besloot een synode dat personen die zich aan dergelijke wereldse ijdelheden te buiten gingen van het heilig avondmaal uitgesloten mochten worden.

In de tweede helft van de eeuw, toen deze jonge generatie het roer overnam, raakte de losse, dynamische schilderstijl van Rembrandt en Hals steeds meer uit de mode en werd hij als gesmeer afgedaan. De jonge patriciërs die zonder zorgen de ouderlijke erfenis konden aanvaarden, cultiveerden in kunstaangelegenheden een classicistische smaak, die tegemoet kwam aan hun verlangen naar een demonstratieve elegantie en grandeur. Het aristocratische portrettype in de stijl van Anthonis van Dyck, met zacht in elkaar overvloeiende kleuren, maakte school. Deze trendbreuk maakte het de twee grote portrettisten tegen het einde van hun leven lastig om nog opdrachtgevers te vinden – zij waren de portrettisten van de grondleggersgeneratie.

Voor de degelijke en gelovige calvinisten stond het gebod maat te houden in het middelpunt. Uiterlijk vertoon was uit den boze en men

**Rembrandt**
Portret van Margaretha de Geer, ca. 1661
Olieverf op linnen, 130,5 x 97,5 cm
Londen, National Gallery

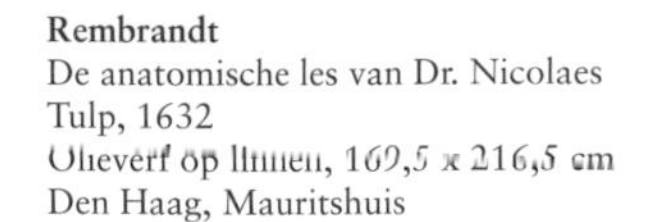

**Rembrandt**
De anatomische les van Dr. Nicolaes Tulp, 1632
Olieverf op linnen, 169,5 x 216,5 cm
Den Haag, Mauritshuis

**Rembrandt**
De Nachtwacht, 1642
Olieverf op linnen, 349 x 438 cm
Amsterdam, Rijksmuseum

zette zich bewust af tegen opzichtig geklede landsknechten en fatten, zoals te zien is op een schilderij van Buytewech (zie afb. blz. 460). Maar de zwarte stoffen die er zo bescheiden uitzien, waren in werkelijkheid duurder dan de bontste uitmonstering, terwijl men voor de halskragen het fijnste batist nam en dat verwerkte tot ingenieuze bouwsels. Maar hoe bescheiden men zich ook opstelde en hoe deugdzaam ook de levenswandel – het feit dat een portret in de eerste plaats diende om te pronken, liet zich niet loochenen. Daarmee laadde men al snel de verdenking op zich ijdel te zijn, zich aan zinnelijke lusten over te geven en aards bezit na te jagen. Als gevolg daarvan zijn er uit de Republiek ook geen portretten overgeleverd als dat van de Antwerpse schilder Frans Francken, dat een burgemeester toont temidden van zijn bezittingen (afb. blz. 431). Een uitweg uit een dergelijke onthouding was zich uit hoofde van een maatschappelijke of politieke functie te laten afbeelden, dus als bekleder van een ambt. Als zodanig liet men zich meestal niet alleen, maar samen met andere hoogwaardigheidsbekleders portretteren om zo zijn onzelfzuchtige betrokkenheid bij de gemeenschap tentoon te kunnen spreiden. Er waren gilden die de middeleeuwse tradities voortzetten, verenigingen van academici of de burgerwacht, de zgn. schuttersgilden. Een bestuursfunctie bij een dergelijke vereniging in de wacht slepen was een teken van hoge maatschappelijke rang. Dat verklaart de grote betekenis van het groepsportret in de Noordelijke Nederlanden.

Voor de schilder bestond de uitdaging van het groepsportret erin het grote aantal personen niet stijfjes een voor een af te beelden, maar binnen een quasi-natuurlijke en levendige ordening te brengen. Rembrandt slaagde daar met *De anatomische les van Dr. Nicolaes Tulp* (afb. onder) zo overtuigend in dat je het werk helemaal niet als groepsportret bekijkt. Het heeft veel meer van een historiestuk, want wat we zien is een handeling: iemand die een college anatomie geeft. Het was bovendien een gewichtige, drie dagen durende handeling, want het stadsbestuur stelde maar één keer per jaar een lijk ter beschikking, meestal het lichaam van een veroordeelde. Het college wordt gehouden door Nicolaes Tulp, eerste lector van het chirurgijnengilde, omringd door andere leden van het gilde. De situatie doet zo levensecht aan dat het lijkt alsof Rembrandt het doek inderdaad tijdens deze anatomische les heeft geschilderd. Elk van de geportretteerden reageert op zijn eigen manier op de demonstratie en ook wij nemen als kijker in zekere zin deel aan de les, want er is een plaats voor ons open gelaten in de kring van toehoorders. Het is trouwens goed denkbaar dat Rembrandt zichzelf ook langs deze weg in de anatomie verdiept heeft. Zijn portret vertoont een geraffineerde beeldopbouw. De mannen zijn zo dicht achter elkaar gezet dat ze in werkelijkheid geen plaats zouden hebben gehad om te staan. Dit was de enige manier om ieder van hen groot in beeld te brengen. Ze betaalden per slot van rekening allemaal een bepaald bedrag voor hun portret en konden zich zo laten vereeuwigen. Het portret werd in de vergaderzaal van het gilde naast andere portretten opgehangen. Rembrandts beroemdste werk, de zogenaamde *Nachtwacht* (afb. blz. 437),

diende eenzelfde doel. Het is een groepsportret van een compagnie van het Amsterdamse schuttersgilde. Dergelijke groepsportretten werden bij voorkeur in de vorm van een ongedwongen ogend banket gegoten, alhoewel de vaandels en andere onontbeerlijke rekwisieten daarbij vaak weer geforceerd aandeden.

Rembrandt kiest ervoor een moment uit te beelden dat waar gebeurd zou kunnen zijn. Kapitein en luitenant maken zich los uit het gedrang en gaan de manschappen voor, anderen sluiten zich langzaam tot een geordende stoet aaneen, maar sommigen zijn nog bezig met het schoonmaken of laden van hun musket, terwijl een tamboer het signaal geeft om op te breken. Het vermoeden rijst dat het hier om een bijzondere gebeurtenis gaat – een roemrijke compagnie kort voor een van de overwinningen in de Tachtigjarige Oorlog, waarmee zij een plaats in de annalen heeft veroverd. Een dergelijke gedachte zou in de beschouwer op kunnen komen.

Tijdens de wapenstilstand had de burgerwacht echter slechts een representatieve functie en daarna werden de veldslagen niet meer op het grondgebied van de Republiek uitgevochten. De eigenlijke strijd werd in het zuiden door huurlingen geleverd. Het was vooral een erekwestie om lid van een schuttersgilde te zijn. Rembrandt suggereert dan ook alleen maar een gedenkwaardig moment om zijn opdrachtgevers een edeler pose te kunnen laten innemen – iets wat zij naar waarde wisten te schatten. Het is dan ook een fabeltje dat zij niet tevreden over het werk geweest zouden zijn. Daarnaast had de schilder natuurlijk een kunstgreep gevonden om een zo levendig mogelijke situatie op het doek aan te brengen.

Het gaat overigens niet om een nachtelijke activiteit. Deze vergissing, waaraan het schilderij zijn bijnaam dankt, is te wijten aan de sterk nagedonkerde vernis, die inmiddels gereinigd is. Rembrandt plaatste de handeling in de schaduw om de figuren des te lichter en feestelijker uit het donker naar voren te kunnen halen. Een meisje in een goudkleurig glanzende jurk –ze vervult hier misschien de rol van marketentster– vangt nog het meeste licht. Nu neemt zij ook een sleutelpositie op het schilderij in, want wat zij aan haar gordel draagt, zou je het waarmerk van de compagnie kunnen noemen: de 'klauwen' van de kip –zoals men toen wel zei– hebben dezelfde woordstam als 'klovenier' ('busschieter'). Pas door dit symbool krijgt de groep haar identiteit.

**Pieter Paul Rubens**
Rubens en Isabella Brant in het kamperfoelieprieel, ca. 1609/1610
Olieverf op linnen, gespannen op hout
178 x 136,5 cm
München, Bayerische Staatsgemäldesammlungen, Alte Pinakothek

**Pieter Paul Rubens**
Portret van Isabella Brant, Rubens' eerste vrouw, ca. 1622
Inkttekening op lichtbruin papier
38 x 29 cm
Londen, British Museum

**Rubens en Rembrandt**

Te midden van de vele goede schilders die de Lage Landen in de 17e eeuw voortgebracht hebben, zijn Rubens en Rembrandt de twee absolute giganten, die in rang gelijk zijn aan kunstenaars als Velázquez of Poussin. Allebei richtten ze zich vooral op de traditionele genres als het historiestuk en het portret, maar we hebben aan hen ook voortreffelijke landschappen te danken. Ondanks menige overeenkomst springen bij een vergelijking van deze twee schilders, die elkaar overigens nooit persoonlijk hebben leren kennen, toch vooral de enorme verschillen in het oog. Naast afkomst, opleiding, leefmilieu en artistieke ontwikkeling zijn het in de eerste plaats hun volkomen tegengestelde persoonlijkheden die het uiteenlopende karakter van hun kunstproductie bepalen. Rembrandts carrière begon dertig jaar later dan die van Rubens. Toen hij nog in de leer ging, was Rubens al een gevierd kunstenaar en terwijl Rembrandt in de jaren '30 probeerde opdrachtgevers voor zich in te nemen, werd Rubens overstelpt met opdrachten.

**Pieter Paul Rubens**

Rubens had veel van de wereld gezien. In 1600, onmiddellijk na zijn leertijd, vertrok hij naar Italië. Antwerpen leed onder de Spaanse bezetting en er waren nauwelijks opdrachten te vergeven. Eenmaal in Italië trok hij gelijk de aandacht van de hertog van Mantua, die hem als hofschilder aanstelde. Intussen bezocht Rubens ook andere steden, wat hem de gelegenheid gaf de meesterwerken van de Renaissance te gebruiken om een eigen stijl te ontwikkelen. Via de familie Gonzaga kwam hij vroegtijdig in contact met andere vorsten (zo kwam hij bijvoorbeeld op een officiële missie naar het Spaanse hof en werkte voor Rudolf II in Praag). Terug in Vlaanderen werd hij in 1609 door de Spaanse stadhouder in Brussel tot hofschilder benoemd. Rubens bleef echter wel in Antwerpen wonen. Vooral de kunstlievende infanta Isabella ondersteunde hem langdurig. Door haar was hij ook in staat zijn netwerk van vorstelijk contacten uit te breiden.

**Succes**

Het lot bleef Rubens gunstig gezind en zijn klim op de maatschappelijke ladder vond al gauw een vertaling in het huwelijk met Isabella Brant, de dochter van een gerespecteerd patriciër en stadssecretaris, nauwelijks een jaar na zijn terugkeer. Op het zgn. *Kamperfoelieprieel*, een schilderij ter ere van dit heuglijke feit, uit Rubens zowel zijn liefde als zijn trots. Zolang zij leefde, hield hij grote waardering voor haar en innige genegenheid is de geliefden zonder meer aan te zien. Meestal kwamen dergelijke emotionele waarden echter niet aan bod in een representatief portret, ook niet omdat ze in die tijd niet de basis voor een huwelijk hoefden te vormen. Doordat de schilder en zijn vrouw haast onmerkbaar naar elkaar toe gedraaid zijn, ontstaat een harmonieus samenspel. De kamperfoelie die het paar schijnbaar toevallig omhult, is een aloude symbolische uitdrukking van hun saamhorigheid. Zoals gezegd is dit ook een uitgesproken representatief dubbelportret, ondanks de besloten, intieme situering in een prieel. Het standsbewustzijn komt tot uitdrukking in de opzichtige kleding en in het zeker niet bescheiden type van het portret ten voeten uit. Aan de idee dat de man een hogere plaats inneemt dan de vrouw, laat het doek geen twijfel bestaan: zij zit bijna aan zijn voeten, iets wat door haar hoge hoed ook optisch niet echt goedgemaakt kan worden. De degen, het teken van aristocratische waardigheid, in zijn linkerhand vindt de schilder bijna even belangrijk als zijn vrouw, die hij zijn rechterhand geeft. Een eenvoudig schilder is hier zonneklaar een edelman geworden. Ook aan officiële onderscheidingen heeft het Rubens niet ontbroken: de Spaanse koning verhief hem in 1624 in de adelstand, in Cambridge promoveerde hij in 1630 tot Magister Artium en in Whitehall werd hij geridderd.

**Verstand en discipline**

Voor een carrière als hierboven beschreven, was Rubens niet bepaald in de wieg gelegd. Zijn vader Jan Rubens moest als protestants jurist en adviseur van de hertogin uit Antwerpen vluchten. Zoon Pieter Paul werd in Siegen geboren. Na de dood van de vader keerde zijn moeder, die katholiek gebleven was, weer terug naar de Scheldestad. Voor haar jongste zoon was niet meer dan een kort bezoek aan de Latijnse school weggelegd. Daarna verdiende hij als page van een adellijke weduwe zijn geld, voordat hij bij een schilder in de leer ging. Zijn oudere broer Philip maakte hem vertrouwd met het gedachtengoed van de humanisten, en in de omgang met vooraanstaande denkers van zijn tijd ontwikkelde hij zichzelf onvermoeibaar verder. Philip studeerde in Antwerpen bij de beroemde humanist Justus Lipsius. Diens denken was bepaald door de vele gewapende conflicten uit deze tijd en hij propageerde de hernieuwing van het Romeinse stoïcisme. De levenshouding die Pieter Paul Rubens ontwikkelde, is sterk door dit denken beïnvloed, wat ook in zijn werk terug te vinden is. Uit zijn brieven spreekt de overtuiging dat een menswaardig leven betekent de rede tot hoog-

Antwerpen
Rubenshuis

**Pieter Paul Rubens**
De dronken Silenus, 1618-1626
Olieverf op hout, 205 x 211 cm
München, Bayerische Staatsgemälde-sammlungen, Alte Pinakothek

**Pieter Paul Rubens**
De aankomst van Maria de' Medici in de haven van Marseille, 1625
Olieverf op linnen, 394 x 295 cm
Parijs, Musée du Louvre

ste macht verheffen, waaraan al het andere zich ondergeschikt moet maken: gevoelens moeten in toom gehouden en discipline betracht worden.

Op zijn schilderij *De dronken Silenus* (afb. onder) brengt Rubens de dierlijke driften van de mens voor ogen die door overmatig wijngebruik de overhand krijgen. De hulpeloze toestand van de grijsaard uit het gevolg van de god Dionysus is genadeloos geschilderd. "Dronkenschap verlamt het gebruik van de ledematen en de geest, zoals de aloude fabel van Silenus leert; zij verspilt het geld, wakkert de blinde hartstochten van Venus en Mars aan en heeft een vroegtijdige dood tot gevolg", zo vermaant een opschrift op een gravure naar een ander schilderij van Rubens met hetzelfde onderwerp. Toch schildert hij in beide werken de menselijke zwaktes met een glimlach af. Immers, ook driften zijn een menselijke eigenschap en niemand kan ze voor eens en altijd overwinnen.

Verstand en discipline, de ijzeren regels van zijn eigen leven, stelden hem in staat rijkdommen te vergaren die altijd buiten het bereik van een schilder hadden gelegen. Hij organiseerde zijn atelier met een uitzonderlijk zakelijk instinct op een fabrieksmatige manier. Gildenvoorschriften beperkten het maximumaantal leerlingen, maar als hofschilder hoefde hij zich daar niet aan te houden. Zijn verzoek in de adelstand verheven te worden, werd stellig ook ingegeven door de vrijstelling van belasting en gilderegels die daarmee gepaard gingen. Al snel had Rubens in Antwerpen een aanzienlijke hoeveelheid onroerend goed verworven en in het begin van de jaren '20 betrok hij een voornaam herenhuis (afb. blz. 438 onder), dat niet alleen zijn woning, maar ook het atelier, verkoopruimten en zijn kunstcollectie herbergde. Rubens richtte het zo in dat hij er ook hooggeplaatste gasten kon ontvangen.

### Diplomatie

Een belangrijke reden voor zijn succes was verder zijn diplomatieke behendigheid. Die werd aan het begin van de jaren '20 danig op de proef gesteld, toen Maria de' Medici, de weduwe van de Franse koning, hem een opdracht verstrekte voor een 21-delige schilderijencyclus met scènes uit haar leven. De transactie die er financieel zo goed had uitgezien, ontpopte zich als een uitgesproken hachelijke onderneming. Na de moord op haar man had Maria de voogdij over haar onmondige zoon, de latere Lodewijk XIII, verworven. Het was een zware taak en nauwelijks tot een goed einde te brengen, temeer daar kardinaal Richelieu zijn invloed op Lodewijk vergrootte en op haar afzetting aanstuurde. Toen Maria de opdracht verstrekte, had zij al afstand moeten doen van de macht. Zij werd aan het hof nauwelijks getolereerd en moest later het land verlaten. Terwijl zij zon op mogelijkheden het tij te keren, verwachtte zij van Rubens' schilderijen niets minder dan een rechtvaardiging van haar daden als regentes. Met behulp van een overdonderende aankleding en heerscharen aan mythologische gestalten slaagde Rubens erin Maria's regeringsperiode af te schilderen als een zegen voor Frankrijk. Op een van de schilderijen meert het imposante schip van de Medici's in Marseille af en betreedt de toekomstige echtgenote van Hendrik IV voor het eerst Franse bodem (afb. boven). Twee vrouwengestalten, die Frankrijk en de stad Marseille personifiëren, ontvangen haar devoot en enthousiast tegelijk. De overtocht vanuit Florence werd kennelijk door Neptunus persoonlijk en een sleep Tritons en Naiaden bewaakt. Het leven van Maria staat in alle schilderijen steeds onder bescherming van de goden. Zo krijgt de jonge

**Pieter Paul Rubens**
Hélène Fourment, ca. 1635
Krijt- en pentekening, 61,2 x 55 cm
Londen, collectie graaf Seilern

**Pieter Paul Rubens**
'Het pelsken', ca. 1635/1640
Olieverf op hout, 176 x 83 cm
Wenen, Kunsthistorisches Museum

**Pieter Paul Rubens**
Zelfportret, ca. 1638/1640
Olieverf op linnen, 109,5 x 85 cm
Wenen, Kunsthistorisches Museum

Maria les van niemand minder dan Athena, de godin van de wijsheid.

Sinds de Renaissance zijn dit de beproefde middelen ter verheerlijking van vorsten die zichzelf zien als godgelijken, die in de absolutistische 17e eeuw haar hoogtepunt bereikt. Rubens maakt Maria evenwel niet aan de goden gelijk. Ze wordt veeleer juist bevoogd en geleid door hen. De verwijzing naar hogere machten dient hier dus welbeschouwd om de positie van de regentes te relativeren – een welkome mogelijkheid om aan het gevaar van een kritiekloze bewierоking te ontkomen. Maria was van haar kant vol lof over het werk en bestelde bij Rubens gelijk een cyclus rond het leven van haar vermoorde gemaal, koning Hendrik IV, die echter niet voltooid werd.

Nadat er in 1621 een eind kwam aan het Twaalfjarig Bestand tussen de provincies van de Noordelijke Nederlanden en Spanje, en Engeland en Frankrijk zich in de oorlog hadden gemengd, kon Rubens zijn diplomatieke vaardigheden ook bij de vredesonderhandelingen in dienst van de Spaanse kroon demonstreren. Jarenlang nam dit tweede beroep een groot deel van zijn tijd in beslag. In 1627 reisde hij naar Rotterdam, Delft, Amsterdam en Utrecht onder het mom de Nederlandse schilders te leren kennen. In werkelijkheid ontmoette hij er Engelse onderhandelaars om de onderhandelingen met de Engelse koning voor te bereiden, met wie hij later een vredesverdrag opstelde.

**Terugtocht**

Intussen was zijn eerste vrouw gestorven, en in 1630, vier jaar na haar dood, trouwde Rubens met Hélène Fourment. De schilder-op-leeftijd werd geplaagd door jicht en verlangde naar een leven ver van het internationale politieke toneel en de gegoede kringen. De 16-jarige Hélène gaf de 53-jarige schilder nieuwe levenslust: "Ik heb een jonge vrouw uit een goede, maar burgerlijke familie genomen, hoewel iedereen mij ervan probeerde te overtuigen in hofkringen een huisvrouw te zoeken. Maar ik was beducht voor de maar al te bekende slechte eigenschap van de adel, het standsgevoel, vooral bij het andere geslacht, en daarom nam ik liever een vrouw die niet het schaamrood op de kaken krijgt als ze mij het penseel ter hand ziet nemen. En om de waarheid te zeggen, ik had het moeilijk kunnen verkroppen mijn vrijheid in te ruilen tegen de liefkozingen van een oude vrijster." Hélène poseerde voor veel van zijn portretten, en ook in de bijbelse en mythologische stukken uit deze jaren duiken haar trekken telkens weer op. De meeste werken schilderde Rubens nu voor zichzelf, zoals onbekommerde lofzangen op de liefde, zoals *Het Venusfeest* (Wenen) en *De liefdestuin* (Madrid).

In 1635 gaven de stadhouders eindelijk gehoor aan zijn verzoeken om uit de diplomatieke dienst ontslagen te worden en kon Rubens, zo schreef hij, "de gouden knoop van de eerzucht doorhakken". Voortaan had hij "geen ander doel meer in deze wereld dan in vrede te leven". Dit voornemen verwezenlijkte hij in Het Steen, een adellijk slot op het land (zie afb. blz. 459), waar hij zijn Vlaamse geboorteland op zich in kon laten werken en zich kon wijden aan zijn jonge vrouw.

Wat voor complexe persoonlijkheid Rubens aan het eind van zijn bewogen

**Rembrandt**
Saskia in voorname dracht, ca. 1642
Olieverf op hout, 99,5 x 78,8 cm
Kassel, Staatliche Kunstsammlungen, Gemäldegalerie Alte Meister, Schloß Wilhelmshöhe

leven geworden was, valt af te lezen aan drie van zijn laatste schilderijen. Twee jaar voor zijn dood in 1640 schildert hij het vrijzinnigste portret van Hélène, *Het pelsken*, een eenmalig document van zijn bewondering voor vitaliteit en levensvreugde. Omgekeerd staat hij op het *Zelfportret* uit 1636 in zijn hoedanigheid van publiek persoon: hooggeacht, gefortuneerd, overladen met alle eer die een schilder zich maar kon wensen. Het is een *kniestuk*, een portrettype dat Rubens verder alleen voor staatsieportretten gebruikte. De waardigheidstekens hopen zich erin op: de zuil is een vast bestanddeel van het aristocratenportret, evenals de losjes gedragen handschoenen; de degen verwijst naar het feit dat de afgebeelde tot ridder werd geslagen. De grote hoed en de dure mantel zorgen voor een imposant volume. Toch is dit geen aangemeten waardigheid, want er spreken schranderheid en ervaring uit de wakkere blik, die echter ook wat bezadigds heeft. Een oog fonkelt nieuwsgierig, open voor de wereld, het andere is donker, ernstig, in zichzelf gekeerd. In zijn niet-aflatende inspanningen voor de vrede werd Rubens uiteindelijk teleurgesteld – het einde van de verschillende oorlogen in het veelgeplaagde Europa mocht hij niet meer beleven. In 1638 brengt hij zijn ontgoocheling in het aangrijpende schilderij *De gevolgen van de oorlog* (zie afb. blz. 449) tot uitdrukking. Hij moest wel de indruk krijgen dat de mensheid niet meer tot bezinning wilde komen.

**Rembrandt Harmensz. van Rijn**
Als Rembrandt naast het uitzonderlijke artistieke talent– iets gemeen had met Rubens, dan was het wel de grote eerzucht. De 32-jarige Rubens had op zijn huwelijksportret een aristocratisch zelfbewustzijn tentoongespreid en Rembrandt presenteerde zich op 34-jarige leeftijd eveneens als iemand die het gemaakt heeft: in fluweel en zijde, met bont en juwelen, verschijnt hij als een voorname, zelfbewuste man in beeld. Een kenner kon verder zien dat hij daarvoor niet alleen de kleding van de vroege 16e eeuw aangetrokken had, maar dat hij ook een speciale pose innam en daarmee beroemde portretten van Titiaan en Rafaël citeerde (afgebeeld zijn Ariosto en Castiglione). Zo omgaf Rembrandt de eigen persoon met een aura van een uitgelezen culturele ontwikkeling en grootsteedse omgangsvormen, waarmee zijn voorbeelden uit de Renaissance geassocieerd werden.

**Rembrandt**
Zelfportret met opengesperde ogen, 1630
Ets, 5,1 x 4,6 cm
Amsterdam, Rijksmuseum

Rembrandt plaatste zichzelf welbewust in een grote traditie, ook door vanaf 1633 alleen nog maar met zijn voornaam te signeren, net als de schildervorst Titiaan.

**Succes**
Inderdaad stond Rembrandt omstreeks 1640 op het toppunt van zijn roem. Negen jaar eerder was hij uit zijn geboortestad Leiden (waar hij een schildersopleiding gevolgd en zijn eerste atelier geopend had) naar Amsterdam getrokken omdat daar meer werk was. Alleen al in zijn eerste vier jaar aan de Amstel schilderde hij zo'n 50 portretten terwijl hem per schilderij in het algemeen sommen van wel 500 gulden werden betaald (werklieden verdienden in die tijd niet meer dan ongeveer 100 gulden per jaar). Zelfs van de stadhouder kreeg Rembrandt een aanzienlijke opdracht (voor een passiecyclus).

En dat terwijl hij van eenvoudige komaf was: zijn vader was molenaar. Maar net als Rubens probeerde Rembrandt zich voortdurend verder te ontwikkelen. Hij had aan de Leidse universiteit ingeschreven gestaan en kende Latijn – onmisbare bagage voor een beginnend historieschilder. In Amsterdam ging hij om met de joodse intellectuelen die bij hem in de wijk woonden. Alleen reizen ondernam hij nauwelijks. Hij was de mening toegedaan dat hij in Nederland voldoende artistieke impulsen kreeg.

Een volgende overeenkomst met zijn grote zuidelijke evenknie: Rembrandt hield er ook een groot atelier op na. Door de jaren heen bood hij werk aan zeker 150 leerlingen en assistenten. Zij maakten kopieën van zijn werk, die hij dan signeerde. Daarnaast werden eigen creaties van zijn leerlingen onder zijn naam verkocht. Volgens de gildestatuten was dat mogelijk, maar geen schilder ging daarin zo ver als Rembrandt. Al een aantal jaren is deze atelierpraktijk onderwerp van discussie. Het is de bedoeling het zeer omvangrijke oeuvre van de meester, dat bij zijn leven het nodige aan zijn bekendheid heeft bijgedragen, zo gedifferentieerd mogelijk te beoordelen, om ook het werk van zijn leerlingen recht te doen.

Ook bij Rembrandt resulteerde een veelbelovende carrière in een huwelijk op stand. In 1634 trouwde hij met Saskia van Uylenburgh, een telg uit een Fries patriciërsgeslacht die een aanzienlijke bruidsschat inbracht. Al snel kon Rembrandt zichzelf een gerespecteerd patriciër voelen, want was hij niet de favoriete schilder van de smaakmakende generatie? Ook hij betrok een groot herenhuis. Zijn jonge vrouw stond herhaaldelijk model voor hem. In hun trouwjaar begon hij aan het ambitieuste van de vele portretten die hij van haar maakte, vol pracht en praal (afb. boven). Anders dan in Rubens' huwelijksportret etaleert hij niet zijn eigen rijkdom, want Saskia speelt een rol in een prachtig *portrait historié*, een rollenportret, dat erg populair was in die tijd. Ze draagt een renaissancekostuum, en het strenge profiel waarin Rembrandt haar schilderde, zo ongebruikelijk als het in de 17e eeuw was geworden, past daar goed bij. Rembrandt voltooide het portret van zijn vrouw pas na haar vroege dood in 1642. De veer op haar baret is een verwijzing naar de vergankelijkheid van het leven.

**Rembrandt**
Vrouw badend in een beek (Hendrickje), 1655
Olieverf op hout, 61,8 x 47 cm
Londen, National Gallery

**Neergang**
Na Saskia's dood was Rembrandts carrière over zijn hoogtepunt heen en zette een neergang in die –zeker na 1650– onstuitbaar was. Hij had zich met Geertje Dirckx ingelaten, die als voedster van zijn zoon Titus bij hem in huis gekomen was. Hij werd de liaison met de bijna 40-jarige vrouw echter al snel beu en nam in haar plaats de jonge Hendrickje Stoffels als dienstmeisje in zijn huis. Maar Geertje daagde Rembrandt in 1649 vanwege een mondeling gegeven huwelijksbelofte voor de rechter. De uitkomst was dat hij haar een regelmatig onderhoudsgeld moest betalen. Hendrickje werd daarentegen in 1656 door de kerkeraad van het avondmaal uitgesloten omdat ze een buitenechtelijke relatie met de schilder had. Die stond overigens zelf alleen niet terecht omdat hij geen lidmaat van de kerk bleek te zijn. In die tijd schilderde Rembrandt Hendrickje wadend in een beek, haar eenvoudige hemd voorzichtig opgetrokken. De vlakmatig opgezette en in zijn schetsmatige karakter fris en dynamisch aandoende wijze van schilderen loopt vooruit op het late werk van de meester. Aarzelend, maar met een onverholen speelsheid komt Hendrickje uitgesproken jeugdig over. Je kunt je voorstellen dat de 48-jarige Rembrandt in haar dezelfde eigenschappen waardeerde als Rubens in zijn Hélène. Toch wilde Rembrandt ook met Hendrickje niet trouwen, omdat hij dan het vermogen van Saskia aan haar familie terug zou moeten geven, waar hij financieel al niet meer toe in staat was. In 1656 moest hij zich officieel insolvent laten verklaren, waarop zijn bezit verbeurd verklaard werd. Rembrandt kon helemaal niet met geld omgaan en verschilde daarin wel heel duidelijk van Rubens. Hij speculeerde zonder overleg, legde een grote kunstcollectie aan die zijn mogelijkheden verre te boven ging en gaf te allen tijde zorgeloos het geld uit waarover hij op dat moment beschikte. In 1660 richtten Hendrickje en zijn 18-jarige zoon Titus een maatschap op die de verantwoordelijkheden voor de transacties van de schilder overnam om hem tegen zijn schuldeisers te beschermen. Hendrickje stierf in 1663, vermoedelijk aan de pest, Titus in 1668 – een jaar voor zijn vader.

Dergelijke ongepaste affaires hadden Rembrandts aanzien bij de fatsoenlijke burgerij geschaad. En dat terwijl het hem toch al aan Rubens' innemende en diplomatieke aard ontbrak en hij zich moeilijk in zijn potentiële kopers kon verplaatsen. Aan het begin van zijn

**Rembrandt**
Zelfportret, 1640
Olieverf op linnen, 102 x 80 cm
Londen, National Gallery

**Rembrandt**
Zelfportret, 1658
Olieverf op linnen, 133,7 x 103,8 cm
New York, Frick Collection

Amsterdamse tijd had Gerrit van Uylenburgh, de oom van Saskia, hem opdrachten toegespeeld, maar in het persoonlijke contact met zijn opdrachtgevers werd Rembrandt steeds nukkiger en ongelikter. Zijn veelbelovende contact met het hof in Den Haag verwaterde en hij kreeg ook daar geen vervolgopdracht. Daarnaast had hij geen oog voor de voortdurend wisselende machtsverhoudingen binnen het Amsterdamse patriciaat en slaagde hij er niet in de juiste beschermheren voor zich in te nemen. De grootste openbare opdracht die de stad in de 17e eeuw te vergeven had, de decoratie van het nieuwe stadhuis op de Dam, ging naar zijn voormalige leerling Govaert Flinck, die zich juist in een ongemene populariteit mocht verheugen. Pas na diens vroegtijdige dood werd de opdracht over een aantal schilders verdeeld, en in 1661 kon Rembrandt een opdracht voor een groot doek met *De samenzwering van Claudius Civilis* in de wacht slepen. Helaas accepteerden de raadsleden het werk uiteindelijk niet en bleef hij met het reusachtige werk zitten.

**Zelfportretten**

In de laatste twintig jaar van zijn leven, toen hij met vele tegenslagen te kampen had, richtte Rembrandt zich met hernieuwde aandacht op zelfportretten. In totaal maakte hij 80 beeltenissen van zichzelf. Dat is een indicatie van zijn zelfbewustzijn en een streven naar bevestiging, maar het is slechts voor een deel narcisme. Rembrandt gebruikte het eigen voorkomen vooral als een permanent beschikbaar model en studieobject voor de empirische psychologie waarop zijn werk berust. Het valt moeilijk te zeggen in hoeverre hij in de portretten zijn karakter en geestestoestand tot uitdrukking brengt en wat daarbij slechts een pose is die hem in staat stelt expressieve varianten te bestuderen.

Hij schilderde zichzelf in alle mogelijke uitmonsteringen –als soldaat, bedelaar, oosterling, als vertegenwoordiger van verschillende klassen– en met vele verschillende gelaatsuitdrukkingen. Aan het begin van zijn carrière zullen de zelfportretten vaak als reclame voor zijn artistieke vaardigheden bedoeld zijn geweest, maar al gauw werden het begeerde verzamelaarsobjecten. Toch verhelen ook deze rollenportretten niet het enigszins onbestemde karakter van Rembrandt, die anders dan Rubens geen steun vond in ijzeren leefregels, maar zijn verschillende neigingen vrij tot ontwikkeling liet komen.

Op het dieptepunt van zijn financiële problemen, ver verwijderd van welstand en roem, schilderde hij een imposant, bijna koninklijk zelfportret (afb. rechtsboven): hij zetelt als op een troon, zijn schouders omhangen met een goudglanzend gewaad. Mild en wijs kijkt hij neer op de beschouwer. Het is een equivalent van Rubens' late zelfportret, maar waar deze met een gerust hart de degen kan dragen, speelt Rembrandt een rol, poseert als koning en geeft zijn schildersstok voor scepter uit.

Rembrandt beeldde zichzelf zelden af als schilder. Op een van zijn laatste zelfportretten zit hij met de schildersstok voor het doek, waarop hij de beeltenis van een oude vrouw aanbrengt. Maar ook hier treedt hij op in een bepaalde rol: die van de klassieke schilder Zeuxis. Die moet aan zijn eind gekomen zijn doordat hij in een onbedaarlijke lachbui stikte toen hij een rimpelige, zonderlinge oude vrouw naar het leven schilderde. Misschien is het een laatste, sarcastisch commentaar op de vele portretten die hij in een onovertroffen realisme naar het leven heeft geschilderd.

## Het historiestuk

Het historiestuk biedt "de edelste daden en idealen van rationeel denkende wezens", schreef een van Rembrandts leerlingen Samuel van Hoogstraten in 1678 in zijn *Inleyding tot de Hooge Schoole der Schilderkonst*. Voor hem was dat reden om voor dit genre de hoogste plaats in de schilderkunst in te ruimen. Ondanks dit waardeoordeel gaven schilders en kopers in de Republiek duidelijk de voorkeur aan landschappen, genrestukken en stillevens boven historiestukken. Er werden op deze nieuwe terreinen veel meer schilderijen geproduceerd dan binnen de categorie die traditioneel het hoogst stond aangeschreven. Toch hield men zich in ontwikkelde kringen ook nu nog bezig met de eerbiedwaardige thema's van het historiestuk, waartoe belangrijke geschiedkundige gebeurtenissen evenzeer behoren als actuele voorvallen, mythologische vertellingen of bijbelverhalen.

Een van de wegbereiders van het eigen Noord-Nederlandse historiestuk was de Amsterdamse schilder Pieter Lastman. Hij was van 1603 tot 1607 in Italië geweest en was daar onder de indruk gekomen van Caravaggio en de in Rome wonende en werkende Duitser Adam Elsheimer. Lastmans levendige verteltrant berust op een sterk ontwikkelde opmerkingsgave en voorstellingsvermogen. Anders dan voor de maniëristische generatie stond voor hem niet meer de vondst van een ingenieuze compositie met gecompliceerde lichaamshoudingen op de voorgrond en hij beschouwde het thema ook niet langer als een kapstok voor virtuositeit. Lastman nam de verhalen die hij wilde vertellen serieus en hij concentreerde zich erop hun inhoud op niet mis te verstane wijze en pakkend op de beschouwer over te brengen. Daarbij richtte hij zijn oogmerk allereerst op de menselijke gevoelens, een belangstelling die hij op Rembrandt overdroeg, die als jonge schilder speciaal een paar maanden uit Leiden was overgekomen om de kunst van Lastman af te kijken.

Voor zijn *Odysseus en Nausicaä* (afb. boven) put hij uit de klassieke mythologie. De schipbreukeling Odysseus verrast de koningsdochter en haar dienaressen tijdens een uitstapje en vraagt haar om hulp. Terwijl de andere vrouwen druk gesticulerend uitdrukking geven aan hun ont-

AFBEELDING BLZ. 444:
**Pieter Lastman**
Odysseus en Nausicaä, 1619
Olieverf op hout, 91,5 x 117,2 cm
München, Bayerische Staatsgemäldesammlungen, Alte Pinakothek

zetting over deze 'wildeman', de naakte Odysseus, en op het punt staan te vluchten, bewaart de koningsdochter haar kalmte en leent de vreemdeling haar oor. Lastman plaatst haar zo, dat ze als afzonderlijke gestalte tegen de hemel afsteekt en de knielende Odysseus naar haar op moet kijken. Omdat de kijker diens gezichtspunt moet delen, krijgt zij iets monumentaals als van een standbeeld. De scène is langs een diagonale dieptelijn gestructureerd, een compositorische vernieuwing, die de barokke verhaalstructuur zeer ten goede komt, omdat zij het beeld dynamisch maakt. Op de as tussen Odysseus en Nausicaä kan de onzekerheid van het weergegeven moment zich ontplooien en er ontstaat een emotionele spanning tussen hoop en vrees, schrik en nieuwsgierigheid, afstoten en aantrekken. Het is nog niet te zien dat Odysseus door het meisje naar haar vader gebracht zal worden en dat deze hem een schip ter beschikking zal stellen, zodat de held na tien jaar van omzwervingen eindelijk zijn geboortegrond zal bereiken.

Mythologische stof was altijd een zaak van de aristocratie en haar kunst geweest en is daarom in Nederland niet vaak verwerkt. Maar ook taferelen uit het Nieuwe Testament komen weinig voor, omdat de calvinistische kerken zich aan het verbod op de beeldendienst hielden en bijbelse voorstelling ook in de godsdienstoefening in huiselijke kring nauwelijks een rol speelden, met uitzondering van Utrecht, dat de enige bisschopsstad was in de Noordelijke Nederlanden tijdens de Middeleeuwen. De stad bleef katholiek en bracht nog steeds schilders voort die zich op religieuze kunst toelegden. Zij vormden ook in stilistisch opzicht een aparte groep binnen de Noord-Nederlandse schilderkunst, die van de zgn. Utrechtse caravaggisten. Op zoek naar voorbeelden en impulsen waren Nederlandse kunstenaars al vanaf het begin van de 16e eeuw telkens weer naar Italië gegaan. Een eeuw later kwamen Utrechtse kunstenaars als Hendrick ter Bruggen, Gerrit van Honthorst en Dirck van Baburen in Rome in aanraking met de volkomen nieuwe kunst van Caravaggio, wiens stijlmiddelen zij overnamen en in Nederland op grote schaal ingang deden vinden: realisme in de weergave, ongeïdealiseerde, volkse modellen en vooral het *chiaroscuro*, de dramatisering door licht-donkereffecten. Een lichtvoering als bij Rembrandt, die zelf nooit in Italië is geweest, is ondenkbaar zonder de schilderijen van deze groep Utrechters.

Gerrit van Honthorst benut op zijn schilderij *Christus voor de hogepriester* ten volle het dramatische effect van een enkele kaars, die in een donker vertrek het verhoor van Christus zichtbaar maakt. Zijn witte kleding reflecteert het licht over een groot oppervlak, zodat het van hem zelf lijkt uit te gaan. Onwillekeurig word je herinnerd aan de woorden van Jezus: "Ik ben het licht der wereld. Wie mij volgt, zal nimmer in de duisternis wandelen, maar hij zal het licht des levens hebben." Zo wordt de gestalte van Christus alsnog geïdealiseerd. Zijn rust contrasteert met de woede die in de hogepriester opwelt en waarmee deze hem wil dwingen zich tegen de beschuldigingen van de getuigen te verweren. Jezus zal op rustige toon bevestigen de zoon van God te zijn. "Toen spuwden zij hem in het aangezicht en sloegen hem met vuisten." Honthorst koos echter niet die scène vol voor de hand liggende dramatiek, maar het moment dat daaraan voorafgaat: de woorden zijn nog niet gevallen en de spanning van het eenzijdige twistgesprek hangt in de ruimte.

Nachtelijke scènes als deze waren Honthorsts specialisme (in Italië kreeg hij de bijnaam Gherardo delle Notti). In Rome, waar hij van 1610 tot 1620 verbleef, had hij al een grote reputatie opgebouwd. Terug in Utrecht groeide Honthorst uit tot een van de beroemdste schilders van Nederland en werkte hij regelmatig voor de stadhouder in Den Haag en voor koning Christiaan IV van Denemarken. Ten slotte werd hij door Karel I naar Engeland gehaald.

In Vlaanderen bleef er onverminderd vraag naar altaarstukken en devotiebeelden. Deze werd door de contrareformatorische propaganda zelfs nog aangewakkerd. Niet alleen de Kerk, maar ook particulieren en

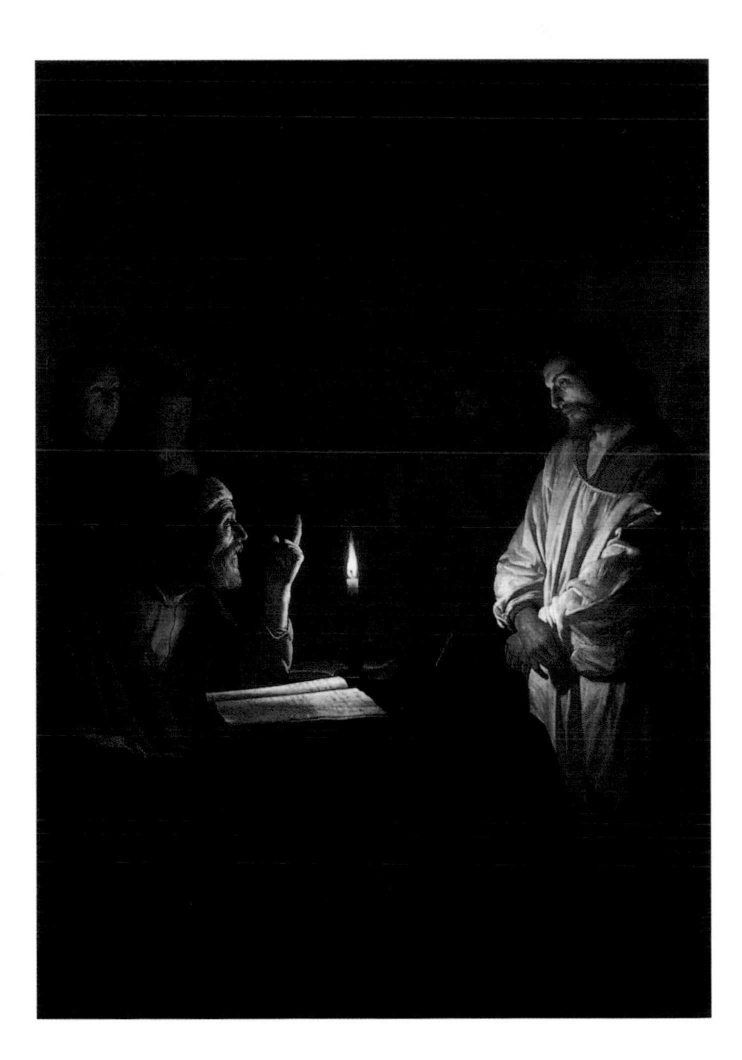

**Gerrit van Honthorst**
Christus voor de hogepriester, z.j.
Olieverf op linnen, 106 x 72 cm
Londen, National Gallery

**Pieter Paul Rubens**
Kruisafname, middenpaneel van een triptiek, 1612
Olieverf op hout, 462 x 341 cm
Antwerpen, kathedraal

**Rembrandt**
Kruisafname, 1633
Olieverf op hout, 89,4 x 65,2 cm
München, Bayerische Staatsgemäldesammlungen, Alte Pinakothek

verenigingen bestelden religieuze kunst, nog net als in de Middeleeuwen, toen families en gilden in de kerken hun eigen kapellen onderhielden. In Antwerpen was er bijvoorbeeld het schuttersgilde, dat bij Rubens een kruisafname voor de kathedraal bestelde en niet –zoals in de Noordelijke Nederlanden– een groepsportret van zijn leden.

Rubens' monumentale *Kruisafname* van 1609 (afb. linksboven) behoort tot de incunabelen van de Barok. De witte lijkwade vormt van rechtsboven naar linksonder een vloeiende diagonaal, die alle betrokken figuren met elkaar verbindt. De ene beweging zet zich voort in de andere, de ene hand geeft de last door aan de andere. De personen kwijten zich zonder ophef en trefzeker van hun moeilijke taak, vol eerbiedige concentratie. Christus is weliswaar de hoofdpersoon, maar het eigenlijke thema is de samenwerking tussen de mensen die hem van het kruis halen. Deze verrassende accentverschuiving heeft te maken met de functie die het paneel had als altaarstuk van het schuttersgilde. Door lid te worden verplichtte men zich tot onzelfzuchtige diensten aan de gemeenschap en Rubens houdt hun de betekenis van dat engagement exemplarisch voor ogen. Hijzelf was door de bestudering van het humanistische gedachtengoed tot de overtuiging gekomen dat er alleen dan van menselijke waardigheid sprake kon zijn als persoonlijke belangen achtergesteld werden aan die van de gemeenschap.

Met deze *Kruisafname* plaatste Rubens zich aan het hoofd van de Nederlandse schilderkunst. Hij was de nieuwe grootheid aan wie de anderen zich maten en moesten laten meten. Rembrandt nam die uitdaging aan door van Rubens' beroemde werk een eigen versie te maken (afb. rechtsboven). Dat deed hij waarschijnlijk niet in opdracht, maar spontaan, om in de beroepsmatige confrontatie met de grote meester een eigen stijl te vinden. Later kwam zijn *Kruisafname* in het bezit van stadhouder Frederik Hendrik, die daarna een cyclus met nog meer tafelen uit de passietijd bij Rembrandt bestelde. Het altaarstuk van Rubens is twintig maal groter dan Rembrandts versie, die als devotiebeeld gedacht was. Rembrandt baseerde zich op een hem bekende gravure (vandaar ook dat zijn compositie gespiegeld is), want het altaarstuk zelf heeft hij nooit gezien.

De handeling speelt zich bij Rembrandt lager op het beeldvlak af, als door een sleutelgat gezien, terwijl Rubens een onmiddellijk beroep op de kijker doet. In Rembrandts verfgebruik overheersen de tonen, en het bleke blauw van de bijfiguur linksboven is het sterkste kleuraccent. Rubens dramatiseert de handeling daarentegen met sterke kleuraccenten. Ze steken af tegen de achtergrond van een dreigende nachtelijke hemel alsof ze door koud bliksemlicht getroffen worden. Bij Rembrandt lijkt het licht van Christus zelf uit te gaan. De gekruisigde is hier onmiskenbaar de hoofdfiguur en voor de anderen blijft slechts de taak hem in te kaderen. In de blauwgeklede figuur heeft Rembrandt zichzelf afgebeeld. Hij plaatst zichzelf binnen de bijbelse gebeurtenissen en houdt zich zo de schuld voor ogen die ook hij als zondaar aan de dood van

**Rembrandt**
Jacob zegent zijn kleinzonen
Efraïm en Manasse, 1656
Olieverf op linnen
175 x 210 cm
Kassel, Staatliche Kunstsammlungen, Gemäldegalerie Alte Meister, Schloß Wilhelmshöhe

Christus heeft, een besef dat in de vele koralen uit die tijd herhaaldelijk verklankt werd.

Het historiestuk was naast het portret Rembrandts grote liefde. Hoogtepunt hier is het grote Kasselse schilderij *Jacob zegent zijn kleinzonen* (afb. boven). Op dit oudtestamentische tafereel zien we Jacob als grijsaard, die zijn einde voelt naderen en zich nog één maal opricht om zijn kleinzonen de zegen te geven. Sinds de Middeleeuwen is het verhaal telkens weer uitgebeeld en het vervult dan ook een sleutelrol in het christelijke geloof. Efraïm en Manasse worden door de zegen van de patriarch opgenomen onder zijn zonen, de stamvaders van de twaalf stammen van Israël. Wel is het zo dat hij zijn jongere kleinzoon in plaats van de eerstgeborene Manasse met zijn rechterhand zegent, waarvoor hij zijn armen moet kruisen. Efraïm, uit wie het christendom zou voortkomen, is daarmee een grotere toekomst beschoren dan Manasse en het jodendom: "Nochtans zal zijn jongere broeder groter zijn dan hij en diens nageslacht zal een volheid van volken worden."

Rembrandt lijkt het evenwel niet om deze verreikende beslissing te gaan. Zijn weergave wijkt sterk van het bijbelverhaal en de daaruit voortgekomen beeldtraditie af. Wat het meest opvalt, is dat Jacob zijn handen niet kruist en slechts een van zijn twee kleinzonen zegent. Dit moet op een speciale wens van de onbekend gebleven opdrachtgever terug te voeren zijn. Tot nu toe is er alleen over gespeculeerd. Voor de protestantse dan wel calvinistische uitleg speelt de voorkeur voor een van de kleinzonen geen prominente rol en joodse exegeten als de met Rembrandt bevriende rabbi Menasseh ben Israel wisten aan deze keuze ook probleemloos een joodse uitleg te geven.

Het is evenwel ook mogelijk dat Rembrandt het werk helemaal niet in opdracht schilderde. De bijbelvertelling bood hem namelijk ook de gelegenheid zijn opvatting van de schilderkunst te berde te brengen. Het is een verhaal waarin de tastzin op de voorgrond geplaatst kan worden. Handen spelen op veel van Rembrandts schilderijen een hoofdrol en ze worden –in tegenstelling tot de vluchtige aandacht die Frans Hals er vaak aan besteedde– meestal ook met grote zorg in een dikke laag verf neergezet. De zegenende handen van Jacob ensceneert Rembrandt als een tastend gebaar. De grijsaard ziet niet met zijn ogen (hij was nagenoeg blind en zijn gezicht bevindt zich in de schaduw), maar herkent door te voelen. "Rembrandt geeft de tastzin weer als belichaming van het gezichtsvermogen", zo beschreef Svetlana Alpers deze paradoxaal aandoende houding. Pas door de aanraking, zo zou je kunnen concluderen, geraakt men tot zien, tot inzicht. De tastzin speelt bij Rembrandt een grote rol bij de waarneming van de wereld, want het schilderen zelf is kennen door af te tasten.

Iets waarmee *Jacob zegent zijn kleinzonen* echter los van dergelijke diepzinnige bespiegelingen indruk maakt, is de geladenheid van de scène en de grote autoriteit en rust die de grijsaard daarbij uitstraalt. In zijn witte kleren trekt hij al het licht aan en alle blikken concentreren zich

**Rembrandt**
De verblinding van Simson, 1636
Olieverf op linnen, 205 x 272 cm
Frankfurt am Main, Städelsches Kunstinstitut

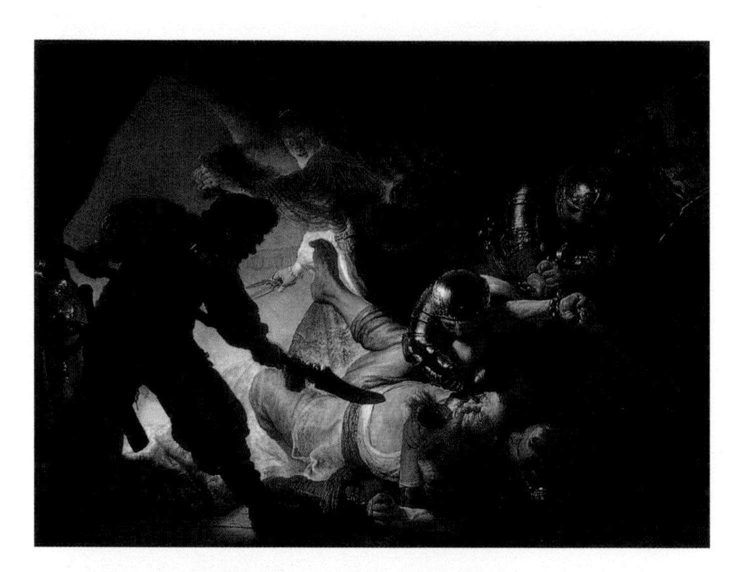

op zijn zegenende handen. Er is geen enkel detail dat de aandacht daarvan afleidt, de ruimte blijft onbestemd. Dit werk is het hoogtepunt van Rembrandts late stijl, waarin hij steeds meer afziet van een voor de hand liggende dramatiek en de blik richt op innerlijke processen, die in een geconcentreerde stilte de kans krijgen zich te voltrekken.

Zo'n dertig schilderijen wijdde Rembrandt aan voorstellingen uit het Oude Testament, waarvoor grote belangstelling bestond in de Republiek. De predikanten zetten aan tot een gedegen studie van bijbelverhalen en daarnaast bestond er in de grote joodse gemeenschap een nog directere band met het Oude Testament. De overwegend uit Portugal afkomstige joden waren in Amsterdam niet gedwongen in getto's te leven, maar woonden tussen de andere burgers en onderhielden met hen naar eigen goeddunken een oppervlakkig of inniger contact. De joden hadden ook nagenoeg dezelfde rechten. Rembrandt woonde sinds het eind van de jaren '30 in de joodse wijk en had vele goede vrienden onder de ontwikkelde joden.

Wie ook de opdrachtgever voor oudtestamentische voorstellingen was, we kunnen ervan uitgaan dat er een algemene behoefte was om ze te actualiseren, om ze als paradigma's te betrekken op het eigen leven en de eigen tijd. Dat maakte de verhalen tot gelijkenissen, en hun inhoud werd moraal: Suzanna kiest voor deugdzaamheid en kuisheid, Daniël verschijnt als toonbeeld van onkreukbaarheid, omdat hij haar van de veroordeling redde. Salomo bracht op een schilderij de spreekwoordelijk geworden wijsheid in en Abraham, die blind op God vertrouwend bereid is zijn enige zoon te offeren, vertegenwoordigde onvoorwaardelijke gehoorzaamheid, en zijn geloof en hoop werden allen ten voorbeeld gesteld. Anderzijds bood deze schatkamer aan verhalen ook de mogelijkheid te waarschuwen voor zwakten en zondige neigingen. Delila was bijvoorbeeld het toonbeeld van morele zwakte, want zij laat zich door haar allesoverheersende hebzucht verleiden tot laaghartig verraad aan de algemene zaak.

Op de fatale gevolgen van dergelijk gedrag heeft Rembrandt in een expressief jeugdwerk *De verblinding van Simson* (afb. links) gewezen. De Israëliet Simson is door God toegerust met onoverwinnelijke krachten. Om deze bedreiging onschadelijk te maken, kopen de Filistijnen zijn vrouw Delila om. Zij moet hem het geheim van zijn kracht ontfutselen, zodat zij hem kunnen overmeesteren. Zij maakt misbruik van zijn vertrouwen en knipt hem op een onbewaakt ogenblik het hoofdhaar af, waarna het met zijn krachten gedaan is. Rembrandts uitbeelding draait om het hierop volgende moment, wanneer de tot de tanden gewapende Filistijnen uit hun schuilplaats te voorschijn komen en zich op de weerloze Simson storten, terwijl Delila met de schaar nog in handen de ruimte ontvlucht. Het schelle licht dat door een geopende voorhang naar binnen valt, maakt de wreedheid van het uitsteken van de ogen nog schrijnender. Het is een hoogst emotioneel schouwspel waarvoor de beschouwer zich niet kan afsluiten. In tegenstelling tot zijn werk dat hij op hogere leeftijd maakt, zet Rembrandt hier al zijn kaarten op de dramatiek, ook door zijn keuze voor het moment uit het bijbelverhaal waarin alle agressie is samengebald. Maar zelfs dan richt hij zijn aandacht allereerst op de emoties waar dat moment mee gepaard gaat: pijn en agressie, inspanning en waakzaamheid staan te lezen op de gezichten van de Filistijnen. Op Delila's gezicht strijden ontzetting en triomf om de voorrang.

Het thema heeft overeenkomsten met de politieke situatie in de Noordelijke Nederlanden, vooral met de Tachtigjarige Oorlog. Voorstellingen van de bevrijdingsstrijd van de Israëlieten interpreteerde men graag met een scheef oog op de eigen situatie. Simson zal later, als zijn haren weer aangegroeid zijn, de Filistijnen alsnog een vernietigende slag toebrengen. Zo bezien kon dit doek, dat in 1636, meer dan tien jaar voor de Westfaalse Vrede, geschilderd werd, in verband worden gebracht met het verlangen naar onafhankelijkheid. Naast Simson is natuurlijk Davids heldhaftige strijd tegen Goliath een voorbeeld voor de Nederlanders, waarbij de rol van David met die van Willem van Oranje vergeleken werd. Een andere veel geschilderde figuur was Esther, de jodin die met de Perzische koning Ahasveras was getrouwd. Zij stelde haar leven in de waagschaal om de koning ertoe te brengen zijn decreet tegen de joden in te trekken. Men zag in de door de Perzen vervolgde joden een parallel met de eigen situatie van een geloofsgemeenschap die niet geduld werd door het katholieke Spanje.

Waar de Nederlanders het onderwerp van de oorlog in de vorm van oudtestamentische voorstellingen aansneden, deed een schilder als Rubens een beroep op mythologische en allegorische personages. Zijn allegorie *Oorlog en vrede* (afb. blz. 449 boven) is de vrucht van zijn eenmalige dubbelrol als diplomaat en schilder. In 1627 werd hij naar Engeland gezonden om namens de Spanjaarden een vredesverdrag voor te bereiden, waarin hij slaagde. Ter bezegeling van dit diplomatieke succes maakte Rubens nog op Engelse bodem dit schilderij voor Karel I om de koning ook naderhand in zijn besluit te sterken.

**Jan Brueghel**
Landschap met windmolens, ca. 1607
Olieverf op hout, 35 x 50 cm
Madrid, Prado

**Pieter de Molijn**
Duinlandschap met bomen en wagen, 1626
Olieverf op hout, 26 x 36 cm
Braunschweig, Herzog Anton Ulrich-Museum

Rubens voorspelt hier als gevolg van de vrede een Gouden Eeuw. Hij koos voor een allegorie: in het midden zetelt Venus. Ze voedt een jongetje met een straaltje melk uit haar borst. Een sater schudt vruchten uit een hoorn des overvloeds en een vrouw komt aangelopen met kostbaar vaatwerk en juwelen – de mensen halen hun hart op aan rijkdom en overvloed. Een andere vrouw danst en laat zien dat er nu weer genoten kan worden van de zinneprikkelingen van Bacchus: zelfs de roofdieren zijn mak geworden. Daarvoor moeten op de achtergrond wel haat en afgunst op een afstand gehouden worden. Minerva, de godin van de wijsheid, beschermt vrede en voorspoed door de oorlogsgod Mars en de furie Alecto gedecideerd terzijde te schuiven.

Het thema wordt door de compositie ondersteund: de groep rond Venus is gemodelleerd volgens een piramidaal schema, maar de oorlogszuchtige gestalten worden langs een hoogst dynamische diagonaal letterlijk uit het beeldvlak verdreven. Rubens heeft hier een diplomatieke gedachtengang ingekleed in een prachtig schilderij. Hij vraagt aan de Engelse koning de wijsheid van het overleg aan te grijpen om een eind aan de oorlog te maken en de vrede haar zegenrijke werk te laten doen.

Slechts acht jaar later schilderde Rubens voor de hertog van Toscane een allegorie van de oorlog waarin zijn teleurstelling duidelijk tot uitdrukking komt. Inmiddels had hij zich uit de diplomatieke dienst teruggetrokken, omdat hij had moeten inzien dat al zijn taaie onderhandelingen en de kleine stapjes voorwaarts toch niet tot vrede geleid hadden. In het hart van Europa woedde de Dertigjarige Oorlog. Mars is niet langer tegen te houden. Ook al gooit Venus al haar charmes in de strijd, al doet ze “alle moeite hem met liefkozingen en omhelzingen tegen te houden”, zoals Rubens schreef, ze moet toch inzien dat de furie haar deze keer de baas is. De afzichtelijke gestalten van pest en hongersnood snellen haar vooruit. De oorlogsgod met zijn bloedbesmeurde zwaard treedt alles met voeten wat Europa groot maakt: wetenschap, kunst, gezinsleven en vruchtbaarheid kronkelen vol ontzetting voor hem op de grond. Jakob Burckhardt schreef over het schilderij dat het een “eeuwig en onvergetelijk frontispice van de Dertigjarige Oorlog” is.

**Esaisas van de Velde**
Het ponteveer, 1622
Olieverf op hout, 75,5 x 113 cm
Amsterdam, Rijksmuseum

**Landschap**

Een eenvoudig veer met boeren, koeien, paard en wagen. Dat vormt het middelpunt op Esaias van de Veldes schilderij *Het ponteveer* (afb. boven). Aan de oever van de rivier is een kleine werf te zien, wandelaars en drinkers zitten onder het vervallen afdak voor een herberg en op de achtergrond steken een kerktoren en een molen boven de boomkronen uit. Zo'n alledaags tafereel zul je op een Frans of Italiaans schilderij uit deze tijd niet aantreffen. Daar werden alleen historische gebeurtenissen geschikt geacht voor schilderijen, en landschappen werden alleen geduld als zij geïdealiseerd waren, heroïsch en imposant of idyllisch, met herders, zoals ooit in het mythische Arcadië. In elk geval moest er op een landschap meer te zien zijn dan op een wandeling door een overbekende omgeving. Kunst moest binnenvoeren in een ideaal rijk en de beschouwer boven het alledaagse uittillen.

In Nederland legde men echter andere criteria aan en de Republiek betoonde zich ook hier onafhankelijk ten opzichte van de tradities die golden in de eerbiedwaardige cultuurnaties. De trots op het eigen land, zoals die tot uitdrukking kwam in het patriottische symbool van de 'Hollandse tuin', een vruchtbare en omheinde lusthof, bevestigde de kunstenaars in hun voornemen het eigen land te schilderen zoals het zich aan hun oog voordeed. In plaats van zeldzame landschappen kozen zij het typische. Iets dergelijks was af en toe al in het 16e-eeuwse Vlaanderen gebeurd, maar daar gebeurde het alleen in tekeningen en gravures. Het was Esaias van de Velde die in de jaren '20 van de 17e eeuw voor het eerst dit nieuwe landschapsbegrip ook in schilderijen omzette: ogenschijnlijk onaanzienlijke en onbelangrijke gezichten op het Nederlandse landschap, zoals die zich aan iedereen op een zondagse wandeling voor konden doen. Daarmee lieten de Nederlanders het zgn. panoramische of wereldlandschap los. Dit type was in de 16e eeuw in Vlaanderen ontstaan en sloot aan bij oudere Duitse meesters als Albrecht Dürer. In vogelperspectief werd de beschouwer een wijde blik over een scenerie gepresenteerd, die geen mens ooit in werkelijkheid zou kunnen zien. De meest uiteenlopende geografische elementen werden in één beeld bijeengebracht: hooggebergten en heuvelruggen, bossen en weiden, rivieren en zeeën, stad en platteland. En ergens, heel klein, een paar figuren: de verzoeking in de woestijn, de H. Joris of de vlucht naar Egypte.

Jan Brueghel maakte aan het begin van de 17e eeuw nog deel uit van deze traditie. Hij was de oudste zoon van de grote 'Boeren-Brueghel'. Weliswaar werd hij vooral als schilder van bloemenstukken beroemd,

**Jan Brueghel**
Landschap met windmolens, ca. 1607
Olieverf op hout, 35 x 50 cm
Madrid, Prado

**Pieter de Molijn**
Duinlandschap met bomen en wagen
1626
Olieverf op hout, 26 x 36 cm
Braunschweig, Herzog Anton Ulrich-Museum

maar hij schilderde ook een groot aantal landschappen, meestal van klein formaat en nog eens in vele kleine vlakken opgedeeld, in vogelperspectief en met levendige taferelen uit het volksleven. Zijn *Landschap met windmolens* (afb. rechts) ademt in zoverre al de nieuwe geest dat het genoegen neemt met een schijnbaar toevallig uitzicht op een gewoon vlak stuk land zonder bijzondere motieven. Toch blijft het werk in velerlei opzicht schatplichtig aan het Vlaamse schema. Als beschouwer sta je niet op de grond, maar nog altijd op een verhoogd standpunt, waardoor een ongewoon ver uitzicht mogelijk is. Verder heeft Brueghel de horizon in zekere zin opgetrokken en gaat hij in tegen de centrale perspectief. Dat wordt overigens wel vaardig gemaskeerd doordat de einder onmerkbaar in de hemel overgaat. Om een grote diepte te suggereren, wordt het beeldvlak horizontaal in drie zones verdeeld. De onderste wordt beheerst door bruine tinten, de middelste door tinten geelgroen en de bovenste door blauwtinten. Over de beschaduwde voorgrond wordt het oog aangetrokken door het middenplan, dat in het licht baadt. Door de optische werking van het blauw trekt de achtergrond zich nog verder terug en wordt de ruimtewerking nog sterker vergroot. Maar dit is nog allemaal terug te vinden in het Vlaamse schema, zoals dat in de 16e eeuw door kunstenaars als Joachim Patinir ontwikkeld werd, ook al weet Brueghel er in vergelijking met hen wel een heel subtiel gebruik van te maken.

De Noord-Nederlandse schilders waren in de jaren '20 van de 17e eeuw de eersten die zich van dit schema konden losmaken. Als mijlpaal in deze ontwikkeling geldt het kleine *Duinlandschap met bomen en wagen* van Pieter de Molijn (Braunschweig; afb. rechts). Er is geen weids uitzicht dat af zou kunnen leiden van het bescheiden motief. De Molijn bereikt een samenhangend koloriet door zich tot groene, gele en bruine tonen te beperken, die overal op het doek met elkaar verweven zijn. Dat geeft dit kleine stukje duinen eenzelfde stemming als een groot panoramisch landschap.

In vergelijking met het schilderij van Esaias van de Velde komt er nog een andere vernieuwing aan het licht. Om het landschap diepte te geven, had Van de Velde nog teruggegrepen op het beproefde schema van beeldelementen die zigzaggend terugwijken naar de achtergrond. De Molijns compositie berust daarentegen op niet meer dan één diagonaal, die door het verloop van de lichtgele zandweg bepaald wordt. Dit element zou uiteindelijk in tal van landschappen de structuur bepalen. Uitgevonden werd het waarschijnlijk door de Duitse schilder Adam Elsheimer, die omstreeks 1600 in Rome werkte (zie afb. blz. 476) en wiens oeuvre door gravures ook in Nederland bekendheid genoot. Met de diagonaal bereikt De Molijn een grote en bijzondere dynamiek. De zandweg lijkt het beeld maar heel even te raken en de voortjakkerende wagen zal al spoedig weer verdwenen zijn. De beschouwer krijgt de indruk het landschap te zijn binnengestapt en over de weg er weer uit te kunnen lopen.

Zo bezien toont Van de Velde een statische, afgesloten situatie: de rivier zou een meer kunnen zijn, gezien het feit dat hij van alle kanten ingesloten wordt door volgebouwde en met bomen overgroeide oevers. Aan weerszijden van de voorstelling vormen hoge bomen een conventioneel *repoussoir*, zodat het uitzicht aan beide beeldkanten ingeperkt wordt. De donkere schaduwpartij op de voorgrond heeft geen functie binnen de geschilderde lichtverhoudingen en dient dan ook om het werk naar voren toe af te ronden. De Molijns duinlandschap vormt daarentegen geen gesloten geheel, maar is eerder een schijnbaar toevallig fragment van een groter geheel, dat zich tot ver buiten het beeldkader zou kunnen voortzetten. Dit zou tot aan Philips Koninck kenmerkend blijven voor de Nederlandse landschappen. Overigens verhult de indruk van een willekeurig gekozen fragment maar al te gemakkelijk dat de compositie zorgvuldig doordacht moet zijn, wil er een beeld ontstaan dat onze aandacht keer op keer gevangen houdt.

**Jan van Goyen**
Landschap met gezicht op Leiden, 1643
Olieverf op hout, 39,8 x 59,9 cm
München, Bayerische Staatsgemälde-sammlungen, Alte Pinakothek

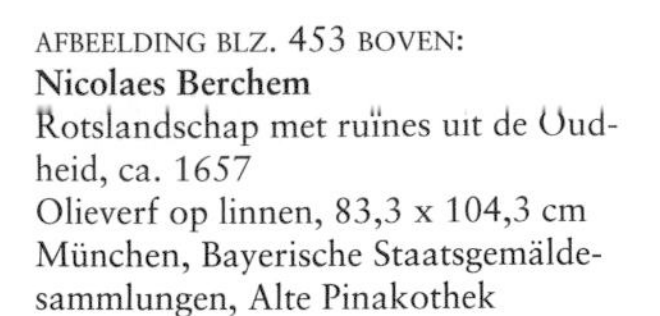

AFBEELDING BLZ. 453 BOVEN:
**Nicolaes Berchem**
Rotslandschap met ruïnes uit de Oudheid, ca. 1657
Olieverf op linnen, 83,3 x 104,3 cm
München, Bayerische Staatsgemälde-sammlungen, Alte Pinakothek

AFBEELDING BLZ. 453 ONDER:
**Albert Cuyp**
Rivierlandschap met melkster, ca. 1646
Olieverf of hout, 48,3 x 74,6 cm
Karlsruhe, Staatliche Kunsthalle

De door De Molijn ontwikkelde compositie en kleurgeving werd door zijn Haarlemse kunstbroeders Salomon van Ruysdael en Jan van Goyen verder ontwikkeld. Van Goyens *Landschap met gezicht op Leiden* (afb. boven) is eveneens gebaseerd op een diagonale compositie, ook al is dat minder duidelijk zichtbaar dan bij De Molijn. Onovertroffen is Van Goyens kleurgebruik, dat met zijn vele tonen bijna monochroom is. Door de dunne lazurende verflaag schijnt de beige grondverf van het paneel over het hele oppervlak onder de voorstelling door, wat van grote betekenis is voor de stemming van het landschap: de contouren van de kerk aan de rivier lossen bijna op door de nevels en het diffuse zonlicht. De schittering van het zonlicht wordt door een onrustige, schetsmatige penseelvoering weergegeven. Er ontstaat een spannende wisselwerking tussen een nuchtere motiefopvatting en poëtische ontstoffelijking. Natuur en mensenwerk versmelten in de vibratie van de heiige lucht tot een ontontwarbare eenheid.

Ondanks de hoge waardering voor het eigen landschap konden veel Nederlandse schilders de lokroep van Italië niet weerstaan en namen ze herinneringen aan het zuidelijke licht en de lieflijke omgeving van Rome, de Campagna, mee terug naar de Noordzee. Omstreeks 1620 ontstond er in Rome een Nederlandse kunstenaarskolonie rond de landschapschilders Cornelis van Poelenburgh en Bartholomeus Breenbergh, de 'schildersbent'. Het was een uitgelaten gezelschap kannenkijkers, en ieder nieuw lid of 'bentvueghel' werd met een ritueel dat een parodie was op een gebruik uit de Oudheid in haar midden opgenomen en van een bijnaam voorzien. Al snel kreeg Rome de reputatie van "hart van Sodom", zoals de Engelse moralist Joseph Hall schreef. Samuel van Hoogstraeten gruwde van de herinnering aan zijn Romeinse periode en hij waarschuwde daar drie dingen uit de weg te gaan: landgenoten, wijn en vrouwen. Een voordeel was dat de Nederlanders door hun grote saamhorigheid ook hun onafhankelijkheid ten opzichte van de reguleringen van de Romeinse academie konden bewaren.

Tussen 1630 en 1660 volgde er een tweede generatie landschapschilders, waarvan onder anderen Nicolaes Berchem, Jan Both en Jan Asselijn deel uitmaakten. Zij oriënteerden zich op de zogenaamde 'heroïsche landschappen' van de in Rome woonachtige Fransman Claude Lorrain, die ze echter wel bij voorkeur door middel van een herder- of zigeunerstoffage idyllische trekken gaven. Deze gebeurtenisrijke landschappen zijn bekend geworden onder de naam 'bambocciaden', afgeleid van de bijnaam voor de nogal klein uitgevallen Pieter van Laer. Vaak is er een moralistische uitleg van deze genrestukken mogelijk. Op Nicolaes Berchems landschap (afb. blz. 453 boven) zien we een vrouw te paard die een schaal omgekeerd vasthoudt, terwijl een man met zijn hoed water uit een fontein schept. Gretig drinken gold als de zonde van de gulzigheid. Het wordt hier van een kanttekening voorzien door het dierlijke gedrag van het waterende paard, terwijl de vrouw juist heel deugdzaam blijk geeft van gematigdheid.

Italiaanse landschappen waren bijzonder geliefd en werden dan ook verkocht tegen hogere prijzen. Dat bracht ook de kunstenaars die nooit in het zuiden geweest waren ertoe het warme licht over te nemen, en sommigen lieten dat zelfs over heel noordelijke motieven schijnen. Zo dompelde de Dortse schilder Albert Cuyp zijn *Rivierlandschap met melkster* (afb. blz. 453 onder) in een gouden avondlicht. Dit werk, dat in het bezit van de Karlsruher Kunsthalle is, wordt gedomineerd door de koeien langs de waterkant. Het gouden licht geeft ze een onaardse schoonheid en lijkt wel een lofzang op dit dier. Cuyp heeft ons standpunt heel handig verlaagd door het naar voren toe aflopende terrein, zodat we iets tegen de koeien op moeten kijken. In die dagen was de koe allesbehalve profaan. Het dier stond niet alleen voor de aarde, lente, vruchtbaarheid en voorspoed, maar werd net als de 'Hollandse tuin' een symbool voor het land zelf: de 'Hollandse koe', vet, vruchtbaar en bovenal vredelievend.

Albert Cuyp behoort tot de tweede generatie Noord-Nederlandse landschapschilders, die omstreeks het midden van de eeuw hun stijl vonden. Zij maakten zich los van het consequente realisme van de generatie van hun vaders, die probeerden het karakteristieke van het Nederlandse land in beelden te vangen. Nu deden heroïserende elementen en diepere betekenissen opnieuw hun intrede. Als belangrijkste landschapschilder van deze lichting en misschien wel van de hele eeuw geldt Jacob van Ruisdael, die het landschap met tal van nieuwe motieven en betekenissen verrijkte. Duidelijker dan zijn voorgangers maakte hij de plaats van het leven binnen een overkoepelende orde tot zijn thema. In hun dramatische opbouw onderscheiden zijn opvallende landschappen zich van de vredige harmonie in het werk van Van Goyen en dat van zijn oom Salomon Ruysdael. Om een spannende beeldopbouw te bereiken, bedeelt hij soms een landschapselement een heldenrol toe. Soms doet zich bij hem het merkwaardige feit voor dat een boom, een molen –ja, zelfs een korenveld of duinpad– als in een historiestuk als protagonist van de handeling optreedt. In zijn Braunschweigse *Waterval met kasteel in de bergen* leidt dat tot een buitengewoon dramatisch effect (afb. blz. 455 onder).

AFBEELDING BLZ. 454:
**Jacob van Ruisdael**
De bleekvelden bij Haarlem, 1670-1675
Olieverf op linnen, 62,2 x 55,2 cm
Zürich, Kunsthalle

**Jacob van Ruisdael**
Winterlandschap, 1670
Olieverf op linnen, 42 x 49,7 cm
Amsterdam, Rijksmuseum

**Jacob van Ruisdael**
Waterval met kasteel in de bergen
ca. 1665
Olieverf op linnen, 100 x 86 cm
Braunschweig, Herzog Anton Ulrich-Museum

Een gezicht als dit kan niet meer als portret van een landschap beschouwd worden, want het beeld bestaat uit verschillende losse elementen, die Van Ruisdael aan verschillende inspiratiebronnen te danken had. Het motief van het kasteel op de rotsen dateert van een reis door het Duitse grensgebied die hij in de vroege jaren '50 met Nicolaes Berchem maakte. Dat was overigens de enige buitenlandse reis die hij ooit ondernam. Hier ontdekte Van Ruisdael het kasteel Bentheim, dat zich op een kleine rots boven het vlakke land verheft. Hij heeft het kasteel een paar keer geschilderd en getekend, telkens met fantastische aanvullingen en sterk geheroïseerd – alsof hij het kasteel uit de Noord-Duitse laagvlakte naar de Alpen verplaatst had. Meer dan tien jaar later zouden deze reisindrukken dus nog doorwerken. Daarnaast putte Van Ruisdael ook motieven uit het werk van andere kunstenaars.

Een dramatisch werk als dit brengt Van Ruisdaels tragische wereldbeeld tot uitdrukking. We hoeven geen beroep te doen op contemporaine emblemen om de alles met zich meesleurende waterval als symbool voor de vergankelijkheid van het leven op te vatten. Het kasteel boven in het licht lijkt in een tweegesprek met de hemel te zijn verwikkeld en staat in de bijbelse traditie van de Eeuwige Stad op de berg Zion. Veel van Van Ruisdaels landschappen zijn doordrongen van het bewustzijn van de alomtegenwoordige dood. In zijn winterlandschappen verspreiden grauwe wolkenluchten een naargeestige sfeer. IJspret op dichtgevroren meren en kanalen, zoals Hendrik Avercamp die schilderde, lijkt in de zwaarmoedige landschappen van Van Ruisdael ondenkbaar. In het *Winterlandschap* uit het Rijksmuseum (afb. rechtsboven) schijnt alle leven verstard te zijn, regelrecht ingevroren, zoals de boot op de voorgrond en de scheepsmast op de achtergrond. Maar de huizen zijn in warme tonen geschilderd en er kringelt rook omhoog uit de schoorstenen. Daar –suggereert het schilderij– is het leven en het wacht op het voorjaar, dat zich lijkt aan te kondigen in het zonnige hemelblauw achter de uiteenwijkende wolken.

In Van Ruisdaels werk dringt de symboliek zich niet op, maar is wel nadrukkelijker aanwezig dan bijvoorbeeld in het werk van Van Goyen. In diens *Landschap met gezicht op Leiden* versmelten land en lucht, het hemelse en het aardse, tot een onontwarbaar geheel. Daaruit spreekt een ander wereldbeeld dan bij Van Ruisdael. In diens *Gezicht op Haarlem* (afb. blz. 454) is de scheiding tussen beide sferen geforceerd. Alleen de kerken van de stad, vooral de machtige St.-Bavo, slagen erin de horizon te doorbreken en binnen te dringen in het hemelse gebied. Door de ongebruikelijke keuze voor een staand formaat kan Van Ruisdael de lucht een ruimte geven die een gevoel van vrijheid overbrengt. Voor de menselijke invloedssfeer blijft daarentegen maar erg weinig ruimte over. Wat beide zones verbindt, is –naast de kerken– de overeenkomst tussen de witte wolken en de stralende bleekvelden vol uitgespreid linnengoed op de voorgrond. In de literatuur en de emblemen van die tijd wordt het witte en reine linnen geassocieerd met de kuise zielen van de heiligen. Alleen wie een deugdzaam en bescheiden leven leidt, wordt opgenomen in de hemel – deze christelijke levensregel was ook van een eenvoudig stadsgezicht af te lezen.

**Jacob van Ruisdael**
De molen van Wijk bij Duurstede
ca. 1670
Olieverf op linnen, 83 x 101 cm
Amsterdam, Rijksmuseum

Land, water en hemel, de bepalende elementen van het Nederlandse landschap, brengt Van Ruisdael met elkaar in gesprek. Op het kruispunt van deze elementen staat de molen, en het lijkt alsof dit werk van mensenhanden onherroepelijk en weerloos is overgeleverd aan de elementen. Deze indruk ontstaat vooral doordat de molen vanuit een lager gelegen standpunt afgebeeld is dan de rest van het landschap, waardoor het bouwwerk licht naar voren lijkt over te hellen. Net zoals de molen overgeleverd is aan de krachten van de natuur, is de mens onderworpen aan de macht van God. Op het weergegeven moment heerst windstilte, de zeilboot ligt roerloos op het gladde water. Maar tegelijk is de wolkenlucht sterk in beweging, donkere wolken pakken zich samen terwijl een laatste zonnestraal de molen treft – weldra zal het waaien en regenen. Deze bewustmaking van de tijd, het vangen van een bepaald ogenblik, is een bijzondere kwaliteit van de Nederlandse landschapschilderkunst, die Van Ruisdael naar een hoogtepunt voerde.

**Meindert Hobbema**
Het laantje van Middelharnis, 1689
Olieverf op linnen, 103,5 x 141 cm
Londen, National Gallery

Net zoals *De molen van Wijk bij Duurstede* de molen bij uitstek is geworden, is het beroemde *Laantje van Middelharnis* van Van Ruisdaels leerling Meindert Hobbema de Nederlandse veldweg gaan vertegenwoordigen. De populieren zijn een speelbal van de wind en houden moeizaam stand op de open vlakte. Ze voeren voor ogen hoe de mens door zijn rationele werkwijze dit land in bezit genomen heeft. Hobbema neemt hier demonstratief afscheid van het diagonale compositieschema, dat tientallen jaren de Nederlandse landschapschildering beheerste, en valt terug op de centrale perspectief. Met een ijzeren consequentie deelt het laantje het beeld in twee gelijke helften en loopt in een kaarsrechte lijn op de stad af. Dat trekt de beschouwer onverhoeds het beeld binnen. Je krijgt de indruk zelf op weg naar de stad te zijn en (omdat het gezichtspunt vrij hoog ligt) op de bok van een koets te zitten. Zo meteen komen we de jager met zijn hond tegen. Het werk is niet alleen door de gedurfde compositie, maar ook door de grote helderheid van het licht beroemd geworden.

**Rembrandt**
Onweerslandschap, ca. 1638
Olieverf op hout, 52 x 72 cm
Braunschweig, Herzog Anton Ulrich-Museum

**Philips Koninck**
Hollands landschap, gezien vanaf de duinen, 1664
Olieverf op linnen, 122 x 165 cm
Dresden, Staatliche Kunstsammlungen, Gemäldegalerie Alte Meister

Nog nadrukkelijker dan aan de landschappen van Van Ruisdael is er aan Rembrandts landschappen een moraal verbonden. Ze kunnen eenvoudig als christelijke historiestukken gelezen worden. Ook de natuur diende bij Rembrandt om een bepaalde mededeling over te brengen. Een puur esthetische belangstelling voor de natuur ontwikkelde hij pas laat en deze belangstelling vond zijn weerslag in een groot aantal tekeningen. De tien geschilderde landschappen ontstonden echter allemaal betrekkelijk vroeg, tussen 1636 en 1640.

Het *Onweerslandschap* (afb. boven) schilderde Rembrandt ongeveer in dezelfde tijd als *De verblinding van Simson*, een van zijn meest dramatische schilderijen (zie blz. 448). Het landschap biedt een zo nadrukkelijk in scène gezet natuurgeweld dat de meeste nauwgezette beschouwers er onwillekeurig een openbaring van de goddelijke almacht in zien. Gewapend met de kennis van het metafoorgebruik in de literatuur van de tijd kunnen we uit dit landschap een religieus program afleiden: een rijtuig is halverwege op de weg naar een hooggelegen stad bij een brug aangekomen, waaronder een waterval zich in het dal stort. De wagen kunnen we gelijkstellen met de ronddolende ziel, niet aflatend op zoek naar redding. Redding belooft de hel verlichte, aanlokkelijke stad op de heuveltop. Op weg daarheen moet de ziel het aardse achter zich laten, dat gesymboliseerd wordt door de waterval, om met Jezus Christus, vertegenwoordigd door de brug, een bekend symbool, uiteindelijk vertroosting te vinden in *Het hemelse Jeruzalem*.

Voor een aantal historieschilders, zoals Pieter Paul Rubens en Philips Koninck, bood het landschap nu juist de mogelijkheid om af te zien van een moraal. Philips Koninck ontwikkelde een eigenzinnige vorm van het panoramische landschap (afb. rechts). Geen boom, geen huis steekt uit de vlakte tot boven de einder omhoog, alles kruipt in elkaar voor de hemel, waarlangs wolken vluchten. In tegenstelling tot het Vlaamse schema neemt de hemel duidelijk meer dan de helft van het beeldvlak in beslag. Koninck durft elk accent weg te laten dat het beeld zou kunnen centreren - of dat nu vanuit het midden of aan de randen gebeurt. Alleen de weerspiegeling van de wolken in de rivier in het midden van het doek vormt een zeker zwaartepunt. De suggestie van diepte wordt niet langer langs een diagonaal gewekt. Niet de schuin verlopende weg op de voorgrond is bepalend, maar de horizontale lijnen, die als repen achter elkaar gelegd zijn. Daarmee knoopt Koninck aan bij het Vlaamse schema, zonder echter ook aan het kleurenperspectief gebonden te zijn. Door een subtiel uitbalanceren van lichte en donkere zones schept hij

**Pieter Paul Rubens**
Herfstlandschap met blik op Het Steen
bij morgenlicht, ca. 1636
Olieverf op hout, 131 x 229 cm
Londen, National Gallery

een weidse vlakte, die naar alle kanten open is en tegelijk een afgerond beeld oplevert.

Ook voor Rubens, die een lange reeks landschappen naliet, blijft het Vlaamse schema richtsnoer. Op zijn *Herfstlandschap met blik op Het Steen bij morgenlicht* (afb. boven) maakt het hoge gezichtspunt een wijde blik mogelijk.

Aan de horizon is de stad Mechelen te zien. Anders dan Koninck maakt Rubens wel gebruik van het luchtperspectief door middel van de kleuren bruin, groen en blauw, die hij echter in een zorgvuldig uitgewerkte lichtvoering in heel fijne nuances oplost. Een hoge boom rechts op de voorgrond, die de blik op het landschap op een conventionele manier ingelijst zou hebben, overschilderde hij uiteindelijk.

Rubens brengt een eerbetoon aan de vruchtbaarheid van het lieflijke Vlaamse landschap, zoals dat veelvuldig te zien is op een zonnige herfstmorgen, en hij verlevendigt het met een groot aantal verhalende details. Het links zichtbare landhuis was nog maar sinds kort zijn eigendom geworden en hier bracht hij de laatste vijf jaar van zijn leven door, samen met zijn jonge vrouw en een groeiend gezin. In deze rustieke, typerende omgeving bezon hij zich weer op de Vlaamse traditie en haalde hij zijn hart op aan het eenvoudige leven op het land, dat hij in de traditie van de klassieke pastorale zeker idyllische trekken meegaf. Het Vlaamse land komt over als het verdwenen Arcadië, het paradijs op aarde. De late landschappen schilderde Rubens voor zichzelf en dit werk hing met grote waarschijnlijkheid in Het Steen. Hier komen de persoonlijke gevoelens van de schilder en zijn diepe verknochtheid aan dit specifieke stukje aarde tot uitdrukking. Vooral daarin onderscheidt hij zich van de nuchtere kijk van de noorderlingen, die duidelijk spreekt uit Konincks panorama.

De Engelse landschapschilder John Constable was zich daar terdege van bewust toen hij het *landschap met Het Steen* zag, dat in Engelse handen was overgegaan. Hij bewonderde, zoals hij zelf zegt, "de frisheid en het gloedvolle licht, het opgewekte en levendige karakter, die Rubens het werk gaf door het vlakke, eenvormige Vlaamse land van alle rijkdom te voorzien die tot zijn nobelste eigenschappen behoort", en hij concludeerde vervolgens grootmoedig: "In geen ander genre is Rubens groter dan in het landschap."

**Willem Buytewech**
*Vrolijk gezelschap*, ca. 1620/1622
Olieverf op linnen, 72,2 x 65,4 cm
Budapest, Museum voor Beeldende Kunst

**Adriaen van Ostade**
*Interieur van een boerderij met mannen en vrouwen*, ca. 1635
Olieverf op hout, 29,1 x 36,3 cm
München, Bayerische Staatsgemäldesammlungen, Alte Pinakothek

### Genrekunst

De Engelse schilder Sir Joshua Reynolds klaagde dat de Nederlandse genreschilder Jan Steen zijn talent aan laagstaande sujets verspild had: hij had een van de pijlers van de grote kunst kunnen worden als hij zich niet op "vulgaire thema's" toegelegd had, maar op "het onderscheiden en navolgen van de grote en verheven natuur". Voorstellingen met alledaagse scènes, zonder een historische, bijbelse of mythologische strekking, achtte de kunsttheorie van de klassieken en hun classicistische navolgers beneden de waardigheid van de schilder. Binnen de Nederlandse schilderkunst waren ze echter wijdverbreid en ze werden door de burgerij ten zeerste gewaardeerd. Dat neemt niet weg dat men al in de 18e eeuw, in de tijd van Reynolds, hun achterliggende betekenis over het hoofd zag. Het zou nog tot onze tijd duren voordat men deze betekenis weer reconstrueerde. Net als bij de landschappen kan deze betekenis er dik bovenop liggen, maar ook goed verborgen zijn.

De stap naar het weergeven van alledaagse taferelen uit de eigen tijd en omgeving werd –net als bij het landschap– in Haarlem gezet. Willem Buytewech, van wie maar tien schilderijen bewaard gebleven zijn, was met zijn zogenaamde 'vrolijke gezelschappen' de wegbereider voor het genrestuk. Hij werd nagevolgd door schilders als Pieter Codde, Willem Duyster, en Dirck Hals, de broer van de beroemde portrettist Frans Hals. In het Vlaanderen van de 16e eeuw schilderde men al mensen bij een gezellig samenzijn, maar die waren altijd ingepast in een bijbelse vertelling zoals de roeping van Mattheus of het verhaal van de verloren zoon – in de bijbehorende historische kostumering en dus buiten de eigen tijd geplaatst.

Buytewechs *Vrolijk gezelschap* (afb. boven) doet zo natuurlijk aan dat het lijkt of de schilder deze mensen zo heeft aangetroffen: de vier jonge mensen lijken door binnenstappend bezoek in hun vertier gestoord te worden. In werkelijkheid is bij Buytewech elk beeldelement zorgvuldig ingepast en werd dit schijnbaar alledaagse tafereel met het oog op een achterliggende boodschap geschilderd. Het is een allegorische uitbeelding van de vijf zintuigen, die door alledaagse voorwerpen opgeroepen worden: de wijn kan de smaak vertegenwoordigen, de brandende kaars het gezicht, de sigaar de reuk, de muziekinstrumenten het gehoor, de hand van de man op de arm van de vrouw en de schaal met de gloeiende as het gevoel. Daarnaast maakt Buytewech aanschouwelijk wat er gebeurt als men zich ongeremd overgeeft aan zinnenprikkelingen. Ook dit doet hij in bedekte termen: zo staat de aap voor zonde en zinnelijkheid en zijn de muziekinstrumenten en de dolk in de schede potentiële erotische symbolen en het obscene gebaar van de man in het groen links wordt ook tegenwoordig nog gebruikt en laat niets aan duidelijkheid te wensen over. De vrouw met de opvallende kanten kraag komt voort uit de traditie van 'vrouwe wereld', zij belichaamt alle aardse verlangens – haar traditionele attribuut, de wereldbol, werd hier door een landkaart vervangen. Aan de uitnodiging van vrouwe wereld om zich over te geven aan zinnenstrelende geneugten wordt door de drie jongemannen maar al te graag gehoor gegeven.

Verwijzingen naar dergelijke betekenislagen onder de dingen van alledag vinden we ook in de literatuur en de emblematiek van die tijd en vooral in de populariserende gravures naar schilderijen, die van passende commentaren voorzien waren. Naast een bedrieglijk echte weergave van de werkelijkheid hadden de Nederlanders plezier in het zoekspel naar verborgen betekenissen in schilderijen – alsof ze verwachtten een dikke tros druiven te vinden onder de bladeren waarin ze woelden, om met de dichter Jacob Cats te spreken. Hun verwachtingspatroon wijkt dus niet eens zoveel af van wat hoogontwikkelde humanisten in de Renaissance

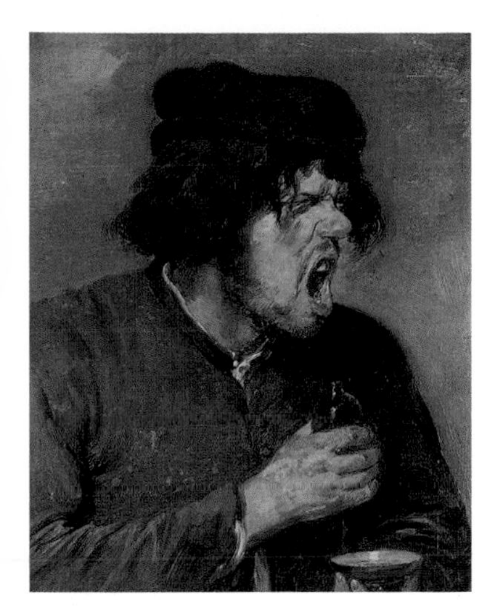

**Adriaen Brouwer**
Het bittere drankje, 1636/1637
Olieverf op hout, 47,5 x 35,5 cm
Frankfurt am Main, Städelsches Kunstinstitut

**Adriaen Brouwer**
De rokers, ca. 1637
Olieverf op hout, 46 x 36,5 cm
New York, The Metropolitan Museum of Art, Bequest of Michael Friedsam, 1931
The Friedsam Collection

in mythologische schilderijen zochten. Alleen was daar in de Republiek niet meer dan een wakkere geest en geen bijzondere kennis voor nodig om de voorstelling met volkswijsheden in verband te kunnen brengen – het 'lezen' van de schilderijen had zich van een exclusief genoegen voor de betere standen bijna tot een volkssport ontwikkeld.

Naast arcadische figuren en vertegenwoordigers van de rijke bovenlaag werden er ook eenvoudige boeren in de gelagkamer afgebeeld. Dat vindt zijn oorsprong in het werk van de Vlaamse kunstenaar Pieter Brueghel de Oude, die in het midden van de 16e eeuw boerenfeesten geschilderd had. Aan het begin van de 17e eeuw gold Adriaen Brouwer als grote vernieuwer van deze traditie. Hij drukte daarmee zijn stempel op zowel het Nederlandse als het Vlaamse boerenstuk, en kunstenaars als Adriaen van Ostade in Haarlem en David Teniers in Antwerpen volgden zijn werkwijze na. Brouwer was afkomstig uit Oost-Vlaanderen. Van de 15 jaar dat hij als schilder actief was, bracht hij er vijf door in Nederland. Daarna vestigde hij zich in Antwerpen. Zijn vakmanschap werd en wordt nog steeds zeer hoog geschat en zowel Rubens als Rembrandt bezat enkele van zijn werken.

De receptiegeschiedenis van zijn werk is typerend voor de miskenning van de genrekunst in de Lage Landen. Uit de beelden maakte men op dat Brouwer in het milieu verkeerde dat hij afbeeldde en men dacht dat er tussen al die kroeglopers misschien wel een zelfportret van hem te vinden was (een hardnekkig gerucht over een van de figuren op het schilderij in het Metropolitan Museum). Toch zijn ook zijn afbeeldingen constructies en de keuze van het milieu hing vooral af van artistieke overwegingen. Brouwer schilderde in het atelier en niet in de herberg. Ongetwijfeld heeft hij er schetsen gemaakt, maar daarnaast deed hij een beroep op gangbare typen, bijvoorbeeld van Pieter Brueghel. De uitzonderlijke kwaliteit van zijn werk, de zorgvuldige opzet en het doordachte kleurgebruik maken het moeilijk in hem de nietsnut te zien die niets dan drinkgelagen in zijn hoofd zou hebben gehad.

Met zijn onbehouwen kerels appelleerde het boerenstuk vaak aan morele superioriteitsgevoelens van het publiek. Dat bestond per slot van rekening nauwelijks uit gewone boeren, maar veeleer uit oplettende burgers, die zichzelf er op deze manier van konden doordringen hoe beschaafd ze eigenlijk waren. Tegelijk dienden de schilderijen als waarschuwing zich niet over te geven aan uitspattingen. Roken of 'tabakdrinken' deed als zonde niet onder voor alcoholgebruik, speelzucht en seksuele aberraties. Excessief tabaksgebruik heette de mannelijkheid aan te tasten. Adriaen van Ostade laat zien hoe beschamend mensen zich gedragen als alcohol en tabak de dienst uitmaken (afb. blz. 460 onder).

Voor Adriaen Brouwer dienen zulke dolle scènes er daarentegen in de eerste plaats toe de menselijke emoties uit te kunnen beelden. Zijn *Rokers* (afb. boven) kunnen weliswaar als allegorie van de smaak opgevat worden, maar Brouwer laat hier toch vooral de verschillende reacties op overvloedig gebruik van het genotmiddel in kwestie zien. Zijn personages tonen onverbloemd hun gevoelens. Daardoor zijn het ook individuen en niet langer typen, zoals bij Ostade. Ieder van hen brengt zijn eigen verhaal in, zijn eigen karakter, dat bepaalt hoe gevoelens geuit worden. Brouwers thema zijn de menselijke gevoelens, die hij als geen ander wist uit te beelden. Met zijn hele hart is hij bij het gebarenspel, dat pijn, woede, genot of afkeer tot uitdrukking brengt. Op het Frankfurtse doek *Het bittere drankje* (afb. linksboven) is zelfs niets anders uitgebeeld dan een menselijke geestesaandoening: de reactie op een slok bocht, waaruit de diepste afschuw spreekt. Geen bijwerk, geen ruimte, geen verhaal – alleen deze reactie.

Voor Brouwer betekende het eenvoudige milieu de mogelijkheid om menselijk gedrag ongedwongen weer te kunnen geven. De gegoede burgerij was immers door de fatsoensnormen aan allerlei beperkingen onderworpen en kon haar gevoelens niet de vrije loop laten. Dit gegoede milieu is het domein van Gerard ter Borch. Deze schilder uit het enigszins afgelegen Deventer luidde in het midden van de 17e eeuw een nieuwe fase van het genrestuk in. Hij toont herhaaldelijk voorname vrouwen, omgeven door bedienden, in elegante kleding. Op zijn beste schilderijen laat Ter Borch zich niet vastleggen op een betekenis en blij-

**Gerard ter Borch**
*De wijndrinkster*, 1656/1657
Olieverf op linnen, 37,5 x 28 cm
Frankfurt am Main, Städelsches Kunstinstitut

ven de gevoelens en gedachten van zijn personages ambivalent. Anders dan Brouwer, die duidelijk herkenbare gevoelswaarden tot onderwerp nam, laten de gedachten van *De wijndrinkster* (afb. boven) zich moeilijk raden. Zij heeft kennelijk een brief ontvangen en schrijfgerei klaargelegd om deze te beantwoorden. Het schrijven en lezen van brieven is een van de grote thema's van de Nederlandse genrekunst. Doorgaans wordt daarmee gezinspeeld op amoureuze verwikkelingen, zoals gemakkelijk valt op te maken uit de speelkaarten (harten!) die vaak op dergelijke schilderijen figureren of –zoals hier– het door gordijnen omgeven hemelbed op de achtergrond. De welvarende burgers hadden van de aristocratie het spel met de *billets d'amour* overgenomen en velen van hen consulteerden raadgevers om toespelingen in liefdesbrieven te kunnen maken of daarop te reageren.

Het wijndrinken is een ander veel voorkomend thema in de genrekunst. Voor vrouwen van stand was het zonder meer ongepast. Sprak een vrouw de wijnkan aan, dan was ze licht te verleiden, een boodschap die vaak onderstreept werd met een gedeeltelijk ontblote boezem. Deze vrouw is echter heel degelijk gekleed. Des te sterker ervaart de beschouwer het dilemma waar ze kennelijk mee worstelt. Ter Borch schenkt haar zijn onverdeelde sympathie, alleen al omdat hij zich er terdege van bewust is dat ieder van ons te maken krijgt met soortgelijke conflicten tussen zinnelijke lust en het beroep dat moraal en verstand op ons doen. Hij laat in het midden welke beslissing de jonge vrouw zal nemen.

In de Noordelijke Nederlanden bestond een welomschreven voorstelling van de rol die de vrouw te vervullen had. In gegoede huize droeg zij de verantwoordelijkheid voor het huishouden en controleerde de dienstboden. De meeste vrouwen vatten deze opgave op als een uitdaging en een morele verplichting. Een goed geleide huishouding was immers een teken van het voorbeeldige karakter van de huisvrouw. Heel wat schilderijen tonen hoezeer de wereld op zijn kop staat als zij haar taken verwaarloost. Verder was zij de eerstverantwoordelijke voor de opvoeding van de kinderen. Pieter de Hooch toont ons een jonge moeder, die waarschijnlijk net haar kind de borst gegeven heeft en nu haar keurslijfje weer dichtsnoert (afb. 463 onder). Het was overigens voor een vrouw van stand ongebruikelijk de kinderen zelf de borst te geven, maar de volksdichter Jacob Cats, die in zijn veel gelezen boeken de burgermens met vaderlijke vermaningen in alle levensvraagstukken terzijde stond, schreef: "Eén die haar kinders baart, is moeder voor een deel; \Maar die haar kinders zoogt, is moeder in 't geheel."[2] Daaraan zal de toen wijdverbreide gedachte niet vreemd zijn dat het kind met de moedermelk ook morele en verstandelijke eigenschappen indronk.

Pieter de Hooch ontwikkelde een bijzondere vorm van ruimtewerking door de kamer op de voorgrond van een doorkijkje naar een daarachter gelegen ruimte te voorzien. Zo bewegen zijn personages zich daadwerkelijk in een huis en niet in een deel van een onbestemde ruimte. Het licht is niet afkomstig uit een ondefinieerbare bron, maar stroomt als helder daglicht door de ramen naar binnen en brengt een nauwkeurig geobserveerde lichtval in het huis.

Jan Vermeer maakte zich deze baanbrekende vernieuwingen eigen en voerde daarmee de Nederlandse genrekunst naar haar hoogtepunt. De in Delft woonachtige kunstenaar liet nauwelijks meer dan dertig schilderijen na, maar ze blinken ons als kostbare juwelen tegemoet tussen de enorme hoeveelheid schilderijen die in de 17e eeuw geproduceerd werd. Hij werkte heel langzaam en nauwgezet, wat mogelijk was door zijn financiële positie. Slechtbetaalde kunstenaars als Van Goyen moesten veel en dus snel schilderen om meer te kunnen verkopen, maar Vermeer had een rijke vrouw getrouwd en de herberg van zijn ouders geërfd en bovenal: hij werd stelselmatig ondersteund door een Delftse verzamelaar. Daarnaast brachten zijn schilderijen in de jaren '60 van de 17e eeuw hoge prijzen op. Hij begon als historieschilder, maar richtte zich al gauw op het genrestuk. Inspiratie voor de ruime interieurs, waarin de figuren veel bewegingsvrijheid hebben, deed hij op bij de drie jaar oudere Pieter de Hooch. Het thema van de liefdesverklaring ontleende hij daarentegen aan Gerard ter Borch, die hij persoonlijk had leren kennen.

Op het schilderij dat zich tegenwoordig in Braunschweig bevindt (afb. blz. 463 boven), paart Vermeer aan het botvieren van de lusten de oproep tot matiging: de man op de achtergrond is ten prooi gevallen aan de verdovende werking van een grote dosis tabak, terwijl de vrijer

Pieter de Hooch
Huiselijk tafereel, 1659/1660
Olieverf op linnen, 92 x 100 cm
Berlijn, Staatliche Museen zu Berlin, Stiftung Preußischer Kulturbesitz, Gemäldegalerie

Jan Vermeer van Delft
Dame en twee heren, ca. 1662
Olieverf op linnen, 78 x 67 cm
Braunschweig, Herzog Anton Ulrich-Museum

op de voorgrond een en al oog is voor de uitdagende jonge vrouw – wie zich overgeeft aan de wijn, geeft zich over aan de liefde. In de decoratie van het glas-in-loodraam heeft men Temperantia gezien, een vrouw die met teugels zwaait en symbool staat voor matiging. Ook het voorouderlijke portret aan de wand, een toonbeeld van zelfbeheersing, is een argument tegen het liederlijke gedrag van beide mannen. Vaak is er aangenomen dat de vrouw hier verleid wordt. De wijde hals van haar jurk en de uitdagende rode kleur ervan, maar bovenal haar soevereine distantiëring van de vrijer en de blik van verstandhouding naar de beschouwer maken duidelijk dat de vrouw in werkelijkheid de situatie meester is. Zij wordt niet verleid, maar verleidt zelf de man.

Vanaf de late jaren '50 schilderde Vermeer alleen nog maar interieurs, telkens met een raam aan de linkerkant, waardoor helder daglicht de ruimte binnenstroomt. Kennelijk kwam hij tot dit schema omdat het de beste mogelijkheden bood om de werking van het licht op de waarneming der dingen te onderzoeken en weer te geven. Om de reflectie beter te kunnen onderzoeken, gebruikte hij af en toe de *camera obscura*, wat zijn schilderijen die typische zachte glans en hun glimlichten geeft. Het was overigens eenzelfde interesse die de Franse impressionisten op Vermeer opmerkzaam maakte.

Voor het zachte ineenvloeien van de kleuren was de Delftse schilder schatplichtig aan Gerard Dou, de grondlegger van de Leidse fijnschilderschool, waartoe naast zijn leerling Frans van Mieris kunstenaars als Gabriël Metsu en Godfried Schalcken behoorden. Dou was beroemd om zijn verfijnde techniek, die hem in staat stelde de verf in zo'n gladde laag op te brengen dat ze een tijdgenoot aan email deed denken. We weten dat hij bij het schilderen gebruik maakte van een loep en een

doek als een tentdak boven de ezel hing om te voorkomen dat fijne stofdeeltjes zich aan de verf hechtten. Dou was tussen 1628 en 1631 een van de eerste leerlingen van Rembrandt geweest, maar terwijl die al snel ophield te werken met een gladde verflaag, ontwikkelde Dou zich consequent verder tot fijnschilder.

Gerard Dou werd een van de succesvolste en best betaalde schilders van de Noordelijke Nederlanden. Zijn roem overstraalde die van Rembrandt verre en duurde ook in de classicistische periode nog voort. Na de restauratie van de Stuarts in 1660 schonken de Staten-Generaal de Engelse vorst Karel II naast waardevolle stukken kunstnijverheid ook een aantal schilderijen om hem gunstig te stemmen. Een daarvan was Dous *De jonge moeder* (afb. blz. 466), een goede indicatie voor het grote aanzien waarin zijn werk stond. Het doek toont in een eenvoudige omgeving het samenzijn van een jonge moeder en haar kinderen. Door de kostbare manier van schilderen wordt het tafereel indirect ook als toonbeeld van deugdzaamheid gepresenteerd. Deze interpretatie wordt ondersteund door de directere verwijzingen in de vele rekwisieten met emblematische betekenis. Met zijn vele potentiële tekens komt het doek tegemoet aan de bijzondere belangstelling die het grote aantal academici in Leiden had voor moeilijk te duiden en onderling verbonden tekens.

**Jan Vermeer van Delft**
Het melkmeisje, ca. 1660/1661
Olieverf op linnen, 45,5 x 41 cm
Amsterdam, Rijksmuseum

Dit schilderij stelt het zonder anekdotische lading en symbolische toespelingen. Het boeit niet alleen door de fysieke aanwezigheid van de meid, maar ook door de opperste concentratie waarmee zij werkt. Hier wordt een stemming, geen verhaal doorgegeven. De volkse, maar waardige levenskracht van de vrouw wordt onderstreept door het grote deel van het beeldvlak dat de figuur inneemt. Met de penseel diep in een enigszins droge verf gedoopt, schiep Vermeer een schilderachtige oppervlaktewerking, die haar een plastische kwaliteit geeft. Tegelijk straalt het doek een tijdloze geldigheid uit, alsof de melk tot in lengte van dagen uit de kan zal blijven stromen. Vergeleken met de fysieke plompheid die Vermeer deze vrouw geeft, zijn de fijne trekken van de *Vrouw met weegschaal* (afb. blz. 465) bijna etherisch als van een madonna. Zij wordt wel gezien als Vermeers echtgenote, die hem 14 kinderen schonk. Zij vertegenwoordigt een hogere sociale rang en de fijne manier van schilderen sluit daar naadloos op aan. Wat beide vrouwen echter gemeen hebben, is dat ze zich door niets uit hun evenwicht laten brengen, een evenwicht dat de keukenmeid ondanks zichzelf heeft bereikt en de dame juist bewust nastreefde. Zij houdt de balans zo demonstratief vast dat het wegen zelf er een diepere betekenis door lijkt te krijgen. Bovendien betrekt Vermeer de handeling op het *Laatste oordeel*, dat op het schilderij aan de achterwand is afgebeeld. Op grond van de vele beeldelementen die een symbolische duiding toelaten, werd het werk telkens weer als allegorie opgevat, ook al liepen de interpretaties daarbij sterk uiteen. Zo kunnen de parels evengoed verwijzen naar de verleiding die van luxe uitgaat als naar de maagdelijkheid van Maria. Maar de vrouw op het schilderij weegt geen parels en ook geen goud, zoals zo lang gedacht werd. De schalen

**Jan Vermeer van Delft**
Vrouw met weegschaal
('De parelweegster'), ca. 1664
Olieverf op linnen, 42,5 x 38 cm
Washington, National Gallery

zijn leeg. De schilder doelt dus veeleer op een symbolisch afwegen van het eigen handelen van de vrouw, waarvoor ook de spiegel links aan de wand spreekt: evenzeer een teken voor zelfkennis als voor narcisme en ijdelheid (en dan parallel aan de kostbaarheden op de tafel). Deze ijdelheid dient men echter te overwinnen ten gunste van een bewustzijn van de vergankelijkheid van het leven, zo spreekt ook het *Laatste oordeel* aan de wand.

Men heeft de handeling van de vrouw in verband gebracht met Ignatius van Loyola (Vermeer was na zijn huwelijk overgegaan tot het katholicisme, het geloof van zijn vrouw, en hij onderhield contacten met jezuïeten). Ignatius had de mensen op het hart gedrukt hun zonden te overwegen alsof ze tegenover de hemelse rechter stonden tijdens het Laatste oordeel: "Ik moet zijn als de uitgewogen schalen van de balans, bereid om de weg te gaan die God, onze Heer, tot eer en lof strekt en die leidt naar de verlossing van mijn ziel." Evenwichtigheid zonder meer – dat zou je als thema van dit werk op kunnen vatten. Het in de juiste stand brengen van de weegschaal is daarvoor slechts een teken, want deze voorbeeldige geestestoestand wordt veel directer door de compositie als geheel en de gemoedstoestand van de jonge vrouw.

De verschillende manieren waarop in beide werken het licht geregisseerd is, zijn van een onovertroffen indringendheid. Het ene boeit door de diepe kleuren van het blauw-geelcontrast dat Vermeer zo waardeerde, het andere ziet af van kleuraccenten en leeft van de spanning tussen licht en donker. Gezicht en handen van de vrouw duiken op uit het onbestemde donker en lijken, omgeven door het zuiverste wit, te baden in het licht. De contouren verdwijnen en de vlakken lijken in een aura over te vloeien. Vergelijkbare lichteffecten zijn te zien bij de keukenmeid, vooral op haar handen en armen.

**Gerard Dou**
*De jonge moeder*, 1658
Olieverf op hout, 73,5 x 55,5 cm
Den Haag, Mauritshuis

Dergelijke verborgen betekenissen kenmerken ook het werk van de Leidse schilder Jan Steen, wiens grofstoffelijke boerenstukken heel handig de indruk weten te vermijden dat het in feite geschilderde preken zijn (zie blz. 428/429). Wel nam Steen bijna altijd een geschreven zinspreuk in zijn schilderijen op om de beschouwer opmerkzaam te maken op de onderliggende allegorische betekenis van de voorstelling. Hij moest zich het verwijt laten welgevallen in de eerste plaats een dichter te zijn, een hoedanigheid die zijn beeldende werk niet ten goede zou komen. Waarin Steen volkomen verschilde van Dou was dat hij niet kon leven van de opbrengst van zijn schilderijen. Hij was daarom aangewezen op de neveninkomsten van zijn brouwerij in Delft en van de tapperij in zijn woonhuis in Leiden, waarvoor hij in 1672 een vergunning kreeg. Net als bij Brouwer (en even onjuist) leidde men uit Steens schilderijen een liederlijk karakter af. Dat past dan slecht bij de ereambten die hij vervulde en zijn inzet voor de rederijkerskamer waarvan hij lid was. Steen schilderde in Leiden, maar hij woonde ook geruime tijd in Haarlem, Delft en Den Haag, waar hij zijn latere vrouw, de dochter van de landschapschilder Jan van Goyen, leerde kennen. In de jaren '60 ontstonden grote, complexe schilderijen, waarin hij zijn visie op de mensen samenvatte. Op zijn doek *Het leven van de mensen* (afb. 467 boven) haalt hij –letterlijk– het doek op en biedt hij zijn publiek een kijkje op het schouwtoneel van het leven. De afgebeelde mensen geven zich over aan hun driften: sommigen kijken diep in het glaasje, anderen zijn verslingerd aan het kaartspel en weer anderen flirten. Waar dit alles onvermijdelijk op uitloopt, wordt duidelijk gemaakt door de vele oesters die hier aangeboden en genuttigd worden en waarvan de schelpen ten slotte overal rondslingeren. Oesters gingen door voor afrodisiacum en fungeren dus als teken voor seksuele uitspattingen. Onopgemerkt slaat een jongetje door een uitsparing in de zoldering de mensen in de gelagkamer gade. Hij blaast ook zeepbellen, die weer symbool staan voor vergankelijkheid. Bovendien is aan de achterwand duidelijk zichtbaar een klok aangebracht. Toch heft Steen niet het moraliserende wijsvingertje van de hoofdonderwijzer. Hij stelt eerder met een zekere sympathie vast dat de mens net zozeer verstrikt is in het web van zijn verlangens als dat het leven eindig is.

Sympathie voor de minder verheven, lage driften bepaalt ook het werk van de Vlaamse schilder Jacob Jordaens, wiens werk bij Jan Steen een blijvende indruk heeft achtergelaten. Jordaens had in de jaren 1649-1650 in het zomerverblijf van de stadhouder, Huis ten Bosch bij Den Haag, grote schilderijencycli aangebracht. Dat was mogelijk geworden door de Westfaalse Vrede en bovendien was hij protestant. Vanwege het grote vertoon in zijn voorstellingen werd hij juist in adellijke kringen zeer gewaardeerd, ook al staan de stoffage in zijn historiestukken en de virtuoze penseelvoering vaak in krasse tegenstelling tot zijn thema's. Op zijn schilderij *De koning drinkt* (afb. blz. 467 onder) wekt de goudglans op sieraden, feestelijk tafelgerei en de fluwelen kleding de indruk van een hooggeplaatst feestgezelschap. Bij nadere beschouwing blijkt echter dat hier tamelijk ordinaire figuren de bloemetjes aan het buiten zetten zijn. We zijn getuige van het bonenfeest, waarmee in Vlaanderen Driekoningen gevierd werd. Naar Jordaens' uitbeelding van dit feest was zoveel vraag dat zijn atelier er een reeks variaties van in omloop bracht.

Tot koning werd diegene uitverkoren die de boon vond die in het brood was meegebakken. Verbonden aan de titel was de leiding over de dis en het verloop van de feestelijkheden. We zien het moment waarop de koning het glas heft en de rest van de aanwezigen uitgelaten "De koning drinkt!" roept. Daarna kon hij de anderen hun rollen bij het banket toebedelen. De koningin, de schenker, de speelman, de dokter en de narren kregen een briefje met hun nieuwe rol opgespeld en daarmee was hun officiële benoeming een feit. Twee van zulke 'ordetekens' liggen voor de tafel op de grond. Voor de koning met zijn onmiskenbaar eigen karakterkop stond Jordaens' leraar Adam van Noort model, die bovendien een goede vriend was. Ondanks alle sympathie (die niet zozeer tot uitdrukking komt in de rake karakterschets van de personen als wel in het verfijnde lijnenspel en de sierlijke toets) is ook Jordaens als welopgevoed burger bedacht op matiging: 'Nil similius insano quam ebrius' staat er geschreven op de cartouche die bijna als motto boven de scène gehangen is: niets lijkt meer op een waanzinnige dan een dronkeman. Boven deze woorden is het breed grijnzende hoofd van een sater in een houtsnijwerk van wijndruiven aangebracht: hier is Bacchus heer en meester. Het thema is hetzelfde als wat Rubens de mensen met zijn werk *De dronken Silenus* voorhield (zie blz. 439). Maar waar deze een mythologische figuur ten tonele voerde, demonstreert Jordaens de gevolgen van de mateloosheid in een genrestuk met mensen uit zijn persoonlijke omgeving waarin zijn tijdgenoten zichzelf konden herkennen.

**Jan Steen**
Het leven van de mensen, 1665
Olieverf op linnen, 68,2 x 82 cm
Den Haag, Mauritshuis

De genreschilders bezagen de menselijke zwakten met een diepe sympathie. Zij deelden de uitgelaten levensvreugde en de genotzucht van hun medemensen, hoe vaak zij ook in de kerk tot matigheid, redelijkheid en zelftucht gemaand werden. Met een lach de waarheid vertellen, zoals de calvinistische humanist en volksdichter Jacob Cats aanraadde, zou het motto van menig genrestuk kunnen zijn. In zekere zin diende de genrekunst tot morele verheffing van het volk, maar omdat deze preek de zonde bijna in geuren, maar zeker in de mooiste kleuren afschilderde, was het voor het publiek tegelijk ook moeilijk niet in de ban te raken van al die verboden vruchten. Bovendien, hoe verleidelijker de schilderijen, des te hoger werd in Nederland de schilder aangeslagen. Deze welbewuste ambivalentie maakt de bekoring van de genrestukken uit.

**Jacob Jordaens**
De koning drinkt, voor 1656
Olieverf op linnen, 242 x 300 cm
Wenen, Kunsthistorisches Museum

**Jan Brueghel**
Allegorie van de smaak, 1618
Olieverf op hout, 64 x 108 cm
Madrid, Prado

**Stilleven**

De ambivalentie van zinnenprikkeling en vermaning is niet alleen het wezenskenmerk van het genrestuk, maar ook van de vele stillevens die in de Lage Landen geschilderd werden. Door een opleving in de handel en een grotere afwisseling in de agrarische en ambachtelijke productie was er een rijker aanbod ontstaan, iets dat van grote invloed was op het leven van brede lagen van de bevolking. Dit was een van de aanleidingen om de consumptiegoederen af te beelden. In Vlaanderen had deze tendens al eerder ingezet, maar ook daar ontstonden zuivere stillevens niet voor 1600. Wat het afbeelden van profane dingen nog in de weg stond, was dat net als bij het landschap en het genrestuk een legitimatie vooralsnog afhing van een 'historie'.

Een van de schilderijen van de Vlaming Pieter Aertsen maakt gebruik van het verhaal van *Christus op bezoek bij Martha en Maria* (afb. blz. 469 onder). Dat neemt niet weg dat de scène zelf zich slechts op de achtergrond afspeelt, terwijl op de voorgrond een stilleven met een forse ham prijkt. Toch is het bijbelverhaal hier meer dan een excuus om een keukenstuk te schilderen, want het levert ook de tegenstelling tussen de *vita activa* en *vita contemplativa*, tussen Martha's hang naar het aardse en Maria's toewijding aan het woord van God. Maar deze boodschap is teruggetreden achter de fysieke aanwezigheid van de dingen, die hier letterlijk op de voorgrond treden.

Het nieuwe genre van het zelfstandige stilleven ontstond doordat een keukenscène, een markttafereel of een gedekte tafel een steeds grotere plaats in het historiestuk ging innemen. Jan Brueghel bracht deze vroege vormen van het stilleven samen in zijn weelderige schilderij *Allegorie van de smaak* (afb. boven), een van de vijf panelen die samen een cyclus van allegorieën van de zintuigen vormen. Brueghel verzamelt hier alle elementen die de smaakpapillen stimuleren, maar hij ziet nog niet af van de klassieke vorm van de allegorie, de personificatie, en laat een vrouwenfiguur de smaak vertegenwoordigen. In een stilleven in engere zin zijn het –net als in de genrestukken– de afgebeelde dingen zelf die de verschillende zintuigen vertegenwoordigen. Dan staan muziekinstrumenten bijvoorbeeld voor het gehoor, bloemen voor de reuk, etenswaren voor de smaak.

Rond de eeuwwisseling schiepen Antwerpse kunstenaars als Osias Beert en Clara Peeters de vroege vormen van de zogenaamde 'gedekte tafels', een subgenre van het stilleven dat decennialang met allerlei

Pieter Aertsen
Christus op bezoek bij Martha en Maria
1552
Olieverf op hout, 60 x 101,5 cm
Wenen, Kunsthistorisches Museum

Clara Peeters
Stilleven met bloemen en gouden bokalen, 1612
Olieverf op hout, 59,5 x 49 cm
Karlsruhe, Staatliche Kunsthalle

variaties verder ontwikkeld zou worden en waaruit zelfs de pronkstillevens zijn voortgekomen. Bij bijzondere gelegenheden stalde men thuis zijn kostbare bezittingen als bokalen, porseleingoed, gouden en zilveren borden samen met delicatessen uit op bladen en zette die op een buffet. Een stilleven als dat van Clara Peeters (afb. rechts) is echter meer dan een blote afbeelding van zo'n pronkblad, het is onderworpen aan de wetmatigheden die een schilderij eigen zijn. Een teken daarvoor is dat in elk van de bobbels op de dekselbokaal rechts een weerspiegeling van de schilderes voor haar ezel te zien is. Net als in de Vlaamse landschappen wordt een hoog gezichtspunt ingenomen. Tegelijk is er een hoger gelegd verdwijnpunt, wat correspondeert met het nauwelijks merkbaar naar voren overhellen van het tafelblad. Zo is een goed zicht op elk van de voorwerpen gewaarborgd. Eenzelfde doel heeft de aanvullende schikking van de voorwerpen, waardoor overlappingen zoveel mogelijk worden vermeden.

In de jaren '20 van de 17e eeuw werkte Clara Peeters korte tijd in Den Haag en Amsterdam. Dat was lang genoeg om het stilleven daar te beïnvloeden. Dat geldt ook voor het schema van de zgn. 'ontbijtjes' die in Haarlem door kunstenaars als Floris van Schooten, Floris van Dyck en Nicolaes Gillis geschilderd werden. Maar in deze stad werd in diezelfde periode ook al een belangrijke stap voorwaarts gezet. Daarvoor werd de baanbrekende introductie van de diagonaal in het landschap, die ook van Haarlem uitging, door de stillevenschilders overgenomen. Willem Claesz. Heda en Pieter Claesz. gaven het verhoogde gezichtspunt op en ordenden de voorwerpen het liefst op een langgerekte, van links naar rechts oplopende diagonaal die de statische compositie verlevendigt. Voor het schilderij dat zich nu in Dresden bevindt, stelde Willem Claesz. Heda zichzelf voor de niet geringe taak een groot deel van het beeldvlak leeg te laten zonder de samenhangen van de compositie te verliezen. Vergeleken met Clara Peeters' presenteerblad lijken de voorwerpen niet bewust te zijn geschikt. Je krijgt eerder de indruk dat iemand zo abrupt zijn maaltijd heeft beëindigd dat het wijnglas is

gebroken (afb. blz. 470 onder). In werkelijkheid is ook hier alles met zorg uitgekozen en gearrangeerd.

Het kenmerk van de Haarlemse stillevens in de periode van 1620 tot 1650 is het bijna monochrome verfgebruik met zeer genuanceerde tonen bruin, groen en grijs, waarin ze overeenkomen met de landschappen van Van Goyen. Deze monochrome 'banketjes' stellen de schilder voor de uitdaging ondanks het schamele palet de meest uiteenlopende stofeigenschappen (pasteien, tinnen borden, zilveren schalen, wijnglazen) weer te geven. Heda gebruikte decennialang dezelfde rekwisieten voor zijn schilderijen, maar telkens varieerde hij ze zo dat er zeer uiteenlopende texturen te zien waren. Ze vormden voor hem een onuitputtelijke bron van inspiratie.

De keuze van de af te beelden voorwerpen is echter afhankelijk van hun diepere betekenissen, die samen een opbouwende boodschap vormen. Net als bij de genrestukken en de landschappen kan de betekenis er meer of minder dik bovenop liggen. Uitdrukkelijk en niet mis te verstaan is zij vooral in het zogenaamde *vanitas*-stilleven, dat de vergankelijkheid van alle leven op aarde aanschouwelijk maakt. Zo combineerde Pieter Claesz. maar liefst vier symbolen voor vergankelijkheid – een

**Balthasar van der Ast**
Fruitmand, ca. 1632
Olieverf op hout, 14,3 x 20 cm
Berlijn, Staatliche Museen zu Berlin, Stiftung Preußischer Kulturbesitz, Gemäldegalerie

AFBEELDING ONDER:
**Willem Claesz. Heda**
Stilleven met bramentaart, 1645
Olieverf op hout, 54 x 82 cm
Dresden, Staatliche Kunstsammlungen, Gemäldegalerie Alte Meister

AFBEELDING BLZ. 471 BOVEN:
**Pieter Claesz**
Vanitas-stilleven, 1630
Olieverf op linnen, 39,5 x 56 cm
Den Haag, Mauritshuis

AFBEELDING BLZ. 471 ONDER:
**Meester van Leiden**
Boekenstilleven, ca. 1628
Olieverf op hout, 61,3 x 97,4 cm
München, Bayerische Staatsgemäldesammlungen, Alte Pinakothek

horloge, een doodshoofd, een omgevallen glas en een olielamp waarin de pit net uitdooft (afb. blz. 471 boven). Ze relativeren het vergaren van kennis, die door een boek, verschillende papieren en een ganzenveer gerepresenteerd wordt. Vergeleken met de oneindige wijsheid van God is alle geleerdheid loos en ijdel. In de universiteitsstad Leiden ontstonden speciale boekenstillevens waarop een overvloed aan lectuur is uitgestald (afb. 471 onder). We nemen er tegenwoordig met verbazing kennis van dat Barnaby Rich zich al in het jaar 1600 beklaagde over het grote aantal boeken als "een van grote ziektes van deze tijd, die de wereld in zulke aantallen overspoelen dat zij niet in staat is de overvloed aan waardeloze stof te verteren die elke dag uitgebroed en in omloop wordt gebracht". Vaak zijn de afgebeelde boeken al flink gehavend en zie je dat het papier spoedig zal vergaan. De menselijke kennis is net zo vergankelijk als het materiaal waarop zij gedrukt wordt. Zo hielden de geleerden zich de grenzen van hun wetenschappelijke verkenningen voor ogen en maanden ze zichzelf tot bescheidenheid.

In veel stillevens leeft de christologische interpretatie van de ons omringende dingen voort die al in de Middeleeuwen aan devotiebeelden ten grondslag werd gelegd. Er is nauwelijks een madonna, annunciatie of aanbidding zonder bloemen of vruchten, insecten of andere dieren die de gebeurtenissen van een symbolisch commentaar voorzien. Als we dat in het achterhoofd houden, kunnen we de *Fruitmand* van Balthasar van der Ast (afb. linksboven) bekijken als een confrontatie tussen goed en kwaad, tussen dood en wederopstanding. De vruchten hebben opvallende beurse knijpplekken en worden omzwermd door vlinders, libellen en vliegen. Insecten zijn vaak een verwijzing naar het kwaad en werden wel beschouwd als dieren van de duivel. Omgekeerd zijn er ook symbolen voor de wederopstanding: hagedissen, die meer dan eens vervellen, heetten over meer dan één leven te beschikken; de appel verwijst naar de voorstelling dat Christus de erfzonde van de mens op zich neemt; druiven staan voor de discipelen van Jezus, die zichzelf *vitis vera* noemde, de ware wijnstok.

Sommige stillevens zijn zelf ware devotiebeelden: Simon Luttichuys schilderde een nis met daarin een klein aantal voorwerpen. Een nis herbergde vaak heiligenbeelden omdat de boog erboven als teken van waardigheid gold. Wijn en brood verwijzen heel direct naar het avondmaal. De voet van het wijnglas bestaat uit een kunstig gevormde slang, een verwijzing naar de erfzonde, die door Christus werd overwonnen.

In het stilleven zijn tal van subgenres ontstaan met boeken, vissen, vogels, wild, keukengerei of bloemen. De voorkeuren voor bepaalde subgenres konden per plaats verschillen. Bloemenstillevens waren wijdverbreid. Ze vinden hun oorsprong in het werk van Ambrosius Bosschaert in Utrecht en Jan Brueghel in Antwerpen en Brussel. Net als bij de gedekte tafels die eerder ter sprake kwamen, is de door Brueghel geschilderde bos bloemen (afb. blz. 474 boven) slechts schijnbaar in overeenstemming met de werkelijkheid. De bloemen zijn zo hoog opgestapeld dat hun stengels met geen mogelijkheid nog in het water kunnen staan. Om zoveel bloemen te kunnen laten zien, moest Brueghel ze bovendien over een plat vlak uitspreiden. Desondanks weet hij de illusie van een rond boeket te wekken. Dat resulteerde in een dermate zorgvuldig geordend geheel van de onooglijkste bloempjes tot grote, zware bloemkelken, dat het lijkt alsof hier alles wat bloeien kan verzameld is. Er zijn in elk geval soorten bij die in het echt nooit samen in een vaas kunnen staan, omdat ze in verschillende seizoenen bloeien: pioenrozen en irissen, tulpen en rozen, anjers en anemonen, lelies en narcissen. Brueghel schilderde de bloemen direct naar het leven zonder eerst een tekening te maken. Daarom duurde het behoorlijk lang voordat hij een werk als dit af had, want hij kon alle bloemen pas schilderen als ze bloeiden. Hij beklaagde zich er dan ook eens over dat hij in plaats van alles naar het leven te schilderen liever nog twee landschappen zou maken.

Vervolg op blz. 474

Suetonius
opera

AFBEELDING BLZ. 472:
**Willem Kalf**
Stilleven met nautilusbeker, 1660
Olieverf op linnen, 79 x 67 cm
Madrid, Collectie Thyssen-Bornemisza

**Jan Davidsz. de Heem**
Stilleven met vruchten en kreeft, ca. 1648/1649
Olieverf op linnen, 95 x 120 cm
Berlijn, Staatliche Museen zu Berlin, Stiftung Preußischer Kulturbesitz, Gemäldegalerie

Na het tweede kwart van de 17e eeuw, waarin eenvoudige stillevens met slechts enkele voorwerpen en een beperkt palet de toon zetten, groeide met de rijkdom en het zelfbewustzijn van de burgers ook hun behoefte aan representatieve kunstvormen.

De nieuwe generatie zag er geen been in het breed te laten hangen en nam de levensstijl van de aristocratie over. Nu verschijnen de zogenaamde pronkstillevens van vaak zeer groot formaat ten tonele. Voorbeeld zijn de stillevens die in de Zuidelijke Nederlanden voor de hoge adel geschilderd werden. Jan Davidsz. de Heem werkte aanvankelijk in Utrecht en Leiden, maar ging in 1636 naar Antwerpen, waar hij de opdrachtgevers vond die bij zijn schilderstijl pasten. Wel bleef hij in contact met het Noorden, waar onder anderen Abraham van Beyeren in zijn voetsporen trad. De Heems krachtige koloriet en zijn vaardigheden als fijnschilder die hij in Leiden had opgedaan, waren onovertroffen binnen het genre.

Anders dan De Heem beperkte Willem Kalf zich tot enkele –maar wel exquise– voorwerpen, waarmee hij eindeloos varieerde. De kostbaarheid van de dingen wordt recht gedaan door de zorgvuldige manier van schilderen. Daarin bereikte hij een niet eerder vertoonde verscheidenheid en suggestieve trefzekerheid in de stofuitdrukking van de verschillende objecten: de greinachtige schil van de citroen wordt bijna tastbaar en je kunt je voorstellen hoe koel het gladde Chinese porselein zal aanvoelen. Het parelmoer van de nautilusbeker is doorzichtig en het drinkglas is zo flinterdun dat je je bewust wordt van zijn breekbaarheid. Ook hier werden bij de keus en ordening van de voorwerpen niet alleen esthetische overwegingen gevolgd. Zo staan citroen en wijn, die op heel veel stillevens figureren, voor de tegengestelde eigenschappen zuur en zoet. Soms ligt de citroen zelfs in het wijnglas – het gaat om het verenigen van uitersten. Hetzelfde kan gezegd worden van de menselijke eigenschappen en ook nu weer is de uitkomst van het beeldverhaal een levenswijsheid.

Kalf laat de voorwerpen met een kostelijke fluwelen glans oplichten uit een diep zwart, een bijzonderheid die veel navolging vond. Een krachtige lichtbundel heeft –wellicht door een spleet in een gordijn– zijn weg naar de dingen gevonden en botst er met zijn kille schittering op. Wie weet zinken ze het volgende moment weer terug in hun diepe duisternis.

AFBEELDING LINKS:
**Jan Brueghel**
Boeket, 1606
Olieverf op koper, 65 x 45 cm
Milaan, Pinacoteca Ambrosiana

**Samuel van Hoogstraeten**
Klembord (Trompe-l'oeil-stilleven)
1666/1678
Olieverf op linnen, 63 x 79 cm
Karlsruhe, Staatliche Kunsthalle

AFBEELDING BLZ. 475:
**Frans Snyders**
Stilleven met gevogelte en wildbraad, 1614
Olieverf op linnen, 156 x 218 cm
Keulen, Wallraf-Richartz-Museum

met de adel geassocieerd worden, de klasse die het privilege van de jacht had en de buit vervolgens al dan niet aan het volk deed toekomen. Pronkstillevens als dit kwamen tegemoet aan de specifieke decoratieve wensen die leefden aan het hof of onder de aristocratie. Ze hingen in eetzaal, galerie of jachtslot. Ook op de stillevens uit het Noorden waren de meeste voorwerpen luxeartikelen, vooral delicatessen als citroenen, pasteien, witbrood, vlees, oesters, kreeften en wijn. Zelfs tinnen kannen en borden waren voorwerpen van waarde in een land waar de meesten houten planken en bekers gebruikten. Zo bezien thematiseren stillevens de menselijke hang naar luxe als de meest uitgesprokene van de aardse verlokkingen. Dit gaat bijna altijd vergezeld van een vermanende verwijzing naar de vergankelijkheid. In het bloemenstuk zijn beide elementen onontwarbaar. Men beschouwde bloemen als het summum van schoonheid, maar omdat ze ook snel verwelken, doordrongen ze de beschouwer tegelijk van de nietigheid van alle leven. Op een ander stilleven van Brueghel staat een koperen gedenkplaat, die een opschrift draagt dat de kijker maant zich niet aan de bloemenpracht te vergapen waarmee de aarde de mens verwart. Deze efemere wezens houden ons alleen maar af van het enige wat eeuwig bloeit: het woord van God. Al het andere vergaat tot stof.

Het was geen geringe opgave voor een schilder om de schoonheid en kostbaarheid van de bloemen in verf te vangen. "Voor dit schilderij heb ik het beste gemaakt waar ik toe in staat ben", schreef Brueghel aan zijn Milanese opdrachtgever, kardinaal Borromeo. "Ik geloof dat er nooit eerder zo veel zeldzame en verschillende bloemen met zo veel zorgvuldigheid zijn geschilderd. (...) Onder de bloemen heb ik een sieraad geschilderd, handgemaakte medailles en curiositeiten uit de zee. Ik laat

Veel van de afgebeelde bloemen waren destijds pas recentelijk uit verre landen ingevoerd en golden omstreeks 1600 nog als rariteiten. De teelt luisterde heel nauw, de bloemen waren daardoor duur en waren daarom lange tijd het voorrecht van de adel. Dat gold niet voor tulpen, die in de Noordelijke Nederlanden al snel object van intensieve speculatie werden, waarmee velen goed geld probeerden te verdienen. In de jaren '20 van de 17e eeuw waren tulpen de modebloemen bij uitstek. Voor bijzondere soorten werden astronomische prijzen betaald. De *Semper Augustus* met zijn roodgevlamde bloembladeren met witte strepen spande de kroon en een enkele bol kon wel 1000 gulden opbrengen. Op het hoogtepunt van deze 'tulpomanie' verwisselde een bol van eigenaar voor 4000 gulden in contanten plus een koets met twee appelschimmels ter waarde van 2000 gulden. In de jaren 1636-1637 was er een gierende inflatie opgetreden die velen tot de bedelstaf bracht en onder hen bevond zich ook de landschapschilder Jan van Goyen. De Gewestelijke Staten van Holland maakten ten slotte een eind aan de crisis door alle transacties van 1636 en later nietig te verklaren.

Veel van de afgebeelde bloemen lagen dus bepaald niet binnen het bereik van de gewone man. Hetzelfde geldt voor de jachtbuit op Frans Snyders' breed uitgemeten stilleven (afb. blz. 475). Het moet dan ook

het aan Uwe Eminentie over te oordelen of de bloemen niet het goud en de sieraden overtreffen." Jan Brueghel bereikte een hoge graad van perfectie in de realistische, bedrieglijk echte weergave van de bloemen: het is alsof je ze kunt ruiken en aanraken.

Het plezier in de illusionistische misleiding, de wedijver met de natuur is in alle Nederlandse genres te vinden, maar werd tot het uiterste gevoerd door de specialisten in het zogenaamde *trompe-l'oeil* (de Hollanders spraken van '*bedrijghertje*'). Zij namen de handschoen van klassieke schilders als Zeuxis en Parrhasios op, die volgens Plinius met elkaar wedijverden in de bedrieglijk echte weergave van de werkelijkheid: Zeuxis schilderde druiven zo echt dat de vogels erin probeerden te pikken, maar hij moest zijn meerdere erkennen in Parrhasios toen hij een doek voor diens schilderij weg wilde trekken en toen pas merkte dat het geschilderd was. Dergelijke geschilderde, gedeeltelijk terzijde geschoven doeken zijn wel vaker te vinden op Nederlandse stillevens: deuren, ramen en kasten die open lijken te staan en uit de muur naar voren stekende spijkers waaraan dingen opgehangen zijn.

Samuel van Hoogstraeten, een leerling van Rembrandt, schiep ook genoegen in het trompe-l'oeil en bereikte daarin een alomgeprezen meesterschap. Wel vond hij dit soort schilderijen slechts spel en lag de ware taak van de schilderkunst voor hem in het historiestuk. Dat deed immers niet alleen een beroep op de *imitatio*, maar ook op de *inventio*. Hoe het ook zij, met 'bedrijghertjes' kon een schilder een reputatie vestigen. Van Hoogstraeten zelf had van de Habsburgse keizer een eremedaille gekregen voor een geslaagd staaltje gezichtsbedrog. Deze medaille is een van de vele toespelingen op zijn levensloop en zijn oeuvre die van Hoogstraeten invlocht in het schilderij met het *Klembord* (afb. blz. 474 onder) dat nu in Karlsruhe hangt. Het is een verkapt overzicht over de brede kennis die hij zich eigen gemaakt had als schilder (waar ook de bril als symbool van het gezichtsvermogen naar verwijst) en als schrijver (het schrijfgerei en twee gedrukte exemplaren van zijn toneelstukken). De kam kan opgevat worden als verwijzing naar het ordenen van de gedachten. Op het klembord staat een lofdicht te lezen: "Jullie die betwijfelen of Zeuxis, wiens meesterhand/de vogels heeft misleid met platte druiven van verf,/na een waardige kamp de loef zou kunnen worden afgestoken/door de vlijt van een teerder penseel van iemand in het witte schildersgewaad,/kom en bekijk deze Hoochstraet! Zie hoe zelfs de heerser over de ganse aarde/door de kunstvaardigheid van zijn penseel in dezelfde val gelokt wordt." De gouden medaille en het lofdicht vormen ten slotte een onverbloemde eigen lof.

**Adam Elsheimer**
De vlucht naar Egypte, 1609
Olieverf op koper, 31 x 41 cm
München, Bayerische Staatsgemäldesammlungen, Alte Pinakothek

**Tussen de Lage Landen en Italië: Duitsland in de 17e eeuw**

Nu zijn wij toch geheel, zelfs meer dan geheel verwoest.
De schaar brute volkeren, de razende bazuin,
het van bloed vette zwaard, de bulderende kartouw
hebben al het zweet, alle vlijt en voorraad opgeteerd.
De torens staan in brand, de kerk is omvergehaald,
het raadhuis ligt in puin, de sterke mannen in de pan gehakt,
de maagden zijn verkracht en waar we ook kijken
is vuur, pest en dood, die door hart en ziel gaat...[3]

Duitsland werd in de 17e eeuw getekend door de Dertigjarige Oorlog. Andreas Gryphius' gedicht uit 1636 geeft een treffend beeld van de deplorabele toestand waarin alles verkeerde. Na de Westfaalse Vrede van 1648 vergde het nog een halve eeuw om de gevolgen van de totale verwoesting te boven te komen. Slechts heel geleidelijk krabbelde ook het kunstbedrijf weer overeind en pas tijdens de late Barok en het Rococo zou Duitsland weer een culturele bloeiperiode doormaken. Vooral Zuid-Duitse en Oostenrijkse kunstenaars als Johann Michael Rottmayr, Cosmas Damian Asam, Johann Baptist Zimmermann en Franz Anton Maulpertsch gaven een nieuwe richting aan de plafondschilderkunst, die ze uit Rome hadden overgenomen. Toch had Duitsland in de 17e eeuw ook al een groot aantal kunstenaars voortgebracht. De schilder Joachim von Sandrart had al hun levens beschreven in zijn 'Teutsche Academie der edlen Bau-, Bild- und Mahlerey-Künste' uit 1675. Maar zij konden zich niet ontplooien in hun geboorteland. Door de oorlog ontbrak het er aan leraren en verzamelaars en dus zagen jonge kunstvrienden zich genoodzaakt naar het buitenland te trekken. Vaak deelde men Duitse kunstenaars in bij Nederlandse of Italiaanse scholen. De Noord-Duitsers Jürgen Ovens en Christopher Paudiss gingen in de leer bij Rembrandt, de Hamburgse genreschilder Matthias Scheits bij Philips Wouwerman in Haarlem. Later wisten zij in Duitsland weer een kunstenaarsbestaan op te bouwen. In het geval van Govaert Flinck is men zich echter niet langer bewust van zijn Duitse afkomst. Flinck wordt tot de vooraanstaande Nederlandse historie- en portretschilders gerekend en sommigen van zijn tijdgenoten gaven aan hem de voorkeur boven Rembrandt, in wiens atelier hij gewerkt had, maar toch is hij afkomstig uit Kleef. Caspar Netscher uit Heidelberg wordt als leerling van Gerard ter Borch tot de Nederlandse genreschilders gerekend en de Emdenaar Ludolf Bakhuysen staat te boek als Amsterdams zeeschilder. In de kring van de *bamboccianti* in Rome waren Johannes Lingelbach en Johann Heinrich Roos actief, de een afkomstig uit Frankfurt, de ander uit de Palts. Alletwee waren ze in Nederland gevormd, waar Lingelbach zo nu en dan bijwerk voor Van Ruisdael geschilderd had. Jan Both, een van de belangrijkste Nederlandse italianisanten leidde in Rome ook Duitse leerlingen op, onder wie Johann Franz Ermels. Een andere leerling was Wilhelm van Bemmel, die de stamvader werd van een Neurenbergse artiestenfamilie die generaties lang landschapschilders afleverde.

Terwijl veel van de grote Nederlandse schilders nauwelijks reizen ondernamen en hun stijl ontwikkelden in reactie op de schildertraditie van hun stad, deden Duitse kunstenaars op de meest uiteenlopende plaatsen inspiratie op, enkelen zelfs in verschillende landen, wat het des te moeilijker maakt hun stijl in te delen. Van een specifiek Duitse barokstijl kon onder deze omstandigheden dan ook geen sprake zijn. Enkelingen, van wie Adam Elsheimer verreweg de grootste is, vonden weliswaar een heel persoonlijke stijl en oefenden grote invloed uit op andere kunstenaars. Elsheimer was afkomstig uit Frankfurt am Main en kwam via Venetië naar Rome, waar hem nog tien actieve jaren vergund waren voordat hij in 1610 op 32-jarige leeftijd stierf. In Rome stond hij in contact met Nederlandse kunstenaars, vooral met de landschapschilder Paul Bril en met Pieter Paul Rubens, die overigens niet de enige kunstenaar was die zich zeer lovend uitliet over het werk van Elsheimer. Zijn picturale vindingen raakten in de vorm van gravures over heel Europa verspreid en gaven de aanzet tot wezenlijke elementen van de barokke compositiewijze. En dat terwijl Elsheimer maar een klein oeuvre van nauwelijks dertig schilderijen heeft nagelaten. Dat is voor een deel te wijten aan de bewerkelijke manier van schilderen op miniatuurkoperplaten, maar hangt ook samen met Elsheimers karakter (Rubens beklaagde zich in elk geval over zijn luiheid). Op veel van zijn schilderijen speelt het landschap een voorname rol, maar die bestaat er altijd in een bepaalde stemming op te wekken en zo het effect van de afgebeelde gebeurtenis over te brengen. Bij de nachtelijke *Vlucht naar Egypte* (afb. links) toont Elsheimer drie verschillende lichtbronnen, die de plaats van handeling net genoeg verlichten om de Heilige Familie te herkennen: de maan en zijn spiegelbeeld in het water, de fakkel in Jozefs hand en het door de herders ontstoken vuur. Caravaggio (Elsheimer kon zijn werk in Rome bekijken) had als eerste lichtbronnen direct in beeld gebracht. Voor die tijd werd de voorstelling door onbestemde lichtbronnen van buiten de beeldrand verlicht. Met het nachtelijk landschap wekt Elsheimer een gevoel van onzekerheid over het lot van de Heilige Familie, die er onder dit uitspansel verloren uitziet, maar tegelijk ook van vertrouwen, het vertrouwen waarmee Jozef en Maria verder trekken en dat ze weldra in veiligheid brengt bij de herders, waar ze ongestoord de nacht kunnen doorbrengen.

Naast Elsheimer moet de twintig jaar jongere Johann Liss genoemd worden als een van de belangrijkste Duitse schilders van de 17e eeuw. Ook hij werkte voornamelijk in Italië. In zijn 15 jaar durende loopbaan verwerkte hij zeer veel verschillende invloeden die hij al rondtrekkend onderging: in Haarlem de genrekunst van een Buytewech, in Antwerpen de kunst van Jordaens maar ook van Jan Brueghel, in Parijs het kleurgebruik van een Valentin de Boulogne, in Rome de monumentale ten halven lijve geschilderde figuren van Caravaggio, Fetti en Strozzi met hun dramatische clair-obscur. Maar tegelijk beïnvloedden ook het kleine formaat en de zorgvuldige fijnschilderstijl van Elsheimer hem. Liss' werk is echter niet alleen in stilistisch opzicht van een verwarrende rijkdom, maar is ook thematisch zeer divers: genrestukken, religieuze en mythologische voorstellingen, miniaturen, monumentale historie- en altaarstukken – geen wonder dat Sandrart, die in 1629 in Venetië bij Liss inwoonde, al niet wist welke van deze zeer uiteenlopende schilderijen hij nu hoger moest aanslaan.

Venetië was ook de plaats waar Liss zijn laatste actieve jaren doorbracht en

Johann Liss
De inspiratie van de H. Hiëronymus, 1627
Olieverf op linnen, 225 x 175 cm
Venetië, S. Niccolò dei Tolentini

waar hij ten slotte werken schiep die hun tijd ver vooruit waren. Ze oefenden grote invloed uit op de Rococo-schilderkunst van de 18e eeuw.

Dit geldt wel in het bijzonder voor een doek als *De inspiratie van de H. Hiëronymus* (afb. rechts), dat Liss voor de S. Niccolò dei Tolentini in Venetië schilderde en dat nog altijd op de plaats hangt waar het oorspronkelijk voor gemaakt werd. Venetiaanse reisgidsen uit de 17e en 18e eeuw steken de loftrompet over het werk en het werd veelvuldig gekopieerd (Fragonard maakte er bijvoorbeeld een ets van). Allereerst is daar het kleurgebruik, waarin pasteltinten overheersen. Dat mag typerend zijn voor het Rococo, maar in de vroege 17e eeuw was het beslist ongebruikelijk. Baanbrekend is echter vooral het feit dat de compositie niet vanuit de figuren gedacht is, maar helemaal is toegesneden op het samenspel van de kleurvlakken. Zo ontstaat een koloristisch continuüm dat het aardse en het hemelse met elkaar verbindt. Daarmee geeft Liss zich rekenschap van het belang van het weergegeven ogenblik, waarop Hiëronymus de goddelijke almacht aanschouwt. Tussen licht en schaduw strekt zich een rijk spectrum van tinten uit, verlevendigd door een vlokkige penseelstreek. Wat het laatste betreft knoopt Liss aan bij de grote Venetiaanse schilders van de late 16e eeuw. Door hem kwamen ook de schilders van de tweede Venetiaanse bloeiperiode (Piazzetta, Ricci en Tiepolo) in aanraking met hun illustere plaatsgenoten.

Een derde Duitse schilder van Europese rang is Johann Heinrich Schönfeld. Hij woonde en werkte 18 jaar in Italië, voornamelijk in Napels. In zijn schilderkunst wist hij zeer uiteenlopende eigenschappen als elegantie en dramatiek, bevalligheid en theatraliteit met elkaar te verenigen. De jaren waarin hij in Rome gevormd werd, stonden dan ook niet zozeer in het teken van de robuuste Barok aldaar, als wel van het fijnzinnige Classicisme van Nicolas Poussin, al doen zijn arrangementen lichtvoetiger en onbezorgder aan. Schönfelds figuren zijn op een elegante manier uitgerekt en zijn rank van lijf en leden. Daar passen de tere kleuren goed bij, die worden gedragen door de milde grondtoon van de heiige atmosfeer op de achtergrond. Het grote aantal nuances grijsblauw is een kenmerk van de Napolitaanse school, net zoals het duister vol donkere tonen, dat vaak door felle slaglichten en diagonale lichtbundels uiteengereten wordt. Optochten vol praal als deze op Schönfelds *Triomftocht van David* waren in de Barok aan de orde van de dag en elke gelegenheid werd ervoor aangegrepen. Schönfeld heeft er in Napels aan het hof van de Spaanse vicekoning getuige van kunnen zijn.

Johann Heinrich Schönfeld
De triomftocht van David, 1640-1642
Olieverf op linnen, 115 x 207 cm
Karlsruhe, Staatliche Kunsthalle

**Georg Hinz**
Uitstalkast van een kunstkabinet, 1666
Olieverf op linnen, 114,5 x 93,3 cm
Hamburg, Kunsthalle

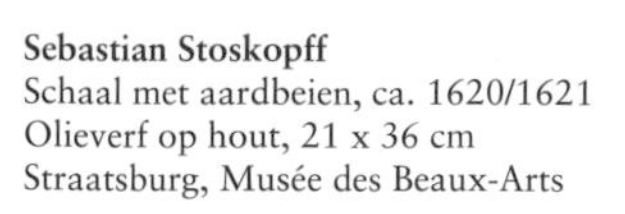

**Sebastian Stoskopff**
Schaal met aardbeien, ca. 1620/1621
Olieverf op hout, 21 x 36 cm
Straatsburg, Musée des Beaux-Arts

**Georg Flegel**
Pronkkast met bloemen, fruit en bokalen, ca. 1610
Olieverf op linnen, 92 x 62 cm, Praag, Nationale Galerie

Naast de handelsstad Augsburg, waar Schönfeld na zijn Italiaanse periode nog ruim 30 jaar werkte, behoorde ook Frankfurt tot de belangrijkste overslagplaatsen en cultuursteden van Europa. Hier werden grote veilingen gehouden en er waren veel rijke burgers, oftewel potentiële kopers van kunstwerken. Hier vond de uit Bohemen afkomstige Georg Flegel zijn opdrachtgevers. Met zijn uitzonderlijke vaardigheden in de stofuitdrukking van de meest uiteenlopende voorwerpen geldt hij als de belangrijkste Duitse stillevenschilder. In zijn *Pronkkast met bloemen, fruit en bokalen* (afb. links) zien we alle gaven waarop een gastheer zijn bezoek onthaalde. Deze uit de Oudheid overgenomen traditie kende de humanistisch gevormde schilder wellicht uit Philostratos' geschrift *De afbeeldingen*. Flegel ontwikkelde zijn eigen stijl aan de hand van de Vlaamse traditie, die hij leerde kennen via het grote aantal protestantse Vlamingen dat hun toevlucht had gezocht in Frankfurt en Hanau. In Hanau was in 1597 speciaal voor de vluchtelingen de 'Neustadt' gesticht. De schilder Daniël Soreau, geboren in Antwerpen, was nauw bij het ontwerp van de wijk betrokken. Als schilder was hij verantwoordelijk voor het ontstaan van een herkenbare school van stillevenschilders. Leerlingen waren naast zijn zonen Izaäk en Peter ook Peter Binoit en de uit Straatsburg stammende Sebastian Stoskopff, die na de dood van zijn leermeester diens atelier overnam.

Stoskopff valt op door de duidelijke indeling en de strenge compositie van zijn schilderijen. Vaak beperkte hij zich sterk in het aantal afgebeelde voorwerpen. Op het bovenstaande schilderij staat niets anders dan een *Schaal met aardbeien*, die hij aangrijpt voor een waar feest van kleur. Stoskopff verbleef lange tijd in Parijs en de manier waarop hij voorwerpen geïsoleerd afbeeldde, vond er navolging bij de Franse stillevenschilders Jacques Linard en Louise Moillon.

Hamburg bood randvoorwaarden die te vergelijken waren met die van Frankfurt. Ook hier was een groot kunstpubliek. De stillevenschilder Georg Hinz ontwikkelde het merkwaardige schilderijentype van de *Uitstalkast van een kunstkabinet* (afb. linksboven), dat uniek is in de Europese kunstgeschiedenis. Het gaat om een illusionistisch geschilderd kabinetstuk, een schilderij dat zich voordoet als uitstalkast. Keurig geordend worden hierin de voorwerpen bewaard die adellijke en burgerlijke verzamelaars in de Barok bij voorkeur in hun collectie opnamen. Rariteiten staan naast kostbaarheden, en kunstnijverheidsproducten wedijveren met naturaliën – Georg Hinz' uitstalkast is niets minder dan een poging de hele wereld in een aantal representatieve voorwerpen op te roepen. Tegelijk staan keuze en schikking van de voorwerpen in dienst van de hoofdgedachte van die tijd: een waarschuwing voor de vergankelijkheid van het leven op aarde en de belofte van een wederopstanding na de dood.

**Anthonie van Dyck**
Sir Endymion Porter en Van Dyck, ca. 1635
Olieverf op linnen, 119 x 144 cm
Madrid, Prado

**Anthonie van Dyck**
Karel I te paard, ca. 1635-1640
Olieverf op linnen, 367 x 292,1 cm
Londen, National Gallery

**Antonie van Dyck in Engeland**

Waar Duitsland kon bogen op een traditie van grote meesters als Dürer en Holbein moest men in Engeland de schilderkunst in de 17e eeuw nog ontdekken. Pas omstreeks 1680 was er in brede kring die belangstelling gewekt die een voorwaarde was voor de Gouden Eeuw van de Engelse schilderkunst van Hogarth tot Turner. Tot in de 18e eeuw domineerden de buitenlandse schilders echter nog, die zich bijna uitsluitend bezighielden met het schilderen van portretten. Hans Holbein de Jonge had in de jaren '30 van de 16e eeuw aan het Engelse hof gewerkt en zijn invloed bleef bepalend voor een aantal generaties. Zo is Nicholas Hilliard ten tijde van Elizabeth I nog een van zijn navolgers. Diens icoonachtige en nadrukkelijk tweedimensionale portrettype werd aan het begin van de 17e eeuw ten slotte verdrongen door Nederlandse schilders als Paul Somer, Cornelis Johnson (ook wel: Janssen) en Daniël Mytens. Zij introduceerden de realistische Nederlandse portretkunst aan het Engelse hof, die de fysieke aanwezigheid van de geportretteerde probeerde te benaderen. In 1632, precies een eeuw na Holbein, kwam de Rubens-leerling Van Dyck aan in Londen. Hij zou zijn stempel drukken op de Engelse portretkunst tot aan de dood van Thomas Lawrence in 1830. Vooral het werk van Thomas Gainsborough, de belangrijkste Engelse schilder van de 18e eeuw, zou zonder Van Dyck ondenkbaar zijn.

Van Dyck werd aangetrokken door koning Karel I, die kan gelden als de eerste beschermer van de kunst onder de Engelse vorsten. Zijn belangstelling voor de kunst werd nog aangewakkerd door het negen maanden durende verblijf van de grote Rubens in Londen. Die was op een diplomatieke missie naar Engeland gekomen, maar Karel onderhield zich met hem liever over kunst dan over politiek. Het sterkte hem alleen in zijn wens om Rubens' leerling Van Dyck als hofschilder aan te stellen. In 1620 had Jacob I de jonge schilder na een kort verblijf in Engeland al een jaarlijkse toelage gegarandeerd, waardoor Van Dyck de facto in dienst van het hof kwam. Toch was hij al gauw naar Italië vertrokken om zich verder te ontwikkelen en probeerde hij na zijn terugkeer in Antwerpen vaste voet te krijgen. Zolang Rubens daar echter oppermachtig was, kon Van Dyck geen eigen stijl vinden en daarom werd de vasthoudendheid van de Engelse koning uiteindelijk beloond. Karel I bood optimale arbeidsvoorwaarden en Van Dyck was verzot op het hofleven. Rubens had voor zijn tweede huwelijk zijn oog bewust op een niet-adellijke vrouw laten vallen, maar Van Dyck trouwde Lady Mary Ruthven die tot de intimi van de koningin behoorde.

Op zijn zelfportretten presenteerde Van Dyck zich bij voorkeur als aristocraat. Hij had een uitgesproken hang naar luxe, het mondaine en aristocratische verfijning. Het vriendenportret van hem en Endymion Porter (afb. onder) is

het enige schilderij waarop hij samen met iemand anders te zien is. Porter adviseerde de koning in artistieke aangelegenheden en had een belangrijk aandeel gehad in diens pogingen Van Dyck definitief aan Engeland te binden. Het portret onderstreept Porters rustige en vriendelijke karakter en zijn warme gevoelens van sympathie. De hechte band tussen de kunstenaar en de vertrouweling van de koning is af te lezen aan hun beider handen, die vlak bij elkaar op een stuk rots rusten – zelf weer een beeld voor hun onwankelbare vriendschap.

In de tien jaar die Van Dyck nu nog te leven had, schilderde hij alleen al van koning Karel I meer dan 40 en van zijn gemalin Henrietta Maria 30 portretten. Daarnaast stapelden de opdrachten van de adel zich op. Zijn positie aan het Engelse hof valt te vergelijken met die van Velázquez in Spanje: beiden waren hooggeachte en in de watten gelegde hovelingen en beiden werden in de adelstand verheven. Merkwaardig genoeg was Karel I vooral in Van Dyck geïnteresseerd omdat hij in hem een erfgenaam van Titiaan zag. Hij bewonderde de Venetiaanse schildersvorst om zijn imposante portretten van de grote keizer Karel V, aan wie Karel I zich spiegelde. Van Dyck voldeed aan de verwachtingen van de koning: in het ruiterportret (afb. boven) oriënteerde hij zich duidelijk op Titiaans schilderij van Karel V te paard. Karel I wordt gepresenteerd als heerser over geheel Brittannië, Carolus Rex Magnae Brittaniae, zoals de inscriptie op het bord aan de boom vermeldt. Het harnas en het krachtig voortstappende paard geven hem een aura van daadkracht en vastberadenheid, terwijl zijn vaste blik waardigheid en adel verraadt.

**Anthonie van Dyck**
Philip Lord Wharton, 1632
Olieverf op linnen, 133 x 106 cm
Washington, National Gallery

**Peter Lely**
Louise de Kéroualle, ca. 1671
Olieverf op linnen, 121,9 x 101,6 cm
Malibu, The J. Paul Getty Museum

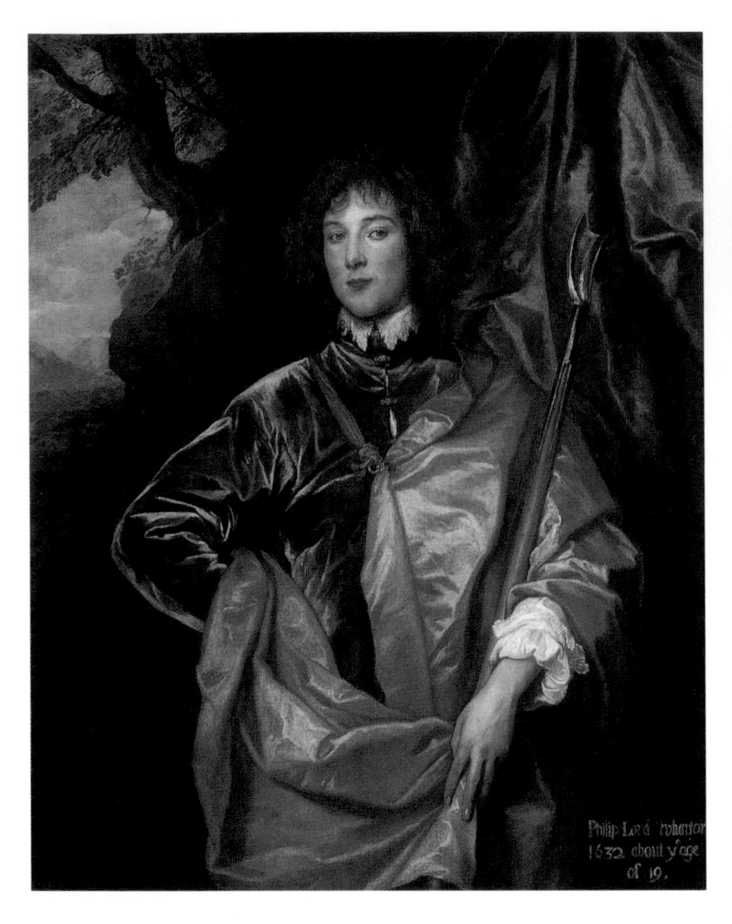

Het is een welbewuste idealisering van de koning, die er nauwkeurig omschreven voorstellingen op na hield over de manier waarop een koning had op te treden, zonder dat hij tegelijk ook over de kwaliteiten van een groot heerser beschikte.

De portretten die Van Dyck in Engeland schilderde, zijn aristocratisch par excellence. Daar zorgde zijn rijke palet net zo goed voor als de losse penseelvoering, die de statische poses met leven vervulde. Hij verleende zijn modellen een natuurlijke waardigheid: ze stralen trots en elegantie uit en maken met een vleugje melancholie, maar op soevereine wijze de pretentie waar een uitverkoren stand te zijn. Daarvoor hoefde Van Dyck geen beroep te doen op veelbetekenende attributen – blik en houding volstonden om de gewenste aura te creëren. De 19-jarige Philip Lord Wharton was een van de eersten die Van Dyck in Engeland portretteerde (afb. linksboven). De zachte kleuren van het landschap verlenen zijn edele gelaatstrekken een bijzondere fijnheid. Met een duidelijke reminiscentie aan Arcadië worden de neoplatonische idealen van schoonheid en idyllische liefde in gedachten geroepen, waarmee Van Dyck herinnert aan de aanleiding tot het portret, het huwelijk van de jonge Lord.

Uiteindelijk raakte de hofschilder zo overbelast dat hij zijn manier van schilderen moest versnellen. De Franse kunsttheoreticus Roger de Piles vermeldt dat Van Dyck regelrecht spreekuur hield: voor ieder van zijn opdrachtgevers trok hij precies een uur uit om model te zitten, daarna werd het penseel schoongewassen en een ander palet voor de volgende bezoeker ter hand genomen. Op deze manier werkte Van Dyck aan verscheidene portretten tegelijk. De idylle van vredige rust en welvaart die op veel van zijn portretten tot uitdrukking komt, was slechts schijn. Onder het volk broeide het en de burgeroorlog onder Oliver Cromwell stond voor de deur. In 1649 zou Karel I onthoofd worden.

Van Dycks invloed was in Genua, Antwerpen en Amsterdam al onmiskenbaar, maar Engeland spande de kroon. Daar kon al snel geen portret meer in een andere stijl geschilderd worden. Als zijn voornaamste navolger geldt Peter Lely, de eerste hofschilder na de Restauratie. Ook hij was geen Engelsman. Hij was geboren in het Westfaalse Soest en ging in Haarlem in de leer. In de vroege jaren '40 kwam hij naar Londen. De alomtegenwoordige portretten van Van Dyck waren voor hem een voortdurende bron van inspiratie. Zijn portret van Louise de Kéroualle, de maîtresse van de Engelse koning, geeft een goede indruk van zijn briljante techniek. Helaas neigde hij ertoe zijn portretten omwille van een hogere productie te standaardiseren, waarbij hij op voorbeelden van Van Dyck terugviel. Die had evenwel nog bij de grootste werkdruk voor ieder van zijn opdrachtgevers een eigen pose ontwikkeld om diens karakter zo goed mogelijk te treffen.

# Appendix

# Glossarium

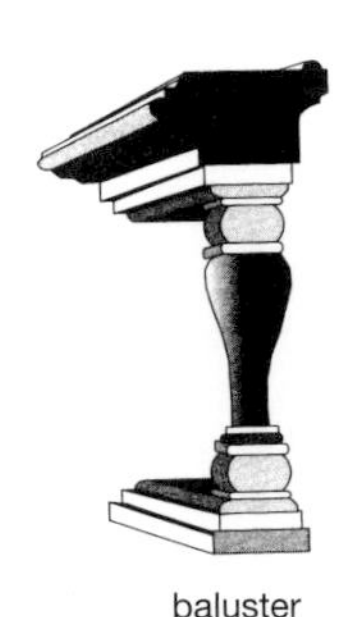

baluster

**absis,** halfcirkelvormige of polygonale uitbreiding van een ruimte, in de sacrale bouwkunst (meestal) een oostelijke afsluiting van het koor, **zie kerk**

**acanthus,** soort distel (berenklauw), waarvan de bladeren als voorbeeld voor het Corinthische kapiteel dienen

**affect,** gemoedsaandoening, ook onder uitschakeling van de vrije wil; over de mogelijkheden van de kunst in te werken op het gemoed en over de weergave van deze gevoelens in het kunstwerk werd al sinds de Renaissance gedebatteerd

**alcazar** (Arab.), in Spanje gebruikelijke benaming voor een weerbaar kasteel, meestal een gesloten complex met vier vleugels

**allegorie,** zinnenbeeld, gelijkenis

**alternerend stelsel,** afwisseling van zuil en pijler

**amfitheater,** ronde of elliptische arena met rondlopende, trapvormig omhooglopende zitplaatsen

**anagogisch,** 'omhoog brengend' (Gr.), wat de dingen een hogere, vaak ook symbolische betekenis geeft

**antropomorf,** naar de menselijke vorm

**apotheose,** vergoddelijking, tenhemelopneming van een sterveling

**apotropaeïsch,** onheil afwendend

**appartement,** reeks opeenvolgende kamers in paleis- en burgerlijke bouw

**appartement double** (Fr.), dubbele reeks opeenvolgende kamers

**arcade,** boog rustend op zuilen of pijlers, ook reeks van boogstellingen

**architraaf,** horizontale stenen balk boven zuilen, in het klassieke hoofdgestel drager van fries en daklijst

**archivolt,** loop van een boog en door muurwerk afgezette omlijsting van een rondboog

**artes liberales** (Lat.), de zeven vrije kunsten: traditioneel onderverdeeld in een groep van drie (het 'trivium' van grammatica, aritmetica en geometrie) en een van vier (het 'quadrivium' van muziek, astronomie, dialectiek en retorica)

**atlant,** drager van een balklaag in de vorm van een mannenfiguur

**atrium,** bij de Romeinen een geopende binnenplaats, in de vroeg-christelijke architectuur een door zuilengangen omgeven voorhof van de basilica

**attiek,** muurvlak boven de hoofdlijst van een bouwwerk; onttrekt soms de aanzet van het dak aan het oog en kan als lage verdieping zijn geconstrueerd

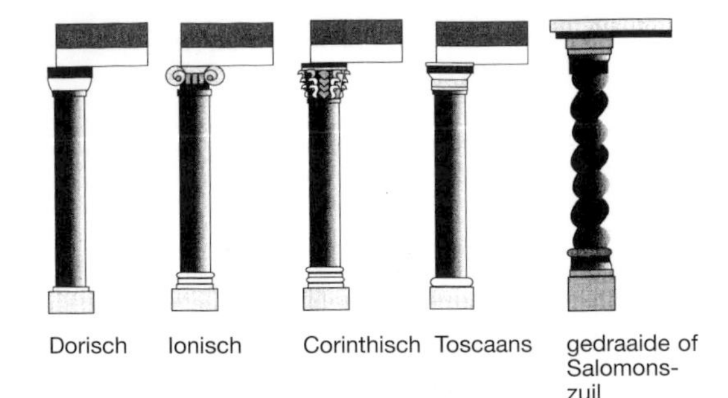

Dorisch Ionisch Corinthisch Toscaans gedraaide of Salomons-zuil

**autodafé** (Port., 'geloofsdaad'), verkondiging en voltrekking van een door de inquisitie geveld oordeel

**azulejo** (Sp./Port.), bont geglazuurde wand- of vloertegel

**baldakijn,** draaghemel, dakvormige opbouw boven een object van verering of een beeld

**baluster,** gedrongen steunelement met een geprofileerde stijl, zie afb. links

**bamboccianti,** kunstenaarsbeweging in de 17e eeuw die zich toelegde op een naturalistische weergave van het dagelijks leven in en rond Rome, zonder enige idealisering; naar de scheldnaam 'bamboccio' (lappenpop, onnozele hals) van Pieter van Laer, de grondlegger van de beweging

**bandwerk, zie ornamentvormen**

**banketje,** stilleven met gedekte tafel

**baptisterium,** vrijstaande doopkerk, meestal een centraalbouw

**barocchetto,** benaming voor de Italiaanse variant van de rococokunst in het tweede en derde kwart van de 18e eeuw

**basilica,** oorspronkelijk Romeinse markt- of gerechtshal, in de christelijke architectuur meerschepige ruimte met een verhoogde lichtbeuk, **zie kerktypen**

**basis,** geprofileerde voet van een zuil of een pijler, die de schacht met de voetplaat (plint) verbindt

**bas-reliëf,** vlak reliëf

**bedrijghertje,** trompe-l'oeil (zie aldaar)

**bent,** Nederlands-Vlaamse kunstenaarsgemeenschap in Rome, omstreeks 1620 gesticht door Cornelis van Poelenburgh en Bartholomeus Breenbergh

**beslag,** ornamentale vorm

**beuk,** verdieping, als lichtbeuk raamzone in het middenschip van de christelijke basilica

**blinde gevel,** gevel die uit overwegingen van vormgeving is geplaatst voor een bouwlichaam en niet met de structurele opbouw daarvan correspondeert

**bodegón,** Spaanse term voor stilleven

**boisering,** houten beschot

**boog,** gewelfde overbrugging van een muuropening, waarvan de stenen wigvormig zijn gevormd of gevoegd om de drukweerstand te vergroten

**boogvormen,** in de Barok gebruikelijke boogvormen: rondboog, korfboog, segmentboog, luchtboog

**bosschage,** groep heggen of struiken in een open deel van de tuin

**bouworde,** Dorisch/Ionisch/Corinthisch/Toscaans/gedraaid of Salomonisch, zie afb. boven

**bozzetto,** ruw ontwerp

**broderie,** 'borduurwerk', 'omboording'; in de Franse tuin met kleurige stenen ingelegd sierperk

**buitentrap, bordestrap,** open trap tegen de gevel van een gebouw

**calvinisme,** naar de Frans-Zwitserse reformator Johannes Calvijn (1509-1564) genoemde geloofsleer

**camarín** (Spaans), kapelachtige ruimte achter of boven het hoogalataar van Spaanse kerken

**cannelures,** verticale gleuven in de schacht van een zuil of een pilaster

**canonisatie,** heiligverklaring

**capela-mor** (Port.), hoofd-, meestal koorkapel in Portugese kerken

**capriccio,** 'fantasiestuk' in beeldende kunst of muziek

**caravaggisme,** naar Caravaggio genoemde en door hem ontwikkelde schilderstijl, die gebruik maakt van sterke licht-donkercontrasten en fel slaglicht; het caravaggisme houdt zich meer bezig met de 'realistische' weergave van het alledaagse en de dramatiek van gruwelijke

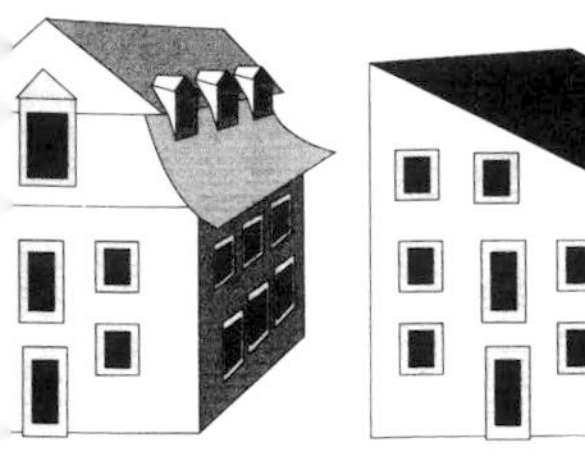

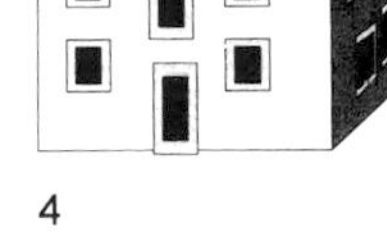
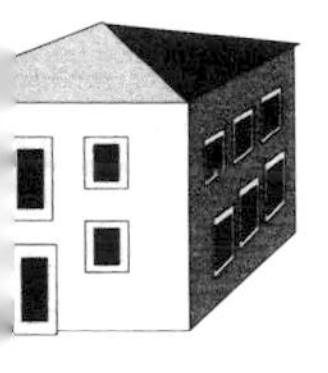


1 mansardedak
2 lessenaardak
3 zadeldak
4 schilddak
5 tentdak

scènes dan met maniëristisch-intellectuele kunstkwesties

**cartouche,** schildvormig ornament met loofwerk, sieromlijsting voor wapens e.d., **zie ornamentvormen**

**cassetteplafond,** uit de Romeinse Oudheid stammende decoratievorm van een gewelfde of vlak gesloten binnenruimte; bestaat uit rijk geprofileerde en geornamenteerde rechthoekige velden

**castrum doloris** (Lat.), katafalk, praalbed voor het opbaren van hooggeplaatste personen, meestal rijk versierd

**centraalbouw,** rond, polygonaal of boven even lange kruisarmen geconstrueerd gebouw (**zie kerktypen**)

**cherub, cherubijn** (mv. cherubs/cherubijnen; Hebr.), engel behorende tot een van de hoogste rangen

**chiaroscuro** (It.), clair-obscur

**churriguerismo** (Spaans), naar de Spaanse kunstenaarsfamilie Churriguera genoemde architectuur- en decoratiestijl van de vroege 18e eeuw

**cinquecento,** Italiaanse benaming voor de 16e eeuw

**Classicisme,** verzamelbegrip voor kunststijlen die zich op de Griekse of Romeinse Oudheid oriënteren

**collage,** samenstelling van uiteenlopende elementen en materialen tot een samenhangend kunstwerk

**college** (Eng.), academie/universitair instituut in Engeland, geldt ook voor het gebouw zelf

**colonnade,** reeks zuilen met architraaf

**communs** (Fr.), bijgebouwen van het Franse paleis voor het onderbrengen van de bedienden of voor economische doeleinden

**composiete orde, zie bouworde**

**concetto** (It.), inhoudelijk concept, opzet van een kunstwerk

**concha,** halfronde absis

**console,** uitkragend steunelement

**Corinthische orde, zie bouworde**

**corps-de-logis** (Fr.), in de Franse paleisbouw benaming voor hoofdgebouw met de voorname woonvertrekken

**couleur** (Fr.), kleur, manier waarop de verf aangebracht wordt

**cour d'honneur** (Fr.), door vleugels omsloten erehof van het barokke paleis

**crypte,** onder de kerk gelegen ruimte (kapel of grafkelder)

**dagkant,** binnenwelving, muurwerk van een wandopening

**daklicht,** dakerker, vaak rijk gedecoreerd

**daklijst,** horizontaal, plastisch indelingselement in de architectuur; als kroonlijst de bovenste afsluiting van de muur onder de aanzet van het dak

**dakvenster,** uit het dak uitspringend venster

**dakvormen,** in de Barok gebruikelijke dakvormen zoals mansarde-, lessenaar-, schild-, zadel- en tentdak, zie afb. links

**decorum, decoro,** versiering; in de kunsttheorie ook de juistheid van de uiteindelijke vormgeving

**deurstuk,** sopraporta, plastisch of decoratief versierd vlak boven de bovendorpel van een deur

**diafaan,** doorschijnend

**dilettant,** iemand die de kunst als liefhebberij beoefent, kunstvriend

**disegno** (It.), **dessin** (Fr.), 'tekening'; de kunsttheorie onderscheidt *disegno interno* (het intellectuele ontwerp, bestaande uit *idea* en *concetto*) en de *disegno esterno* als de praktische uitwerking daarvan

**donjon,** centrale toren van burchtcomplexen; vlucht- en verdedigingsbouwwerk

**Dorische orde, zie bouworde**

**dormitorium,** slaapzaal van een klooster

**dwarsschip, ook transept,** dwars op het langschip gesitueerd een- of meerschepig gedeelte van een kerk. Het kruispunt van midden- en dwarsschip (viering) wordt vaak geaccentueerd, **zie kerk**

**eclecticisme,** vermenging van verschillende historische stijlvormen

**efemeer** (Gr.), 'slechts één dag durend', vergankelijk

**eierlijst,** sierlijst met eivormige en pijlpuntachtige elementen; de eierlijst werd in de Renaissance overgenomen uit de architectuur van de klassieke Oudheid

**embleem,** zinnenbeeld bestaande uit drie elementen: 1 de icoon (een allegorische afbeelding), 2 het lemma (opschrift) en 3 de subscriptio (het bijschrift)

**emblematiek,** zie blz. 428/429

**en-face** (Fr.), van voren, tegenover

**enfilade** (Fr.), rangschikking van ruimten op een as

**Engelse tuin,** in tegenstelling tot de streng geometrische barokke tuin een 'losse', 'natuurlijke' aanleg, landschapstuin

**entre cour et jardin** (Fr.), tussen binnenplaats en tuin gelegen

**entrée solennelle** (Fr.), statige intocht

**epifanie** (Gr.), verschijning

**erker,** uitkragende, overdekte aanbouw

**estilo desornamentado** (Sp.), benaming voor de onder invloed van Juan de Herrera ontstane 'versieringsloze' bouwwerken van de Spaanse architectuur

**estípite** (Sp.), naar onder toe geleidelijk smaller wordend kolomelement in de Spaanse architectuur

**exedra,** halvecirkelvormige uitbreiding van een gebouw, eertijds met ringvormig geplaatste zitplaatsen

**façade,** 'mooie kant' van een gebouw (voorgevel)

**figura serpentinata** (It.), benaming voor een figuur met een sterk gedraaide lichaamsas, het meest voorkomend in het Maniërisme

**flagellant,** zichzelf geselend lid van een religieus broederschap

**fries,** plastisch vormgegeven verticaal vlak met ornamenteel of uit figuren bestaand decor, **zie tempel**

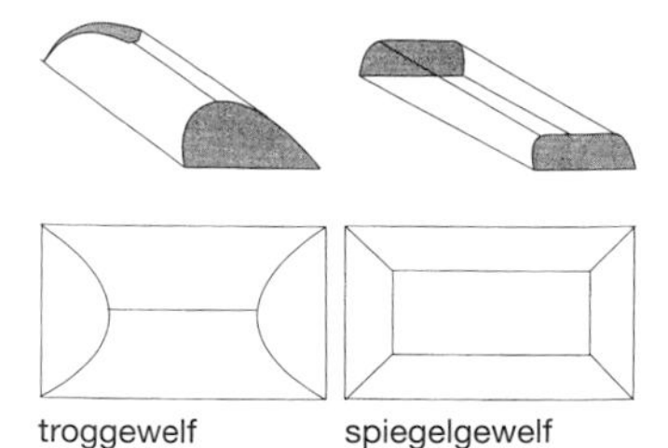


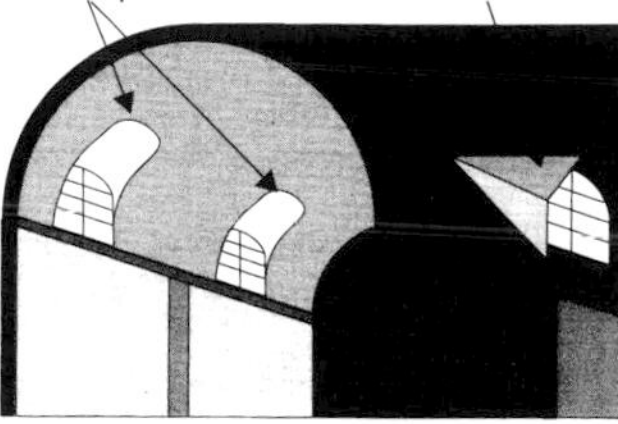


tongewelf met steekkap en dakvenster

**fronton** (boven venster), decoratieve afsluiting aan bovenzijde van een venster, vaak in de vorm van een driehoek

**galerij,** oorspronkelijk een overdekte, aan de zijkanten geopende gang; dient in het kerkinterieur voor de afscheiding van bepaalde groepen (hofhouding, vrouwen) tijdens de kerkdienst; in de paleisbouw een langgerekte feestzaal (zie afb. blz. 486)

**genre,** eig. het Franse woord voor soort, aard; in de kunst voorstelling uit het dagelijks leven

**gewelf,** welvende bovenste afsluiting van de ruimte

**gewelfvormen,** in de barok gebruikelijke gewelfvormen zoals trog-, spiegel- en tongewelf, zie afb. rechtsboven

**gloriool,** stralenkrans van een heilige

**gordelboog,** dwars op de lengteas van een gewelf verlopende steunboog

**Gothic Revival,** neogotiek in Engeland

**Grieks kruis,** kruis met even lange armen

**hallenkerk,** kerk met schepen die dezelfde hoogte hebben, vond vooral verspreiding in de late Gotiek, **zie kerktypen**

**hallenkoor,** koor bestaande uit meerdere schepen met dezelfde hoogte tot het gewelf

**heilige der heiligen,** in de sacrale architectuur afgezonderde ruimte voor altaar of sacrament

**helm,** spitse kap van een kerktoren

**herme,** zuil met kop

**hermitage,** tuinprieel geïnspireerd op een kluizenaarswoning

**historie** (histoire, historia, istoria), 'geschiedenis'; in de kunsttheorie benaming voor het inhoudelijke, verhalende uitgangspunt van een kunstwerk

**historiestuk,** uitbeelding van historische of historisch-mythische onderwerpen

**hoofdgestel,** balksysteem tussen muur en dak, in de klassieke architectuur bestaande uit architraaf, fries en daklijst

**horror vacui** (Lat.), angst voor leegte

**hôtel** (Fr.), benaming voor een stadspaleis van de adel, **zie stadspaleis**

**houwsteen, behakte steen,** aan alle kanten bewerkte natuursteen

**iconografie,** leer van de betekenis van afbeeldingen

**icoon,** zie embleem

**idea,** eerste ingeving van het inhoudelijke ontwerp van een kunstwerk

**imitatio** (It.), navolging

**immaculata conceptio** (Lat.), onbevlekte ontvangenis

**impost,** plaat tussen zuil of pijler en de aanzet van een boog; vaak in samenhang met een kapiteel

**imprese,** zin- of lijfspreuk, vaak gecombineerd met een afbeelding waarop het een verhuld commentaar vormt

**inquisitie,** onderzoek naar de zuiverheid van het geloof; instantie die zo'n onderzoek uitvoert

**intercolomnium,** afstand tussen twee zuilen, gemeten van de as van de ene tot de as van de andere zuil

**Ionische orde, zie bouworde**

**isabellinisch,** naar de Spaanse koningin Isabella genoemde laat-gotische architectonische en decoratiestijl, tweede helft 15e eeuw

**jansenisme,** naar de Nederlandse godgeleerde Cornelius Jansen de Jonge (1585-1635) genoemde religieus-zedelijke hervormingsbeweging die vooral in de Nederlanden en Frankrijk veel weerklank vond

**kalot,** bolkap, bovenste deel van het koepelgewelf

**kapel,** kleine sacrale ruimte, vrijstaand of als deel van een kerkgebouw

**kapellenkrans,** om een halfrond of polygonaal koor geplaatste kapellen

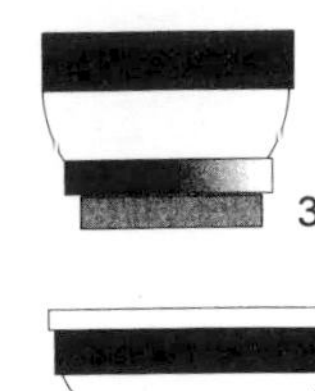


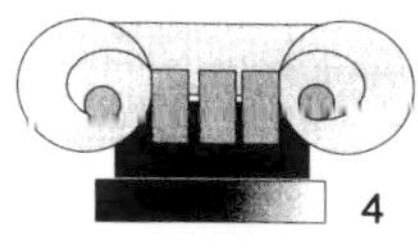

1 barok sierkapiteel
2 rococokapiteel
3 Dorisch kapiteel
4 Ionisch kapiteel
5 Corinthisch kapiteel
6 Toscaans kapiteel

**kapiteel,** plastisch vormgegeven bovenstuk van een kolom, 'bemiddelt' tussen kolom en last

**kapiteelvormen,** specifieke barokke vormen en klassieke kapiteelvormen, zie afb. boven

**kapittelzaal,** representatieve vergaderzaal van een dom- of ordekapittel, meestal gesitueerd in het oostelijk deel van de kruisgang

**kartuizerklooster,** de cellen van de monniken zijn aparte kleine huizen die slechts via de kruisgang met elkaar zijn verbonden

**kasteel,** oorspronkelijk een Romeinse vesting, later verdedigingswerk

**katafalk,** zie castrum doloris

**kathedraal,** bisschopskerk, in Nederland soms ook dom of munsterkerk genoemd

**kerk,** zie afb. rechtsmidden: 1 langschip, 2 dwarsschip, 3 viering, 4 koor

**kerktypen,** zie afb. rechtsonder: 1 basiliek met galerijen, 2 hallenkerk, 3 zaalkerk, 4 centraalbouw

**klaverbladvormige aanleg,** kerkgebouw met drie halfronde of polygonale absissen die als een klaverblad zijn gerangschikt

**klooster,** sinds het vroege christendom zetel van de monnikengemeenschap. Tot het kloostercomplex behoren de kerk, de open binnenplaats (met kruisgang), de vergaderzaal van de monniken (kapittelzaal), de eetzaal (refectorium), de slaapzaal (dormitorium) en andere utiliteitsgebouwen

**kloosterhof,** open rechthoekige binnenplaats van een klooster waaromheen zich de kerk en de kloostergebouwen groeperen

**kniestuk,** beeltenis waarbij de geportretteerde van hoofd tot kniehoogte weergegeven wordt

**koepel,** gewelfvorm die ronde, vierhoekige of polygonale ruimten overspant

**koepelvormen,** in de Barok gebruikelijke koepelvormen zoals tamboer en pendentiefkoepel, zie afb. blz. 485

**kolossale orde,** zuilen- of pilasterorde die meer verdiepingen beslaat, ook wel monumentale orde genoemd

**koor,** in de christelijke kunst plaats voor het gebed van de geestelijke, meestal ook locatie van het altaar. In de kerkelijke bouwkunst benaming voor de ruimte tussen viering en absis

**koorhek,** hekwerk dat in het kerkschip de ruimte van de geestelijke van die van de leek scheidt, veelal met beeldhouwwerk versierd

**kooromgang,** voortzetting van de zijschepen als gang rond het koor

**kroonlijst,** hoofdlijst van de gevel, onder de aanzet van het dak

**kruisgang,** gang om een klooster- of

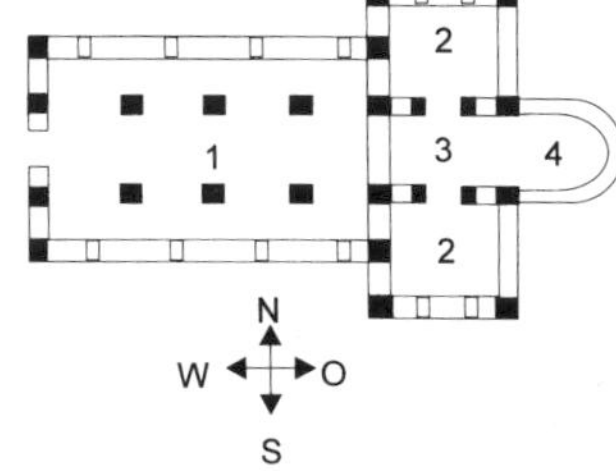


kerkhof, aansluitend bij het klooster of de kerk, die met arcaden op de hof uitkomt

**kruisgewelf,** de gewelfvlakken van deze gewelfvorm snijden elkaar zodat er een kruisvormig gewelf ontstaat

**kruisweg,** met architecturale of plastische middelen aangegeven processieweg die de verschillende plaatsen (staties) van de lijdensweg van Christus in herinnering roept, eindigend met de kruisiging op de calvarieberg

kerktypen

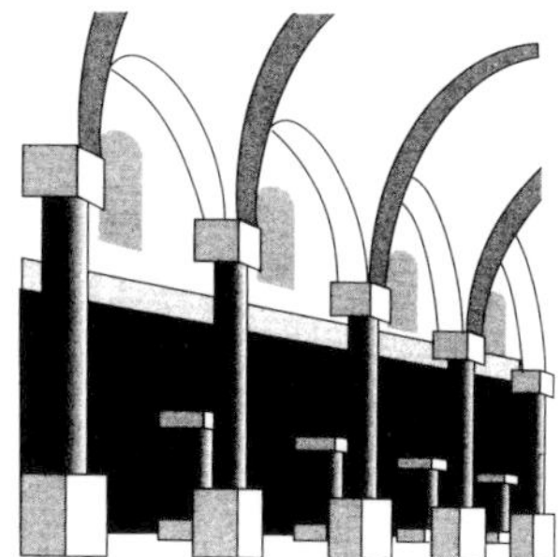
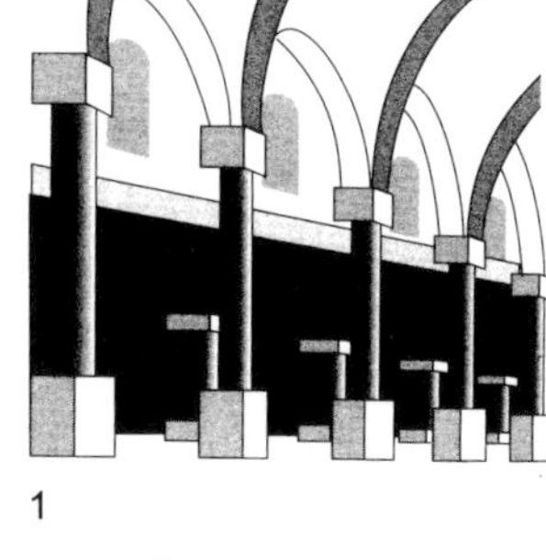


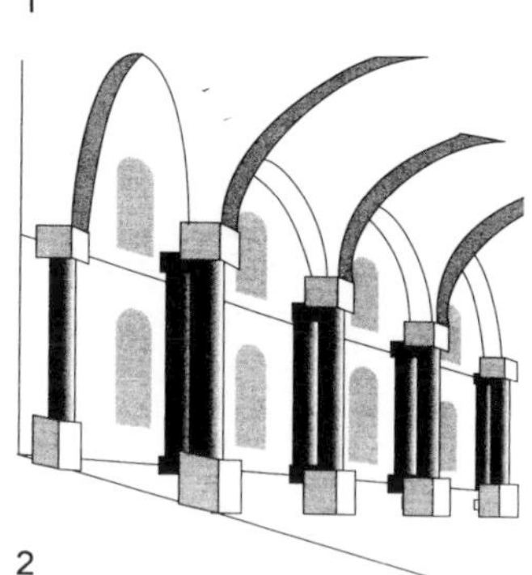


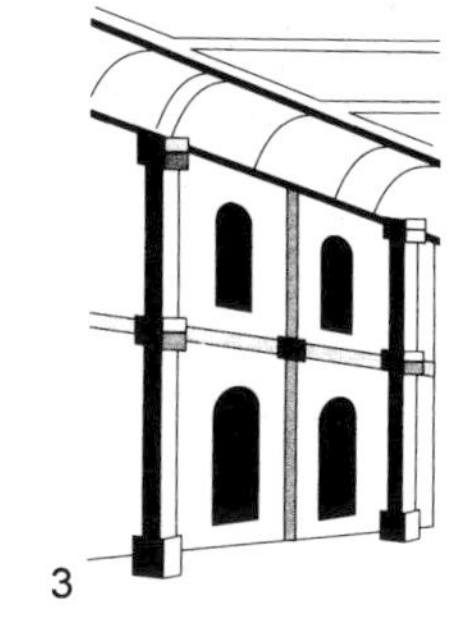


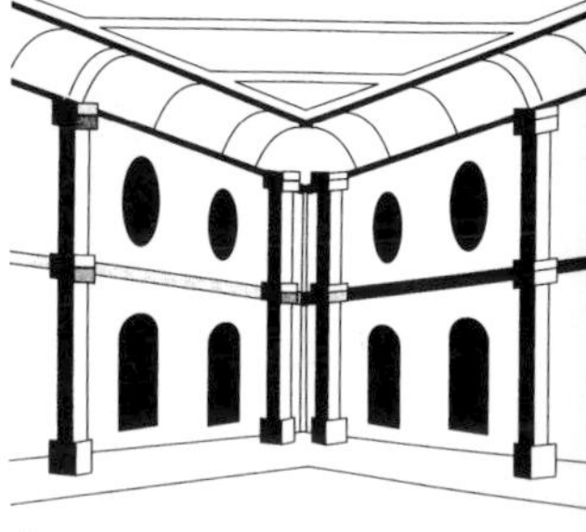


1 basiliek met galerijen
2 hallenkerk
3 zaalkerk
4 centraalbouw

**lambrequin** (Fr.), ook: **lambrekijn,** horizontaal hangende reep stof met een onderrand van zaagtandpunten, al dan niet met kwasten of franjes

**langschip,** langhuis, hoofddeel van de kerk, van de gevel tot de viering

**lantaarn,** lichtdoorlatend opzetstuk van een koepel

**Latijns kruis,** kruis met een lengte- en dwarsarm van verschillende lengte

**lessenaardak, zie dakvormen**

**lichtbeuk,** bovenste muurdeel met vensteropeningen van het middenschip van een basilica

**liseen,** verticale uitspringende muurbekleding, in tegenstelling tot pilaster (zie aldaar) zonder basis en kapiteel

**lofwerk,** ook krulwerk, **zie ornamentvormen**

**loge,** naar het interieur geopende galerij, vooral in theatergebouwen

**loggia,** bogengaanderij van een open bogenhal, gelijkvloers of op de bovenverdieping van een gebouw liggend

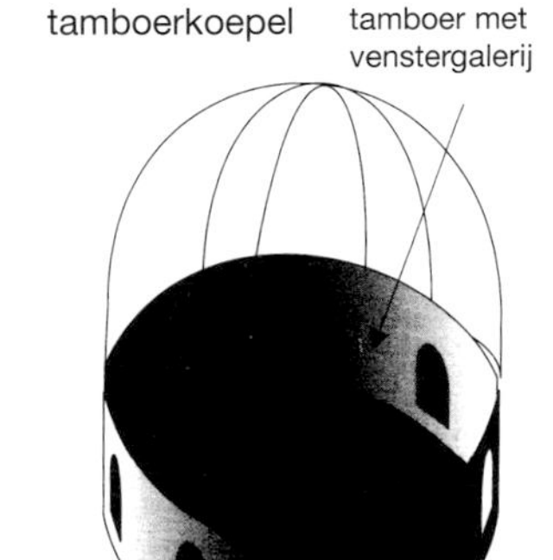


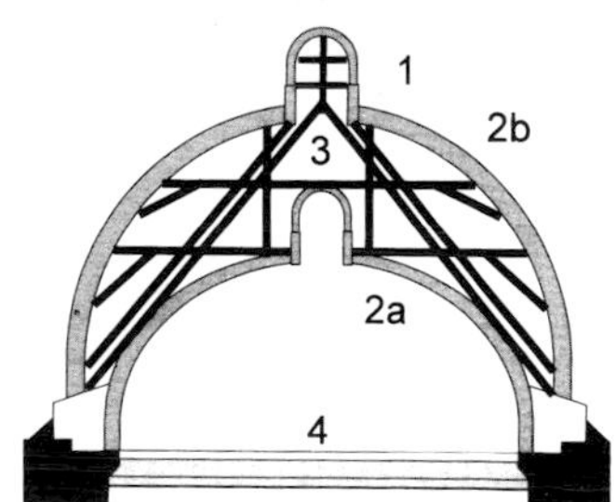

1 lantaarn 2 koepelschaal a binnen b buiten 3 constructie van de ophanging 4 tamboer

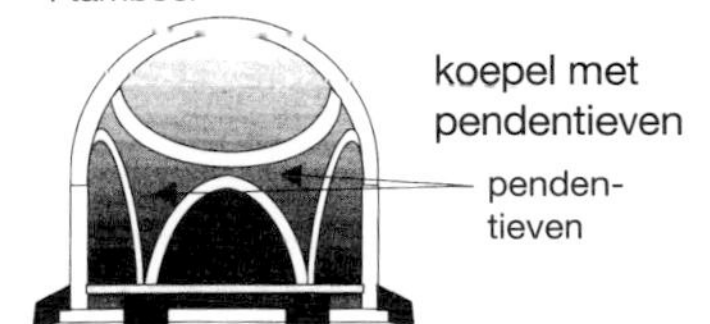


decoratievormen

band- en rolwerk

verfijnd bandwerk

cartouche

**luchtboog,** horizontaal gespannen boog tussen twee muren

**lunet,** boogveld boven deuren en ramen

**lustslot,** sinds de Renaissance paleis in aantrekkelijke omgeving, bedoeld voor ontspanning en vermaak

**maison de plaisance** (Fr.), land- en lustslot voor een tijdelijk verblijf van het hof

**Maniërisme,** stijlrichting die de klassieke harmonie lager aanslaat dan een nadrukkelijke 'kunstmatigheid' of manier

**mansardedak,** naar de Franse architect Mansart genoemde dakvorm van gecombineerde, verschillend oplopende dakvlakken, **zie dakvormen**

**manuelinische kunst,** laat-gotisch/vroegrenaissancistische decoratiestijl aan het begin van de 16e eeuw in Portugal, genoemd naar Manuel I van Portugal (1469-1521)

**martyrium,** lijden omwille van het geloof, in de architectuur benaming voor het graf of de kerk van een martelaar

**mausoleum,** oorspronkelijk grafmonument van koning Mausolos van Halikarnassos (voltooid in 353 v.Chr.), daarna benaming voor alle groots opgezette grafmonumenten

**memento mori** (Lat.), 'gedenk te sterven!', uit een Alemannisch gedicht overgenomen; vaste uitdrukking ter herinnering aan de eindigheid van ons bestaan en in de Barok vaak uitgebeeld

**metafoor,** woord met overdrachtelijke betekenis, beeldspraak

**metamorfose,** gedaanteverandering

**metselverband,** samenvoeging van natuur- of kunstmatige steen (baksteen). Bij plaatsing van de lange kanten parallel aan het metselverband spreekt men van strekstenen, bij plaatsing dwars op de buitenmuur van kopse stenen

**metselwerk,** muurwerk van natuur- of kunstmatige steen, meestal met specie gevoegd

**mezzanine,** tussenverdieping

**middenschip,** middelste hoofdschip van de kerk, wordt door zijschepen geflankeerd, **zie kerk**

**monnikenkoor,** voor de monniken gereserveerde afgescheiden ruimte in een kloosterkerk, voorzien van koorgestoelte

**monoliet,** zuil, pijler of bouwwerk uit één steen

**monopterus,** rond zuilentempeltje

**monumentale orde, zie kolossale orde**

**muurpijlerkerk,** eenschepige kerk met 'ingetrokken' streefpijlers waartussen kapellen liggen

**nachtstuk,** schilderij dat zijn charme ontleent aan nacht, maneschijn of het contrast tussen duisternis en kunstmatig licht

**narthex,** voorhal van de vroeg-middeleeuwse kerk

**naturalisme,** kunstrichting waarin men streeft naar een zo getrouw mogelijke weergave van de werkelijkheid, die in tegenstelling tot het realisme nauwelijks gesublimeerd wordt

**Neoclassicisme,** vooral in Duitsland en Nederland gebruikelijke benaming voor het Europese Classicisme in de periode 1770-1830

**Neopalladianisme, zie Palladianisme**

**nymfaeum,** bronheiligdom, meestal meerdere etages hoge zuilenarchitectuur met nissen en bassins

**obelisk,** op vierkant grondvlak opgetrokken hoge monoliet waarvan de top piramidaal toeloopt; door de bouwkunst van het oude Egypte ontwikkelde vorm van de gedenkzuil, die tot in de 19e eeuw populair blijft

**octogoon,** achthoekig gebouw of plattegrond

**oculus,** ronde vensteropening

**oksaal,** afsluiting tussen monnikskoor en lekenruimte in het kerkinterieur, ook lees- of zangpodium; vaak met rijk sculpturaal en iconografisch programma versierd

**ontbijtje,** stilleven met ontbijttafel

**oranjerie,** sinds de Barok gelijkvloerse, langgerekte kas, meestal met glazen deuren

**oratorium,** galerij in het koor van een sacraal bouwwerk, ook huiskapel

**ornament,** decoratievorm met geometrische of figuratieve motieven

**ornamentvormen,** band- en rolwerk, verfijnd bandwerk, cartouche, zie afb. boven

**paleiskapel,** aan de vorst en zijn familie voorbehouden sacrale ruimte in een paleis

**Palladianisme,** voornamelijk in het Engeland van de 17e eeuw dominerende stijlrichting die zich op de bouwwerken en publicaties van Andrea Palladio oriënteert; herleeft in de 18e eeuw als Neopalladianisme

**Palladio-motief,** Venetiaans raammotief waarbij een middelste brede boog door twee smalle, met een balklaag gesloten openingen wordt geflankeerd

**palts,** middeleeuws paleis van vorsten die geen vaste residentie hadden

**panneau** (Fr.), door lijstwerk ingesloten muurvlak met schilderingen, beeldhouwwerk of ornamenten

**parochiekerk,** kerk met eigen diocees voor de geestelijke verzorging van de bevolking

**paseo** (Sp.), wandeling, promenade

**paso** (Sp.), ommegang, ook draagbaar heiligenbeeld voor processies

**paviljoen,** klein vrijstaand gebouw binnen een paleiscomplex of een zijvleugel van het barokke gebouw dat in de meeste gevallen door een eigen dak wordt geaccentueerd

**pendentief,** gewelfzwik; dient als verbindingsstuk tussen vierhoekige plattegrond en ronde koepelaanzet, **zie koepelvormen**

**pendentiefkoepel,** boven pendentieven gebouwde koepel, zie aldaar

**pergola,** architraaf, ook open wandelgang

**peripteros,** tempel met zuilengang rondom

**peristyle,** zuilengang die een binnenplaats of een gebouw rondom afsluit

**piano nobile** (It.), hoofdverdieping, ook bel-etage

**piëdestal,** sokkel, onderbouw van een beeld

**pijler,** muurkolom zonder entasis (zwelling) van de antieke zuil, kan wel een basis en kapiteel hebben; al naar gelang positie en soort van de pijler wordt onder meer een onderscheid gemaakt tussen muurpijlers (pilasters), hoekpijlers en dubbele pijlers

**pilaster,** muurpijler, met basis en kapiteel

**place royal** (Fr.), 'koningsplein', uniform bebouwd monumentaal plein, meestal met standbeeld van vorst; krijgt in het Frankrijk van de 17e eeuw een bijzondere representatieve, stedenbouwkundige betekenis

**plafond,** vlakke afsluiting van de bovenzijde van een ruimte

**plateresk,** een van het Spaanse woord *platero* (zilversmid) afgeleid begrip voor het benoemen van vroeg-renaissancistische decoratievormen

**plaza mayor,** net als **place royal** (zie aldaar) regelmatig, representatief stadsplein, meestal door portici omgeven

**polychroom,** veelkleurig

**polygoon,** veelhoek

**porticus,** door zuilen gedragen voorhal, zie afb. onder

**presbyterium,** in de Middeleeuwen de vaak verhoogde ceremoniële ruimte van de priester

**propyleeën,** sinds de klassieke Oudheid poortgebouwen van een tempelcomplex

**proscenium,** verhoogd voortoneel

**quadratura,** illusionistische plafond- en wandschildering

**quadro riportato** (It.), door een lijst geaccentueerde, zelfstandige afbeelding binnen een wand- of plafondschildering

**querelle des anciens et des modernes** (Fr.), laat-17e-eeuwse controverse aan de Parijse Académie Royale. Twistpunt waren de verhouding tussen de moderne kunst en die van de Oudheid, alsmede het respectievelijke belang van het *dessin* (de lijn) en de kleur. Op het gebied van de schilderkunst beriep het ene kamp zich op Nicolas Poussin, het andere op Pieter Paul Rubens.

**raamvormen,** naar de vorm van de opening onderscheiden we rechthoekige, ronde of boogvensters, in de Franse architectuur soms als een deur uitgewerkt

**raptusgroep, -scène,** afbeelding van een roof of ontvoering

**redoute** (Fr.), danszaal

**reducción** (Sp.), vooral door jezuïeten gestichte nederzetting voor missiewerk onder de Indianen in de Latijns-Amerikaanse koloniën

**refectorium,** eetzaal van een klooster

**repoussoir** (Fr.), voorwerp of figuur op de voorgrond van een schilderij met een tweeledig doel: de beschouwer in de voorstelling binnenleiden en diepte suggeren

**retabel,** beschilderd achterstuk van een altaar, vaak monumentaal

**retorica,** redekunst, sinds de Oudheid beoefende kunst van de welsprekendheid

**retrato allo divino** (Sp.), heiligenbeeld met eigenschappen van een portret

**rib,** constructiedeel van een gotisch gewelf; skelet waarboven de niet-dragende vullingen zijn opgemetseld. De rib wordt in de late Gotiek decoratief verder ontwikkeld

**risaliet,** sterk geaccentueerd, voor het muurvlak naar voren springend bouwlichaam, vaak in het midden (middenrisaliet)

**ritmische travee,** deel van een ruimte dat door de afwisseling van openingen en muurvlakken of van verschillende bouwordes ritmisch is onderverdeeld

**rocaille,** barokke ornamentvorm, zie afb. (rococo-)kapiteel

**Rococo,** van het Franse woord 'rocaille' afgeleide benaming voor de late fase van de Barok, ca. 1720-1770

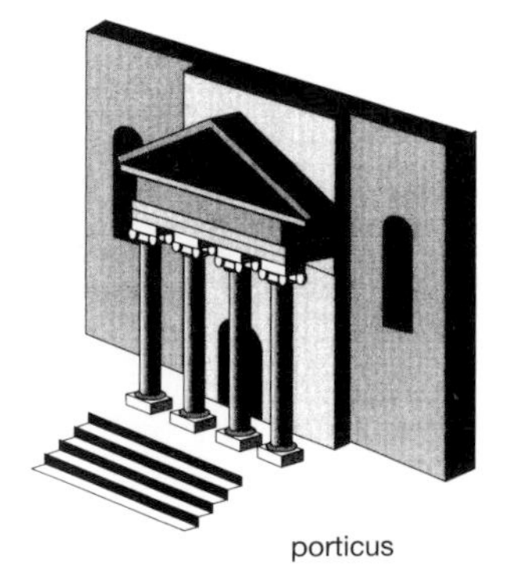

porticus

**Romanisme,** door de 16e-eeuwse schilderkunst van Rome beïnvloede stroming in de kunst van de Nederlanden

**rondlicht,** cirkelrond venster, als roos met maaswerk onderverdeeld

**rotonde,** centraalbouw met cirkelvormige plattegrond

**rustica,** metselwerk met voor een deel stenen *en bosse*. Sinds de Italiaanse Renaissance als stijlmiddel toegepast in de paleisbouw

**sacristie,** zijruimte van een kerk, voor het aankleden van een priester of voor het bewaren van liturgische middelen

**Salomonszuil** (Salomonische zuil), in de Barok, vooral in Spanje veel toegepaste gedraaide zuil, genoemd naar het (in de literatuur overgeleverde) gebruik in de Tempel van Salomo in Jeruzalem

**sanctuarium,** heiligste ruimte van de kerk, in het algemeen koor met hoogaltaar

**schalk, muraalzuil,** in de gotische architectuur slank zuiltje dat de gordelbogen of ribben van het kruisribgewelf draagt

**schilddak, zie dakvormen**

**schip,** in de lengte of in de breedte georiënteerde binnenruimte van een kerk, door kolommen in het midden- en zijschip onderscheiden, **zie kerk**

**segment,** cirkelsegment

**segmentboog, zie timpaan**

**seicento,** Italiaanse benaming voor de 17e eeuw

**settecento,** Italiaanse benaming voor de 18e eeuw

**skeletbouw,** constructiewijze waarbij alle dragende functies op een geraamte worden overgedragen. De vullingen hebben met het oog op de statica geen enkele betekenis

**slot,** oorspronkelijk voor de verdediging, later voor de representatie dienende woning van een vorst

**sluitsteen,** meestal plastisch vormgegeven steen op de kruin van een boog of gewelf

**stadspaleis,** zie afb. blz. 487 onder

**steekkap,** tonvormig gewelf dat loodrecht in de as van het hoofdgewelf snijdt

**stijl,** totaal van vormovereenkomsten tussen bepaalde kunstwerken, veroorzaakt door personen, plaats, tijd of functie

**stilleven,** weergave van dode of onbeweeglijke dingen, ook natura morta

**stoïcisme,** naar de Griekse filosofische school van de Stoa genoemde geesteshouding, waarbij men ernaar streeft zich vrij te maken van zijn lusten en gevoelens

**tabernakel,** bewaarplaats van de hostie, in de architectuur door kolommen gedragen bovenbouw

**tamboer,** cilindrische of polygonale onderbouw van de koepel

**tempel,** niet-christelijk gebouw voor cultussen, met name in de klassieke Oudheid. Het klassieke tempelfront had een grote betekenis voor de barokke gevelvormgeving

**tempietto** (It.), 'tempeltje', veelal kleine ronde tempel in tuinen en parken

**tenebroso** (Sp.), 'donker', Spaanse benaming voor het schilderen met grote lichtdonkercontrasten en harde slaglichten in een donkere omgeving, **zie ook caravaggisme**

**thermen,** Romeinse badinrichting met warme en koude zwembaden, stoombaden en verblijfsruimten

**thermenvenster,** halvecirkelvormig, door twee verticale posten verdeeld groot raam, genoemd naar de toepassing ervan in de thermen van Diocletianus

**tholos,** ronde tempel

**timpaan, fronton,** meestal representatieve voorste afsluiting van een zadeldak, raam of wandnis, kan driehoekig, getrapt of met boogvormen zijn uitgevoerd. Het veld van het timpaan is vaak met beeldhouwwerk versierd. De in de Barok gebruikelijke vormen zijn: gewelfde gevel (boven), opengebroken gevel (midden), voluutgevel (onder), zie afb. blz. 487 boven

**tondo,** rond schilderij

**tongewelf, zie gewelfvormen**

**torenfaçade,** met één of meer torens uitgevoerde gevel; sinds de Middeleeuwen geliefd motief en voornaam element in de sacrale bouwkunst

**Toscaanse orde, zie bouworde**

**transept, zie dwarsschip**

**transsubstantiatie,** verandering van brood en wijn in het vlees en bloed van Christus

**trap,** reeks opeenvolgde treden, onderscheiden naar 'looprichting' en armen (vertakkingen)

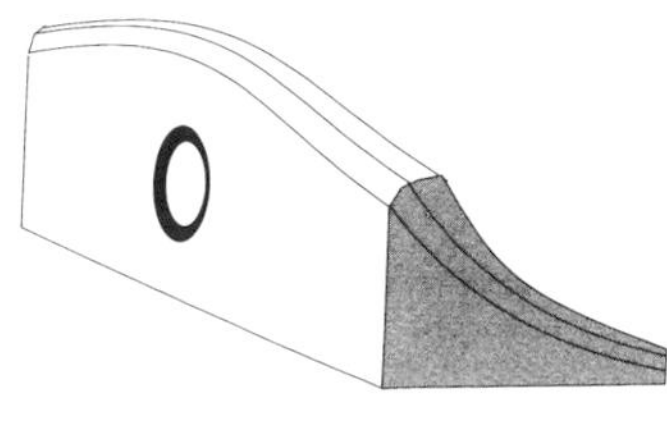

**travee,** gewelfvlak tussen twee gordelbogen

**Tridentinum,** Concilie van Trente (1545-1563), begin van de Contrareformatie

**triomfboog,** in de klassieke Oudheid een monumentale ereboog voor een keizer of een veldslag; in de christelijke kerk een boog tussen langschip of koor en viering

**trionfo** (It.), triomfale intocht of rondgang van een vorst, ook de weergave daarvan in literatuur of beeldende kunst

**trompe-l'oeil,** gezichtsbedrog, afbeeldingswijze die de kijker moet suggereren te maken te hebben met een werkelijkheid; in de Barok door kunstenaars vaak aangegrepen om hun virtuositeit te demonstreren

**urbanistiek,** leer van de stedenbouw

**vakwerk,** skeletbouw met houten posten, balken en schoren, waarvan de tussenruimten (vakken) zijn gevuld met leem of baksteen, vgl. blz. 208-209

**vanitas-voorstelling,** type schilderij dat de mens wijst op de nietigheid van alle wereldse dingen

**vedute,** topografisch juist weergegeven stadsgezicht of landschap

**veelhoekig verband,** uit onregelmatige, onbewerkte stenen opgebouwde muur

**verkropping,** horizontale structurering rondom vooruitspringende muurgedeelten

**vestibule,** voorportaal, hal

**viering,** snijpunt van lang- en dwarsschip in een kerkgebouw; vaak architectonisch geaccentueerd, **zie kerk**

**villa,** oorspronkelijk woonhuis op het platteland, sinds de Renaissance tot een paleisachtig gebouw uitgegroeid

**villa suburbana,** villa aan de stadsrand

**Vlaamse gevel,** dakhuisje met topgeveltje

**vleugels, aanleg met drie,** grondvorm van het barokke paleis met corps-de-logis en zijvleugels die de *cour d'honneur* omsluiten

**voluut,** slakvormig sierelement aan zuilen en timpanen

**votiefbeeld of -kerk,** schenking van een schilderij of gebouw om een afgelegde gelofte na te komen

**voute** (Fr.), gewelf

**vulmuur,** muur die tussen regelmatig gemetselde muren met breuksteen of mortel is opgevuld

**waaiergewelf,** gewelfvorm die door uitstraling van talrijke ribben vanuit de kolom c.q. vanuit de kruin ontstaat

**wandversterking,** tegen de wand geplaatst constructief element in de vorm van een schalk, pilaster of een liseen (zie aldaar)

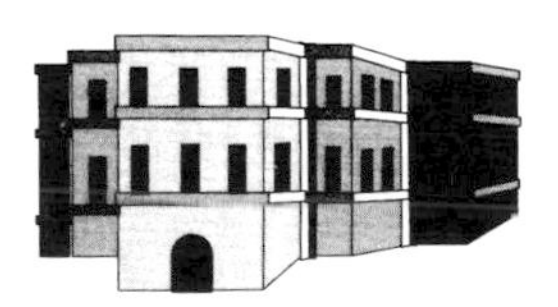

paleis (Italiaans type)

hôtel (Frans type)

paviljoen (Oostenrijks type)

**wereldlandschap,** in vogelperspectief weergegeven, sterk geïdealiseerd landschap

**zaalkerk,** ondeelbare binnenruimte van een sacraal bouwwerk, bestaande uit één schip, **zie kerktypen**

**zadeldak, zie dakvormen**

**zijschip,** langwerpige zijruimte die het middenschip in lang- of dwarsschip flankeert, **zie kerk**

**zuil,** steunend element met cirkelvormige doorsnede, bestaande uit basis, zuilschacht met entasis (zwelling) en kapiteel

**Zwinger,** zone tussen voor- en hoofdmuur van een versterking, in Dresden in barokke feestarchitectuur vertaald

uitoren

zuilentoren met decoraties

# Bibliografie

De bibliografie is ingedeeld in de volgorde waarin de belangrijkste bijdragen in dit boek zijn opgenomen. Ze vermeldt de door de auteurs gebruikte literatuur en nog andere relevante literatuur. Incidentele herhalingen van een titel zijn in dit indelingsschema onvermijdelijk. Dat het in elk geval slechts een zeer beperkte keuze betreft, spreekt vanzelf.

**BARBARA BORNGÄSSER/**
**ROLF TOMAN**
**Inleiding**


**Alewyn, Richard:** Das große Welttheater. Die Epoche der höfischen Feste, München 1989
**Alpers, Svetlana:** Kunst als Beschreibung. Holländische Malerei des 17. Jahrhunderts, Keulen 1985
**Bauer, Hermann:** Barock. Kunst einer Epoche, Berlijn 1992
**Burckhardt, Jacob:** Der Cicerone, nieuwe druk van de originele uitgave, Stuttgart 1986
**Burke, Peter:** Ludwig XIV. Die Inszenierung des Sonnenkönigs, Frankfurt 1995
**Busch, Harald: en Lohse Bernd** (red.): Baukunst des Barock in Europa (vierde druk), Frankfurt a.M. 1966
**Croce, Benedetto:** Der Begriff des Barock. Die Gegenreformation. Zwei Essays, Zürich 1925
**Dinzelbacher, Peter** (red.): Europäische Mentalitätsgeschichte, Stuttgart 1993
**Elias, Norbert:** Die höfische Gesellschaft, Neuwied, Berlijn 1969
**Haskell, Francis:** Maler und Auftraggeber. Kunst und Gesellschaft im italienischen Barock, Keulen 1996
**Hubala, Erich:** Die Kunst des 17. Jahrhunderts (Propyläen-Kunstgeschichte deel 9), Berlijn 1972
**Huizinga, Johan:** Nederlands beschaving in de zeventiende eeuw, Haarlem 1941
**Kaufmann, E.:** Architecture of the Age of Reason, Harvard 1955
**Keller, Harald:** Die Kunst des 18. Jahrhunderts (Propyläen-Kunstgeschichte deel 10), Berlijn 1971
**Kultermann, Udo:** Die Geschichte der Kunstgeschichte, Frankfurt 1966
**Lavin, Irving:** Bernini and the Unity of Visual Arts, 2 dln., New York, Londen 1980
**Möseneder, Karl:** Zeremoniell und monumentale Poesie. Die 'Entrée solennelle' Ludwigs XIV. 1660 in Paris, Berlijn 1983
**Norberg-Schulz, Christian:** Barock (Weltgeschichte der Architektur), Stuttgart 1986
**Norberg-Schulz, Christian:** Spätbarock und Rokoko (Weltgeschichte der Architektur), Stuttgart 1985
**Pevsner, Nikolaus:** Europäische Architektur (zevende druk), München 1989
**Riegl, Alois:** Die Entstehung der Barockkunst in Rom, Wenen 1908
**Tintelnot, Heinrich:** Zur Gewinnung unserer Barockbegriffe, in: R. Stamm (red.), Die Kunstformen des Barockzeitalters, München 1956, 13-91
**Tintelnot, Heinrich:** Barocktheater und barocke Kunst, Berlijn 1939
**Weisbach, Werner:** Der Barock als Kunst der Gegenreformation, Berlijn 1921
**Wölfflin, Heinrich:** Renaissance und Barock. Eine Untersuchung über Wesen und Entstehung des Barockstils in Italien, Basel 1888
**Wölfflin, Heinrich:** Kunstgeschichtliche Grundbegriffe. Das Problem der Stilentwicklung in der neueren Kunst, München 1915
**Zapperi, Roberto:** Der Neid und die Macht. Die Farnese und Aldobrandini im barocken Rom, München 1994


**WOLFGANG JUNG**
**Architectuur in Italië tussen vroege Barok en vroeg Classicisme**


**An architectural progress** in the Renaissance and Baroque. Sojourns in and out Italy. Essays in Architectural History, presented to Hellmut Hager on his sixty-sixth Birthday, University Park 1992
**Architettura** e arte dei gesuiti, a cura di R. Wittkower e I.B. Jaffe, Milaan 1992
**Argan, G.C.:** Studi e note dal Bramante al Canova, Rome 1970
**Argan, G.C.:** Borromini, Milaan 1978
**Argan, G.C.:** Immagine e persuasione, Saggi sul Barocco, Milaan 1986
**Il Barocco** romano e l'Europa, a cura di M. Fagiolo e M. L. Madonna, Rome 1992
**Bassi, E.:** Architettura del Sei e Settecento a Venezia, Napels 1962
**Von Bernini** bis Piranesi. Römische Zeichnungen des Barock, bearbeitet von Elisabeth Kieven, Stuttgart 1993
**Blunt, A.:** Some Uses and Misuses of the Terms Baroque and Rococo as applied to Architecture, Lectures on Aspects of Art, Henriette Hertz Trust of the British Academy, Londen 1973
**Blunt, A.:** Neapolitan Baroque and Rococo Architecture, Londen 1975
**Blunt, A.:** Roman Baroque Architecture: The Other Side of the Medal, in: Art History 3, 1980, 61-80
**Blunt, A.:** A Guide to Roman Baroque, Londen 1982
**Borromini, F.:** Opus architectonicum, a cura di M. de Bendictis, Rome 1993
**Brandi, C.:** La prima architettura barocca. Pietro da Cortona, Borromini, Bernini, Bari 1970
**Brauer, H. en R. Wittkower:** Die Zeichnungen des Gianlorenzo Bernini, 2 dln., Berlijn 1931
**Bruschi, A. Borromini:** Manierismo spaziale oltre il Barocco, Bari 1978
**Burckhardt, J.:** Der Cicerone. Eine Anleitung zum Genuss der Kunstwerke Italiens, nieuwe druk van de originele uitgave, Stuttgart 1986, vooral Der Barockstil, 346-385
**Connors, J.:** S. Ivo della Sapienza. The First Three Minutes, in: Journal of the Society of Architectural Historians, 55:1, March 1996, 38-57
**Connors, J.:** Borrromini's S. Ivo alla Sapienza: the Spiral, in: Burlington Magazin, vol. 138, okt. 1996, 668-682
Essays in the History of Art, presented to Rudolf Wittkower, ed. by Douglas Fraser, Howard Hibbard, and Milton J. Levine, Londen 1967
**Contardi, B.:** La Retorica e l'Architettura del Barocco, Rome 1978
**Gallacini, T.:** Trattato di Teofilo Gallacini sopra gli Errori degli Architetti, Venetië 1767
**Guarino Guarini** e l'internazionalità del barocco. Atti del convegno internazionale, 2 dln., Turijn 1970
**Hager, H. en S. Munshower** (red.): Architectural Fantasy and Reality, Drawings from the Accademia Nazionale di San Luca in Rome, Concorsi Clementini 1700-1750, University Park 1982
**Hager, H. en S. Munshower** (red.): Projects and Monuments in the Period of the Roman Baroque, 'Papers in Art History from the Pennsylvania State University' I, 1984
**Hager, H. en S. Munshower** (red.): Light on the eternal City. Observations and discoveries in the art and architecture of Rome, 'Papers in Art History from the Pennsylvania State University' II, 1987
**Krautheimer, Richard:** The Rome of Alexander VII 1655-1667, Princeton 1985
**Kruft, H.-W.:** Geschichte der Architekturtheorie, München 1991, vooral Zwischen Gegenreformation, Akademismus, Barock und Klassizismus, 103-121
**Lavin, I.:** Bernini and the Crossing of St. Peter's, New York 1968
**Lavin, I.:** Bernini & L'Unità delle Arti Visive, Rome 1980
**Lotz, W.:** Die Spanische Treppe, in: Römisches Jahrbuch für Kunstgeschichte 12, 1969, 39-94
**Macmillan Encyclopedia of Architects**
**Marder, T.:** The Porto di Ripetta in Rome, in: Journal of the Society of Architectural Historians 39, 1980, 28-56
**Marder T.:** Alexander VII, Bernini, and the Urban Setting of the Pantheon in the Seventeenth Century, in: Journal of the Society of Architectural Historians, 50, 1991
**Milizia, F.:** Le vite dei più celebri architetti d'ogni nazione e d'ogni tempo, Rome 1768
**Millon, H.A.:** Filippo Juvarra and Architectural Education in Rome in the Early Eighteenth Century, in: Bulletin of the American Academy of Arts and Sciences, nr. 7, 1982
**Millon, H.A.:** Filippo Juvarra Drawings from the Roman Period 1704-1714, Rome 1984
**Millon, H.A. en L. Nochlin** (red.): Art and architecture in the service of politics, Cambridge (Mass.) 1978
**Noehles, K.:** La chiesa di SS. Luca e Martina nell'opera di Pietro da Cortona, Rome 1970
**Oechslin, W.:** Bildungsgut und Antikenrezeption des frühen Settecento in Rom. Studien zum Römischen Aufenthalt Bernardo Antonio Vittones, Zürich 1972
**Ost, H.:** Studien zu Pietro da Cortonas Umbau von S. Maria della Pace, in: Römisches Jahrbuch für Kunstgeschichte

13, 1971, 231-285
**Pevesner, N.**: Academies of Art, Past and Present, Cambridge 1940
**Pinto, J.**: Filippo Juvarra's Drawings Depicting the Capitoline Hill, in: Art Bulletin, 62, 1980
**Pinto, J.**: The Trevi Fountain, Londen-New Haven, 1986
**P. Portoghesi**, Roma Barocca, herziene uitgave, Rome-Bari 1995
**Steinberg, L.**: Borromini's San Carlo alle Quatrro Fontane: A Study in Multiple Form and Architectural Symbolism, New York en Londen 1977
**Thelen, H.**: Zur Entstehungsgeschichte der Hochaltar-Architektur von St. Peter in Rom, Berlijn 1967
**In Urbe Architectus**: Modelli Misure. La Professione dell'Architetto. Roma 1680-1750, catalogo della mostra, a cura di B. Contardi e G. Curcio, Rome 1991
**Vagnetti, L.**: L'Architetto nella storia di Occidente, Firenze 1974
**Bernardo Vittone** e la disputa fra classicismo e barocco nel Settecento. Atti del Convegno internazionale promosso dall' Accademia delle scienze di Torino nella ricorrenza del secondo centenario della morte di B. Vittone, 21-24 settembre 1970, Turijn 1972
**Von Pastor, L.**: Geschichte der Päpste, Freiburg im Breisgau 1901
**Wilton-Ely, J.**: Piranesi as Architect, in: Piranesi Architetto; American Academy in Rome, Rome 1992, 15-45
**Wittkower, R.**: Art and Architecture in Italy 1600-1750, Harmondsworth 1990
**Wittkower, R.**: Studies in the Italian Baroque, Londen 1975, vooral Piranesi's Architectural Creed, 235-258
**Wölfflin, H.**: Kunstgeschichtliche Grundbegriffe, München 1915

**BARBARA BORNGÄSSER**
**Architectuur van de Barok in Spanje en Portugal**

**Bottineau, Yves**: Baroque Ibérique, Espagne-Portugal-Amerique Latine, Fribourg 1969
**França, José-Augusto e.a.**: Arte portugues (SUMMA ARTIS, XXX), Madrid 1986
**França, José-Augusto**: Lisboa Pombalina e o Iluminismo, Viseu 1987
**Haupt, Albrecht**: Geschichte der Renaissance in Spanien und Portugal, Stuttgart 1927
**Kubler, George en M. Soria**: Art and Architecture in Spain and Portugal and their American Dominions 1500-1800, Harmondsworth 1959
**Kubler, George**: Portuguese Plain Style between Spices and Diamonds. 1521-1706, Middletown 1972
**Levenson, Jay A.** (red.): The Age of the Baroque in Portugal, Washington 1993
**Pereira, José Fernandes**: Arquitectura barroca em Portugal, Lissabon 1986
**Pereira, José Fernandes** (red.): Dicionário da arte barroca em Portugal, Lissabon 1989
**Triomphe du Baroque**. Tent. cat., Brussel 1991

**Architectuur van de Barok in Ibero-Amerika:**

**Bernales Ballesteros, Jorge**: Historia del arte Hispano-Americano, deel 2, siglos XVI a XVIII, Madrid 1987
**Bonet Correa, Antonio und Villegas, Victor Manuel**: El barroco en España y en México, Mexico 1967
**Bury, John**: Arquitectura e Arte no Brasil Colonial (met Engelse samenvatting), São Paulo 1991
**Bonet Correa, Antonio**: El Urbanismo en España y en Hispanoamérica, Madrid 1991
**Bottineau, Yves**: Baroque Ibérique, Espagne-Portugal-Amerique Latine, Fribourg 1969
**Gasparini, Graziano**: América, barroco y arquitectura, Caracas 1972
**Gutiérrez, Ramón**: Arquitectura y urbanismo en Iberoamerica, Madrid 1992
**Hubala, Erich**: Die Kunst des 17. Jahrhunderts (Propyläen-Kunstgeschichte deel 9), Berlijn 1972
**Kubler, George en M. Soria**: Art and Architecture in Spain and Portugal and their American Dominions 1500-1800, Harmondsworth 1959
**Sebastián López, Santiago e.a.**: Arte iberoamericana desde la colozación a la Independencia (SUMMA ARTIS XXVIII y XXIX), Madrid 1985
**Zanini, Walter**: História Geral da Arte no Brasil, 2 dln., São Paulo 1983

**Architectuur van de Barok in Frankrijk:**

**Blunt, Anthony**: Art and Architecture in France 1500 to 1700 (Pelican History of Art), Harmondsworth 1953
**Blunt, Anthony**: François Mansart and the Origins of French Classical Architecture, Londen 1941
**Chastel, André**: L'Art français. Ancien Régime, Parijs 1995
**Eriksen, S.**: Early Neoclassicism in France, 1974
**Evans, J.**: Monastic Architecture in France from the Renaissance to Revolution, Cambridge 1964
**Feray, J.**: Architecture intérieure et décoration en France. Des origines à 1875, 1988
**Hautecoeur, Louis**. Histoire de l'architecture classique en France, deel I,3 – IV, Parijs 1948-67
**Hubala, Erich**: Die Kunst des 17. Jahrhunderts (Propyläen-Kunstgeschichte deel 9), Berlijn 1972
**Kauffmann, E.**: Architecture in the Age of Reason. Baroque and post-Baroque in England, Italy and France, Cambridge, Mass. 1955
**Keller, Harald**: Die Kunst des 18. Jahrhunderts (Propyläen-Kunstgeschichte deel 10), Berlijn 1971
**Kimball, F.**: Le style Louis XV, Parijs 1949
**Lavedan, Pierre**: French Architecture, Harmondsworth 1956
**Middleton, Robin en David Watkin**: Klassizismus und Historismus, 2 dln. (Weltgeschichte der Architektur), Stuttgart 1986
**Norberg-Schulz, Christian**: Barock (Weltgeschichte der Architektur), Stuttgart 1986
**Norberg-Schulz, Christian**: Spätbarock und Rokoko (Weltgeschichte der Architektur), Stuttgart 1985
**Pérouse de Montclos, Jean-Marie**: Histoire de l'architecture française de la Renaissance à la Révolution, Parijs 1995
**Pillement, G.**: Les hôtels de Paris, 2 dln., Parijs 1941-1945
**Szambien, Werner**: Symétrie, goût, caractère. Théorie et terminologie de l'architecture à l'âge classique, 1986
**Tapié, Victor-Louis**: Baroque et classicisme, 1957

**Architectuur van de Barok in Engeland:**

**Colvin, M.**: A biographical Dictionary of English Architects, 1660-1840, Londen 1954
**Crook, J.M.**: The Greek Revival. Neoclassical Attitudes in British Architecture 1760-1870, Londen 1972
**Downes, K.**: English Baroque Architecture, Londen 1966
**Downes, K.**: Hawksmoor, Londen 1959
**Fleming, J.**: Robert Adam and his Circle, Londen 1962
**Fürst, V.**: Wren, Londen 1956
**Hubala, Erich**: Die Kunst des 17. Jahrhunderts (Propyläen-Kunstgeschichte deel 9), Berlijn 1972
**Kauffmann, E.**: Architecture in the Age of Reason. Baroque and post-Baroque in England, Italy and France, Cambridge, Mass. 1955
**Keller, Harald**: Die Kunst des 18. Jahrhunderts (Propyläen-Kunstgeschichte deel 10), Berlijn 1971
**Kidson, P. e.a.**: A History of English Architecture, Harmondsworth 1965
**Middleton, Robin en David Watkin**: Klassizismus und Historismus, 2 dln. (Weltgeschichte der Architektur), Stuttgart 1986
**Norberg-Schulz, Christian**: Barock (Weltgeschichte der Architektur), Stuttgart 1986
**Norberg-Schulz, Christian**: Spätbarock und Rokoko (Weltgeschichte der Architektur), Stuttgart 1985
**Pevsner, Nikolaus**: The Buildings of England, 47 dln., Harmondsworth 1951-1974
**Pevsner, Nikolaus**: Christopher Wren 1632-1723, Milaan 1959
**Saxl, Fritz en Rudolf Wittkower**: British Art and the Mediterranean, Oxford 1969
**Stutchbury, H.E.**: The Architecture of Colen Campbell, Manchester 1967
**Summerson, John**: Architecture in Britain. 1530-1830, Yale 1993
**Summerson, John**: Inigo Jones, Harmondsworth 1966
**Waterhouse, E.K.**: Three decades of British art. 1740-70, Philadelphia, Pa. 1965
**Whinney, M. en Millar, O.**: English art 1625-1714, Oxford 1957
**Whistler, L.**: The imagination of Sir John Vanbrugh, Londen 1953
**Whistler, L.**: Sir John Vanbrugh, Architect and dramatist, Londen 1938

**Architectuur van de Barok in de Nederlanden:**

**Braun, Joseph**: Die belgischen Jesuitenkirchen, Freiburg i. Br. 1907
**Gelder, H. E. van e.a.**: Kunstgeschiedenis der Nederlanden, 12 delen, Antwerpen 1963-65
**Gerson, H. en E.H. Ter Kuile**: Art and architecture in Belgium 1600 to 1800 (Pelican History of Art), Harmondsworth 1960
**Hubala, Erich**: Die Kunst des 17. Jahrhunderts (Propyläen-Kunstgeschichte deel 9), Berlijn 1972
**Kauffmann, E.**: Architecture in the Age of Reason. Baroque and post-Baroque in England, Italy and France, Cambridge, Mass. 1955
**Keller, Harald**: Die Kunst des 18. Jahrhunderts (Propyläen-Kunstgeschichte deel 10), Berlijn 1971
**Kleijn, Koen e.a.**: Nederlandse bouwkunst. Een geschiedenis van tien eeuwen architectuur, Alphen aan den Rijn 1995
**Kuyper, W.**: Dutch Classicist Architecture, Delft 1980
**Leurs, C.**: De geschiedenis der bouwkunst in Vlaanderen, Antwerpen 1946
**Mazières, Th. de**: L'architecture religieuse à l'époque de Rubens, Brussel 1943
**Middleton, Robin en David Watkin**: Klassizismus und Historismus, 2 dln. (Weltgeschichte der Architektur), Stutt-

gart 1986
**Norberg-Schulz, Christian**: Barock (Weltgeschichte der Architektur), Stuttgart 1986
**Norberg-Schulz, Christian**: Spätbarock und Rokoko (Weltgeschichte der Architektur), Stuttgart 1985
**Ozinga, M.D.**: De protestantsche kerkenbouw in Nederland, Amsterdam 1929
**Parent, P.**: L'architecture des Pays-Bas méridionaux aux XVI-XVIII siècles, Parijs, Brussel 1926
**Rosenberg, J. e.a.**: Dutch art and architecture 1600 to 1800 (Pelican History of Art), Harmondsworth 1966
**Taverne, E. en I. Visser** (red.): Stedebouw. De geschiedenis van de stad in de Nederlanden van 1500 tot heden, Nijmegen 1993
**Vermeulen, F.A.J.**: Handboek tot de geschiedenis der Nederlandsche Bouwkunst, 's-Gravenhage 1928-41
**Vermeulen, F.A.J.**: Bouwmeesters der klassicistische Barok in Nederland, Den Haag 1938
**Vriend, J.J.**: De bouwkunst van ons land, 3 dln., Amsterdam 1942-1950

**Architectuur van de Barok in Scandinavië:**

**Cornell, H.**: Den svenska konstens historia, deel 2, Stockholm 1966
**Fett, H.**: Norges kirker i 16 og 17 aarhundrede, Kristiania 1911
**Hubala, Erich**: Die Kunst des 17. Jahrhunderts (Propyläen-Kunstgeschichte deel 9), Berlijn 1972
**Josephson, R.**: Tessin, 2 dln., Stockholm 1930-31
**Keller, Harald**: Die Kunst des 18. Jahrhunderts (Propyläen-Kunstgeschichte deel 10), Berlijn 1971
**Lund, H. en K. Millech**: Danmarks Bygningskunst, Kopenhagen 1963
**Middleton, Robin en David Watkin**: Klassizismus und Historismus, 2 dln. (Weltgeschichte der Architektur), Stuttgart 1986
**Norberg-Schulz, Christian**: Barock (Weltgeschichte der Architektur), Stuttgart 1986
**Norberg-Schulz, Christian**: Spätbarock und Rokoko (Weltgeschichte der Architektur), Stuttgart 1985
**Paulsson, Th.**: Scandinavian Architecture, Londen 1958

EHRENFRIED KLUCKERT
**Architectuur van de Barok in Duitsland, Zwitserland, Oostenrijk en Oost-Europa**

**Alewyn, R./Sälzle, K.**: Das große Welttheater. Die Epoche der höfischen Feste, München 1989
**Alpers, S./Baxandall, M.**: Tiepolo und die Intelligenz der Malerei, Berlijn 1996
**Aurenhammer, H.**: J.B. Fischer von Erlach, Londen 1973
**Bauer, H.**: Barock. Kunst einer Epoche, Berlijn 1992
**Bottienau, Y.**: Die Kunst des Barock, Freiburg 1986
**Brucher, G.**: Barockarchitektur in Österreich, Keulen 1983
**Brucher, G.**: Die Kunst des Barock in Österreich, Salzburg en Wenen 1994
**Bußmann, Matzner, Schulze** (red.): Johan Conrad Schlaun. Architektur des Spätbarock in Europa. Westfälisches Landesmuseum für Kunst und Kulturgeschichte, Münster 1995
**Elias, N.**: Die höfische Gesellschaft, Frankfurt a. M. 1983
**Förderkreis Alte Kirchen** (red.): Fachwerkkirchen in Hessen, Königstein/Taunus 1987
**Freeden, M.H. von**: Balthasar Neumann, Leben und Werk, München 1981
**Giersberg, H.-J.**: Friedrich als Bauherr. Studien zur Architektur des 18. Jh. in Berlin und Potsdam, Berlijn 1986
**Grimschitz, B.**: Johann Lucas von Hildebrandt, Wenen 1959
**Haas, D.**: Der Turm. Hamburgs Michel. Gestalt und Geschichte, Hamburg 1986
**Häring, F./Klein, H.-J.**: Hessen. Vom Edersee zur Bergstraße, Keulen 1987
**Hansmann, W.**: Balthasar Neumann, Leben und Werk, Keulen 1986
**Hansmann, W.**: Der Terrassengarten von der Zisterzienserabtei Kamp im 18. Jh. In: Der Terrassengarten von Kloster Kamp, uitgegeven door het Landschaftsverband Rheinland. Arbeitsheft 34, Keulen 1993
**Hansmann, W.**: Im Glanz des Barock. Ein Begleiter zu Bauwerken Augusts des Starken und Friedrichs des Großen, Keulen 1992
**Hansmann, W.**: Schloß Augustusburg und Schloß Falkenlust in Brühl. In: Das Weltkulturerbe. Deutschsprachiger Raum. Samengesteld door Hoffmann, Keller en Thomas, Keulen 1994, 291-301
**Hantsch, H.**: Jakob Prandtauer, Wenen 1926
**Hempel, E.**: Baroque Art and Architecture in Central Europe, Bungay 1965
**Himmelein/Merten e.a.**: Barock in Baden-Württemberg, Stuttgart 1981
**Kalinowski, K.**: Barock in Schlesien. Geschichte, Eigenart und heutige Erscheinung, München 1990
**Kamphausen, A.**: Schleswig-Holstein als Kunstlandschaft, Neumünster 1973
**Kluckert, E.**: Vom Heiligen Hain zur Postmoderne. Eine Kunstgeschichte Baden-Württembergs, Stuttgart 1996
**Kolb, N. en R.**: Franz Joseph Spiegler. Historien- und Freskenmaler, Passau 1991
**Krockow, Chr. Graf von**: Potsdam als Darstellung Preußens. In: Das Weltkulturerbe. Deutschsprachiger Raum. Samengesteld door Hoffmann, Keller en Thomas, Keulen 1994, 302-306
**Ladendorf, H.**: Der Bildhauer und Baumeister Andreas Schlüter, Berlijn 1935
**Lieb, N.**: Barockkirchen zwischen Donau und Alpen, Hirmer (zesde druk), München 1992
**Lieb, N.**: Die Vorarlberger Barockbaumeister, München/Zürich 1976
**Löffler, F.**: Der Zwinger in Dresden, Leipzig 1976
**Lohmeyer, K.**: Die Briefe Balthasar Neumanns von seiner Pariser Studienreise 1723, Düsseldorf 1911
**Lorenz, H.**: Johann Bernhard Fischer von Erlach, Zürich 1992
**Schlosser, J.v.**: Die Kunst- und Wunderkammern der Spätrenaissance, Braunschweig 1978
**Sedlmayr, H.**: Die Schauseite der Karlskirche in Wien, in: Kunstgeschichtliche Studien für Hans Kauffmann, Berlijn 1956, 262-271
**Sedlmayr, H.**: Johann Bernhard Fischer von Erlach, München 1956
**Sedlmayr, H.**: Österreichische Barockarchitektur, Wenen 1930
**Sobotka, B.J.** (red.): Burgen, Schlösser, Gutshäuser in Mecklenburg-Vorpommern, Stuttgart 1993
**Streidt/Frahm**: Potsdam. Die Schlösser und Gärten der Hohenzollern, Keulen 1996
**Theiselmann, Chr.**: Potsdam und Umgebung. Von Preußens Arkadien zur brandenburgischen Landeshauptstadt, Keulen 1993
**Wiesinger, L.**: Das Berliner Schloß. Von der kurfürstlichen Residenz zum Königsschloß, Darmstadt 1989
**Wurlitzer, B.**: Mecklenburg-Vorpommern, Keulen 1992

**Barokke stadsplanning (blz. 76/77)**
**Tuinkunst van de barok (blz. 152-161),**
**Emblematiek (blz. 428/429)**

**Braunfels, W.**: Abendländische Stadtbaukunst, Keulen 1977
**Clifford, C.**: Gartenkunst, München 1981
**Criegern, A.v.**: Abfahrt von einem Wirtshaus. Ikonographische Studien zu einem Thema von Jan Steen. In: Oud-Holland, 1/LXXXVI, 1971, 9-32
**Hansmann, W.**: Gartenkunst der Renaissance und des Barock, Keulen 1983
**Henkel/Schöne** (red.): Handbuch zur Sinnbildkunst des XVI und XVII. Jahrhunderts, Stuttgart 1967
**Kruft, H.-W.**: Städte in Utopia. Die Idealstadt vom 15. bis zum 18. Jahrhundert
**Lablaude, P.-A.**: Die Gärten von Versailles, Worms 1995
**Mosser, Teyssot**: The History of Gardendesign, Londen 1991
**Mumford, L.**: Die Stadt. Geschichte und Ausblick, München 1979
**Penkert, S.**: Emblem und Emblematikrezeption, Darmstadt 1978
**Schöne, A.**: Emblematik und Drama im Zeitalter des Barock, München 1968

UWE GEESE
**Beeldhouwkunst van de Barok in Italië, Frankrijk en Midden-Europa**

**Algemeen:**

**Beck, Herbert en Sabine Schulze** (red.), Antikenrezeption im Hochbarock, Frankfurt a. M. 1989 [Schriften des Liebieghauses, Museum alter Plastik, Frankfurt a. M.]
**Beck, Herbert, Peter C. Bol en Eva Maek-Gérard** (red.), Ideal und Wirklichkeit der bildenden Kunst im späten 18. Jahrhundert. [Frankfurter Forschungen zur Kunst, deel 11]
**Bialostocki, Jan**: 'Barock': Stil, Epoche, Haltung; in: Stil und Ikonographie (dezelfde auteurs), Keulen 1981
**Brinckmann, A.E.**: Barockskulptur. Entwicklungsgeschichte der Skulptur in den romanischen und germanischen Ländern seit Michelangelo bis zum 18. Jahrhundert. 2 dln. Berlijn-Neubabelsberg, z.j. (1919/1920)
**Busch, Harald en Bernd Lohse** (red.), Barock-Plastik in Europa. Einleitung von Werner Hager. Toelichtingen bij afbeeldingen van Eva-Maria Wagner, Frankfurt a. M. 1964 [Monumente des Abendlandes – 9]
**Geese, Uwe**: Liebieghaus – Museum alter Plastik, Frankfurt a. M. Wissenschaftliche Kataloge. Nachantike großplastische Bildwerke Band IV. Italien, Niederlande, Deutschland, Österreich, Schweiz, Frankreich 1540/1450-1780, Melsungen 1984 (met uitgebreide literatuuropgave)
**Hager, Werner**: Barock. Skulptur und Malerei. Kunst der Welt. Ihre geschichtlichen, soziologischen und religiösen Grundlagen, Baden-Baden 1969, tweede druk 1980
**Hubala, Erich**: Die Kunst des 17. Jahrhunderts (Propyläen Kunstgeschichte deel 9), Frankfurt a. M., Berlijn 1990
**Kauffmann, Georg**:, Die Kunst des 16. Jahrhunderts (Propyläen Kunstgeschichte deel 8), Frankfurt a. M., Berlijn 1990
**Keller, Harald**: Die Kunst des 18. Jahrhunderts (Propyläen Kunstgeschichte deel 10), Frankfurt a. M., Berlijn 1990
**Merk, Anton**: Altarkunst des Barock. Samengesteld door Herbert Beck en Peter C. Bol, Liebieghaus, Museum alter Plastik, Frankfurt a. M., z.j.
**Tent. cat.** Frankfurt a. M. 1986-1987: Die Bronzen der Fürstlichen Sammlung Liechtenstein. Samengesteld door Herbert Beck en Peter C. Bol, Frankfurt a. M., 1986

**Italië:**

**Huse, Norbert**: Zur 'S. Susanna' des Duquesnoy; in: Argo. Festschrift Kurt Badt, Keulen 1970
**Kauffmann, Hans**: Giovanni Lorenzo Bernini. Die figürlichen Kompositionen, Berlijn 1970
**Kroß, Mathias**: G.L. Bernini: Die Verzükkung der Hl. Theresa, in: Tumult. Zeitschrift für Verkehrswissenschaft. uitgegeven door Frank Böckelmann, Dietmar

Kamper en Walter Seitter, Heft 6: Engel, Wetzlar 1983
**Die Legenda aurea des Jacobus de Voragine**, uit het Latijn vertaald door Richard Benz, Heidelberg, achtste druk 1975
**Pope-Hennessy, John**: Italian High Renaissance and Baroque Sculpture, New York 1985
**Ranke, Winfried**: Berninis 'Heilige Theresa'. Discussieverslag, in: Martin Warnke (red.), Das Kunstwerk zwischen Wissenschaft und Weltanschauung, Gütersloh 1970
**Schlegel, Ursula**: Die italienischen Bildwerke des 17. und 18. Jahrhunderts in Stein, Holz, Ton, Wachs und Bronze mit Ausnahme der Plaketten und Medaillen, Berlijn 1978 [Staatliche Museen Preußischer Kulturbesitz. Die Bildwerke der Skulpturengalerie Berlin, deel I]
**Schlegel, Ursula**: Die italienischen Bildwerke des 17. und 18. Jahrhunderts in Stein, Holz, Ton, Wachs und Bronze mit Ausnahme der Plaketten und Medaillen. Die Erwerbungen von 1978 bis 1988, Berlijn 1988. [Staatliche Museen Preußischer Kulturbesitz. Die Bildwerke der Skulpturengalerie Berlin, deel IA]
**Scribener III, Charles**: Gianlorenzo Bernini, New York 1991
**Tent. cat.**: Berlijn 1995: 'Von allen Seiten schön'. Bronzen der Renaissance und des Barock, samengesteld door Volker Krahn, Berlijn 1995
**Valentiner, W.R.**: Alessandro Vittoria and Michelangelo; in: Studies of Renaissance Sculpture (dezelfde auteurs), Oxford, New York 1950
**Winckelmann, Johann Joachim**: Ausgewählte Schriften und Briefe, samengesteld door Walter Rehm, Wiesbaden 1948

Frankrijk:

**Blunt, Anthony**: Art and Architecture in France 1500-1700, Harmondsworth 1953
**Chastel, André**: L'Art Français, Ancien Régime 1620-1775, Parijs 1995

Duitsland:

**Beck, Herbert**: Das Opfer der Sinnlichkeit. Ein Rückblick auf den 'Kunstverderber' Bernini; in: zelfde auteurs en Sabine Schulze (red.), Antikenrezeption im Hochbarock. Frankfurt a. M. 1989 [Schriften des Liebieghauses, Museum alter Plastik, Frankfurt a. M.]
**Brucher, Günter** (red.): Die Kunst des Barock in Österreich, Salzburg und Wien 1994
**Feuchtmayr, Karl**: (Gesammelte Aufsätze), Alfred Schädler (Kritischer Katalog), Georg Petel 1601/1602-1634. Met bijdragen van Norbert Lieb en Theodor Müller, Berlijn 1973
**Geese, Uwe**: Justus Glesker. Ein Frankfurter Bildhauer des 17. Jahrhunderts. Typoscript, Marburg 1992 [Liebieghaus, Museum alter Plastik, Frankfurt a. M.]
**Germanisches Nationalmuseum Neurenberg**, Führer durch die Sammlungen, München 1977, tweede druk 1980.
**Goldner, Johannes**: Wilfried Bahnmüller, Die Familie Schwanthaler. Freilassing 1984
**Goldner, Johannes**: Die Familie Zürn. Freilassing 1979
**Götz-Mohr, Brita von**: Liebieghaus – Museum alter Plastik, Frankfurt a. M.. Wissenschaftliche Kataloge. Nachantike kleinplastische Bildwerke Band III. Die deutschsprachigen Länder 1500-1800, Melsungen 1989
**Hansmann, Wilfried**: Gartenkunst der Renaissance und des Barock. Keulen 1983.
**Lankheit, Klaus**: Egell-Studien, in: Münchner Jahrbuch für Bildende Kunst 3. F., deel VI, 1955
**Lindemann, Bernd Wolfgang**: Ferdinand Tietz 1708 1777. Studien zu Werk, Stil und Ikonographie. Weißenhorn 1989
**Müller, Theodor**: Deutsche Plastik der Renaissance bis zum Dreißigjährigen Krieg. Königstein i. Ts. 1963
**Philippovich, Eugen von**: Elfenbein. Ein Handbuch für Sammler und Liebhaber, München, tweede druk, 1982
**Pühringer-Zwanowetz, Leonore**: Triumphdenkmal und Immaculata. Zwei Projekte Matthias Steinls für Kaiser Leopold I.; in: Städel Jahrbuch NF 6, 1977
**Schädler, Alfred**: Georg Petel (1601/1602-1634), Barockbildhauer zu Augsburg. München, Zürich 1985
**Schönberger, Arno**: Deutsche Plastik des Barock. Königstein i. Ts. 1963
**Spickernagel, Ellen**: 'Laß Witwen und Bräute die Toten klagen ...' Rollenteilung und Tod in der Kunst um 1800; in: Das Opfer des Lebens. Bildliche Erinnerungen an Märtyrer. Loccumer Protokolle 12/95. Dokumentation einer Tagung der Evangelischen Akademie Loccum vom 17. bis 19. März 1995, samengesteld door Detlef Hoffmann, Loccum 1996
**Steinitz, Wolfgang**: Ignaz Günther. Freilassing 1970, vierde druk 1979
**Tent. cat. Augsburg 1980**: Welt im Umbruch. Augsburg zwischen Renaissance und Barock. Band I: Zeughaus; Band II: Rathaus Augsburg 1980
**Tent. cat. Frankfurt a. M. 1981**: Durers Verwandlungen in der Skulptur zwischen Renaissance und Barock. Herbert Beck und Bernhard Decker, Frankfurt a. M. 1981
**Tent. cat. Schwäbisch-Hall 1988**: Leonard Kern (1588-1662). Meisterwerke der Bildhauerei für die Kunstkammern Europas, samengesteld door Harald Siebenmorgen, Schwäbisch-Hall 1988
**Tent. cat. Wenen 1993**: Georg Raphael Donner 1693-1741, samengesteld door Österreichische Galerie, Belvedere, Wenen 1993
**Volk, Peter**: Rokokoplastik in Altbayern, Bayerisch-Schwaben und im Allgäu, München 1981
**Woeckel, Gerhard P.**: Ignaz Günther. Die Handzeichnungen des kurfürstlich bayerischen Hofbildhauers Franz Ignaz Günther (1725-1775), Weißenhorn 1975
**Zoege von Manteuffel, Claus**: Die Bildhauerfamilie Zürn 1606 bis 1666, 2 dln., Weißenhorn 1969
**Zoege von Manteuffel, Claus**, Die großen Ritterheiligen von Martin Zürn. Studienhefte der Skulpturenabteilung 2, Staatliche Museen Preußischer Kulturbesitz, Berlijn z.j.

De Nederlanden:

**Geese, Susanne**: Kirchenmöbel und Naturdarstellung – Kanzeln in Flandern und Brabant, Diss. Hamburg 1993, Ammersbek 1997
**Rosenberg, Jakob, Seymor Slive en E.H. Ter Kuile**: Dutch Art and Architecture 1600 to 1800. Pelican History of Art, Harmondsworth, Londen 1966, Yale University Press 1993

Engeland:

**Whinney, Margaret**: Sculpture in Britain 1530 to 1830. Pelican History of Art, Harmondsworth, Londen 1964 tweede druk 1988

**JOSÉ IGNACIO HERNANDEZ REDONDO**
**Beeldhouwkunst van de Barok in Spanje**

**Diverse auteurs**: La Escultura en Andalucía, siglos XV a XVIII, tent. cat. Museo Nacional de Escultura, Valladolid 1984
**Diverse auteurs**: Pedro de Mena. III Centenario de su muerte, Conserjería de Cultura, Junta de Andalucía, Málaga 1985
**Alonso Cano en Sevilla**. Colección Arte Hispalense, Diputación Provincial de Sevilla, 1982
**Bernales Ballesteros, J.**: Pedro Roldán (1624-1699). Colección Arte Hispalense, Diputación Provincial de Sevilla, 1973
**Bernales Ballesteros, J. en F. García de la Concha Delgado**: Imagineros Andaluces de los Siglos de Oro, Biblioteca de la Cultura Andaluza, Sevilla 1986
**Gómez-Moreno, M.E.**: Escultura del siglo XVII, uit de reeks Ars Hispaniae Band XVI, Plus Ultra, Madrid 1958
**Gómez Piñol, E.**: El imaginero Francisco Salzillo, tent.cat., Murcia 1973
**Hernández Díaz, J.**: Juan de Mesa. Escultor de Imaginería, Colección Arte Hispalense, Diputación Provincial de Sevilla, 1972
**Juan Martínez Montañés**. Ediciones Guadalquivir, Sevilla 1987
**Hernández Díaz, J., Martín González, J.J. en Pita Andrade, J.M.**: La Escultura y la Arquitectura Españolas del siglo XVII, uit de reeks Summa artis, deel XXVI, Espasa Calpe, Madrid 1982
**Hernández Redondo, J.I.**: Spanische Skulptur des 17. Jahrhunderts. Ein Überblick. In: Spanische Kunstgeschichte, deel 2, Reimer, Berlijn 1992
**Martín González, J.J.**: Escultura Barroca Castellana, Fundación Lázaro Galdiano, deel I, Madrid 1958 en deel II, Valladolid 1971
**Martín González, J.J.**: El Escultor Gregorio Fernández, Ministerio de Cultura, Madrid 1980
**Martín González, J.J.**: Escultura barroca en España. Manuales de Arte Cátedra, Madrid 1983
**Martín González, J.J.**: Luis Salvador Carmona. Escultor y Académico, Editorial Alpuerto, Madrid 1990
**Sánchez-Mesa, D.**: Técnica de la Escultura Policromada Granadina, Universidad de Granada 1971
**El arte del Barroco**. Escultura, Pintura y Artes Decorativas. Historia del Arte en Andalucía, deel VII., Ediciones Gever, Sevilla 1991
**Tovar, V. en J.J. Martín González**: El Arte del Barroco I, Arquitectura y Escultura, Colección Conceptos Fundamentales en la Historia del Arte Español, Editorial Taurus, Madrid 1990
**Urrea, J.**: El Escultor Francisco Rincón. In: Boletín del Seminario de Arte y Arqueología, Universidad de Valladolid, 1973, 245
**Urrea, J.**: Introducción a la Escultura Barroca Madrileña. Manuel Pereira. In: Boletín del Seminario de Arte y Arqueología, Universidad de Valladolid, 1977, 253
**Urrea, J.**: Anotaciones a Gregorio

Fernández y su entorno artístico. In: Boletín del Seminario de Arte y Arqueología, Universidad de Valladolid, 1980, 375
**Valdivieso, E., R. Otero en J. Urrea**: El Barroco y el Rococó. Historia del Arte Hispánico, deel IV, Editorial Alhambra, Madrid 1980
**Wethey, H.E.**: Alonso Cano. Painter, Sculptor, Architect, Princeton, 1955

KARIN HELLWIG
**Schilderkunst van de 17e eeuw in Italië, Spanje en Frankrijk**

Algemeen:

**Hager, Werner**: Barock. Skulptur und Malerei, Baden-Baden 1969 (Kunst der Welt 22)
**Held, Jutta en Norbert Schneider**: Sozialgeschichte der Malerei vom Spätmittelalter bis ins 20. Jahrhundert, Keulen 1993
**Hubala, Erich**: Die Kunst des 17. Jahrhunderts, Berlijn u.a. 1972 (Propyläen Kunstgeschichte deel 9)
**Pevsner, Nikolaus**: Die Geschichte der Kunstakademien, München 1986
**Pevsner, Nikolaus en Otto Grauthoff**: Barockmalerei in den romanischen Ländern, Wildpark-Potsdam 1928 (Handbuch der Kunstwissenschaft)
**Schlosser, Julius von**: Die Kunstliteratur, Wenen 1924
**Schneider, Norbert**: Porträtmalerei. Hauptwerke europäischer Bildniskunst 1420-1670, Keulen 1994
**Schneider, Norbert**: Stilleben. Realität und Symbolik der Dinge. Die Stillebenmalerei der frühen Neuzeit, Keulen 1994
**Walther, Ingo F.** (red.): Malerei der Welt, 2 dln., Keulen 1995
**Warnke, Martin**: Die Entstehung des Barockbegriffs in der Kunstgeschichte, in: Wolfenbütteler Arbeiten zur Barockforschung, 20, 1991, 1207-1223
**Warnke, Martin**: Hofkünstler. Zur Vorgeschichte des modernen Künstlers, Keulen 1985

Rome en Napels:

**Bätschmann, Oskar**: Nicolas Poussins Landschaft mit Pyramus und Thisbe. Das Liebesunglück und die Grenzen der Malerei, Frankfurt a.M. 1987
**Barolsky, Paul**: Domenichino's Diana and the Art of Seeing, in: Source. Notes in the History of Art, 14, 1994, 18-20
**Chastel, André**: Die Kunst Italiens, deel 2, München 1961
**Francis Haskell**, Patrons and Painters, New Haven en Londen 1980
**Held, Jutta**: Caravaggio. Politik und Martyrium der Körper, Berlijn 1996
**Locher, Hubert**: Das Staunen des Betrachters. Pietro da Cortonas Deckenfresko im Palazzo Barberini, in: Werners Kunstgeschichte 1990, 1-46
**Preimesberger, Rudolf**: Pontifex Romanus per Aeneam praesignatus. Die Galleria Pamphili und ihre Fresken, in: Römisches Jahrbuch für Kunstgeschichte 16, 1976, 223-287
**Stolzenwald, Susanna**: Artemisia Gentileschi, Stuttgart/ Zürich 1991
**Tent. cat. Frankfurt a.M. 1988**. Nicolas Poussin. Claude Lorrain. Zu den Bildern im Städel
**Tent. cat. Frankfurt a.M. 1988/1989**. Guido Reni und Europa. Ruhm und Nachruhm
**Tent. cat. Frankfurt a.M. 1991/1992**. Il Guercino 1591-1666
**Tent. cat. Keulen 1991**. I Bamboccianti. Niederländische Malerrebellen im Rom des Barock.
**Tent. cat. Londen 1982**. Painting in Naples. From Caravaggio to Giordano
**Tent. cat. Londen 1995**. Nicolas Poussin 1594-1665
**Tent. cat. Napels/Madrid 1992**. Ribera 1591-1652
**Tent. cat. New York 1985**. The Age of Caravaggio
**Tent. cat. Washington 1982**. Claude Lorrain 1600-1682
**Winner, Matthias**: Poussins Selbstbildnis im Louvre als kunsttheoretische Allegorie, in: Römisches Jahrbuch für Kunstgeschichte 20, 1983, 419-449
**Wittkower, Rudolf**: Art and Architecture in Italy 1600-1750, Harmondsworth 1980 (The Pelican History of Art)
**Wittkower, Rudolf en Margot**: Künstler – Außenseiter der Gesellschaft, Stuttgart 1989

Madrid en Sevilla:

**Brown, Jonathan**: Velázquez. Painter and Courtier, New Haven, Londen 1986
**Brown, Jonathan**: The Golden Age of Painting in Spain, New Haven, Londen 1991
**Brown, Johathan en John Elliott**: A Palace for the King. The Buen Retiro and the Court of Philip IV, New Haven, Londen 1980
**Carreño, Rizi**: Herrera y la pintura madrileña de su tiempo [1650-1700], tent. cat, Madrid 1986
**Defourneaux, Marcelin**: Spanien im Goldenen Zeitalter, Stuttgart 1986
**Harris, Enriqueta**: Velázquez, Ithaca 1982
**Held, Jutta**: Malerei des 17. Jahrhunderts II, in: S. Hänsel, H. Karge (red.), Spanische Kunstgeschichte. Eine Einführung, deel 2, Von der Renaissance bis Heute, Berlijn 1992, 47-62
**Hellwig, Karin**: Die spanische Kunstliteratur im 17. Jahrhundert, Frankfurt a.M. 1996 (Ars Iberica 3)
**Justi, Carl**: Diego Velázquez und sein Jahrhundert, 2 delen, Bonn 1888
**Karge, Henrik** (red.): Vision oder Wirklichkeit. Die spanische Malerei der Neuzeit, München 1991
**Kubler, George en Martin Soria**: Art and Architecture in Spain and Portugal and their American Dominions 1500 to 1800, Harmondsworth 1959 (The Pelican History of Art)
**Pérez Sánchez, Alonso Emilio**: Spanish Still Life from Velázquez to Goya, tent. cat, Londen 1995
**Scholz-Hänsel, Michael**: Malerei des 17. Jahrhunderts I., in: Hänsel, S. en H. Karge (red.): Spanische Kunstgeschichte. Eine Einführung, deel 2, Von der Renaissance bis Heute, Berlijn 1992, 31-45
**Tent. cat. Londen, Madrid 1982/1983**. Murillo
**Tent. cat. Madrid 1990**. Velázquez
**Tent. cat. Parijs/New York 1987/1988**. Zurbarán
**Waldmann, Susanne**: Das spanische Künstlerporträt im 17. Jahrhundert, Frankfurt a.M. 1995 (Ars Iberica 1)

Parijs:

**Blunt, Anthony**: Art and Architecture in France 1500 to 1700, Harmondsworth 1973 (The Pelican History of Art)
**Chastel, André**: L'Art Français, Ancien Régime 1620-1775, Parijs 1995
**Rosenberg, Pierre**: Georges de La Tour. Leben und Werk, Berlijn 1974
**Tent. cat. Parijs 1978/1979**. Les fréres Le Nain
**Tent. cat. Parijs 1990**. Vouet.

KIRA VAN LIL

**Schilderkunst van de 17e eeuw in de Nederlanden, Duitsland en Engeland**

Bronnen:

**Hofstede de Groot, Cornelis**: Beschreibendes und kritisches Verzeichnis der Werke der hervorragendsten holländischen Maler des XVII. Jahrhunderts. Nach dem Muster von John Smith's Catalogue Raisonné zusammengestellt, 10 delen, Esslingen am Neckar, 1907-1928

**Hoogstraeten, Samuel van**: Inleyding tot de Hooge Schoole der Schilderkonst: anders de Zichtbaere Werelt, Rotterdam, Utrecht 1969 (Rotterdam 1678)

**Houbraken, Arnold**: De groote schouburgh der Nederlantsche konstschilders en schilderessen, 3 dln., Den Haag 1718-1721

**Gaehtgens, Thomas W. en Uwe Fleckner** (red.), Historienmalerei, band 1, Berlijn

**König, Eberhard en Christiane Schön** (red.), Stilleben (deel 5), Berlijn 1996

**Sandrart, Joachim von**: L'Academia Tedesca della Architectura, Scultura & Pictura: Oder Teutsche Academie der Edlen Bau- Bild und Mahlerey-Künste, Nürnberg 1675-79

Overzichtswerken

Algemeen:

**Fuchs, Rudi**: Dutch Painting, Londen 1984 (1978)

**Haak, Bob**: Hollandse schilders in de Gouden Eeuw, Amsterdam 1984

**Huizinga, Johan**: Nederlands beschaving in de zeventiende eeuw, Haarlem 1941

**Olbrich, Harald en Helga Möbius**: Holländische Malerei des 17. Jahrhunderts, Leipzig 1990

**Tent. cat. Herzog Anton Ulrich-Museum Braunschweig 1978.** Die Sprache der Bilder – Realität und Bedeutung in der niederländischen Malerei des 17. Jahrhunderts

**Westermann, Mariët**: Von Rembrandt zu Vermeer – Niederländische Kunst des 17. Jahrhunderts, Keulen 1996 (art in context)

**Zumthor, Paul**: La vie quotidienne en Hollande au temps de Rembrandt, Parijs 1959

Portret:

**Schneider, Norbert**: Porträtmalerei – Hauptwerke europäischer Bildniskunst 1420-1670, Keulen 1992

**Tümpel, Christian** (red.): Im Lichte Rembrandts – Das Alte Testament im Goldenen Zeitalter der niederländischen Kunst, tent. cat. Westfälisches Landesmuseum, Münster 1994

Landschap:

**Bol, L.J.**: Die holländische Marinemalerei des 17. Jahrhunderts, Braunschweig 1973

**Leppien, Helmut R. en Karsten Müller**: Holländische Kirchenbilder, Hamburger Kunsthalle 1996

**Levine, David A. en Ekkehard Mai**: I Bamboccianti – Niederländische Malerrebellen im Rom des Barock, tent.cat. Wallraf-Richartz-Museum Keulen en Centraal Museum Utrecht, Milaan 1991

**Stechow, Wolfgang**: Dutch Landscape Painting of the Seventeenth Century, National Gallery of Art: Kress Foundation, Studies in the History of European Art, Oxford 1981 (1966)

**Sutton, Peter C.**: Masters of 17th Century Dutch Landscape Painting, tent. cat. Rijksmuseum Amsterdam, Museum of Fine Arts, Boston, Philadelphia Museum of Art, 1987/1988

**Vignau-Wilber, Thea**: Das Land am Meer, Holländische Landschaft im 17. Jahrhundert, tent. cat. Staatliche Graphische Sammlung München, München 1993

Genre:

**Renger, Konrad**: Lockere Gesellschaft – Zur Ikonographie des Verlorenen Sohnes und von Wirtshausszenen in der niederländischen Malerei, Berlijn 1970

**Sutton, Peter C.**: Von Frans Hals bis Vermeer, Meisterwerke holländischer Genremalerei, tent.cat. Staatliche Museum Preußischer Kulturbesitz Berlin, Berlijn 1984

**Schulze, Sabine** (red.): Leselust – Niederländische Malerei von Rembrandt bis Vermeer, tent. cat. Schirn Kunsthalle Frankfurt, Stuttgart 1993

Stillevens:

**Alpers, Svetlana**: De kunst van het kijken – Nederlandse schilderkunst in de zeventiende eeuw, Amsterdam 1989

**Gemar-Koeltzsch, Erika**: Holländische Stillebenmaler im 17. Jahrhundert, Lingen 1995

**Grimm, Claus**: Stilleben. Die niederländischen und deutschen Meister, Stuttgart en Zürich 1988

**Segal, Sam**: A Prosperous Past. The Sumptuous Still Life in the Netherlands 1600-1700, Den Haag 1988

**Schneider, Norbert**: Stilleben – Realität und Symbolik der Dinge, Die Stillebenmalerei der frühen Neuzeit, Keulen 1989

Kunstenaars:

**Adriani, Götz**: Deutsche Malerei im 17. Jahrhundert, Keulen 1977

**Alpers, Svetlana**: De firma Rembrandt – schilder tussen handel en kunst, Amsterdam 1989 (Chicago 1988)

**Andrews, Keith**: Adam Elsheimer – Werkverzeichnis der Gemälde, München 1985

**Blankert, Albert en John Michael, Montias**, Vermeer, New York 1988 (Parijs 1986)

**Brown, Christopher**: Anthony van Dyck, Oxford 1982

**Bushart, Bruno**: Johann Liss, tent. cat., Augsburg 1975

**Brown, Christopher en Jan Kelch**, Rembrandt – Der Meister und seine Werkstatt, tent. cat. Gemäldegalerie SMPK im Alten Museum Berlin, München/Parijs/Londen 1991

**Büttner, Nils en Gert Unverfehrt**: Jacob van Ruisdael in Bentheim – Ein niederländischer Maler und die Burg Bentheim im 17. Jahrhundert, uitgegeven door Landkreis Grafschaft Bentheim en Museumsverein für die Grafschaft Bentheim, Bielefeld 1993

**Imdahl, Max**, Jacob van Ruisdael: Die Mühle von Wijk bei Duurstede, Stuttgart 1968 (Reclams Werkmonographien 131)

**Jan Davidsz. de Heem** und sein Kreis, Centraal Museum Utrecht en Herzog Anton Ulrich-Museum Braunschweig 1991

**Grisebach, Lucius**, Willem Kalf, Berlijn 1974

**Hahn-Woernle, Birgit**: Sebastian Stoskopff, mit einem kritischen Werkverzeichnis der Gemälde, Stuttgart 1996

**Heinrich, Christoph**: Georg Hinz – Das Kunstkammerregal, Hamburger Kunsthalle 1996

**Millar, Oliver**: Sir Peter Lely, 1618-80, tent. cat. National Portrait Gallery Londen, Londen 1978

**Reiss, S.**: Aelbert Cuyp, Londen/Boston 1975

**Renger, Konrad**: Adriaen Brouwer und das niederländische Bauerngenre, tent. cat. Bayerische Staatsgemäldesammlungen München, Alte Pinakothek, München 1986

**Schwartz, Gary**: Rembrandt, zijn leven, zijn schilderijen, Maarssen 1984

**Sello, Gottfried**: Adam Elsheimer, München 1988

**Slive, Seymour**: Frans Hals, tent. cat. Frans Halsmuseum, Haarlem 1990

**Slive, Seymour**: Jacob van Ruisdael, tent. cat. Mauritshuis, Den Haag 1982

**Sutton, Peter C.**: Pieter de Hooch, New York/Oxford 1979/80

**Tent. cat.** Frans Halsmuseum Haarlem 1993. Judith Leyster – schilderes in een mannenwereld

**Tent. cat.** Landesmuseum Münster 1974. Gerard ter Borch.

**Tent. cat.** Museum Boymans-van Beuningen, Rotterdam 1974, en Institut Néerlandais, Parijs 1975. Willem Buytewech.

**Tent. cat.** Rijksmuseum Amsterdam en National Gallery of Art, Washington D.C. 1996. Jan Steen: Schilder en verteller

**Tent. cat.** National Gallery of Art, Washington D.C. en Mauritshuis Den Haag 1995. Vermeer, Johannes

**Warncke, Martin**: Pieter Paul Rubens – Leben und Werk, Keulen 1977

**Wettengel, Kurt** (red.), Georg Flegel – Stilleben, tent. cat. Historisches Museum Frankfurt in samenwerking met de Schirn Kunsthalle Frankfurt, Stuttgart 1993

**Wheelock, Arthur K. Jr.** (red.): Van Dyck – Paintings, tent. cat. National Gallery of Art, Washington D.C. 1990

**Wiegand, Wolfgang**: Ruisdael-Studien – Ein Versuch zur Ikonologie der Landschaftsmalerei, Hamburg 1971

Engeland:

**Gaunt, William**: A concise history of English Painting, Londen 1962

**Millar, Oliver**: The Age of Charles I, Painting in England 1620-1649, Tate Gallery 1972

**Pears, Iain**: The Discovery of Painting – The Growth of Interest in the Arts in England, 1680-1768, New Haven/Londen 1988

**Tent. cat. Tate Gallery, Londen 1995.** Dynasties: Painting in Tudor and Jacobean England 1530-1630

# Personen-register

# Plaatsnamenregister

# Foto-verantwoording

Het grootste deel van de foto's (ca.450), die hier niet afzonderlijk worden genoemd, zijn nieuwe opnamen van de Keulse architectuurfotograaf Achim Bednorz. In opdracht van de uitgever reisde hij door Italië, Spanje, Portugal, Frankrijk, België, Nederland, Duitsland, Oostenrijk, Zwitserland en Tsjechië.
De uitgever en samensteller bedanken de musea, archieven en fotografen voor het afstaan van verder beeldmaterial en de verleende toestemming voor reproductie. Naast de reeds in sommige bijschriften genoemde instellingen zijn hier nog te noemen:

**AKG photo, Berlijn:** 267 rechtsonder (Stefan Drechsler), 446 links, 458 onder
**Alinari:** 15,44 linksonder, 53 onder, 63 boven, 64 links, rechts, 294 rechts, 296
**Anders, Jörg P. (BPK, Berlijn):** 331 boven, onder, 421, 463 onder, 470 boven, 473
**Anderson:** 295 links, 299 rechts, 382 boven, 390
**Artothek:** 383 (Blauel/Gnamm), 387 (Ursula Edelmann), 388 onder (J. Blauel), 410, 416 (Bayer & Mitko), 427, 431 (Blauel/Gnamm), 438 links (J. Blauel), 439 linksonder (Blauel/Gnamm), 446 rechts (Blauel/ Gnamm), 448 (J. Blauel), 453 boven (Bayer & Mitko), 460 onder (J. Blauel), 461 links (Ursula Edelmann), 471 onder (J. Blauel), 474 onder, 476 (Blauel/Gnamm)
**Bildarchiv Preußischer Kulturbesitz:** 197 linksboven, rechtsboven, onder
**Blasi, Enrico**: 385 boven, onder
**Brunzel (Staatliche Museen Kassel):** 434 rechts
**Carafelli, Richard (National Gallery of Art, Washington):** 465
**Conway Library, Courtauld Institute of Art, Londen:** 320 boven, linksonder, rechtsonder
By permission of the president and Council of the Royal College of Surgeons of England. Photo: Photographic Survey, **Courtauld Institute of Art, Londen**: 321 onder
**de la Riestra, Pablo:** 121 links, rechtsboven, rechtsonder, 182 boven, linksonder, rechtsonder, 183 rechtsboven
**Edelmann, Ursula:** 21 boven, 389
**Frahm, Klaus:** 199, 200, 201
**Frank (Staatliche Kunsthalle Karlsruhe):** 453 onder, 477 onder
**Giraudon (Bridgeman):** 127
**Grove, Bob (National Gallery of Art, Washington):** 480 links
**Józsa, Dénes (National Gallery of Art, Washington):** 460 boven
**Jürgens (Ost u. Europa) Photo:** 271 boven
**Keiser, B.P. (Herzog Anton Ulrich Museum, Brunswijk):** 451 onder, 455 onder, 458 boven, 462
**Kersting, A.F.:** 164, 165 boven, onder, 167, 168 boven, onder, 169 boven, linksonder, rechtsonder, 170, 171 boven, onder, 172, 173 boven, onder, 174, 175 boven, onder, 176 boven, onder, 177 linksboven, rechtsboven, onder, 178 boven, onder, 179 boven, onder
**Klut (Staatliche Kunstsammlungen Dresden)**: 207 linksonder
**Moser, Jean-Marc (Photothèque des Musées de la ville de Paris):** 425 boven
**Orloff, Alexandre:** 272 boven, onder, 273
**Oronoz:** 362 links, rechts, 363 links, 366 rechts, 371 rechts
**Orsi Battaglini, Nicolò:** 58 onder, 352 rechtsonder
**Orti, Dagli:** 126, 136, 137, 146 linksboven
**Pedicini, Luciano:** 398, 399
**Posselt, Milan (Nationalgalerie Prag):** 478 linksonder
**R.M.N.:** 77 boven (M. Bellot), 133 onder (M. Bellot), 139 midden (Gerárd Blot), 153 onder, 154 boven (Gerárd Blot), 302 boven, 304 links (R.G. Ojeda), 304 rechts (C. Jean), 305 rechts (H. Lewandowski), 313 onder (R.G. Ojeda), 420 (Arnaudet), 423 links, rechts (G. Blot/C. Jean), 424, 425 onder, 426 onder (C. Jean), 439 rechtsboven (C. Jean/H. Lewan)
**Sächsische Landesbibliothek, Staats- und Universitätsbibliothek Dresden, Deutsche Fotothek:** 202, 207 linksboven, rechts, 270
**© Photo Scala, Florence:** 18 boven, 20, 39, 51 rechts, 52 onder, 55 links, rechts, 65 boven, onder, 279 links, rechts, 280 links, rechts, 281, 284 rechts, 285 links, 377 links, rechts, 378 boven, onder, 380, 381 boven, onder, 382 onder, 384, 394, 396, 449 onder, 477 boven
**The Metropolitan Museum of Art, © Photograph:** 461 rechts
**von der Mülbe, Christian:** 212
**Walford, Elke (Bridgeman):** 432 boven, 478 linksboven
**Westfälisches Amt für Denkmalpflege:** 193 onder